DOMUS UNIVERSITATIS 1650

VERÖFFENTLICHUNGEN
DES INSTITUTS FÜR EUROPÄISCHE GESCHICHTE MAINZ
ABTEILUNG FÜR UNIVERSALGESCHICHTE

BAND 218

HERAUSGEGEBEN VON
HEINZ DUCHHARDT

VERLAG PHILIPP VON ZABERN · MAINZ
2007

# FRANKREICHS REPUBLIKANISCHE GROSSMACHTPOLITIK 1870–1914

## INNENANSICHT EINER AUSSENPOLITIK

VON

GEORG KREIS

VERLAG PHILIPP VON ZABERN · MAINZ

2007

XI, 662 Seiten

Redaktion: Bettina Braun
Bildschirmsatz: Annette Reichardt und Maximilian Ebling

Grundlegend überarbeitete, stark erweiterte und auf den neuesten Stand gebrachte Fassung
einer 1980 als Habilitationsschrift an der Universität Basel eingereichten Studie.

*Bibliografische Information der Deutschen Nationalbibliothek*

Die Deutsche Nationalbibliothek verzeichnet diese Publikation
in der Deutschen Nationalbibliografie; detaillierte bibliografische Daten
sind im Internet über *http://dnb.d-nb.de* abrufbar.

Weitere Publikationen finden Sie unter:
*www.zabern.de*

© 2007 by Verlag Philipp von Zabern, Mainz am Rhein
ISBN: 978-3-8053-3708-3
Printed in Germany by Philipp von Zabern
Printed on fade resistant and archival quality paper (PH 7 neutral) · tcf

*gewidmet*

*Herbert Lüthy (1918–2002)*

*und*

*Jean-Baptiste Duroselle (1917–1994)*

*Herbert Lüthy* hat die vorliegende Arbeit angeregt. Er hat sich 1964 anlässlich des 50-Jahr-Gedenkens mit dem Kriegsausbruch von 1914 befasst und einen auch heute noch wichtigen Text verfasst.[1] Lüthys Ansehen war wegen seiner verschiedenen Arbeiten zur französischen Geschichte derart gross, dass einem in Frankreich stets alle Türen aufgingen, wenn man sich als dessen Schüler irgendwo meldete.

*Jean-Baptiste Duroselle* hat sich mehrfach zu den hier behandelten Fragen geäussert und die vorliegende Arbeit mitbeurteilt. In einer launigen Ansprache in Genf anlässlich einer Feier vielleicht zu seinem 75. Geburtstag bezeichnete er sie als seine „thèse de doctorat la plus chaude", weil er, wie geplagte Professoren dies zu tun pflegen, das Manuskript in den Ferien gelesen hatte, und zwar auf einer Fahrt auf dem Nil.[2]

Diese beiden grossen Historiker haben im Rahmen ihrer akademischen Betreuungsaufgaben wertvolle Lebenszeit für die Begleitung dieser Arbeit verwendet. Das ist ein zusätzlicher Grund, sie hiermit zu publizieren.

---

[1] Herbert LÜTHY, Schicksalstragödie? In: Der Monat XVI, August 1964, S. 22–33. Franz. Version in: Preuves 165, Nov. 1964. Nicht aufgenommen in die seit 2002 herausgegebene Gesamtausgabe. Zu Lüthy vgl. Nachruf von Georg Kreis in: Schweitzer Zeitschrift für Geschichte 53 (2003), S. 356–358.

[2] Vgl. Nachruf von Pierre Guillen und Marlis Steinert in: Relations Internationales Nr. 80 (1994), S. 411–413. Das Heft Nr. 83 (Herbst 1995) wurde dann ganz J. B. Duroselle gewidmet, der lange Zeit Co-Präsident und in den letzten Jahren Ehrenpräsident dieser 1974 von ihm, Jacques Freymond und einer schweizerisch-französischen Equipe gegründeten Zeitschrift war.

# INHALT

# VORWORT

Der Verfasser dankt im weiteren den zahlreichen helfenden Kräften, die zum Gelingen dieser Arbeit beigetragen haben: angefangen bei den Mitarbeiterinnen und Mitarbeitern des Archivs der französischen Aussenministeriums und der Bibliothek des Quai d'Orsay, insbesondere deren langjährigem Leiter Georges Dethan, und den Kollegen Maurice Vaisse und Jean-Claude Allain; die Transkripte der französischen Zitate sind in verdankenswerter Weise von Eva Askari und Ursula Nussbaumer sichergestellt worden; wertvolle Unterstützung erhielt die Arbeit in der Schlussredaktion von lic. phil. Katharina Heitz in Basel und Dr. Bettina Braun in Mainz. Schliesslich sei dem Direktorium des Instituts für Europäische Geschichte, vor allem Heinz Duchhardt, für die Aufnahme der Studie in die Reihe seiner Publikationen herzlich gedankt.

Basel, im Frühjahr 2007                                                      Georg Kreis

# EINLEITUNG

Die vorliegende Studie befasst sich mit der Innenseite einer Aussenpolitik. Nicht irgendeiner Aussenpolitik, sondern der französischen Aussenpolitik in den Anfängen der Dritten Republik, das heisst der Jahre 1870–1914. Das besondere Interesse an den Verhältnissen gerade dieses Zeitraums besteht darin, dass in diesen Jahren erstmals eine europäische Grossmacht unter republikanischen Bedingungen Aussenpolitik betreibt.

*Zum Republikanismus*: Ob und inwiefern Frankreichs aussenpolitische Rahmenbedingungen und Zielsetzungen republikanisch waren, soll uns später beschäftigen. Schon jetzt kann man sagen, dass die Substanz, der Inhalt der Aussenpolitik nur wenig vom republikanischen Status des französischen Staats abhing. Prägender waren die Rahmenbedingungen. Wenn man eine Staatsordnung als republikanisch bezeichnet, in der die Gesetzgebung und die Regierungspolitik von der ganzen im Staat zusammengefassten Gesellschaft bestimmt und getragen sind, dann sind diese Bedingungen auch in der konstitutionellen Monarchie Grossbritanniens erfüllt und damit bildet das französische Regime der Jahre 1871–1914 im Vergleich zu demjenigen Grossbritanniens kaum einen eigenen Fall. Die von Jean-Marie Mayeur in seinem grundlegenden Werk von 1973 aufgezählten republikanischen Eigenheiten – Parlamentsherrschaft, gebührenfreie und kirchenfreie Schulen, erschwingliche Zeitungen, Eisenbahnen, eine nach dem Gleichheitsprinzip organisierte Armee – finden sich im Grossen und Ganzen auch in der britischen Gesellschaft.[1] Beifügen müsste man die Verbesserung des Zugangs auch zu den höheren Verwaltungsstellen, zum Beispiel in den Quai d'Orsay. Der Unterschied zur britischen Situation könnte darin bestehen, dass diese von stabileren Parteiverhältnissen bestimmt war, die Aussenpolitik weitestgehend in den Händen der britischen Aristokratie lag und das Parlament seltener aussenpolitische Fragen diskutierte.[2]

Institutionalisierte Mitsprache der Bürger in der Aussenpolitik, soweit sie nicht vom Parlament ausgeübt wurde, war in der damaligen republikanischen Ordnung nicht gegeben und auch kein Thema. Vielleicht eine informelle Mitwirkung der öffentlichen, das heisst der veröffentlichten Meinung. Von dieser sagte Mayeur, dass sie in hohem Masse unkonstant, »mobil«, war.[3] Dies dürfte zu den wichtigeren, aber erst später zu erörternden Rahmenbedingungen gehört haben. Soviel im Moment zum Republikanischen.

---

[1] Jean-Marie MAYEUR, Les débuts de la III$^e$ République 1871–1898, Paris 1973, S. 7.

[2] Vgl. die beiden Dissertationen von Bruce R. PIRNIE, Das britische Parlament in der Aussenpolitik, 1892–1902, Heidelberg 1972. – Karsten SCHRÖDER, Parlament und Aussenpolitik in England 1911–1914, Göttingen 1974.

[3] MAYEUR, Débuts, S. 13.

*Zur Grossmacht*: Darunter ist hier der Status zu verstehen, den England, Russland, Österreich, Preussen und Frankreich seit 1814/15 in Europa einnahmen und den später auch Italien beanspruchen konnte[4] – den Status einer Macht, die nicht nur ihre unmittelbaren Beziehungen zu den Nachbarstaaten, sondern das globale System und damit auch die Aussenpolitik von Drittstaaten entscheidend und bis zu einem gewissen Grad in Übereinstimmung mit den übrigen Grossmächten mitgestaltet, das heisst als Ordnungsmacht an der europäischen Kollektivhegemonie teilhat. Frankreich behielt nach 1871 – wie schon 1814/15 – trotz seiner Niederlage diesen Status, doch empfand man ihn, wie im ersten Kapitel ausführlich dargestellt wird, nicht zuletzt wegen der republikanischen Staatsform als prekär und von innen wie aussen in Frage gestellt.

Christophe Charle ging, allerdings mit einer etwas generellen Annahme, davon aus, dass der Staatskultur beziehungsweise dem Klassenethos der Diplomaten ein hohes Gewicht in der Gestaltung der zwischenstaatlichen Beziehungen zukam und dass es allein schon wegen des republikanisch-aristokratischen Gegensatzes vor 1914 nicht zu einer Verständigung zwischen Frankreich und Deutschland habe kommen können.

> »Les dirigeants français comme les dirigeants allemands ne veulent ni ne peuvent jouer le jeu de leurs adversaires parce que cela supposerait qu'ils adoptent leur vision du monde. On peut à la rigueur leur faire des concessions mais on ne peut accepter leur morgue supérieure (côté français), ni leur marchandage égalitaire (côté allemand), attitudes qui renvoient, de part et d'autre, à deux cultures politiques [...].«[5]

Diese anregende These, allerdings nur mit dem Gewicht, das einem essayistischen Gedanken zukommt, wird uns weiter unten noch beschäftigen müssen. Eine republikanische Grossmacht – das war zu jener Zeit sicher ein Novum und entsprach nicht der vorherrschenden Auffassung, die von der republikanischen Staatsform annahm, dass sie bloss für Kleinstaaten und Föderationen tauge. Für andere Grossmächte galt und gilt zum Teil heute noch die Annahme, dass sie auf die innenpolitischen Verhältnisse weniger Rücksicht nehmen mussten und bei den Hauptkontrahenten (Deutschland und Grossbritannien) der Primat der Aussenpolitik galt. Dies bedeutete freilich nicht, dass die aussenpolitischen Entscheidungsträger deswegen automatisch unabhängiger gewesen wären. Die in Deutschland und England aus dem Innern kommenden Einflüsse waren einfach weniger innen- als aussenpolitischer Art. In der Fachliteratur wird die deutsche

---

[4] Wer zur Gruppe der Grossmächte gehört, ist eine Definitionsfrage. Duroselle vertritt die Auffassung, es gebe 1914 acht Grossmächte; ausser den genannten sechs noch die Vereinigten Staaten von Amerika und Japan, die um die Jahrhundertwende in das Konzert der Grossmächte einbezogen werden, Jean Baptiste DUROSELLE, Qu'est ce qu'une grande puissance?, in: Relations internationales 17 (1979), S. 3–10, hier: S. 4. Die letzten beiden Mächte spielen in unserem Zeitraum wirklich nur in den letzten Jahren und nur ansatzweise die Rolle von globalen Ordnungskräften. Eine mit Duroselles Konzept einigermassen übereinstimmende Aufteilung nimmt Jean-Claude Allain vor in seinem Artikel: La paix dans les relations internationales du traité de Francfort à la Grande Guerre 1871–1914, in: Rapports du XV[e] Congrès international des sciences Historiques, Bd. 1, Bukarest 1980, S. 209–213, hier: S. 209.

[5] Christophe CHARLE, La crise des sociétés impériales: Allemagne, France, Grande-Bretagne 1900–1940: essai d'histoire sociale comparée, Paris 2001, S. 240 f.

Aussenpolitik sogar als stärker den gesellschaftlichen Kräften ausgesetzt gesehen als die französische.[6]

*Zur republikanischen Grossmachtpolitik*: Frankreichs Aussenpolitik war wesentlich stärker als zuvor von den innenpolitischen Vorgängen abhängig, ja dem Einfluss der Innenpolitik recht eigentlich ausgesetzt. Mit Innenpolitik kann vieles gemeint sein. Gemeint sei jedoch weder Steuer-, noch Schul- oder Kirchenpolitik. Gemeint sei vielmehr das Streben nach innerer Vorherrschaft schlechthin, die Politik um gesellschaftliche Gestaltungsmacht gemäss bestimmten Ordnungsvorstellungen und um Politik um ihrer selbst Willen; vielleicht das, was man im Französischen als »politique politicienne« bezeichnet und was im Grunde einfach Kampf um Positionen, um Einfluss, um Macht auf dem Markt der vielen Möglichkeiten bedeutet.

Republiken konzentrieren sich auf die Gestaltung der inneren Verhältnisse. In ihren radikalen Varianten, das zeigen die Anfänge in Frankreich 1871 und in Russland 1917, wird Aussenpolitik als etwas Aristokratisches und Höfisches abgelehnt und sogar als überflüssig bezeichnet. Hinzu kam der auf die Niederlage reagierende Isolationismus speziell im antirepublikanischen Lager. Der Literat Emile Montégut muss sich zwar bereits früher in dieser Richtung geäussert haben, aber nach 1870 kam seine Botschaft doch besonders apodiktisch daher:

> »C'est le moment pour tout Français de s'emprisonner volontairement dans sons pays.«[7]

Und der Ultrakonservative Louis Veuillot ermahnte seine Landsleute, sich vollständig von dem zu lösen, was in der weiten Welt vor sich ging.[8] Aus den skizzierten Gründen galt der Primat der Innenpolitik, auch wenn schon bald die Bedeutung der Aussenpolitik doch noch wahrgenommen, ja eigentlich entdeckt wurde. Auch im Frankreich der Jahre 1871–1914 war die Aussenpolitik der Innenpolitik wenn nicht explizit unterworfen, so doch faktisch ihr ausgeliefert. Dazu gehörte selbstverständlich und nachvollziehbar, dass die Aussenpolitik den inneren Erwartungen entsprechen musste, aber auch, dass die Aussenpolitik den Infragestellungen der radikalen Positionen ausgesetzt und dabei nie ganz sicher war, ob diese sich durchsetzen konnten. Dazu gehörte, dass die innenpolitischen Auseinandersetzungen, insbesondere was die Kontinuität der personellen Verhältnisse betrifft, nie auf die Aussenpolitik Rücksicht nahm.

Seitdem Frankreich – nach den Episoden von 1792–1799 und 1848–1851 – erneut als Republik regiert war, mussten die französischen Aussenminister und ihre Mitarbeiter in vermehrtem Mass mit einer weiteren Art von Mit- oder Gegenspielern rechnen: neben denjenigen des Auslandes nun auch mit denjenigen im eigenen Land. Diesen Umstand hat Paul Cambon mit dem Ausspruch anvisiert, dass die schlimmeren Feinde im eigenen Lager seien:

---

[6] M. B. HAYNE, The French Foreign Office and the Origins of the First World War 1898–1914, Oxford 1993, S. 2.

[7] Vorwort von Tableau de France: Souvenirs de Bourgogne. Paris 1874. Vgl. Claude DIGEON, La crise allemande de la pensée française 1870–1914, Paris 1959, S. 89.

[8] Koenraad SWART, The sense of decadence in nineteenth-century France, Den Haag 1964, S. 126.

»Nous n'avons pas de pires ennemis que nous-mêmes.«[9]

Oder:

»Partout et toujours et dans tous les temps nous avons été nos propres ennemis
[…].«[10]

Oder:

»Les relations personnelles ont une influence vraiment effrayante sur les affaires
publiques et des états peuvent partir en guerre parce que le nez d'un diplomate
déplaît à un autre. Je crois de moins en moins aux lois fatales de l'histoire […].«[11]

Natürlich waren auch monarchische und selbst absolutistische Regime verschiedenen internen Kräften ausgesetzt, auch wenn es nur die Einflüsse des Hofes waren. Die politischen Rivalitäten waren jedoch stark beschränkt auf eine vergleichsweise kleine Schicht. Das republikanische Spiel der Kräfte machte die
innenpolitische Konkurrenz und damit die Instabilität zum Prinzip.

Ein zusätzliches Wesensmerkmal mindestens der ersten Jahre nach 1870 bestand darin, dass die alten Kräfte, die Anhänger der früheren Ordnung, nicht völlig kapitulierten und zum Teil mit den Mitteln der neuen Ordnung diese oder
mindestens deren Anhänger bekämpften. In Frankreichs Dritter Republik waren
nun aber die Entscheidungsträger als Mitglieder eines »gouvernement d'opinion«
von vorherrschenden Meinungen im Allgemeinen und von parlamentarischen
Mehrheiten im Besonderen abhängig. Diese Abhängigkeit verlieh den Einflüssen
der innerstaatlichen Kräfte sowohl in quantitativer als auch in qualitativer Hinsicht ein neues Gewicht. Darum ist es besonders sinnvoll, eine Innenansicht dieser Aussenpolitik zu geben.

Die Krise von 1870/71 bildete eine doppelte Zäsur, sie schuf in zweifacher
Hinsicht neue Verhältnisse und führte zu einem Neubeginn, soweit Neubeginne
in der Geschichte überhaupt möglich sind: Zum einen hatten der Zusammenbruch des Kaiserreiches und die Einführung der zunächst provisorischen Republik im Innern eine Umgestaltung der Entscheidungsabläufe und deswegen auf
der internationalen Ebene partiell eine Neueinstufung Frankreichs zur Folge.
Frankreich musste, soweit es Grossmacht war und blieb, nun als Republik seine
Grossmachtpolitik betreiben.

Und zum anderen machte die Niederlage im militärischen Kampf gegen
Deutschland eine Neuformulierung der aussenpolitischen Zielsetzungen nötig.
Diese wurden in einem stärkeren Mass als bisher auf den deutschen Nachbarstaat
ausgerichtet und oszillierten zwischen defensivem Behaupten einer dem deutschen
Reich einigermassen ebenbürtigen Position und der Ambition einer Revanche, die
einerseits verlorene Territorien, anderseits aber – was beinahe noch wichtiger war –
auf der Reputations- und Prestigeebene einen Ausgleich zur Schmach von 1870
(Niederlage von Sedan) und von 1871 (Friede von Frankfurt) schaffen sollte.

---

[9] Paul Cambon an seinen Sohn Henri, 4. Mai 1905, Correspondance 1870–1924, Bd. 1,
S. 191.

[10] Paul Cambon an seinen Sohn, 31. Mai 1911, Fonds Louis Cambon.

[11] Paul Cambon an seine Mutter, 25. März 1895, Correspondance 1870–1924, Bd. 1, S. 387.

Eine weitere Besonderheit der republikanischen Sondersituation bestand darin, dass sich das neue Regime – wie später, nach 1917, das bolschewistische – im traditionellen Staatensystem seinen Platz schaffen musste und zugleich die vormalige Stärke oder Grösse der Nation wiedererlangen und als »besseres« Regime sogar über diese hinaus gelangen wollte. Diese doppelte Zielvorgabe war eingebettet in die dynamisierte Zeit des ausgehenden 19. Jahrhunderts mit ihrer imperialistischen Rivalität der Mächte nach sozialdarwinistischem Muster im Kampf um Plätze in den noch umkämpfbaren aussereuropäischen Gebieten, um Plätze an der Sonne und Plätze auf den Spitzenpositionen der stets wichtiger werdenden Statistiken. In diesem Kontext wurde in Frankreich eine anhaltende Debatte um die Stärke und Schwäche eines republikanischen Regimes geführt.

Vorweg ein Beispiel aus dieser Debatte: 1883 bestätigte Gabriel Charmes, ein junger Propagandist der kolonialen Expansion, indirekt die Priorität des Innenpolitischen, um dann diese Beobachtung mit dem Anspruch zu verknüpfen, dass die Republik auch im Aussenpolitischen eine wichtige Rolle spiele:

> »Pendant les premières années qui ont suivi l'établissement de la République en France, les questions de la politique intérieure ont presque uniquement absorbé les esprits. [...] Néanmoins, depuis quelque mois, le pays semble avoir fait la surprenante découverte qu'une grande nation avait un rôle à jouer au dehors aussi bien qu'au dedans!«[12]

Doch war ein republikanisches Regime überhaupt in der Lage, Grossmachtpolitik zu betreiben? Wurde nicht jede kontinuierliche Politik durch die häufigen Ministerwechsel, jeder rasche Entschluss durch die Abhängigkeit vom Parlament, jeder vertrauliche Kontakt durch den Anspruch auf Durchschaubarkeit unmöglich gemacht? Wie sollte ein so belastetes Regime im Klub der Grossmächte seinen Platz behaupten können?

In der Analyse der Innenseite können wir grundsätzlich zwischen Voraussetzung, Zielsetzung und Umsetzung unterscheiden. Die Zielsetzungen könnten wir freilich auch als Voraussetzung der Umsetzung verstehen. Dennoch gibt die vorgenommene Unterscheidung einen Sinn. Während nämlich die Zielsetzungen eher ideellen und abstrakten Charakter haben, sind die Voraussetzungen eher materieller und konkreter Natur. Sie geben den Rahmen, in dem die Zielsetzungen als Absichten zu etwas Drittem, eben der tatsächlichen Politik umgesetzt werden. Über die Zielsetzungen ist auf Grund der offiziellen Dokumentation schon viel geschrieben worden. Dies soll in einem ersten Kapitel unter Einbezug der privaten Dokumentation rekapituliert, und es sollen dabei vor allem die in der Zeit diskutierten Varianten und Alternativen gebührend beachtet werden.[13] Im Hauptteil sollen dann die inneren Voraussetzungen der republikanischen Aussenpolitik untersucht und, was bisher nicht geschehen ist, abgeklärt werden, für welche Art von Aussenpolitik die einzelnen Spitzendiplomaten standen und ob ihre Einsetzungen an diesem und jenem Posten in engem Zusammenhang mit einen bestimmten aussen-

---

[12] Gabriel CHARMES, RDM, 1. November 1883, in: 1885, S. 1.

[13] War ursprünglich als Teil eines 2. Bandes geplant und wurde nun für diese Publikation neu verfasst.

politischen Kurs standen. Die Umsetzung selbst interessiert uns nur insofern, als wir von ihr auf die Voraussetzungen und Zielsetzungen zurückschliessen können.

Von den konstitutionellen und institutionellen Voraussetzungen ist anzunehmen, dass sie sich als Konstanten ausgewirkt haben. Haben sie deswegen dem Geschehen auch schon die Richtung gegeben? Wie weit war es den jeweiligen Akteuren überhaupt möglich, der Aussenpolitik eine besondere Richtung zu geben? Diese Frage lässt sich nur aus dem Überblick über längere Zeiträume und langfristige Entwicklungen beantworten. Darum war es sinnvoll, der Untersuchung eine grosse diachrone Perspektive zu geben, obwohl als unvermeidliche Konsequenz gewisse Einschränkungen insbesondere bezüglich der jeweiligen Kontextualisierung in Kauf genommen werden mussten. Der mehrfach in gültiger Weise beschriebene Kontext der internationalen Politik wird vorausgesetzt.[14]

*

Ausgangspunkt der hier vorgelegten Arbeit war die so genannte Kriegsschuldfrage.[15] Der Hamburger Historiker Fritz Fischer legte im Rahmen des Gedenkens an den ein halbes Jahrhundert zuvor ausgebrochenen »Grossen Krieg«, aber auch ganz im Sinne des Aufbruchsgeists der 1960er Jahre zwei Werke vor, mit denen er die traditionelle These in Frage stellte, wonach das deutsche Reich 1914 bloss einen Verteidigungskrieg geführt habe. Er liess auch das allgemeinere Verständnis von einer kollektiven Verantwortungslosigkeit in Form des gemeinsamen »Hineinschlitterns« nicht gelten, sondern warf der deutschen Reichsregierung vor, auf den Krieg geradezu hingearbeitet und sogar einen Angriffskrieg von langer Hand geplant zu haben und darum die Hauptverantwortung für den Kriegsausbruch von 1914 zu tragen.[16] Fischers Befunde lösten in Deutschland, aber auch in anderen Ländern eine grosse, weit über die Fachkreise hinaus reichende und auch in der breiten Öffentlichkeit geführte Kontroverse aus.[17] Die

---

[14] Vgl. etwa die in Anm. 32/33 aufgeführten Werke von Pierre Renouvin.

[15] Ausgeklammert bleibt hier und in den folgenden Ausführungen die Debatte um die Kriegsziele, obwohl sie für die Auslösung von Kriegen im Allgemeinen und für Fischers Thesen im Besonderen von einiger Bedeutung sind. Die Kriegszielproblematik liegt mehrheitlich aber doch innerhalb der Kriegsphase. Vgl. für die französische Historiographie Georges-Henri SOUTOU, L'Or et le sang. Les buts de guerre économiques de la Première Guerre Mondiale. Paris 1989. – Dass dieses Forschungsfeld auch heute noch nicht vollständig erschlossen ist, zeigt die Ankündigung des umfangreichen Werkes von Petronilla EHRENPREIS, Kriegs- und Friedensziele im Diskurs. Regierung und deutschsprachige Öffentlichkeit Österreich-Ungarns während des Ersten Weltkriegs, Wien 2006, 514 S.

[16] Fritz FISCHER, Griff nach der Weltmacht. Die Kriegszielpolitik des kaiserlichen Deutschland 1914/1918, Düsseldorf 1961. – Ders., Krieg der Illusionen. Die deutsche Politik von 1911–1914, Düsseldorf 1969. – Ders., Das Bild Frankreichs in Deutschland in den Jahren vor dem Ersten Weltkrieg, in: Der Erste Weltkrieg und das deutsche Geschichtsbild, Düsseldorf 1977, S. 333–344.

[17] Zum ersten »Historikerstreit« der deutschen Nachkriegsgeschichte: Wolfgang JÄGER, Historische Forschung und politische Kultur in Deutschland. Die Debatte 1914–1980 über den Ausbruch des Ersten Weltkrieges, Göttingen 1984. – Edgar WOLFRUM, Krieg und Frieden in der Neuzeit. Vom Westfälischen Frieden bis zum Zweiten Weltkrieg, Darmstadt 2003, S. 101.

von Fischer angestrebte Korrektur erfuhr allerdings auch ihrerseits wiederum leichte Korrekturen, von denen weiter unten noch die Rede sein wird.

Fritz Fischer hatte seine Studien noch weitgehend mit dem traditionellen methodischen Ansatz der klassischen Diplomatiegeschichte unternommen.[18] Mit den späten 1970er Jahren wandte sich das historische Interesse den sozial-, wirtschafts- und kulturgeschichtlichen Fragestellungen und vermehrt den allgemeineren Kriegsverhältnissen zu. Die Abklärungen galten nun – auch in dieser Thematik – vermehrt gesellschafts-, alltags- und mentalitätsgeschichtlichen Fragestellungen, später dann auch den lokal- und regionalgeschichtlichen Varianten der allgemeinen Geschichte. Die Kriegsschuldfrage blieb, wenn auch zumeist nicht auf Grund zusätzlicher Forschung, trotzdem ein Thema der historischen Publizistik.

Die 2003/04 im Kontext des Gedenkens an den 90 Jahre zuvor ausgesprochenen Krieg entwickelte Publizistik galt, wie das bei solchen Vergegenwärtigungsbemühungen meistens der Fall ist, dem ganzen Objekt, das heisst dem Krieg in seiner vollen Länge und in jeglicher Hinsicht. Dazu gehörten jeweils auch Kapitel oder Kapitelchen zum Kriegsausbruch und den Kriegsursachen. So findet sich in dem vom französischen Historiker Jean-Jacques Becker verfassten Bändchen der »Que sais-je?«-Reihe ein erstes Kapitel mit dem Titel »Pourquoi la guerre«. Darin bezeichnete er, der sich schon in den 1970er Jahren mit der Frage befasst hatte, die Idee der Alleinverantwortung als ein »assez largement un faux problème«. Niemand habe diesen Krieg gewollt, aber niemand habe ihn zu vermeiden gewusst, alle seien unter dem Druck ihrer Generalstäbe gestanden. Eine der solidesten Erklärungen bestehe darin, dass die österreichischen und insbesondere die deutschen Verantwortlichen gemeint hätten, den Krieg im Südosten (gegen die Serben) lokalisieren zu können.[19]

Das Bemerkenswerte an dieser Beschreibung der Problemlage ist, dass die These von der Alleinschuld weitgehend preisgegeben wurde und an ihre Stelle das Bild einer breiteren, allerdings nicht gleichmässigen Verteilung der Verantwortung trat. Becker bemerkte in einer gleichzeitig vorgelegten, weit umfassenderen Darstellung:

> »Les raisons de se faire la guerre étaient à peu près nulles, aucun dirigeant européen ne voulait la guerre, mais chacun croyait que les autres la voulaient.«[20]

---

Zur Historiographie zur Kriegsschuldfrage vgl. auch Gerhard HIRSCHFELD/Gerd KRUMEICH/Irina RENZ, in: Enzyklopädie Erster Weltkrieg, Paderborn 2003, S. 304–315.

[18] Sein Interesse galt aber den inneren Verhältnissen. Er wollte die deutsche Aussenpolitik um 1914 aus den »spezifischen Bedingungen des deutschen Staats-, Gesellschafts- und Wirtschaftslebens« erklären, FISCHER, Griff, S. 14.

[19] Jean-Jacques BECKER, La Grande Guerre, Paris 2004, S. 7 und 23.

[20] Jean-Jacques BECKER, L'année 14, Paris 2004, S. 5 und 157. Gehört zusammen mit der historiographisch gehaltenen Publikation von WINTER/PROST (vgl. unten) zum besten, was es heute zum Thema gibt. Besprochen von Pierre GUILLEN in: Relations Internationales 124 (Herbst 2005), S. 113–115. Becker hatte bereits drei Jahrzehnte zuvor, mithin in der Zeit, als die vorliegende Arbeit entstand, eine wegbereitende Studie zur angeblichen Kriegsbegeisterung der französischen Bevölkerung erarbeitet: Jean-Jacques BECKER, 1914: Comment les Français sont entrés dans la guerre. Contribution à l'étude de l'opinion publique, printemps-été 1914, Paris 1977.

Deutschland und Frankreich betreffend, betonte er, dass beide vergeblich versucht hätten, auf ihre respektiven Verbündeten Österreich und Russland mässigend einzuwirken. Und was speziell Frankreich betraf: Da habe der französische Generalstab entschieden. Die nach 1918 von der französischen Linken gegen Poincaré geführte Kampagne sei völlig unberechtigt gewesen:

> »Le rôle de la France dans le déclenchement du conflit fut très effacé.«[21]

In der Publizistik zum Gedenkjahr 2004 nimmt die von Gerhard Hirschfeld, Gerd Krumeich und Irina Renz herausgegebene Enzyklopädie einen wichtigen Platz ein.[22] Das historiographische Kapitel dieses umfassenden Werks bestätigt den Eindruck, dass es um die Frage der Kriegsverantwortung bereits im Laufe der 1970er Jahre wieder stiller wurde. Das historische Interesse wandte sich schnell der Sozial- und Wirtschaftsgeschichte zu und damit der »longue durée« sowohl der langen Vorgeschichte als auch der langen Jahre des Kriegs selber. In dieser Enzyklopädie bestritt der Kölner Historiker Jost Dülffer den Beitrag zur längeren, um 1890 einsetzenden Vorgeschichte des Kriegsausbruchs. Für ihn war klar, dass der Weg in den Krieg keine Einbahnstrasse war. Er sah die Kriegsursache in der allgemeinen Aufrüstung. Dafür machte er in schwer nachvollziehbarer Weise in erster Linie – und zwar in dieser Reihenfolge – Franzosen, Briten und Russen verantwortlich und stützte sich dabei, in direkter Übernahme, auf eine Deutung des deutschen Reichskanzlers Theobald von Bethmann Hollweg vom Januar 1918, welche Frankreich und Russland einseitig des Imperialismus bezichtigte und England eine zu positive Haltung gegenüber dem Krieg vorwarf. Von Fritz Fischers Deutung von 1969 blieb, was doch bemerkenswert ist, in dieser Darstellung überhaupt nichts mehr übrig:

> »Die Deutschen standen vergleichsweise zurück, wollten sie doch nicht mehr Öl ins Feuer giessen als nötig.«[23]

Die anhaltende Wichtigkeit der Auseinandersetzung mit den Kriegsursachen zeigte sich darin, dass sich bestimmte Titel ausschliesslich mit dieser Frage befassten. Das wohl wichtigste Werk ist die von Richard F. Hamilton (Ohio) und Holger H. Herwig (Calgary) 2003 herausgegebene amerikanische Publikation. Die Herausgeber weisen in der Einleitung darauf hin, dass schon 1966 zur Frage der »origins of that war« über 3 000 Publikationen vorgelegen hätten und man sich rechtfertigen müsse, warum man dazu ein weiteres Buch vorlege. Bezüglich der deutschen Verantwortung sprach sich Herwig in Anbetracht der polykratischen Verhältnisse, die in Deutschland herrschten, ganz entschieden gegen Fischers These vom vorsätzlichen »Griff nach der Weltmacht« aus, um dann aber unter Berufung auf Stig Förster der deutschen Militärelite doch ein »verbrecherisches

---

[21] Ebenda, S. 143; schon auf S. 91: »Des dirigeants Français hors jeu«.

[22] HIRSCHFELD/KRUMEICH/RENZ, Enzyklopädie. Die hier speziell interessierende französische Historiographie wird erfasst in: Jules MAURIN/Jean-Charles JAUFFRET, La Grande Guerre 1914–1918. 80 ans d'historiographie et de représentations, Montpellier 2002.

[23] Jost DÜLFFER, Der Weg in den Krieg, in: HIRSCHFELD/KRUMEICH/RENZ, Enzyklopädie, S. 233 und 240. – Dülffer war Mitherausgeber des 1997 erschienenen Buches über »vermiedene Kriege« der Jahre 1856–1914.

Manko an Verantwortungsbewusstsein« zuzuschreiben.[24] Diese Publikation muss uns später vor allem wegen der Präsentation des französischen Anteils nochmals interessieren.

Dass die Frage der Besonderheit der deutschen Verantwortung noch immer umtreibt, davon zeugt eine Monographie aus der jüngeren Zeit: Dem Briten Mark Hewitson (2004) geht es um den Nachweis, dass sich die Kriegstreiberei, die nach wie vor kaum eingeschränkt Deutschland zur Last gelegt wird, und die Kriegsdrohung als Instrumente im letzten Jahr vor dem Krieg nicht mehr gegen Frankreich, sondern gegen Russland gerichtet hätten.[25]

Die jüngste, ebenfalls noch aus der dezimalen Gedenkkonjunktur hervorgegangene Darstellung der verschiedenen Zugangsweisen findet sich in den 2005 publizierten Texten von Jay Winter (Yale) und Antoine Prost (Paris).[26] Der grösste Teil ihres Buches befasst sich zwar mit den Haltungen der verschiedenen Akteure (der Politiker, Militärs, Unternehmer, aber auch gewöhnlicher Soldaten, der Zivilen, speziell der Arbeiter) während des Krieges. Doch die einleitende Umschreibung der historiographischen Fragen vermittelt vor allem zur Kriegsursachenproblematik wertvolle Einsichten, auf die sich auch die folgenden Ausführungen abstützen können. Diese sollen die bisherigen Arbeiten zu drei sich teilweise überlappenden, aber doch auseinander zu haltenden Bereichen in Erinnerung rufen: 1. die französischen Positionen zur Kriegsschuldfrage, 2. die Hinwendung zu gesellschaftsgeschichtlichen Fragestellungen und 3. die bisherigen Arbeiten zur Innenseite der französischen Aussenpolitik.

Die Frage der Verantwortung des deutschen Reichs wird weiterhin mit erheblichen Nuancen unterschiedlich beurteilt, sie wird aber kaum mehr mit der Leidenschaft der späten 1960er und frühen 1970er Jahre diskutiert werden.[27] Es ist

[24] Holger H. HERWIG, Germany, in: Richard F. HAMILTON/Holger H. HERWIG, The Origins of World War I, Cambridge 2003, S. 150–187, hier: S. 185 f.

[25] Mark HEWITSON, Germany and the Causes of the First World War, Oxford 2004. Erwähnt sei hier auch die stark editorisch gehaltene und nicht die Verantwortungsfrage behandelnde Dissertation des amerikanischen Militärhistorikers Terence ZUBER, German War Planning, 1891–1914. Sources and Interpretations, Cambridge 2004.

[26] Jay WINTER/Antoine PROST, The Great War in History. Debates and Controversies, 1914 to the Present, Cambridge 2005, S. 55.

[27] Aus der bei diesem Thema auffallend stärker vertretenen angelsächsischen Publizistik seien noch genannt: Aus der Frühzeit, etwa zeitgleich mit Fischer, aber von dessen Fragen ziemlich unberührt: A. J. P. TAYLOR, The First World War, London 1963 (mit zahlreichen weiteren Aufl.). – Niall Ferguson, der seine Abneigung vor »tiefen Schützengräben der akademischen Spezialisierung« freimütig bekannte, befasst sich in seiner Darstellung von 1998 vor allem mit der britischen Haltung, die zur Folge hatte, dass über eine halbe Million Schotten – aus seiner engeren Heimat – in diesen Krieg zogen und über ein Viertel von ihnen nicht mehr nach Hause kam. Seine Darstellung ist eine Art britische Fritz-Fischer-Interpretation, z. T. mit auffallenden Parallelen wie etwa der Titel zum 3. Kap. »Grossbritanniens Krieg der Illusionen«, Niall FERGUSON, The Pity of War, London 1998. Deutsche Ausgabe: Der falsche Krieg. Der Erste Weltkrieg und das 20. Jahrhundert, Stuttgart 1999. – Bereits zuvor trieb ihn die Frage der britischen Kriegsbeteiligung um: The Kaiser's European Union: What if Britain had »stood aside« in August 1914?, in: Niall FERGUSON (Hrsg.), Virtual History. Alternatives and Counterfactuals, London 1988, S. 228–280). – Dem im Jahr 2000 erschienenen populären Buch des britischen Militärhistorikers John Keegan geht es vor allem um den Verlauf des Kriegs und weniger um den Kriegsausbruch, John KEEGAN, The First World War, London 1998. Deutsche Ausga-

nicht in der Geschichte der grossen bewegenden Kontroversen die erste Frage,
um die während einer gewissen Zeit hitzige Debatten geführt werden und die
sich dann ohne abschliessende Klärung verflüchtigt und anderen Fragen gleichsam Platz macht.


### 1. Frankreich und die Kriegsschuldfrage

Während die Rolle Deutschlands in hohem Mass auch von nichtdeutschen Historikern untersucht wurde, blieben die analogen Untersuchungen zu anderen Ländern weitgehend in den Händen der nationalen Geschichtsschreibung. Dies gilt
in besonderem Mass für Frankreich. Ausser den Arbeiten von John F. V. Keiger
und Eugenia C. Kiesling sowie der innenpolitischen Studie von Krumeich (vgl.
unten) stammen alle wichtigen Beiträge zum französischen Anteil sozusagen aus
französischer Feder.[28] Die folgenden Ausführungen legen dar, wie sich die französische Historiographie mit der allgemeinen Kriegsschuldfrage und die allgemeine Historiographie mit dem Anteil Frankreichs am Ausbruch des Ersten Weltkrieges befasst haben.

Den Anfang machte Pierre Renouvin, der bis in die 1970er Jahre die Auseinandersetzungen mit diesen Fragen prägte und mit seinen Arbeiten bereits in den
1920er und 1930er Jahren begonnen und 1935 an der Sorbonne das Institut
d'histoire des relations internationales gegründet hatte.[29] Renouvin war selber
Kriegsteilnehmer und Kriegsopfer. Auch in Anbetracht der Tatsache, dass er in
diesem Krieg einen Arm verloren hatte, war seine Haltung von bemerkenswerter
Nüchternheit. Für Renouvin war jedoch erwiesen, dass die deutsche Regierung
für den Kriegsausbruch verantwortlich sei, darum konnte er dem Schreibenden
noch um 1973 erklären, Fritz Fischer habe lediglich bestätigt, was er schon seit
Jahrzehnten gesagt habe.[30]


be: Der Erste Weltkrieg. Eine europäische Tragödie, München 2000. – Annika Mombauer
setzte sich zum Ziel darzulegen, warum die Frage der Kriegsursachen seit den 1920er Jahren
derart stark beschäftigte und 90 Jahre später noch immer beschäftigt und warum es nicht möglich ist, eine klare Antwort (»the precise reason«) zu geben. Zum letzteren Punkt bemerkt sie,
Geschichte sei eben keine exakte Wissenschaft und stark vom jeweiligen Kontext abhängig
(Annika MOMBAUER, The Origins of the First World War: controversies and consensus, London 2002). – Und David Fromkin präsentiert – ohne neue Forschungsergebnisse – einen
allgemeinen Überblick, mit dem er vor allem aufzeigt, dass der Krieg ein selbstverständliches
Instrument der damaligen Politik war. Der Ansatz, dass der Krieg als »Clear Air Turbulance«
aus heiterem Himmel ausbrach, ist jedoch unzutreffend, David FROMKIN, Europe's Last
Summer. Who Started the Great War in 1914, New York 2004. Deutsche Ausgabe München
2005.

[28] Vgl. WINTER/PROST, Great War, S. 36 f. und 42 f. Recht kritisch auch zu den französischen Positionen Jacques DROZ, Les Causes de la Première Guerre mondiale. Essai d'historiographie, Paris 1973.

[29] Pierre RENOUVIN, Les orgines immédiates de la guerre (28 juin–4 août 1914), Paris 1925
(Sorbonne-Vortrag von 1922).

[30] Gespräche in Renouvins Wohnung am Bvd. Saint-Germain. Vgl. auch dessen Beurteilung
von 1962 (Anm. 35).

Renouvin trug später der Kritik des französischen Kollegen Jules Isaak[31] Rechnung, der 1933 festgehalten hat, dass einzelne französische Akteure (insbesondere der französische Botschafter Paléologue in St. Petersburg) die russische Bereitschaft zum Krieg gefördert hätten und daraus eine französische Mitverantwortung für den Kriegsausbruch abzuleiten sei. Für Renouvin bestand in der zweiten Stellungnahme die französische Verantwortung darin, dass man nicht alles unternommen habe, um das verbündete Russland vom Krieg abzuhalten.[32]

Renouvins wichtigste Leistung bestand aber in der bereits in den 1950er Jahren lancierten und später allgemein übernommenen Unterscheidung zwischen unmittelbaren Ursachen (»origines immédiates«) und den tieferen Ursachen (»causes profondes«). Der erstere Zugang ist mehr auf individuelle Verantwortung, auf synchrone Momentaufnahmen (z. B. die Juli-Krise) und auf die theoretische Offenheit des weiteren Verlaufs (auf Kontingenz) ausgerichtet; der letztere Zugang stärker auf die »longue durée«, auf die allgemeinen Strukturen und Strukturzwänge.[33] Der Begriff der »causes profondes« wurde offenbar schon 1921 geprägt und stammt von Henri Berr.[34] – 1962 urteilte Pierre Renouvin über Fritz Fischers Thesen:

> »(Les vues) sont proches de celles que l'historiographie française tenait pour valable, à la lumière des documents connus et utilisés, il y a trente ans déjà. [...] Ces interprétations [...] ne sont pas nouvelles, du moins pour les lecteurs non allemands.«[35]

Jacques Droz, ein der Linken nahestehender Historiker, bewegte sich mit seiner Analyse von 1962 noch im »court terme«, er stellte aber sogleich der Fischerschen Interpretation eine analoge für Frankreich gegenüber und warf, die alte Kritik der 1920er Jahre wiederaufnehmend, Poincaré vor, dass seine Politik weniger die Erhaltung des Friedens als die strategische Effizienz im Moment, da die Feindseligkeiten ausbrechen sollten, angestrebt habe.[36]

1966 äusserte sich Jean-Baptiste Duroselle, der 1964 Nachfolger Renouvins auf dem Lehrstuhl der Sorbonne geworden war, ebenfalls zur Schuldfrage. Bemerkenswert ist, dass er in einem intellektuellen Gedankenspiel nicht nur die deutsch-österreichische, sondern auch die französisch-russische Schuld zu statuieren versuchte und dass er im Gegenstück dann Argumente nicht nur gegen die französisch-russische, sondern auch gegen die deutsch-österreichische Schuld ent-

---

[31] Jules ISAAK, Un Débat historique, le problème des origines de la guerre, Paris 1933. Vgl. auch Jacques THOBIE, Jules Isaak et les origines de la première guerre mondiale, in: Jules ISAAK, Actes du colloque [...] de l'Université de Haute Bretagne 1977, Paris 1979, S. 43–51.

[32] Pierre RENOUVIN, La crise européenne et la grande guerre (1914–1918), Paris 1934.

[33] Ders., Histoire des relations internationales, Bde. 6 und 7, Paris 1955/57.

[34] Henri BERR in: Revue de synthèse historique (August–Dezember 1921).

[35] Pierre RENOUVIN, Rezension in der Revue historique 228 (1962), S. 381–390. In französischer Sprache ist Fischers Werk erst 1970 erschienen, in englischer Sprache dagegen bereits 1966. Im Kontext des 50-Jahr-Gedenkens nahm Pierre Renouvin 1966 indirekt auch Stellung zum französischen Anteil am Kriegsausbruch: Les buts de guerre du gouvernement français, in: Revue historique 235 (1966), S. 1–38. Erweiterte Fassung eines im August 1965 vor französischen und deutschen Historikern gehaltenen Referats.

[36] Jacques DROZ, La France et l'Europe, in: L'Europe du XIXᵉ et du XXᵉ siècles. Problèmes et interprétations historiques 1870–1914, Mailand 1962. Zit. nach DROZ, Causes.

wickelte.[37] Raymond Poidevin, noch von Doyen Renouvin zu seiner Arbeit angeregt, kam 1969 in seiner breit angelegten Studie über die französisch-deutschen
Wirtschaftsbeziehungen zum Schluss, dass das deutsche Unternehmertum keine
kriegstreibende Rolle gespielt hat.[38]

Jacques Droz beschränkte sich in seiner 1973 publizierten Übersicht nicht auf
eine referierende Darstellung der verschiedenen Deutungen, sondern nahm auch
selber Stellung: Er würdigte Fischers Mut und dessen Bedeutung für die ganze
deutsche Gesellschaft; zur historischen Interpretation bemerkte er mit einem gewissen Vorbehalt, die hauptsächliche Verantwortung (»responsabilité majeure«)
der deutschen Regierung könne nicht angezweifelt werden, die These aber der
vorsätzlichen und mutwilligen Aggression bleibe problematisch.[39]

Mit dem aus dem courant normal, das heisst kaum aus dem speziellen 60-Jahr-
Gedenken hervorgegangenen Schriftchen von 1975 über die Kriegsursachen wollte Raymond Poidevin, wie er ausdrücklich sagte, nicht die Polemik um die Kriegsschuldfrage nähren. Seiner Textauswahl, insbesondere der Berücksichtigung von
Jules Isaak (1933) und Jean-Baptiste Duroselle (1966), kann man aber entnehmen,
dass er Interpretationen, welche eine einseitige Verteilung der Schuld oder Verantwortung zu Lasten Deutschlands und zu Gunsten Frankreichs vornahmen, erheblich relativieren wollte.[40] In Poidevins zwei Jahre später, 1977, veröffentlichten
Geschichte der französisch-deutschen Beziehungen blieb die sich auf Renouvin
beziehende Darstellung ausgewogen: Der Kriegsausbruch gehe nicht auf französisch-deutsche Differenzen zurück, sondern auf Deutschlands Absicht, Österreich
den Rücken zu stärken. Die deutsch-österreichischen Initiativen hätten einen Frieden kompromittiert, den die Mächte der Tripel Entente, darunter Frankreich, nicht
versucht hätten, energisch zu retten.[41] In einem späteren, 1979 verfassten, aber erst
1985 veröffentlichten Beitrag wies Poidevin auf die nichtmilitärische Rivalität zwischen den beiden Ländern sowie auf entsprechende Ängste in Frankreich hin, die
dem Umstand entsprangen, dass französisches Kapital deutsche Unternehmen
unterstütze, die ihre Güter auf dem französischen Markt absetzten.[42]

---

[37] Jean-Baptiste DUROSELLE, Les relations franco-allemandes de 1918 à 1950, Paris 1966,
Bd. 2, S. 71–74.

[38] Raymond POIDEVIN, Les relations économiques et financières entre la France et l'Allemagne de 1898 à 1914, Paris 1969. Nachruf auf Poidevin, vgl. Pierre GUILLEN in: Relations internationales 103 (Herbst 2000), S. 269 f.

[39] DROZ, Causes, S. 181. Droz ist Jg. 1909.

[40] Raymond POIDEVIN, Les origines de la première guerre mondiale, Paris 1975. Das Serielle
dieser Publikation spricht aus dem Faktum, dass es sich um eine Nr. 11 der von Claude Fohlen
herausgegebenen Documents Histoire handelt, in der 1974 als Nr. 8 von Marlis G. Steinert ein
Bändchen über die Ursachen des Zweiten Weltkrieges erschienen war. Besprechung von Poidevin durch Georg KREIS in: SZG 26 (1976), S. 524 f.

[41] Raymond POIDEVIN/Jacques BARIÉTY, Les relations franco-allemandes. 1815–1975, Paris
1977, S. 216. Poidevin zeichnete für den Zeitraum bis 1914 und ab 1945. Deutsche Ausgabe
München 1979.

[42] Raymond POIDEVIN, La peur de la concurrence allemande en France avant 1914, in: 1914:
les psychoses de guerre. Actes du colloque, Septembre 1979, Mont-Saint-Aignan 1985, S. 77–
84.

1981 legte der britische Historiker John F. V. Keiger eine Studie zu Frankreichs Anteil am Kriegsausbruch von 1914 vor. Ihm ging es darum, Präsident Poincaré von dem nach 1920 erhobenen Vorwurf der Mitverantwortung am Kriegsausbruch zu entlasten und zugleich eine, im Gegensatz zur deutschen und zur britischen Variante, noch ausstehende Studie über den französischen Anteil an den Vorgängen um 1914 zu erarbeiten. Eine derartige Abhandlung erschien ihm umso angezeigter, als zahlreiche Vorabklärungen aus der Schule Duroselle vorlagen, die Hauptfrage – eben nach der französischen »Kriegsschuld« – bisher aber ausgespart worden sei. Der französische Staatschef habe zwar gegen eine Annäherung der beiden Allianzsysteme und für die Überlegenheit der eigenen Allianz gearbeitet, er habe dies aber nicht aus kriegerischer, sondern aus defensiver Absicht getan. Frankreich habe lediglich für alle Eventualitäten bereit sein wollen und sei nicht treibende Kraft gewesen.[43]

Wie Keiger konzentrierte sich der bereits emeritierte, aber doch neuere Ansätze berücksichtigende Oxford-Historiker Richard Cobb in seinem zum 70-Jahr-Gedenken um 1984 entstandenen Beitrag auf die Innenseite der französischen Verhältnisse: Der Autor skizzierte, zum Teil gestützt auf die für diese Frage massgebende Studie von Jean-Jacques Becker, die Stimmungslage im Sommer 1914, allerdings ohne diese Stimmung und die Abläufe der hohen Politik miteinander in Verbindung zu bringen.[44]

Die von Georges-Henri Soutou, der ebenfalls zur Schule Duroselle gehört, 1989 vorgelegte Untersuchung der wirtschaftlichen Kriegsziele ist in unserem Zusammenhang insofern von Bedeutung, als sie Fischers These relativiert und abschwächt, indem sie im deutschen Kriegszielprogramm vom September 1914 eine Reaktion auf Englands Kriegseintritt und eben nicht einen seit langem vorgefassten Kriegsplan sieht.[45]

Die jüngste Abhandlung, diejenige von Eugenia C. Kiesling von der amerikanischen Militärakademie Westpoint, beschränkte sich unter lockerem Einbezug der zwei vorangegangenen Jahre weitgehend auf eine Rekapitulation der französischen Rolle in der Juli-Krise und der Einschätzungen der Militärs.[46] Sie stellt zutreffend fest, dass die meisten Studien über die Kriegsursachen die Rolle Frankreichs entweder übergehen oder in ihrer Bedeutung unterschätzen. Sie kommt

---

[43] John F. V. KEIGER, France and the Origins of the First War, London 1983, S. 1–3 und 165–167. Der Autor baute seine stark auf die französische Präsidentschaft ausgerichtete Deutung später zu einer über 400 Seiten umfassenden biografischen Darstellung aus: Ders., Raymond Poincaré. Cambridge 1997. Ferner vom gleichen Autor: France and the World since 1870, London 2001.

[44] Richard COBB, France and the Coming of War, in: Richard J. W. EVANS/Hartmut POGGE VON STRANDMANN (Hrsg.), The Coming of the First World War, Oxford 1988, S. 125–144. Das Buch ist die Frucht einer 1984 durchgeführten Vortragsreihe. Diese von Oxford-Leuten bestrittene Reihe sollte an eine Oxforder Publikation von 1914 anknüpfen, von der es in der Einleitung leicht distanzierend heisst, dass sie unvermeidlicherweise patriotisch geprägt gewesen sei: Why we are at War: Great Britain's Case, Oxford 1914. Zu J. J. Becker vgl. Bibliographie.

[45] Vgl. Anm. 15.

[46] Eugenia C. KIESLING, France, in: HAMILTON/HERWIG, Origins, S. 227–265. Dieser Beitrag entspricht nicht dem von den Herausgebern angestrebten Niveau.

aber auch zum Schluss, dass Frankreich im Juli 1914 kaum eine Rolle spielte
(»mattered rather little«) und dass es beinahe egal war, was Frankreich unternahm
(»almost regardless of what it did«); es sei in einen nicht gewollten Krieg gezogen
worden. Die Autorin bekräftigte die Interpretation, wonach Frankreich die Allianz mit Russland nicht habe in Frage stellen können; mit ihrer Argumentation
bewegte sie sich alles in allem aber auf dem Stand der Vor-1968er-Aera.[47]

Zusammenfassend lässt sich feststellen, dass in den vergangenen 40 Jahren von
der von Fritz Fischer 1961 wieder eingeführten Alleinverantwortung Deutschlands grosse Teile abgebaut, aber nicht in dem Masse etwa Frankreich angelastet,
sondern in andere Fragestellungen transformiert wurde.

## 2. Die Hinwendung zu gesellschaftsgeschichtlichen Fragestellungen

Mit Vor-1968er-Aera ist die traditionelle Historiographie zur Grossmachtpolitik
gemeint, deren Erweiterung von Renouvin bereits in den späteren 1950er Jahren
eingeleitet wurde. Das Grundverständnis, das in den 1960er Jahren allmählich zu
einer Überwindung der staatszentrierten Diplomatiegeschichte und zu einer die
weiteren gesellschaftlichen Gegebenheiten einbeziehenden Geschichte der internationalen Beziehungen führte, fand in der von Renouvin zusammen mit seinem
Nachfolger Jean-Baptiste Duroselle verfassten und 1964 publizierten Einführung
in die internationalen Beziehungen seinen programmatischen Ausdruck.[48] Paradoxerweise sollte ausgerechnet die Unterdisziplin der Internationalen Beziehungen, die doch recht früh den gesellschaftswissenschaftlichen »turn« eingeleitet hatte, in den 1970er Jahren von spätberufenen Sozialhistorikern als eingeschränkt
und veraltet abgetan werden.[49] Die heute, nach der weltpolitischen Wende von
1989, wieder bei ihrem vollen Wert genommene Disziplin konnte sich vor allem
im angelsächsischen, bis zu einem gewissen Grad aber auch im französischen
Raum während der ganzen Zeit ungebrochener Wertschätzung erfreuen. Im
deutschsprachigen (und damit auch im deutschschweizerischen) Raum dagegen
wurde sie zu Beginn der 1970er Jahre von den Entdeckern der Sozial- und Wirtschaftsgeschichte, weil angeblich antiquiert und von grundsätzlich falschen Inte

---

[47] Zur Vernachlässigung des sozialen Kontextes passt die Qualifizierung von Cobbs Beitrag
von 1988 (vgl. Anm. 44), der zwar als »imaginative« eingestuft, von dem aber auch gesagt wird:
»ignores French policy in favor of fascinating observations about national mood« (ebenda,
S. 227).

[48] Pierre RENOUVIN/Jean-Baptiste DUROSELLE, Introduction à l'histoire des relations internationales. Paris 1964 (später in mehreren Auflagen).

[49] Dies erfuhr der Schreibende 1973/74 in Paris, als François Furet in seinem Büro im Maison des Sciences de l'Homme am Bvd. Raspail die Historiker der Sorbonne bzw. von Paris I
(wo sie sich immerhin halten und sogar mit einem gewissen Ansehen weiterarbeiten konnten)
als »des imbéciles« abtun konnte. Der Schreibende erfuhr es auch in Basel, wo Markus Matt-
müller seine späte Entdeckung der Sozial- und Wirtschaftsgeschichte verabsolutierte und das
vom Schreibenden mitgetragene und um 1974 gestartete Projekt der Documents Diplomatiques Suisses (DDS) als völlig antiquiert und überflüssig abtat.

ressen geleitet, recht eigentlich proskribiert und blieb während beinahe zwei Jahrzehnten der wissenschaftlichen Verachtung ausgesetzt.[50]

Die in den 1970er Jahren zur Blüte gelangte wirtschafts- und sozialgeschichtlich ausgerichtete Historiographie blieb nicht ohne weitere Wirkung auch auf die Geschichte der internationalen Beziehungen. Im vorliegenden Themenbereich markierte James Jolls Antrittsvorlesung von 1968 an der London School of Economics die Hinwendung der Kriegsursachenforschung zur Sozial- und Kulturgeschichte. Gestützt auf die französischen Schule der »Annales« (Lucien Febvre)[51], die von der Diplomatiegeschichte überhaupt nichts hielt, forderte er den Einbezug der Ideen und Mentalitäten in die Abklärungen und Erklärungen:

> »It is only by studying the minds of men that we shall understand the causes of anything.«[52]

Mag diese Auseinandersetzung mit dem Thema eine Folge der Fischer-Debatte und des 50-Jahr-Gedenkens gewesen sein, war die fünfzehn Jahre später von Joll vorgelegte Arbeit ein breiter angelegter Beitrag zum 70-Jahr-Gedenken. Darin vertiefte er seinen Ansatz und plädierte vor allem für eine zeitgerechte Interpretation:

> »In order to understand the men of 1914, we must understand the values of 1914, and it is against these values that their actions must be measured.«[53]

Die Hinwendung zum Strukturellen führte nicht nur zur Beachtung weiterer Dimensionen – neben dem Politischen, dem Sozialen und Ökonomischen und, sofern das im Sozialen nicht einbezogen, dem Kulturellen –, sie führte auch zu einer starken zeitlichen Erweiterung der Untersuchungsräume und – mit der »longue durée« – der Determiniertheit eben durch die »causes profondes«. Als Beleg für ersteres mögen zwei Beispiele dienen: Der Braudel-Schüler Marc Ferro hob 1969 die Bedeutung der mentalitätsgeschichtlichen Analyse hervor, wenn er im Kapitel »Pourquoi la guerre?« die verschiedenen Haltungen gegenüber dem Krieg und die Vorstellungen des Kriegs darstellte. Auf Frankreich bezogen bemerkte er, dass für die Franzosen der Eindringling stets aus dem Osten, dass – von Bouvines 1214 bis Sedan 1870 – der Tod stets von den Preussen gekommen sei und dass sie sich seit 1912 nur noch einen Feind, den Deutschen, hätten vorstellen können.[54] Es entsprach ferner ganz dem breiter gewordenen Ursachen-

---

[50] In der schweizerischen Kleinstaatenvariante kam das allgemeine Desinteresse an internationaler Politik hinzu. Sich gegen den absoluten Deutungsanspruch der Gesellschaftsgeschichte wehrend: Klaus HILDEBRAND, Geschichte als Gesellschaftsgeschichte? Die Notwendigkeit einer politischen Geschichtsschreibung von den internationalen Beziehungen, in: HZ 223 (1976), S. 328–357. Replik von Hans-Ulrich WEHLER in: HZ 225 (1977), S. 347–384.

[51] Lucien FEBVRE distanzierte sich bereits in den 1930er Jahren von der »vieille et néfaste histoire diplomatique« und lästerte über den »homo diplomaticus«, den er als lächerliche Figur skizzierte: Contre l'histoire diplomatique en soi. Histoire ou politique? Deux médiations: 1930, 1945 (Revue de synthèse I (1931)/Annales ESC I, 1946).

[52] James JOLL, 1914. The unspoken assumptions, London 1968, S. 24. Nochmals in: Hansjoachim Wolfgang KOCH (Hrsg.), The Origins of the First World War. Great Power rivalry and German War Aims, London 1972.

[53] James JOLL, Origins of the First World War, London 1984, S. 205.

[54] Marc FERRO, La Grande Guerre. Paris 1969. Zit. nach Ausgabe von 1990, S. 28 und 59.

verständnis, dass sich der Brite H. W. Koch (University of York) 1972 in dem von ihm herausgegebenen Buch über die Ursachen des Ersten Weltkrieges mit dem Sozialdarwinismus als einem Faktor des »Neuen Imperialismus« befasste.[55]

Für die zeitliche Erweiterung steht etwa die Darstellung des Fischer-Schülers Immanuel Geiss, die bis 1815 zurückgeht.[56] Noch weiter zurück und wirklich die ganz grosse Optik benutzend sind die makrohistorischen Betrachtungen, wie sie etwa Ekkehart Krippendorf bereits 1975 aus marxistischer Sicht entwickelt[57] oder Paul Kennedy mit seinem 1988 erschienenen Buch über den Aufstieg und Fall der grossen Mächte angestellt hat.[58] Die meisten setzten jedoch, wie der genannte Beitrag von Dülffer, um 1890 ein. Zu diesem Typ von Beiträgen gehört die von Jost Dülffer und Karl Holl 1986 herausgegebene Aufsatzsammlung über die Kriegsmentalität der Jahre 1890–1914.[59]

Es erwies sich aber, dass dieser Ansatz, so wichtig er war, die ursprünglich den Ausgangspunkt bildenden Fragen nach den Anteilen an der Kriegsverantwortung nicht oder nicht befriedigend zu beantworten vermochte. Renouvin stellte schon 1934 fest, dass nicht eine einzige der tieferen Ursachen eine ausreichende Erklärung für den Kriegsausbruch bilde.[60] Und Winter/Prost, die sich mit dieser Problematik eingehend auseinandersetzten, kamen wie Joll 1984 ebenfalls zum Schluss, dass – »the end of the day« – die Orientierungen und Handlungen der nationalen Regierungen zählten:

> »After a long discussion on the deeper causes, they (the historians, G. K.) always return to the irreducible character of the contingent in the process of the outbreak of the war.«[61]

Erstaunlicherweise meinten Hamilton und Herwig 2003 erklären zu können, dass man noch immer nicht wisse, wer eigentlich die Entscheidungsträger und die sie bestimmenden Einstellungen (»mindsets«) und wer die sozialen Kräfte und ausserparlamentarischen Lobbies gewesen seien.[62] Ob man zu jenem Zeitpunkt über diese »key elements« wirklich derart schlecht informiert war, soll dahingestellt bleiben. Das Urteil bezeugt jedenfalls, dass sie einem wichtig erschienen.

Der historiographische Beitrag in der genannten Enzyklopädie (2003) bezeichnete es als Desiderat, dass die Mentalitätsgeschichte (im weitesten Sinn) und die

---

[55] Hansjoachim Wolfgang KOCH, Social Darwinism as a Factor in the »New Imperialism«, in: KOCH, Origins, S. 329–354.

[56] Immanuel GEISS, Der lange Weg in die Katastrophe. Die Vorgeschichte des Ersten Weltkrieges 1815–1914, München/Zürich 1990.

[57] Ekkehart KRIPPENDORF, Internationales System als Geschichte, Frankfurt a. M. 1975 (Vorlesungen aus dem Jahr 1972/73 des Bologna Centers der John Hopkins University).

[58] Paul M. KENNEDY, The Rise and Fall of the Great Powers. Economic Change and Military Conflict from 1500 to 2000, London 1988 (Deutsche Übersetzung: Aufstieg und Fall der grossen Mächte. Ökonomischer Wandel und militärischer Konflikt von 1500 bis 2000. Frankfurt a. M. 1991).

[59] Jost DÜLFFER/Karl HOLL, Bereit zum Krieg. Kriegsmentalität im wilhelminischen Deutschland 1890–1914. Beiträge zur historischen Friedensforschung, Göttingen 1986.

[60] RENOUVIN, Crise européenne, S. 180.

[61] WINTER/PROST, Great War, S. 44.

[62] Holger HARTWIG, Germany, in: HAMILTON/HERWIG, Origins, S. 150–187.

Politikgeschichte (ebenfalls im weitesten Sinn) miteinander verknüpft würden und dass im Sinne einer »verstehenden Strukturgeschichte« der Gruppendruck im Prozess des decision making, die Grenzen des Verstehens und die Stereotypien der Wahrnehmung erfasst würden.[63] Ein Programm, das sich die vorliegende Arbeit für die französische Entwicklung vor Kriegsausbruch ebenfalls vorgenommen hat.

Zur Abrundung dieses Abschnitts seien zunächst noch vier Arbeiten genannt, die zeigen, dass auch in der nichtfranzösischen, speziell Deutschland betreffenden Variante das Abklärungsbedürfnis anhielt und entsprechende Resultate produzierte: Mit dem Phänomen der »Bellizität« einer Gesellschaft befasste sich Johannes Burkhardt, ein Spezialist der Frühen Neuzeit, und 1996 stellte er einen unsere Wahrnehmung schärfenden Vergleich mit Bismarcks Aussenpolitik.[64] Eine entlang der Grossmachtpolitik unternommene mentalitätsgeschichtliche Besichtigung der gesellschaftlichen Verhältnisse unternahm Johannes Paulmann in seiner im Jahr 2000 erschienenen Arbeit.[65] In der 1997 abgeschlossenen und im Jahr 2000 erschienenen Potsdamer Habilitationsschrift von Jürgen Angelow stand ebenfalls das gesellschaftsgeschichtliche Interesse im Vordergrund: Der Autor wollte keine »blosse Fortschreibung des ursprünglichen Themas«, sondern eine Abklärung der Frage, wie ein ursprünglich zu friedenssicherndem Zweck abgeschlossenes Bündnis zu einer aggressiven Allianz deformiert werden konnte, ohne dass dies, wie er annahm, im Bewusstsein der Zeitgenossen einen spürbaren Niederschlag gefunden hat.[66] Die sehr breit angelegte und 2001 publizierte Zürcher Dissertation von Donata Maria Krethlow-Benziger ist hier von Interesse, weil sie sehr ähnlich wie die vorliegende Arbeit, aber für die deutsche Variante, eine umfassende Analyse der Diplomatenkarrieren in den Jahren 1871–1914 vornahm. Ihre Abklärungen ruhten aber sozusagen in sich selber. Das heisst: Sie schilderten, wie stark sich das Leben der Diplomaten gewandelt hat, und sahen davon ab, nach den entsprechenden Folgen für die Politik im Allgemeinen und die Entwicklung hin zum Krieg zu fragen.[67] Der französische Historiker Christophe Charle (Paris 1) ging – und darin könnte man die maximale »Berücksichtigung« des Sozialwissenschaftlichen sehen – unsere Fragestellung gleichsam von der anderen Seite an: Ausgehend von der Gesellschaftsanalyse fragte er in seiner breit angelegten Untersuchung von 2001,

[63] Hirschfeld/Krumeich/Renz, Enzyklopädie, S. 313.

[64] Johannes Burkhardt, Alte oder neue Kriegsursachen? Die Kriege Bismarcks im Vergleich zu den Staatsbildungskriegen der Frühen Neuzeit, in: Walter L. Bernecker/Volker Dotterweich (Hrsg.), Deutschland in den internationalen Beziehungen des 19. und 20. Jahrhunderts. Festschrift für Josef Becker zum 65. Geburtstag, München 1996, S. 43–69.

[65] Johannes Paulmann, Pomp und Politik. Monarchenbewegungen in Europa zwischen Ancien Régime und Erstem Weltkrieg, Paderborn 2000.

[66] Jürgen Angelow, Kalkül und Prestige. Der Zweibund am Vorabend des Ersten Weltkrieges, Köln 2000.

[67] Donata Maria Krethlow-Benziger, Glanz und Elend der Diplomatie. Kontinuität und Wandel im Alltag des deutschen Diplomaten auf seinen Auslandsposten im Spiegel der Memoiren 1871–1914, Bern 2001. – Dieser Arbeit ist zum gleichen Gegenstand bereits vorausgegangen: Klaus Schwabe (Hrsg.), Das Diplomatische Corps 1871–1945, Boppard a. Rhein 1985. Und breiter: Matthew Anderson, The Rise of Modern Diplomacy, 1450–1919, London/New York 1993.

wie sich die gesellschaftlichen Gegebenheiten auf die Stellung dieser Gesellschaften im Staatensystem und auf die diversen Aussenpolitiken auswirkten. Über zwei
Jahrzehnte zuvor hatte Charle eine wichtige Studie über die Eliten der Dritten
Republik unternommen, in der unter anderem ein kleiner Abschnitt auch den Diplomaten, aber einzig unter dem Gesichtspunkt der Karriere und nicht der aussenpolitischen Inhalte gewidmet war. Hinsichtlich der historiographischen Entwicklung hin zur Sozialgeschichte ist es wichtig festzustellen, dass Charle in dieser 1987 erschienenen Arbeit sagte, er habe mit seinen Arbeiten dazu bereits
1975 begonnen, als eine einfache Klassenanalyse bereits ihre Attraktivität eingebüsst habe und man begann, sich für Untergruppen und Teilmilieus zu interessieren. Man sei von der Makro-Sozialgeschichte zur Mikro-Sozialgeschichte übergegangen und habe dabei die Verbindungen von Sozialem und Politischem zum
Gegenstand der Forschung gemacht.[68]

Die Abklärungen der 2001 erschienenen Arbeit waren durch den Vergleich
dreier Gesellschaften (der deutschen, französischen und englischen) und durch
die Abdeckung der Jahre 1900–1940 derart breit angelegt, dass sich die Aussage-
kraft der einzelnen Befunde in engen Grenzen hielt. Im Falle Frankreichs stellte
er fest, dass sich trotz der Verkündung des Egalitätsprinzips eine klar abgegrenzte
bürgerliche Elite bildete, diese Elite von der rechten wie von der linken Seite
zwar etwas unter Druck kam, aber nicht wirklich gefährdet war. Nicht näher
untersucht wurden die kurz angesprochenen Fraktionskämpfe innerhalb des do-
minanten politischen Lagers. Charle bemerkte einzig, dass diese zur bekannten
ministeriellen Instabilität geführt und den »mandataires professionnels«, zum Beispiel den führenden Diplomaten, einen grossen Einfluss gegeben hätten.[69] Diese
hätten nicht nur als Individuen, sondern, was schnell einleuchtet, als »porte-parole« ihrer Gesellschaften beziehungsweise ihres Milieus gehandelt.[70]

Soweit die innergesellschaftlichen Verhältnisse mit den internationalen Verhältnissen überhaupt in Verbindung gebracht werden, machte der Verfasser für
Frankreich vor allem zwei Aussagen:

1. Die Beziehung zu Russland habe paradoxe Züge gehabt, Frankreich sei als
egalitäres und defensives Gebilde in die Abhängigkeit eines ausgesprochen oligar-
chischen und aggressiven Gebildes geraten. Dies nicht zuletzt infolge des aus re-
publikanischem Minderwertigkeitsgefühl entspringenden Geltungsbedürfnisses
eines Maurice Paléologue, des französischen Botschafters 1914 in St. Petersburg.[71]

2. Das französisch-deutsche Verhältnis sei unversöhnlich geblieben, weil die
Wahrnehmungen der Eliten der beiden Länder durch divergierende politische
Kulturen und Aprioris eingeschränkt gewesen seien. Die französischen Akteure
seien wegen des Traumas von 1870 Gefangene ihrer antideutschen Obsession gewesen und hätten die deutsche Gegenseite nur sehr selektiv wahrgenommen.[72]

---

[68] Christophe CHARLE, Les Elites de la République: 1880–1900, Paris 1987, S. 10.

[69] CHARLE, Crise, S. 112 f.

[70] Ebenda, S. 235.

[71] Ebenda, S. 120, 230, 238.

[72] Ebenda, S. 236, 241.

Charle sagte von der Juli-Krise und dem starken Einfluss der deutschen Militärs, dieser Moment offenbare

»le mélange intime de l'évènement singulier et des forces sociales.«[73]

Dieser »mélange« über mehr als einen Moment, nämlich über die »longue durée« zu untersuchen, wäre ein schönes und verlockendes Programm. Es ist aber, wie auch Charles Arbeit zeigt, als Grossformat nicht realisierbar.

### 3. Die bisherigen Arbeiten zur Innenseite der französischen Aussenpolitik

Der sozialgeschichtliche »turn« bewirkte, dass seit Ende der 1960er Jahre zur Klärung der Frage der Verantwortung für den Kriegsausbruch in den internationalen Beziehungen mehr und mehr auch die nichtpolitischen, die wirtschaftlichen und mentalen Dimensionen, und im bloss nationalen Feld die vorwiegend innenpolitischen Verhältnisse einbezogen, ja dass diese Verhältnisse untersucht wurden, ohne dass damit weiterhin eine Klärung der Kriegsursachenproblematik angestrebt wurde.

Zur ersteren Kategorie der Wirtschaftsstudien gehören die Arbeiten, die gegen Ende der 1960er Jahre und in den frühen 1970er Jahren entstanden sind und die Ausgangsbasis auch für die vorliegende Arbeit bildeten. Bereits erwähnt wurde die grosse Studie von Raymond Poidevin über die französisch-deutschen Wirtschaftsbeziehungen.[74] Zu der Reihe der damals vorangetriebenen aussenwirtschaftlichen Studien gehörten die wenig später erschienenen Arbeiten von René Giraud über das finanzielle Engagement des französischen Kapitals in Russland (1973)[75] und von Jacques Thobie über die entsprechenden Beziehungen mit dem Osmanischen Reich (1973).[76] Die vierte dieser grossen Thèses d'Etat dieser Serie wurde von Jean-Claude Allain verfasst (1974); sie befasste sich mit der Agadir-Krise und Caillaux' Politik und bewegte sich teilweise bereits auf der Innenseite der Aussenpolitik.[77] Zwar ebenfalls der Innenseite zugewandt, aber doch eher der traditionellen Ideengeschichte verpflichtet ist die 1978 erschienene Arbeit von Marianne Butenschön zur Geschichte der Russland-Ideologie in Frankreich 1870–1894. Die Verfasserin bemerkte ausdrücklich, dass sie keine Studie der »opinion publique« anstrebe, wie sie Pierre Renouvin als wünschbar bezeichnet

---

[73] Ebenda, S. 245.

[74] Vgl. oben Anm. 40.

[75] René GIRAULT, Emprunts russes et investissements français en Russie 1887–1914, Paris 1973. Zuerst in Paris X-Nanterre wurde er Duroselles Nachfolger in Paris I. Vgl. Nachruf von Pierre GUILLEN in: Relations internationales 101 (Frühjahr 2000), S. 3 f.

[76] Jacques THOBIE, Les intérêts économiques, financiers et politiques français dans la partie asiatique de l'empire ottoman de 1895 à 1914, Bde. 1–3, Paris 1973.

[77] Jean-Claude ALLAIN, Joseph Caillaux et la seconde crise marocaine. Bde. 1–3, masch. MS, Paris 1974. – Ders., Agadir 1911: une crise impérialiste en Europe pour la conquête du Maroc, Paris 1976. – Ders., Joseph Caillaux, Bde. 1–2, Paris 1978/81.

hatte. Sie bietet »lediglich« eine Analyse des Russland-Bildes an, wie es von einer kleinen Gruppe französischer Slawisten »organisiert« worden sei.[78]

Was ist seit 1981, als die vorliegende Studie einen ersten Abschluss fand, an weiteren Arbeiten entwickelt worden, die in der überarbeiteten Version einbezogen werden mussten? Es ist sinnvoll, zwischen allgemeinen, institutionengeschichtlichen und politikgeschichtlichen Untersuchungen zu unterscheiden. Aus dem Bereich der allgemeinen Synthesewerke sind vor allem die Werke von Jean-Marie Mayeur (1973 und 1984) und von François Caron (1985) zu nennen.[79] 1973 bemerkte Mayeur, dass seit etwa 15 Jahren die Geschichte der Dritten Republik eine grundlegende Überarbeitung erfahren habe, und er postulierte, dass das neue Verständnis auch den sozialgeschichtlichen Zugängen Rechnung tragen müsse. Die Aussen- und speziell die Kolonialpolitik würden nicht als eigenständige Teile, sondern in Verbindung mit der Innenpolitik behandelt.[80]

Im Bereich der institutionengeschichtlichen Untersuchungen wurde 1982, also nach dem vorläufigen Redaktionsschluss der vorliegenden Arbeit, von Jean Estèbe eine Sozialstudie der 320 Regierungsangehörigen (Minister) der Jahre 1871–1914 vorgelegt. Die Arbeit ist hier von Bedeutung, weil sie das wachsende Interesse an sozialen Hintergrundinformationen bezeugt und der Autor versuchte, an Stelle des individuellen Akteurs die Gruppe als handelnde Grösse zu verstehen:

»L'ensemble des hommes d'Etat constitue le premier rôle du théâtre politique.«

Das Zusatzwissen vermittelt aber in den meisten Fällen keine zusätzlichen Einsichten bezüglich der Politik im Allgemeinen und schon gar nicht über die Aussenpolitik im Besonderen. Delcassé wurde beispielsweise vier Mal erwähnt: als guter Schüler, als Abgeordneter eines bestimmten Departementes, als Zeitungsschreiber und im Abschnitt »L'affairisme« – was die wichtigste Information ist – als Minister, der bei der Vergabe einer Lizenz für die Compagnie Marocaine 1902 die Bewerbung der Bank Rouvier überging, was 1904 zum Sturz Delcassés beigetragen haben könnte.[81] In jüngster Zeit ist ein Lexikon der französischen Aussenminister seit dem 16. Jahrhundert bis zur Gegenwart erschienen; dieses beschränkt sich aber, seiner Gattung entsprechend, auf die Vermittlung von elementaren Angaben zur Person.[82] Einen ähnlichen Stellenwert hat ein ebenfalls 2005 publiziertes Sammelwerk mit Synthesencharakter zur Geschichte der französischen Diplomatie.[83]

---

[78] Marianne BUTENSCHÖN, Zarenhymne und Marseillaise. Zur Geschichte der Russland-Ideologie in Frankreich (1870/71–1893/94), Stuttgart 1978.

[79] Jean-Marie MAYEUR, La vie politique sous la Troisième République, 1870–1940, Paris 1984. Vom gleichen Autor bereits zuvor publiziert: Les débuts de la IIIᵉ République, 1871–1898, Paris 1973. – François CARON, La France des Patriotes, Paris 1985 (Bd. 5 einer Histoire de France).

[80] MAYEUR, Débuts, S. 8.

[81] Jean ESTÈBE, Les Ministres de la République 1871–1914. Mit einem Vorwort von Maurice Agulhon, Paris 1982, S. 171.

[82] Dictionnaire des Ministres des Affaires Etrangères, 1589–2004, Paris 2005. Mit einem Vorwort von Michel Barnier.

[83] Histoire de la Diplomatie Française, Paris 2005. Mit einem Vorwort von Dominique de Villepin.

1984 konnte der 2. Band der Geschichte des französischen Aussenministeriums zu den Jahren 1870–1980 veröffentlich werden.[84] Der Schreibende hat –
als einziger Nichtfranzose[85] – an diesen von Jean Baillou geleiteten Arbeiten mitgewirkt, die Teil der grossen Serie der vom Centre National de la Recherche Sci-
entifique (CNRS) herausgegebenen Verwaltungsgeschichte mit Bänden auch über
den Conseil d'Etat und das Corps des Ponts et Chaussées war. Hier stand der
Verwaltungsaspekt und dabei vor allem das Zusammenwirken von Zentrale und
Aussenposten im Vordergrund; die »action diplomatique« war im besten Fall il-
lustrativer Hintergrund. Der Zweck bestand mehr in der Dokumentation als in
der Klärung spezifischer Fragen. Darum wurde der Darstellung auch, wie ausdrücklich festgehalten, keine »Conclusion« mitgegeben.

1987 publizierte Christophe Charle die bereits erwähnte Elitenstudie für die Jahre 1880–1900. Er konnte auf die eklatante Diskrepanz zwischen dem öffentlichen
Kult um einzelne Angehörige dieser Eliten (mit Büsten, Gedenkzeremonien,
Strassennamen) und dem sozialgeschichtlich fundierten Wissen über diese Gruppe aufmerksam machen. Mit Hinweis auf Jean Estèbe verzichtete er auf die Er-
fassung der Politiker; den Diplomaten widmete er aber ein paar wenige Seiten.[86]

Der australische Historiker M. B. Hayne verstand seine in Sidney abgeschlossene und 1993 publizierte Dissertation über das französische Aussenministerium
als Beitrag zur Debatte um die Kriegsschuld; er bemerkte, dass es anders als im
Falle des britischen und des deutschen Aussenministeriums keine valable Institu-
tionengeschichte zum französischen Aussenministerium gebe. Den Quai d'Orsay
positionierte er zwischen die, wie schon Fritz Fischer festgestellt hatte, in hohem
Mass von externen Kräften mitbestimmte Wilhelmstrasse und dem gemäss Zara
Steiners Befunden entschieden unabhängigeren Foreign Office. Von der französischen Aussenpolitik sagte er in Übereinstimmung mit Keiger, dass sie in der
Zeit vor Kriegsausbruch ruhig und friedfertig gewesen sei. Allerdings habe Maurice Paléologue, der französische Botschafter in St. Petersburg, eine zu unabhängige Stellung gehabt und mit seinem persönlichen Wirken, das Hayne als »ambas-
sadorial dictatorship« bezeichnet, eine »heighly significant contribution« zum
Kriegsausbruch geleistet. Dass dieser unheilvolle Effekt überhaupt möglich war,
führte der Verfasser auf das Misslingen der Verwaltungsreform von 1907 zurück,
welche den Botschaftern zu viel Spielraum gelassen habe. Den parteipolitischen
Verhältnissen oder der öffentlichen Meinung wird in dieser Studie jedoch kaum
Bedeutung beigemessen.[87]

---

[84] Les Affaires étrangères et le Corps diplomatique Français. Bd. 2: 1870–1980. Paris 1984.
– Hier sei noch auf zwei spätere, aber nicht zentrale Publikationen hingewiesen: Marie-France
LECHERBONNIER, Le protocole. Histoire et coulisses, Paris 2001. – Mémoires du monde. Cinq
siècles d'histoire inédites et secrètes au Quai d'Orsay, Paris 2001.

[85] Zu meiner aussernationalen Mitwirkung: Sie erfolgte in schlechtem Französisch, weshalb
mich ein Mitarbeiter des Teams, ein ehemaliger Diplomat, einmal verwundert fragte: »Monsieur, êtes-vous Alsacien?«

[86] CHARLE, Elites, S. 220–225.

[87] HAYNE, Foreign Office, S. 1–4 und 307. Auf Paléologue bezogen fallen recht massive
Formulierungen: »the role of Paléologue was highly significant and surely contributed to the
coming of war« (S. 308) und letztlich sei auch das Aussenministerium und Frankreich für »se-

Die von Rainer Hudemann und Georges-Henri Soutou 1994/96 herausgegebene und eine komparative Gesamtsicht anstrebende Aufsatzsammlung über Eliten in Deutschland und Frankreich enthält auch zwei Beiträge über die französischen Diplomaten (allerdings erst ab 1900) und über die französischen Militärs (1871– 1914). Die Beiträge über die politischen und parlamentarischen Eliten bewegten sich aber ausserhalb unseres Zeitraumes.[88] Stellvertretend für die immense Literatur zur innenpolitischen Entwicklung sei hier lediglich auf die Arbeit von Daniel Mollenhauer von 1997 über die »Radicaux« in der frühen Dritten Republik (1870–1890) hingewiesen.[89]

Im politikgeschichtlichen Bereich ist vor allem die etwa zur gleichen Zeit wie die vorliegende und aus ähnlichen Interessen erarbeitete Studie von Gerd Krumeich (1980) zu nennen. Krumeich empfand angesichts des allgemeinen Wettrüstens, das sich auch in anderen Ländern auf nationalistische Massenbewegungen abstützte, Fritz Fischers These von der deutschen Alleinschuld als zu einfach. Darum ging er in seiner Düsseldorfer Dissertation am Fall der Einführung der dreijährigen Dienstpflicht 1913/14 der Frage nach, inwiefern in Frankreich wechselseitig determinierende Beziehungen zwischen aussenpolitischen Notwendigkeiten und innenpolitischen Möglichkeiten bestanden. Krumeich stellt fest, dass die Aufrüstung aus Rücksicht auf die Allianz mit Russland für nötig erachtet wurde und die Vorstellung vom »drohenden deutschen Überfall« die Aufrüstung innenpolitisch legitimierte. Der Linksrutsch in den Wahlen vom April/Mai 1914 habe aber den Erfolg dieser Argumentationsfigur in Frage gestellt. Dies schien die Allianz mit Russland zu gefährden und förderte darum die Bereitschaft, die deutsche Herausforderung »lieber jetzt als später« anzunehmen.[90]

Die von Jean-Baptiste Duroselle zusammen mit der Imprimérie nationale geplante 12bändige Geschichte der französischen Aussenpolitik realisierte sich nur teilweise. Neun Bände hätten einzelne Zeiträume der Jahre 1871–1969 abdecken sollen, drei Bände dagegen diachron besondere Aspekte der ganzen Zeit. Duroselle ging mit seiner stupenden Produktivität voraus und machte mit zwei 1979 und 1982 erschienenen Bänden zu den Jahren 1932–1939 und 1939–1945 den Anfang. Der Band 1871–1881 zur Phase des Receuillement kam nicht heraus, dagegen 1985 der von Pierre Guillen verfasste Band zur Expansionsphase der Jahre

---

rious structural defect« verantwortlich: »Paléologue's responsibility for the outbreak of war can be extended to the French government«, ebenda.

[88] Jean-Claude ALLAIN, Les Ambassadeurs Français en poste de 1900 à 1939, in: Eliten in Deutschland und Frankreich im 19. und 20. Jahrhundert. Strukturen und Beziehungen, Bd. 1, München 1994, S. 265–279. – William SERMAN, Les élites militaires françaises et la politique, 1871–1914, in: Ebenda, S. 211–217. Der Mitherausgeber Rainer HUDEMANN hatte zuvor bereits publiziert: Fraktionsbildung im französischen Parlament. Zur Entwicklung des Parteiensystems in der frühen Dritten Republik (1871–1875), München 1979.

[89] Daniel MOLLENHAUER, Auf der Suche nach der »wahren Republik«. Die französischen »radicaux« in der frühen Dritten Republik (1870–1890), Bonn 1997 (bei Gerd Krumeich in Freiburg abgeschlossene Dissertation).

[90] Gerd KRUMEICH, Aufrüstung und Innenpolitik in Frankreich vor dem Ersten Weltkrieg. Die Einführung der dreijährigen Dienstpflicht 1913–1914, Wiesbaden 1980, S. 15. – 1984 auch in englischer Übersetzung erschienen. Bereits zuvor erschienen: Ders., Poincaré und der »Poincarismus«, in: Francia 8 (1980), S. 427–454.

1881–1898.[91] Aus der zweiten Kategorie zu den wirtschaftlichen, »psychologischen« und militärischen Dimensionen erschien 1987 bloss der letztere Band von Jean Doise und Maurice Vaisse.[92]

In einer Mischung aus ideen- und mentalitätsgeschichtlichem und letztlich auch politikgeschichtlichem Verständnis ist die vielleicht noch im Kontext des 80-Jahr-Gedenkens an den Ersten Weltkrieg 1994/95 entstandene Publikation von Jean-Jacques Becker und Stéphane Audoin-Rouzeau erarbeitet worden. Die Arbeit befasste sich mit den Auswirkungen der Feldzüge des Zweiten Kaiserreichs, des französisch-deutschen Kriegs von 1870/71 und des Ersten Weltkriegs auf das französische Nationalbewusstsein. Da das »Danach« auch ein »Davor« beziehungsweise ein »Dazwischen« ist, enthält diese Arbeit in ihrem mittleren Teil wichtige Ausführungen auch zu unserem Thema.[93]

Hier sei auch noch die halb institutionengeschichtliche, halb politikgeschichtliche Göttinger Dissertation von Christoph Steinbach in Erinnerung gerufen, die bereits in die erste Fassung der vorliegenden Arbeit einbezogen wurde und den Zusammenhang zwischen der französischen Beurteilung der deutschen Politik und der Aussenpolitik Frankreichs behandelte.[94] Zur gleichen gemischten Kategorie gehören zwei Arbeiten über drei aussenpolitische Akteure: Die »naturgemäss« teilweise etwas traditionell und hagiographisch ausgefallenen Beiträge eines Provinz-Kolloquiums über Aussenminister Théophile Delcassé, »fils de l'Ariège« anlässlich des 100-Jahr-Jubiläums von Delcassés erstem Regierungsmandat.[95] Ferner die solide Doppelbiografie von Laurent Villate über die Diplomatenbrüder Paul und Jules Cambon.[96] Ausgangspunkt der von Pierre Milza abgenommenen Dissertation war die 1991 gemachte »zufällige Entdeckung« der wichtigen und in der Familie der Cambon gebliebenen Privatkorrespondenz, die bereits Ende der 1970er Jahre eine wichtige Basis für die vorliegende Arbeit bildete, inzwischen aber in den »deux malles en fer peintes en jaune, ressemblant à des coffres de trésor« unbeachtet weiterschlummerte. Zu der Wiederentdeckung kam, dass der offenbar doch auch in Frankreich auf der »Diplomatiegeschichte« liegende Bann wieder aufgehoben und ein wissenschaftliches Interesse an exemplarischen

---

[91] Pierre GUILLEN, L'expansion 1881–1898, Paris 1984.

[92] Vgl. unten Anm. 101.

[93] Jean-Jacques BECKER/Stéphane AUDOIN-ROUZEAU, La France, la Nation, la Guerre: 1850–1920, Paris 1995.

[94] Christoph STEINBACH, Die französische Diplomatie und das Deutsche Reich, 1873 bis 1881. Untersuchungen zum Zusammenhang zwischen der französischen Beurteilung der deutschen Politik und der Aussenpolitik Frankreichs, Bonn 1976. Besprechung Steinbachs von Georg KREIS in: HZ 227 (1978), S. 456–458.

[95] Delcassé et l'Europe à la veille de la Grande guerre. Actes du colloque tenu à Foix, Octobre 1998. Hrsg. vom Generalrat und den Departementsarchiven von Ariège. Saint-Girons 2001. Besprechung von Michel CATALA in: Relations internationales Nr. 111 (Herbst 2002), S. 410–413.

[96] Laurent VILLATE, La République des diplomates. Paul et Jules Cambon 1843–1935, Paris 2002. Vgl. Besprechung von Jean-Claude ALLAIN in: Relations internationales Nr. 114 (Sommer 2003) S. 295–297.

Laufbahnen von Spitzenfunktionären in ihrem politischen und sozialen Milieu nun wieder möglich ist.[97]

*

Die Basis für die vorliegende, 1980 als Habilitationsschrift an der Universität Basel eingereichte Arbeit wurde vor rund drei Jahrzehnten gelegt.[98] Die ersten Impulse bezog sie im weitesten Sinn aus der Fischer-Debatte. Ausgangspunkt war die Absicht, wie es in der deutschen Variante geschehen ist, auch für Frankreich abzuklären, ob und inwiefern, durch die inneren Verhältnisse bestimmt oder mitgeprägt, eine den Kriegsausbruch begünstigende Kriegsbereitschaft bestand und darum allenfalls auch auf dieser Seite ein Anteil an der Verantwortung für den Ausbruch des Kriegs ausgemacht werden könne. Die oben genannten Publikationen zeigen zweierlei: erstens, dass die in den 1970er Jahren bearbeiteten Fragen weiterhin von Interesse waren und sind; und zweitens, dass die hier behandelte Thematik trotz mancher Berührungspunkte inzwischen doch nicht behandelt und geklärt worden ist.

Der vorliegenden Arbeit geht es nicht darum, eine umfassende Darstellung der französischen Aussenpolitik vor 1914 zu geben, noch will sie nun wirklich die Frage nach Frankreichs Anteil an der Verantwortung für den Kriegsausbruch von 1914 neu aufrollen. Die vorliegende Studie möchte vielmehr ein Beitrag zur Erhellung der internen Voraussetzungen der französischen Aussenpolitik in den Jahren 1871–1914 sein. Indirekt wird sie dennoch Elemente für eine Erklärung der Haltung Frankreichs vor dem Ersten Weltkrieg zur Verfügung stellen.

Anfänglich bestand zwar die Absicht, eher synchron zu forschen und sich darum auch auf das Jahrzehnt vor 1914 zu beschränken. Doch ganz abgesehen davon, dass nicht einzusehen ist, warum ausgerechnet ein Jahrzehnt eine historische Einheit und warum ausgerechnet eine Jahrhundertwende eine historische Zäsur sein soll[99], zeigte sich schon bald die Notwendigkeit, bis zur Krise von 1870/71 zurückzugehen und die gesamte Zwischenkriegszeit als Vorkriegszeit zu verstehen. Diese gewaltige Ausdehnung des Forschungsvorhabens war es denn auch, die wiederum verschiedene Beschränkungen nötig machte, in den Bereichen sowohl der Aussen- als auch der Innenbeziehungen.

Eine vollständige Innenansicht der Aussenpolitik müsste neben dem Kriegs- und Marineministerium auch das Kolonialministerium als besonderen Faktor sichtbar machen. Sicher könnte eine genauere Analyse der Kompetenzabgrenzungen und des Schriftverkehrs zwischen dem Aussen- und dem Kolonialminis-

---

[97] Dieser Bereich habe unter einem schlechten Ruf gelitten – einem »mauvaise image: cette d'une histoire anecdotique, événementielle, à l'écart des vastes questions économiques et sociales chères à l'Ecoles des Annales«, VILLATE, République, S. 10. Villate will die Cambons zudem von deren Inanspruchnahme durch das Vichy-Regime befreien.

[98] Sie war als Manuskript auf der Universität Basel öffentlich zugänglich und wurde z. B. von Hayne (HAYNE, Foreign Office, S. 9, 21, 320) konsultiert.

[99] Ein Opfer dieses sich nicht an den wirklichen Entwicklungen orientierenden Dezimaldenkens ist die Arbeit von Paul Lauren, die nachzuweisen versucht, was nach 1900 anders wurde, als es vor 1900 gewesen war. Vgl. Anm. 105 und 106.

terium interessante Ergebnisse bringen.[100] Der Zwang zur Beschränkung gestattete indessen nicht, auch diesen Gesichtspunkt auszuleuchten. Hingegen werden wir uns eingehend mit der Frage beschäftigen, welche Bedeutung den kolonialpolitischen Zielsetzungen im Rahmen der französischen Aussenpolitik zukommt. Leider musste sodann darauf verzichtet werden, der Frage nachzugehen, inwiefern die Aussenpolitik durch das Kriegsministerium und die Militärs geprägt worden ist.[101] Diese Frage wäre eine spezielle Untersuchung wert. Wahrscheinlich käme man zum gleichen Ergebnis wie im wirtschaftlichen Bereich: zur Erkenntnis nämlich, dass das Verhalten in den beiden Domänen schlecht aufeinander abgestimmt war. In der Debatte um die dreijährige Dienstzeit könnte sich dies dann allerdings, wie Gerd Krumeichs Arbeit gezeigt hat, etwas geändert haben.[102]

Aussenpolitik kann man als Reaktion auf externe Welten und insbesondere auf die Aussenpolitik der übrigen Mächte auffassen, man kann sie aber auch als intern programmiertes Verhalten verstehen. Während Ersteres vor allem die ältere Betrachtungsweise der Diplomatiegeschichte war, entspricht Letzteres der neueren Betrachtungsweise der Sozialgeschichte. Für den neueren Ansatz ist paradoxerweise die ältere Bezeichnung »Aussenpolitik« zutreffender als der heute allgemein übliche Begriff der »Internationalen Beziehungen«, denn sein Brennpunkt liegt im innerstaatlichen und nicht im zwischenstaatlichen Leben.

Das Interesse für das Innenleben der Aussenpolitik ist nicht neu.[103] Es hat in zwei verschiedenen Forschungsansätzen seinen Niederschlag gefunden: Der ältere ist der institutionengeschichtlich-juristische, der jüngere ist wiederum der sozialgeschichtliche. Der formale Aspekt ist im ersten, der inhaltliche Aspekt im zweiten Ansatz der dominierende Gesichtspunkt. Während man im ersten Fall versucht ist, von den Entscheidungsprozessen anzunehmen, dass sie so verlaufen, wie Gesetze und Verordnungen dies geregelt haben, geht die zweite Auffassung von der Annahme aus, dass die tatsächlichen Strukturen von den vorgesehenen Kompetenzorganigrammen abweichen können. Will man erfahren, wie sich die Entscheidungen wirklich abspielten und sich die Kompetenzen wirklich abgrenzten, muss man den »modernen« Ansatz der sozialgeschichtlichen Richtung

---

[100] Bis 1881 waren die Kolonialangelegenheiten nur eine Direktion im Marineministerium. Im ersten Kabinett Gambetta wurde ein Unterstaatssekretariat geschaffen, dieses Félix Faure anvertraut und dem Handelsministerium angegliedert. Die drei folgenden Regierungen (de Freycinet, Duclerc und Fallières) sahen von einer derartigen Lösung ab, Jules Ferry nahm sie im Februar 1883 wieder auf. Im März 1894 schuf dann Casimir Périer ein selbständiges Ministerium und übertrug Delcassé die Leitung. Vgl. Raoul GIRARDET, L'idée coloniale en France de 1871 à 1962, Paris 1972, S. 75 f.

[101] Allgemein dazu Jean DOISE/Maurice VAISSE, Diplomatie et outil militaire, (1871–1991), Paris 1987. 1992 auch in Taschenbuchausgabe erschienen. Durosell erklärt im Vorwort, dass diese Studie die Militärs nicht als eigene Kraft auffasst, sondern wirklich nur als Instrument, dessen sich die Politik und die Diplomatie bedient, so gut sie es kann. – Samuel R. WILLIAMSON hat eine aufschlussreiche Studie über die strategische Kooperation zwischen England und Frankreich in den Jahren vor dem Ersten Weltkrieg verfasst, jedoch die Beziehungen zwischen Aussen- und Kriegsministerium nicht eingehend untersucht: The Politics of Grand Strategy. Britain and France Prepare for War 1904–1914, Cambridge/Mass. 1969.

[102] KRUMEICH, Aufrüstung.

[103] Neu ist die Fragestellung auch nicht für den Vf., der sich in allen seinen Arbeiten mit den Wechselbeziehungen zwischen »Innen« und »Aussen« befasst hat.

mit dem gerne als antiquiert bezeichneten personengeschichtlichen Ansatz verbinden. Zwangsläufig wird dadurch das einzelne Individuum, allerdings als ein vom sozialen Umfeld geprägtes Wesen, erneut zum Gegenstand der Forschung.

Im Rahmen dieses Erschliessungsvorgangs ist es nicht möglich, allen innerstaatlichen Kräften nachzuspüren. Es war nahe liegend, zunächst die departementsinternen Verhältnisse und Vorgänge zu untersuchen und damit das zu tun, was für andere Aussenministerien zum Teil bereits getan worden ist. Doch sollte es damit nicht sein Bewenden haben. In einem weiteren Schritt ging es darum abzuklären, inwiefern das Parlament, die Presse und die Wirtschaft als die wichtigsten innerstaatlichen Faktoren den internen Entscheidungsprozess bestimmt haben.

Die breite Spanne der vier Jahrzehnte ist nötig, wenn man die innenpolitische Entwicklung wahrnehmen, die strukturellen Muster freilegen, die biografischen Werdegänge erfassen und Kontinuität und Wandel sichtbar machen will. Zugleich ist es eine aussenpolitische Einheit, die von Krieg zu Krieg führt – von einer nicht verschmerzten Niederlage zum Anfang eines prekären Sieges, von dem man sagen kann, dass er eigentlich ein Pyrrhussieg gewesen sei, weil er Frankreich noch schwächer gemacht hat. Es ist die Zeit, in der die einzelnen Grossmächte noch einiges an Spielraum für ihre Politik hatten und dieser Spielraum sogar – parallel zur innenpolitischen Instabilität im französischen Fall – grösser wurde und mit ihr die internationale Instabilität. Das einigermassen integrierende »Konzert der Mächte« zerfiel in dieser Zeit. An seine Stelle trat ein System der antagonistischen Allianzen.

Heute muss man das weniger betonen, trotzdem sei es gesagt: Die hier präsentierte Arbeit befasst sich nicht in traditioneller Weise mit den »Internationalen Beziehungen«, sie betreibt nicht einfach im Nachvollzug staatsmännischer Reflexion ein auf die zwischenstaatlichen Beziehungen beschränktes und zugleich personalistisches Räsonnement zur »Grossen Politik der grossen Mächte«. Renouvin und Duroselle betonten, dass dies eine viel zu enge Sicht sei. Das Postulat, dass die Aussenbeziehungen in ihrer ganzen Breite, von der Mentalitäts- bis zur Wirtschaftsdimension, zu berücksichtigen seien, wurde von dieser Schule in umfangreichen Einzelstudien umgesetzt und eingelöst. Die vorliegende Arbeit entstammt dieser Schule und fühlt sich diesem Verständnis verpflichtet. Sie geht aber noch weiter, indem sie die innergesellschaftlichen Verhältnisse beim Studium der Aussenpolitik nicht nur berücksichtigt, sondern, wie gesagt, die Innenseite der Aussenpolitik zum eigentlichen Gegenstand der Untersuchung macht.

Die Innenansichten, die von verschiedenen Aussenministerien bereits vorliegen, sind allerdings um einiges bescheidener: Die bereits vorliegenden Studien von Zara S. Steiner über das britische Aussenministerium der Jahre 1890–1914, von Robert D. Schulzinger über das amerikanische Aussenministerium der Jahre 1908–1931, von Lamar Cecil über das deutsche Aussenministerium der Jahre 1871–1914 und von Erwin Matsch über das österreichische Aussenministerium der Jahre 1720–1920 sind so eng gefasst, dass die departementsexternen, aber durchaus innerstaatlichen Kräfte in diesen Innenansichten der Aussenpolitik nicht sichtbar und schon gar nicht auf ihre Wirkung hin untersucht werden.[104]

[104] Zara S. STEINER, The Foreign Office and Foreign Policy 1898–1914, Cambridge 1969. – Robert D. SCHULZINGER, The making of the diplomatic mind. The training, outlook and style

Die Arbeiten, die über das französische Aussenministerium verfasst worden sind, begnügen sich zum Teil ebenfalls mit dem einfachen, institutionenge-schichtlichen Ansatz: 1952 stellte Ludwig Dischler in einer unpublizierten Arbeit eine Dokumentation über den auswärtigen Dienst Frankreichs zusammen, und 1953 gab Amédée Outray, der selbst dem Quai d'Orsay angehörte, in einer Arti-kelfolge eine Übersicht über die Geschichte und die Prinzipien der Verwaltung der auswärtigen Angelegenheiten.[105] Während diese beiden ihren Ausführungen keine tragende Fragestellung zugrunde gelegt haben, hat Paul Lauren in seiner 1976 erschienen Arbeit mehrheitlich zweitrangige Quellen zu der nicht sehr er-giebigen Frage zusammengetragen, ob die Bürokratie des Quai d'Orsay einen adäquaten »response« auf die neue Zeit gegeben habe. M. B. Hayne übt denn auch in seiner Studie von 1993 scharfe Kritik an Lauren. Er verfehle den »essen-tial point«, weil er nur auf die Maschine beziehungsweise die Pläne der Maschine achte und nicht die beteiligten Individuen berücksichtige. Die angebliche Reform etwa von 1907, die eine Stärkung des Generalsekretariats hätte bringen sollen, sei gar nicht verwirklicht worden und habe die Bürokraten und Diplomaten in ab-träglicher Weise sehr unabhängig gelassen.[106]

Die beste Arbeit ist die 1931 erschienene und noch stark von der ersten Kriegs-schulddiskussion geprägte Darstellung von Frederick L. Schuman. Sie nimmt eine klassische und an sich einleuchtende Aufteilung vor, indem sie zunächst »the structure of the machine« und in einem zweiten Teil »the machine at work« zeigt.[107] Gegen diese Aufteilung lässt sich allerdings einwenden, dass es die Ma-schine als solche nur in den staatsrechtlichen Entwürfen (auf dem Reissbrett der Ingenieure) gibt und sie sich in der Wirklichkeit erst in den Vorgängen konstitu-iert (sie wird und ist, indem sie läuft) und dass ja auch der Weg der Forschung in umgekehrter Richtung läuft: Man studiert die Vorgänge und zieht Rückschlüsse auf die Beschaffenheit der Maschine. Schuman hat für seine Zeit ausgezeichnete Arbeit geleistet, er konnte sich aber lediglich auf die offiziellen Aktenpublikatio-nen stützen und darum nur beschränkt Einblick in die Maschine erhalten. Es war ihm insbesondere unmöglich, die Tätigkeit der vielen Maschinisten zu erkennen.

of United States Foreign Service Officers, 1908–1931, Middleton/Conn. 1975. Dem voraus ging die 1960 in Washington erschienene Arbeit von William BARNES/John Heath MORGAN, The Foreign Service of United States: Origins, Development and Functions. – Lamar CECIL, The German diplomatic Service, 1871–1914. Princeton 1976. – Erwin MATSCH, Geschichte des Auswärtigen Dienstes von Österreich (-Ungarn) 1720–1920. Köln/Wien 1980; aufgrund der Tatsache, dass diese Publikation eine 200jährige Geschichte auf 200 Seiten abhandelt, darf man annehmen, dass die departementsexternen innerstaatlichen Kräfte kaum berücksichtigt worden sind.

[105] Angaben zu Dischler, Outrey und Lauren finden sich in Bibliographie Abt. B.

[106] HAYNE, Foreign Office, S. 3.

[107] SCHUMAN, vgl. Bibliographie Abt. B. – Auch Duroselle verwendet in seinem Buch von 1979 über die »Décadence« als Titel des 9. Kapitels das Bild der »machine diplomatique« (S. 269). GUILLEN, Expansion, eröffnet seine umfassende Darstellung der französischen Aus-senpolitik der Jahre 1881–1898 ebenfalls mit einem Kapitel über die »machine diplomatique«, S. 13. – Über diese Metapher, die den normalen Zustand von Staatssystemen und Bewegung am Platz illustriert, s. Alexander DEMANDT, Metaphern für Geschichte, München 1978, S. 271 f.

Denn die Quellen, mit denen sich die intimeren Realitäten erfassen lassen, standen ihm nicht zur Verfügung.

Zur Methode und den Quellen: Die hier in grosser Zahl verarbeiteten Privatpapiere geben in der Regel ein unverhülltes und darum präziseres Bild der wirklichen Absichten, der Hoffnungen und Ängste der handelnden Personen, zumal
diese privaten Korrespondenzen vor allem zwischen gleichgesinnten und befreundeten Briefpartnern liefen. Neben den eigentlichen Privatbriefen, etwa den
Briefen Paul Cambons an seine Frau, seine Mutter, seinen Bruder und seinen
Sohn, gibt es einen zweiten Typus privater Korrespondenzen: offiziöse Schreiben, die als »lettres particulières« parallel zu den offiziellen Korrespondenzen ver-
schickt wurden, weil man die vorsichtigen und verklausulierten Formulierungen
der offiziellen Depeschen erläutern oder weil man eine besonders delikate Angelegenheit besprechen oder den Adressaten, abgesehen von Diskretionsgründen
im Interesse der Eigenwerbung, direkt und nicht auf dem Umweg über verschiedene Büros erreichen wollte. Das Schreiben, das der Marquis de Montebello, der
französische Botschafter in St. Petersburg, am 14. Januar 1893 Aussenminister
Develle drei Tage nach dessen Amtsantritt schickte, gibt eine ziemlich vollständige Begründung, warum Privatkorrespondenzen geführt wurden:

> »Si vous voulez bien me le permettre, Monsieur le Ministre, je pourrai, sous la for-
> me particulière et confidentielle, vous tenir plus exactement et plus librement au
> courant de la vraie situation, que par mes lettres officielles, et je vous prie de
> m'autoriser à user, quand je le croirai utile, de ce mode plus intime de correspon-
> dence.«[108]

Diese Schreiben gehörten nicht eigentlich zur offiziellen Dokumentation und
mussten darum auch nicht archiviert und schon gar nicht in irgendeinem Farbbuch publiziert werden. In heiklen Angelegenheiten wurden natürlich immer gewisse Dokumente beseitigt. Oft hinterliess aber die Beseitigung selbst irgendwelche Spuren. So stellen wir beispielsweise fest, dass Aussenminister Decazes am 9.
März 1874 dem französischen Botschafter in London schrieb:

> »(Les notes) ont un caractère si particulièrement confidentiel que je vous supplie
> de n'en pas laisser trace dans les archives de l'ambassade.«[109]

---

[108] Papiers Develle. – Barrère, damals französischer Geschäftsträger in München, bezichtigte in einem Schreiben an Jusserand vom 25. April 1891 Herbette, den französischen Botschafter in Berlin, der Leichtsinnigkeit: »On écrit ces choses-là particulièrement, et encore avec les
précautions nécessaires.« (Papiers Jusserand, Bd. 21). Natürlich praktizierte auch Paul Cambon
diese Methode; am 23. September 1909 schrieb er Aussenminister Pichon: »Je vous envoie par
lettre personelle, parce que les dépêches officielles traînent trop, un petit renseignement.« (Papiers Pichon, Institut). Schrieb man die Privatbriefe nur, um zu erreichen, dass die Berichte
auch vom Aussenminister gelesen wurden, so war der Inhalt der privaten Briefe (wie beispielsweise Corziers und Gérards Briefe an Pichon zeigen) so nichtssagend wie manche der offiziellen Berichte.

[109] Papiers G. d'Harcourt, Bd. 6. – Als sich der schweizerische Gesandte in London 1912
irrtümlicherweise beauftragt fühlte, russische Bedenken wegen österreichischer Rüstungsan-
strengungen dem französischen Botschafter in London als formelle Warnung weiterzugeben,
und Paul Cambon in der Folge dies in einem persönlichen Brief Ministerpräsident Poincaré
mitteilte und sich das Ganze schliesslich als Missverständnis klärte, da konnte Poincaré eben-

Während die Privatpapiere zwischen Inhabern von Amtsstellen ein klareres Bild der eigentlichen Politik zu geben vermögen und deshalb für unsere Analyse der aussenpolitischen Zielsetzungen wichtig werden, sind die Privatkorrespondenzen zwischen Verwandten, Freunden und Kollegen für die Analyse der internen Verhältnisse nicht nur die besseren, sondern die einzig zuverlässigen, weil in der Aktion entstandenen Dokumente. Weniger zuverlässig sind die ebenfalls benützten, aber mit besonderer Vorsicht ausgewerteten Memoiren und Tagebücher; bekanntlich haben rückblickende Darstellungen oft Rechtfertigungscharakter und erfahren Tagesaufzeichnungen nachträglich manchmal Retouchen.

Über die diplomatischen Akten, die neben den Privatpapieren die Grundlage für diese Arbeit bildeten, gibt ein ausführliches Verzeichnis im Anhang Auskunft. Hier sei lediglich auf einen für unsere Forschung besonders wichtigen Bestand hingewiesen: Die aus Anlass der Wahlen oder Nominationen französischer Staatsmänner und Diplomaten verfassten Berichte der deutschen Diplomatie (über 90 Bde. für die Jahre 1885–1914) erwiesen sich als sehr ergiebige und zuverlässige Quelle. Überhaupt war es erstaunlich festzustellen, wie stark die Aussagen der französischen, deutschen, schweizerischen und englischen Akten übereinstimmten und sich mit den Aussagen der offiziellen Aktenpublikationen, dank denen wir auch belgische, russische, österreichische und italienische Dokumente in die Untersuchung einbeziehen konnten, zu einem im Allgemeinen bemerkenswert harmonischen Bild ergänzten und sich selten widersprachen.

Die Privatpapiere weisen in der Regel einen höheren Aussagewert auf als die offiziellen Papiere; hingegen fehlt ihnen eine positive Eigenschaft: die Kontinuität. Sie sind Fragmente und als Fragmente zufällig gestreut. Solange Clemenceau im Sommer 1907 in Karlsbad weilt, finden seine Auffassungen und Anweisungen schriftlichen Niederschlag; sobald er aber wieder in Paris ist, versiegt diese Quelle.[110] Das gleiche Phänomen können wir bei den meisten Privatpapieren feststellen. So sind uns beispielsweise im Nachlass von Pierre de Margerie zahlreiche Briefe von de Margerie selbst erhalten, solange er in Kopenhagen, Washington, Madrid, Bangkok, Peking und Konstantinopel weilt; mit seinem Wechsel in die Pariser Zentrale bricht diese Korrespondenz ab und setzen dagegen die Schreiben ein, die de Margerie von seinen im Ausland weilenden Kollegen erhält.[111] Punktuelle Unterbrüche gibt es allerdings auch in der offiziellen Korrespondenz, wenn Botschafter zu Besprechungen in die Metropole reisen; ausgerechnet über diese Gespräche, die von besonderer Wichtigkeit gewesen sein dürften, sind wir dann schlecht informiert.

falls sagen: »Bon, c'est une simple gaffe, je rassurerai Cambon et sa lettre ne passera pas aux Archives.«, Bericht Lardy vom 11. Dezember 1912, BA Bern A 312, 2001.

[110] Dieser für einen Historiker glückliche Umstand bildete die Grundlage für D. WATSONS Untersuchung von Clemenceaus Einfluss auf die französische Aussenpolitik. (s. Bibliographie Abt. D). Diese Briefe sind zwar keine Privatbriefe im strengen Sinn des Begriffes, sie sind aber als solche in Pichons Nachlass im Institut aufbewahrt.

[111] Diese plötzliche Veränderung in der Substanz der nachgelassenen Papiere erwies sich auch für de Margeries Biograph als Problem; vgl. Bernard AUFFRAY, Pierre de Margerie (1861–1942) et la vie diplomatique de son temps, Paris 1976, S. 228.

Vollständig ist die Dokumentation also nicht, kann sie auch nicht sein. Immerhin wurde versucht, alle greifbaren Bestände von Privatpapieren in unsere Untersuchung einzubeziehen. Die im Anhang mitgegebene Übersicht über diese Bestände und über die biographische Literatur dürfte auch anderen Forschern von Nutzen sein. Ein besonderer Glücksfall war die Möglichkeit, den reichhaltigen und grösstenteils noch in Privatbesitz befindlichen Nachlass Paul Cambons, des bedeutendsten französischen Diplomaten dieser Zeit, auszuwerten. Ein Teil von Cambons Korrespondenz ist zwar in drei Bänden publiziert worden, doch der grössere Teil blieb unpubliziert, und zudem wurden manche der publizierten Briefe nur unvollständig wiedergegeben. Im Vergleich mit den Originalen stellt man fest, dass Passagen, die für unsere Arbeit gerade von besonderem Interesse sind, wohl aus Rücksicht auf Zeitgenossen und deren Familie, weggelassen wurden.

Die mangelnde Kontinuität der Briefwechsel und die Inkonsistenz der Bestände, das Fehlen eines festen und geschlossenen Quellenkorpus erlaubt keine methodologisch »saubere« Auswertung nach einheitlichen Kriterien. Lediglich die rund fünfzig Regierungserklärungen, die in den Jahren 1871–1914 im Zusammenhang mit den Kabinettsbildungen jeweils abgegeben worden sind, sowie die im »Barodet« gesammelten Wahlversprechen der gewählten Deputierten werden in einer systematischen Inhaltsanalyse auf die Frage hin untersucht, welches die Zielsetzungen der französischen Aussenpolitik waren.

Es wurde davon abgesehen, der Arbeit ein entscheidungstheoretisches Modell zugrunde zu legen. Dessen Einführung hätte kaum zu einem besseren Verständnis der zu bearbeitenden Zeit, sondern zu einer intensiven und letztlich den Hauptteil unserer Aufmerksamkeit beanspruchenden Auseinandersetzung mit dem Modell selbst geführt. Wenn die nachfolgende Darstellung nicht mit methodologischen Bemerkungen durchsetzt ist, heisst das nicht, dass die verwendeten Begriffe und Grundannahmen unreflektiert eingesetzt werden. Der Sichtung und Verarbeitung der Bestände ging immerhin eine intensive Auseinandersetzung mit theoretischen Schriften voraus, insbesondere mit Karl W. Deutschs grundlegendem Werk über die politische Kybernetik, aber auch mit einer Reihe besonderer Fallstudien.[112] Das leitende Erkenntnisinteresse verfolgte das schlichte und doch anspruchsvolle Ziel, den in der Aussenpolitik oft als monolithische Aktionseinheit gesehenen Staat in einer längeren Reihe konkreter Fälle während eines bestimmten Zeitabschnittes auf sein internes Funktionieren hin zu untersuchen. Der induktiven Methode verpflichtet, gehen wir von den greifbaren und nach Fragestellungen zerlegten Schriftstücken aus und versuchen die so herausgearbeiteten Gesichtspunkte zu einer Gesamtschau zu verbinden. Dabei müssen wir das

---

[112] Karl W. DEUTSCH, The Nerves of Government: Models of Political Communication and Control, New York 1963. Deutsche Ausgabe: Politische Kybernetik. Modelle und Perspektiven, Freiburg i. Br. 1969. Methodologisch interessant, aber ohne wesentlich neue Einsichten sind die Studien des folgenden Sammelbandes: Klaus Jürgen GANTZEL/Gisela KRESS/Volker RITTBERGER (Hrsg.), Konflikt – Eskalation – Krise. Sozialwissenschaftliche Studien zum Ausbruch des Ersten Weltkrieges, Düsseldorf 1972. Es ist nicht auszuschliessen, dass in einem weiteren Schritt der Versuch gelingen könnte, die zusammengetragenen Daten nach Machtmodellen, wie sie Graham T. Allison zur Erklärung makropolitischer Entscheidungen entwickelt hat, zu ordnen und untereinander in Beziehung zu setzen. Zu Allison siehe: Hayo UTHOFF/Werner DEETZ (Hrsg.), Bürokratische Politik, Stuttgart 1980.

chronologische Ordnungsprinzip verlassen und die Kenntnisse der wichtigsten Vorgänge dieser Zeit voraussetzen.

Die Recherchen konnten sich im Allgemeinen nicht von einer sich schrittweise entwickelnden Fragestellung die Richtung geben lassen und von einer Abklärung zur anderen voranschreiten. Wir waren vielmehr gezwungen, an eine breite Front von disparaten und unzusammenhängenden Beständen die gleichen Fragen zu stellen, Fragen, welche die Entscheidungsprozesse, Alternativen und Optionen erfassen und wissen wollten, ob die französische Aussenpolitik an eine Doktrin gebunden gewesen sei, wer diese Doktrin bestimmt hat und wer allenfalls welcher anderen Zielsetzung nicht hat zum Durchbruch verhelfen können.

Dabei erwies es sich als unumgänglich, auch Fragen abzuklären, die nicht zum engeren Interessenspektrum gehören. Denn in erstaunlich vielen Belangen fehlten die Einzeluntersuchungen, auf die unsere Abklärungen hätten zurückgreifen müssen, so dass zunächst die nötigen Grundlagen erarbeitet werden mussten. Was die Autoren des 1980 erschienenen Buchs über das Leben der französischen Deputierten in den Jahren 1871–1914 feststellen, dass nämlich wohl über die politischen Ideen schon viel gearbeitet, die konkrete Tätigkeit des Parlamentes hingegen noch nie untersucht worden ist, das gilt für manche andere Bereiche dieser Epoche.[113] Es wäre ein Irrtum anzunehmen, dass eine Epoche, die weit hinter der zum Teil ganz gut erschlossenen Zeitgeschichte liegt, bereits weitgehend erforscht und abgeklärt sei. Wir wissen in der Tat sozusagen nichts über die Vorgänge im Parlament und in der Verwaltung.[114] Aber auch über die in dieser Zeit vorherrschenden Zielsetzungen sind wir schlecht informiert. Einer so kapitalen Frage wie der Bedeutung der Idee der Revanche für die französische Aussenpolitik ist erstaunlicherweise bisher niemand nachgegangen. Und für den französischen Antikolonialismus gilt noch immer, was Charles Robert Ageron 1972 festgestellt hat:

»[…] il n'a point encore été étudié dans son ensemble par un historien.«[115]

Im Pressebereich steht uns lediglich die allgemeine Geschichte von Pierre Albert zur Verfügung.[116] Am besten erschlossen ist dank den bereits erwähnten Monographien der wirtschaftliche Bereich. Darum konnten wir unsere Ausführungen diesbezüglich eher kurz fassen; allerdings ist auch in diesem Bereich ein so wichtiger und symptomatischer Vorgang wie die Einführung von Handelsattachés bisher unabgeklärt geblieben.

---

[113] »[…] l'histoire du travail parlementaire n'a jamais été faite sérieusement, en dépouillant débats, rapports et archives, en cherchant à saisir la pratique parlementaire. On s'intéresse à l'histoire des idées politiques ou des partis politiques et non point à la réalité parlementaire.« Pierre GUIRAL/Guy THUILLIER, La vie quotidienne des députés en France de 1871 à 1914, Paris 1980, S. 9.

[114] Für die ersten Jahre HUDEMANN, Fraktionsbildung. Vorbildlich für die Verwaltungsgeschichte: Le Conseil d'Etat. Son histoire à travers les documents de l'époque, 1799–1974. Histoire de l'administration française. Edition CNRS, 1 012 S., Paris 1974.

[115] Charles-Robert AGERON, L'anticolonialisme en France de 1871 à 1914, Paris 1973.

[116] Pierre ALBERT, La presse française de 1871 à 1940, in: Histoire générale de la presse française, Bd. 3, Paris 1972, S. 135–405.

Der Zwang zur grundlegenden Dokumentation hat die ursprüngliche Fragestellung zuweilen etwas in den Hintergrund gedrängt und da und dort vielleicht
sogar zu einem Missverhältnis zwischen Dokumentation und Analyse geführt.
Mit ihrer Ausführlichkeit wird die vorliegende Arbeit jedoch zum Hilfsmittel für
weitere Untersuchungen zum gleichen Zeitraum. Die Erfahrung, dass die
schliesslich aufgefundenen und entzifferten Dokumente zum Teil sehr schwer
zugänglich sind und dass ein direkter Zugang zu den Grundmaterialien dieser
Geschichte wünschbar ist, hat uns veranlasst, dem interessierten Leser ausführliche Zitate zur Verfügung zu stellen. Das typographisch hervorgehobene Ori-
ginalzitat soll denn auch ein durchgehendes Darstellungsmittel der nachfolgenden Ausführungen sein.

# ERSTES KAPITEL

## DIE ZIELSETZUNGEN DER FRANZÖSISCHEN AUSSENPOLITIK

Im Katalog der aussenpolitischen Zielsetzungen lassen sich vier Hauptziele ausmachen: 1. die Sicherung des Grossmachtstatus, 2. die Rückgewinnung der verlorenen Provinzen, 3. die Gewinnung weiterer Kolonien und 4. der Kampf gegen den Niedergang. Von ihm wird, damit es nicht zu einer störenden Zweiteilung der Ausführungen kommt, noch nicht hier, sondern erst in Kap. 4.3 die Rede sein.

Daneben gab es freilich eine Vielfalt von sekundären Zielsetzungen, die hier nicht angesprochen werden: insbesondere in der Türkei und auf dem Balkan. Sie wurden in der Zeit selbst den Hauptzielsetzungen untergeordnet und sollen auch hier nur insofern zur Sprache kommen, als sie mit Blick auf die zentralen Fragestellungen von Bedeutung sind.

Die erste Zielsetzung dominierte in den Jahren 1871–1879 und bildete damit die erste Phase, sie blieb aber auch später eine vitale und gegen 1914 sogar noch wachsende Sorge. Sie machte schliesslich der vierten Zielsetzung Platz, die, wie wir sehen werden, bescheidener und zugleich ambitiöser war. Die beiden anderen Zielsetzungen erlangten erst nach 1880 Bedeutung, sie wurden zuweilen als alternative, sich gegenseitig ausschliessende oder als kumulative, als kombinierbare und sich ergänzende Zielsetzungen verstanden.

Zielsetzung heisst nicht, dass solche Vorsätze auch zielstrebig verfolgt worden wären. In der Kolonialpolitik beispielsweise vermisste Raoul Girardet (1972) eine Politik, von der man sagen könnte, sie sei ein »résultat d'ensemble d'une volonté systématique, consciente et délibérée« gewesen, die beruht hätte auf einer »action globale, reposant sur des principes généraux solidement définis, menée avec cohérence, logique et continuité.«[1] Dazu kann man aber aus der Erfahrung im Umgang mit der Geschichte grösserer Gebilde nur sagen, dass die Handhabung von Zielsetzungen nie auf derart absolute Weise funktioniert.

### 1. Sicherung des Grossmachtstatus

Die Fachleute sind sich seit längerem einig, dass Frankreich mit den Niederlagen von 1870/71 einen Teil des zuvor innegehabten Grossmachtprestiges verloren hatte und sein erstes Bestreben darin bestand, diesen Verlust zu reparieren. Pierre Renouvin bemerkte schon 1955:

---

[1] GIRARDET, L'idée coloniale, S. 5.

»La France a perdu [...] le rôle prépondérant qu'elle avait joué en Europe pendant la majeure partie du Second Empire.«[2]

Jacques Droz nahm dies 1962 ebenfalls als gegeben an und fragte sich,

»comment la France s'est-elle adaptée à son isolement en Europe.«[3]

Zu den anerkannten Einsichten gehört, dass diese »Adaption« auf der praktischen Ebene mit der Politik des »recueillement« bemerkenswert gut gelang, dass die Bezahlung der Kriegsschulden als Voraussetzung für den Abzug des Siegers sogar vorzeitig zustande kam, dass aber mit der Erfahrung der Niederlage so etwas wie ein kollektives Trauma zurückblieb, dass mit wechselnder Intensität bis 1914 anhielt und die Politik zeitweise in hohem Mass mitbestimmte. Jedenfalls wurde die Bedeutung des »année terrible« mit zunehmendem Abstand nicht geringer, ganz im Gegenteil, sie nahm eher zu. Die Feststellung, dass

»cette année terrible n'a pas mutilé que la carte de notre cher pays«

stammt bezeichnenderweise nicht aus den Jahren unmittelbar nach 1870, sondern aus den 1890er Jahren.[4] Darauf müssen wir im 4. Subkapitel zurückkommen.

Jean-Marie Mayeur, ein guter Kenner der Geschichte der Dritten Republik sprach in seiner Gesamtdarstellung der Jahre 1871–1898 von einer »obsession du rang«, die seit der Niederlage von 1871 in den Herzen des französischen Nationalismus sowohl der Rechten als auch der Linken gewohnt habe.[5] Bei Christoph Steinbach (1976) finden sich zahlreiche Belegstellen für dieses Restaurationsprogramm, das mit

»rendre à la France sa place qui lui appartient en Europe«

umschrieben wurde.[6] Die Wiederherstellungsparole führten Parteien unterschiedlichster Couleur im Munde. Neben der Rechten beriefen sich auch Exponenten der Linken auf sie, dies auch weit über die erste Restaurationsphase hinaus. So machte Clemenceau noch 1912 im Nachgang zur Agadir-Krise ein Argument für die aussenpolitische Zurückhaltung daraus, als er im Senat seinen Kollegen zurief:

»De bonne foi, nous voulons la paix, nous la voulons, parce que nous en avons besoin pour refaire notre pays.«[7]

Die breite Gleichgestimmtheit und Einigkeit in der allgemeinen Zielsetzung bedeutete aber nicht, dass man sich deswegen tatsächlich einig gewesen wäre. Paradoxerweise konnte der Konsens in der Zielsetzung im Falle des »recueillement«

---

[2] RENOUVIN, Histoire, Bd. 6, S. 17.

[3] Jacques DROZ, La France et l'Europe. In: Max BELOFF/Pierre RENOUVIN/Franz SCHNABEL/Franco VALSECCHI (Hrsg.), L'Europe du XIXe et du XXe siècle: problèmes et interprétations historiques: 1870–1914, Bd. 2, Mailand 1962, S. 506.

[4] Paul BOURGET, Nouveaux essais de psychologie contemporaine, Paris 1896. Zit. nach SWART, Decadence, S. 160.

[5] MAYEUR, Débuts, S. 132.

[6] STEINBACH, Diplomatie, S. 35 f.

[7] Journal Officiel (JO), Senat, 1912, S. 233.

wie in der Elsass-Lothringen-Frage und wie in der Kolonialfrage ganz im Gegenteil den Dissens bezüglich der einzuschlagenden Wege und anzuwendenden Mittel sogar verstärken und eben auf der Innenseite der Aussenpolitik zu polemischen Auseinandersetzungen um die Frage führen, welches Regime besser in der
Lage wäre, die allgemein anerkannte Zielsetzung zu erreichen. Diese Kontroverse
wurde im ersten Jahrzehnt der provisorischen Republik besonders stark geführt,
sie lief aber bis 1914 weiter, allerdings nicht mehr um die Alternative König-
tum/Kaisertum oder Republik, sondern um die Alternativen Zentrum oder Linke
und autoritäre oder egalitäre Demokratie.

Sicherung des Grossmachtstatus und Stärkung der französischen Position bedeutete in den Augen der meisten Politiker, dass Frankreich ein Regime erhielt,
das ihren spezifischen Ordnungsvorstellungen entsprach. So konnte ein Paul Deroulède in den 1880er Jahren die Meinung vertreten, dass noch vor der Revision
des Friedens von Frankfurt von 1871 die republikanische Verfassung von 1875
revidiert werden müsse –

> »avant de libérer l'Alsace et la Lorraine, il fallait libérer la France.«[8]

Das Konzept des »recueillement« oder des »retablissement«[9] bedeutete nicht die
Anerkennung des internationalen Status quo. Es ging wie sein russisches Vorbild
davon aus, dass Friedensabschlüsse nur Ausdruck der momentanen Kräfteverhältnisse seien und – einmal diese Verhältnisse verändert – auch die Verträge
wieder geändert werden müssten. Wenn es Russland innerhalb einer Generation
gelungen war, 1871 in London abzuschütteln, was ihm nach dem Krimkrieg 1856
in Paris auferlegt worden war, warum sollte es nicht auch Frankreich gelingen,
den »definitiven Frieden«, wie es wörtlich im Vertragstext von Frankfurt heisst,
gelegentlich zu revidieren?[10] Schon 1873 hatte Albert Sorel auf das andere in diesem Zusammenhang gerne genannte Vorbild hingewiesen: auf Preussen, das
1806 nach Jena und Auerstedt auch am Boden gelegen und sich mit Geduld und
Fleiss zu neuer Grösse emporgearbeitet hatte.[11] Parallel zum französischen »recueillement« gab es in Spanien ein »recogimiento«, allerdings bezogen auf das
Wiedererstarken der 1874 restaurierten Monarchie.[12]

»1870« erschien als absoluter Tiefpunkt der französischen Geschichte. Was
folgte, wurde an der zentralen Frage gemessen, ob es Frankreichs Wiederaufer-
stehung ermöglichte und markiere. Man war aus der Erfahrung der kollektiven
Demütigung von dieser Zwangsvorstellung geradezu besessen. Das Programm
lautete:

---

[8] Paul DÉROULÈDE, Qui vive? La France! Notes et discours 1883–1890, Paris 1910, S. 72 f.

[9] In militärischer Hinsicht verwendeter Begriff, vgl. DOISE/VAISSE, Diplomatie, S. 29 f.

[10] Ernest DAUDET, La Mission du comte de Saint-Vallier, Paris 1918, S. 5.

[11] Albert SOREL in der Revue des Deux Mondes 1873. Ähnlicher Gedanke bei Jean-Baiptiste-Damaze de Chaudordy 1870/71: Preussen sei die Wiedererstehung gelungen, weil es im
Konzert der Mächte geblieben sei; Napoleon dagegen habe verloren, weil er keine Alliierten
hatte; Jean-Baiptiste-Damaze de CHAUDORDY, La France à la suite de la guerre de 1870–1871.
La France à l'intérieur, la France à l'extérieur, Paris 1887, S. 101.

[12] VILLATE, République, S. 133.

»travailler à remettre la France en état de reprendre son rang, ses sûretés, ses provinces.«[13]

Das konnte auf unterschiedlichste Art und Weise geschehen: mit der Schaffung einer neuen Armee, aber auch mit einer erfolgreichen Weltausstellung 1878[14] oder durch den Empfang königlicher Hoheiten und die Entgegennahme kaiserlicher Orden. 1874 unternahm die französische Diplomatie zwei erfolglose Demarchen, damit Präsident Mac Mahon von Russland den begehrten St. Andreas-Orden erhalte. Zunächst musste man sich mit dem belgischen Königsorden und dem österreichischen St. Stephans-Orden begnügen; im November 1874 erreichte man schliesslich aber doch auch die Verleihung des begehrten russischen Ordens.[15] Zu den wichtigen Königsbesuchen: Noch 1903, als der dänische König der französischen Hauptstadt einen Besuch abstattete, schrieb Jules Jusserand, französischer Botschafter in Washington, an Aussenminister Delcassé, wie sehr er es bedaure, nicht dabei sein zu können. Dabei bemerkte er:

»C'est plus que notre rang, c'est notre place de voisins, d'égaux, d'amis que nous reconquérons peu à peu.«[16]

Die Armeereform mit der Einführung der allgemeinen Wehrpflicht 1872/73 hat in den Augen des damaligen Präsidenten ebenfalls kein anderes Ziel gehabt,

»que de rendre à cette France [...] son rang et son poids dans le monde.«[17]

Die Wiederaufrüstung hatte aber nicht aggressiven, sondern rein defensiven Charakter.[18] Dem französischen Präsidenten war es dabei wichtig, dass Deutschland dies nicht als gegen sich gerichtet verstand.[19] Deutschland sollte nicht provoziert werden. Ein weiterer Krieg, so fürchtete man, hätte möglicherweise den Verlust von Nancy und der Franche-Comté gebracht.

Jean-Jacques Becker hebt die Bedeutung der Kriegserfahrung von 1870/71 für die Entwicklung des französischen Nationalgefühls hervor. Der französische Nationalismus war allerdings schon vor 1870 stark entwickelt. Nach 1871 hatte er aber als zentralen Bezugspunkt das gedemütigte und verletzte Vaterland. Diese Erfahrung hat übrigens, wie Gerd Krumeich (1993) nachwies, dem Kult um die nationale Retterfigur Jeanne d'Arc starken Auftrieb gegeben.[20] Seit den 1880er Jahren standen sich, was mit den nachfolgend skizzierten Zielsetzungen zusam

---

[13] In: République française, Oktober 1876 (?); Henri GALLI(CHET), Gambetta et l'Alsace-Lorraine, Paris 1911, S. 49. Sowie in Juliette ADAM, Mes angoisses et nos luttes, Paris 1907, S. 19.

[14] »[...] il fallait en assurer le succès puisqu'elle afirmerait le relèvement matériel, le prestige et la vitalité de la France«, GALLI, Gambetta, S. 144. »[...] nous avions surtout à coeur de démontrer ce que sept années passées dans le recueillement et consacrées au travail avaient pu faire pour réparer les plus terribles désastres«, Charles de FREYCINET, Souvenirs, Bd. 2, Paris 1913, S. 34.

[15] STEINBACH, Diplomatie, S. 76.

[16] 17. Juni 1903.

[17] Thiers an Le Flô, 22. August 1872, DDF, Bd. I/1, Nr. 151.

[18] BECKER/AUDOIN-ROUZEAU, Nation, S. 150 f.

[19] Thiers an Le Flô, 22. August 1872, DDF, Bd. I/1, Nr. 151.

[20] Gerd KRUMEICH, Jeanne d'Arc à travers de l'histoire, Paris 1993, S. 177–187.

menhängt, zwei Nationalismen gegenüber: ein republikanischer Überseenationalismus und ein nichtrepublikanischer Kontinentalnationalismus. Man kann auch von »patriotisme colonial« und »patriotisme continental« reden.[21] In der ersteren Variante wurde die Elsass-Lothringen-Frage eine zweitrangige Angelegenheit, und in der zweiteren war die Revanche nie ein erstrangiges Anliegen gewesen; da dominiert die Frage des politischen Systems. Mit einer leicht vereinfachenden Unterscheidung zwischen einem pazifistischen und einem – wenigstens verbal – bellizistischen Nationalismus kann man feststellen, dass diese beiden Grundhaltungen im Verlauf der Jahrzehnte die politischen Lager wechseln: Der Pazifismus wandert in der zweiten Hälfte der 1880er Jahre von der vor allem aristokratischen Rechten zur sozialistischen Linken, der Bellizismus von der republikanischen Linken zur autoritären/cäsaristischen Rechten.[22]

Zur Sicherung des Grossmachtstatus gehörte: zunächst die Durchbrechung der tatsächlichen oder vermeintlichen Isolation, in der sich Frankreich nach dem Krieg von 1870/71 allenfalls befand; dann aber, gleichsam darüber hinaus, die Wiedergewinnung des alten Gewichts und insbesondere die Gewinnung von Verbündeten. Dies sollte die Isolation beheben und der eigenen Position zusätzliches Gewicht geben. Man wusste aber, dass Allianzpolitik nur Stärkung bedeutet, wenn man selber eine bestimmte Stärke hatte. Andernfalls hätte das Eingehen von Bündnissen nur zusätzliche Schwächung in Form von einseitiger Abhängigkeit, von Satellitisierung, gebracht. Seit 1873 bemühte sich die französische Diplomatie, von den europäischen Mächten, die auch kein Interesse an einem deutschen Übergewicht hatten, Garantien gegen Deutschland zu erhalten und zugleich Deutschland wenn möglich seinerseits zu isolieren. In der so genannten »Krieg-in-Sicht«-Krise von 1875 war es die Kriegsdrohung der deutschen Reichsregierung, die Frankreich den erwünschten Beistand von England und Russland brachte – einen Beistand freilich, der situativer und entsprechend temporärer war, als Frankreich sich dies wünschte.[23]

## 2. Rückgewinnung der verlorenen Provinzen

Was Jean-Jacques Becker 1995 bemerkte, dass es erstaunlicherweise noch immer keine umfassende Untersuchung zur Bedeutung der Idee der Revanche gebe, gilt auch zehn Jahre später noch.[24] Zwar legte Bertrand Joly 1999 einen substantiellen Aufsatz zur Frage vor. Dieser Mitarbeiter der Nationalarchive wollte der in der traditionellen Geschichtsschreibung noch weit verbreiteten Vorstellung entgegentreten, dass der Wille zur Revanche ein Hauptmotiv der Aussenpolitik der Jahre 1870–1914 und der Kriegsbereitschaft von 1914 gewesen sei. Joly weist

---

[21] Raoul GIRARDET, Le nationalisme Français 1871–1914, Paris 1966, S. 15 f., 97, 107. Ders., Idée coloniale, S. 62 f.; BECKER/AUDOIN-ROUZEAU, Nation, S. 166. Sehr narrativ und mit wenig Quellenbelegen: Henri GUILLEMIN, Nationalistes et nationaux 1870–1940, Paris 1974.

[22] Ähnlich schon RENOUVIN, Histoire, S. 19.

[23] Vgl. etwa STEINBACH, Diplomatie, S. 39–51.

[24] BECKER/AUDOIN-ROUZEAU, Nation, S. 142. Eine ähnliche Feststellung bereits bei STEINBACH, Diplomatie, S. 38.

sorgfältig nach, in welchen politischen Milieus und zu welchen Zeiten die Revanche im engeren Sinn welche Bedeutung hatte. Die von ihm vermisste »étude approfondie« will und kann allerdings auch er in diesem Format nicht leisten. Und seine Absicht, die genannte Fehlannahme zu widerlegen, verleitet ihn zu einer Überzeichnung der Gegenposition – in der Form eines »refus catégorique« – und zu der Behauptung, dass in Frankreich während der ganzen Zeit ein »pacifisme constant et presque unanime« geherrscht habe und man 1914 so friedfertig in den Krieg eingetreten sei wie 1939.[25] Die Hauptschwäche dieses Beitrags besteht darin, dass er – was zwar verständlich ist, aber doch zu kurz greift – unter Revanche einzig die militärische Rückeroberung der verlorenen Provinzen meint und nicht berücksichtigt, dass auch eine Revanche im breiteren Sinn hätte Ziel sein können. Die durchaus ernst gemeinte Idee der Revanche nämlich bestand darin, Frankreich in eine derart starke Position zu bringen, dass sich die Rückgabe der Provinzen beinahe von alleine ergab.

Der nach dem Zusammenbruch des Zweiten Kaiserreichs geführte Volkskrieg hätte eine Art militärische Revanche für die Niederlage von Sedan vom 1. September 1870 bringen sollen. Frankreich kam aber, wie das Plebiszit vom Februar 1871 zeigte, mehrheitlich zur Einsicht, dass die Weiterverfolgung dieses Zieles im Moment sinnlos sei. So wurde der vormals aktive Vergeltungswille zur vagen und dennoch klaren Idee, dass Frankreich erst später einmal das Ergebnis der Niederlage werde rückgängig machen können. Mit der Losung »point de revanche, mais des revendications«, nicht Revanche also, sondern Aufrechterhaltung von Ansprüchen, verwendeten die Monarchisten und die grossbürgerlichen Republikaner ihren stillen Eifer darauf, der noblen Verwundeten während des »recueillement« Selbstvertrauen und Ansehen wiederzugeben und der Nation – so lautete die Losung weiter – die Zukunft zu reservieren. Die Regierungsparteien pflegten die umfassendere Zielsetzung der Revanche, ohne deswegen auf Elsass-Lothringen zu verzichten.

Die Weigerung, den Verlust des Elsasses und von Teilen Lothringens als definitive Lösung zu akzeptieren, war von Anfang an ein integraler Bestandteil der französischen Aussenpolitik. Etwas anderes war aber die Frage, ob man und wie man die verlorenen Provinzen allenfalls aktiv wieder zurückgewinnen sollte. Der kämpferische Léon Gambetta gab, wie man weiss, zwar schon im Februar 1871 am Sarg des Strassburger Bürgermeisters Emile Küss die Revanche-Parole heraus, er hütete sich aber, zu einer militärischen Aktion aufzurufen:

---

[25] Bertrand JOLY, La France et la Revanche (1891–1914), in: Revue d'Histoire moderne et contemporaine 46 (1999), S. 325–347, hier: S. 341 und 347. Den revisionistischen Impetus spürt man auch in Sätzen wie: »Il faut donc en finir avec la légende associant boulangisme et nationalisme à l'idée de Revanche.« (S. 335). Zuvor die anderen Aufsätze von Frederic H. SEAGER, The Alsace-Lorraine Question in France 1871–1914, in: Charles K. WARNER (Hrsg.), From the Ancien Régime to the Popular Front, New York 1969, S. 111–126, und Heinz-Otto von SIEBURG, Die Elsass-Lothringen-Frage in der deutsch-französischen Diskussion von 1871–1914, in: Zeitschrift für die Geschichte der Saargegend 17/18 (1969/70), S. 9–37. Alle verweisen darauf, dass ein Titel von 1957 irreführend sei, weil er bloss die in der Armee herrschenden Verhältnisse thematisiert: Henry CONTAMINE, La Revanche, 1871 1917, Paris 1957. Ähnlich der kleine Beitrag von Jean NICOT, La Revanche 1871–1914, in: Revue historique de l'armée 27 (1971), S. 51–63.

»Il faut que les républicains s'unissent étroitement dans la pensée d'une Revanche qui sera la protestation du droit et de la justice contre la force et l'infamie.«[26]

Wenn der feste und offen bekundete Wille zur Revanche den Ausgangspunkt bildete und dieser, was offensichtlich der Fall war, sich mit den Jahren verflüchtigte, dann könnte dies verschiedene Ursachen gehabt haben: einmal den Gang des allgemeinen Vergessens innerhalb der sich wandelnden Zeiten, insbesondere mit dem Desinteresse der nachfolgenden Generationen; zum anderen die explizite Preisgabe infolge eines bewussten Abwendens von der alten Zielsetzung oder – als weitere Variante – die Umwandlung des offenen Bekenntnisses in ein ambivalentes Reden über einen heimlichen Traum. Für alle drei Varianten gibt es Belege.

## 2.1. Allgemeines Vergessen

Das allgemeine Vergessen lässt sich schwer belegen. Joly wählte richtigerweise eine vorsichtige Formulierung, wenn er sagte: »Le plus souvent semble règner l'oublie.«[27] Das wahrscheinlich um sich greifende Vergessen äussert sich indirekt im selteneren Auftreten der Bekenntnisse zu Revanche, was seinerseits ebenfalls schwer zu belegen ist. J. B. Duroselles Feststellung zum Wahlkampf von 1881 geht in diese Richtung. Er stellte fest, dass in den Kandidatendeklarationen (den so genannten professions de foi im »Barodet«) für 1881 die Revanche bloss ein einziges Mal genannt wurde. Nur gerade ein Kandidat der Linken aus dem fernen Departement des Hautes Pyrénées wollte sich einsetzen für

»une politique étrangère pacifique, prudente et ferme, sachant attendre l'heure, lointaine peut-être, mais inévitable, où s'accomplira la justice immanente de l'histoire.«[28]

Anderseits wissen wir, dass Gambetta noch im Wahlkampf von 1881 verkündete, die Gerechtigkeit werde sich durchsetzen, die beiden Provinzen würden wieder nach Frankreich zurückkehren.[29] Es gab zu jener Zeit kaum systematische Abklärungen der öffentlichen Meinung. Zudem war, wie im Fall des *Mercure de France* vom Dezember 1897 (vgl. unten) jedes Schreiben über das Vergessen zugleich ein Indiz, dass doch nicht ganz vergessen wurde.[30] Insofern belegen auch alle von Joly genannten Schriften von 1881, 1885, 1896, 1900, 1901, 1903, 1905, 1913 immer gleich beides: das Vergessen wie das Nichtvergessen.[31]

---

[26] GIRARDET, Nationalisme, S. 51.

[27] JOLY, Revanche, S. 329.

[28] Jean-Baptiste DUROSELLE, Politique intérieure et politique extérieure sous la IIIᵉ République française. 1881: L'année de la Tunisie. in: Relations Internationales 4 (1975) S. 520, übernommen von Pierre GUILLEN, Expansion, im Kapitel: Les résistances à l'expansion, S. 119, und von BECKER/AUDOIN-ROUZEAU, Nation, S. 155.

[29] GUILLEN, Expansion, S. 222.

[30] L'Alsace-Lorraine et l'Etat actuel des esprits, in: Mercure de France, Dezember 1897, S. 641–814.

[31] JOLY, Revanche, S. 329.

## 2.2. Explizite Preisgabe

Vor allem in Kombination mit der Befürwortung einer anderen, als konkurrenzierend verstandenen Zielsetzung, nämlich der Propagierung der Kolonialexpansion, konnte es zu expliziten Verzichtserklärungen kommen. Mit der Preisgabe der Revancheidee sollte die Voraussetzung für die Herbeiführung von dauerhaft guten Beziehungen zum Deutschen Reich geschaffen werden, weil damit eine konsequentere Hinwendung zur Kolonialexpansion möglich würde (vgl. auch Kap. 2.3 unten).

Die Idee der Revanche konnte man allenfalls unter vorgehaltener Hand oder in Form einer bewussten Provokation als unrealistisch oder überholt bezeichnen. Zur ersteren Variante gehörte die allerdings nur schlecht überlieferte Äusserung des Präsidenten Jules Grévy, der bezeichnenderweise Mitte der 1880er Jahre einem Vertreter des Elsasses gegenüber gesagt haben soll, Frankreich müsse das fait accompli akzeptieren:

> »Il faut qu'elle renonce à l'Alsace.«[32]

Für die provokative Variante steht eine Stellungnahme des führenden Symbolisten Rémy de Gourmont. Der Schriftsteller hatte die Kühnheit, den Patriotismus mit einem Krankheitserreger zu vergleichen und den Einsatz für die verlorenen Provinzen für obsolet zu erklären. Er würde dafür weder den kleinen Finger der rechten Hand rühren, da er sie zum Schreiben brauche, noch den kleinen Finger der linken, die ihm dazu diene, die Asche von der Zigarette abzustreifen. Die Revanche sei nur wegen des nationalen Geschwätzes nicht schon längst begraben, sie sei aber inoffensiv geworden und beginne nun, auch lächerlich zu werden.[33] Diese Stellungnahme, die den Autor immerhin die Stelle in der Bibliothèque Nationale kostete, fiel wie die Enqête nicht zufällig ins Jahr 1897, als Frankreich mit seiner weiteren Annäherung an Russland eine Aufwertung seines Selbstwertgefühls erlebte.

Noch in den Jahren nach 1900 war eine explizite Distanzierung von der Revancheidee nicht möglich. Im Januar 1904 erklärte Premierminister Alexandre Ribot vor der Kammer, dass niemand »1870« vergessen werde und auch die Elsässer nicht.

> »Quiconque aurait voulu lutter contre ce sentiment unanime eût été désavoué par la France entière.«[34]

Diese Äusserung bezog sich auf die Vergangenheit, sie wollte aber auch für Gegenwart und Zukunft Geltung haben. Sie war Beleg für beides: für die Aufrechterhaltung des Revancheprogrammes, zugleich aber auch für dessen vielleicht stets prekärer werdende Gültigkeit.

---

[32] Äusserung von 1886 gemäss den Erinnerungen von Scheurer-Kestner, Souvenirs de jeunesse, Paris 1905; Souvenirs de Scheurer-Kestner, Bibliothèque Nationale 12709, zit. in: Charles MAURRAS, Kiel et Tanger 1895–1905. La République française devant l'Europe, Paris 1914, S. 242. Zit. nach JOLY, Revanche, S. 328.

[33] Ebenda, S. 693 f. Rémy de Gourmont hätte eine Nationalgrenze entlang der Sprachgrenze eingeleuchtet.

[34] JO, 22. Januar 1904.

## 2.3. Ambivalentes Reden

Die stille, mehr oder weniger heimliche Weiterführung dürfte die verbreitetste und schon unmittelbar nach den ersten Protesten von 1871/72 dominierende Haltung gewesen sein. Sie entsprach der bereits erörterten Zurückhaltung des »recueillement«. Grosso modo galt die von Gambetta 1871 in der Rede von Saint-Quentin geprägte Formel des »Nous n'en parlons jamais, mais nous y pensons toujours.«[35] Präsident Thiers war in dieser Frühphase derart vorsichtig, dass er die »Ligue Alsacienne« verbot, die die Rückgewinnung von Elsass-Lothringen offen propagierte.

Indessen wurde das Reden über das Nichtreden und das Hochhalten der Nichtforderung weiter praktiziert, je nach Tageskonjunktur mal stärker und mal schwächer. Die Jahre 1891 und 1897 brachten wegen des Abschlusses der französisch-russischen Allianz und wegen Präsident Felix Faures Russlandreise eine auffallende Häufung französischer Äusserungen zur Elsass-Lothringen-Frage. Unter dem Pseudonym »Jean Heimweh« erschien im September 1891 die Broschüre mit dem vielsagenden Titel *Pensons-y et parlons-en* – einer bewussten Abänderung von Gambettas bekannter Parole von 1871. Darin wurde festgestellt:

> »La question d'Alsace est mûre pour la discussion. Le moment est venu de la raisonner publiquement.«[36]

Ernest Lavisse, der Geschichtslehrer der Dritten Republik, unterstützte Jean Heimwehs Publizistik und bezeichnete das andauernde Schweigen als verhängnisvoll; die Revanche strebe nicht die primitive Befriedigung der Eigenliebe an, der Revanche gehe es um die Verteidigung der Humanität und um das Selbstbestimmungsrecht des Menschen.[37] Stephen Pichon, der später Clemenceaus Aussenminister wurde, sagte ebenfalls 1891 von der Elsass-Lothringen-Frage, sie müsse ständig der europäischen Öffentlichkeit vorgelegt bleiben.

> »Il faut y penser et en parler toujours«,

dachte und sprach er nicht nur, sondern schrieb er sogar.[38] 1891–1893 wurde die Annäherung an Russland teilweise öffentlich damit begründet, dass man dank dieser Allianz die verlorenen Provinzen zurückgewinnen könne. Alfred Rambeau erklärte im Oktober 1893 in der *Revue bleue*:

> »le jour des restitutions se lèvera. La France n'a que l'Alsace à lui réclamer [...].«[39]

---

[35] Rede vom 16. November 1871. Vgl. Paul DESCHANEL, Gambetta, Paris 1919, S. 141. Oder in der Variante: »[...] ne parlons jamais de l'étranger, mais que l'on comprenne que nous y pensons toujours.« Joseph REINACH (Hrsg.), Discours et plaidoyers politiques de M. Gambetta, Bd. 2, Paris 1881, S. 172. – GALLI, Gambetta.

[36] Jean HEIMWEH, Pensons-y & parlons-en, Paris 1891, S. 7. Heimweh ist ein Pseudonym für Fernand de Dartein, einen Chefbeamten mit elsässischer Herkunft des Ministère des Travaux publics. Vom gleichen Autor: Triple Alliance et Alsace Lorraine, 1892. Dann: L'Alsace-Lorraine et la paix, Paris 1994.

[37] Ernest LAVISSE, La question d'Alsace dans une âme d'Alsacien, Paris 1891.

[38] Stephen PICHON, Dans la bataille, Paris 1908.

[39] Alfred RAMBEAU, L'armée du star, in: Revue bleue, Oktober 1893, S. 449 und 507. Zit. nach BUTENSCHÖN, Zarenhymne, S. 59.

Das 25-Jahr-»Jubiläum« des Kriegs von 1870/71, auf deutscher Seite tatsächlich als Jubiläum begangen, setzte auf französischer Seite, wie zu erwarten war, einige Manifestationen frei, welche die Rückgabe der Provinzen forderten. Lavisse teilte in einem offenen Brief an Kaiser Wilhelm II. mit, dass der deutsche Verzicht auf Elsass-Lothringen die unabdingbare Voraussetzung für eine »reconciliation durable« sei.[40]

Wie sehr sich aber die Verhältnisse seit Gambettas Schweigeaufruf alles in allem doch verändert hatten, zeigte die bereits kurz erwähnte Umfrage des *Mercure de France* vom Dezember 1897. Rund hundert Personen wurde unter anderem die Frage vorgelegt, ob die Franzosen heutzutage weniger an Elsass-Lothringen dächten, obgleich sie immer noch davon redeten.[41]

Der Spott, womit Rémy, der 1870 noch ein Kind gewesen war, 1897 die lamentierenden Grossväter überschüttete, legt die Vermutung nahe, die Revanchefrage sei in den 1890er Jahren zu einer Generationenfrage geworden. Wäre sie es tatsächlich, hätte sie sich mit dem Abtreten der älteren Generation von selbst erledigt. Gambetta war seit 1882 tot, tot war seit 1883 General Chanzy, dessen radikale Freunde einmal gehofft hatten, er würde auf dem Schlachtfeld am Rhein den Marschallstab erhalten. Tot war seit 1899 der Elsässer Scheurer-Kestner, der 1871 seine getrennten Brüder getröstet hatte, sie müssten sich höchstens fünf Jahre gedulden, und der 1894 die bange Frage gestellt hatte, ob Frankreich der Revancheidee so treu geblieben sei, wie das Elsass der Hoffnung, wieder französisch zu werden.[42]

Die in der heimlichen Weiterführung angelegte Doppelbödigkeit scheint der Idee der Revanche zwar Dauerhaftigkeit, nicht aber reale Kraft verliehen zu haben. Sie dispensierte die Politik, sich mit ihr wirklich auseinanderzusetzen und überliess die Idee der Welt der Phantasien und des Mythischen. Die Literatur ist sich einig, dass in Anbetracht der Absenz einer entsprechenden Politik auf der Ebene des Realen die Revancheidee im Laufe der 1880er Jahre den Charakter eines rituell beschworenen Mythos angenommen habe. Bereits Girardet (1966) ordnete die Revanche der Welt der nationalen Mythologie zu. Guillen (1984), Becker (1995) und Joly (1999) taten es Jahrzehnte später noch unverblümter.[43] Wenn es, wie auch Joly hervorhebt, keine Revanchepolitik gab, gab es immerhin einen einigermassen permanenten Revanchediskurs. Entweder in der paradoxen Form, dass man – wie Gambetta – vom Nichtreden redete oder dass man tatsächlich die Flamme der Revancheidee rhetorisch am Leben hielt.

---

[40] Ernest LAVISSE, Une lettre à S.M. l'Empereur d'Allemagne, in: Revue de Paris vom 1. Juli 1895. Zit. nach GUILLEN, Expansion, S. 442 f.

[41] L'Alsace-Lorraine et l'Etat actuel des esprits, in: Mercure de France, Dezember 1897, S. 641–814.

[42] Die Fieber- und Resignationskurven in Elsass-Lothringen und in Frankreich könnten sich gegenseitig beeinflusst haben, doch können diese Effekte hier vernachlässigt werden.

[43] GIRARDET, Nationalisme, S. 49; GUILLEN, Expansion, S. 119. BECKER/AUDOIN-ROUZEAU, Nation: »La politique de revanche qui a toujours été un mythe le devient en quelque sorte officiellement, bien qu'il ne soit tout de même pas dit que c'est un mythe.« (S. 155). JOLY, Revanche: »La Revanche est un mythe, au sens usuel et au sens sorélien du terme.« (S. 347).

Die Einstellung zur Revancheidee hing in beträchtlichem Masse davon ab, wie man sich die Revanche vorstellte. »Revanche par le droit« lautete eine Formel, die sich von militärischer Rückeroberung distanzieren wollte und Rückerstattung auf dem Verhandlungsweg in einem Moment, da das Deutsche Reich unter Druck gesetzt werden konnte, anstrebte. Die Restitutionserwartungen konnten sich auch nur auf einen Teil, den französischsprachigen Teil in Lothringen, beziehen. Theoretisch lassen sich bilaterale und multilaterale Lösungen unterscheiden. Im Bilateralen wären – wiederum theoretisch – zwei Varianten möglich gewesen: zum einen eine Rückkauf- oder Tauschlösung[44] und zum anderen eine freiwillige Abtretung, wie sie von einer deutschen sozialdemokratischen Regierung erwartet wurde, wenn sich eine Mehrheit der direkt betroffenen Bevölkerung nach dem Selbstbestimmungsprinzip dafür ausgesprochen hätte.[45] Und multilateral über politischen Druck der europäischen Mächte[46], in einer allgemeinen Neuvertei- lung von Territorien, zum Beispiel im Falle eines Zerfalls der Türkei oder, was dann auch eintreten sollte, in einem allgemeinen Krieg.

Allerdings konnte Paul Déroulède für 1883 noch ein ganz anderes Bild zeich- nen, indem er, von Wunschdenken geleitet, einem vielleicht marginalen Phäno- men eine zentralere Position zuschrieb, als dies aufs Ganze gesehen angemessen gewesen wäre. Zu der am 14. Juli jeweils durchgeführten Manifestation vor der Strassburger-Statue auf der Place de la Concorde führte er aus:

> »On pavoise la madone de la patrie, on la pare, on la décore. Elle est la divinité de la douleur vengeresse [...]. Elle est l'image du deuil et de l'espoir [...]. Jamais peut- être la cérémonie n'a été plus belle et plus touchante que cette année; jamais les fidèles plus nombreux; jamais l'idole plus parée et plus resplendissante avec ses ex-voto symboliques, son arc-en-ciel de drapeaux.«[47]

Will man die Vitalität des Revanchegedankens belegen, landet man schnell bei Deroulède oder bei Boulanger. Wofür stehen sie und welchen Stellenwert haben ihre Stellungnahmen? Joly spricht von einer »infime minorité«.[48] Es gab nur ganz wenige und nur ganz seltene Stimmen, die sich ohne die herrschende Vorsicht rücksichtslos für die Revanche im engeren Sinn aussprachen. Hingegen gab es in- nerhalb des breiten Felds derjenigen, die von berechtigten Ansprüchen und von nicht aufgegebenen Hoffnungen sprachen, parteipolitisch und weltanschaulich bedingte Schattierungen.

---

[44] Vgl. etwa Anm. 70/71.

[45] Jacques HEIMWEH, Droit de conquête et plébiscite, Paris 1896. Der Autor hoffte, dass in Deutschland mit der Zeit die Sozialdemokraten an die Macht kämen, welche die Provinzen als demilitarisiertes Gebiet an Frankreich zurückgäben.

[46] Paul Bert soll 1884 eine derartige Erwartung ausgesprochen haben (vgl. JOLY, Revanche, S. 338).

[47] Paul DÉROULÈDE in: Le Drapeau Nr. 29 vom 21. Juli 1883, zit. nach GIRARDET, Nationa- lisme, S. 29 f. Auf der Concorde sind alle grösseren Städte Frankreichs als Frauenallegorien ab- gebildet. Bild einer derartigen Manifestation in Jean-Bernard DUROSELLE, La France et les Français 1900–1914, Paris 1972, S. 6.

[48] JOLY, Revanche, S. 341.

Über die Bedeutung der Revancheidee für die einzelnen politischen Gruppierungen gibt der folgende Exkurs einen knappen Überblick:

Grundsätzlich befürwortet wurden beide Zielsetzungen – Wiedergewinnung der Provinzen und Wiederherstellung des Grossmachtprestiges – von beinahe allen: von der republikanischen Linken, dem Zentrum, der monarchistischen Rechten und den Bonapartisten.

Nur die äusserste Linke lehnte die territorialen Wiedergutmachungsvorstellungen ab und beschränkte sich auf die Propagierung einer Idee, die von den übrigen Republikanern aber ebenfalls gepflegt wurde: Sie verstanden allein schon die Konstituierung der Republik als partielle Revanche gegenüber den dekadenten Dynastien. Im Glauben an eine internationale oder anationale Gesellschaft von Brüdern und Schwestern sah sie ihre Aufgabe darin, das republikanische Kind grosszuziehen, um es dereinst Europa zurückzugeben, was gewissermassen die Vollendung der Revanche gewesen wäre.

Das breite Mittelfeld der Linken propagierte aus nationalistischen Motiven und mit jakobinischen Methoden sowohl die nach den Vogesen orientierte wie die auf das Grossmachtprestige bedachte Revanche. Léon Gambetta, der wortgewaltige Sprecher der linken Opposition, setzte sich für beide Ziele ein, indem er einerseits in kleinbürgerlichen Cafés der Provinz mit Hinweisen auf die »justice immanente« Wind säte und anderseits für ein Reformprogramm eintrat, das schon Ernest Renan gefordert hatte und das aus der französischen Schulstube eine Bastion gegen die Erfolge des preussischen Volksschullehrers als dem wahren Sieger von Sadowa[49] und Sedan machen wollte.[50] Trotz ihrem militanten Revanchismus lehnte die Linke die militärische Revanche ab, nicht aus Prinzip, sondern in der Einsicht, dass Frankreich einstweilen nicht stark genug war, um die Politik ihrer Wünsche durchzusetzen. Öffentlich jedenfalls bekannte sie sich nur zur »revanche par le droit«. Adolphe Thiers, dann das konservative und etwas später das gemässigt republikanische Regime sahen sich in ihrer Regierungsverantwortung verpflichtet, die revanchistischen Parolen der Opposition zu verurteilen. Juliette Adam, zuvor Parteigefährtin Gambettas, warf diesem vor, gegen Ende der 1870er Jahre die Revancheidee aufgegeben, ja verraten zu haben. Wegen dieses »abandon« gründete sie 1879 die »Nouvelle Revue«. Der mehrfache Premierminister Charles de Freycinet sollte 1889 die Weltausstellung, die man zum hundertsten Jahrestag der französischen Revolution inszenierte, ausdrücklich als Revanche für unvergessliches Unglück bezeichnen.[51]

Um 1880 wurde die Parole der Revanche vorübergehend heimatlos. Zwar galt jetzt gerade bei der vormals oppositionellen und nun zur Regierungspartei gewordenen Linken der Patient als wiederhergestellt, Frankreich als wieder erstarkt und deshalb auch aussenpolitisch wieder handlungsfähig, es verfügte bis 1887 sogar über eine zahlenmässig stärkere Armee als der deutsche Nachbar. Doch nun lockten neue Ziele, die überseeischen Gebiete, und zudem entfiel die Notwendig-

---

[49] Königgrätz von 1866; war bereits ein erster Schock ähnlicher Art.

[50] Zu Renans »La réforme intellectuelle et morale de la France« (1871), vgl. BECKER/ AUDOIN-ROUZEAU, Nation, S. 130 f.

[51] Vgl. Anm. 14.

keit, sich der Revanche als mobilisierender und integrierender Parole zu bedienen. Was in den ersten Jahren der Kult der Revanche gewesen war, wurde nach 1877 der Kampf gegen den Klerus.

Die von den kolonial gesinnten Republikanern zurückgestellte Revanche hätte von den Radikalen als der verbleibenden Opposition zur Linken aufgenommen werden können. Joseph Reinach aus dem einflussreichen Umfeld Gambettas fürchtete im Dezember 1880, die Radikalen der Linken, die sich nach der Begnadigung der Communarden nach einem neuen, parteipolitisch gewinnbringenden Geschäft umsahen, könnten im bevorstehenden Wahlkampf die Revanche als Plattform nehmen und die noch blutende Wunde, wie auch er sagte, mit ihren vulgären Ambitionen vergiften.[52] Doch die Radikalen wurden, indem sie sich für eine isolationistische Aussenpolitik und gegen eine expansive Kolonialpolitik aussprachen, nicht zwangsläufig zu aktiven Revanchisten. Die radikale Linke hielt wie die konservative Opposition die Phase der Rekonvaleszenz noch lange nicht für abgeschlossen. Die Monarchisten vertraten, nachdem sie 1877 Oppositionspartei geworden waren, zuweilen sogar eine Auffassung, welche die Bonapartisten von Anfang an vertreten hatten: Frankreich werde gar nicht genesen können, solange es Republik sei und man könne allein schon der aktuellen Staatsform wegen nicht an Revanche denken.

Neue Unterkunft fand der militante Revanchismus nach 1882 in einer Bewegung, die mit der Linken die plebiszitären, mit der Rechten die autoritären Charakterzüge gemeinsam hatte. Die anfänglich noch der Linken zuzurechnenden und 1882 gegründeten »Ligues des Patriotes« nahmen sich der Revanche an. Ihre Zeitschrift – La Revanche – warf insbesondere Jules Ferry vor, den Ausgleich mit Deutschland zu suchen.

Man kann das Abwandern der Revancheidee vom Lager des linken Nationalismus ins Lager des sich in den 1880er Jahren ausbildenden Nationalismus der Rechten als sich überkreuzende chiastische Entwicklung sehen. Während 1871 der Revanchekrieg von der Linken befürwortet und von der Rechten abgelehnt wurde, zeigten die Jahre vor 1914 tatsächlich eher umgekehrte Verhältnisse. Eine Parteilinie führt in diesem Schema von der kriegerischen zur pazifistischen Linken (gewissermassen von Gambetta zu Jaurès), die andere Parteilinie von der friedenswilligen zur kriegsbereiten Rechten (etwa von Broglie zu Maurras). Und im Schnittpunkt dieser beiden Linien stehen Boulanger und Deroulede, der General und der Poet, die beide wie die Idee der Revanche ursprünglich in der Linken beheimatet waren und 1885 zu Wortführern des neuen Revanchismus wurden. Das Schema der sich kreuzenden Entwicklungsstränge sagt aber nichts aus über die tatsächlich ausschlaggebenden Einstellungen zu dem in der Regel weniger militant verfochtenen Postulat, die frühere Grossmachtposition zurückzuerobern. Die äusserste Linke, die sich vor allem auf innenpolitische Fragen konzentrierte und nie Befürworterin des militanten und territorialen Revanchismus war und im genannten Schema ohne Seitenwechsel in einer Linie von der Commune bis zur »Section française de l'internationale ouvrière« eingetragen werden müsste, war letztlich auf ihre Art

---

[52] Joseph REINACH, L'opinion publique en France et la politique extérieure, in: Revue politique vom 11. Dezember 1880, S. 554–564.

ebenfalls eine treue Stütze des französischen Großmachtanspruchs. Ihr Nationalismus beruhte auf der Idee, Frankreich falle die internationale Aufgabe zu, die Errungenschaften der französischen Revolution zu verbreiten und – wofür sie 1914 dann auch einstand – nötigenfalls zu verteidigen. Die entgegen ihrer Bezeichnung im Grund gemässigten »Radicaux de Gauche« lehnten den direkten Revanchismus ab, weil sie Frankreich weiterhin Zeit zum Kräftesammeln für den als unvermeidlich erachteten Konflikt lassen wollten. Sie waren und blieben Verfechter des im Links-Rechts-Schema nicht erfassten Grossmachtanspruchs Clemenceaus, der sich schon 30 Jahre zuvor zu einer verhalten kriegerischen »Realpolitik« bekannt hatte. Sie verurteilten 1912 entschieden Caillaux' Finanzpazifismus und Jaurès' Idealpazifismus und verkündeten: »Wir glauben nicht, dass die Logik unserer Niederlage die Knechtschaft bedeute. [...] Wir sind friedlich, aber wir sind nicht unterworfen. Wer uns zum Krieg zwingt, wird uns kampfbereit finden.« Das umfassendere Revanchepostulat, nämlich eben der Logik der Niederlage zu entrinnen, war für Frankreichs Haltung am Vorabend des Ersten Weltkrieges weit bestimmender als der vor allem von militanten Kleingruppen der rechten Opposition unterhaltene Kult um die verlorenen Provinzen.[53]

So sehr sich die neun französischen Staatschefs von Thiers bis Poincaré bemühten, gegen innen auf revanchistische Manifestationen dämpfend zu wirken – sie konnten und wollten den Anspruch auf die geraubten Provinzen nicht aufgeben. Als der russische Generalstabschef im November 1897 eine antibritische Kontinentalallianz zwischen Russland, Deutschland und Frankreich ins Spiel brachte, erhielt er gemäss Faures Aufzeichnungen zur Antwort:

> »Si l'Allemagne veut la paix permanente assurée, elle sait qu'il faut d'abord aborder la question d'Alsace-Lorraine. Alors tout est possible, tout est facile.«[54]

Von den 57 Kabinetten gab keines jemals den Anspruch auf die verlorenen Provinzen auf. Hielten die französischen Regierungen am alten Anspruch fest, weil sie wollten oder weil sie es mussten? Die Feststellung, die Saint-Vallier 1878 als französischer Botschafter in Berlin gemacht hatte, dass keine deutsche Regierung, so stark und populär sie immer sei, auch nur einen Streifen des umstrittenen Territoriums preisgeben könnte, diese Feststellung galt in noch höherem Mass für die französischen Regierungen. Etwas aufzugeben, was man nicht besass, wäre möglicherweise leichter gewesen, doch waren die vom Parlament abhängigen Regierungen der französischen Republik um einiges verletzbarer als diejenigen des deutschen Kaiserreiches.

Die Revanche war zwar kein Streitpunkt mehr zwischen den Parteien. Sie war kein Wahlthema, wie in den elsässischen Reichstagswahlen die »protestation« eines war. Sie stand nicht auf dem Boden des politischen Alltages und war in diesem All-

---

[53] Gabriel Hanotaux kultivierte in seiner Antidekadenz-Rede von 1901 einerseits die Idee der energischen Wiedergeburt Frankreichs, andererseits aber plädierte er indirekt für die Aufgabe der Revancheidee: »(La France) a même apaisé le tumulte de son coeur« (öffentliche Veranstaltung der fünf Akademien vom 25. Oktober 1901, in: L'Energie française, S. 340 (vgl. Bibliographie Abt. D).

[54] Aufzeichnungen Faures zum 6. November 1897, Gespräch mit General Obroutchef (vgl. Bibliographie Abt. D).

tag dennoch präsent, brauchbar als Idee und missbrauchbar als rhetorische Figur. Ein Kabinett, dem man Verrat der alten Hoffnung hätte nachweisen können, wäre in den knappen und unstabilen Mehrheitsverhältnissen von den stets sprungbereiten Konkurrenten der Gegen-, Neben- und Mitregierungen spielend gestürzt worden, auch wenn die Beschuldigung der Nachgiebigkeit gegenüber dem Erbfeind bloss Vorwand war, um – wie im Falle Caillaux' – beispielsweise einen Verfechter der Einkommenssteuer zu Fall zu bringen. Weder die revanchistische Opposition zur Rechten noch die pazifistische Opposition zur Linken konnte Frankreichs Deutschlandpolitik steuern, der Entscheid, wie sich Frankreich gegenüber Deutschland zu verhalten habe, blieb innerhalb des breiten Lagers der Regierungsformationen der gemässigten Republikaner und der Radikalen, wo jeder gegen jeden war, Hanotaux gegen Delcassé, gegen Etienne und gegen Clemenceau, Clemenceau gegen Delcassé, gegen Caillaux und gegen Hanotaux.

In der historischen Beschäftigung mit der Revancheidee spielt die Unterscheidung nach einzelnen Phasen richtigerweise eine wichtige Rolle. Bertrand Joly hat sich ebenfalls mit der Periodisierung auseinandergesetzt. Die traditionelle Aufteilung unterscheidet die »recueillement«-Phase der Jahre 1871–1879, die im Boulangismus kulminierende Phase des zunehmenden Revanchismus der Jahre 1879–1889, dann die Phase der relativen Beruhigung der Jahre 1896–1905 und schliesslich die Phase des Wiedererwachens des Revanchismus nach Tanger in den Jahren 1905–1914. Joly beanstandet, dass damit der französisch-deutschen Annäherung der Jahre 1883–1885 nicht Rechnung getragen würde, dass der Boulangismus missverstanden würde und diese Periode nicht bis 1889 gedauert habe, sondern mindestens ein Jahr früher zu Ende gegangen sei, dass ferner vom revanchistischen Aufflackern von 1890/91 nicht die Rede sei und dass schliesslich auch die Beruhigung nach 1905 nicht berücksichtigt werde und erst 1911 mit Agadir eine neuerliche Erhitzung stattgefunden habe.[55]

Die Pazifisten distanzierten sich von Gambettas Losung, weil ihr ein versteckter Bellizismus innewohnte. Baron d'Estournelles de Constant kritisierte 1902, dass sich die öffentliche Meinung Frankreichs weiterhin hinter einer unklaren und nicht erklärbaren Formel verstecke.[56]

Alles in allem kann man, wie immer, tatsächlich weitere Nuancierungen anregen oder fordern, bei Joly haben sie aber alle die gleiche Tendenz der Minimierung (»patriotique plus que vraiment revanchiste«, »renouveau patriotique et non nationaliste«, »pratiquement disparu«, »sans écho prolongé«, »non universelle«, »presque oublié«, »beaucoup moins dégradée qu'on ne la dit ou qu'on la cru« etc.).

Die Rückgewinnung der verlorenen Provinzen war zweifellos ein Ziel. Sie war dermassen ein durch die Ungeheuerlichkeit der Amputation gegebenes Ziel, dass sie in der Tat nicht immer wieder bekräftigt werden musste. Wenn allenfalls etwas hätte deklariert werden müssen, dann die Preisgabe dieses Ziels. Dies konnte sich aber, darüber besteht Konsens, niemand leisten, der in der Politik weiterhin eine Rolle spielen wollte. 1885 kam Ferry, als er sein Konzept der kolonialen Ex-

---

[55] JOLY, Revanche, S. 341.

[56] Offener Brief »Vers la Fédération européenne« im Supplement des »Le Temps« vom 14. Dezember 1902. Zit. nach Verdiana GROSSI, Le pacifisme européen: 1889–1914, Brüssel 1994, S. 83.

pansion präsentierte, offenbar nicht darum herum, darauf hinzuweisen, dass es ihm sehr wohl bewusst sei, dass es auf dem Kontinent eine Dauerwunde gebe – »cette blessure qui seignera toujours«.[57] In der Zeit selber wurde diese Frage als eine unheilbare Wunde verstanden, die sogleich wieder zu bluten begann, wenn man sie berührte.[58] Auf deutscher Seite bestand der Verdacht, dass die französischen Politiker die Revancheidee nach Belieben einsetzen konnten. Darum wurde gerne nach Berlin berichtet, was der italienische Ministerpräsident Luigi Luzzati erklärt haben soll, dass man in Frankreich die Narbe von 1871 nach Bedarf und Belieben bluten lassen könne wie die Ampulle des San Genaro.[59]

Wichtiger ist aber eine andere Feststellung: Es gab ein zweites Revancheziel, es ging auch – und hier wird die Idee wiederum etwas vager – um eine umfassendere Wiederherstellung und dauerhafte Sicherung des angeschlagenen Grossmachtprestiges. Zwischen den beiden Revanchezielen bestand ein offensichtlicher Zusammenhang: Einerseits beeinträchtigte die territoriale Amputation das Potenzgefühl der französischen Grossmacht, anderseits war die Instandstellung des Grossmachtpotentials eine Voraussetzung, um die verlorenen Territorien zurückzuerhalten.

### 3. Gewinnung weiterer Kolonien

Die französische Republik trat 1871 ein beträchtliches koloniales Erbe an, das in früheren Jahren von nichtrepublikanischen Regimen zusammengetragen worden war: rund 1 Mio. km² verteilt auf vier Kontinente und bevölkert mit über 5 Mio. Menschen. Wenig später, in den Jahren 1880–1895 wuchs das französische Kolonialimperium auf 9,5 Mio. km² und 55 Mio. Menschen.[60]

In den ersten Jahren der Dritten Republik herrschte allerdings aus zwei Gründen zunächst eine grosse Indifferenz gegenüber den Kolonien: Zum einen war es die seit Jahrzehnten bereits bestehende Gleichgültigkeit gegenüber den überseeischen Territorien und zum anderen, nach dem Schock von 1870/71, eben dem »recueillement«, die verstärkte Beschäftigung gleichsam mit sich selbst. 1873 konnte Francis Garnier es nicht verstehen, dass Helden wie er die französische Fahne bis zu den Quellen des Mekongs trügen, dies aber zu Hause niemanden wirklich interessiere.[61] Es gab noch kein »Kolonialbewusstsein«.[62] Seit 1874 gab

---

[57] Rede vor der Deputiertenkammer vom 28. Juli 1885. Zit. nach Henri BRUNSCHWIG, Mythes et réalités de l'impérialisme colonial français, Paris 1960, S. 76.

[58] Gabriel Charmes spricht beispielsweise von »blessure saignante« (in: Revue des Deux Mondes 1880, zit. nach BECKER/AUDOIN-ROUZEAU, Nation, S. 161).

[59] Die Belegstelle für diesen Bericht konnte nachträglich nicht mehr identifiziert werden. Wegen der besonderen Anschaulichkeit der Äusserung sei diese Einschätzung hier trotzdem weitergegeben.

[60] Zur französischen Kolonialexpansion verweisen BECKER/AUDOIN-ROUZEAU, Nation noch immer auf Jean-Louis MIEGE, Expansion européenne et décolonisation de 1870 à nos jours, Paris 1973.

[61] Francis GARNIER, Voyage d'exploration en Indochine effectué pendant les années 1866, 1867 et 1868, Bde. 1–2, Paris 1873.

[62] GIRARDET, Idée coloniale, S. 5.

es aber immerhin das öffentlich wirksame Kolonialmanifest von Paul Leroy-Baulieu *De la colonisation chez les Peuples modernes*.[63]

Diese dritte Zielsetzung der kolonialen Expansion liess sich leicht mit den beiden anderen in Verbindung setzen: Mit dem Erwerb weiterer Kolonien manifestierte Frankreich seine Grösse und kam damit auch seinem Revancheziel näher. Gambetta stellte schon früh, 1881, diese Verbindung her:

> »Pour reprendre véritablement le rang qui lui appartient dans le monde«, dürfe Frankreich sich nicht mit sich selbst begnügen.[64] Und 1881 erklärte er nach der Errichtung des französischen Protektorats in Tunesien: »[...] partout la France reprend son rang de Grande Puissance.«[65]

Mit dem »recueillement« liess sich diese Zielsetzung nicht verwirklichen. Jules Ferry erklärte 1885 ganz im Gegenteil, dass das »recueillement« jetzt in der Phase des einsetzenden Wettlaufs (»immense steeple chase sur la route de l'inconnu«) um die letzten Kolonialgebiete zu Frankreichs »abdication« und Niedergang führen und dass Zurückhaltung »le grand chemin de la décadence« bedeuten würde. Was innert kürzester Zeit eintreten könne, »c'est descendre du premier rang au troisième et au quatrième.«[66]

Frankreichs Wiedereintritt in die grosse Weltpolitik, die Wiederaufnahme einer auf territoriale Expansion bedachten Kolonialpolitik und die sich in der Folge einfindende Idee, Frankreich könnte seinen Verlust von 1871 mit dem Erwerb überseeischer Gebiete kompensieren, bedeutete für den Revanchegedanken Konkurrenz und Stimulierung. Stimuliert wurden die am Grossmachtideal orientierten Revancheziele, beeinträchtigt wurde lediglich das auf die Provinzen ausgerichtete engere Revanchestreben.

Der französische Imperialismus wurde nicht von wirtschaftlichen Zwängen getragen, sondern von der Idee, Frankreich müsse kolonisieren, um entweder Grossmacht zu bleiben oder erneut Grossmacht zu werden.[67] Man hat es bisher kaum zur Kenntnis genommen: Frankreich entwickelte auch im Bereich seiner Kolonialpolitik immer wieder Revanchegefühle, es suchte in den Kolonien nicht nur indirekte kompensatorische Revanche für Sedan, sondern sehr direkte Revanche für das in grossen Teilen (von Kanada bis zu den indischen Kontoren) an Grossbritannien gefallene Kolonialreich des Ancien Régime, Revanche auch für das 1882 wiederum an Grossbritannien verlorene Ägypten, Revanche für das 1898 am oberen Nil abermals an Grossbritannien abzutretende Faschoda. Die Tatsache, dass Frankreich über den Meeren ähnliche Vergeltungssehnsüchte hegte wie auf dem Kontinent, erleichterte die Harmonisierung der beiden Zielset-

---

[63] Aus einer ersten Schrift von 1870 hervorgegangen (BECKER/AUDOIN-ROUZEAU, Nation, S. 159), Leroy-Beaulieu lehrte an der Ecole libre des sciences politiques und am Collège de France.

[64] Rede in Angers vom 7. April 1872, GIRARDET, Idée coloniale, S. 43 f.

[65] An Jules Ferry, 13. Mai 1881.

[66] Rede in der Deputiertenkammer vom 28. Juli 1885. Auch in BRUNSCHWIG, Impérialisme, S. 73–77.

[67] Zit. nach GIRARDET, Idée coloniale, S. 21.

zungen nicht. Wie vertrugen sich das auf die Vogesen ausgerichtete Revancheziel und Frankreichs koloniale Grossmachtziele?

Auf diese Frage sind in der Zeit selbst drei Arten von Antworten gegeben worden:

Eine erste Gruppe vertrat die Auffassung, die Kolonialexpansion beeinträchtige die Vorbereitung auf den kontinentalen Revanchekrieg nicht, im Gegenteil, sie verbessere sogar dessen Voraussetzungen. Die gemässigten Republikaner um Waddington, Gambetta, Ferry und ihre Nachfolger liessen den neuen Ambitionen ihren Lauf, und daneben liessen sie die alten Hoffnungen aber bestehen. Gerade Gambetta als »homme de la revanche« erschien als besonders glaubwürdiger Vertreter, dass man die koloniale Expansion anstreben konnte, ohne die »alten Hoffnungen« aufzugeben. Sie verfochten die These, dass beides sehr wohl vereinbar sei, man mit anderen Worten Strassburg und Suez anvisieren könne. Immerhin wagte es der Publizist Gabriel Charmes, dessen Äusserungen man als Stimme der gemässigten Republikaner nehmen darf, zu verkünden, man solle nicht vergessen, dass es ausser den Vogesen noch andere Grenzen gebe und Frankreich im Mittelmeer sogar grösserer Schaden entstehen könne, als es durch den Verlust von Elsass-Lothringen erlitten habe:

> »Il ne faut pas oublier que la France a d'autres frontières que les Vosges.«[68]

Kurz darauf bemerkte Joseph Reinach, Gambettas Kabinettschef, in auffallender Übereinstimmung:

> »La France n'existe pas seulement entre l'Océan et les Alpes, entre les Vosges et la Méditerranée.«[69]

Mit den Kolonien gewann Frankreich eine Art von Kompensation für die verlorenen Provinzen und verbesserte zugleich die Voraussetzung für deren Rückgewinnung. Der in der Zeit selbst durchaus verwendete Begriff der Kompensation war problematisch, weil ihm mitunter entgegengehalten wurde, dass Elsass-Lothringen durch nichts ersetzt werden könne.

> »J'ai perdu deux soeurs, et vous m'offrez vingt domestiques«,

rief 1885 der mittlerweile ins Lager der Rechten gerutschte Paul Deroulède aus.[70] Die Republikaner dagegen versicherten, die Kolonien seien bloss vorläufige Entschädigungen, keine Abfindungen, denn sie seien nicht mit dem Verzicht auf den Anspruch verbunden, schliesslich auch noch die Provinzen zurückzuerhalten. Zudem hätte man, wie im vorangegangenen Kapitel angesprochen, die eine oder andere Kolonie, zum Beispiel Madagaskar, als Tauschobjekt in einem allfälligen Handel um die Provinzen einsetzen können.[71] Gabriel Hanotaux, immerhin auf

---

[68] Gabriel Charmes, Cinq mois au Caire, in: Journal des Débats, August–Oktober 1880. – Gabriel CHARMES, Politique extérieure et coloniale, Paris 1885.

[69] Joseph REINACH, in: République française, 11. Dezember 1880.

[70] Paul DEROULÈDE, Qui vive? France! Quand même. Notes et discours, 1883–1910, Paris 1910, S. 97.

[71] Diesen Vorschlag machte 1889 Jules LEMAÎTRE, Opinions à répandre, Paris 1901 (BECKER/AUDOIN-ROUZEAU, Nation, S. 197). Als weiteres Beispiel: Premierminister Combes fragte 1903 im Gespräch mit dem deutschen Botschafter Radolin, ob man nicht ein bis zwei Kolo-

dem Weg zum Chef der französischen Diplomatie, hielt es 1892 in seinen intimen Selbstgesprächen in einer anderen Variante für möglich: Frankreich und Deutschland könnten im Falle einer Zerlegung und Aufteilung britischer Besitzungen genug erben, so dass beide auf Elsass-Lothringen verzichten und diesem einen eigenen Status als Pufferstaat wie die Schweiz, Luxemburg, Belgien etc. geben könnten.[72]

Für den Elsässer Berufsoffizier und Pazifisten Gaston Moch, der noch nicht 40 Jahre alt war, als er 1896 eine Revision des Frankfurter Friedens forderte, war es offenbar klar, dass die Elsässer und Lothringer, wenn man ihnen das Selbstbestimmungsrecht gäbe, das er ebenfalls forderte, sich für Frankreich entscheiden würden. Dabei sah auch er eine Abfindung für Deutschland aus dem französischen Kolonialimperium vor und kam nicht auf die Idee, dass damit das Selbstbestimmungsrecht anderer Menschen missachtet würde.[73]

Eine zweite Gruppe hielt Kolonial- und Revanchepolitik für unvereinbar und trat vor dieser Alternative dafür ein, dass Frankreich seinem alten Vorsatz treu bleibe und sich ganz auf die Heimführung der verlorenen Gebiete konzentriere, da die Kolonien nie Ersatz für die Provinzen sein könnten.[74] Vehement gegen die republikanische Kolonialpolitik sprach sich die zur Rechten und zur Linken des Regierungszentrums der gemässigten Republikaner angesiedelte Opposition aus. Diese beiden Oppositionsflügel warfen der Regierung vor, Opfer von Bismarcks Ablenkungsmanövern zu sein.[75] Deutschland habe bereits Tunesien den Franzosen als vergifteten Apfel angeboten, dann sei es daran interessiert gewesen, dass Frankreichs Soldaten nicht am Ufer des Rheins, sondern am Nil und am Mekong stünden. Der Duc Albert de Broglie auf der Rechten warf wie Clemenceau auf der Linken dem republikanischen Zentrum vor, Ressourcen in den Kolonien zu verschwenden. Er empörte sich über die »millions laissés sur les bords du Mékong«, statt koloniale Abenteuer zu suchen, müsse man Frankreichs Position auf dem Kontinent stärken. Die Kolonialpolitik offenbare, wie stark das neue Regime auf dem schädlichen Prinzip des persönlichen Erfolges beruhe, dessen Politik mithin nur ein Haschen nach diesem Erfolg sei. Doch was für Erfolge! Konservative Notabilitäten stellten belustigt fest, die Heldentaten der republikanischen Parvenüs bestünden darin, »Neger« zu bändigen und Wüsten zu er-

nien gegen Elsass-Lothringen tauschen könnte, ob er Madagaskar wolle oder lieber Tonkin (Indochina). Emile COMBES, Mon ministère. Mémoires 1902–1905, Paris 1956, S. 220.

[72] Vgl. Journal 22. Juni 1892, ausführlich zitiert in Peter GRUPP, Deutschland, Frankreich und die Kolonien. Der französische ›Parti colonial‹ und Deutschland von 1890–1914, Tübingen 1980, S. 148 f.

[73] Gaston MOCH, Révision du Traité de Francfort. La Paix par la justice, Coulommier 1896 (aus Anlass der 25-Jahr-Wiederkehr der Vertragsschliessung). Moch schlug auch eine französisch-deutsche Zollunion sowie die Schaffung einer gemeinsamen Modell-Universität in Strassburg vor. Vgl. GROSSI, Pacifisme, S. 83 f.

[74] Vgl. auch GUILLEN, Expansion, S. 109 f. Guillen betont, dass die Radikalen nicht grundsätzlich antikolonialistisch eingestellt waren, sondern der kontinentalen Sicherheitspolitik den Vorrang gaben.

[75] Zum Beispiel Clemenceau in seiner Tonkin-Rede vom 27. November 1884. Schon im September 1881, vgl. GUILLEN, Expansion, S. 138.

obern.[76] 1898 wehrte sich der konservative Deputierte Plichon gegen einen Kolonialkredit mit dem Argument:

> »Mieux vaut faire des canons en France que des chemins de fer au Tonkin.«[77]

Paul Déroulède, die Linke und die Rechte in einem verkörpernd, lehnte die koloniale Expansion entschieden ab. In seiner berühmten Trocadéro-Rede vom 26. Oktober 1884 forderte er Priorität für die kontinentale Revanchepolitik:

> »Avant d'aller planter le drapeau Français là où il n'est jamais allé, il fallait le replanter d'abord là où il flottait jadis, là où nous l'avons tous vu de nos propres yeux.«[78]

Die Radikalen geisselten die Verschwendung »de l'or et du sang«, wie Frédéric Passy und Georges Clemenceau den Aufwand der Kolonialpolitik umschrieben. Einerseits wollten auch sie die Kräfte für den drohenden Ernstfall auf dem Kontinent reservieren, anderseits lehnten sie aber auch die Art der betriebenen Kolonialpolitik ab. Passy zum Ernstfall:

> »Nous nous refusons à sacrifier en pure perte ces choses précieuses, l'or et le sang de la France, lorsque nous voulons que nos forces soient réservées pour les périls inévitables, pour les épreuves nécessaires, pour les éventualités redoutables.«[79]

Die Radikalen wie später die Sozialisten waren zwar Befürworter der zivilisatorischen Missionsidee, aber Gegner der imperialistischen Annexionspolitik und forderten auch in dieser Frage die unbeeinträchtigte Fortführung des »recueillement«, des inneren Wachstums, um Frankreichs moralische Grösse gedeihen zu lassen und jede Attacke auf die Würde der französischen Nation abwehren zu können.

Die Konservativen stellten die Notwendigkeit der Kolonialpolitik teilweise nicht in Frage; zum Teil kritisierten sie bloss deren Methode und warfen den republikanischen Regierungen vor, sie seien mit ihrer abenteuerlichen Politik »à la Jules Vernes« schlechte Fortsetzer der von ihnen initiierten Kolonialpolitik. Nachdem sie 1871 die beiden Provinzen verloren hätten, würden sie jetzt billigen Ersatz suchen. Ein Wahltraktat von 1885 bemerkte:

> »La République qui avait livré aux Prussiens l'Alsace et la Lorraine essayait de se rattraper en fabriquant des colonies.«[80]

---

[76] Albert de BROGLIE, Vingt-cinq ans après, 1871–1896, in: Revue des Deux-Mondes vom 1. Juli 1896, S. 5–44, hier: S. 35–38.

[77] Debatte vom 15. Dezember 1898, zit. nach Charles Robert AGERON, Gambetta et la reprise de l'expansion coloniale, in: Revue française d'histoire d'outre mer 59 (1972), S. 20.

[78] Zit. nach AGERON, Gambetta, S. 67. In einer weiteren Stellungnahme verknüpfte er die beiden Szenarien mit der Bemerkung, Frankreich habe 1871 das Gesicht verloren und wolle jetzt mit einer »masque des conquêtes exotiques«, den Kolonien, dieses wieder zurückerlangen, Le Drapeau vom 10. Januar 1885.

[79] Frédéric Passy und Georges Clemenceau in der Nationalversammlung vom 30./31. Juli 1885. Vgl. GIRARDET, Idée coloniale, S. 53 f.

[80] AGERON, Gambetta, S. 17.

Doch mehrheitlich lehnten sie (wenn sie die kirchliche Mission auch durchaus befürworteten) die staatliche Kolonialexpansion ab, weil sie mit den militärischen Pflichten auf dem Kontinent unvereinbar sei und sich nicht mit Quantität kompensieren lasse, was man an Qualität verloren habe.

Im Jahr von Faschoda mehrten sich die Stimmen, welche die Meinung vertraten, dass Frankreich aus Rücksicht auf seine militärischen Aufgaben auf dem Kontinent einen Dauerstreit mit England vermeiden müsse:

> »Nous suivons une politique continentale qui nous commande de rester toujours l'arme au bras contre l'Allemagne; pouvons nous suivre dans le monde entier une politique qui nous met en perpétuel conflit avec l'Angleterre, contre laquelle nous sommes désarmé sans l'Allemagne?«[81]

Auch für Jean Jacques Becker (1995) schlossen sich die beiden Zielsetzungen, Rückgewinnung der Provinzen und Neugewinnung von Kolonien, gegenseitig aus. Frankreich habe seine Kräfte nicht gleichzeitig in Übersee und auf dem Kontinent einsetzen können.[82]

Eine dritte Gruppe empfand die beiden Blickrichtungen ebenfalls als schlecht vereinbar, meinte aber, es sei unrealistisch, im Zeitalter der kolonialen Expansion weiterhin auf die »ligne bleue des Vosges« zu starren, Frankreich müsse der Kolonialpolitik selbst dann den Vorzug geben, wenn dies auf Kosten der Möglichkeiten einer Revanche an der Ostgrenze gehe. Admiral Dupé, der als Gouverneur im fernen Indochina sass, wollte nicht einsehen, dass man wegen der verlorenen Provinzen auf die Kolonialexpansion verzichten sollte:

> »Parce que nous avons été odieusement mutilés, est-ce une raison pour nous croiser les bras et de ne faire aucun effort pour compenser, même à un plus faible degré, la perte douloureuse que nous avons faite.«[83]

Stimmen, welche die Meinung vertraten, dass die Provinzen zugunsten der Kolonialpolitik ganz aufzugeben seien, erhoben sich selten. 1881 leitete der Sekretär der Geographischen Gesellschaft von Valencienne aus dem Zwang zur Zurückhaltung auf dem Kontinent und dem engen Spielraum des Frankfurter Friedens aber geradezu eine Notwendigkeit ab, dem französischen Tatendrang im Kolonialbereich Auslauf zu gewähren.[84] Und der bereits erwähnte Wirtschaftswissenschaftler Paul Leroy-Beaulieu bemühte sich, die Franzosen zu überzeugen, dass die Kolonialexpansion das einzige Mittel sei, um Frankreichs »Grandeur« zu sichern. Wie im 18. Jh. ein New Orleans gegründet worden sei, müsse man jetzt in Nordafrika ein Nouvelle Strasbourg und ein Nouvelle Metz gründen, damit das Mittelmeer, wenn schon nicht ein französischer, so doch wenigstens ein neolateinischer See würde.[85] Mit seinem 1874 erschienenen Werk *De la colonialisation chez*

---

[81] Correspondant, 8. November 1898. Zit. nach Eber Malcolm CARROLL, French Public Opinion and Foreign Affairs 1870–1919, New York 1931, S. 162, unter dem Titel »England or Germany?«.

[82] BECKER/AUDOIN-ROUZEAU, Nation, S. 166.

[83] Zit. nach GIRARDET, Idée coloniale, S. 41 f.

[84] Zit. ebenda, S. 35.

[85] Konsequenterweise spricht er sich auch für die Auswanderung der Elsässer nach Algerien aus, Journal des Débats, 5. November 1872. 1881 ist er selbstverständlich für die Annexion

*des peuples modernes* übte Leroy-Beaulieu starken Einfluss auf Jules Ferry aus, und 1881 wagte er in der Tunesien-Debatte den einsamen Ruf, Frankreich solle doch die Idee der Revanche aufgeben und auf dem Kontinent eine rein defensive Politik betreiben.[86]

Das war sicher auch die Meinung der Kolonialpublizisten vom Zuschnitt eines Paul d'Ivoi, der mit typisch antibritischem Einschlag die französische und die russische Expansion im mittleren und fernen Osten auf Kosten der Briten pries und dabei die klassische Revancherhetorik anwendete, um mit dieser Übertragung zu verstehen zu geben, dass eine neue Problematik die alte abgelöst habe:

> »L'Inde est pour moi une Alsace-Lorraine coloniale et ce n'est pas sans une joie réelle que je vois la Russie s'avancer par le Nord, alors que nous sommes solidement établis en Indochine. Je suis soldat comme mes ancêtres Gaulois et ma devise est: toutes les revanches!«[87]

Im Laufe der vier Jahrzehnte entwickelten sich die Verhältnisse. Zum einen gab es Konjunkturen in der Ablehnung der kolonialen Expansion. Charles-Robert Ageron sieht im Tonkin-Debakel von 1885 eine erste und die grösste Spitze, auf die dann schnell eine Beruhigung folgte, die nur 1895 anlässlich der Schwierigkeiten in Madagaskar durch einen weiteren, wesentlich kleineren Ausschlag und 1905–1908 durch eine erneute Oppositionsphase im Kontext der Marokko-Politik unterbrochen wurde.[88] Die Radikalen gaben, wenn man von Clemenceau und seiner Umgebung absieht, ihre ablehnende Haltung nach und nach auf, führende Oppositionelle wie Emile Chautemps, Gaston Doumergue und Milliès-Lacroix wurden sogar Kolonialminister. Die von den Radikalen in den beiden letzten Jahrzehnten des 19. Jahrhunderts betriebene Opposition wurde nach der Jahrhundertwende vor allem von den Sozialisten weiter hochgehalten.

Wie verband sich die Kolonialfrage mit dem Verhältnis zum kontinentalen Feind? Deutschland mochte Frankreich 1881 bei der Errichtung des Tunesien-Protektorates oder nach 1882 in der Ägypten-Frage zur Seite gestanden haben – die Unterstützung, die es ihm brachte, war jedoch nie sehr weitreichend und nie als Wechselgeld für den Verzicht auf die alten Aspirationen entgegengenommen worden. Zur französisch-deutschen Annäherung, die sich 1879 in der Tunesien-Frage abzeichnete, stellte Desprez, der Politische Direktor des Quai d'Orsay, fest:

> »Ce rapprochement, quelle qu'en dût être la durée n'impliquait l'abandon d'aucun de nos souvenirs, d'aucune des nos espérances«.

Aus »Hoffnungen und Erinnerungen« wurden in einer zweiten, vorsichtiger formulierten Fassung »principes de notre politique en Europe«. 1884 erklärte Baron de Courcel, Ferrys Botschafter in Berlin, seinem deutschen Gesprächspartner

---

Tunesiens, L'Economiste Français, 7. Mai 1881, S. 565–567. Aufschlussreich ist die Gegenüberstellung »La politique continentale et la politique coloniale«.

[86] Vgl. GIRARDET, Idée coloniale, S. 53 f. 1913 stellte er in »La question de la population« die Frage, ob eine Revanche überhaupt möglich sei.

[87] Paul d'IVOI (in Wirklichkeit Charles Deleutre), Le Sergent Simplet à travers les colonies française, Paris 1897. GIRARDET, Idée coloniale, S. 85 und 306.

[88] AGERON, Gambetta, Grafik, S. 38 f.

deutlich, man könne gewiss wie in der Ägypten-Frage abklären, wo die gemeinsamen Interessen lägen, doch wenn sich Deutschland mit Frankreich verständigen wolle, dürfe es nicht versuchen, gleichzeitig die Elsass-Lothringen-Frage anzuschneiden, denn sollte es diese Wunde berühren, würde die französische Nation nicht mehr Herrin ihrer Gefühle sein. Paul Bert, der Ferrys Kolonialpolitik unterstützte, musste sich im Wahlkampf vom Herbst 1885 von der ihm nachgesagten Kompensationsparole ausdrücklich distanzieren:

> »Si j'avais prononcé ces dernières paroles, si je m'étais rendu coupable d'une telle impiété envers la Patrie, je ne serais pas digne de solliciter les suffrages des mes concitoyens. Des compensations, il n'en peut exister, non plus que de consolation.«[89]

Die englisch-französische Rivalität im ägyptischen Kondominium und der Wettlauf der beiden kolonisierenden Grossmächte in West- und in Zentralafrika führte insbesondere in den Jahren 1884/85 und 1896 bis 1900 vorübergehend dazu, dass Frankreich bereit war, sich wenigstens in kolonialen Fragen mit Deutschland zu verständigen. Die Beziehungen zum deutschen Erbfeind waren aber auf dem Kontinent nicht in dem Masse besser geworden, in dem sich die Beziehungen zum britischen Erbfeind auf den Meeren verschlechtert hatten.

> »En comparaison des Anglais, les Allemands sont presque nos amis«,

konnte man 1893 in einem französischen Blatt lesen. War Grossbritannien für Frankreich ein Feind, konnte Deutschland eben nur »fast« zum Freund werden. Bitter stellte Robert de Caix, einer der führenden Kolonialisten, 1898 nach dem Zusammenstoss in Faschoda fest, Grossbritannien sei sich eben bewusst, dass es der wirkliche Nutzniesser der durch die Elsass-Lothringen-Frage geschaffenen Situation sei. Und dieser Situation mussten eben auch die französischen Kolonialisten Rechnung tragen.

---

[89] Le Temps vom 6. Oktober 1885. Zit. nach GIRARDET, Idée coloniale, S. 64.

# ZWEITES KAPITEL

## DIE PERSONELLEN VORAUSSETZUNGEN DER FRANZÖSISCHEN AUSSENPOLITIK

Was waren die primär vorgegebenen und die Vorgänge sekundär bestimmenden Realitäten: die Strukturen oder die Personen? Einiges würde für die Strukturen sprechen, vor allem wenn man davon ausgeht, dass zunächst eine republikanische Ordnung eingeführt wurde, die dann sekundär von Personen besetzt und gehalten wurde. Anderseits kann man feststellen, dass gerade mit der Republik eine von Personen stark gestaltbare Ordnung geschaffen wurde und die Strukturen in besonderem Mass nach den Bedürfnissen der Beteiligten geschaffen werden konnten. Damit sei allerdings nicht gesagt, dass es in den vorangegangenen Regimen nicht ähnliche, wenn vielleicht auch weniger ausgeprägte Tendenzen gab. Ideal wäre eine gleichzeitige Betrachtung der zum Teil auch tatsächlich mit einer gewissen Gleichzeitigkeit zusammenwirkenden personellen wie strukturellen Verhältnisse. Dies würde aber die Linien der personellen wie der strukturellen Entwicklungen verwischen. Hier sei nun dem personellen Zugang der Vorzug gegeben, zumal sich Strukturen zu einem erheblichen Teil erst an den Positionen der Personen aufzeigen lassen und diese darum zuerst vermittelt werden sollten. Wo es nicht anders geht, zum Beispiel bei der Umschreibung der präsidialen Kompetenzen, sei sozusagen gleichzeitig doch auch von Strukturellem die Rede.

Am 4. September 1870 wurde in Paris die Republik ausgerufen und eine Regierung der nationalen Verteidigung – »un gouvernement de Défence nationale« – gebildet. Von welchen Kräften wurden die neuen Verhältnisse Frankreichs gestaltet? Die tätigen Kräfte waren nur zum Teil neu, und diejenigen, welche neu waren, das heisst: nicht im Second Empire bereits massgebend gewirkt hatten, waren im Grunde alt, wurzelten in den verschiedenen Schichten, die im wechselreichen Lauf des 19. Jahrhunderts abgelagert worden waren: im Jakobinertum der ersten Stunde des neuen Jahrhunderts, im Bourbonenkönigtum, im Bürgerkönigtum, in der Republik des Grossbürgertums. Sie alle versuchten, das sich vorerst im Zustand der provisorischen Republik befindende Frankreich nach ihren Vorstellungen zu prägen – vor allem natürlich im innenpolitischen Bereich.

Die nachfolgende Besichtigung der verschiedenen Akteure der französischen Aussenpolitik folgt einer nahe liegenden Reihenfolge: In einem 1. Kapitel soll es zunächst zu einer Begegnung mit den neun Staatspräsidenten kommen, welche die französische Republik bis 1914 gehabt hat. Sie ersetzten bis zu einem gewissen Grad die Herrscher der früheren Systeme, sie gewährleisteten eine gewisse Kontinuität und waren für die Regierungserteilung wie für wichtige Bereiche der Aussenpolitik zuständig. Das 2. Kapitel umfasst ein prosopographisches Inventar der 31 Aussenminister der Jahre 1871–1914. Und das 3. Kapitel untersucht schliesslich das diplomatische Korps in seiner ganzen Breite.

## 1. Die Präsidenten der Republik

Bevor das Aufgabenverständnis der Präsidenten und deren Interesse an der Aussenpolitik im Einzelnen erörtert werden, müssen ein paar allgemeine Ausführungen zur Kompetenzregelung vorgeschaltet werden. Von der Erfahrung während der bonapartistischen Diktatur geprägt und möglicherweise auch beeindruckt vom weitreichenden Einfluss, der von Thiers ausgegangen war und eines Tages von einem Gambetta hätte ausgehen können, war man bei der Ausstattung des Präsidialamtes äusserst zurückhaltend. Der Staatchef sollte nicht Diktator werden, nicht über eine persönliche Machtstellung (*pouvoir personnel*) verfügen können. Die Verfassung von 1875 bestimmte deshalb, dass die Dekrete des Präsidenten nur rechtskräftig waren, wenn sie von einem Minister mitunterzeichnet waren. Die Minister dagegen mussten sich für ihre Handlungen dem Parlament gegenüber verantworten. Der Präsident war nicht dem Parlament verantwortlich, sofern er nicht des Hochverrats angeklagt war. An diese Unkontrollierbarkeit war die Erwartung geknüpft, dass sich der Staatchef eine entsprechende Zurückhaltung auferlege und die Führung der Regierungsgeschäfte seinen Ministern überlasse. Dennoch verfügte er gerade im aussenpolitischen Bereich über bedeutende Einflussmöglichkeiten.

Der Präsident konnte bei den Kabinettsbildungen die Wahl des Aussenministers beeinflussen oder gar bestimmen. Delcassé verdankte seine wiederholte Bestätigung zu einem wichtigen Teil Präsident Loubet, und Präsident Fallières verhinderte umgekehrt die Rückkehr Delcassés.[1]

Gemäss Art. 3 bedurfte auch die Ernennung des höheren diplomatischen Personals ausser der Unterschrift des Aussenministers seiner Unterschrift – die französischen Diplomaten waren seine Emissäre. Und die Akkreditierung der fremden Botschafter lag gemäss dem gleichen Artikel ebenfalls bei ihm. Man kann es freilich auch umgekehrt formulieren: Der Präsident war in seinen Erlassen von der Mitunterzeichnung eines vom Parlament abhängigen Ministers abhängig. Mit seiner siebenjährigen Amtszeit sicherte der Präsident ein Minimum an Kontinuität und die staatliche Präsenz in Momenten ministerieller Krisen. So stand Präsident Faure im Moment des Faschoda-Konflikts Delcassé bei, und unterstützte Präsident Fallières im Moment der Algéciras-Konferenz die französische Delegation.[2] Schliesslich verfügte der Präsident über die Streitkräfte und präsidierte dem 1906 geschaffenen *Conseil supérieur de la Défense nationale*.

Im Weiteren konnte er gemäss Art. 8 mit dem Ausland Verträge aushandeln und sie auch alleine ratifizieren, er musste sie dem Parlament erst bekannt geben, wenn das Interesse und die Sicherheit des Staates dies erlaubten. Im Falle des Abkommens mit Russland von 1892 muss Zar Alexander die Geheimhaltung zur

---

[1] Jean Baillou, Les affaires étrangères et le corps diplomatique français, Paris 1984, S. 26.

[2] Baillou, Affaires étrangères, S. 27.

Bedingung gemacht und erklärt haben, dass der Vertrag hinfällig würde, wenn sein Inhalt bekannt würde.[3] Die präsidiale Prärogative galt aber nur für eine bestimmte Kategorie von Verträgen. Einfache Abkommen wurden ihm gar nicht vorgelegt. Wichtige Verträge bedurften jedoch ausdrücklich der Ratifizierung durch beide Kammern des Parlaments: nämlich die Friedensverträge, Handelsverträge und Verträge mit Folgen für die Staatsfinanzen und für die französischen Privateigentümer im Ausland.

Art. 3 des Verfassungsgesetzes vom 27. Februar 1875 bestimmt unter anderem:

> »[Le Président de la République] dispose de la force armée. Il nomme à tous les emplois civils et militaires. Il préside aux solennités nationales; les envoyés et les ambassadeurs des puissances étrangères sont accrédités auprès de lui. Chacun des actes du Président de la République doit être contresigné par un ministre.«

Und Art. 6 des gleichen Gesetzes:

> »Les Ministres sont solidairement responsables devant les Chambres de la politique générale du gouvernement, et individuellement de leurs actes personnels. Le Président de la République n'est responsable que dans les cas de haute trahison.«

Art. 8 des Gesetzes vom 16. Juli 1875 bestimmt:

> »Le Président de la République négocie et ratifie les traités. Il en donne connaissance aux Chambres aussitôt que l'intérêt et la sûreté de l'Etat le permettent. Les traités de paix, de commerce, les traités qui engagent les finances de l'Etat, ceux qui sont relatifs à l'état des personnes et au droit de propriété des Français à l'étranger, ne sont définitifs qu'après avoir été votés par les deux Chambres. Nulle cession, nul échange, nulle adjonction de territoire ne peut avoir lieu qu'en vertu d'une loi.«

Und Art. 9:

> »Le Président de la République ne peut déclarer la guerre sans l'assentiment préalable des deux Chambres.«[4]

1912 kamen von der Rechten (Jacques Piou) wie von der Linken (Aubriot) Vorschläge für eine Revision von Art. 8 im Sinne eines grösseren Mitspracherechts der Kammern. Ministerpräsident Poincaré gelang es indessen, mit einem nichtssagenden Bekenntnis eine Mehrheit für den Status quo zu finden. Er versprach,

> »de soumettre le plus largement possible la direction de la politique extérieure au contrôle des Chambres et au jugement de l'opinion publique. Nous savons que se qui fait la véritable force, l'efficacité réelle et durable, des conventions diplomatiques, c'est la consécration qu'elles trouvent dans les sentiments profonds des peuples.«[5]

Welchen Einfluss vermochten die verschiedenen Präsidenten auf die Aussenpolitik auszuüben? Im Allgemeinen kann man sagen, dass der Anteil der Staatspräsidenten Thiers, Grévy, Faure und Poincaré an der französischen Aussenpolitik grösser war

---

[3] Gemäss Raymond POINCARÉ, Au service de la France, Bd. 1, Paris 1926, S. 290.

[4] Henri LEYRET, Le Président de la République, son rôle, ses droits, ses devoirs, Paris 1913, S. 259 f. Adrien DANSETTE, Histoire des Présidents de la République de Louis Napoléon Bonaparte à Vincent Auriol, Paris 1953, S. 43 f. gibt eine Zusammenfassung.

[5] POINCARÉ, Au service, Bd. 1, S. 74.

als derjenige von Mac-Mahon, Carnot, Casimir-Périer, Loubet und Fallières. Die Bedeutung der Präsidenten hing ein wenig von der Stärke der Aussenminister ab; in noch stärkerem Mass hing umgekehrt die Entfaltungsmöglichkeit der Aussenminister vom Gestaltungswillen der Präsidenten ab. Zu den einzelnen Präsidentschaften ist bezüglich der aussenpolitischen Mitwirkung festzuhalten:

## Adolphe Thiers (August 1871–Mai 1873)

Selbst eine provisorische Republik bedurfte einer Vertretung gegen aussen, brauchte eine Person, welche – einem Monarchen gleich – die Souveränität der Nation verkörperte und mit ihrem Namen, ihrer Unterschrift den Staat verpflichtete. Später sollte dies der von beiden Kammern jeweils in Versailles gewählte Präsident der Republik sein.

Zuvor fand sich aber – wie so oft – eine Lösung ein, bevor überhaupt die Frage nach den konstitutionellen Kompetenzen gestellt werden konnte. Denn Adolphe Thiers hatte in selbst erteiltem, aber grundsätzlich unangefochtenem Auftrag versucht, in Frankreichs Namen auf dem diplomatischen Parkett Europas zu retten, was auf dem Schlachtfeld verloren worden war. Leicht maliziös erinnert sich de Rémusat:

> »Thiers a annoncé qu'il allait partir comme négociateur, avant d'avoir reçu la mission de négocier.«[6]

Thiers folgte seinen persönlichen Eingebungen, verhandelte direkt mit den französischen Diplomaten im Ausland und den ausländischen Diplomaten in Frankreich. Aussenminister Jules Favre beklagte sich oft darüber: Die ganze Evakuationsfrage sei in Privatbriefen erledigt worden. Es sei ein grundsätzlicher Fehler, wenn ein Staatsoberhaupt direkt mit dem Ausland verhandle, denn auf diese Weise könnten Irrtümer nicht mehr ausgeglichen werden. Bismarck habe sich immer wieder zurückziehen und auf den Kaiser verweisen können. Schon Napoléon III. habe immer alles selber machen wollen, erst Mac-Mahon habe wieder die richtige Praxis angewandt.[7]

Die Art, wie der 74jährige Nestor der republikanischen Garde diese Mission und später die Waffenstillstandsverhandlungen führte, offenbarte schon früh Thiers' überragende Stellung in der Führung der Staatsgeschäfte. Thiers, der in den 1830er Jahren mehrfach Minister, 1840 auch Ministerpräsident gewesen und in den 1860er Jahren Oppositionsführer gegen das Regime des Zweiten Kaiserreichs war, wollte 1870 der republikanischen Regierung nicht angehören. Der stark persönliche, ja personalistische Regierungsstil des künftigen Staatschefs erregte da und dort Missfallen, insbesondere bei übergangenen Ministern und zu wenig in die Regierungsgeschäfte einbezogenen Chefbeamten der Verwaltung, etwa beim Berufsdiplomaten Jean-Baptiste de Chaudordy, der mit dem Titel eines *Sous-Secrétaire d'Etat* und mit dem besonderen Auftrag in Tours sass, den in Paris eingeschlossenen Aussenminister Jules Favre gegen aussen zu vertreten.

---

[6] Charles de REMUSAT, Mémoires de ma vie, Bd. 5: 1852–1875, Paris 1967, S. 325.
[7] CHAUDORDY, France, S. 123 f.

Der am 8. Februar 1871 in 27 Departementen als Abgeordneter in die *Assemblée Nationale* gewählte 73jährige Thiers wurde am 17. Februar 1871 von seinen Mitdeputierten noch vor der Verfassungsgebung zum »*chef* du pouvoir exécuctif de la République française« ernannt und mit ausserordentlichen Vollmachten ausgestattet. Thiers machte sich über den Titel lustig, der erst am 31. August 1871 in die definitive Bezeichnung Präsident der Republik umgewandelt wurde. Er schätzte die Bezeichnung »chef« gar nicht, weil sie ihn zu sehr an »Küchenchef« erinnerte:

> »Me prend-on pour un cuisinier?«[8]

Während seiner Amtszeit vereinigte der Statthalter des in seiner Art erst noch zu bestimmenden Staatsoberhauptes zwei Funktionen, die später unvereinbar sein sollten, diejenige des Präsidenten der Republik und diejenige des Präsidenten des Kabinetts. Der »Chef« konnte im Gegensatz zu seinen Nachfolgern noch über seinen Aussenminister im Parlament hinweg persönlich auftreten und dort seinen Einfluss geltend machen. Thiers wurde dieses Recht am 13. März 1873 entzogen, um eine erste Voraussetzung für seine Kaltstellung vom 24. Mai 1873 zu schaffen. Diese Doppelfunktion sowie Thiers' frühere Ämter und Missionen – das Aussenministerium, die Sondermission durch Europa und die Friedensverhandlungen – sicherten dem angesehenen Staatsmann einen starken Einfluss in der Gestaltung der französischen Aussenpolitik. Desprez, seit 1866 Politischer Direktor des Quai d'Orsay, stellte sogar fest, dass sich Thiers weit mehr herausgenommen habe als Napoléon III. und dass sich kein Minister des Zweiten Kaiserreichs Interventionen, wie sie bei Thiers an der Tagesordnung waren, hätte gefallen lassen.

> »Je n'en ai jamais vu pour ma part de plus subordonnés sous le second empire, aucun de ceux que j'ai connus alors n'aurait accepté de la part de l'Empereur pareille intervention de tous les instants dans les affaires de son département.«[9]

Adrien Dansette schreibt in seiner Geschichte der Präsidenten (1953):

> »Quoique contestée, la dictature de Thiers est réelle. Ses ministres ne sont que des commis. L'un d'eux, auquel on demande s'il n'a pas de sous-secrétaire d'Etat, répond: ›Mais le sous-secrétaire d'Etat, c'est moi.‹ Thiers assume les responsabilités et prend les décisions.«[10]

De Rémusat, der unter Thiers Aussenminister war, vertraute seinen Aufzeichnungen manche Klage über seinen Chef an; er beklagte beispielsweise, dass die ausländischen Botschafter ernsthaft nur mit Thiers Gespräche führten und Thiers ihm nicht einmal die Wahl seines Personals gelassen habe.[11] Am Tag nach seiner Wahl habe er Thiers gesagt:

> »Mon cher ami, qui l'eût dit, qu'après avoir toute votre vie combattu le pouvoir personnel, ce serait vous qui le feriez renaître entre vos mains? Car il vous est bien personnel le pouvoir que votre pays vous donne aujourd'hui.«[12]

---

[8] Daniel HALÉVY, La fin des notables, Paris 1931, S. 61. Vgl. auch DANSETTE, Histoire, S. 27.

[9] Desprez, Papiers nominatifs, Dossier 27, S. 6.

[10] DANSETTE, Histoire, S. 29.

[11] REMUSAT, Mémoires, Bd. 5, S. 351.

[12] Ebenda, S. 324.

Seine eigene, bescheidene Rolle rechtfertigend, schrieb de Rémusat:

> »Sous lui, d'ailleurs, le ministère des affaires étrangères ne pouvait avoir ni éclat, ni indépendance.«

Im Kabinett habe stets Thiers das entscheidende Wort geführt:

> »Rarement on le contredisait, on se taisait tout au plus.«[13]

Diese Situation habe er zum vorneherein in Kauf genommen:

> »J'entrai […] dans son conseil, résigné à n'y jouer qu'un très petit rôle.«[14]

De Broglie wies auf eine an sich richtige Beobachtung hin, nur exemplifiziert er sie am falschen Objekt, wenn er rückblickend sagte, Thiers habe Jules Favre zu lange das Aussenministerium leiten lassen, weil

> »ceux qui le servaient mal avaient au moins le grand mérite de ne pas le gêner.«[15]

Favre leistete Thiers mehr Widerstand als de Rémusat, und Favres Rücktritt erklärt sich unter anderem gerade durch diesen Widerstand. Schliesslich wurde Thiers am 23. Mai 1873 von der Rechten, welche die Etablierung eines »ordre moral« wünschte, als zu republikanisch eingestuft und zur Demission gezwungen.

### Edme Patrice Maurice Mac-Mahon (Mai 1873–Januar 1879)

Mac-Mahons Einfluss auf die französische Aussenpolitik darf nicht unterschätzt werden. Er hatte, abgesehen von allfälligen Mitwirkungen in konkreten Fragen, allein schon wegen seiner Existenz eine aussenpolitische Funktion.[16] Diese garantierte den europäischen Mächten, dass sich die junge Republik in Schranken und insbesondere auch an Frankreichs Grenzen halten werde. Der bei Amtsantritt 65jährige Mac-Mahon verfügte zudem über persönliches Ansehen, 1861 war er ausserordentlicher Botschafter Napoléons III. bei der Krönung Wilhelms I. gewesen und stand seither in guten Beziehungen zu ihm.[17] Auf das Vertrauen des italienischen Königs glaubte er ebenfalls zählen zu dürfen, denn er, der 1859 auf dem Schlachtfeld von Magenta zum Marschall geschlagen worden war, habe mit Viktor-Emanuel zusammen Krieg geführt.

---

[13] Ebenda, S. 364.

[14] Ebenda, S. 367.

[15] Albert de BROGLIE, Mémoires du Duc de Broglie. Avec une préface de son petit-fils, Bde. 1–2, Paris 1938/41, hier: Bd. 2, S. 62.

[16] Mac-Mahon hat beispielsweise im Mai 1875 dem Zar für die russische Intervention während der »Krieg-in-Sicht«-Krise gedankt (DDF, Série I, Bd. 1, S. 430) oder im August 1877 seinen Flügeladjudanten, den Marquis d'Abzac, nach Berlin geschickt, damit er dort die nach dem »16. Mai« (der Restauration von de Broglie) aufgekommenen Befürchtungen zerstreue und – wie de Gontaut-Biron in seinen Memoiren schreibt – »avec ordre de voir le plus de monde possible, de beaucoup écouter et de beaucoup expliquer.« Anne-Armand-Elie de GONTAUT-BIRON, Mon ambassade en Allemagne 1872–1873, Paris 1906, S. 276. Vgl. auch STEINBACH, Diplomatie, S. 137.

[17] Wilhelm II. an das Auswärtige Amt anlässlich Mac-Mahons Tod am 17. Oktober 1893, GP, Bd. 7, Nr. 1599.

>J'écrirai à Victor-Emmanuel, il me connaît; nous avons fait la guerre ensemble: ce
que je dirai il le croira.«[18]

In der Auseinandersetzung um die Frage, ob sich Frankreich 1877/78 weiterhin
zurückhalten oder in das Konzert der Grossmächte zurückkehren soll, trat er nicht
in Erscheinung. Hingegen hatte in der schon 1878 aktuell gewordenen Frage, ob
Frankreich mit Tunesien einen Protektoratsvertrag abschliessen soll, seine Stimme
offenbar Gewicht.[19] Von Aussenminister Waddington forderte er offenbar eine
vollständige Einsicht in die gesamte Korrespondenz, und dieser scheint bereit gewesen zu sein, dieser Erwartung zu entsprechen. Dies muss man aus einem hoch-
interessanten Schreiben schliessen, das Botschafter de Saint-Valliers an seinen
Chef im Quai d'Orsay 1878 schrieb:

>Je n'avais jamais pu admettre, et aucun agent de carrière plus que moi, que le Mi-
nistre des Affaires Etrangères dût communiquer au Chef de l'Etat tous les télégrammes qu'il recevait; ceux que je vous ai expédiés étaient en général pour vous,
et il ne serait pas possible que les Ambassadeurs n'eussent pas, avec leur Ministre,
l'entière liberté et l'entière discrétion du Télégraphe. La situation que vous me ré-
vélez est absolument nouvelle et, comprise comme elle l'est par vous, elle restrein-
drait dans une mesure inacceptable votre propre liberté d'action comme celle de
vos agents; il faut que ceux-ci puissent télégraphier avec une entière confiance, et
c'est là un principe sur lequel, jusqu'ici, aucun doute n'avait encore été émis. J'ai été
cinq ans chef de cabinet sous un régime autrement autoritaire que celui-ci, avec un
chef d'Etat, envers qui l'on devait s'imposer des devoirs bien plus étroits qu'à
l'égard du Président actuel, qui avait un cabinet au courant de tout, renseigné sur
tout, sachant à merveille d'où, quand et comment nous recevions des dépêches, en
exigeant la communication immédiate. Mais le Ministre ou le Chef de Cabinet,
suivant les cas, retranchaient les passages qu'il y avait inconvénient à envoyer aux
Tuileries où l'on savait que l'Empereur avait peu de mystères pour l'impératrice et
son compromettant entourage. Des attachés de confiance faisaient cette copie
spéciale et restreinte; il n'y avait donc pas de dépêches dissimulées au souverain,
mais des dépêches dégagées de ce qui pouvait avoir des inconvénients pour le
Ministre ou les agents; rien de plus simple, de plus indiqué que ce mode d'agir, et je
suis tout surpris de voir que vous n'en usez pas comme vos prédécesseurs.«[20]

Was externe Beobachter an ihm eigentlich schätzten, konnte zugleich auch Gegenstand des Spotts und der Kritik sein. Fürst Hohenlohe, Vertreter des deutschen
Reiches, liess sich 1879 über das als »ungeschickt arrangiert« beurteilte Zeremoniell
des Präsidenten aus und meinte, dass man nicht König spielen solle, wenn man

---

[18] Zit. nach Albert de BROGLIE, La Mission Gontaut-Biron à Berlin, Paris 1896, S. 147.

[19] Hanotaux zufolge hat Mac-Mahon, um einen Konflikt mit Italien zu vermeiden, die An-
eignung Tunesiens verhindert, Gabriel HANOTAUX, Histoire de la France Contemporaine
1871–1900, Paris 1903–1908, Bd. 4, S. 388. Jean Ganiage folgt der Aussage des damaligen Innenministers de Marcère, wonach Mac-Mahon mit General Chancy die Einverleibung Tunesiens befürwortet, das Kabinett indessen sich dagegen ausgesprochen habe, Jean GANIAGE,
Les origines du protectorat français en Tunisie 1861–1881, Paris 1959, S. 525. Christoph Steinbach wiederum schliesst sich bei gleichgebliebener Quellenlage Hanotaux' Version an, STEIN-
BACH, Diplomatie, S. 229.

[20] De Saint-Vallier an Waddington, Februar 1878, MAE, Mémoires et Documents,
Allemagne, 166.

(nur) Präsident einer Republik sei.[21] Mac-Mahon demissionierte im Januar 1879, nachdem die Teilerneuerungswahlen des Senats einen Sieg der Linken gebracht hatten und mehrere ältere Generäle gegen seinen Willen in Pension geschickt worden waren.

### Jules Grévy (Januar 1879–Dezember 1887)

Wie bei Mac-Mahon in der Tunesienfrage wirkte Jules Grévy auf die aussenpolitischen Fragen seiner Amtszeit vor allem restriktiv, das heisst bremsend auf die Vorhaben seiner Minister ein. Indem er sich gegen die Revanche aussprach, nahm er freilich keine besondere Haltung ein; er befand sich darin durchaus im Einklang mit seiner Zeit. Höchst bedeutsam – wenn auch wiederum negativ – war Grévys Rolle in der Affäre Schnaebele: Im Februar 1887 verhinderte er, dass Ministerpräsident Goblet und sein Kriegsminister Boulanger durch voreilige Mobilisationsorder die Entführung eines französischen Zollbeamten zu einem militärischen Konflikt mit dem deutschen Nachbarn ausweiteten.[22] Nicht seiner Zeit entsprechend und wiederum negativ, das heisst gegen einen bestehenden Willen gerichtet, war Grévys Haltung gegenüber der Kolonialpolitik. Man muss von Haltung reden, denn es Einfluss zu nennen wäre übertrieben. Grévy war 1882 gegen eine Beteiligung an der Besetzung Ägyptens – der Entscheid jedoch gegen das ägyptische Engagement fiel im Parlament.[23] Auch die koloniale Expansion in Indochina und Madagaskar fand nicht Grévys Unterstützung.[24]

Der Publizist Dansette geht etwas weit, wenn er von Grévy sagt, er habe Frankreichs Aussenpolitik bestimmt.[25] Auf den Botschafter Paul Cambon wirkte er in aussenpolitischen Angelegenheiten, wie ihn Dansette an anderer Stelle beschrieben hat: vorsichtig, immobil, zuweilen sogar gleichgültig. Gemäss Paul Cambons späterem Urteil von 1896 habe Grévy in der ägyptischen Frage versagt:

---

[21] Zit. nach KRETHLOW-BENZIGER, Diplomatie, S. 294.

[22] Bernard LAVERGNE, Les deux présidences de Jules Grévy 1879–1887, Paris 1966, S. 422 f. Grévy soll damals sogar eigenhändig eine Instruktion für den Botschafter in Berlin aufgesetzt haben, DANSETTE, Histoire, S. 59. In Goblets Memoiren finden wir keine direkte Bestätigung einer solchen Einflussnahme. Immerhin kommt in jenen Memoiren trotz Goblets Abneigung gegenüber dem als zu schwach empfundenen Präsidenten Grévys Anteil an der Bewältigung der Schnaebele-Affäre deutlich zum Ausdruck. Goblet schreibt sogar: »[…] il est juste de dire que (Flourens) avait été aidé par quelques observations aussi précises que judicieuses du Président Grévy non moins compétent lui-même en ces matières.« René GOBLET, Souvenirs de ma vie politique et parlementaire, in: Revue politique et parlementaire Sept., Nov., Dez. 1928, Jan., Feb., März, April 1929, Dez. 1930, Nov. 1931, hier: 137 (1928), S. 188.

[23] LAVERGNE, Grévy, S. 77–82. FREYCINET, Souvenirs, Bd. 2, S. 219 f.

[24] Zu Tonkin: Paul CAMBON, Correspondance 1870–1924, Bde. 1–3, Paris 1940–1946, hier: Bd. 1, S. 257; Albert BILLOT, L'affaire du Tonkin, sowie Artikel in der RDM, 1. Januar 1899, S. 131; LAVERGNE, Grévy, im Register ausgewiesene Stellen. Zu Madagaskar: s. ebenda.

[25] »On n'exagérerait guère en disant que c'est lui qui détermine la politique étrangère du pays.« DANSETTE, Histoire, S. 55.

> »Nous payons cher aujourd'hui l'indifférence de M. Grévy pour les affaires d'Egypte en 1882.«[26]

Im Frühjahr 1887 dagegen habe er in der Affäre Schnaebele gezeigt, was er konnte. Aus dieser Zeit stammt denn auch der Ausspruch des Präsidenten, man solle nicht vergessen, dass er es sei, der die Militär- und Aussenpolitik leite:

> »Oh! non! je ne permets à personne de diriger ces deux choses: la guerre et les affaires extérieures. Pour le reste, je suis très coulant. Mais il ne faut pas qu'on oublie que c'est moi le gouvernement, puisque je suis le pouvoir exécutif. Les ministres sont mes commis. S'ils ne marchent pas à ma fantaisie, je les change. Sur ce point, ils feront ce que je voudrai, ou ils s'en iront!«[27]

Schon am 16. Februar 1887 hatte Grévy auf ein Kompliment für seinen Aussenminister Flourens geantwortet:

> »Mon ministre des Affaires étrangères, c'est moi; et mon ministre de la Guerre, c'est moi.«[28]

Grévy markiert mit solchen Äusserungen einen Anspruch, den er schon 1881 erhoben hatte, aber nicht bei jedem Aussenminister durchzusetzen wusste: Bei de Freycinet und Flourens gelang es ihm eher als etwa bei Gambetta oder Ferry. De Freycinet muss er vorsorglich den Tarif erklärt haben:

> »Quand Freycinet est entré, je lui ai raconté que Gambetta avait envoyé une dépêche sans me la montrer: ›Ce n'est pas moi qui aurais fait cela.‹, me répondit Freycinet. Il avait compris.«[29]

Grévys Einfluss war so gross, wie die Position des einen oder anderen seiner Aussenminister bescheiden war. Grévy könnte auch daran interessiert gewesen sein, nicht zu starke Aussenminister zu haben. Im Dezember 1886 versuchte er Goblet – vergeblich – zu überzeugen, neben dem Regierungspräsidium das Aussenministerium zu übernehmen.

> »Ce sont des affaires comme les autres, pas plus difficiles; on les étudie; vous vous en tirerez parfaitement; d'ailleurs, je ne m'en désintéresse pas et vous pouvez compter sur mes avis.«[30]

An Stelle von Goblet übernahm dann aber der ebenfalls nicht sonderlich qualifizierte Flourens die Leitung des Quai d'Orsay. Wenn Grévy rief, »man solle nicht vergessen«, heisst das nicht, dass seine Rolle in der französischen Aussenpolitik im Allgemeinen so bescheiden war, dass sie eben drohte, vergessen zu werden? Gegen

---

[26] Paul Cambon an Félix Faure, 10. Januar 1896, in: Lettres de Paul Cambon à Félix Faure, in: RHD (1954), S. 189–201. In einem weiteren Brief vom 16. Januar 1898 der gleichen Korrespondenz nannte ihn Cambon, als er von Grévys Desinteresse sprach, »un paysan attaché à la terre«. – DANSETTE, Histoire: »Sa prudence et son indolence contribuent d'ailleurs à retenir le Président dans l'immobilisme.« (S. 54).

[27] 13. Mai 1887, laut Aufzeichnung von LAVERGNE, Grévy, S. 422.

[28] Ebenda, S. 418.

[29] Ebenda, S. 72. Und am 28. Juni 1882 sagte Grévy, er hätte Waddingtons Ägyptenpolitik nicht zugelassen, ebenda, S. 77.

[30] GOBLET, Souvenirs VIII, in: Revue politique et parlementaire 141 (1929), S. 10.

aussen vermittelte Botschaften gingen in die gleiche Richtung. So wusste der deutsche Botschafter im März 1887 zu berichten, welche Instruktionen Ferdinand de Lesseps für seine Reise nach Berlin erhalten habe:

>Präsident Grévy habe ihn beauftragt, seine aufrichtige Friedensliebe in Berlin besonders zu betonen und die feste Versicherung zu geben, dass, so lange er Präsident sei, er sich auf kriegerische Abenteuer nicht einlassen werde. Er habe dann hinzugefügt, dass er wohl wisse, dass ihm weniger Einfluss zugetraut werde, als er wirklich besitze. Er habe die Regierung und das Kabinett vollständig in der Hand und werde schon wissen, die Minister loszuwerden, die etwa keine friedliche Politik treiben wollten.«[31]

Doch wie Mac-Mahon allein schon durch seine Gegenwart beruhigend auf das Ausland wirkte, übte der bei seiner Wahl 71jährige Grévy durch sein langes Verbleiben im Amt (mit neun Jahren ist Grévys Amtszeit die längste der Dritten Republik) ebenfalls eine gewisse aussenpolitische Wirkung aus: Er garantierte, indem er zwölf Kabinette mit acht verschiedenen Aussenministern überdauerte, ein bescheidenes Mass an staatspolitischer Kontinuität.[32] Mit 80 Jahren schied er, von Skandalen angeschlagen, nur widerwillig aus dem Amt.

## Sadi Carnot (Dezember 1887–Juni 1894)

Sadi Carnot war Ingenieur und erst 50jährig bei seiner Wahl. Er hatte mehrfach das Bauministerium geleitet, doch nachdem er im Dezember 1887 in der Präsidentenwahl als der am wenigsten hervorragende Kandidat gewählt worden war (Clemenceau: »Votons pour le plus bête!«), betrachtete er, wie seine beiden Vorgänger, die militärischen und die aussenpolitischen Belange als Teil der präsidialen Prärogative. Emile Zurlinden, 1895 Kriegsminister, überliefert, Carnot habe ihm gesagt:

»[...] après l'armée, c'est la politique extérieure qui doit être la grosse préoccupation du Président.«[33]

Schon wenige Tage nach Carnots Wahl, am 20. Dezember 1887, schrieb das *Petit Journal*:

»Le président Carnot ne semble pas vouloir observer aussi rigoureusement que son prédécesseur les règles et la réserve qu'imposent au chef de l'Etat les lois constitutionnelles.«

Dennoch war ihm die Innenpolitik offenbar wichtiger. Hinzu kam, dass er von Aussenminister Hanotaux über die aussenpolitischen Geschäfte wenig informiert

---

[31] Bericht Münster vom 4. März 1887, Bonn, PAAA F 105/1, Bd. 2. Zu Lesseps' Mission vom März 1887, über die im sonst gut informierten Lavergne nichts zu erfahren ist.

[32] Dansette hebt hervor, dass es Grévy gewesen sei, der 1885, als nach Ferrys Sturz das neue Kabinett noch nicht gebildet gewesen war, seine Unterschrift unter den Vertrag mit China gesetzt habe, DANSETTE, Histoire, S. 55.

[33] Emile ZURLINDEN, Mes souvenirs depuis la guerre 1871–1901, Paris 1913, S. 95. Dansette zufolge soll Goblet erklärt haben, »que les interventions du Président de la République sont difficilement conciliables avec les principes d'un Etat républicain.« Ebenda, S. 78.

wurde.[34] Vorübergehend engagierte er sich aber so sehr in der russisch-französischen Allianzpolitik, dass Goblet 1893 als Deputierter und ehemaliger Aussenminister glaubte beanstanden zu müssen, Carnot sei während des russischen Flottenbesuches zu stark in Erscheinung getreten.[35] Was den einen zuviel, war anderen freilich zu wenig Engagement: Paul Cambon und Félix Faure urteilten, Carnot habe sich beim gleichen Anlass zu zurückhaltend gezeigt:

> »[...] il craignait qu'on nous fît la guerre si nous tentions de sortir de notre isolement; il ne voyait rien des conséquences heureuses qui devaient résulter pour la France d'une alliance avec la Russie.«[36]

Carnot starb im Amt, ermordet von einem italienischen Anarchisten am 24. Juni 1894 in Lyon.

## Jean Casimir-Périer (Juni 1894–Januar 1895)

Der vergleichsweise junge, nämlich erst 47jährige Jean Casimir-Périer, der zuvor dem Aussenministerium vorgestanden hatte, hätte gerne Frankreichs Aussenpolitik weitergeführt. Doch Hanotaux, der neue Aussenminister, unter Casimir-Périer Direktor der Handelsabteilung, wollte das Ministerium nun selbst führen. Dass der Staatspräsident die Doppel der Depeschen nicht zugestellt erhielt und über Demarchen ausländischer Diplomaten wenig informiert wurde, erklärt sich zum Teil aus diesem emanzipatorischen Willen. Félix Faure, der Nachfolger in der Präsidentschaft, hielt Casimir-Périers Vorwürfe allgemein für unbegründet, und in den besonderen Vorwürfen gegenüber Hanotaux sah er zurecht ein gewöhnliches Ablösungsproblem:

> »Il n'avait aucune confiance en eux, voyait des traîtres partout. [...] Traître Hanotaux? C'était tout à fait faux. Hanotaux a ses défauts, il a résisté à la volonté du Président qui avait la prétention de continuer à traiter son ministre des Affaires Etrangères comme il traitait son directeur lorsque lui-même était au Quai d'Orsay.

---

[34] Hanotaux stellt Carnot ein »gutes« Zeugnis aus: »Dans la politique étrangère, quoique peu instruit, il avait une conscience très juste de l'autorité restaurée de notre pays au dehors. Il aimait peu l'Angleterre. Les questions coloniales l'intéressaient beaucoup.« Gabriel HANOTAUX, Carnets I, 1893, S. 391.

[35] Dem stenographischen Protokoll zufolge kritisierte Goblet am 25. November 1893 vor allem die Regierung, deren Rolle (offenbar im Vergleich mit derjenigen des Präsidenten) beim Empfang der russischen Flotte »assez effacé« gewesen sei, und fragte, ob es mit der Verfassung zu vereinbaren sei, dass Carnot ein Grusstelegramm verschicke, dass nicht von einem Minister gegengezeichnet sei, Chambres des Députés, 25. Novembre 1893, S. 116.

[36] Paul Cambon schildert Carnot in einem Gespräch mit Le Gall, das jener am 16. Januar 1898 Félix Faure mitteilt, als mittelmässigen, furchtsamen Präsidenten, der unter dem Vorwand der Verfassungsbestimmungen die Finger von der Aussenpolitik lasse. Und am 4. Juni 1898 notierte sich Faure, Carnot sei aus Furcht vor den Reaktionen des deutschen Reiches 1893 so zurückhaltend gegenüber den Russen gewesen, CAMBON, Lettres à Félix Faure. Rogers streicht hingegen, gestützt auf Joseph Barthélemy, Carnots Verdienste um die französisch-russische Allianz heraus. Dollot ist mit dem von Paul Cambon abgegebenen und von Dansette übernommenen Urteil nicht ganz einverstanden, kann ihm aber kaum mehr entgegenhalten als die Bemerkung, Cambon sei Clemenceaus berühmter Bemerkung von Carnots »perfect insignifiance« gefolgt. René DOLLOT, Diplomatie et Présidence de la République, in: RDH 68 (1954), S. 208–230, hier: S. 213.

Hanotaux lui avait fait observer qu'il ne pouvait en être ainsi en raison 1°/ de la responsabilité qu'il avait dans sa situation nouvelle; 2°/ de la nécessité de lui donner toute autorité afin qu'il soit constant pour le personnel du ministère et pour la diplomatie qu'il était bien le ministre et non le directeur. M. Casimir-Périer fut très froissé de cette insistance et rompit son intimité avec Hanotaux.«[37]

Der Präsident nahm es dem Aussenminister vor allem übel, dass er ihn über die verschiedenen Demarchen des deutschen Botschafters in der Dreyfus-Affäre nicht ins Bild gesetzt und ihn dadurch als Staatschef in eine peinliche Situation gebracht habe.[38] Gegenüber Hanotaux klagte Casimir-Périer:

»Si M. Dupuy ne m'a pas communiqué les rapports des préfets, si M. Poincaré a déposé son projet de budget sans me demander une signature, si le général Mercier a renvoyé 80 000 hommes de la classe la plus ancienne sans m'en informer, si vous-même m'avez refusé la communication des dépêches, ce sont là des faits, des faits qui m'autorisent à penser qu'il y avait contre moi des conspirations et je n'ai pas à scruter les intentions.«[39]

Der andere Grund war offenbar die Befürchtung, der Einbezug des Elysées könnte zu unliebsamen Indiskretionen führen.[40] Von der radikalen Linken angegriffen, von der Mehrheit, die ihn gewählt hatte, kaum unterstützt, im Konflikt mit der Regierung Dupuy verstrickt, demissionierte er am 16. Januar 1895.

### Félix Faure (Januar 1895–Februar 1899)

Während Carnot eine für einen französischen Präsidenten neue Reisetätigkeit im eigenen Land entwickelt hatte, war Félix Faure der erste Präsident in der Geschichte der Dritten Republik, der sich in offizieller Mission ins Ausland begab, nachdem er im Vorjahr, 1896, ebenfalls als erster Präsident den Souverän einer Grossmacht, nämlich den Zaren, hatte empfangen dürfen. 1895/96 war er vielleicht mit der britischen Königin Viktoria zusammengetroffen, als diese an der Côte d'Azur ihre Ferien verbrachte. Diese Begegnung, wenn sie überhaupt stattfand, hatte aber sicher keinen offiziellen Charakter.[41] Die Zweifel, ob der Präsident

---

[37] Aufzeichnung Faure vom Januar 1895, Fonds F. Berge.

[38] Maurice PALÉOLOGUE, Un grand tournant de la politique mondiale 1904–1906, Paris 1934, S. 46; DANSETTE, Histoire, S. 101 f.

[39] HANOTAUX, Carnets I, 10. März 1895, in: RDM 1. April 1949, S. 399.

[40] Saint-Aulaire über Hanotaux' Haltung: Auguste Félix de SAINT-AULAIRE, Confession d'un vieux diplomate, Paris 1953, S. 169. Saint-Aulaire hatte Hanotaux 1892 kennengelernt, als der künftige Aussenminister erst Direktor der Handelsabteilung und er selbst Stagiaire war. Die weitere Erklärung für Hanotaux' Befürchtung ist allerdings weniger glaubhaft, dass nämlich Grévys zum Schluss arg korrumpierte Präsidentschaft dieses Misstrauen hervorgerufen habe. Zwischen Grévy und Casimir-Périer liegt die sechsjährige Amtszeit Carnots, die zu diesem Misstrauen nicht besonders Anlass gab. Zu den Indiskretionen s. SAINT-AULAIRE, Confession, S. 248 f.

[41] Casella an Faure, 31. Dezember 1895, Fonds François Berge, Papiers Faure. Courcel an Hanotaux, 12. Dezember 1896, Papiers Hanotaux. Am 27. Januar 1897 meldet Courcel aus London, die Begegnung zwischen Faure und Viktoria sei definitiv arrangiert. Und Salisbury werde demnächst auf seiner Durchreise durch Paris Hanotaux besuchen, HANOTAUX, Papiers, Bd. 20. Und dennoch können wir nicht mit Sicherheit sagen, dass es zu der Begegnung gekommen ist und sich das von Paul Cambon überlieferte Urteil der Königin auf eine solche Be-

der Republik im Ausland den Monarchen gleichgestellt sein würde, haben dazu beigetragen, dass ein Vierteljahrhundert verstrich, bevor sich der erste Staatschef der französischen Republik ins Ausland begab.[42] Noch 1893 lautete eine Meinung, der Präsident sei wegen dieser Unsicherheit dazu verurteilt, zu Hause zu bleiben.

> »Le Président de la République, pour être sûr de ne pas abaisser la France, et même pour ne pas risquer de faire discuter le rang qui lui est assigné ou les honneurs qu'on lui défère, ou pour éviter quelque froissement imprévu, semble donc condamné à ne point franchir les frontières de son pays.«[43]

Dass der Präsident der Republik wenigstens gegen aussen als Souverän der französischen Nation auftreten konnte, wurde im eigenen Land nicht überall begrüsst. Hatte die Verfassung nicht einen dreifaltigen Souverän vorgesehen, die Dreiheit von Kammerpräsidenten, Senatspräsidenten und Staatspräsidenten? Ein spezielles Problem bestand in der Frage, wer während der Abwesenheit des Staatschefs die Dekrete der Regierung, wie vorgeschrieben, gegenzeichnen werde. Der *Figaro* vom 1. Juli 1897 sah in dieser Frage allerdings kein Problem: Eine »spezielle Delegation« werde diese Aufgabe zusammen mit dem Ministerpräsidenten lösen.

Die Opposition der äusseren Linken erklärte die Reise ohne weitere Begründung als verfassungswidrig, die äussere Rechte hatte grundsätzlich nichts gegen die Reise, aber viel gegen den Reisenden. Der *Matin* vom 1. Juli 1897 veröffentlichte eine kleine Umfrage, in der Camille Pelletan von der äusseren Linken den Standpunkt vertrat:

> »J'estime que M. Félix Faure n'a pas le droit d'aller en Russie. Ce voyage n'est pas constitutionnel […]. Est-ce que les présidents de la République des Etats-Unis se sont jamais déplacés pour aller saluer quelque souverain de leurs amis? Non, n'est-ce pas? Eh bien, la situation de notre président doit être exactement la même.«

Jaurès bezeichnete die Reise als »consécration des allures réactionnaires et monarchiques que l'on entend donner à la République!«[44]

Im mittleren Lager der gemässigten Republikaner sagten die einen, Faure gehe gar nicht als Souverän, sondern bloss als Repräsentant und andere widersprachen der Triumviratsthese, indem sie erklärten, der Präsident der Republik sei allein wegen seiner Wahl durch ein übergeordnetes Gremium, nämlich den die Kammer und den Senat vereinigenden Kongress, den beiden parlamentarischen Präsidenten übergeordnet.

---

gegnung bezieht: »La Reine avait pour lui, je ne sais pourquoi, une sorte d'affection, Elle l'avait trouvé aimable, se présentant bien, au courant des choses britanniques.« Brief an Jules Cambon, 18. Februar 1899, nach Faures Tod; Fonds Louis Cambon.

[42] Vgl. die internationale Statistik der Reisetätigkeit beziehungsweise der Empfänge von Staatsoberhäuptern: Im Allgemeinen kann man sagen, je weniger weit zurückliegend die Amtszeiten der französischen Präsidenten, desto häufiger solche Kontakte pro Amtsjahr: Poincaré brachte es auf 2, Fallières auf 1,1 und Loubet auf 0,9. Faure bildet eine Ausnahme: Seine Amtszeit ist älter als diejenige von Fallières, er positioniert sich aber mit 1,3 vor ihm, PAULMANN, Monarchenbewegungen, S. 421.

[43] Edgar MONTEIL, L'Administration de la République, Paris 1893, S. 6.

[44] Die Stimme der Rechten findet man beispielsweise in der *Libre Parole* vom 1. und 2. Juli 1897.

»M. Félix Faure représente la France autant et aussi bien que l'empereur François-Joseph et l'empereur Guillaume II représentent respectivement l'Autriche-Hongrie et l'Allemagne. Il la représente à d'autres titres, mais à des titres qui ne sont certainement pas de qualité inférieure. […] ›Est-ce comme souverain ?‹ Non, le président de la République n'est pas un souverain. Mais il est le représentant de la France: cela ne suffit pas à M. Pelletan? Cela suffit au tsar, et c'est l'essentiel.« (Le Siècle, 2. Juli 1897).

»On a beau lire attentivement les lois constitutionnelles, on cherche en vain, soit dans leur lettre soit dans leur esprit, rien qui empêche le chef de l'Etat de franchir la frontière et de rendre les visites qu'il a reçues. […] Quant à prétendre que le gouvernement de la République n'est légalement représenté que par la trinité des présidents, c'est une thèse assez nouvelle, ce nous semble, et à laquelle les auteurs de la Constitution n'avaient assurément pas songé.« (Journal des Débats, 2. Juli 1897).

Eine Parlamentsmehrheit stimmte der Reise schliesslich zu, indem sie die benötigten Reisekosten bewilligte. 1896, als der Zar in Cherbourg empfangen werden musste, standen schliesslich alle Drei am Quai. Faure wollte zuerst allein gehen, Senatspräsident Loubet und Kammerpräsident Brisson machten aber ihre Rechte geltend. Dies war für den deutschen Botschafter Graf Münster einmal mehr eine Gelegenheit für antirepublikanische Bemerkungen. Am 3. Oktober 1896 schrieb er:

»Nach der demokratischen Trilogie-Idee sind die Präsidenten der Republik, des Senats und der Deputiertenkammer gemeinschaftlich die offiziellen Vertreter der Souveränität Frankreichs. Anfänglich war bestimmt, dass der Präsident Félix Faure allein mit seinem Pseudo-Hofstaat Seine Majestät den Kaiser in Cherbourg empfangen sollte. Die beiden Präsidenten Loubet und Brisson haben aber dagegen protestiert, sie gehen mit, und dieses Triumvirat, welches die lügnerische Devise ›liberté, égalité, fraternité‹ repräsentiert, empfängt Ihre Majestät.«[45]

1897 stand anfänglich nicht fest, ob die beiden Kammerpräsidenten wenigstens indirekt in die Einladung nach St. Petersburg inbegriffen gewesen wären; schliesslich begleiteten sie im August 1897 Faure nicht nach Russland, wo sie »im Gefolge« des Präsidenten gezwungenermassen bloss eine zweitrangige Rolle gespielt hätten. Hingegen war Aussenminister Hanotaux mit von der Partie. Indem die beiden Parlamentspräsidenten zu Hause blieben, konnten sie die Fiktion aufrecht erhalten, dem Präsidenten der Republik gleichgestellt zu sein.[46] Wenn es

[45] GP, Bd. 11, Nr. 2864.

[46] Am 1. Juli 1897 verkündete die Presse noch, auch die beiden Präsidenten seien eingeladen. Der Zar habe sie nicht direkt eingeladen, weil er im Oktober 1896 auf Einladung bloss des Präsidenten der Republik nach Paris gekommen sei. Marty, Sprecher der gemässigten Republikaner, begrüsste denn auch öffentlich die Entsendung der Dreierdelegation: »Ainsi le gouvernement tout entier s'associerait à cette visite de sympathie et à cet échange de cordialités.« Le Matin, 1. Juli 1897. Am 2. Juli 1897 hingegen erklärte die Presse, nur Faure sei eingeladen, er habe aber höflichkeitshalber die beiden Präsidenten noch vor der Bekanntgabe an den Ministerrat informiert. Die Tatsache, dass der Zar die beiden Präsidenten nicht eingeladen habe, dürfe man nicht als Geringschätzung auslegen, habe doch Nikolaus II. im Oktober 1896 noch am Tag seiner Ankunft den beiden Reverenz erwiesen, Figaro und Eclair vom 2. Juli 1897. François Berge (Faures Grosskind) erklärt Faures Alleingang damit, dass der Präsident überparteilich und unabhängig von der Innenpolitik habe erscheinen wollen und deshalb Léon Bourgeois (der damals allerdings gar kein Amt hatte) nicht mitgenommen habe. Dass der Aus-

vielleicht auch zutraf, dass Faure versuchte, innenpolitische Machtlosigkeit gegen aussen zu kompensieren[47] – mit seinem Sinn für feierliche Zeremonien und seinem bewusst würdigen Auftreten gelang es ihm, die protokollarische Gleichstellung der Republik mit den Monarchien zu etablieren. Félix Faure segelte mit einer persönlichen Flagge nach Petersburg: Im Weiss der Trikolore waren zwei F aus gelber Seide aufgenäht.[48]

Der deutsche Botschafter Münster beobachtete auch bei Franzosen, insbesondere beim französischen Adel, die Empfindung, dass Faure masslos geworden sei. Faure lasse sich von fremden Fürsten den Kopf verdrehen und glaube wirklich, Souverän zu sein. Genüsslich berichtete er, man moquiere sich in Paris mit einer Anspielung an den Gerberei-Hintergrund seiner Herkunft:

> »Ce n'est qu'une peau de plus pour le tanneur.«[49]

Und die Prinzessin Radziwill hatte beinahe Mitleid mit dem Parvenu, der sich krampfhaft in eine grosse Tradition stellen wollte und ein Buch mit dem Titel *Histoire des Chasses de Rambouillet sous tous les chefs d'Etat, depuis Charlemagne jusqu'à nos jours* herstellen liess, das mit dem Porträt von Karl dem Grossen beginne und mit seinem eigenen schliesse.[50]

Sein Hang zum Grossartigen brachte ihm den Übernamen »Président-Soleil« ein. Der Sohn eines Stuhlfabrikanten und ehemaligen Gerbereiarbeiters konnte, sich selbst und den deutschen Kaiser in einem Atemzug nennend, leicht sagen: »Nous, chefs d'Etat, nous n'aimons pas [...].«[51] Oder er konnte in einem Tête-à-tête den Zaren vertraulich auffordern, ihm künftig doch direkt zu schreiben.[52] Félix Faure war indessen weniger ein politisches als ein protokollarisches Staatsoberhaupt. Immerhin war die Begegnung 1897 in St. Petersburg, was den französischen Anteil betrifft, weitgehend sein Werk, und der Text des Trinkspruches, mit dem die russisch-französische Allianz öffentlich bekannt gegeben wurde, wird ihm zugesprochen.[53]

Der weitgereiste Kaufmann aus Le Havre und ehemalige Marineminister hatte, was Paul Cambon sehr schätzte, konkretere Vorstellungen vom Ausland als seine Vorgänger. Nach Faures Ableben schrieb Paul Cambon seinem Bruder Jules:

---

senminister Hanotaux Faure begleitete, wurde allgemein als unproblematisch gesehen, da er als Minister vom Präsidenten berufen worden und daher formal ihm untergeordnet war. Vgl. ferner den Bericht des deutschen Botschafters Münster vom 3. und 9. Juli 1897, PAAA Bonn, F 105/1a, Bd. 8.

[47] Botschafter Münster vertrat diese Ansicht anlässlich Faures Tod, Bericht vom 5. Januar 1899, PAAA Bonn, F 105/1a, Bd. 10.

[48] DANSETTE, Histoire, S. 117.

[49] PAAA Bonn, F 105/1a, Bd. 10.

[50] Princessin Radziwill, Lettres de la princesse Radziwill au général de Robilant 1898–1914. Bde. 1–4, Bologna 1924–1934, hier: Bd. 1, S. 177, am 18./19. Januar 1899.

[51] Faure im Gespräch mit Botschafter Münster, der das Diktum am 22. Juli 1897 nach Berlin berichtet, PAAA Bonn, F 105/1a, Bd. 8.

[52] Faure am 10. Oktober 1896 im Gespräch mit dem Zaren über ihre Botschafter: »Nous n'avons pas besoin d'intermédiaire.« Aufzeichnung Faure, Fonds F. Berge. Die Einladung vom Juni 1897 erfolgte denn auch durch ein persönliches Schreiben des Zaren.

[53] DANSETTE, Histoire, S. 118.

»Il était en sa qualité de Havrais résolument partisan de la liberté commerciale et il pouvait exercer une utile influence sur le cabinet. [...] Il avait aussi le sens du dehors, il savait au moins en gros ce que c'était que la politique extérieure.«[54]

Seit Thiers sei er zudem der erste, der die aussenpolitischen Aufgaben ernst nehme und der Aussenpolitik eine Richtung gebe. Jeder Diplomat wisse, dass Faure der Leiter der französischen Aussenpolitik sei. Die Verfassung habe, wie die permanenten Kabinettswechsel zeigten, ihm diese Rolle zugewiesen. Am 16. Januar 1898 äusserte sich Paul Cambon Faures Kabinettschef, Louis Le Gall, gegenüber:

»[...] on pourrait désespérer de notre politique étrangère, si ce qui se passe depuis trois ans, n'était pas fait pour nous montrer qu'en fait, la Constitution a fait du Président de la République le véritable directeur de nos intérêts extérieurs. [...] M. Félix Faure a véritablement compris cette partie de son rôle [...]. Il a une situation internationale (je souligne ce mot qu'il a employé) incontestable. Il n'est pas de diplomate étranger qui l'ignore, qui ne soit profondément convaincu que c'est le Président de la République qui est le maître de la politique étrangère de la France et que c'est à lui qu'on doit attribuer le mérite des succès obtenus par notre diplomatie en ces derniers temps.«[55]

Als im Spätherbst 1895 der in diplomatischen Fragen völlig unerfahrene Marcelin Berthelot Aussenminister wurde, konnte er Faures Skepsis damit überwinden, dass er ihm versprach:

»Enfin il m'assura de tout son dévouement et m'affirma que, ministre, il viendrait toujours s'inspirer de mon sentiment sur toutes les questions pendantes.«[56]

Hanotaux, der bedeutendste Aussenminister in Faures Amtszeit, muss den Primat dieses Präsidenten grundsätzlich anerkannt haben.[57] Die Anerkennung war aber nicht gegenseitig. In der Frage der allfälligen Vermittlung im Spanisch-Amerikanischen Krieg wollte Hanotaux an seiner Version eines Zirkularschreibens festhalten, das Faure ironisch als »oeuvre littéraire« bezeichnete. Er musste sich aber dem Präsidenten unterwerfen. Dieser hielt fest:

---

[54] Brief vom 18. Februar 1899, Fonds Louis Cambon. Am 10. Januar 1896 hatte Cambon Faure direkt geschrieben und ihm in der Eigenschaft als Botschafter in Konstantinopel mitgeteilt, wie sehr es ihn freue, dass er sich um die Orient-Fragen kümmere: »Vous représentez la tradition et la permanence des vues dans l'Etat et l'influence de la France au dehors se ressent du plus ou moins d'intérêt pris par le Président de la République aux affaires étrangères.« Faure muss sich für Cambon interessiert haben, denn Cambon konnte im gleichen Brief schreiben: »Vous m'avez invité vous-même à m'ouvrir à vous sur toutes ces questions qui vous préoccupent.«

[55] Le Gall an Faure, 16. Januar 1898, Fonds François Berge. Vgl. auch das gleichlautende Urteil des Elysée-Kommandanten General Legrand-Girarde nach Faures Tod im November 1899: Edmond LEGRAND-GIRARDE, Un quart de siècle au service de la France 1894–1918, Paris 1954, S. 239.

[56] Fonds François Berge, Aufzeichnung Faure, 5/78, Ende Oktober 1895.

[57] Im Oktober 1896 notierte Hanotaux in sein Tagebuch, Faure habe mit dem Zaren die wichtigsten Fragen persönlich besprochen, und fügt bei: »Comme chef de l'Etat, il lui appartient de les traiter dans la confidence absolue du souverain allié.« HANOTAUX, Carnets IV, S. 206.

»Il consentit cependant à la revoir (la déclaration, note ou dépêche) et je lui fis prendre l'engagement de ne pas l'envoyer sans me la soumettre à nouveau et définitive.«[58]

Auch gegenüber dem Nachfolger Delcassé beanspruchte Faure, in der französischen Aussenpolitik die erste Rolle spielen zu können und den Entscheid, Faschoda aufzugeben, herbeigeführt zu haben. Dabei betonte er:

»Tout concourt d'ailleurs à prouver la nécessité de l'extension des Pouvoirs du Président.«[59]

Faure war sich bewusst, dass er im steten Wechsel die Kontinuität verkörperte. Dem russischen Botschafter Muraview erklärte er am 28. Januar 1897:

»Les ministres peuvent disparaître, le président reste.«[60]

Diese Beteuerung hat ihren besonderen Grund: Es war gerade die in der Dritten Republik in hohem Masse gefährdete Kontinuität, welche die Russen zögern liess, mit Frankreich eine Allianz abzuschliessen. Faure setzte sich auch stark für die Kolonialexpansion ein. Faure starb 58jährig im Amt – beziehungsweise während eines Schäferstündchens im Elysée.

### Emile Loubet (Februar 1899–Februar 1906)

Faures Nachfolger Emile Loubet wiederholte die Reise nach St. Petersburg und fügte ihr eine nach London (im Juli 1903) und eine nach Rom (im April 1904) bei. Diese Reisen standen im Zusammenhang mit wichtigen Vereinbarungen; die Romreise führte aber wegen Ungeschicklichkeiten beider Seiten zu einem vorübergehenden Bruch mit dem Vatikan. Während Loubets Amtszeit wurde die Aussenpolitik weitgehend von Aussenminister Delcassé geleitet. 1911 musste das Parlament sogar feststellen, dass der französisch-spanische Marokko-Vertrag von 1904 nicht nur ohne Konsultation des Präsidenten abgeschlossen, sondern auch ohne die gegenzeichnende Unterschrift Loubets geblieben war.[61] Loubets Haltung war insofern aussenpolitisch bedeutend, als der Präsident eben Delcassé in seiner Politik voll unterstützte und sich im Umgang mit dem Ausland von ihm führen liess – und bei den drei Kabinettswechseln seiner Amtszeit dafür eintrat, dass Delcassé jeweils in die neue Kombination übernommen wurde, wie Carnot seinerzeit im Interesse der französischen Russlandpolitik dafür gesorgt hatte, dass Ribot entweder als Aussen- oder als Premierminister im Amt geblieben war. Im Juni 1905 liess Loubet allerdings den umstrittenen Aussenminister fallen.

Paul Cambons Urteil, aus dem wir wiederum die Stimme eines Berufsdiplomaten heraushören, war anfänglich sehr negativ: Der Diplomat glaubte, von einem Mann

---

[58] Aufzeichnung Faure zum 21. April 1898, Fonds François Berge, S. 331.

[59] Paul CAMBON, Lettres de Paul Cambon à Félix Faure, in: RHD 1954, S. 189–201. Vgl. auch Peter GRUPP, Theorie der Kolonialexpansion und Methoden der imperialistischen Außenpolitik bei Gabriel Hanotaux, Bern 1972, S. 214.

[60] Aufzeichnung Faure, Fonds François Berge.

[61] Gaston JÈZE, Le pouvoir de conclure les traités internationaux et les traités secrets, in: Revue du droit publique 29 (1912), S. 313–329, hier: S. 316.

aus der Provinz, der bloss die Route Montélimar-Paris kenne, nichts erwarten zu können. Im Hinblick auf Loubets Wahl prognostizierte er:

> »Alors ce serait la fin de la Présidence qui n'était plus qu'un décor et qui ne serait plus rien.«[62]

Kurz darauf sprach er vom »avocat de Montélimar qui n'a jamais fait que le trajet de sa petite ville à Paris.« Und auf die Republik gemünzt bemerkte er, dass er nur gewählt wurde, weil er völlig unbekannt sei – »notre démocratie n'aime pas la notoriété.«[63]

Doch Loubet, bei seiner Wahl 61jährig, wuchs, was auch Cambon bemerkte, nicht schlecht in die mit seiner Stellung verbundenen Pflichten hinein. Zu diesen Pflichten gehörte der Kontakt mit den ausländischen Botschaftern. In diesem Bereich versuchte Loubet möglicherweise sogar etwas komplementär zu Delcassé zu wirken, wenn er 1903 den deutschen Botschafter Radolin ermunterte, so oft er wolle, »direct et sans façon« zu ihm zu kommen. Der Botschafter berichtete weiter:

> »Der Präsident erging sich im Laufe des Gesprächs in Ausdrücken grösster Bewunderung über unseren Kaiserlichen Herren und trug mir auf, seine wärmsten Empfehlungen zu übermitteln.«[64]

Paléologue gibt Loubets Diktum wie folgt wieder:

> »Quand vous aurez une communication délicate à faire au gouvernement français, ne la faites pas à M. Delcassé, venez la faire à moi. J'en saurai tirer profit.«[65]

Der Präsident hat, nachdem er noch kurz zuvor Delcassé bewogen hatte, das Aussenministerium nicht aus den Händen zu geben, den Aussenminister im denkwürdigen Ministerrat vom 6. Juni 1905 nicht unterstützt und sich ausgeschwiegen.[66] Später klagte Delcassé gegenüber Paléologue:

> »Je m'attendais à ce que le président de la République fit au moins semblant de soutenir un peu ma thèse: pas un mot.«[67]

Warum? Traute er dem von Delcassé überbrachten Allianzangebot Englands nicht oder fürchtete er wie sein Premierminister Rouvier eine deutsche Aggression und

---

[62] Paul an Jules Cambon, 16. Februar 1899, Fonds Louis Cambon.

[63] Paul an Jules Cambon, 18. Februar 1899, ebenda.

[64] Bericht Radolin vom 21. November 1903, PAAA Bonn, F 105/1a, Bd. 16. Die Depesche ist wie die Korrespondenz der deutschen Botschaft im Allgemeinen vom Dechiffrierdienst des Quai d'Orsay mitgeschrieben worden. Paléologue erhielt zudem am 4. Februar 1904 im Gespräch anlässlich der Abschiedsvisite des Legationsrates Groeben den Inhalt jener Depesche bestätigt.

[65] Paléologue schliesst sich aber eher Groeben an, der dem deutschen Botschafter vorwarf, er habe Loubet zugänglicher geschildert, als er gewesen sei, weil er sich beim deutschen Kaiser mit seinen scheinbaren Erfolgen habe brüsten wollen, PALÉOLOGUE, Tournant, S. 14–17.

[66] Zur ersten Demission am 21. April 1905 vgl. Abel COMBARIEU, Sept ans à l'Elysée avec le président Emile Loubet: de l'affaire Dreyfus à la conférence d'Algésiras 1899–1906, Paris 1932, S. 304 f. Über die Ministerratssitzung vom 6. Juni 1905, nach der Delcassé sein Amt niedergelegt hat, gibt es ein privates Protokoll des Justizministers Chaumié, das in den DDF (Série II, Bd. 6, im Anhang) veröffentlicht worden ist.

[67] PALÉOLOGUE, Tournant, S. 352.

hielt er für diesen Fall die französische Armee für zu wenig stark? Hätte Loubet einen bestimmten aussenpolitischen Kurs verfolgen wollen, hätte er vor jener Beratung in der einen oder anderen Richtung wirken müssen. So müssen wir annehmen, dass der Präsident keine Rolle spielen wollte und so in die Rolle eines Staatschefs geriet, der die Politik seines Premierministers deckte und, wie man es auch nennen konnte, die von der Verfassung auferlegte Reserve beobachtete.[68] Loubet demissionierte auf den Tag genau am 18. Februar 1906 nach sechs Jahren.

### Armand Fallières (Februar 1906–Februar 1913)

Was Delcassé für Loubet war, waren Pichon, Clemenceau, Caillaux und Poincaré für Armand Fallières: alles Minister, die sich in entschiedener und mithin in entscheidender Weise der Aussenpolitik annahmen. Pichon und Clemenceau beispielsweise in der Affäre der Casablanca-Deserteure, Caillaux in der Liquidation der Agadir-Krise, Poincaré während des Krieges in Tripolis und auf dem Balkan. Eines der grössten aussenpolitischen Verdienste dieses Präsidenten bestand darin, dass er als Staatspräsident vorhanden war, als wieder einmal eine Ministerkrise ausbrach und die französischen Diplomaten, die 1906 in Algéciras über Marokko verhandelten, zur Unterzeichnung des Abkommens eine formale Legitimation benötigten.[69] Er selber, im Moment seiner Wahl 65jährig, war in den 1880er Jahren während einer Krise für 20 Tage Aussenminister gewesen.

Armand Fallières reiste ebenfalls nach St. Petersburg und London. Diese beiden Reisen seien für die Präsidenten nun »de rigueur« gewesen, auch wenn es nichts Wichtiges zu besprechen gegeben habe.[70] Fallières besuchte aber auch Belgien, Holland, Dänemark, Norwegen, Schweden und die Schweiz. Die sich steigernden Reiseaktivitäten der Nachfolger Faures sagen indessen wenig aus über den tatsächlichen Einfluss der Präsidenten. Fallières pochte nicht wie Grévy oder Casimir-Périer darauf, Einblick in die diplomatische Korrespondenz zu erhalten. Von Maurice Paléologue, der 1912 Politischer Direktor wurde, wünschte er lediglich, im Falle drohender Kriegsgefahr informiert zu werden. Fallières soll damals im Weiteren gesagt haben:

> »Si je vous donne une consigne aussi péremptoire, c'est que le président de la République n'est pas toujours bien renseigné sur la politique étrangère. Le plus souvent, il n'en sait que ce qui se dit au Conseil des ministres.«[71]

Fallières schied 1913 in Frieden aus dem Amt.

---

[68] Abel Combarieu, Loubets Kabinettschef, vertrat die Auffassung, Loubet habe Delcassé nicht mehr unterstützt, weil er sich an die Verfassung habe halten wollen, COMBARIEU, Sept ans, S. 333.

[69] DANSETTE, Histoire, S. 152.

[70] BAILLOU, Affaires étrangères, S. 28.

[71] Maurice PALÉOLOGUE, Au Quai d'Orsay à la veille de la tourmente. Journal 1913–1914, Paris 1947, hier: 8. Juni 1914, S. 297.

## Raymond Poincaré (Februar 1913–Januar 1920)

Die Wahl des 53jährigen Raymond Poincaré war eine Fortführung und zugleich Wiederholung auf höherer Stufe der Wahl zum Ministerpräsidenten im Januar 1912, die als eine Manifestation der nationalen Renaissance verstanden wurde. Im Februar 1913 berichtete der diplomatische Vertreter Belgiens, nachdem Loubets Wahl eher missfallen habe und Fallières' Wahl auf Indifferenz gestossen sei, geniesse Poincarés Wahl eine noch nie dagewesene Begeisterung. Es würden noch und noch zu seinen Ehren Bankette veranstaltet, und hunderte von Vereinen würden am Parcours des bevorstehenden Inthronisierungsumzugs nach dem Hôtel de Ville einen Platz erhalten wollen.[72] Paul Cambon reagierte ungehalten auf das eitle Zusammenspiel zwischen dem Neugewählten und der ihn verehrenden Menge und stellte dabei einen Vergleich mit einem Vorgänger Poincarés an:

> »Poincaré enivré de sa gloire ne pense qu'aux flonflons – nous avons eu avec Félix Faure le vaniteux exhibérant, avec Poincaré nous avons le vaniteux qui fait modeste, c'est pire. Quant au sang-froid il nous manque partout.«[73]

Auf seinen Reisen durchs Land rief die Bevölkerung häufiger »Vive Poincaré« als »Vive la République!«[74] In jenem Jahr sollen viele Neugeborene auf den Namen Raymond getauft worden sein.[75] Zeitgenössische Zeugnisse bezeichneten Poincaré auffallend übereinstimmend als ausgesprochen presse- und popularitätssüchtig.[76] Am Anfang seiner Amtszeit war Poincaré tatsächlich sehr populär. Gegen Ende des Jahres 1913 hatte Poincaré dann doch auch mit Schwierigkeiten zu kämpfen; vor allem Clemenceau und Caillaux machten ihm das Leben schwer. Poincaré erklärte, lieber zu demissionieren, als die schwache Rolle eines Casimir-Périer zu spielen. Paul Cambon sah in Poincarés »impossibilité de subir patiemment une situation désagréable« eine Charakterschwäche.[77]

Poincaré war der erste Staatschef, der aus der Verantwortung des Regierungspräsidenten (und zudem des Leiters des Aussenministeriums) in das Amt des Staatspräsidenten gewählt worden ist (vgl. auch unten Kap. 2.2). Dieser Umstand machte es dem Neugewählten besonders schwer, sich auf die Position der »verfassungsmässigen Verantwortungslosigkeit« zurückzuziehen. Er sprach die Befürchtung aus, ein »Gefangener des Elysées« zu werden und seine Fähigkeiten und Erfahrungen nicht mehr spielen lassen zu können:

---

[72] Baron Guillaume an Aussenminister Davignon, 14. Februar 1913, Belg. Dok. England-Belgien, Bd. 1, Nr. 97, S. 267.

[73] An Bruder Jules, 12. Februar 1913, Fonds Louis Cambon.

[74] Gordon WRIGHT, Raymond Poincaré and the French Presidency, Stanford 1942, S. 82.

[75] John F. V. KEIGER, Raymond Poincaré, Cambridge 1997, S. 150.

[76] Zum Beispiel Bertie an Grey, 23. Januar 1913: »Poincaré is a victime to a love of press-praise [...].«

[77] Paul Cambon an de Fleuriau, 29. Dezember 1913, Correspondance 1870–1924, Bd. 3, S. 59.

>Hélas, les qualités utiles à la Présidence du Conseil sont nuisibles – ou inutiles (?) à la Présidence de la République.«[78]

Poincaré legte nach seiner Wahl vom 17. Januar 1913 das Ministerpräsidium zwar sogleich nieder, er konnte aber erst einen Monat später am 18. Februar 1913 ins Elysée einziehen. Die Sonderstellung jener vier Wochen liess ihm Spielraum für prägende Einwirkungen auf eine Regierung, die auch nach seiner Inthronisierung im Amt bleiben sollte. In jener Zeit ging er täglich ins Aussenministerium. Für die dominierende Stellung des neuen Staatschefs waren aber allem voran Poincarés Aktivismus sowie sein Kanzleistil verantwortlich, der sich in Pflege und Studium der Dossiers und im Hang zum Ausarbeiten von Instruktionen ausdrückte; Eigenschaften, die schon seine Amtszeit als Ministerpräsident und als Aussenminister geprägt hatten. Paul Cambon visierte diese Eigenheiten an, als er von Poincaré sagte:

>Il finit par se perdre dans ses télégrammes, ses propositions et ses paperasses […].« Oder einandermal: »[…] je crains qu'il n'ait l'esprit trop actif pour s'imposer un rôle de temporisateur. Il est bon qu'un chef de Gouvernement soit paresseux et que, retiré dans sa coque d'irresponsable, il laisse ses ministres commettre des sottises dont il profite. Comment faire comprendre ces vérités à un homme qui, dès l'aube, est à l'ouvrage et ne veut se coucher qu'après avoir bouclé sa besogne du matin.«[79]

Unmittelbar nach seiner Wahl in Versailles erklärte Poincaré, er werde im Einverständnis mit den verantwortlichen Ministern über die Einheit der Aussenpolitik wachen.

>Je maintiendrai au-dessus de toute atteinte les intérêts de notre défense nationale et je veillerai, d'accord avec les ministres responsables, à l'unité de notre politique étrangère.«[80]

Jules Cambon, damals Botschafter in Berlin, war irritiert: Hatte Poincaré damit etwa sagen wollen, die verschiedenen Botschafter würden ihre eigene Politik verfolgen?

>Annonce-t-il déjà son intention de se substituer à son ministre des Affaires Etrangères? Cela veut-il dire que les Ambassadeurs ont chacun leur politique? Est-ce simplement un mot destiné à plaire aux nationalistes ? Ou cela ne signifie-t-il rien du tout? Cet esprit clair me paraît sybillin.«[81]

Zutreffender sind zwei andere Interpretationen: Einheitlich war für ihn die Aussenpolitik dann, wenn erstens neben ihm nicht noch eine zweite Kraft, etwa ein zu unabhängiger Aussenminister eine von seiner Auffassung abweichende Aussenpolitik betrieb; und zweitens, wenn Armee und Marine, wie er in seiner Präsi-

---

[78] Tagebuchaufzeichnung, zit. nach KEIGER, Poincaré, S. 152 und 360. Vgl. auch PALÉOLOGUE, Quai d'Orsay, S. 12.

[79] Briefe an Jules Cambon vom 28. November 1912 und an Dr. Meunier vom 28. Dezember 1913, Correspondance 1870–1924, Bd. 3, S. 30, 57.

[80] Poincaré unmittelbar nach seiner Wahl vom 17. Januar 1913; zit. nach POINCARÉ, Au service, Bd. 3, S. 61.

[81] Jules an Paul Cambon, 19. Januar 1913, Fonds Louis Cambon.

dialadresse vom 21. Januar 1913 es fordern wird, den Bedürfnissen der Aussenpolitik entsprächen.[82] Dass Poincaré bei den Kabinettsbildungen (sogar bei der ersten vom 21. Januar 1913, als er noch nicht Staatspräsident war) seinen Einfluss geltend machte, war nichts Aussergewöhnliches. Bemerkenswert war hingegen die Wahl seiner Aussenminister: Jonnart und Doumergue waren beide Neulinge in der Aussenpolitik und liessen sich nur unter der Bedingung zur Annahme dieses Amtes überreden, dass Poincaré ihnen dabei zur Seite stehen werde.[83]

Poincaré komme jeden Morgen in Jonnarts Büro, um die eingegangenen Depeschen zu studieren und über die Antworten zu entscheiden, berichtete Paul Cambon aus London seinem Bruder nach Berlin, zu einem Zeitpunkt allerdings, als Poincaré sein altes Amt (wenigstens formell) bereits abgegeben, sein neues aber noch nicht angetreten hatte.

> »Jonnart me semble anéanti. Tous les matins à 8 h Poincaré est dans son cabinet pour les dépêches et décider les réponses, il y revient le plus souvent dans l'après-midi.«[84]

Poincarés Version lautet:

> »M. Jonnart m'avait prié de passer de temps en temps, pendant quelques minutes, au ministère, pour le renseigner sur l'état exact des affaires en cours et pour recevoir de lui les nouvelles présentes.«[85]

Den starken Einfluss Poincarés zeigt auch die folgende Episode: Paléologue entwarf in seiner Eigenschaft als Politischer Direktor des Aussenministeriums einen Telegrammtext zu Händen des russischen Aussenministers. Aussenminister Jonnart wagte es nicht, den Text ohne vorherige Mitteilung an Ministerpräsident Briand zu unterzeichnen. Briand und Jonnart waren mit dem Text einverstanden, doch Poincaré setzte eigenhändig eine neue Fassung auf, aber nicht ohne Paléologue anzuweisen:

> »Tu recopieras mon texte. Il n'est pas convenable qu'un document officiel de mon écriture soit classé dans les archives.«[86]

---

[82] »Notre armée et notre marine, dans le labeur silencieux, sont les plus utiles auxiliaires de notre diplomatie.« JO, Débats du 20 février 1913; DANSETTE, Histoire, S. 161; POINCARÉ, Au service, Bd. 3, S. 129; Georges WORMSER, Le septennat de Poincaré, Paris 1977, S. 18, 34.

[83] WRIGHT, Poincaré, S. 60 und 126. Im Weiteren vgl. unten die Angaben zu den beiden Aussenministern.

[84] Paul Cambon à Jules Cambon, 6. Februar 1913, Fonds Louis Cambon.

[85] POINCARÉ, Au service, Bd. 3, S. 74.

[86] Poincaré bestritt in seinen Memoiren (Au service, Bd. 3, S. 82, Anm. 100 und Bd. 4) seinen Einfluss geltend gemacht zu haben; Jonnart und Briand seien bei gleichen Erfahrungen mit Russland zu gleichen Schlüssen gekommen wie er. In Paléologues 1947 erschienenem Tagebuch der Jahre 1913/14 (Quai d'Orsay, S. 23) erfahren wir aber einen Teil des wahren Sachverhaltes und in einem Brief Paul Cambons an seinen Bruder Jules vom 6. Februar 1914 den anderen (Fonds Louis Cambon). Paul Cambon, der durch seinen Sohn informiert worden war, kommentiert: »Il y a dans les façons de Poincaré quelque chose de napoléonien et s'il commence à s'infatuer 15 jours avant son couronnement, que sera-ce quand il sera sur le trône au bout de quelques années?« In der Briefausgabe ist der Brief nur stark gekürzt und ohne Hinweis auf diesen Zwischenfall veröffentlicht worden, P. CAMBON, Correspondance 1870–1924, Bd. 3, S. 40.

Poincaré hatte auch seine Hände im Spiel bei der Auswahl gewisser Botschafter. Delcassés Nomination zum Botschafter in St. Petersburg, die im ersten Ministerrat unter Poincarés Präsidium beschlossen wurde, war ebenfalls in jener Interimszeit vorbereitet worden.[87] Und ein Jahr später wurde Maurice Paléologue von seinem Schulfreund aus der Zeit des Lycée Condorcet zu Delcassés Nachfolger gemacht.[88] Dass der Staatchef im Weiteren die Botschafter designierte, um sie dann zusammen mit dem Aussenminister zu nominieren, war des Präsidenten gutes Recht. Die Inanspruchnahme dieses Rechts war bis anhin eine Ausnahme, für Poincaré war sie jedoch eine Selbstverständlichkeit.

Der grosse Einfluss Poincarés wurde auch von aussen wahrgenommen. So konnte der österreichisch-ungarische Botschafter Szécsen berichten:

> »In meiner Berichterstattung habe ich öfter erwähnt, dass Herr Poincaré über Herrn Pichon hinweg auf die äussere Politik directen Einfluss nimmt. Speciell die beiden Brüder Cambon in London und Berlin sollen sich sehr wenig um die An-

[87] Poincaré bestreitet, Delcassé designiert zu haben; Briand und Jonnart hätten spontan diese Idee gehabt und sie zuerst Fallières und erst nachher ihm mitgeteilt, und er habe nichts dagegen gehabt, POINCARÉ, Au service, Bd. 3, S. 142. Unbestreitbar ist Poincarés Unzufriedenheit mit Georges Louis in St. Petersburg und sein Wunsch, ihn zu ersetzen. Gegenüber Botschafter Schoen hat Poincaré bei seinem ersten Besuch Delcassés Nomination als seinen Entscheid erscheinen lassen, Wilhelm von SCHOEN, Erlebtes, Stuttgart 1921, S. 149. Die Ersetzung von Louis war schon vor Poincarés Wahl zum Präsidenten der Republik erwogen worden, doch wollte man die Frage erst nach den Präsidentschaftswahlen lösen, Ribot an Jusserand, 8. Januar 1913, Jean Jules Jusserand, Papiers nominatifs, Bd. 60. Jusserand war Anwärter auf die Botschaft in St. Petersburg: Er erhielt, da er übergangen wurde, als Abfindung den *Grand officier* der Ehrenlegion.

[88] Paléologue schreibt Jusserand am 28. Januar 1914, er habe St. Petersburg nur widerwillig angenommen: »J'ai dû céder aux instances de M. Poincaré et de P. Cambon, que M. Doumergue a confirmées sous cette forme impérative: ›Je ne peux admettre votre refus.‹« Jusserand, Papiers nominatifs, Bd. 37. Paul Cambon wusste schon am Tag der Nomination, dass Paléologue irrtümlich meinte, er habe diesen Entscheid unterstützt. Am 12. Januar 1914 schrieb er seinem Sohn Henri Cambon: »[…] il se trompe mais je n'y ai pas été étranger, car j'ai parlé à M. Poincaré et à M. Doumergue de la nécessité de pourvoir Pétersbourg dès maintenant.« Paul Cambon schreibt im gleichen Brief auch, warum er nichts gegen diese Ernennung habe: »[…] en tous cas il sera moins dangereux là-bas qu'ici.« Schon am 10. Januar 1914 hat sich Cambon im gleichen Sinn gegenüber seinem Bruder Jules geäussert (beide Briefe im Fonds Louis Cambon). – Blondel schreibt in seinen Erinnerungen: »Poincaré, il donnera du haut de l'Elysée à son ancien condisciple l'Ambassade de Saint-Pétersbourg.« Jules-François BLONDEL, Au fil de la carriere 1911–1938, Paris 1960, S. 24. Auch in diesem Fall bestritt Poincaré, für die Ernennung verantwortlich gewesen zu sein. Es sei Doumergues Vorschlag gewesen, und er habe lediglich auf Doumergues Bitte hin geholfen, Paléologue zu überzeugen. Nur widerwillig habe Paléologue schliesslich zugestimmt: »Il s'incline cependant de bonne grâce devant le désir de son président du Conseil.« POINCARÉ, Au service, Bd. 4, S. 30. Dass Poincaré auch 1914 die Nomination des französischen Botschafters in St. Petersburg gesteuert hat, geht ferner aus einem russischen Bericht hervor, der eine Äusserung Mme de Margeries festhält, wonach Poincaré Pierre de Margerie nicht habe nach St. Petersburg schicken wollen, wie ursprünglich vorgesehen, weil der Präsident der Republik ihn in Paris als Politischen Direktor habe behalten wollen, falls ein schlimmeres Kabinett komme, Sevastopoulos an Szonov, 15. Januar 1914, Russ. Dok., Bd. 1, S. 19. Vgl. auch AUFFRAY, Pierre de Margerie, S. 24. Auffray sagte zwar das Gegenteil, dass nämlich Poincaré dem Politischen Direktor St. Petersburg angeboten habe; die beiden Aussagen stimmen aber in einem Punkt überein: Es war Poincaré, in dessen Händen die Besetzung dieser Botschaft lag.

sichten Herrn Pichons kümmern, der es kaum wagt, ihnen Instructionen zu geben, so dass diese beiden Botschafter eigentlich Politik auf eigene Faust machen, dabei aber mit dem Elysée in steter Fühlung sein sollen.«[89]

Das von Szécsen entworfene Bild stimmt sicher für die Zeit vom Dezember 1913 an. Im März 1913 hat es aber auch zwischen Paul Cambon und Poincaré Spannungen in der Frage gegeben, wieweit sich Frankreich im Balkankonflikt engagieren solle – was ein weiteres Mal Poincarés Präsenz in der Aussenpolitik belegt:

> »Poincaré qui dirige encore le Quai d'Orsay me fait rappeler à l'ordre en disant que nous sortons de notre programme [...].«[90]

Gegenüber dem österreichisch-ungarischen, dem russischen und dem englischen Botschafter betonte Poincaré im Januar 1913 ebenfalls, er werde sich weiterhin um die Aussenpolitik kümmern. Der eine Botschafter drücke bereits vor Poincarés Wahl dem damaligen Aussenminister gegenüber sein Bedauern aus, dass er nicht mehr in direktem geschäftlichen Verkehr mit ihm verbleiben könne. Poincaré habe hierauf geantwortet:

> »Seien Sie ganz unbesorgt, ich werde darauf sehen, dass an meine Stelle ein Mann komme, der meine Politik fortführen wird. Ce sera comme si j'étais toujours encore au Quai d'Orsay.«[91]

Dies könnte allerdings auch einer der üblichen Versuche gewesen sein, die ob der ständigen Wechsel irritierten Botschafter zu beruhigen. Der andere Botschafter berichtete im Januar 1913:

> »His election would enable him to give steadiness and ›suite‹ to the foreign policy of France. [...] He said that he had no intention of being locked up at the Elysée and being confined to state functions.«[92]

Und etwa zur gleichen Zeit berichtete der russische Botschafter Iswolsky, er habe soeben ein langes Gespräch mit Poincaré geführt und dieser habe ihm versichert, auch als Präsident einen direkten Einfluss auf die Aussenpolitik ausüben zu können.[93] Den Korrespondenzen dieser Botschafter ist zu entnehmen, dass Poincaré seine Absicht dann auch verwirklichte.[94] Zu den Gesprächen mit den fremden

---

[89] Bericht vom 13. Juni 1913, Oesterr. Dok., Bd. 6, Nr. 7361.

[90] P. CAMBON, Correspondance 1870–1924, Bd. 3, S. 43.

[91] Bericht vom 19. Januar 1913, Oesterr. Dok, Bd. 5, Nr. 5448.

[92] Bertie, 21. Januar 1913, PRO, Privatpapiere Grey.

[93] 29. Januar 1913, Livre noir, Bd. 2, S. 14 f.

[94] Bericht vom 19. Januar 1913, Oesterr. Dok, Bd. 5, Nr. 5448. – Aus den Berichten des englischen Botschafters geht beispielsweise hervor, dass Poincaré über die Instruktionen, die Delcassé erhalten hatte, im Bild war und sich darüber eben mit dem englischen Botschafter unterhielt. Oder dass er sich persönlich mit der Tanger-Frage beschäftigte und Pichon anwies, ihm Unterlagen zu beschaffen, Bertie an Grey, 25. Juni und 8. September 1913, PRO, Privatpapiere Grey. Im Januar 1914 erhielt der russische Botschafter von Poincaré die energische Versicherung, er werde sich um die Liman von Sanders-Angelegenheit kümmern, Iswolski an Sazonow, 27. Januar 1914, Russ. Dok., Bd. 1, S. 118. Und der im Allgemeinen sehr zurückhaltende Poincaré-Biograph Gordon Wright schreibt gestützt auf die österreichisch-ungarischen Quellen: »Szécsen's dispatches, in fact, seemed to attach more importance to Poincaré's opinions than to those of Doumergue.« WRIGHT, Poincaré, S. 127.

Botschaftern kamen selbstverständlich die Gespräche mit den wichtigsten Botschaftern des eigenen Apparats. Paul Cambon hielt am 28. Dezember 1913 fest:

> »Nous avons vu M. Poincaré qui nous a retenu longtemps et qui a abordé avec
> nous [les frères Cambon, G. K.] toutes les questions extérieures.«

Am 4. April 1914:

> »J'ai vu le même jour le Président de la République. Il continue à me bien recevoir
> et à s'ouvrir.«

Am 29. April 1914:

> »J'ai vu deux fois M. Poincaré et tête-à-tête. Il m'a accablé de sa confiance; quan-
> tum mutatus!«[95]

Und ebenso selbstverständlich hatte Poincaré seine Hand im Spiel, als sich Bri-
and im Juni 1914 die Frage stellte, ob er in Kiel den deutschen Kaiser treffen solle: Viviani, der vierte unbedeutende Aussenminister unter Poincaré kurz vor
Kriegsausbruch, hegte Bedenken und verwies ihn an den Präsidenten, und dieser
riet ihm – was für Briand verbindlich war – ab.[96]

Grosses Aufsehen erregten Poincarés Besuche der deutschen Botschaft in Paris
im Februar 1913 zunächst zu einem Gespräch und am 20. Januar 1914 zu einem
Diner. Dies war in den französisch-deutschen Beziehungen ein Novum.[97] Poincaré habe, berichtete damals der deutsche Botschafter nach Berlin, mit der Tradition gebrochen, dass sich das Staatsoberhaupt nicht auf ausländische Botschaften
einladen lasse, und sei schon bei der russischen und der österreichisch-ungarischen Botschaft zu Gast gewesen.[98] Botschafter Schoen schrieb in seinen Memoiren, der zweite Besuch Poincarés habe einiges Aufsehen erregt, doch wertete
er ihn bloss als Höflichkeitsgeste:

> »Präsident Poincaré hatte, abweichend von der Zurückhaltung, welche seine Vor-
> gänger sich aufzuerlegen pflegten, sich grundsätzlich entschlossen, Einladungen,
> vor allem solche der fremden Botschaften, anzunehmen, konnte daher, sollte es
> nicht peinlich auffallen, an der deutschen Botschaft nicht vorübergehen, ebenso
> wenig wie ich meinerseits an einer Einladung.«[99]

---

[95] P. CAMBON, Correspondance 1870–1924, Bd. 3, S. 57, 63 und 66.

[96] Ferdinand SIEBERT, Aristide Briand. Ein Staatsmann zwischen Frankreich und Europa,
Zürich 1973, S. 142 f. PALÉOLOGUE, Quai d'Orsay, 18. Juni 1914, S. 311. Der deutsche Botschafter Schoen führte den Entscheid auf den Einfluss des gerade in Paris weilenden, damals
aber in St. Petersburg stationierten Paléologue zurück, SCHOEN, Erlebtes, S. 159.

[97] KEIGER, Poincaré, S. 155. SCHOEN, Erlebtes, S. 149. Erwähnt auch bei KRETHLOW-BEN-
ZIGER, Diplomatie, S. 184.

[98] »Der Präsident der Republik machte mir soeben ohne vorherige Anmeldung längeren Besuch, meines Wissens das erste Mal, dass ein Präsident auf deutscher Botschaft erscheint.« Bericht Schoen vom 21. Februar 1913, PAAA Bonn, F 108, Bd. 20; derselbe am 21. Januar 1914,
PAAA Bonn, F 105/1a, Bd. 24.

[99] SCHOEN, Erlebtes, S. 149 und 155.

Poincaré liess sich nach eigenen Aussagen bei seinem zweiten Besuch von seinem Aussenminister Doumergue, seinem vormaligen Aussenminister Pichon und dem künftigen Premierminister Ribot begleiten.[100]

Poincaré klagte schon am Tag nach seiner Wahl über die zahlreichen Repräsentationspflichten, die ihn von der eigentlichen Politik abhalten würden.[101] Und rückblickend erklärte Poincaré:

> »A peine avais-je passé les services à MM. Briand et Jonnart que je me trouvai jeté bon gré, mal gré dans une existence qui contrastait étrangement avec mes occupations préférées et dans laquelle visites et réceptions prenaient une place prépondérante.«[102]

Seine Besuche auf den Botschaften ebenso wie der Empfang etwa des belgischen Königs oder seine Auslandsreisen nach Spanien, London und St. Petersburg (wo er bereits im August 1912 als Aussenminister gewesen war) sprengten freilich den Rahmen der Repräsentationspflichten: Sie waren hohe Politik. Präsident Poincaré ist, verbunden mit vielleicht ungerechtfertigten Anschuldigungen, nicht grundlos in die Kriegsschulddiskussion hineingezogen worden. Denn er war es, der wie kein anderer Magistrat die französische Aussenpolitik der Jahre 1912 bis 1914 bestimmte. Poincarés Gegner haben, vor allem in der Kriegschulddiskussion nach 1919, der arg vereinfachenden Vorstellung Vorschub geleistet, 1914 sei der Präsident allmächtig gewesen. Poincaré, sich rechtfertigend, stellt in seinen seit 1925 erscheinenden Memoiren, aber auch in anderen Schriften, seine Einflussmöglichkeiten und den tatsächlich ausgeübten Einfluss bescheidener dar, als sie in Wirklichkeit waren. Bevor Poincaré unter diesem Rechtfertigungszwang stand und sogar an der gegenteiligen Position interessiert sein konnte, schrieb er 1913 in einer englischen Publikation:

> »In international relations particularly the President of the French Republic plays a part of capital importance.«[103]

---

[100] POINCARE, Au service, Bd. 4, S. 36 f. Als Anhänger Poincarés bezeichnete Henry Leyret in seiner Schrift über die Präsidialaufgaben denn auch als selbstverständlich: »[…] il lui est loisible de s'adresser aux membres du corps diplomatique avec l'autorité de l'homme qui non seulement représente la stabilité, la tradition, les intérêts permanents du pays, mais qui *sait* et qui *agit*.« LEYRET, Président, S. 87.

[101] Poincaré, zit. von PALÉOLOGUE, Quai d'Orsay, S. 13 und 58.

[102] POINCARÉ, Au service, Bd. 3, S. 73 und 85.

[103] Raymond POINCARÉ, How France is governed, London 1913, S. 180 f. Zur Nachkriegskontroverse schreibt Gordon Wright 1942: »He was neither a dictator nor a King Log.« WRIGHT, Poincaré, S. 137. Wenn Poincaré, wie Wright schreibt, auch nicht »master of the French government« war, so war er im französischen Kräftespiel doch eindeutig die stärkste Kraft. Sein Einfluss drückte sich in der Tatsache aus, dass er vor jedem schwerwiegenden Entscheid konsultiert wurde, und darüber hinaus eigene Schritte unternahm, zum Beispiel den Versuch, am 1. August 1914 Iswolski zu bewegen, dass er Rumänien und Italien mit territorialen Versprechungen auf die Seite der Entente locke. Wright ringt sich zu dem Eingeständnis durch: »His influence was far more important than his own denials indicate.« Und er fügt bei: »If he had exerted that influence in a different direction it is conceivable that war might have been avoided.« Ebenda, S. 141. Doch dies ist eine andere Frage.

Vielleicht war Poincaré entgegen dem in der Geschichte der internationalen Beziehungen dominierenden Bild alles in allem aber die Innenpolitik wichtiger. Der deutsche Botschafter von Schoen sah jedenfalls eher die innenpolitische Seite des Herrschergebarens:

> »Sein Auftreten glich mehr demjenigen eines Monarchen wie dem eines stillen Präsidenten und verfehlte nicht die berechnete Wirkung auf die Bevölkerung.«[104]

Ein besonderes Problem ergab sich aus der Frage, in welchem Mass das Aussenministerium den Staatspräsidenten über die laufende Korrespondenz informieren müsse. Die konkrete Handhabung hing zum Teil vom jeweiligen Aussenminister, aber auch vom Präsidenten ab (vgl. dazu die interessante Meinungsäusserung im Abschnitt zu Mac-Mahon, unten). Dass der Präsident im Prinzip zu informieren sei, war aber keine Frage. Denn zu den Aufgaben des Aussenministeriums gehörte es:

> »Résumer la correspondance des divers agents et d'en placer les extraits les plus intéressants sous les yeux de M. le Président de la République, du ministre, des divers chefs.«

Diese undatierte, aber zwischen 1898 und 1900 einzuordnende Notiz hielt weiter fest, dass diese Auszüge mit dem Pressebulletin noch am gleichen Tag dem Elysée zu übermitteln seien.[105] Auch Henry Leyret, ein Anhänger Poincarés, erklärte 1913:

> »[...] il lui est dû communication quotidienne de la correspondance diplomatique, des dépêches de nos représentants au dehors. Ensuite, le ministre le doit mettre au courant de toutes les négociations comme du moindre incident.«[106]

## Beschränkte Einflussmöglichkeiten

Seit Thiers' Absetzung haben die Präsidenten der Dritten Republik nicht aufgehört, über ihre beschränkten Einflussmöglichkeiten zu klagen. Der vormals allmächtige Thiers kam sich, nachdem er am 13. März 1873 aus der Assemblée Nationale verbannt worden war und sich als Staatschef nur noch ausnahmsweise und nur noch in schriftlichen Botschaften an das Parlament wenden durfte, als politischer Eunuch vor, als Mastschwein (»porc à l'engrais«) der Präfektur von Versailles, als Paradepuppe und Unterschriftenautomat.[107]

Sein Nachfolger, der 65jährige Marschall Mac-Mahon, fühlte sich ohnehin von der Politik bedrängt und von den Politikern in die Enge getrieben.[108] Grévy, der

---

[104] SCHOEN, Erlebtes, S. 148.

[105] MAE, Série C, Personnel, Bd. 84, Projets de réorganisation 1898–1900.

[106] LEYRET, Président, S. 86.

[107] »Un porc à l'engrais«, Ausdruck, der auf Napoleon zurückgehen soll, zit. nach DANSETTE, Histoire, S. 32. Ebenfalls bei Lindsay ROGERS, French President and Foreign Affairs, in: Political Science Quarterly 40 (1925), S. 540–560, hier: S. 540.

[108] Der Marschall war in der politischen Welt nicht so recht zu Hause und verhielt sich oft entsprechend unbeholfen, so dass man sich in den Couloirs des Palais Bourbon gerne über den angeblich beschränkten Präsidenten lustig machte. Bernard Lavergne überliefert eines dieser

dritte Präsident, wollte 1885 sich zunächst gar nicht mehr wählen lassen, weil er sich einerseits nicht dem Vorwurf der Schwäche aussetzen wollte und anderseits nicht mit den nötigen Mitteln ausgerüstet war, um sich gegen die von Gambetta beherrschte Kammer durchzusetzen. Der Agent Jules Hansen notierte sich am 11. Dezember 1885 »des confidences assez curieuses«, zwar aus zweiter Hand, aber aus guter Quelle. Grévy soll gesagt haben:

> »En 1848 j'ai attaché mon nom à une proposition de loi constitutionnelle demandant la suppression de la Présidence de la République; aujourd'hui, après sept ans d'exercice de cette haute magistrature, je demeure dans les mêmes idées, je signerais encore des deux mains mon amendement. On m'a reproché, on me reproche encore vivement de n'avoir joué qu'un rôle effacé; si j'avais voulu en jouer un autre, j'aurais été impuissant et j'aurais imprimé à l'édifice républicain les secousses les plus funestes. L'exercice de mon droit de <u>veto</u> ou plutôt de mon droit de demander une seconde délibération pour les lois qui m'auraient paru dangereuses, ce droit n'eût jamais arrêté la majorité de la chambre, lorsqu'elle était entre les mains de M. Gambetta.«[109]

Casimir-Périer, der sich nur ungern hatte wählen lassen und bei dessen Wahl von sozialistischer Seite die Abschaffung der Präsidentschaft vorgeschlagen worden war[110], bezeichnete das Elysée schon bald als Gefängnis und als Galeere. Er demissionierte nach einem halben Jahr mit der Begründung, er sei vom Kabinett zu wenig konsultiert worden. Sein Groll richtete sich dabei insbesondere gegen seinen Nachfolger im Aussenministerium, Gabriel Hanotaux. In seiner Demissionserklärung verwies er explizit auf die Problematik:

> »La présidence de la République, dépourvue de moyens d'action et de contrôle [...].«[111]

Maurice Paléologue, Casimir-Périers stellvertretender Kabinettschef im Aussenministerium, überliefert das Diktum:

> »La prison de l'Elysée [...] Vous êtes charitable de venir me voir dans ma prison [...] Ah! Quand sortirai-je de cette galère!«

Und etwas später:

> »[...] ce décor menteur, où l'on ne fait que recevoir des coups sans pouvoir les rendre.«[112]

Bonmots, wonach der Marschall gesagt haben soll: »La typhoïde, je connais ça. On en meurt ou on reste idiot: je le sais, je l'ai eue.« LAVERGNE, Grévy, S. 14.

[109] Tagebuch Jules Hansen, Papiers nominatifs Nr. 85.

[110] Der Vorschlag auf Abschaffung der Präsidentschaft wurde in der Nationalversammlung vom 27. Juni 1894 von Michelin und Dejeante eingebracht und von sozialistischer Seite begrüsst.

[111] Abschiedsbotschaft vom 15. Januar 1895 ist integral abgedruckt in LEYRET, Président, S. 248 ff., und auszugsweise in DANSETTE, Histoire, S. 104 f.

[112] Maurice PALÉOLOGUE, Journal de l'affaire Dreyfus 1894–1899. L'affaire Dreyfus et le Quay d'Orsay, Paris 1955, 2. November 1894 und 6. Januar 1895, S. 12 und 46.

Hanotaux wiederum verglich später den Präsidenten der Republik mit einem stummen Idol in einer Pagode, einer kleinen Gottheit ohne Entfaltungsmöglichkeiten und Verantwortung.[113]

Wenn Casimir-Périers Nachfolger, Félix Faure, von sich selbst sagte, er sei die englische Königin, so muss dieser Vergleich nicht so gemeint gewesen sein, wie es der ihn kolportierende Poincaré haben wollte und nicht unbedingt Machtlosigkeit ausdrücken. Es passt zwar zu seiner eigenen These der Machtlosigkeit, wenn Poincaré den früheren Präsidenten sagen lässt:

> »On me reproche de ne pas agir. Que voulez-vous? Je suis la reine d'Angleterre.«[114]

Adrien Dansette hingegen bringt (nur leider wie immer ohne Quellenangabe) eine plausiblere Version dieses Diktums: Faure habe nicht auf Poincarés Klagen eingehen und nicht handeln *wollen*, weil er sich als Präsident zu gut fand, um sich in die niederen Händel der Parlamentarier einzumischen:

> »Mais, mon ami, vous figurez-vous un membre du Parlement britannique allant trouver la reine Victoria pour la prier de semoncer les ministres de la Couronne? Comment voulez-vous que je me mêle à vos querelles? Je suis la reine d'Angleterre.«[115]

Poincaré aber, dessen Gefolgsleute 1913 eine Kampagne auslösten, um die Rechte des Präsidenten der Republik zu erweitern, beklagte gegenüber seinem Schulfreund und Kabinettschef Maurice Paléologue den Widerspruch zwischen der Last der Verantwortung und der Unmöglichkeit, als erster Mann im Staat diese Verantwortung auch tatsächlich wahrzunehmen:

> »Une seule pensée m'occupait: la terrible responsabilité qui va peser dorénavant sur moi, tandis que le principe de l'irresponsabilité constitutionnelle m'enlèvera toute initiative, me condamnera pour sept ans au mutisme et à l'inaction!«[116]

Seit der Jahrhundertwende wurde in der Öffentlichkeit immer wieder die Frage erörtert, ob dem Malaise der Präsidentschaft mit einer Erweiterung der Kompetenzen oder durch die Wahl besserer Männer beizukommen sei. 1911 berichtete der deutsche Botschafter Schoen, angesichts der Streiks und parlamentarischen Wirren würden Rufe laut, welche eine Verstärkung der Stellung des Präsidenten wünschten.[117] 1913 wurde die Diskussion durch die Wahl Poincarés neu belebt. Henry Leyret bezeichnete die Klagen über die Machtlosigkeit des Staatspräsidenten als »légende maligne«. Seiner Meinung nach war auch mit den gegebenen Verfassungsbestimmungen eine starke Präsidentschaft durchaus möglich. Sollte sie indessen nicht möglich sein, würde er eine Verfassungsreform befürworten.

---

[113] Zit. nach ROGERS, French President, S. 540 f.

[114] POINCARÉ, Au service, Bd. 3, S. 34.

[115] DANSETTE, Histoire, S. 112.

[116] Poincaré, zit. von PALÉOLOGUE, Quai d'Orsay, S. 13 und 58. In gleicher Weise äusserte sich Paul Deschanel 1922 nach halbjähriger Amtszeit, Paul DESCHANEL, La politique extérieure de la France, in: RDM 15. Juni 1922, S. 721–737, hier: S. 734.

[117] Bericht vom 13. Juli 1911, PAAA Bonn, F 105/1a, Bd. 23.

Einstweilen setzte er aber seine Hoffnungen auf den am 17. Januar 1913 neugewählten Präsidenten – also auf Poincaré.[118]

Die schwache Position des Präsidenten war indessen nicht nur durch die Verfassung vorbestimmt. Auch der schlechte oder der bewusst zurückhaltende Gebrauch der Kompetenzen mag die Stellung der französischen Staatspräsidenten
geschwächt haben. Bezeichnenderweise ist diese Auffassung vor allem von Leuten vertreten worden, die Poincaré nahestanden oder sich mit Poincaré beschäftigt haben. James W. Garner bezeichnet 1913 den frischgewählten Poincaré als
»the only real statesman and leader to reach the Elysée since Thiers' retirement in
1873.«[119] Gordon Wright vertritt ebenfalls die Auffassung, dass die Präsidenten
durch mangelnde Führungsfähigkeiten, durch schlechten oder ungenügenden
Gebrauch der Kompetenzen ihre Stellung geschwächt hätten. Mac-Mahon habe
durch die staatsstreichverdächtige Auflösung der Kammer 1877 seinen Nachfolgern die Möglichkeit genommen, dieses Mittel nochmals einzusetzen. Jules Grévy
habe sich schon 1848 für die Einheit der Souveränität und gegen die Ernennung
eines Staatschefs ausgesprochen und deshalb 1879 dieses Amt nur mit grosser
Zurückhaltung ausgeübt. Casimir-Périer habe sich nicht durchsetzen können und
dem Amt einen weiteren Schaden zugefügt, indem er sich nach seinem Rücktritt
öffentlich abfällig darüber geäussert habe. Sadi Carnot habe sich als Pseudomon-
arch gebärdet und Félix Faure überall vordergründige Gunst und Aufmerksamkeit gesucht, dagegen seine Kompetenzen zumal in der Dreyfus-Affäre nicht ausgeschöpft. Loubet und Fallières schliesslich seien farblose Senatoren gewesen.[120]

Dass es aber nicht einfach an den Männern lag und die Kompetenzausstattung
mitverantwortlich war, bezeugt einer, dessen Befund von keinen internen Interessen und freundschaftlichen Rücksichten geleitet, hingegen von Grundvorbe-
halten gegenüber der Republik geprägt war. Der deutsche Botschafter Graf
Münster bemerkte während Casimir-Périers Amtszeit am 24. Dezember 1894:

> »Die Stellung ist für einen tatkräftigen Mann eine falsche. Er soll den Souverän
> spielen, ohne es zu sein, soll regieren, ohne die Macht in den Händen zu haben,
> und muss fortwährend den demokratischen Republikaner spielen, ohne im Grun-
> de seines Herzens so zu fühlen. Falsche Stellungen reiben die besten Männer auf,
> und so wird es, fürchte ich, auch in diesem Falll werden.«[121]

Ausser Marschall Mac-Mahon verfügten sämtliche Präsidenten über reiche Erfahrungen und enge Verbindungen mit der Umgebung ihres politischen Vorle-
bens. Beides erlaubte ihnen, auch über die »Pagode des Elysées« hinaus wirksam
zu sein. Vor Amtsantritt war Grévy Präsident der Nationalversammlung und der

[118] LEYRET, Président, S. XV. Leyrets Schrift löste den Widerspruch von Guy de Lubersac
aus, der im gleichen Jahr die Schrift »Les pouvoirs constitutionnels du Président de la République« (58 S.) veröffentlichte. Wenige Jahre zuvor hatte sich eine Dissertation der Rechtsfakultät
von Paris für die Abschaffung der Präsidentschaft ausgesprochen, da sie überflüssig sei und
nur unnötig Geld koste, René BLOCH, Le régime parlementaire en France sous la Troisième
République, Paris 1905, S. 38 f.

[119] James W. GARNER, The Presidency of the French Republic, in: North American Review 197 (1913), S. 335–349, hier: S. 335 f.

[120] WRIGHT, Poincaré, S. 6 f.

[121] PAAA Bonn, F 105/1a, Bd. 5.

Deputiertenkammer, Casimir-Périer mehrfach Minister und Ministerpräsident und Kammerpräsident, Faure war ebenfalls Minister, Loubet war Minister und Senatspräsident, Fallières Minister, Ministerpräsident und Senatspräsident. Doch ihr selbständiges Handeln blieb auf informelle Aktionen beschränkt. Thiers, der 1830 als dreissigjähriger Oppositionspolitiker den Monarchen mit der Formel »Le roi règne et ne gouverne pas« eingeschränkt hatte, musste 1873 mit seinem Sturz erleben, nachdem er während zweier Jahre hatte sowohl herrschen als auch regieren können, dass der Präsident der Republik auf die Stellung zurückgedrängt wurde, die Thiers einstmals Karl X. und Louis Philippe zugedacht hatte. Der Präsident der Republik musste Hofpolitik betreiben, und das hiess vor allem Personalpolitik. In Sachgeschäften war er der Diplomat seiner eigenen Vorstellungen, er war darauf angewiesen, in Gesprächen herbeizuführen, was er nicht mit Beschlüssen herstellen konnte.[122] Stellung und Einfluss des Präsidenten hingen von der Persönlichkeit des jeweiligen Amtsinhabers und seiner Gegenspieler ab.

Völlig zutreffend ist Paul Cambons Feststellung, der Staatschef müsse für die Ausübung seines Berufes viel Geduld haben, es nütze nicht, in der Verfassung zu blättern, man müsse mit seinen Ministern und Zeitgenossen umzugehen wissen, sie handhaben können. Paul Cambon entwickelte diese Auffassung in einem Brief an seine Mutter anlässlich der Demission Casimir-Périers, indem er von seinem Freund und Gesinnungsgenossen sagte:

> »Il n'a jamais considéré la politique comme l'art de mener les hommes par les moyens les plus appropriés au temps et au pays où l'on vit et les formes de gouvernement comme des contingences essentiellement transitoires qui ne valent que suivant la façon dont on les examine. Il feuilletait la Constitution au lieu de manier ses Ministres et ses contemporains. […] Au fond il n'a donné sa démission que parce que le métier de Chef d'Etat l'ennuyait et ce métier l'ennuyait parce qu'il ne savait point comment l'exercer. C'est un métier de diplomate et il a toujours eu horreur de la diplomatie.«[123]

Mit anderen Worten: Der Präsident der Republik war einerseits ein wichtiger Repräsentant des französischen Staates, und er war ein Diplomat in eigener Sache und in Sachen, die ihm wichtig waren.

Die Abklärung der Frage nach dem Anteil der Präsidenten der Republik an der Aussenpolitik hat gezeigt, wie unterschiedlich die Einflüsse der neun Staatschefs waren. Der Amerikaner Lindsay Rogers stand noch unter dem Eindruck der Kriegsschulddiskussion, als er sich 1925 in einem Aufsatz mit der Rolle des französischen Präsidenten in der Aussenpolitik befasste und seine Ausführungen in die folgende, wohl auch die spezifisch amerikanische Sicht darlegende Feststel-

---

[122] René Dollot stellt zurecht fest: »Le rôle du Président de la République est essentiellement un rôle de persuasion.« DOLLOT, Diplomatie et Présidence, S. 208. Selbst bei der Berufung des Ministerpräsidenten muss er seine Wahl treffen, die beim Parlament ankommt. Henry Leyret verstand, gemäss seiner Position, die Möglichkeiten des Präsidenten nicht als erst herbeizuführende, sondern als bereits gegebene Möglichkeiten, die nur genützt werden mussten: »[…] il dépend du président, de sa volonté que son influence sur la politique extérieure soit réelle.« LEYRET, Président, S. 85.

[123] Brief vom 21. Januar 1895, P. CAMBON, Correspondance 1870–1924, Bd. 1, S. 383 f.; vgl. ferner die ztitierte Pressestimme auf S. 387.

lung ausmünden liess: Die französische Verfassung lasse die Kompetenzen des Präsidenten in gefährlicher Unbestimmtheit, indem sie weder die Möglichkeiten des Präsidenten noch deren Grenzen eindeutig festlege.

> »[…] the constitutional laws by no means tell the whole story of the possibilities or limitations of the French presidency. […] In some respects the language of the Constitution leaves the presidential authority dangerously vague. […] This and other ill-defined allocations of power have assisted in making the French presidency more a matter of personality than of constitutional intention.«[124]

Rogers' Kritik geht allerdings von wenig realistischen und von etwas puristisch-theoretischen Vorstellungen aus, wenn er beanstandet, dass die französische Präsidentschaft mehr durch die Persönlichkeit des Amtsinhabers als durch den Willen der Verfassungsgeber bestimmt ist.

## 2. Die Aussenminister der Republik

Im Folgenden sollen die 31 Aussenminister der Zeit vom 4. September 1870 bis zum 2. August 1914 in chronologischer Ordnung vorgestellt werden. Neben den Amtszeiten und Regierungszugehörigkeiten (A), dem Werdegang beziehungsweise der Qualifikation (B) und der Charakterisierung der Amtstätigkeit (C) sollen, sofern man sie kennt, die Gründe für ihre Wahl und ihr Ausscheiden (D) genannt werden.[125] Die Analyse gibt ein standardisiertes und zugleich differenziertes Bild der Gesamtheit der formell Hauptverantwortlichen der französischen Aussenpolitik der Jahre 1871–1914. Die Dauer der Amtszeiten soll erst in Kap. 4.2 zur Frage der Stabilität des Regimes erörtert werden.

### Aussenpolitische Gründe für die Wechsel im Aussenministerium

Gemäss einer einfachen Zählung kamen von den 48 Regierungen deren 5 aus mehr oder weniger aussenpolitischen Gründen zu Fall. Eine genauere Betrachtung in Kap. 4.2 wird grosso modo diesen Befund bestätigen, sie wird allerdings auch ein leicht anderes Bild vermitteln. Die fünf mit aussenpolitischen Fragen zusammenhängenden Regierungsauflösungen sind:

1. im November 1881 der Sturz der Regierung Ferry über die Tunesienfrage,
2. im Juli 1882 der Sturz der Regierung de Freycinet über die Ägyptenfrage,

---

[124] ROGERS, French President, S. 559 f.

[125] Hilfreich sind neben der eigenen systematischen Dokumentation die Angaben der Liste in: BAILLOU, Affaires étrangères, S. 979–982, und die wenig systematischen Auskünfte auf S. 29–40. Ferner GUILLEN, Expansion, S. 14–19. ESTÈBE, Ministres, macht keine speziellen Angaben zu den Aussenministern. Nützlich ist auch Pierre PIERRARD, Dictionnaire de la IIIᵉ République, Paris 1968, in dem allerdings längst nicht alle Aussenminister berücksichtigt worden sind. Eine eigene Übersicht gibt Frederick Levis SCHUMAN, War and Diplomacy in the French Republic. An inquiry into political motivations and the control of foreign policy, London 1931, S. 382.

3. im April 1885 der Sturz wiederum der Regierung Ferry über die Indochina-frage
4. im März 1890 der Sturz der Regierung Tirard wegen eines Handelsvertrags mit der Türkei,
5. im Januar 1912 der Sturz der Regierung Caillaux in Verbindung mit der Deutschlandfrage.

Die beiden Abgänge Ferrys im November 1881 und April 1885 hatten aber min-destens eine starke innenpolitische Komponente (vgl. auch Kap. 3.2 zum Parla-mentarismus). Und im Falle von Caillauxs Abgang ging es vor allem um das Ver-hältnis zwischen dem Ministerpräsidenten und dem Aussenminister: De Selves fühlte sich durch die Kontakte, die der Ministerpräsident mit dem Vertreter Deutschlands direkt führte, desavouiert und zog im Januar 1912 mit seiner De-mission die Regierung Caillaux in den Abgrund (vgl. unten). Im Falle der Auflö-sung der Regierung Monis im Juni 1911 könnte am Rande die Marokko-Frage hineingespielt haben, der Entscheid fiel aber in der Frage des militärischen Ober-befehls in Kriegszeiten.[126]

Drei Regierungsrücktritte im Zusammenhang mit Kolonialfragen, ein Rücktritt wegen einer wenig bedeutenden Handelsfrage, aber einer offenbar nicht unwich-tigen Kraftprobe zwischen Regierung und Parlament und ein Rücktritt schliess-lich im indirekten Zusammenhang mit der Deutschlandpolitik – dennoch muss man sagen, dass keine Regierung wirklich wegen Präferenzen für die eine oder andere der im 1. Kap. vorgestellten grossen Zielsetzungen gestürzt wurde. Und in keinem Fall war eine Regierung gebildet worden, damit sie die eine und nicht die andere Zielsetzung verfolgte.

Wenn in einigen wenigen Fällen Aussenpolitik bei Regierungsauflösungen im Spiel war, bei der Wahl der jeweils neuen Aussenminister können überhaupt kei-ne aussenpolitischen Überlegungen im Sinne der einen oder anderen Zielsetzung festgestellt werden.

Die meisten Wechsel im Aussenministerium gab es wegen der Regierungs-wechsel. Daneben gab es aber auch vier Wechsel, die in einem direkten Zusam-menhang mit der Rolle der Aussenminister standen und nicht zugleich von einem Regierungswechsel begleitet oder dadurch gar ausgelöst waren. Dies betraf die Abgänge Challemel-Lacour (1883), Berthelot (1896), Delcassé (1905) und im be-reits erwähnten Fall de Selves (1912). Challemel-Lacour desertierte im November 1883 bereits nach neun Monaten. Berthelot war mit den diplomatischen Fragen völlig unvertraut und trat im März 1896 sogar schon nach fünf Monaten Amts-zeit und de Selves, ebenfalls kein Kenner der Aussenpolitik, nach knapp sieben Monaten zurück. Während diese Aussenminister in erster Linie darum zurück-traten, weil sie der Aufgabe nicht gewachsen waren, hatte Delcassés vorzeitige Demission im Juni 1905 andere Gründe, die in Kap. 3.2 ausführlich erörtert wer-den; der Abgang war ein Scheitern nach sieben Jahren erfolgreicher Tätigkeit.

---

[126] Auguste SOULIER, L'instabilité ministerielle sous la III^e République 1871–1918, Paris 1939, S. 132. Paul Cambon an seinen Bruder Jules, 23. Mai 1911, Fonds Louis Cambon. Mau-rice Herbette an Jules Cambon, 15. Juni 1911, Papiers Jules Cambon, Bd. 15.

## Werdegang und fachliche Qualifikationen der Aussenminister

Das republikanische Bestreben, die Aussenpolitik im Verwaltungsbereich zu professionalisieren, das im nächsten Kapitel noch näher zu besprechen ist, wirkte sich nicht auf die Auswahl der Aussenminister aus. Die Republikaner, die den konservativen Routiniers die Diplomatie der Aussenpolitik entreissen wollten und schliesslich auch entrissen haben, vertraten aus naheliegenden Gründen nie die Auffassung, dass ein Aussenminister über fachspezifische Voraussetzungen verfügen müsse. Es waren vielmehr die eher konservativen Politiker und dann die Diplomaten selbst, die von einem Chef des Aussenministeriums ausser Regierungsfähigkeiten auch Fach- und Verwaltungskenntnisse forderten und dies im Falle des Aussenministeriums auch mit besonderer Berechtigung glaubten fordern zu dürfen, weil der Aussenminister nicht nur Mitglied einer Regierung, sondern zugleich der erste Mann des diplomatischen Korps sei. In diesem Sinne führte etwa der Budgetbericht Noblemaire für das Jahr 1912 aus:

> »Entre toutes les administrations centrales, c'est aux Affaires Etrangères que la personnalité du Ministre joue le rôle le plus effectif, car il n'y est pas uniquement, ni même principalement, chargé de centraliser dans ses bureaux le travail d'administrations annexées; il doit être d'abord le premier diplomate de son pays.«[127]

Joseph Barthélemy wies ebenfalls darauf hin, dass ein Minister der »Travaux publiques« nicht ein guter Baumeister, der Aussenminister aber ein guter Diplomat sein müsse. Zur Illustration zitiert er eine Äusserung Thiers' über Dufaure:

> »Il peut être président du Conseil, mais non pas ministre des affaires étrangères: il ne sait pas, dans quelle direction coule le Danube!«[128]

Fachleute in dem Sinne, dass der Aussenminister vor seiner Ernennung über längere Zeit Erfahrungen als Berufsdiplomat hat sammeln können, gab es unter den 31 Aussenministern der Jahre 1870–1914 nur drei. Die übrigen 28 Aussenminister waren zum grössten Teil ehemalige Advokaten und zu einem kleineren Teil ehemalige Presseleute. Im Falle des betagten und fachlich nicht bewanderten Barthélemy-Saint-Hilaire (1879–1881) wurde die Schwäche des Amtsinhabers durch die Schaffung eines Unterstaatssekretariats etwas ausgeglichen. In einer die Jahre 1870–1930 nicht lückenlos erfassenden Zusammenstellung gibt Frederick Schuman die folgende Übersicht: 20 Juristen, 8 Journalisten, 6 Professoren, 1 Ingenieur (Freycinet), 1 Chemiker (Berthelot), 1 Geschäftsmann (Decazes). Schuman umschreibt den durchschnittlichen Aussenminister der Dritten Republik zutreffend:

> »[...] a middle-aged lawyer with journalistic experience who has been a member of the Chamber of Deputies, but has had little first-hand contact with diplomatic problems.«[129]

Am häufigsten wird auf Hanotaux hingewiesen, wenn man einen Aussenminister mit Berufskenntnissen nennen will. Ihm gelang sogar als Einzigem von der Di-

---

[127] Budgetbericht für 1912, Nr. 2020, S. 47.

[128] Joseph BARTHELEMY, Démocratie et politique d'étrangère, Paris 1917, S. 155.

[129] SCHUMAN, War and Diplomacy, S. 30 f.

rektion der Konsular- und Handelsabteilung aus der direkte Wechsel von der Verwaltung auf den Chefsessel des Aussenministeriums. Er war aber, abgesehen von einem neunmonatigen Aufenthalt in Konstantinopel, nie im Ausland. Botschafter Paul Cambon beurteilte 1894 und 1896 im Moment von Hanotaux' Wahl und Wiederwahl seinen Vorgesetzten zunächst recht positiv, 1897 und 1899 lauteten seine Urteile dagegen vernichtend. Die erste positive Beurteilung findet sich in der Erklärung von 1894, warum er nicht die Stelle seines künftigen Chefs habe annehmen wollen:

> »Je n'ai pas eu un instant d'hésitations et je le regrette d'autant moins que vous êtes beaucoup mieux approprié que moi à l'empoi de ministre des affaires étrangères. Vous connaissez vos nouveaux collègues dont j'ignore même le visage [...].«[130]

1896:

> »J'espère qu'Hanotaux va rentrer au Quai d'Orsay [...].«[131]

Dagegen 1887:

> »Avec H. nous sommes tantôt bien tantôt mal. C'est un nerveux impressionable dont il faut ménager le caractère. [...] Au fond c'est un tempérament de femme.«[132]

1899:

> »Je ne crois pas que nous ayons à compter avec lui autrement que comme causeur académique.«[133]

Botschafter Paul Cambon verstand gerade Hanotaux weder als Berufsdiplomaten noch als Aussenminister mit dem erforderlichen Laienverstand. Am 13. Mai 1904 schrieb er seinem Sohn Henri:

> »Nous devons à Hanotaux la ruine de notre prestige en Orient, et Fachoda pardessus le marché. Dieu nous garde des professeurs et des archivistes pour la conduite de nos affaires!«[134]

Wie war es um die Sachkenntnisse der Aussenminister bestellt? Von einzelnen kann man sagen, dass sie zuvor eine Botschaft geleitet hatten: de Broglie, Decazes, Banneville, Challemel-Lacour, Ferry, Pichon. De Broglie, Aussenminister während eines halben Jahres, war ein Kenner der Aussenpolitik, er verstand sich aber primär als Innenpolitiker. Decazes war 1873/74 für kurze Zeit Botschafter in London, seine Karriere als Berufsdiplomat hatte während der Zweiten Republik und des Zweiten Kaiserreiches allerdings einen 22jährigen Unterbruch erfahren; Banneville war Berufsdiplomat, doch trug diese Eigenschaft in seiner nur dreiwöchigen Amtszeit keine Früchte. Challemel-Lacour hatte vor seinem Amts-

---

[130] P. Cambon an Hanotaux, 3. Juni 1894, Papiers Hanotaux.

[131] P. Cambon an seine Mutter, 22. April 1896, Fonds Louis Cambon.

[132] P. Cambon an seine Mutter, 20. Mai 1897. Das Verhältnis zwischen Hanotaux und den Cambons verschlechterte sich derart, dass er 1897 Jules nicht die Botschaft in Washington überlassen wollte. Er soll versucht haben, die Regierung vor die Alternative, ihn oder die Cambons, zu stellen, Fonds François Berge, Félix Faure, Notes personnelles XXVI, 13. April 1897.

[133] Paul an Jules Cambon, 8. Februar 1899, Fonds Louis Cambon.

[134] Fonds Louis Cambon.

antritt zwar die Botschaften in Bern und London geführt, dies aber als Amateur getan. Auch Ferrys attisches Exil in Athen genügte nicht, um aus dem Advokaten einen Diplomaten zu machen. Paul Cambon verstand 1906 Pichon nicht als Kollegen, sondern als Politiker, der in das Korps der Berufsdiplomaten eindringen werde. Er rechnete allerdings nicht mit einer Ernennung zum Aussenminister, sondern ging davon aus, dass Pichon Botschafter in Madrid werden wolle.[135]

Justin de Selves, Präfekt des Seine-Departements, ging als speziell uninformierter Aussenminister der Jahre 1911/12 in die Geschichte ein. Wenn de Selves im Parlament als grosser Ignorant verhöhnt wurde, war dies zwar nicht sehr taktvoll und nicht ohne Nebeninteressen, es entsprach aber einigermassen der Wirklichkeit. Als sich Aussenminister de Selves am 20. November 1911 in der Kammer bereit erklärte, demnächst die französische Aussenpolitik der letzten vier Monate darzulegen, reagierte der sozialistische Deputierte Paul Aubriot mit dem Zwischenruf:

>Comment la discuter, cette question, avec vous? Vous ne la connaissez pas.«[136]

Und als de Selves am 5. Februar 1912 im Senat erklärte, einen bestimmten Sachverhalt nicht gekannt zu haben, bemerkte der konservative Senator Comte de Tréveneuc:

>En somme, vous n'avez rien connu du tout.«[137]

Caillaux, der vor de Selves zwei andere Kollegen, nämlich Bourgeois und Poincaré, angefragt hat, macht in seinen Memoiren die typische Bemerkung:

>Tout se serait donc arrangé si un titulaire pour le Quai d'Orsay avait été trouvé.«[138]

Am 9. Juli 1911 notierte sich der deutsche Aussenminister Kiderlen, Jules Cambon habe ihm gegenüber zugegeben, dass de Selves' Forderung nach gleichzeitigen Verhandlungen in Paris und Berlin daher käme, dass der französische Aussenminister nicht aus der diplomatischen Laufbahn hervorgegangen sei.

>Er bat mich aber, tunlichst den Schein zu wahren, als ob wir auch gleichzeitig in Paris verhandelten: ›Vous comprenez qu'un Ministre ne veut pas avoir l'air d'être le subordonné de son Ambassadeur!‹ «[139]

Paul Cambon urteilte über de Selves:

>Il est très bien intentionné, mais il est si nouveau dans toutes les affaires qu'il n'est pas inutile de lui donner des indications et de rectifier des directions.«[140]

---

[135] Brief an Henri Cambon, 20. September 1906, Fonds Louis Cambon. Joseph Barthélemy nennt ausser Hanotaux auch nicht Pichon, sondern fälschlicherweise Flourens, der aus dem Staatsrat kam, Joseph BARTHÉLEMY, Le Gouvernement de la France, Paris 1939, S. 119; John E. Howard übernimmt diese Darstellung in: John E. HOWARD, Parliament and Foreign Policy in France 1919–1939, London 1948, S. 49.

[136] JO, S. 3163.

[137] Comte de Tréveneuc, JO, S. 138.

[138] Joseph CAILLAUX, Mes mémoires, Bd. 2, Paris 1947, S. 46.

[139] GP 29/10598.

[140] Brief an seinen Sohn Henri, 30. August 1911, Fonds Louis Cambon.

Die Ernennung diplomatischer Beamter zu Aussenministern hätte übrigens neben dem Vorteil der fachlichen Kompetenz leicht auch Nachteile bringen können, vor allem wenn es sich um einen Funktionär des *zentralen Dienstes* gehandelt hätte: Casimir-Périer, Staatschef und ehemaliger Aussenminister, war 1894 über Hanotaux' »Beförderung« nicht sehr glücklich, weil dem ehemaligen Beamten nicht ohne weiteres das Prestige eines Ministers zufiel und das Risiko bestand, dass seine ehemaligen Kollegen wie die in Paris akkreditierten Botschafter ihm nicht mit der seiner neuen Stellung angemessenen Haltung begegneten.[141] 1886 war Goblet ebenfalls der Meinung, man könne den Politischen Direktor Francis Charmes nicht, wie Grévy erwogen hatte, zum Aussenminister machen, weil er als ehemaliger Beamter schwer mit den ausländischen Botschaftern plötzlich »sur un pied d'égalité« verkehren könne.[142]

Die im *Aussendienst* tätigen Spitzenbeamten des Aussenministeriums waren mehrheitlich nicht darauf erpicht, an die Spitze des Quai d'Orsay zu gelangen. Auch Aussenminister de Rémusat wäre 1871 lieber wie zunächst vorgesehen als Botschafter nach Wien gegangen und Aussenminister Decazes 1873 lieber als Botschafter in London geblieben. Ersterer liess sich schliesslich von Thiers, letzterer schliesslich von de Broglie dazu überreden, die Leitung des Quai d'Orsay zu übernehmen. De Saint-Vallier stand 1877 vor der Frage, ob er den Quai d'Orsay oder die Botschaft in Berlin übernehmen solle, und entschied sich für Berlin. Bevor Goblet im Dezember 1886 den unerfahrenen Flourens zum Aussenminister seiner Regierung machte, hatte er das Aussenministerium vier Botschaftern angeboten. Alle sagten ihm ab: de Courcel, der ehemalige Botschafter in Berlin, der sich vorübergehend im Ruhestand befand; Waddington, der Botschafter in London und ehemalige Aussenminister; Billot, der Gesandte in Lissabon, und Decrais, der damalige Botschafter in Wien; Duclerc, auch ehemaliger Aussenminister, lehnte ebenfalls ab.[143] 1894 wurde Hanotaux nur Aussenminister, weil de Courcel, de Laboulaye und Paul Cambon das Angebot des Premierministers Dupuy nicht angenommen hatten.[144]

Während Hanotaux' Amtszeit, im Januar und April 1898 sowie vor Delcassés Berufung im Sommer 1898 war von Paul Cambon als möglichem Aussenminister

---

[141] HANOTAUX, Carnets I, 1949, S. 385 f. Hätte sich auch auf Paul Cambon beziehen können, der damals ebenfalls zur Diskussion stand.

[142] René GOBLET, Souvenirs de ma vie politique et parlementaire, in: Revue politique et parlementaire Sept., Nov., Dez. 1928, Jan., Febr., März, April 1929, Dez. 1930, Nov. 1931, Nr. 141, S. 13.

[143] GOBLET, Souvenirs, 10. Oktober 1929, S. 10–14. Bericht Münster vom 12. Dezember 1886, PAAA Bonn, F 107, Bd. 1. René DOLLOT, Un Ambassadeur de la Troisième République: Albert Decrais 1838–1915, in: RHD (1949), S. 9–37, hier: S. 33. – Dem Dictionnaire de Biographie Française zufolge erhielt de Courcel 1887 und 1888 das Aussenministerium angeboten. Was Waddington betrifft, werden Goblets Aussagen bestätigt durch einen Brief des Bruders Richard an William Waddington vom 3. April 1888, Papiers Waddington. Zum Angebot an Billot siehe deutscher Gesandtschaftsbericht aus Lissabon vom 13. Dezember 1886, PAAA Bonn, F 105, Bd. 2.

[144] P. Cambon an Hanotaux, 3. Juni 1894, Papiers Hanotaux, Bd. 19. AUFFRAY, Pierre de Margerie, S. 78. Bericht Münster vom 27. und 30. Mai 1894, PAAA Bonn, F 107, Bd. 7.

die Rede.[145] 1911 riet er seinem Bruder Jules, auf Caillaux' Angebot nicht einzugehen. Seinem Sohn schrieb er damals:

> »[...] je ne conseillerais pas à ton oncle d'entrer dans cette galère.«[146]

Paul Cambon wäre auch nicht bereit gewesen, im Januar 1913 Poincarés Nachfolge anzutreten, als man, weil man unter den Politikern zunächst keinen geeigneten Aussenminister fand, wieder einmal unter den Berufsdiplomaten Ausschau hielt.[147]

Welches waren die Gründe für diese Zurückhaltung? Wenn man von den besonderen Motiven absieht, die darin bestanden, dass man sich nicht in bestimmten Konstellationen und Kombinationen exponieren und auch nicht Mitglied einer Regierung werden wollte, die bereits wie im Falle Caillaux' (für dessen Kabinett Jules Cambon offenbar angefragt wurde) in Auflösung begriffen war, bleiben zwei allgemeinere Motive: erstens die Furcht vor den Debatten im Parlament sowie die mangelnde Personalkenntnis im innenpolitischen Bereich und zweitens die Hemmung, eine Position aufzugeben, in die man nach der naturgemäss stark befristeten Amtszeit als Aussenminister mit einiger Wahrscheinlichkeit nicht zurückkehren könnte. Die Hemmung, vor dem Parlament aufzutreten, drückt sich in Decrais' Absage von 1886 aus:

> »Je ne me sens pas l'autorité nécessaire pour affronter les luttes parlementaires [...].«[148]

Oder bei Paul Cambon 1913:

> »[...] outre toutes mes raisons personnelles de ne pas accepter il y a le fait que je ne suis ni sénateur ni député et qu'un ministre étranger au Parlement n'est pas un vrai ministre, c'est un commissaire du gouvernement et que ce rôle ne convenait pas au directeur de notre politique extérieure.«[149]

Hanotaux vertraute anlässlich seiner Wahl dem Tagebuch an:

> »[...] je ne suis pas orateur.«[150]

Mehrfach belegt sind sodann die Vorbehalte gegenüber der Innenpolitik und allfälligen Ministerkollegen. Decrais schrieb 1886:

> »[...] je dois vous le dire avec loyauté, je craindrais de n'être pas d'accord avec tous mes collègues sur tous les points du programme de la politique du cabinet.«[151]

Paul Cambon bemerkte zu diesem Aspekt in einem Brief an den an seiner Stelle ernannten Hanotaux:

---

[145] P. Cambon am 20. Januar 1898 an seine Mutter, am 1. April 1898 an seinen Bruder, am 29. Juni 1898 an seine Mutter und am 20. Januar 1913 an seinen Sohn, Fonds Louis Cambon.

[146] 20. Dezember 1911, ebenda.

[147] Vgl. übernächste Anm.

[148] DOLLOT, Decrais, S. 33.

[149] An seinen Sohn, 20. Januar 1913, Fonds Louis Cambon. Ähnlich: Paul Cambon an Jules Cambon, 21. Januar 1913 (ebenda).

[150] HANOTAUX, Carnets I, S. 394.

[151] DOLLOT, Decrais, S. 33.

> »Je n'ai pas eu un instant d'hésitation et je le regrette d'autant moins que vous êtes
> beaucoup mieux approprié que moi à l'emploi de ministre des affaires étrangères.
> Vous connaissez vos nouveaux collègues dont j'ignore même le visage à l'excep-
> tion de celui de F. Félix Faure. Vous n'avez pas quitté Paris et vous êtes familiari-
> sé avec l'atmosphère politique du moment.«[152]

Von Billot wusste der deutsche Gesandte in Lissabon zu berichten, jener wolle
nicht auf das Angebot eingehen, »solange er nicht wisse, welche innere Politik das
Ministerium zu befolgen gedenke.«[153] Dem gleichen Bericht zufolge hegte Billot
auch Bedenken, weil er nicht wusste, welches seine Stellung nach dem mit Sicherheit einmal eintretenden Ende des Kabinettes sein werde. Dieser Umstand
kommt auch in einem Gratulationsschreiben d'Estournelles an Hanotaux vom 1.
Juni 1894 zum Ausdruck, worin anerkennend hervorgehoben wird, dass Hanotaux seinen sicheren Direktionsposten aufgegeben habe.[154]

Als Goblet 1886 auf der Suche nach einem Aussenminister den Posten de
Courcel und Billot anbot, lehnten beide ab. Der erfolgreiche Botschafter Paul
Cambon hätte ebenfalls mehrfach Aussenminister werden können, er hütete sich
aber, diese undankbare und gefährliche Funktion zu übernehmen.[155] Kam hinzu,
dass sich der gerade amtierende Aussenminister, in diesem Fall Hanotaux, von
dieser Eventualität bedroht fühlte. Im April 1897 schrieb Cambon seiner Mutter:

> »Je trouve qu'on a beaucoup trop parlé de moi dans les journaux français. [...] Que
> Jules conjure nos amis d'écarter l'idée de me voir au Quai d'Orsay.«[156]

Dass nicht mehr aktive Diplomaten des Quai d'Orsay mit der Leitung des Ministeriums betraut wurden, erklärt sich zum Teil damit, dass bei denjenigen, die dafür in Frage kamen, das Interesse nicht gross war. Eine andere Erklärung liegt –
trotz des zitierten Diktums von Thiers/Joseph Barthélemy über die nötigen geo-
grafischen Kenntnisse – im Umstand, dass man andere Qualitäten als aussenpolitische Kenntnisse als wichtiger erachtete: Entscheidungskraft, kohärentes
Handeln, keine Wankelmütigkeit, Fähigkeit, die Aussenpolitik vor der Deputiertenkammer gut zu präsentieren und zu verteidigen – und anderes mehr. Diese
Qualitäten wurden mehreren Aussenministern attestiert, obwohl sie zuvor wenig
oder nichts mit Aussenpolitik zu tun hatten. Aussenministern wie dem Ingenieur
de Freycinet oder dem Gerichtssubstitut Ribot gelang eine Amtsführung, deren
politischer Gehalt zwar naturgemäss umstritten war, die aber nicht den Vorwurf
auf sich zog, der Aufgabe an sich nicht gewachsen zu sein. In den Augen der
Berufsdiplomaten waren freilich die meisten Aussenminister inkompetent. Immer wieder klagten besonders die Diplomaten der obersten Ränge über die Unkenntnis und Unwissenheit ihrer stets wechselnden Vorgesetzten. Diese Diplomaten hätten allerdings dem beklagten Zustand selbst ein Ende setzen können,
wurde ihnen doch immer wieder, wie dargelegt, die Möglichkeit geboten, die Leitung des Aussenministeriums zu übernehmen.

---

[152] Brief vom 3. Juni 1894, Papiers Hanotaux, Bd. 19.

[153] Bericht vom 13. Dezember 1886, PAAA Bonn, F 105/I, Bd. 2.

[154] Papiers Hanotaux, Bd. 2.

[155] VILLATE, République, S. 169.

[156] Paul Cambon an seine Mutter, 19. April 1897.

Umgekehrt meldeten gerade Profis, wie ebenfalls bereits dargelegt worden ist, gegenüber Aussenminister Gabriel Hanotaux, der eine Hauskarriere gemacht hatte, erhebliche Vorbehalte an. Ein guter Diplomat wie ein guter Aussenminister musste nach Cambon gar nicht über spezielle Fertigkeiten und Fähigkeiten, sondern nur über einen guten Menschenverstand verfügen; wenige Wochen später schrieb er nochmals auf Hanotaux bezogen seinem Sohn:

> »Dieu nous préserve des gens d'esprit dans la politique! Le gros bon sens est vraiment la qualité primordiale des diplomates come des épiciers.«[157]

## Mitgliedschaft in Deputiertenkammer oder Senat

In der nachfolgenden Liste werden bei den Angaben zur Qualifikation die Zugehörigkeit zu einer der beiden Kammern nicht speziell hervorgehoben, weil sie bei den meisten gegeben war; dies schon deswegen, weil auch die Aussenminister mit ihrer Fraktionszugehörigkeit der Mehrheitsbeschaffung dienten. Zudem muss die Zugehörigkeit zu einer parlamentarischen Gruppe den Aussenministern so etwas wie eine Hausmacht gegeben und so deren Stellung in der Regierung gestärkt haben. 16 entstiegen der wesentlich grösseren Deputiertenkammer (530–600 Sitze) und 12 dem wesentlich kleineren Senat (300 Sitze). Aus der Sicht der Anwärter auf ein Regierungsmandat war das Aussenministerium nicht sonderlich begehrt (vgl. unten).

Nur 3 der 31 gehörten weder der einen noch der anderen Kammer an (oder vor 1875 der Nationalversammlung), sie waren vergleichsweise früh im Einsatz: de Rémusat 1871–1873, de Banneville 1877 und Flourens 1886–1888. De Rémusat wie später auch Flourens setzte seine aussenpolitische Position durch einen innenpolitischen Kampf aufs Spiel. Seine erfolglose Kandidatur um einen Pariser Sitz in der Nationalversammlung am 28. April 1873 (Niederlage gegen den revolutionären Barodet) trug zum Sturz von Thiers und seinem eigenen Abgang bei; de Bannevilles Mandatslosigkeit war sozusagen eine Voraussetzung für die Berufung ins Übergangskabinett von 1877; Staatsrat Flourens sah in der Nichtzugehörigkeit zur Kammer einen Mangel und liess sich bei einer Nachwahl vom 26. Februar 1888 in den Hautes Alpes ebenfalls ein Deputiertenmandat geben und gehörte während vierzehn Jahren der Kammer an. 1888 hatte seine Kandidatur eine heftige Kontroverse um die Frage ausgelöst, ob sich ein – natürlich favorisiertes – Regierungsmitglied an Nachwahlen beteiligen dürfe. Nach seiner Wahlniederlage von 1906 kehrte Flourens in den Conseil d'Etat zurück.

Dem Parlament nicht anzugehören, konnte im Fall einer Regierungskrise ein Vorteil sein, weil man nicht in die Fraktionskämpfe involviert war.[158] Es konnte in der Ausübung eines Amtes aber auch ein Nachteil sein, weil man über keine Haus- beziehungsweise Schutzmacht verfügte. Paul Cambon hätte es, als er sich

---

[157] Brief vom 10. Juni 1904, P. CAMBON, Correspondance 1870–1924, Bd. 2, S. 143.

[158] Äusserung Fourniers vom 2. November 1895, Gabriel HANOTAUX, L'Énergie française, Paris 1902, S. 138. Bezüglich Hanotaux die Einschätzung des deutschen Botschafters von Münster: »[...] hat den grossen Vorteil, dass er das diplomatische Geschäft kennt und dass er nicht Parlaments-Mitglied und dafür unabhängiger dem Parlament gegenüber ist.« 21. Februar 1897, PAAA Bonn, F 105/1/12.

1913 zur Frage äusserte (vgl. unten), als Nachteil empfunden, Aussenminister zu sein, ohne ein parlamentarisches Mandat zu haben.

Die meisten Aussenminister vertraten im Kabinett – was viel wichtiger war als aussenpolitische Kenntnisse – eine bestimmte Gruppe von Parlamentariern, auf deren Unterstützung die Regierung angewiesen war. Auch für Hanotaux' Ernennung war nicht unwesentlich, dass der angehende Aussenminister einmal der Kammer angehört hatte. Hanotaux hatte sich am 10. April 1886 als Legationsrat beurlauben lassen, er wurde am 18. April 1886 durch eine Nachwahl Abgeordneter der Kammer und nach dieser Aufwertung am 19. April 1886 in beurlaubtem Status zum Minister 2. Klasse befördert. Im Oktober 1889 als Deputierter nicht wiedergewählt, liess sich Hanotaux wieder in den Quai d'Orsay integrieren. Während aber für den Anwärter Hanotaux das parlamentarische Vorleben von Vorteil sein mochte, erwies es sich später für den Aussenminister Hanotaux als Vorteil, dass er kein Deputiertenmandat mehr hatte: Als Neutraler konnte er bei Kabinettserneuerungen wieder in die neue Kombination einbezogen werden, ohne parteipolitischen Anstoss zu erregen.

Die in der Regel von »Fachleuten« geführten Kriegs- und Marineministerien hatten am meisten mandatslose Minister: Von 349 Ministern der Jahre 1871–1929 waren 45 ohne parlamentarisches Mandat, und von diesen 45 waren 35 Generäle oder Admirale, die eben die genannten Ministerien leiteten. Von den 31 Aussenministern hatten dagegen bloss drei nicht zuvor ein Mandat als Parlamentarier inne.[159]

## Wenig begehrtes Ministerium

Begehrt war das Portefeuille des Aussenministers nicht. Sofern man es nicht dem Minister des vorangegangenen Kabinettes überlassen konnte, hatte man in der Regel grosse Mühe, unter den Ministeriablen einen interessanten Interessenten für das innenpolitisch wenig begehrte Aussenministerium zu finden. Bei manchen Kabinettsbildungen wurde denn auch der Quai d'Orsay zuletzt besetzt. Schon Waddington war 1877 als Lückenbüsser Aussenminister geworden wie rund zwanzig Jahre später der Chemiker und Erziehungsminister Marcelin Berthelot. Bevor Duclerc 1882 das Aussenministerium übernahm, war vom Personaldirektor Herbette des Quai d'Orsay die Rede gewesen und war dem mehrfachen Landwirtschaftsminister, dem für kurze Zeit als Botschafter in Wien eingesetzten und kurz zuvor zum Vizepräsidenten des Senats gewählten Teisserenc de Bort eine formelle Offerte gemacht worden.[160] Flourens war 1886 sozusagen »dernière choix«. Goblet stellte sein Kabinett dem Parlament vor, ohne einen Aussenminister gefunden zu haben.[161] Rouvier, der sich im Juni 1905 schliesslich von Delcassé trennen musste, versuchte vergeblich, bei ehemaligen Aussenministern (Bourgeois, de Freycinet) und im Kader des Quai d'Orsay einen Nachfolger zu finden, und musste das Amt schliesslich selbst übernehmen. Bei der Bildung des Kabinettes Monis im März 1911 hatte man ebenfalls Mühe, einen Aussenminister

---

[159] In diesem Punkt ist Frederick Schuman zu korrigieren, der lediglich Banneville als Aussenminister ohne parlamentarisches Mandat nennt, SCHUMAN, War and Diplomacy, S. 30.

[160] LAVERGNE, Grévy, S. 86 f.

[161] GOBLET, Souvenirs, Nr. 141, S. 10 ff.; LAVERGNE, Grévy, S. 284 f.

zu finden; schliesslich wurde Handelsminister Cruppi (der immerhin schon ein paar Handelsabkommen unterzeichnet hatte) Aussenminister, nachdem Bourgeois, Poincaré und de Selves angefragt worden waren.[162] Und im Januar 1913 berichtete Daeschner, Poincarés ehemaliger Kabinettschef, wie schwierig es sei, einen neuen Aussenminister zu finden, zumal Ribot und Bourgeois abgesagt hätten und Pichon und Millerand nicht in Frage kämen.[163] De Selves kam 1911 auch nur zum Zug, weil sich kein besser qualifizierter Parlamentarier oder gar Botschafter finden liess.

## Verhältnis der Aussenminister zu ihren Regierungschefs

Während das erste Unterstaatssekretariat, das 1879–1881 geschaffen worden war, die Schwäche des Aussenministers auszugleichen hatte, wurde die beiden anderen Mal, da man diese Stelle führte, der Unterstaaatssekretär eingeführt, um die Doppelbelastung mitzutragen: einmal 1881/82 mit Eugène Spuller, der sozusagen der Statthalter des Ministerpräsidenten Gambetta war; ein andermal 1914 mit Abel Ferry, ebenfalls in einer Konstellation, da das Ministerpräsidium und Aussenministerium in einer Person, jetzt in Viviani, vereinigt war.

Dass die Aussenminister ihre Aufgabe zum Teil mit den Präsidenten der Republik teilen oder sich gar deren Ansichten unterwerfen mussten, ist im Kapitel über die Präsidenten bereits angesprochen worden (vgl. oben Kap. 2.1). Hier ist nun noch ein Kommentar zum Verhältnis der Aussenminister zu ihren Regierungschefs anzubringen.

Zunächst muss auf die *erste Kategorie* hingewiesen werden, in der diese beiden Funktionen recht oft, das heisst von 57 Regierungen doch 12mal, sich in den Händen der gleichen Person befand und sich damit die Frage weitgehend erübrigte.[164] Ob die Personalunion zum Vorteil der Aussenpolitik war, kann bezweifelt werden. Das Hauptinteresse kam in diesen Fällen meistens der Innenpolitik zu Gute.

Dann gab es eine *zweite Kategorie* von Verhältnissen: Der Ministerpräsident interessierte sich für die Aussenpolitik, es kam deswegen aber nicht zu Spannungen. Dass die Aussenpolitik von den Regierungschefs mitgestaltet oder sogar bestimmt wurde, war so aussergewöhnlich nicht. Waldeck-Rousseau soll in Delcassés ersten Jahren einen erheblichen Einfluss auf die französische Aussenpolitik ausgeübt haben.[165] Auch Clemenceaus Einfluss auf die Departementsführung Pi-

---

[162] Caillaux, Mémoires, Bd. 2, S. 46 f.

[163] Paul Cambon an Jules Cambon, 21. Januar 1914, Fonds Louis Cambon.

[164] Eigentlich gab es 15 Kabinette mit dieser Kombination, zwei werden hier aber nicht mitgerechnet, weil die Ministerpräsidenten (Broglie 1873 und Ribot 1893) im Amt blieben und lediglich das Aussenministerium einem Kollegen abtraten. Die Kombination Fallières zählen wir nicht, weil Fallières 1883 in seinem knapp dreiwöchigen Ministerium nur interimistisch auch das Aussenministerium leitete.

[165] Vgl. die allerdings für den Ministerpräsidenten günstige Darstellung von Waldeck-Rousseaus Kabinettschef Joseph Paul-Boncourt, Entre deux guerres. Souvenirs sur la IIIe République, Bd. 1, Paris 1945, S. 114–120. Die Begegnung mit dem deutschen Kaiser im Sommer 1902, von der noch die Rede sein wird, darf allerdings als Beleg für Waldeck-Rousseaus aussenpolitisches Interesse genommen werden.

chons ist erwiesen.[166] Und von Briand wird überliefert, er habe sich mehr und mehr auch für die Aussenpolitik interessiert:

> »Briand s'intéresse de plus en plus à la politique étrangère. Ce matin encore, il vient assister à ma conférence avec l'aimable Jonnart, dont je poursuis péniblement l'initiation.«[167]

Die *dritte Kategorie* wurde durch Kombinationen gebildet, in denen der Regierungschef sich wenig um die Aussenpolitik kümmerte und darum seinem Aussenminister weitestgehend freie Hand liess. Als Beispiel dieser Variante wird vor allem das Ministerium Combes mit Delcassé als Aussenminister genannt.

Schliesslich gab es eine *vierte Kategorie* mit ausgeprägten Spannungsverhältnissen. Diese hatten wohl kaum von Anfang an bestanden, ansonsten wäre es wohl gar nicht zur Berufung gekommen. Hingegen konnten sich die Beziehungen aus aussenpolitischen oder schlicht persönlichen Gründen beziehungsweise Fragen der Zuständigkeit (des »amour propre«) zum Schlechteren entwickeln.

*Erstes Beispiel:* Dies muss 1897 in Hanotaux' dritter Amtszeit der Fall gewesen sein: So versprach Regierungschef Méline dem amerikanischen Vertreter in irgendeiner Sache eine Unterschrift, die Hanotaux nicht geben wollte. Méline habe nicht mit der eigenen Unterschrift haften und Hanotaux habe vermeiden wollen, dass die Amerikaner mit seiner Unterschrift in der Öffentlichkeit hausieren könnten. Zudem ärgerte sich Hanotaux, dass der Vertreter Siams in irgendeiner anderen Sache mit Méline und nicht mit ihm verhandelte.[168]

*Zweites Beispiel:* Im Juni 1905 begann Ministerpräsident Rouvier ebenfalls sich in Delcassés Aussenpolitik »einzumischen«, er pflegte Kontakte mit dem deutschen Botschafter in Paris, ohne Delcassé zu informieren, und liess schliesslich wegen der sich verschärfenden Divergenzen seinen Aussenminister sogar fallen, um dann das Aussenministerium selbst zu übernehmen (vgl. unten Kap. 3.2).

*Drittes Beispiel:* Im Januar 1912 hatte Ministerpräsident Caillaux nach der Agadir-Krise Kontakte mit der deutschen Seite, ohne den Aussenminister de Selves einzubeziehen. Dieser reichte darauf seinen Rücktritt ein und löste damit den Sturz der Regierung aus (vgl. unten Kap. 3.2).

In der Debatte um die Konflikte zwischen Delcassé und Rouvier sowie zwischen de Selves und Caillaux wurde der Vorwurf ausgesprochen, die Ministerpräsidenten hätten die Aussenpolitik »an sich gerissen«. Im Fall Rouvier wie im Fall Caillaux wurde allerdings nicht die interne Einwirkung auf die Aussenpolitik als unstatthaft empfunden, sondern die Tatsache, dass diese Ministerpräsidenten ohne Wissen ihrer Aussenminister mit ausländischen Stellen (in beiden Fällen waren es deutsche) in Kontakt getreten waren. Dies und die Tatsache, dass beidemal Finanzverbindungen als zwischenstaatliche Kanäle benutzt wurden, sind die einzigen Gemeinsamkeiten der beiden Fälle. Caillaux wollte nicht wie Rouvier seinen Aussenminister über Bord werfen; er musste, zumal sein Aussenminister der

---

[166] Watson hat seinen Artikel von 1971 ganz auf diese Beweisführung angelegt, David Robin WATSON, The making of French Foreign policy during the first Clemenceau ministry 1906–1909, in: English Historical Review 86 (1971), S. 774–782.

[167] PALÉOLOGUE, Quai d'Orsay, S. 17, Eintragung vom 25. Januar 1913.

[168] Fonds François Berge, Papiers Faure, zum Conseil vom 22. Juni 1897, S. 253.

Aufgabe nicht gewachsen war, über de Selves' Kopf hinweg eine Lösung für die jüngste Marokko-Krise suchen. Ganz offiziell übernahm Caillaux die Führung der Aussenpolitik im August 1911, während de Selves' den Präsidenten nach Holland begleitete. Mit inoffiziellen Sondierungen erkundete er das Terrain, um dann offiziell die richtigen Instruktionen zu veranlassen.[169] Seine Schlussfolgerung wird beispielsweise durch einen Brief Caillaux' an Jules Cambon vom 4. August 1911 bestätigt, worin der Ministerpräsident schrieb:

> »Vous recevrez dans ce sens des directions du Ministre des Affaires étrangères, avec lequel je viens de conférer; mais j'ai tenu à développer la lettre officielle et à l'appuyer de l'expression et de l'explication de mes sentiments personnels.«[170]

Direkten Kontakt unterhielt er auch mit Jules Cambon, dem französischen Botschafter in Berlin. Für Cambon war es eine Selbstverständlichkeit, dass Ministerpräsidenten das Recht hätten, nach Gutdünken ausserhalb des Dienstweges mit französischen Beamten Korrespondenzen zu führen.

> »De tout temps un Président du Conseil qui a le souci des affaires a correspondu avec les hauts agents du Gouvernement. J'en pourrais citer mille exemples. Lisez les mémoires de Gontaut-Biron. Bien qu'un homme de la valeur de M. de Rémusat fût aux affaires étrangères, M. Thiers était en correspondance privée constante avec l'ambassade à Berlin. Il faut vraiment ne pas savoir ce que c'est qu'un Président du conseil, un Cabinet et le régime parlementaire pour disputer là dessus.«[171]

In einem Schreiben vom 18. März 1912 an Paléologue führte er weiter aus:

> »On eût beaucoup étonné M. Thiers [...] si on lui eût dit qu' il ne pouvait pas correspondre directement avec mon frère, étant en 1871 à la Préfecture de Moselle, parce que M. Casimir-Périer étant à l'intérieur – on n'eût pas moins étonné Jules Ferry si on eût voulu l'empêcher d'écrire soit à mon frère à Tunis soit à moi-même. Toutes les théories qu'au Quai d'Orsay même on a émises à ce sujet, sont purement la théorie bonapartiste, et on ne peut être surpris qu'elles soient mises en avant dans un moment où l'on voit M. Hervé.«[172]

Jules Cambon überwies dem Archiv die Kopien aller Briefe, die er Caillaux geschickt hatte; hingegen sah er sich nicht ermächtigt, auch die Briefe mitzugeben, die er von Caillaux erhalten hatte. Die These, dass direkte Korrespondenzen durchaus normal seien, schwächte Jules Cambon ab, als er gegenüber Poincaré betonte, er sei der Meinung gewesen, Caillaux und de Selves würden sich gegenseitig informieren.[173] Jules Cambon nahm auch keinen Anstoss daran, dass Caillaux die

---

[169] Jean Claude Allain, der beste Kenner dieser Vorgänge, kommt zu diesem Schluss, ALLAIN, Caillaux, S. 2172.

[170] Papiers Jules Cambon, Bd. 14.

[171] Jules Cambon an Mermeix, 15. März 1912, Papiers Jules Cambon, Bd. 15. Ähnlich wird Cambon von Poincaré zitiert, vgl. POINCARÉ, Au service, Bd. 1, S. 72.

[172] Ebenda.

[173] Als Beleg einen Brief de Selves' zitierend, in dem es heisst: »C'est une lettre de vous à M. Caillaux qui m'a amené à penser que [...].« J. Cambon an Poincaré, 8. Februar 1912, Papiers Cambon, Bd. 16.

Absicht hatte, mit dem deutschen Botschafter in Paris direkt in Kontakt zu treten.[174]

In den drei vorangegangenen Fällen vorzeitiger Demissionen war das Portefeuille des Aussenministers jeweils an den Premierminister übergegangen. Nach de Selves' Demission im Januar 1912 wollte Ministerpräsident Caillaux das Aussenministerium jedoch nicht übernehmen, sondern suchte sich – allerdings vergeblich – einen neuen Aussenminister (vgl. oben). Die Kombination Ministerpräsident und Aussenminister war recht geläufig[175], von den 57 Kabinetten der Jahre 1871–August 1914 begannen 8 Kabinette und endeten 12 Kabinette mit der Kombination von Ministerpräsidium und Aussenministerium. Zweimal kam es zu dieser Kombination, weil ein Aussenminister des vorangegangenen Kabinettes zusätzlich das Ministerpräsidium übernahm: mit Waddington 1879 und Ribot 1892. Über längere Zeit hat nur de Freycinet diese Doppelaufgabe innegehabt – 26 Monate verteilt auf drei Regierungsphasen. Die anderen Kombinationen dauerten wesentlich weniger lang: im Falle von Ribot 1892 nur einen Monat, Gambetta 1882 drei Monate, de Broglie 1873, Casimir-Périer 1894 und Doumergue 1914 je sechs Monate, im Fall von Waddington 1879 zehn und von Poincaré 1912 zwölf Monate.

Ministerpräsident de Freycinet wollte das Aussenministerium zunächst gar nicht übernehmen, und Gambetta hätte es vorgezogen, das Ministerpräsidium überhaupt mit keinem besonderen Portefeuille kombinieren zu müssen. Erst nachdem sein Gegenspieler, Präsident Grévy, gegen eine solche Lösung, die den Status des Präsidenten der Republik hätte gefährden können, Einspruch erhoben hatte und weder de Freycinet noch Challemel-Lacour Gambettas Aussenminister werden wollten, übernahm Gambetta diese beiden Funktionen.[176]

Wie bereits dargelegt, waren einige Ministerpräsidenten gar nicht darauf erpicht, auch das Aussenministerium zu übernehmen. Comte Chaudordy, ein Freund Gambettas, äusserte 1887 die auch von Gambetta vertretene Meinung, dass der Ministerpräsident nicht noch ein Fachministerium übernehmen sollte:

> »Le président du conseil ne devrait être chargé d'aucun portefeuille spécial, parce qu'il serait préférable que le chef de tout ce qui constitue l'ensemble des services de l'Etat eût le temps matériel et la liberté d'esprit nécessaires pour examiner avec soin les affaires et réfléchir sur les solutions à leur donner.«[177]

---

[174] Jules Cambon rät dem Ministerpräsidenten, den deutschen Botschafter zu sich zu rufen, Brief an Caillaux, 10. Juli 1911, Papiere Jules Cambon, Bd. 14.

[175] Von den 10 Ministerpräsidenten der Jahre 1912–1931 waren 7 zugleich Aussenminister. In den Jahren 1871–1930 wurde das Ministerpräsidium 30 Mal mit dem Aussenministerium, 20 Mal mit dem Innenministerium, 10 Mal mit dem Justizministerium und 5 Mal mit dem Finanzministerium kombiniert, Gilbert J. HEINBERG, The Personnel of French Cabinets, in: American Political Science Review 25 (1931), S. 389–396, hier: S. 395.

[176] FREYCINET, Souvenirs, Bd. 1, S. 187 und 193 f. Joseph REINACH, Le Ministère Gambetta. Histoire et Doctrine, 14 novembre 1881–20 janvier 1882, Paris 1884, S. 79.

[177] CHAUDORDY, France, S. 56. Chaudordy sprach sich im selben Moment allerdings auch entschieden gegen eine Kombination von Ministerpräsidium und Leitung des Quai d'Orsay aus. S. unten Anm. 196. G. J. Heinberg zufolge soll es in den Jahren 1871–1930 doch viermal vorgekommen sein, dass ein Ministerpräsident kein zusätzliches Portefeuille übernommen hat, HEINBERG, Personnel, S. 395.

Zugleich entlastete er sich aber im einen Bereich, indem er im Quai d'Orsay ein Unterstaatssekretariat einrichtete und Eugène Spuller mit dessen Führung betraute. Schon im vorangegangenen Kabinett Ferry stand Aussenminister Barthélemy-Saint-Hilaire ein Unterstaatssekretär zur Seite: Comte Horace de Choiseul-Praslin, der schon 1871 als Gesandter in Florenz in der französischen Diplomatie tätig gewesen war. Alle übrigen Kabinette verzichteten auf die Schaffung eines Unterstaatssekretariates.

Führte die Doppelbelastung zu Konflikten, so wurden sie in der Regel zum Nachteil der Aussenpolitik gelöst. 1873 stellte der Politische Direktor Desprez fest, der Duc de Broglie sei mehr Ministerpräsident als Aussenminister. Die Konflikte konnten Zeit- und Zielkonflikte sein. Die englischen Kommentare nach Poincarés Amtsantritt im Januar 1912 wiesen vor allem auf den Zeitkonflikt hin: Kein menschliches Wesen könne wirklich beide Funktionen befriedigend erfüllen, und eine ungenügende Departementsführung gebe den untergeordneten Büros die Möglichkeit, ihre eigene Politik zu machen:

> »It is unlucky that he is both Prime Minster and Minister for Foreign Office. No human being can fill both posts and be really ›au courant‹ with all important questions.«[178] – »With a new Minister and one so occupied as he must be as head of the Governement, it might be taken as certain, that the bureaux would endeavour to make their views prevail even if they had been rejected by the previous Minister for Foreign Affairs.«[179]

Diese an sich berechtigte Befürchtung war allerdings gerade im Fall von Poincaré nur wenig angebracht; Poincaré kannte seine Dossiers, seine Schwäche bestand im Gegenteil eher darin, dass er alles selbst regeln wollte. Dies wurde durch ein positives Urteil des schweizerischen Gesandten bestätigt:

> »Je tiens à constater que M. Poincaré se consacre à sa tâche avec une énergie, je dirai même avec un acharnement, digne des plus grands éloges; à 8 h ½ du matin il est au Ministère et ne rentre chez sa femme qu'après minuit, en mettant sur les dents tous ses collaborateurs; il les laisse lui exposer les questions dans tous leurs détails; il écoute, discute et pèse toutes les objections, puis on sent que subitement son opinion se forme, et, une fois sa décision prise, il va de l'avant sans dévier de la ligne adoptée. Ses collaborateurs du Ministère des Affaires Etrangères sont éblouis.«[180]

Aber auch er entschied sich für die Innenpolitik, wenn er in Folge der Überlastung einem Gebiet den Vorzug geben musste. Paul Cambon, Frankreichs ranghöchster und angesehenster Botschafter, musste dies persönlich erfahren, nachdem Poincaré ihn im Dezember 1912 von London nach Paris bestellt hatte. Der Ministerpräsident und Aussenminister liess den Botschafter zwei Tage warten und schickte ihn während der schliesslich zustande gekommenen Besprechung »für fünf Minuten« hinaus, um sich dann über eine Stunde lang mit einem Deputierten zu unterhalten. Tags darauf habe sich Poincaré bei ihm entschuldigt: Die Doppelfunktion belaste ihn zu stark. Falls er nach der Präsidentschaftswahl wie-

---

[178] Graham an Tyrrell, 23. Januar 1912, PRO, Privatpapiere Grey.

[179] Bertie an Nicolson, 1. Februar 1912, PRO, Privatpapiere Bertie.

[180] Lardy an Forrer, 6. Februar 1912, BA Bern, 2300 Paris, Bd. 65.

der der Regierung angehöre, werde er sich für das eine oder andere Amt entscheiden müssen.[181] Das Problem der Doppelbelastung bestand übrigens nicht nur in Frankreich. Als Lord Salisbury in der gleichen Situation war, wurden auf französischer Seite ähnliche Feststellungen gemacht.

> »D'ailleurs il ne faut pas oublier que Lord Salisbury est premier ministre aussi bien que ministre des Affaires Etrangères, c'est un inconvénient dont se plaignent mes Collègues et qui certainement contribue aux retard dont nous nous plaignons.«[182]

Und 1914 berichtete der russische Botschafter Iswolsky nach St. Petersburg, dass Ministerpräsident Doumergue für die Aussenpolitik nur wenig Zeit habe und deshalb im Quai d'Orsay eine völlige Anarchie herrsche:

> »Daraus ergibt sich [...] ein Einfluss untergeordneter Persönlichkeiten des Aussenministers auf die Geschäfte, der grösser ist als je.«[183]

In gewisser Hinsicht war natürlich bereits der Zeitkonflikt ein Zielkonflikt. Welchem Bereich sollte man Priorität einräumen: der Innen- oder der Aussenpolitik? Hanotaux urteilte über de Freycinet, er habe die Aussenpolitik zu sehr der Innenpolitik untergeordnet, das heisst mit seiner Aussenpolitik innenpolitisch nicht anstossen wollen.

> »Freycinet avait une autre faiblesse: toujours le désir de plaire; il subordonnait trop la politique extérieure à la politique intérieure; c'est le grand mal du régime parlementaire.«[184]

Diese an sich bestehende Tendenz mag bei Aussenministern, die zugleich die gesamte Regierung zu führen hatten, besonders stark gewesen sein, zumal wenn das Doppelmandat wie im Fall von Doumergue in eine Wahlperiode fiel.

Die Kombination wurde vor allem von denjenigen ungern gesehen, die der Auffassung waren, ein Aussenminister müsse über dem Parteihändel und bis zu einem gewissen Grad auch über dem Parlament, wo diese Händel ausgetragen wurden, stehen.

> »En tout cas, il ne devrait jamais être en même temps ministre des affaires étrangères. Cet usage, qui s'est peu à peu établi dans notre pays, est très fâcheux. Il en résulte que ce portefeuille si important est très souvent confié à un homme choisi au point de vue des discussions parlementaires et qui ne s'est jamais occupé de diplomatie. Or, comme ici la personne joue un rôle prépondérant, nos affaires extérieures se trouvent souvent mal conduites.«[185]

De Saint-Vallier war beispielsweise überzeugt, dass Waddington, als er im Februar 1879 auch noch das Ministerpräsidium übernahm, an Ansehen vor allem im

---

[181] Paul Cambon an seinen Bruder Jules, 16. Dezember 1912, Fonds Louis Cambon. Cambon sprach im gleichen Brief die Hoffnung aus, Poincaré würde sich für das Amt des Ministerpräsidenten entscheiden.

[182] Waddington am 11. Juli 1890 an Ribot im Zusammenhang mit dem Tunesien-Vertrag, Papiers d'agents.

[183] Berichte Iswolski vom 27. Februar, 12. März und 21. Mai 1914; Russ. Dok. I, Bd. 2, Nr. 87 und Bd. 3, Nr. 152.

[184] Gabriel HANOTAUX, Mon temps, Bde. 1–4, Paris 1933–1947, hier: Bd. 2, S. 321.

[185] CHAUDORDY, France.

Ausland eingebüsst habe und er dieses Amt möglichst schnell wieder loswerden müsse, um als Aussenminister wieder stärker und geachteter dazustehen.

> »Sur l'abandon de la Présidence, je suis heureux de voir que vous sentez comme moi à quel point vous serez plus fort, plus respecté, plus écouté, quand vous l'aurez quittée pour vous consacrer au Ministère qui est le vôtre, aux affaires que vous pouvez traiter avec votre sagesse, votre pénétration, votre loyal bon sens, en ne vous laissant pas compromettre par les côtés bas et indignes de vous [...].«[186]

Man hätte freilich noch weiter gehen und aus den gleichen Überlegungen fordern können, dass die Aussenminister auch dem Parlament nicht angehören dürften. Sie waren aber, wie wir gesehen haben, bis auf wenige Ausnahmen alle Deputierte oder Senatoren, mithin Angehörige einer parlamentarischen Gruppe, und als solche in die Innenpolitik involviert.

Als Chef einer Regierungsequipe war man jedoch in besonderem Masse politischen Angriffen ausgesetzt. Premierminister und Aussenminister Bourgeois spürte, nachdem er im April 1896 im Senat in einer innenpolitischen Angelegenheit eine Niederlage hatte einstecken müssen, wie heikel seine Situation gerade den ausländischen Vertretern gegenüber geworden war. Félix Faure in seinen Aufzeichnungen über Bourgeois:

> »Il m'avait fait la confidence que sa situation vis-à-vis des représentants étrangers était des plus délicates.«[187]

Problematisch war, wie der Fall Waddington zeigt, die Kombination auch im Hinblick auf die Amtsdauer des Aussenministers, da ein gestürzter Ministerpräsident schlecht im nachfolgenden Kabinett wieder vertreten sein konnte. Der »Times«-Korrespondent Blowitz prophezeite schon im Februar 1879, was sich zehn Monate später erfüllen sollte: Waddington müsse als Minsterpräsident in einer Kabinettskrise zurücktreten, während er als Aussenminister wahrscheinlich manche Regierungswechsel hätte überleben können.[188] Von den 12 Kabinetten, in denen Ministerpräsidium und Aussenministerium miteinander verbunden waren, wurden zwei über aussenpolitische Fragen gestürzt (Freycinet 1882 über die Ägypten-Frage, Ferry 1885 über die Tonkin-Frage) und zwei wurden aufgelöst, weil die Ministerpräsidenten zu Präsidenten der Republik gewählt worden waren (Casimir-Périer 1894 und Poincaré 1913). Verblieben somit acht Kabinette dieser Kombination (Waddington 1879, Freycinet 1880, Gambetta 1882, Duclerc 1883, Freycinet 1886, Bourgeios 1896, Doumergue und Viviani 1914), die aus innenpolitischen Gründen aufgelöst wurden und bei denen eine Beibehaltung des Aussenministers theoretisch möglich gewesen wäre, wenn das Aussenministerium nicht mit dem Ministerpräsidium kombiniert gewesen wäre.

---

[186] De Saint-Vallier an Waddington, 5. April 1879, Mémoires et Documents Allemagne, 166bis.

[187] Fonds François Berge.

[188] Chlodwig zu HOHENLOHE-SCHILLINGSFÜRST, Denkwürdigkeiten, Stuttgart 1906, Bd. 2, S. 263.

Prosopographie der Aussenminister

A Amtszeit und Regierung
B Qualifikation
C Amtstätigkeit
D Wahl und Abgang


1. Jules Favre
A    4. September 1870–2. August 1871 (1. Regierung Dufaure)
B    Mittlere ausssenpolitische Erfahrung: in der Zweiten Republik war er als Un-
      terstaatssekretär auf der Seite der Exekutive, seit 1858 aber Mitglied des Corps
      législatif, hatte mehrere wichtige Auftritte zu aussenpolitischen Fragen.
C    Gegenüber Thiers war er für den Präsidenten zuweilen eine Spur zu selb-
      ständig.
D    Scheint den Posten von sich aus aufgegeben zu haben, weil er der Angriffe
      der Rechten müde und mit Thiers' Entgegenkommen gegenüber dem Vati-
      kan nicht einverstanden war.[189]


2. Charles-François de Rémusat
A    2. August 1871–26. Mai 1873 (2. Regierung Dufaure)
B    Comte. Ohne aussenpolitische Erfahrung. War Innenminister der Juli-Mon-
      archie und 1848 Mitglied der Kabinette von Thiers und Guizot und blieb in
      den Jahren des Zweiten Kaiserreiches der Politik fern.
C    74jährig, überliess weitgehend Thiers das politische Feld und ergriff auch in
      der Organisation des Departements keine Initiative, obwohl dieses eine »re-
      prise en mains« nötig gehabt habe.[190]
D    Hat sich auf Bitten Thiers' widerwillig reaktivieren lassen. War vor seiner Er-
      nennung zum Aussenminister kurz Botschafter in Wien, erhielt auch London
      angeboten, lehnte diesen Posten aber ab, weil das Verhältnis mit den Exil-
      franzosen zu schwierig war.[191] Musste am 28. April 1873 im Kampf um
      einen Pariser Sitz in der Assemblée Nationale gegen eine Linksaussen-Kan-
      didatur eine Niederlage einstecken. Der Wechsel von Thiers zu Mac-Mahon
      hatte auch einen Wechsel im Quai d'Orsay zur Folge. Sein Sohn wurde 1877
      unter Waddington zum Gesandten in den Niederlanden ernannt, dieser zog
      aber eine Laufbahn als Deputierter vor.[192]


3. Jacques-Victor-Albert de Broglie
A    26. Mai–26. November 1873 (Regierungschef)
B    Vor 1848 war er als Botschaftssekretär in Madrid und Rom, 1848–1870 blieb
      er von der Politik fern, 1871 wurde er Mitglied der Nationalversammlung,

---

[189] DDF, Série I, Bd. 1 Nr. 34, Favre an Thiers.

[190] BAILLOU, Affaires étrangères, S. 29.

[191] REMUSAT, Mémoires, Bd. 5, S. 330 f.; BROGLIE, Mémoires, Bd. 2, S. 54.

[192] BN, Papiers Juliette Adam, 7/114.

Orleanist, liess sich aber zugleich von Thiers als Botschafter nach London schicken. Im Mai 1872 kehrte er nach Frankreich zurück, wurde Oppositionschef der liberalen Konservativen und führte die Kampagne zum Sturz von Thiers an. Duc de Broglie war zunächst der Meinung, er müsse als Ministerpräsident das Innenministerium übernehmen. Erst nachdem ihm Mac-Mahon erklärt hatte, dass diese Notwendigkeit nicht bestehe, übernahm er das Aussenministerium. Als sich dann aber zeigte, dass Innenminister Beulé ersetzt werden musste, übernahm er im zweiten Kabinett selbst das Innenministerium.[193]

Aussenpolitisch hatte er praktisch keine Differenzen mit Thiers, der fundamentale Gegensatz betraf die Innenpolitik: Er und seine Gruppe werteten die Aufnahme von Casimir-Périer und Waddington (beides spätere Außenminister) in die Regierung Dufaure als Indiz dafür, dass Präsident Thiers den Widerstand gegen die Radikalen aufgegeben habe.

C In seine Zeit fiel der Abschluss des von einem Sonderemissär des Handelsministeriums abgeschlossenen Handelsvertrags. De Broglie wurde vorgeworfen, diese Verhandlungen zu wenig unterstützt und damit auch Thiers nicht die erwartete Unterstützung gegeben zu haben.

D Vom neuen Präsident Mac-Mahon vor allem zum Regierungschef berufen. De Broglie nutzte eine nötig gewordene Regierungsumbildung, um das Aussenministerium gegen das Innenministerium einzutauschen. Nach seinem Rücktritt als Aussenminister behielt er den Regierungsvorsitz noch ein weiteres halbes Jahr bis zum 16. Mai 1874.

4. Louis-Charles-Elie-Amanien Decazes de Glücksberg
A 26. November 1873–16. Mai 1874 (2. Regierung Broglie)
A 22. Mai 1874–25. Februar 1875 (Regierung Cissey)
Verabschiedung der Verfassung von 1875
A 25. Februar 1875–23. Februar 1876 (Regierung Buffet)
A 23. Februar 1876–3. Dezember 1876 (3. und 4. Regierung Dufaure)
A 12. Dezember 1876–16. Mai 1877 (Regierung Simon)
A 17. Mai 1877–23. November 1877 (3. Regierung Broglie)
B Duc. Monarchist des linken Flügels, war für ein parlamentarisches System. Unter Louis-Philippe in den auswärtigen Dienst getreten, zog er sich im Februar 1848 aus dem öffentlichen Leben zurück. Im September 1873 ernannte ihn Aussenminister de Broglie zum Botschafter in London, wo er 1841 als Botschaftssekretär der Juli-Monarchie bereits tätig gewesen war.
C Gab der Führung des auswärtigen Dienstes eine personelle Kontinuität, wie sie erst wieder mit Delcassé und Pichon zustande kam. Reorganisierte das Ministerium, führte die von de Broglie eingeleitete Angleichung des Personals an den »Ordre moral« weiter und verlieh Frankreich insbesondere auch nach der »Krieg-in-Sicht«-Krise von 1875 wieder Statur.

---

[193] Marie-Camille-Alfred de MEAUX, Souvenirs politiques 1871–1877, Paris 1905, S. 149 und 198.

D    Wurde von de Broglie nach Paris gerufen und musste mit de Broglies Sturz ebenfalls abtreten, obwohl er mit dem Regierungschef offenbar Meinungs-verschiedenheiten hatte. Im Herbst 1877 zirkulierte das Gerücht, dass er die Botschaft in Berlin übernehmen und dann gestärkt wieder ins Aussenminis-terium zurückkehren werde – »pour rentrer avec plus d'éclat dans un Minis-tère ou vous avez rendu au pays les services les plus signalés«.[194] Der erst 58jährige hatte nach seinem Rücktritt keine öffentlichen Ämter mehr inne, nachdem er auch erfolglos für die Deputiertenkammer und für den Senat kandidiert hatte.

5. Gaston-Robert Morin de Banneville

A    23. November 1877–13. Dezember 1877 (Regierung Rochebuet)
B    Marquis. Gehörte zur alten Garde, war unter Louis-Philippe in den diploma-tischen Dienst getreten, trat 1848 zurück, stellte sich in den 1850er Jahren dem Zweiten Kaiserreich zur Verfügung, wurde Botschafter in Bern, beim Vatikan und schliesslich in Wien (vgl. unten Kap. 2.3), trat 1873 aber in den Ruhestand.
C    In den 20 Tagen seines Aussenministeriums konnte es nur darum gehen, die konservative Regierung mitzutragen und nicht eine bestimmte Aussenpolitik zu verfolgen. Mitglied eines »gouvernement de fonctionnaires«, mit dem aber die Deputiertenkammer wegen dessen reaktionären Charakters gar nicht erst in Kontakt treten wollte.
D    Wurde von der Regierung Rochebuet aufgeboten und verschwand mit dieser wieder; er wäre aber gerne mit einer Botschaft abgefunden worden. Manche rechneten mit einer Ernennung zum Botschafter in Konstantinopel (vgl. unten Kap. 3.3).

6. William-Henri Waddington (I)

A    27. Dezember 1877–3. Februar 1879 (5. Regierung Dufaure)
B    Erster republikanischer Chef des Quai d'Orsay. Sohn eines reichen britischen Fabrikanten, der sich in Frankreich niedergelassen hatte, Protestant. Vetter des Dean of Durham; hatte das Trinity College in Cambridge besucht. Verhei-ratet war er mit einer Amerikanerin, seinen Sohn taufte er Francis und mit seinem Bruder, dem Deputierten und späteren Senator Richard Waddington, korrespondierte er auf Englisch. Besonders verbunden fühlte er sich Jean Jules Jusserand, der um 1890 Waddingtons Legationsrat war. Jusserand war ein gu-ter Kenner der englischen Literatur, war mit einer in Frankreich aufgewachse-nen Amerikanerin verheiratet, war 1902–1924 Botschafter in Washington und verfasste seine 1933 publizierten Memoiren in englischer Sprache.[195] Wad-dington war immer wieder anglophoben Haltungen ausgesetzt (vgl. Wadding-ton II). War mit Gambetta befreundet. War unter Thiers für kurze Zeit und 1876 nochmals Erziehungsminister. War Numismatiker und Archäologe. Sei-ne republikanische Gesinnung wurde durch seine klassische Bildung so weit

---

[194] Gabriac an Decazes, 3. September 1877, Papiers Decazes/Hanotaux.
[195] Waddington an Jusserand, 12. Juni 1890, Papiers Jusserand, Bd. 2.

gedämpft, dass sie auch den Konservativen noch akzeptabel erschien. Abgesehen vom Vorderen Orient, wo sich der Archäologe auskannte, waren Waddingtons Auslandserfahrungen, als er im Dezember 1877 bei der Umgruppierung des Kabinetts das Aussenministerium übernehmen musste, so bescheiden wie seine erste Begeisterung für diese neue Aufgabe gering war.

C Machte im Juni 1878 recht gute Figur am Kongress von Berlin (Orientkrise). Sah davon ab, sich gegen die Übernahme von Tunesien zu irgendwelchen Gegenleistungen zu verpflichten, und hielt sich zu gut, mit »les mains nettes« nach Hause zurückgekehrt zu sein. Das Interesse an der Tunesienfrage spiegelt sich in der Bitte an einen diplomatischen Mitarbeiter in London: »Je vous prie également d'adresser toutes les dépêches relatives à Tunis sous double enveloppe avec la mention Personnelle.«[196] Die folgenden Urteile mögen mehr der Personalpolitik als der eigentlichen Aussenpolitik gegolten haben: Der immerhin mit Waddington befreundete de Vogüé bezeichnete ihn als schwach, wenn er über Waddingtons Nachfolger de Freycinet sagte: »Il ne pourra être plus néfaste que le faible et impuissant Waddington.«[197] Der Waddington ebenfalls sehr nahestehende de Saint-Vallier bemerkte im Zusammenhang mit der Kabinettskrise vom Dezember 1879: »Pour la première fois Waddington a fait acte de courage [...].«[198] Spuller, der während Waddingtons Ministerium noch der Opposition angehörte, stellte nachträglich verbindlich fest: »On a osé reprocher à M. Waddington le goût marqué qu' il avait pour les solutions conciliantes [...].«[199]

D Mitglied des 5. Kabinetts Dufaure, der ersten Regierung, der auch gemässigte Linke wie de Freycinet angehörten. Regierung ging mit Mac-Mahons Demission zu Ende.

– William-Henri Waddington (II)

A 4. Februar 1879–26. Dezember 1879 (Regierungschef)

B Siehe oben.

C War, wie gesagt, häufig anglophoben Urteilen ausgesetzt. 1877 urteilte die den französischen Kolonialismus befürwortende Juliette Adam über Waddington: »[...] c'est l'homme qui sciemment ou inconsciemment ne servira jamais la France sans servir à la fois l'Angleterre.«[200] Hanotaux sprach in seinen Memoiren von Waddingtons »flegme britannique«.[201] Des Michels nannte ihn »plus Anglais que Francais«, schränkte aber ein, er wisse nicht, ob dieser Ruf stimme, und urteilte dann, es sei schon zu viel, dass dieser Ruf überhaupt existiere.[202] 1888 waren die Presseangriffe so heftig, dass Waddington erwog, die Bot-

[196] Waddington an d'Harcourt in London, 21. Juli 1878, DDF, Série I, Bd. 2, Nr. 330.

[197] Journal 1932, S. 156.

[198] De Saint-Vallier an Chanzy, 6. Dezember 1879, Mémoires et Documents Allemagne, 167 bis.

[199] Eugène SPULLER, Figures disparues, Bd. 3, Paris 1894, S. 231.

[200] Juliette ADAM, Nos amitiés politiques avant l'abandon de la revanche (1873–1877), Paris 1908, S. 356.

[201] HANOTAUX, Mon temps, Bd. 2, S. 362.

[202] Jules-Alexis DES MICHELS, Souvenirs de Carrière 1855–1886, Paris 1901, S. 163.

schaft in London aufzugeben.[203] Der konservative Deputierte Jules Delafosse warf in der Debatte vom 2. Februar 1889 Waddington vor, er habe in den Verhandlungen um Englands Stellung in Ägypten versagt und erklärte dieses Versagen so: »[...] l'origine de M. Waddington, son education, l'influence secrete de l'atavisme font qu'il n'a pas le sens français de ce qui nous touche.« Nachdem er für diese allzu persönliche Bemerkung vom Vorsitzenden einen Verweis erhalten hatte, insistierte er: »[...] il etait moins propre qu'un Français de vieille race a représenter la France à Londres.«[204] Als Waddington Ende 1892 wieder vermehrt Angriffen ausgesetzt war, trat er schliesslich zurück. »[…] je sens que les attaques de la presse contre moi sont un ennui pour le gouvernement.«[205] Ribot versuchte, Waddington zu beruhigen: »Ce n'est pas votre faute, si dans les derniers temps nos relations avec le cabinet anglais sont devenues difficiles.«[206]

D    Nach Mac-Mahons Abgang liess er sich dazu verleiten, unter Präsident Grévy zusätzlich die Charge des Ministerpräsidenten zu übernehmen, eine Aufgabe, mit der er sich während elf Monaten herumplagte. Damit verlor er den kleinen Spielraum, den man den mit der Aussenpolitik betrauten Ministern üblicherweise liess. Die Linke warf Waddington vor, die nötige Reinigung des diplomatischen Korps versäumt zu haben. War er schon als Aussenminister wegen der Forderung, er solle sein Ministerium von antirepublikanischen Beamten säubern, dem Druck der Linken ausgesetzt, verstärkte sich dieser Druck mit der Übernahme der Kabinettsleitung. Gab im Dezember 1879 das Ministerpräsidium mit der leisen Erwartung wieder ab, die Leitung des Quai d'Orsay behalten zu können (vgl. dazu die Ausführungen im Kap. 3.3 zu St. Vallier, die zeigen, dass der nachfolgende de Freycinet beide Mandate wollte).[207] Waddington war 1883 ausserordentlicher Botschafter bei der Krönung von Zar Alexander III. und wurde im gleichen Jahr Botschafter in London, wo er immerhin zehn Jahre verblieb (vgl. unten Kap. 2.3). Im November 1883 wollte ihn Ferry als Nachfolger Challemel-Lacours ins Aussenministerium zurückrufen. Wegen der in letzter Zeit zu häufig vorgenommenen Wechsel in der Londoner Botschaft musste von dieser Berufung abgesehen werden.

## 7. Charles de Freycinet (I)

A    27. Dezember 1879–23. September 1880 (Regierungschef)

B    Mit 51 Jahren vergleichsweise jung, war während der beiden vorangegangenen Regierungen Arbeitsminister und hatte sich insbesondere um den Ausbau der Eisenbahnlinien und Kanäle grosse Verdienste erworben. Erwies

---

[203] Vgl. die Briefe Goblets, Challemel-Lacours und Richard Waddingtons in den Papiers Waddington und den Bericht Hatzfeld vom 5. Juni 1883, PAAA Bonn, F 108, Bd. 3.

[204] Jules Victor DELAFOSSE, Vingt ans au parlement, Paris 1898, S. 75 f.

[205] Waddington an Ribot, 12. November 1892, Papiers Ribot, Bd.3.

[206] Brief an Waddington vom 16. November 1892, Papiers Waddington, Rapport 4.

[207] Waddingtons Gattin gibt ebenfalls de Freycinets Aspirationen als Grund für Waddingtons Ausscheiden an, Mary King WADDINGTON, My first Years as a Frenchwoman 1876–1879, London 1914, S. 252. Desgleichen der damalige Unterstaatssekretär im Justizministerium, GOBLET, Souvenirs, Teil I, S. 389.

sich bereits im 1870er Krieg als guter Organisator. Bis 1880 mit Gambetta befreundet, von Jules Grévy gefördert. Erklärt, dass ihm Gambetta zur Übernahme des Aussenministeriums geraten habe, zumal die Hauptaufgaben der öffentlichen Bauten abgeschlossen seien.[208] Bekannte sich zu einem zivilisatorischen Erschliessen von Kolonialgebiet.[209]

C  Republikanisiert das Aussenministerium, konsolidiert die Neuerwerbung Tunesien.

D  War gleichzeitig Ministerpräsident, hielt sich also selber das Aussenministerium zu und musste dieses wieder abgeben, als nach neun Monaten eine neue Regierung gebildet werden musste. Gab im November 1881 Gambetta zunächst eine Zusage für eine weitere Übernahme des Aussenministeriums.

8. Jules Barthélemy-Saint-Hilaire

A  23. September 1880–14. November 1881 (Regierung Ferry)

B  75jährig, angesehener Hellenist, Vizepräsident des Senats und Freund Thiers', aufgenommen, um Ferrys Regierungtruppe einen akzeptablen Anstrich zu geben – »pour rassurer l'Europe«.[210] Ohne aussenpolitische Kenntnisse, darum schuf man extra ein Unterstaatssekretariat und besetzte dieses mit dem Berufsdiplomaten Comte Horace de Choiseul, der 1871 kurz Botschafter in Italien, dann aber Mitglied der Assemblée Nationale und der Deputiertenkammer war.

C  Was Barthélemy-Saint-Hilaire nicht leistete, dürfte vom energischen Ministerpräsidenten Ferry selbst in die Hand genommen worden sein. Immerhin werden ihm Verdienste in der Schaffung des Protektorats Tunesien zugeschrieben, wobei betont wird, die Leistung habe darin bestanden, dass er auf seine Mitarbeiter gehört habe.[211] Im Januar 1881 bemerkte Montholon über ihn: »[...] il n'est pas le plus mauvais; son influence est nulle et c'est déjà quelque chose de ne pas pousser au mal du (?) milieu de gens qui ne font pas autre chose.«[212]

D  Musste mit der Regierung Ferry abtreten, nachdem diese in der Kolonialpolitik (Tunesien) in die Minderheit versetzt worden war (vgl. auch Kap. 3.2).

9. Léon Gambetta

A  14. November 1881–30. Januar 1882 (Regierungschef)

B  Starker Mann der Regierung vom 4. Sept. 1870, Vater der Republik von 1875, militant antiklerikal, lehnte Staatspräsidium ab, wurde im Jan. 1879

---

[208] FREYCINET, Souvenirs, Bd. 1, S. 96.

[209] Ebenda, S. 103. In einem Abschiedsbrief an seine Ingenieure vom 28. Dezember 1879 fordert er diese auf, Verbindungswege in Afrika zu bauen, eine Bahn durch die Sahara zum Sudan, den Niger und Kongo friedlich zu erobern.

[210] André d'ORMESSON, Le vicomte Eugène-Melchior de Vogüé. Diplomate et écrivain 1848–1910. In: RHD 1950, S. 196–210, hier: S. 210. – Louis ANDRIEU, Souvenirs d'un préfet de Police, Bd. 1, Paris 1885, S. 294 – HANOTAUX, Mon temps, Bd. 2, S. 59.

[211] René Millet an Ribot, 12. Juli 1890, Papiers Ribot.

[212] Montholon an Ring, 3. Januar 1881, Papiers Ring.

aber Präsident der Kammer, stürzte Ferry und übernahm selbst die Regierung und das Aussenministerium.

C   Setzte Eugène Spuller als Unterstaatssekretär ein. Stand im Verdacht, sich mit Bismarck versöhnen zu wollen. Auch sei er bestrebt gewesen, Frankreich aus seiner Isolation zu holen. Suchte Entente und Kooperation mit Engländern speziell in Ägypten, in den nur 74 Tagen war dies aber nicht zu machen.

D   War vor allem Ministerpräsident, wollte das Aussenministerium de Freycinet lassen, dieser lehnte jedoch ab. Musste wegen Ablehnung der von ihm geforderten Wahlreform zurücktreten.

– Charles de Freycinet (II)

A   30. Januar 1882–7. August 1882 (Regierungschef)

B   Siehe oben.

C   War gegen ein weiterführendes Engagement in Ägypten zusammen mit den Briten. Diese Zurückhaltung trug ihm von Seiten Paul Cambons, der damals Frankreichs Generalresident in Tunis war, die Charakterisierung ein: »Ce Freycinet est vraiment l'être le plus ondoyant, le plus versatile, le plus féminenin qu'on puisse voir.«[213] Auch Gabriel Charmes charakterisierte ihn als ausgesprochene Wetterfahne. Wenn er stürzte, sei dies nicht, weil er plötzlich eine aufrechte Haltung eingenommen, sondern sich einfach im Wind getäuscht habe – »il s'était trompé sur la direction du vent.«[214]

D   Gleichzeitig Regierungschef, stürzte über eine Kreditablehnung in der Ägyptenfrage, weil er nur für ein beschränktes Engagements Frankreichs war (bloss Verteidigung der Kanalzone). Wurde drei Jahre später erneut Außenminister, dann nochmals Regierungschef und führte auch das Aussenministerium weiter. Erklärt noch 1914 in seinen Memoiren, dass er es wegen der damit verbundenen Massaker auch nachträglich nicht bedaure, Alexandrien nicht mitbombardiert zu haben.[215]

10. Charles-Théodore-Eugène Duclerc

A   7. August 1882–29. Januar 1883 (Regierungschef)

B   Gegner der Konservativen (de Broglie, Mac-Mahon), 1975 Vizepräsident der Nationalversammlung, 1976 Senator, erstes Regierungsmandat eines fünf Monate dauernden Übergangskabinetts.

C   Beendete in Ägypten das finanzielle Kondominium mit den Briten. Musste in dieser Zeit dagegen das Engagement in Indochina gegen China erhöhen.

D   Wollte zunächst das Aussenministerium nicht selber führen und Teisserenc de Bort, der bis 1880 Botschafter in Wien war, gewinnen; dieser lehnte jedoch ab. Demissionierte 1883 als Regierungschef und damit auch als Aussenminister, weil er mit der Ausweisung der Monarchisten nicht einverstanden war.

---

[213] Paul Cambon an Anna, 24. Juli 1882, Papiers privés.

[214] G. CHARMES, Politique extérieure, S. 66.

[215] FREYCINET, Souvenirs, Bd. 2, S. 231. Vgl. auch GUILLEN, Expansion, S. 151 f.

11. Armand Fallières

A   29. Januar 1883–21. Februar 1883 (teilweise Regierungschef)

B   Vizepräsident der »gauche républicaine«, unmittelbar zuvor, 1879–1883, im Innenministerium, zunächst als Unterstaatssekretär, dann als Minister.

C   Im 20tägigen Interimsministerium vom Januar/Februar 1883 versah er gleich die Leitung der Regierung und des Aussenministeriums, allerdings ohne viel zu bewirken.

D   Stürzt über Ablehnung einer antimonarchistischen Vorlage durch den Senat, verfolgte die Ministerkarriere weiter, wurde Senatspräsident und 1906 Staatspräsident.


12. Paul-Armand Challemel-Lacour

A   21. Februar 1883–20. November 1883 (Regierung Ferry)

B   Ehemaliger Universitätslehrer, Pressemann, Mitbegründer der *République française*, Freund Gambettas, Freimaurer wie Gambetta, Ferry, Rouvier und viele andere[216], mit etwas aussenpolitischer Erfahrung als ehemaliger Botschafter zunächst in Bern (1879), dann in London (1880–1882)[217]; zu den Botschafternominationen vgl. Kap. 2.3. Von Waddington 1879 charakterisiert als »un républicain sincère, appartenant à la gauche républicaine.«[218] Gambetta wollte ihn schon im November 1881 zum Aussenminister machen, doch dieser sagte aus gesundheitlichen Gründen und aus Verärgerung über den Widerstand gegen die Übernahme Tunesiens ab.[219] Man wusste schon bei Amtsantritt, dass Challemel-Lacour aus gesundheitlichen Gründen nicht lange werde Aussenminister sein können.[220]

C   Im September 1883 klagte der Ministerpräsident, Challemel-Lacour mache zur Zeit wieder eine Phase der Mutlosigkeit durch, vielleicht werde er sogar denjenigen recht geben, die seinen Rücktritt voraussagen. Jules Ferry an Waldeck-Rousseau am 16. September 1883: »Malheureusement Challemel me laisse sur les bras toute cette besogne. Saisi d'un de ces accès de découragement que vous connaissez, il a voulu au moins, fuir Paris et le quai d'Orsay pour quelques jours – il l'a promis du moins. Vous dirai-je, en grand secret, qu'il parlait de faire pis encore, de se retirer tout à fait, donnant raison à tout ce qui se dit et s'invente contre lui et contre nous!«[221] Die Tonkin-Debatte vom 30./31. Oktober 1883 muss Ferrys Aussenminister schliesslich völlig entmutigt haben.[222] Ferrys Biograph Maurice Reclus sagt über Challemel-Lacours' Demission: »[...] pour des raisons qui n'ont jamais été élucidées et où les négociations avec la Chine avaient peut-être moins de part

---

[216] ESTÈBE, Ministres, S. 207 f., aber ohne spezielle Bedeutung für die Aussenpolitik.

[217] Im Zusammenhang mit seinem Londoner Aufenthalt wird mehrfach berichtet, dass sein Benehmen sehr undiplomatisch gewesen sei.

[218] Bericht nach Bern 11. Januar 1879, BA Bern, 2300 Paris, 2/739.

[219] REINACH, Gambetta, S. 68.

[220] AUFFRAY, Pierre de Margerie, S. 32.

[221] Lettres inédites de Jules Ferry à M. H. Waddington, in: Francis WADDINGTON (Hrsg.), RHD 1937, S. 307–337, 499–529, hier: S. 347 f.

[222] HANOTAUX, Mon temps, Bd. 2, S. 350 und 380.

que les ›vapeurs‹ du philosophe pessimiste.«[223] War aber doch mehr an Philosophie als an Diplomatie interessiert.

D   Ferry wollte eigentlich Waddington, damals Botschafter in London, berufen, musste aber davon Abstand nehmen (vgl. oben). Wurde neun Monate später ersetzt, nachdem er in der Tonkin-Debatte im Herbst 1883 versagt hatte. Nun führte Ferry auch offiziell die Geschäfte für weitere 17 Monate.

### 13. Jules Ferry

A   20. November 1883–6. April 1885 (gleiche Regierung)

B   1872/73 Botschafter in Athen, 1879/80 Erziehungsminister, 1880/81 Ministerpräsident, gleichzeitig und auch später wieder Erziehungsminister.

C   Verstärktes Kolonialengagement, überwand definitiv die Phase des »recueillement«, sah sich vor dem Vorwurf, Frankreichs Sicherheit den Deutschen »verkauft« zu haben.

D   Stürzte – mit dem schlechten Ruf des »Tonkinois« – als Regierungschef und Aussenminister über militärischer Niederlage in Indochina (Affäre Langson, vgl. auch Kap. 3:2).

### – Charles de Freycinet (III)

A   6. April 1885–29. Dezember 1885 (Regierung Brisson)

B   Siehe oben.

C   Noch immer die Ägyptenfrage. Ein Zeitgenosse kommentierte: »Plus M. de Freycinet sera disposé à se montrer coulant sur le fonds de la querelle, plus il se croira obligé de faire preuve de fermeté en ce qui regarde les procédés du gouvernement Egyptien. L'opinion publique n'admetterait d'ailleurs pas une autre attitude de sa part.«[224]

D   Wollte zunächst, was erst im folgenden Jahr gelingen sollte, eine weitere Regierung bilden, musste das dann aber Brisson überlassen und sich vorläufig, bis Brisson genug hatte, mit dem Aussenministerium begnügen. Neubildung der Regierung infolge allgemeiner Wahlen.

### – Charles de Freycinet (IV)

A   7. Januar 1886–11. Dezember 1886 (Regierungschef)

B   Siehe oben.

C   Vertrag mit Madagaskar, Verhandlungen betr. Kongo, Indochina, Neue Hebriden.

D   Stürzte als Regierungschef über eine diffuse Kombination innenpolitischer Fragen (Wirtschaftskrise, Staatsanleihe, Royalistenverbot, antiklerikales Schulgesetz). Kandidierte im Dezember 1887 vergeblich für die Präsidentschaft der Republik, wurde dann mehrfach Kriegsminister, betrieb als solcher hinsichtlich der französisch-russischen Beziehungen weiter Aussenpolitik und war noch einmal 1890/92 Regierungschef.

---

[223] Maurice RECLUS, Jules Ferry, Paris 1947, S. 290.

[224] Ring an de la Motte, 10. April 1885, Papiers Ring.

14. Emile Flourens

A   13. Dezember 1886–4. April 1888 (Regierung Tirard)

B   Berühmt als »mangeur de prêtres«.

C   Aussenminister während dreier Kabinette (Goblet, Rouvier, Tirard). Antiboulangist und ruhige Kraft in der Affäre Schnaebelé, zwei Verträge mit Grossbritannien zum Suezkanal und zu den Neuen Hebriden.

D   Kam »par accident« an die Spitze des Quai d'Orsay, diplomatisch völlig unerfahrener Staatsrat ohne Anhang in der Deputiertenkammer, der er nicht angehörte. Ministerpräsident Goblet ernannte ihn nach monatelangem Suchen und zahlreichen Absagen. Blieb dann immerhin 16 Monate.

15. René Goblet

A   4. April 1888–22. Februar 1889 (Regierung Floquet, radical)

B   Zuvor Erziehungsminister und Ministerpräsident. Rouvier weigerte sich wegen dieser Besetzung an der Regierung teilzunehmen. Guillen sagt von Goblet: »Il apparait sans capacité particulière pour conduire la diplomatie française.« Darum habe zum Beispiel Rouvier an der Regierung nicht teilnehmen wollen; insbesondere habe er sich in der deutsch-französischen Krise von 1887 ungeschickt verhalten.[225]

C   Fördert erfolgreich die Annäherung an Russland, vehementer Antiboulangist.

D   Regierung stürzt über Verfassungsfrage.

16. Eugène Spuller

A   22. Februar 1889–17. März 1890 (2. Regierung Tirard)

B   War 1881/82 bereits Unterstaatssekretär im Quai d'Orsay unter Außenminister Gambetta, gehörte ebenfalls zur Journalistenequipe um die *République française*, sein Vater stammte aus Baden, was zur Bemerkung führte, dass er mit seinem deutschen Ursprung eine für die Diplomatie wenig geeignete Schroffheit in sich getragen habe.[226]

D   Innenminister Constans (ehem. Botschafter) überwarf sich mit dem Ministerpräsidenten, Regierung weigerte sich, den Handelsvertrag mit der Türkei zu revidieren. Regierung wurde durch den Senat gestürzt.

17. Alexandre Ribot (I)

A   17. März 1890–28. Februar 1892 (4. Regierung Freycinet)

B   Eher Antikolonialist, hatte 1885 am Sturz Ferrys mitgewirkt.

C   Zusammen mit de Freycinet, der zugleich das Kriegsministerium führte, baute er an der französisch-russischen Allianz. Betrieb auch einen versöhnlichen Kurs gegenüber England, besonders in der Ägyptenfrage, aber auch allgemein in den Kolonialfragen (Vertrag vom 5. August 1890). Departementsreformen. Paul Cambon hegte grosse Vorbehalte gegenüber Ribot: »Je trouve Ribot fébrile, inquiet. Son malheur est de jamais flâner, de ne pas fumer,

---

[225] GUILLEN, Expansion, S. 15.

[226] BAILLOU, Affaires étrangères, S. 32.

de n'avoir aucun de ces vices qui calment les nerfs et occupent le corps. Il vit en tête à tête avec ces idées pures. [...] il ne domine pas la situation. Il est noyé pour avoir voulu trop faire et faire trop vite.«[227]

D   Ministerpräsident de Freycinet wechselte Spuller gegen Ribot aus, von dem es heisst, er sei geschickter gewesen. Wurde zu den starken Aussenministern gezählt, war aber eher Finanzexperte, die Leitung des Aussenministeriums war sein erster Regierungsposten, den Quai d'Orsay hatte er zuvor nur aus der Sicht der Budgetfragen gekannt. Wechselte in die neue Regierung.

– Alexandre Ribot (II)
A   28. Februar 1892–6. Dezember 1892 (Regierung Loubet)
B   Siehe oben.
D   Wechselte in die neue, von ihm selbst gebildete Regierung

– Alexandre Ribot (III)
A   6. Dezember 1892–11. Januar 1893 (Regierungschef)
B   Siehe oben.
D   Höhepunkt der Panama-Affäre, Demission des Finanzministers Rouvier.

18. Jules Develle (I)
A   11. Januar 1893–4. April 1893 (2. Regierung Ribot)
B   Vorher mehrfach Landwirtschaftsminister, ohne spezielle Vertrautheit mit aussenpolitischen Fragen.
C   Konnte mit Siam Vertrag abschliessen (3. Oktober 1893) und die Ambitionen der Kolonialpartei auf Laos aufrechterhalten, ohne Grossbritannien vor den Kopf zu stossen. Sorgte für weitere Fortschritte in den französisch-russischen Beziehungen.
D   Ribot tauschte das Aussen- gegen das Innenministerium und brauchte darum einen Leiter des Quai d'Orsay. Blieb an der Spitze des Quai d'Orsay, als Ribot über der Panama-Affäre stürzte.

– Jules Develle (II)
A   4. April 1893–3. Dezember 1893 (Regierung Dupuy)
B   Siehe oben.
D   Wurde vom neuen Regierungschef im Amt belassen, im November 1893 setzte neue Legislaturperiode ein.

19. Jean Casimir-Périer
A   3. Dezember 1893–30. Mai 1894 (Regierungschef)
B   Vater 1871/73 Regierungsmitglied, centre-gauche, gegen Mac-Mahon. Sohn war 1871 Kabinettschef in dem von seinem Vater geleiteten Ministerium, dann Unterstaatssekretär im Erziehungs- und im Kriegsministerium, 1893 Präsident der Deputiertenkammer.

---

[227] Paul Cambon an Anna, 19. und 22. September 1890, Papiers privés.

C Bemüht sich ohne grossen Erfolg, die Beziehungen zum Vatikan zu verbessern. Definitiver Abschluss der französisch-russischen Allianz.

D Gleichzeitig Ministerpräsident, stürzte über einer Gewerkschaftsfrage und wurde am 2. Juni erneut zum Präsidenten der Deputiertenkammer gewählt. Nach der Ermordung Carnots vom 24. Juni wurde er am 27. Juni 1894 zum Präsident der Republik gewählt.

### 20. Gabriel Hannotaux (Ia)

A 30. Mai 1894–27. Juni 1894 (2. Regierung Dupuy)

B Ohne damit zu unterstellen, dass er deswegen ein besserer Aussenminister war: Einer der ganz wenigen Chefs des Quai d'Orsay mit diplomatischen Berufskenntnissen. Seit Januar 1879 arbeitete der Absolvent der »Ecole des Chartes« dank Vermittlung Gambettas im Archiv des Aussenministeriums.[228] Schon 1894 meldete Paul Cambon neben der grundsätzlichen Anerkennung von Hanotaux' Tauglichkeit den Vorbehalt an, er würde zu oft Gespräche und Schreiben mit wirklichen Aktionen verwechseln.[229] Und 1896 sagte Paul Cambon von ihm: »Il a l'éducation d'un archiviste et la portée d'esprit d'un homme de lettres. L'action le déconcert et il manque de coup d'oeil devant les réalités de la vie.«[230] Hanotaux wechselte aus der Archivposition mehrfach in die Kabinette der Aussenminister, von Barthélemy-Saint-Hilaire, Gambetta und Ferry.[231] Vom Juli 1885–April 1886 war er erstmals im Aussendienst als Botschaftsrat in Konstantinopel unter de Noailles, Wahl zum Deputierten und Beurlaubung vom Aussenministerium, nach Wahlmisserfolg Oktober 1889 Unterdirektor der Politischen Direktion, Oktober 1892 (unter Ribot) Direktor der Konsulate und der Handelsabteilung.

C Warmer Befürworter der kolonialen Expansion. Träumte im Sommer 1892 von einer Aufteilung des Empire – »la riche dépouille d'Angleterre« – unter den drei kontinentalen Mächten Frankreich, Deutschland, Russland.[232] Seine Haltung gegenüber Deutschland wird in der Literatur als weniger freundlich bezeichnet als angenommen, und gegenüber England als freundlicher als angenommen.[233] Trotzdem erschien diese auch hier als die gegebene Alternative.

D Paul Cambon, der 51jährige Botschafter in Konstantinopel, hatte als erster die Leitung des Aussenministeriums angeboten bekommen, er hütete sich aber, diesen riskanten Posten anzunehmen. Mit 43 Jahren ein vergleichsweise

---

[228] Zur familiären Herkunft meint ESTÈBE, Ministres, sie sei ziemlich repräsentativ für das bürgerliche Milieu (S. 37 f.).

[229] Paul Cambon an Mutter, 27. Mai 1894, Papiers privés.

[230] Paul Cambon an Mutter, 24. Dezember 1896, Papiers privés.

[231] Er hätte auch in de Freycinets Kabinett mitmachen können, zog es aber vor, im Archiv zu bleiben, HANOTAUX, Mon temps, Bd. 2, S. 41.

[232] Er entwickelte nicht nur solche Phantasien, er schrieb sie auch auf und meinte, dass man nach den Wahlen von 1893 mit der Umsetzung beginnen könnte. Vgl. Journal 22. Juni 1892, ausführlich zitiert in GRUPP, Deutschland, Frankreich und die Kolonien, S. 148.

[233] Thomas JIAMS, Dreyfus, diplomatists and the Dual Alliance. Gabriel Hanotaux at the Quai d'Orsay 1894–1898, Genf 1962, S. 151.

junger Aussenminister zusammen mit anderen jungen Ministern. Der gleich-
altrige Delcassé (vgl. unten) übernahm gleichzeitig das Kolonialministerium.
Andere neue Kräfte: Poincaré, Leygues, Barthou. Behielt die Funktion des
Aussenministers in der nächsten Regierung Dupuy, die durch die Wahl des
neuen Staatspräsidenten Casimir-Périer neu aufgelegt werden musste. Blieb
auch in der nächsten Regierung Ribot, die nach der Wahl von Präsident
Faure im Januar 1895 gebildet wurde.

– Gabriel Hanotaux (Ib)
A   27. Juni 1894–26. Januar 1895 (2. Regierung Dupuy)
B   Siehe oben.
D   Bleibt auch in der nächsten Regierung.

– Gabriel Hanotaux (II)
A   26. Januar 1895–2. November 1895 (3. Regierung Ribot)
B   Siehe oben.
C   Kontroverse Vereinbarung mit Madagaskar. Wäre auch bereit gewesen, von
    Madagaskar und von Tunesien aus nach Ägypten zu marschieren.
D   Stand der Regierung Ribot zur Verfügung, die Ende Oktober 1895 über eine
    Kombination von innenpolitischen Konflikten (Vermögen der Kongregatio-
    nisten, Streiks, Eisenbahnskandal) stürzte. Für Paul Cambon war aber klar,
    dass Hanotaux als Autor der als ungenügend eingestuften Vereinbarung mit
    Madagaskar nicht im Amt bleiben könne.[234] Wollte im November 1895 in
    der Regierung (radical homogène) von Bourgeois nicht mitmachen[235]; hoff-
    te, dass deswegen diese Regierung nicht zustande komme.

21. Marcelin Berthelot
A   2. November 1895–28. März 1896 (Regierung Bourgeois)
B   Angesehener Chemiker. 1886/87 Erziehungsminister unter Goblet; auch in
    der Regierung Bourgeois zunächst als Erziehungsminister vorgesehen. Ber-
    thelot war derart weit weg vom Quai d'Orsay, dass sich Paul Cambon ange-
    sichts der ersten Mitteilung fragte, ob das nicht ein Irrtum sei: »Est-ce pos-
    sible? Est-ce croyable? Ne s'agit-il pas d'Herbette, qui a aussi un B et un H
    dans le nom?«[236] Staatspräsident Faure war ebenfalls überhaupt nicht begeis-
    tert. Er attestierte ihm zwar, dass er »honorable« sei und »d'une intelligence
    et d'un savoir incontesté«, doch er sei auch »peu compétent«. Berthelots un-
    bescheidene Bemerkung, dass sein Name weltbekannt und er Mitglied zahl-
    reicher Akademien insbesondere in Russland sei, verringerte die Skepsis ge-
    genüber dieser Nomination wenig. Hingegen hörte Faure sicher gerne, dass
    der neue Aussenminister versprach, dass er sich in allen Fragen von ihm lei-
    ten lassen werde.[237]

---

[234] VILLATE, République, S. 172.

[235] Unter anderem Papiers Faure, S. 66.

[236] Paul Cambon an Mutter, zit. nach VILLATE, République, S. 172 und 380.

[237] Papiers Faure, S. 67 f.

C Interimsministerium, strapazierte aber die französisch-russische Allianz, weil er, entgegen ausdrücklicher Abmachung mit dem Zaren, den Briten die Finanzierung der Sudan-Expedition erleichterte. Wurde bezüglich des Ziels, eine Entente Cordiale mit den Briten zu schaffen, als seiner Zeit voraus eingestuft (vgl. unten). Während seiner Amtszeit begann der damals 29jährige Sohn Philippe Berthelot die diplomatische Laufbahn im Kabinett des Vaters (obwohl zweimal durchs Aufnahmeexamen gefallen).

D Berthelot war eine Notlösung. Bourgeois dachte zuerst an viele andere (Decrais, Laboulaye, Bompard).[238] Die inhaltliche Interpretation für den Abgang lautet: Regierungschef Bourgeois wollte den ausgesprochen englandfreundlichen Kurs nicht mitmachen, er entzog Berthelot das Aussenministerium und übernahm es selbst. Berthelot kehrte ins wissenschaftliche Leben zurück. Die mehr auf die Person bezogene Deutung: Im diplomatischen Korps rechnete man schon nach dem ersten Monat, als Berthelot nach dem Tod seiner Tochter drei Wochen aussetzte, nicht mehr mit Berthelots Rückkehr. Der deutsche Botschafter Münster sprach schon in seinem Bericht vom 3. Dezember 1895 davon, dass Ministerpräsident Bourgeois wahrscheinlich Berthelots Ministerium übernehmen werde. Seit Amtsantritt, dem 2. November 1895, habe Berthelot erst einmal die Diplomaten empfangen.[239] Am 12. Dezember 1895 schrieb Münster: »Lange kann dieser Zustand nicht dauern und der alte Chemiker wird hoffentlich bald das Experimentieren in Auswärtigen Angelegenheiten aufgeben und sich wieder mit chemischen Analysen beschäftigen.«[240] Auguste Bréal, der Biograph des Sohnes Berthelot, würdigt zwar in einem überaus positiven Urteil die Leistungen des Amateurdiplomaten: Berthelot sei seiner Zeit voraus gewesen mit seiner englandfreundlichen Politik. Die Politiker und die öffentliche Meinung seien indessen noch nicht reif gewesen für diese Politik, darum habe er sich zurückgezogen.[241] Vernichtend ist das Urteil des Präsidenten Félix Faure: »M. Berthelot, loin de nous aider, n'avait d'autres préoccupations que de discuter nos résolutions sans jamais rien proposer du reste. Pendant ces conférences, il griboulillait de petites notes sur des morceaux de papier et mettait le tout dans son portefeuille. En rentrant il donnait ces brouillons informes à M. Nisard ou à son gendre, M. Lyon, qui devaient s'y retrouver. C'est ainsi qu'on faisait la correspondance diplomatique!«[242] Wenn der französische Botschafter Courcel aus London nach Paris kam, konferierte er nach dem Bericht des Grafen Münster mehr mit Hanotaux als mit Berthelot.[243]

## 22. Léon Bourgeois (I)

A    28. März 1896–30. April 1896 (Regierungschef)

---

[238] Aufzeichnungen Faure RHD 1957, S. 76 f.

[239] PAAA Bonn, F 105/1, Bd. 11.

[240] PAAA Bonn, F 105/1, Bd. 7.

[241] Auguste BRÉAL, Philippe Berthelot, Paris 1937, S. 36.

[242] Papiers Faure, Teil 9.

[243] GP, Bd. 11, Nr. 2691.

B    War zuvor mehrfach Minister für Erziehung, Justiz und Inneres.

D    Übernahm zum Regierungspräsidium auch das Aussenministerium, nachdem dessen Chef Berthelot zu einer Belastung geworden war. Stürzte im Senat über Frage der Einkommenssteuer, wobei es dem Senat wichtig war, dass auch sein Votum und nicht nur dasjenige der Deputiertenkammer für die Abwahl einer Regierung zählte (vgl. auch Kap. 3.2). Bourgeois wurde später noch mehrfach als Aussenminister angefragt, 1905, 1911 und 1913 und stellte sich auch zweimal (März 1906 und Juni 1914) zur Verfügung. Schuf sich einen Namen als Völkerrechtler, der an den Haager Friedenskonferenzen von 1899 und 1907 für die Schiedsgerichtsbarkeit eintrat. In einem Brief von Jules Cambon aus der Zeit der 2. Haager Konferenz erscheint Bourgeois als Schwarmgeist: »Bourgeois, a-t-il réussi une fois de plus à faire triompher sa sentimentalité humanitaire?« [244]

– Gabriel Hanotaux (III)

A    30. April 1896–20. Juni 1898 (Regierung Méline)

B    Siehe oben.

C    Von Kolonialisten wurde die Rückkehr Hanotaux' lebhaft begrüsst: »Il n'était que temps que nous ayons au Quai d'Orsay un <u>homme</u> et non un fantoche.«[245] Eroberung Madagaskars, Offizialisierung der französisch-russischen Allianz, August 1897 Reise mit Staatspräsident nach St. Petersburg. War für eine Anlehnung an Russland und für eine harte Haltung gegenüber der Türkei, etwa in der Armenierfrage, während Paul Cambon befürchtete, dass Hanotaux auf eine Liquidation des »kranken Mannes am Bosporus« hinarbeitete. Was die Faschoda-Krise betrifft, wies Hanotaux jede Verantwortung zurück, während Staatspräsident Faure ihn dafür verantwortlich machte. Hanotaux: »Pourquoi en rendre responsable un homme qui ne l'a ni commencée, ni terminée?«[246] Faure: Hanotaux habe Faschoda als »monnaie d'échange« verstanden, um bei den Engländern die Ägyptenfrage neu aufzurollen. »C'était une grave imprudence et la question n'avait jamais été présentée au Conseil des Ministres.«[247] Das Expeditionsprojekt war 1894 in der Regierung von Kolonialminister Delcassé eingebracht worden, Hanotaux trug es aber durchaus mit.[248]

D    Wegen der wachsenden Differenzen in der Türkeipolitik (auch im Zusammenhang mit den Armeniermassakern) wollte Hanotaux demissionieren, was Méline nicht akzeptierte.[249] Er endete schliesslich mit der Regierung Méline, deren Ende durch die allgemeinen Erneuerungswahlen gesetzt war. Hanotaux war aber überzeugt, dass, davon unabhängig, starke Kräfte auf der Rechten wie der Linken ihn beseitigen wollten. Aus dem Bereich der außenpolitischen Akteure

---

[244] Brief an Louis, 13. April 1907, Papiers Jules Cambon, Bd. 15.

[245] Casella an Faure vom 30. April 1896, Fonds François Berge.

[246] HANOTAUX, Carnets, 7. Februar 1907, Stellungnahme zu einem Artikel der *Times*.

[247] Papiers Faure, November/Dezember 1898, S. 376 f., Fonds François Berge.

[248] GUILLEN, Expansion, S. 397 f. Und Marc MICHEL, La Mission Marchand 1895–1899, Paris 1968.

[249] VILLATE, République, S. 173.

Barrère und Delcassé (von der Linken) und die Brüder Cambon und Aynard (vom Zentrum). Den ärgsten Intriganten sah Hanotaux in Frédéric-Albert Bourée, 1894–1897 Frankreichs Vertreter in Athen.[250] Hanotaux selbst wollte nicht im Quai d'Orsay bleiben. Sein Wunschnachfolger im Quai d'Orsay wäre Decrais gewesen. Dem wollte aber Ribot nicht zustimmen, der für über zwei Monate vor dem Ende der Regierung Méline einen Moment lang der nächste Regierungschef zu werden schien und auch schon Hanotaux' Regierungschef war.[251] Hätte im Moment seines Abgangs gerne eine Botschaft übernommen, genannt wurde insbesondere London, aber auch St. Petersburg oder Berlin: Im Januar 1898 hiess es: »[...] s'il voit que les symptomes de froideur continuent il se fera probablement nommer ambassadeur à St. Petersbourg, où Montebello est absolument insuffisant.«[252] Und im Juli 1898: »Gabriel voudrait se défiler et se prépare à prendre l'ambassade de Londres.«[253] Damals musste man allerdings auch für Bourgeois, den Präsidenten der vorangegangenen Regierung ein Plätzchen finden, sofern er in der nächsten Regierung nicht untergebracht werden konnte. Bourgeois wäre bereit gewesen, sich mit Berlin abfinden zu lassen.[254]

23. Théophile Delcassé (I)
A  28. Juni 1898–1. November 1898 (2. Regierung Brisson)
B  1892/93 Unterstaatssekretär und 1894/95 Chef des Kolonialministeriums. Delcassé wurde schon bei seinem Amtsantritt 1898 durch den sonst sehr kritisch urteilenden Paul Cambon entschieden positiv bewertet[255], während der deutsche Botschafter Münster den Aussenminister der kommenden sieben Jahre weit unterschätzte: »Delcassé ist ein unbedeutender Jounalist, der aller-

---

[250] Hanotaux über Bourée, er habe ihm übel genommen, dass er früher Ferrys Mitarbeiter gewesen sei und ihn nicht zum Botschafter befördert habe. Zudem: »Il n'avait quelque ressource dans l'esprit que pour l'intrigue.« Papiers d'agents, S. 10. Hanotaux rief den noch nicht 60jährigen Bourée, der übrigens dem bonapartistischen Lager zugerechnet wurde und 1885/86 (gemäss LAVERGNE, Grévy, S. 172 f.) zweimal als Aussenminister im Gespräch war, zu Gunsten von d'Ormesson aus Athen zurück. Der Nachfolger Delcassé beförderte ihn dann zum »Ambassadeur à la disposition«. Informant ist Botschaftssekretär Taigny in Athen, dem Bourée an anderem Ort vorwirft, Hanotaux' Spion zu sein. Umgekehrt beklagte sich Bourée über Verleumdungen, er wollte bis zur Pensionierung in Athen bleiben, es wurde ihm schon im Vorjahr zur Abfindung ein Posten in der »Tresorie générale« angeboten, obwohl er schlecht im Rechnen sei, Bourée an Marcel, 22. September 1896; Marcel, Papiers nominatifs Nr. 122.

[251] Paul an Jules Cambon, 1. April 1898, Fonds Louis Cambon.

[252] Hansen Tagebuch 8. Januar 1898, Papiers nominatifs Nr. 85. In der gleichen Quelle heisst es am 19. Juni 1898, dass sich Hanotaux gerne Dupuy, Freycinet oder Delcassé wieder als Aussenminister zur Verfügung halte. Für das Interesse an Courcels Nachfolge in Berlin vgl. Feststellung des persönlichen Sekretärs Pierre Bertrand vom 2./4. Juli 1898, Papiers Bertrand 17/118.

[253] Zum Beispiel Paul Cambon an Bruder Jules, 17. Februar 1898 (Fonds Louis Cambon), oder Paléologue an Marcel, 7. Juli 1898 (Bestand Marcel). Pierre Bertrand an Hanotaux, 4. Juli 1898: »Quant à Londres, depuis trois semaines tout le monde répète que cela va de soi pour vous.«, Papiers Hanotaux, Bd. 17.

[254] Fonds François Berge, Papiers Faure, Notes personnelles, S. 374.

[255] Vgl. Paul Cambons Briefe an seinen Sohn vom 20. und 23. Juli 1898, Papiers Cambon.

dings kurze Zeit Unterstaatssekretär im Kolonialamt gewesen, dort aber sehr unbeliebt war, nichts geleistet hat und, was die auswärtigen Angelegenheiten betrifft, weder Erfahrung noch Kenntnis hat.« Dieser Bericht vom 28. Juni 1898 wurde mit der Randbemerkung versehen: »Tant mieux pour nous.«[256]

C    Anfänglich als Kolonialist antibritisch, arrangierte sich aber mit den Briten, als er merkte, dass sie nicht nachgaben. Förderte auch die mit Loubets Staatsbesuch in Rom bekräftigte Annäherung an Italien.

D    Schon seit 1894 im Gespräch für das Aussenministerium. In Brissons zweites Kabinett aufgenommen und dann von Dupuy in dessen vierte Regierung übernommen.

– Théophile Delcassé (IIa)

A    1. November 1898–18. Februar 1899 (4. Regierung Dupuy)

B    Siehe oben.

D    Bloss formaler Unterbruch für Dupuy und seinen Aussenminister wegen des Wechsels in der Staatspräsidentschaft von Faure zu Loubet.

– Théophile Delcassé (IIb)

A    18. Februar 1899–22. Juni 1899 (5. Regierung Dupuy)

B    Siehe oben.

D    Wurde in die nächste Regierungsequipe übernommen. War inzwischen derart Teil der Regierungsmannschaft, dass er erklärte, selbst eine Regierung zu bilden, wenn es Waldeck-Rousseau nicht gelingen sollte, dies zu tun.[257]

– Théophile Delcassé (III)

A    22. Juni 1899–6. Juni 1902 (Regierung Waldeck-Rousseau)

B    Siehe oben.

D    Wurde von der nächsten Regierung übernommen.

– Théophile Delcassé (IV)

A    7. Juni 1902–25. Januar 1905 (Regierung Combes)

B    Siehe oben.

D    Neuwahlen für die Deputiertenkammer, in der Folge Wechsel von der Regierung Waldeck-Rousseau zur Regierung Combes unter Beibehaltung des Aussenministers. Regierung Combes stürzte im Januar 1905 wegen der »affaire des fiches«, Delcassé wurde aber von der nächsten Regierung übernommen.

– Théophile Delcassé (V)

A    25. Januar 1905–6. Juni 1905 (2. Regierung Rouvier)

B    Siehe oben.

D    Stürzte als Opfer deutscher Pression und französischer Nachgiebigkeit (vgl. auch Kap. 3.2). Hatte diese Situation zum Teil wegen seiner die Kontakte mit

---

[256] PAAA Bonn, F 107, Bd. 10.

[257] Aufzeichnung Brugère vom 19. Juni 1899. Zitiert nach Christopher ANDREW, Théophile Delcassé and the Making of the Entente Cordiale. A Reappraisal of French Foreign Policy 1898–1905, London 1968.

Deutschland vernachlässigenden Haltung aber auch selbst zu verantworten. Wurde 1911 unter Monis und Caillaux Marineminister und als solcher wiederum an der Marokkopolitik beteiligt. Im Februar 1913 wurde er Botschafter in St. Petersburg, im August 1914 erneut Aussenminister. Rouvier dachte, Delcassé durch Bourgeois ersetzen zu können. Paul Cambon registrierte: »Les journaux parlaient de Bouregois qui répondait en conseillant de garder Delcassé.«[258] Später wurde auch de Freycinet in Betracht gezogen.[259] Rouvier versuchte sodann erfolglos, im Kader des Quai d'Orsay einen Nachfolger zu finden. Schliesslich musste er das Amt aber selbst übernehmen. Bourgeois, der ehemalige Aussenminister aus dem Jahr 1895, übernahm erst im folgenden Jahr und wiederum nur für wenige Monate die Leitung des Quai d'Orsay.

## 24. Maurice Rouvier (I)
A   17. Juni 1905–18. Februar 1906 (zum 2. Mal Regierungschef)
B   Zugleich seit 24. Januar 1905 bereits Ministerpräsident, was er schon einmal (1887) war; zuvor hatte er bereits sieben Mal das Finanzministerium geleitet, gegen das er auch nun das Aussenministerium auswechselte.
C   Hauptthema war die Marokkokonferenz von Algéciras.
D   Amtszeit ging formell mit Wechsel im Staatspräsidium von Loubet zu Fallières zu Ende.

## – Maurice Rouvier (II)
A   18. Februar 1906–14. März 1906 (zum 3. Mal Regierungschef)
B   Siehe oben.
C   Hauptthema war die Marokkokonferenz von Algéciras.
D   Stürzte als Regierungschef kurz nach der Eröffnung der Konferenz von Algéciras über der Kirchenfrage (inventaires) und schied definitiv aus der Politik aus.

## – Léon Bourgeois (II)
A   14. März 1906–25. Oktober 1906 (Regierung Sarrien)
B   Siehe oben.
C   Am 22. März 1906 schrieb der belgische Gesandte aus St. Petersburg: »M. Léon Bourgeois passe pour être partisan d'un rapprochement de la France avec l'Allemagne.«[260] Auch der englische Botschafter in Paris berichtete am 3. Juni 1906, Bourgeois erscheine als Aussenminister, der nichts ohne Zustimmung Deutschlands machen wolle.[261] In der Korrespondez von Paul Cambon erscheint hingegen Bourgeois weniger als germanophiler, denn als liebenswürdiger, im Allgemeinen aber schwächlicher Politiker.[262] In seiner

---

[258] Paul Cambon an seinen Sohn, 29. April 1905, Correspondance 1870–1924, Bd. 2, S. 190. Ferner Berichte 3. und 11. Juni 1905, GP, Bd. 20, Nr. 6680 und 6685.

[259] Bericht Radolin, 14. Juni 1905, GP, Bd. 20, Nr. 6710.

[260] Belg. Dok., Bd. 3, Nr. 36.

[261] PRO, Privatpapiere Grey 800/50–53.

[262] Brief an Henri Cambon, 13. Juni und 10. Juli 1906, Fonds Louis Cambon.

Amtszeit wurden (allerdings von anderen) in der Konferenz von Algéciras recht günstige Ergebnisse erzielt.

D   Das Kabinett Sarrien machte nach den allgemeinen Wahlen vom Mai 1906 im Herbst einer neuen Regierungsmannschaft Platz.

## 25. Stephen Pichon (I)

A   25. Oktober 1906–24. Juli 1909 (Regierung Clemenceau)

B   Anfänglich reine Journalisten- und Politikerkarriere, der äusseren Linken angehörend, Weggefährte Clemenceaus. Trat nach Wahlmisserfolg in den Dienst des Aussenministeriums und übernahm wegen der Distanz und des Klimas wenig begehrte Posten in Port-au-Prince (1894), Rio de Janeiro (1896), Peking (1897), schliesslich Tunis (1901–1906).

C   Paul Cambon war – zu Recht – überzeugt: »L'arrivée de Clemenceau au gouvernement ne changera pas notre politique extérieure.«[263] Hingegen wurden innenpolitisch motivierte Personalwechsel befürchtet. Reorganisation des Aussenministeriums. Abschluss eines beruhigenden Abkommens mit Deutschland, Klärungen der französischen Rolle in der französisch-russischen Allianz.

D   Von Clemenceau berufen, nachdem Poincaré den Ruf abgelehnt hatte; wurde von der folgenden Regierung Briand übernommen. Zum Sturz Clemenceaus vgl. auch Kap. 3.2.

## – Stephen Pichon (II)

A   24. Juli 1909–3. November 1910 (Regierung Briand)

B   Siehe oben.

D   Regierung ging wegen allgemeiner Neuwahlen zu Ende, wurde aber danach u. a. wiederum mit Pichon neu gebildet.

## – Stephen Pichon (III)

A   3. November 1910–2. März 1911 (2. Regierung Briand)

B   Siehe oben.

D   Pichons Mandat ging mit dem 2. Kabinett Briand zu Ende.

## 26. Jean Cruppi

A   2. März 1911–27. Juni 1911 (Regierung Monis)

B   War Handelsminister in der vorangegangenen Regierung Clemenceau.

C   Schickte Militär nach Marokko, löste damit die Agadir-Krise aus, war aber bereit, Deutschland eine Kompensation für dessen Anerkennung der französischen Präsenz in Marokko zu geben. Berlin wäre grundsätzlich einverstanden gewesen. Cruppis Umgebung befürchtete, dass die Regierung über Marokkofrage stürzen könnte.

D   Vor Cruppi waren andere angefragt worden, zum Beispiel Bourgeois, Poincaré, de Selves. Als Handelsminister hatte er immerhin auch bescheidene

---

[263] VILLATE, République, S. 279.

Auslandskontakte. Regierung Monis stürzte aber über der Frage der Kommandoregelung im Kriegsfall.

27. Justin de Selves

A    27. Juni 1911–14. Januar 1912 (Regierung Caillaux)

B    Ehemaliger Präfekt und Postdirektor, mit dem Mandat als Aussenminister übernahm er erstmals einen Ministerposten. Paul Cambon betonte nicht nur die Unerfahrenheit, sondern auch die Unfähigkeit des neuen Aussenministers, wenn er sagte: »(Caillaux) avait pris comme ministre des Affaires étrangères un préfet de la Seine qui, pendant quinze ans de consulat, n'avait pas réussi à faire balayer Paris. Il s'imaginait pouvoir, avec ce soliveau à côté de lui, gouverner les Affaires étrangères. C'est toujous une erreur que de s'associer des gens de mince valeur.«[264] Vor der Notwendigkeit, sich für den einen oder anderen zu entscheiden, neigten die Cambons eher zu Caillaux.[265] Paul Cambon hielt von Anfang an nicht viel von dieser Wahl. Seine Nomination »parce qu'il a cessé de plaire comme Préfet est l'une des plus extraordinaires idées qu'on puisse concevoir. Il est clair que M. Caillaux entend diriger aussi la politique extérieure.«[266] Am 30. Juli 1911 schrieb Paul Cambon an seinen Bruder Jules: »Oui, nous sommes entre les mains d'incompétents et d'ignorants. Selves écrit tous les télégrammes lui-même, immédiatment, souvent sans réflexion et sous l'impression du moment. [...] Il se rend d'ailleurs aux objections, mais il est clair quil est nerveux, impressionnable et impatient.«[267] Am 19. Januar 1912 schrieb er seinem Bruder: »J'ai été voir Selves qui est toujours le même et se rend mal compte du caractère de son acte.«[268] Am 28. Juni 1911 urteilte G. W. Tyrell über Selves: »I do not imagine that he knows anything of foreign affairs.«[269] Auch der russische Botschafter Iswolsky berichtete am 26. Oktober 1911 nach St. Petersburg, de Selves sei in auswärtigen Angelegenheiten sehr wenig beschlagen.[270]

C    Verständigung mit Deutschland vom 4. November 1911 in der Marokkofrage gemäss Grundsatzentscheid in der vorangegangenen Ära Cruppi: Anerkennung der französischen Marokkoposition gegen Abtretung eines Stücks französischen Kongos.

D    Von Caillaux berufen, nachdem dieser verschiedene Absagen insbesondere von Bourgeois und Poincaré bekommen hatte. Caillaux hätte auch Delcassé genommen, wenn er gewusst hätte, dass Deutschland dies nicht als Brüskierung verstanden hätte (vgl. Kap. 3.2). Nach der Agadir-Krise (Juli 1911) kam es zum Konflikt zwischen dem Ministerpräsidenten und dem Aussenminis-

---

[264] P. CAMBON, Correspondance 1870–1924, Bd. 3, S. 8 f.

[265] VILLATE, République, S. 298.

[266] Brief vom 28. Juni 1911 an seinen Sohn, Fonds Louis Cambon.

[267] P. CAMBON, Correspondance 1870–1924, Bd. 3, S. 336; der erste hier ziterte Satz ist in der gedruckten Fassung weggelassen worden.

[268] Papiers Jules Cambon.

[269] PRO, Privatpapiere Grey 800/50–53.

[270] Russ. Dok. III, Bd. 12, Nr. 737.

ter. Schon am 29. August 1911 konnte dann der deutsche Botschafter Schoen die Äusserung eines Mittelsmannes weiterleiten, »dass C. Herrn de Selves ausschiffen wird vielleicht in Form zunächst eines Erholungsurlaubs, während dessen Interimistikum durch gefügigeren Messimy oder Caillaux selbst übernommen werden würde.«[271] Am 17. Dezember 1911 schrieb Botschafter Schoen: »Der allgemeine Eindruck der politischen Welt, sowohl der französischen wie der diplomatischen, ist der, dass Herrn de Selves' kurze Ministerlaufbahn als abgeschlossen angesehen werden kann.«[272] Caillaux führte ohne Einbezug de Selves' direkt mit der deutschen Seite Gespräche. Clemenceau interpellierte deswegen den Ministerpräsidenten. Die Demission des Aussenministers führte zum Sturz der Regierung (vgl. auch unten Kap. 3.2).

28. Raymond Poincaré
A    14. Januar 1912–21. Januar 1913 (Regierungschef)
B    Advokat. War schon Erziehungs- und Finanzminister, 1899 wurde ihm erstmals eine Regierungsbildung angeboten, hätte 1906 in der Regierung Clemenceau das Aussenministerium haben können. Kein gutes Verhältnis zu den Berufsdiplomaten: »[...] on leur a fait en 1912 une existence de chien et sans le moindre bénéfice, bien au contraire.«[273]
C    Beindruckende Arbeitsdisziplin. Paul Cambons Meinung über Poincaré war vor allem anfänglich ausgesprochen negativ: »Fils, neveu, cousin de polytechniciens et normaliens, il raisonne et il aime à montrer qu'il a raison.«[274] Poincaré sei erst umgänglicher geworden, als er als Staatspräsident gegen Ende 1913 vermehrt im Gegenwind stand: »Il a renoncé à ses airs sécots, il admet la contradiction, il s'humanise en un mot, il a senti le coup d'aile de la défaite.«[275] Schloss am 30. März 1912 den Protektoratsvertrag mit Marokko ab. Glaubte als »bon Lorrain« nicht an die Möglichkeit einer Verständigung mit

---

[271] GP, Bd. 29, Nr. 10730.

[272] GP, Bd. 29, Nr. 10790.

[273] De Margerie am 30. März 1913, vgl. AUFFRAY, Pierre de Margerie, S. 240. In der gleichen Richtung im unten zitierten Brief Cambons vom 27. März 1912: »C'est ce qui indisposait tant contre lui les ambassadeurs.«

[274] P. Cambon an Henri, 27. März 1912 (Papiers P. Cambon). Vor dem zitierten Ausschnitt: »Cet homme si populaire auprès de la foule qui ne le juge que sur ses discours et ses actes ne réussit pas de gagner les gens qui l'approchent. Son petit air sec et, il faut le reconnaitre, son manque de tact avec les personnes dans le particulier lui ont aliéné la plupart des parlementaires, gens susceptibles et vaniteux.« An seinen Bruder Jules, 4. November 1912: »Poincaré qui a ses dossiers en ordre comme un avocat.« Im gleichen Briefwechsel am 9. Januar 1913: »Poincaré se croit à la barre et prend nos relations d'entretiens entre ambassadeurs pour des notes de procédure. C'est d'un ridicule achevée et il faut s'épuiser pour le convaincre que la diplomatie n'est pas la basoche.« Fonds Louis Cambon. Kurz nach der Wahl definierte Paul Cambon Poincaré gegenüber seinem Bruder wie folgt: »une parole nette au service d'un sprit confus«. Vgl. im Weiteren die Ausführungen in Kap. 3.1.

[275] Nach einer längeren, beinahe zweistündigen (!) Audienz Paul Cambon an Fleuriau, 29. Dezember 1913, Correspondance 1870–1924, Bd. 3, S. 59. Cambon bezeichnete Poincaré im gleichen Schreiben aber noch immer kritisch als »un agité sous ses dehors froids.«

Deutschland.[276] War mit seinen Auftritten bestrebt, als starker Mann einer starken Nation zu erscheinen.[277] Stärkte den Block der Tripel Entente mit der Vertiefung der Militärkontakte auf der britischen Seite und mit einer starken Intensivierung der diplomatischen Kontakte mit der russischen Seite. Reiste im August 1912 nach St. Petersburg, beinahe (schon) wie ein Präsident, unternahm er doch diesen Besuch nicht nur als Aussenminister, sondern zugleich als Ministerpräsident.[278] Sein Verhalten war zum Teil durch die Ambition geprägt, Nachfolger von Staatspräsident Fallières zu werden. Von dem, was im Januar 1913 eintreten sollte, war mindestens schon im November 1912 die Rede.[279] Jules Cambon bemerkte mehrfach, Poincaré habe sich in St. Petersburg zu stark von Russland beeindrucken lassen. Im September 1912 sagte er von Poincaré, »(il) me parait revenir de Petersbourg un peu trop impressionné pour la Russie.«[280] Und: »Poincaré est revenue de Petersbourg trop russe.«[281] Doch schlimmer: Poincaré scheint schon damals bereit gewesen zu sein, gegen Deutschland loszuschlagen: »Il prétend qu'il faudra marcher. Nous ne pourrons pas marcher et déchainer le dogue allemand si l'Angleterre ne marche pas – or il ne me parait pas que l'Angleterre marche pour les Serbes.«[282] Der in Berlin stationierte Jules Cambon war überzeugt, dass sich Deutschland ruhig halten würde. »S'il y a conflit entre l'Autriche et la Russie l'Allemagne désire rester tranquille: elle restera tranquille, si nous ne bougeons pas. Sommes nous donc tenus de bouger, et nos engagements envers la Russie vont ils jusqu là?«[283] – Nachdem Poincaré gewählt war – »qu'il est arrivé« –, hoffte der österreichische Botschafter, dass Poincaré gegenüber Russland »weniger unterwürfig sein wird als bisher.«[284]

---

[276] Das Bild des »Lorrain« war sehr präsent. Albert de Mun sprach im *Echo de Paris* vom 23. Januar 1912 ebenfalls vom Wind aus Lothringen. Der österreichische Botschafter urteilte: »Der nationale Chauvinismus wird bei ihm, dem Lothringer, sicher eine gewisse Stütze finden, doch glaube ich nicht, dass er, wie dies in Deutschland manchmal befürchtet wird, auf einen Revanche-Krieg hinarbeitet.« Bericht Szécsen Nr. 5448 vom 19. Januar 1913, Oester. Dok. Nach der Wahl zum Staatspräsidenten bemerkte der belgische Minister in Paris: »M. Poincaré est Lorrain et ne manque aucune occasion de le rappeler.« Baron Guillaume an Aussenminister Davignon, 14. Februar 1913.

[277] »[...] he symbolyzed active leadership toward a goal of national strength.« WRIGHT, Poincaré, S. 83.

[278] KEIGER, Poincaré, S. 142.

[279] Bericht Szécsen, Nr. 4336 vom 9. November 1912, Oester. Dok. Oder Paul Cambon an Bruder Jules, 20. November 1912 (Fonds Louis Cambon): Poincaré wolle seinen Konkurrenten Bourgeois ausschalten, indem er ihm in die Académie française verhelfe. Nachfolger als Ministerpräsident würde Briand – was dann auch eintrat.

[280] Jules Cambon an Bruder Paul, 16. September 1912, auch am 21. September 1912, Fonds Louis Cambon.

[281] Jules Cambon an Bruder Paul, 4. Oktober 1912, Fonds Louis Cambon.

[282] Wie Anm. 280.

[283] Ebenda.

[284] Bericht Szécsen Nr. 5448 vom 19. Januar 1913, Oester. Dok.

D   Clemencau, der die Regierung Caillaux gestürzt hatte, forderte eine Regierung Poincaré. Das Mandat ging mit seiner Wahl zum Präsidenten der Republik zu Ende.

29. Camille Jonnart (Ia)
A   21. Januar 1913–18. Februar 1913 (3. Regierung Briand)
B   1893/94 Arbeitsminister, dann während 11 Jahren Generalgouverneur von Algerien, Poincaré empfahl ihn als Aussenminister. Paléologue schrieb zu Jonnarts Nomination: »Jonnart est très sympathique personnellement. [...] Mais il ne s'est jamais occupé de politique extérieure; il n'en a qu'une idée très vague; il ignore tout le mécanisme. [...] Alexandre Ribot, qui est l'ami intime de Jonnart, et que je viens de rencontrer, me dit: ›Vous aurez de charmantes relations avec Jonnart, mais vous devrez tout lui apprendre!‹«[285] Paul Cambon zufolge habe Jonnart dieses Portefeuille zur Belohnung dafür erhalten, dass er bei den Präsidentschaftswahlen nicht gegen Poincaré kandidiert habe. Dem gleichen Schreiben entnehmen wir allerdings, dass zuvor Ribot und Bourgeois abgesagt hätten und Millerand und Pichon nicht in Frage kämen.[286]
D   »Unterbruch« wegen der Wahl Poincarés zum neuen Präsidenten der Republik.

– Camille Jonnart (Ib)
A   18. Februar 1913–12. März 1913 (4. Regierung Briand)
B   Siehe oben.
D   Vom 3. ins 4. Kabinett Briand übernommen. Diese Regierung ging über der Frage der Wahlreform zu Ende.

– Stephen Pichon (VI)
A   22. März 1913–10. Dezember 1913 (Regierung Barthou)
B   War zuletzt 1910/11 schon Aussenminister, vgl. oben. Paul Cambon hoffte Ende 1913 vergeblich, Pichon werde im Amt bleiben. »Il a fallu pousser Pichon l'épée dans les reins pour le déterminer à marcher. Que serait-ce avec un autre?«[287]
C   Veranlasste Russland, sein strategisches Eisenbahnnetz auszubauen.
D   Von Barthou als Konzession an Clemenceau in die Regierung aufgenommen.

30. Gaston Doumergue
A   10. Dezember 1913–10. Juni 1914 (Regierungschef)
B   Mehrfach Minister (Kolonien, Handel, Bauten, Erziehung). Von Doumergue hatte Paul Cambon trotz dessen Unerfahrenheit eine gute Meinung: »[...] il n'a pas la prétention de traiter, sans les connaître, les affaires de son département. Il s'est bien entouré et il écoute les conseils des gens auxquels il reconnaît du jugement. [...] Il est à cent piques au-dessus de certains de ses

---

[285] PALÉOLOGUE, Quai d'Orsay, 22. Januar 1913, S. 15.
[286] Paul an Jules Cambon, 21. Januar 1913, Fonds Louis Cambon.
[287] Brief an Henri Cambon, 7. Dezember 1913, Fonds Louis Cambon.

prédécesseurs.«[288] Cambon bestätigte aber auch, dass die Leitung der Aussenpolitik nicht in den Händen Doumergues lag, wenn er von Poincaré am 29. April 1914 sagte: »[…] il ne faut pas se dissimuler que c'est lui et lui seul le Ministre des Affaires étrangères. Il a tous les blancs et les verts en même temps que M. Doumergue et il cause très imprudemment avec certains journalistes.«[289]

C   Aussenpolitik weitgehend in den Händen des Staatschefs Poincaré.

D   Kabinett ging mit den allgemeinen Neuwahlen zu Ende.


– Léon Bourgeois (III)

A   10. Juni 1914–13. Juni 1914 (4. Regierung Ribot)

B   Siehe oben.

D   Regierung wurde am Tag ihrer Präsentation durch das Parlament gestürzt.


31. René Viviani

A   13. Juni 1914–3. August 1914 (Regierungschef)

B   1906–1910 Arbeitsminister, 1913/14 Erziehungsminister, hatte bereits am 10. Juni vor Ribot ein erstes Mal, aber vergeblich, versucht eine Regierung zu bilden.

C   Hauptgeschäft war die Vorbereitung der Reise Poincarés nach St. Petersburg. Unterstützt von Unterstaatssekretariat, das von Abel Ferry, einem Neffen von Jules F. und Sohn eines Senators, geleitet war, der 1909 mit 27 Jahren Deputierter wurde.

D   Zugleich Ministerpräsident. Nach dem 3. August 1914 Erneuerung der Regierung Viviani in der Formel der »Union sacré«, wobei dann Doumergue das Aussenministerium übernahm.


### 3. Die Republikanisierung des diplomatischen Korps

Die Frage, wie sich die Republikanisierung des diplomatischen Korps vollzogen und ausgewirkt habe, muss in einer Innenansicht der französischen Aussenpolitik einen breiten Raum einnehmen. Erfolgten die Mutationen, die infolge der Kabinettswechsel auf Regierungsebene und infolge dieser Regierungswechsel auch auf Verwaltungsebene eintraten, als Optionen für bestimmte aussenpolitische Zielsetzungen? In den 35 Jahren unserer Periode wurden die elf Botschafter- und die beiden Direktorenposten 135 Mal neu besetzt. Die »statistische Masse« müsste die Klärung dieser Frage möglich machen und eine Antwort auf die Frage gestatten, ob und inwiefern die Diplomaten der Dritten Republik – einzelne Stelleninhaber oder ganze Equipen – im Hinblick auf die Durchsetzung bestimmter Zielsetzungen eingesetzt, versetzt oder abgesetzt wurden, so dass sich aus den Nominationen Rückschlüsse auf die vorherrschenden Zielsetzungen ziehen lies-

---

[288] P. Cambon, 28. Dezember 1913, Correspondance 1870–1924, Bd. 3, S. 57 f.

[289] Die letzte aus eigener Anschauung gewonnene Feststellung, die sich mit den »verts« auf die entzifferten Telegramme fremder Mächte bezieht, ist in der Briefausgabe (ebenda, S. 66) nicht veröffentlicht worden.

sen. Eine Mutation aus Gründen der grossen aussenpolitischen Optionen, wie man sie im Falle der bekannten Ablösung Delcassés im Juni 1905 kennt oder zu kennen glaubt, kam auf Regierungsebene kaum und auf den unteren Ebenen der Botschafter und des übrigen Personals ganz entschieden nicht vor. Die Frage nach den direkten Zusammenhängen zwischen Personalpolitik und Aussenpolitik erwies sich mithin als wenig ergiebig. Massgebend waren vielmehr innenpolitische und systembedingte Gründe: zunächst bis zu einem gewissen Grad der republikanische Epurationswille und später das Prinzip der permanenten Erneuerung und der persönlichen Rivalität. Dies konnte dann für die Aussenpolitik von indirekter, sekundärer Bedeutung sein. Davon soll später in Kap. 4.2 eingehender die Rede sein.

Hier geht es darum, aus einer langen Reihe von individuellen Karrieren ein Gesamtbild der Personalpolitik der Jahre 1870–1914 zu gewinnen. Es besteht aber nicht die Absicht, den einzelnen Personen und deren Tun monographisch gerecht zu werden. Am Einzelfall interessieren nur die Berufungs- beziehungsweise die Abberufungsmotive. Während die Gründe der personellen Wechsel zuweilen nicht mit letzter Sicherheit ausgemacht werden können, lassen sich die Mutationshäufigkeiten leicht feststellen. Die Umbesetzungen waren ein permanenter Vorgang, in gewissen Momenten kam es jedoch zu besonders zahlreichen Mutationen.

Offensichtlich kam es in den ersten Jahren im Zeichen der Republikanisierung der Diplomatie in kürzeren Abständen zu Mutationen, die als Zäsuren verstanden wurden. Mit der Zeit normalisierten sich die Wechsel und erfolgten in einer breiteren Streuung, so dass kaum mehr Zäsuren ausgemacht werden können. An tiefergreifenden Regierungswechseln sind zu nennen: im September 1870 die Machtergreifung des »Gouvernement de la Défense Nationale«, im Februar 1871 die Einsetzung der regulären Regierung unter Thiers, im Mai 1873 der Regierungsantritt der Konservativen, im Spätherbst 1877 die partielle und im Januar 1879 die vollständige Übernahme der Regierungsgewalt durch die Republikaner und erst wieder 1906 die Machtübernahme der Radikalen mit der Bildung des ersten Kabinetts Clemenceau. Welches waren die konkreten Auswirkungen dieser Zäsuren auf die Zusammensetzung des diplomatischen Personals?

### 3.1. 1870 bis 1877: Wechsel und Kontinuität

Die Frage, ob das Personal des Zweiten Kaiserreiches aus den Ämtern entfernt werden soll, hat in den ersten Jahren der provisorischen Republik keine grosse Diskussion ausgelöst. Wie man weiss, hatte Gambetta zwar in seiner berühmten Grenobler Rede vom September 1872 den Eintritt des einfachen Bürgertums als »couche sociale nouvelle« in die Politik angekündigt, aber für den zentralen Verwaltungsapparat und das Aussenministerium blieb dies ohne weitere Wirkung.[290] Darum ist denn auch nie untersucht worden, ob und in welchem Ausmass sich

---

[290] Gabriel HANOTAUX, Histoire de la France contemporaine 1871–1900, Bde. 1–4, Paris 1903–1908, hier: Bd. 1, S. 480.

der Regimewechsel von 1870 auf die Zusammensetzung des diplomatischen Personals eventuell doch ausgewirkt hat.[291]

Zunächst aber blieben im September 1870 wichtige Positionen mit Diplomaten des Empire besetzt. Jules Favre, der neue Aussenminister der zur »nationalen Verteidigung« gebildeten Regierung, wollte im Quai d'Orsay mit der personellen Kontinuität eine möglichst nahtlose Fortführung der Geschäfte sichern. Auch mit dem Verbleiben des Politischen Direktors des Aussenministeriums war die Kontinuität in der Geschäftsführung in hohem Mass gewährleistet: Der im März 1852 nach Louis Bonapartes Staatsstreich ins Ministerium eingetretene Félix-Hippolyte Desprez war 1866 zum Politischen Direktor ernannt worden. Vierzehn Jahre lang, bis 1880, blieb er still und unauffällig in dieser Schlüsselposition. 1870 sah sich Desprez, wie er in seinen unveröffentlichen Memoiren berichtet, vor der schwierigen Frage, welches nun seine Pflicht sei, eine Frage, mit der französische Beamte im gleichen Jahrhundert schon so oft konfrontiert waren: Sollte er demissionieren, sollte er bleiben? Der gestürzte Aussenminister de La Tour (vgl. unten) riet ihm zu bleiben, da die gegenwärtige Revolution (gemeint war wohl die Ausrufung der Republik und weniger der Aufstand der Communarden) des Krieges wegen nicht mit den vorangegangenen Umstürzen vergleichbar sei. Desprez räumte am 4. September 1870 vorübergehend zwar seine Dienstwohnung im Quai d'Orsay, er liess sich aber von Favres Appellen an das Pflichtgefühl schliesslich dazu bewegen, im Amt zu bleiben:

> »En ce premier moment de confusion et de trouble, j'avais encore à me demander où était pour moi le devoir. C'est le cruel problème qu'ont eu à se poser tant de fois en ce siècle les principaux fonctionnaires de l'Etat et qui a mis leur conscience aux plus douloureuses épreuves. [...] Les serviteurs d'un gouvernement renversé par la révolution auraient tout droit de se désintéresser des conséquences de sa chute et de refuser leur concours au gouvernement nouveau.«[292]

Es gab aber auch einen weiteren Grund: Er hatte seinen Sohn Paul Desprez im August 1871 als nichtbezahlten Attaché in seine Direktion aufgenommen, 1875 sollte dieser eine bezahlte Stelle bekommen, und als Desprez Vater im Januar 1880 Botschafter beim Vatikan wurde, folgte Desprez Sohn ihm als Botschaftssekretär 2. Klasse.

### Desprez: Paradigma eines Beamten

Desprez verstand sich als regierungsunabhängiger Verwaltungsbeamter. Er habe, wie er in den Memoiren darlegt, nie die Gunst des Kaiserhofes erbeten und sei darum dem Zweiten Kaiserreich auch nicht zu besonderem Dank verpflichtet. Anderseits habe er aber auch keinen Grund, sich über das alte Regime zu beklagen, denn er sei immer zur angemessenen Zeit befördert und dekoriert worden:

---

[291] Steinbach bemerkt, der überwiegende Teil der Führungskräfte in der Verwaltung, der Politik, der Diplomatie, der Armee und der Wirtschaft seien durch die traditionellen Kräfte gestellt worden, STEINBACH, Diplomatie, S. 15.

[292] Papiers Desprez, Memoiren, Dossier 20, S. 4.

>>Je n'avais jamais sollicité des faveurs de la Cour. [...] J'obtins toujours sans difficulté, au moment où j'avais des titres, les avancements ou honneurs pour lesquels j'étais proposé hiérarchiquement.«[293]

Hanotaux bezeichnet ihn als »fonctionnaire inabordable et muet.«[294]

Desprez' paradigmatische Laufbahn belegt die Kontinuität der Administration, zugleich aber auch deren Anonymität. Die Tätigkeit des Politischen Direktors war von einer grossen Unauffälligkeit und wurde deshalb auch selten zum Gegenstand irgendwelcher Beurteilungen. Nur durch seine eigenen Darlegungen erfahren wir, dass er sich in seinen letzten Amtsjahren, bevor er 1880 selbst den Posten räumen musste, dafür eingesetzt hatte, den unter dem Druck der Linken einsetzenden Säuberungsprozess etwas zu verzögern und abzuschwächen.[295] Obwohl er täglich einen wichtigen Anteil an den Geschäften hatte, war er als Persönlichkeit quasi inexistent: ein Verwaltungsbeamter, wie ihn sich die Politiker wünschten. Aussenminister Comte Charles de Rémusat nannte denn auch, als er Desprez' Qualitäten beschrieb, zugleich die wichtigsten Eigenschaften, über die ein Beamter offenbar verfügen sollte: Zuverlässigkeit, Fleiss, Genauigkeit, Vorsicht, Aufmerksamkeit – und Bescheidenheit:

>>Le plus important, le directeur politique Desprez, est un homme sûr, laborieux, exact; il n'oublie rien, ne néglige rien. Il est prudent, attentif, de bon conseil, modeste et pourrait difficilement être remplacé.«[296]

Die gleichen Eigenschaften werden Comte de Moüy, der mit Desprez 1878 in Berlin war, veranlasst haben, den Politischen Direktor eher als meditativen denn als aktiven Typ zu schildern.[297] Der Baron de Billing äusserte sich ebenfalls eher negativ über Desprez und hob dabei aber indirekt wiederum eine Beamtenqualität hervor:

>>Son grand mérite, c'est sa prodigieuse mémoire; avec lui sous la main, jamais un ministre quelconque n'a à faire demander un dossier pour connaître les antécédents d'une affaire. Il répond de suite avec une sûreté de mémoire tout à fait inouïe, tout ce qui a été fait par les ministres précédents et fournit les détails les plus circonstanciés. Rien de plus commode que ce dictionnaire ambulant.«[298]

1880 musste Desprez, wie erwähnt, die undankbare Vertretung beim Vatikan übernehmen, wo er zwei Jahre lang der Kritik der französischen Antiklerikalen ausgesetzt war.[299] 1884 ging er nach zwei weiteren Dienstjahren in Paris mit 65 Jahren in Pension und hinterliess dem Aussenministerium – auch dies ein Zei-

---

[293] Ebenda, S. 4.

[294] HANOTAUX, Mon Temps, Bd. 2, S. 62.

[295] Desprez hat sich insbesondere bemüht, Chaudordys Entlassung zu verhindern, Papiers Desprez, Memoiren, Dossier 38, S. 18.

[296] REMUSAT, Mémoires, Bd. 5, S. 368.

[297] Charles MOÜY, Souvenirs d'un diplomate. La délégation des affaires étrangères à Tours et à Bordeaux 1870–1871, in: RDM 15. März 1903, S. 241–275, hier: S. 243.

[298] Baronne de BILLING (Hrsg.), Le Baron Robert de Billing, Vie, Notes, Correspondance, Paris 1895, 29. Mai 1878, S. 307.

[299] Papiers Desprez, Memoiren, Dossier Nr. 23.

chen einer gewissen Kontinuität – den Sohn, der später ebenfalls in den Rang eines Ministers aufsteigen sollte.

Mit Desprez hatte Favre im September 1870 das gesamte Kabinett seines Vorgängers übernehmen wollen. Sein Kooperationsangebot beschränkte sich also nicht auf die neutrale Beamtenschaft, sondern ging so weit, auch das sehr persönliche und politisch geprägte Regierungsinstrument des Vorgängers einzubeziehen. Doch ebenso bemerkenswert ist die Tatsache, dass es auf der anderen Seite Personen gab, die bereit waren, den »Usurpatoren« des 4. September ihre Unterstützung zu leihen. Allen voran der Comte de Chaudordy, der unter Favre Chef des übernommenen Kabinettes blieb. Zwischen dem Aussenminister des gestürzten Regimes und dem Aussenminister des Staatsstreichregimes fand eine geregelte Amtsübergabe statt: In einer dreistündigen Sitzung führte der Vorgänger seinen Nachfolger in die Probleme der laufenden Geschäfte ein.[300]

### Abtretende Diplomaten des Empire

Einige der am meisten exponierten Persönlichkeiten wollten oder konnten nach dem 4. September 1870 jedoch nicht weiterhin dem diplomatischen Korps angehören. In den einzelnen Fällen ist es jeweils schwer abzuklären, ob Beamte des Empire aus ihren Stellungen hinausgeworfen wurden, oder ob sie – wie es sich ein Jahrzehnt später bei den Monarchisten und Konservativen deutlich zeigen sollte – nicht vielmehr selbst ihre Positionen räumten, weil sie dem neuen Regime ihre Unterstützung versagten. Im Falle des St. Petersburger Botschafters sind beide Vorgänge zu beobachten: Der Comte Emile-Félix Fleury sandte am 6. September 1870 ein Demissionsschreiben nach Paris, das sich mit Jules Favres Order kreuzte, er solle die Geschäfte dem ersten Botschaftssekretär übergeben.

> »J'ai l'honneur de vous adresser ma démission d'ambassadeur de France en Russie. J'attends des instructions qui me fassent connaître à qui je dois, avant de quitter mon poste, remettre la direction des affaires.«[301]

Emile-Félix Fleury (1815–1884) war seit dem Dezember 1848 Louis Napoléons Ordonnanz und spielte eine wichtige Rolle bei der Vorbereitung des Staatsstreiches vom 2. Dezember 1851. Nach 1870 besuchte er Napoléon III. regelmässig in seinem englischen Exil. Sein Sohn, Comte Napoléon-Maurice-Emile Fleury, der 1856 im Louvre geboren und zusammen mit dem Prince Impérial erzogen wurde und die Kaiserin Eugénie zur Patin hatte, wurde 1877 mit Mac-Mahons Zutun als Attaché in den auswärtigen Dienst aufgenommen, musste aber im Zuge der Umwälzungen nach dem Zusammenbruch der »République des Ducs« diese Stellung aufgeben.

Wie Fleury nicht willens war, seine Dienste den Republikanern zur Verfügung zu stellen, wollte Favre den »grand écuyer« und hohen Militär, der vor seiner diplomatischen Mission persönliche Ordonnanz von Napoléon III. gewesen war, nicht im Amt belassen.

---

[300] Papiers Desprez, Memoiren, Dossier Nr. 20, S. 33. Ferner: Jules FAVRE, Gouvernement de la défense nationale, Bde. 1–2, Paris o. J., hier: Bd. 1, S. 3; und Maurice RECLUS, Jules Favre, Paris 1912, S. 338.

[301] Fleury an Favre, 6. September 1870, in: Revue de Paris, 15. Januar 1899, S. 321.

Vom Vicomte Louis-Etienne de La Gueronnière, dem Botschafter in Konstantinopel, wird berichtet, er sei es gewesen, der den Rücktritt gewünscht habe. Obwohl er kein Berufsdiplomat und nur diplomatischer Vertreter des untergegangenen Reiches gewesen war, widmete ihm das diplomatische Jahresverzeichnis der konservativen Republik 1876 einen ehrenvollen Nachruf. La Gueronnière war erst 1868 nach einer längeren Beamten- und Politikerlaufbahn zum Gesandten in Brüssel und im Juni 1870 zum Botschafter in Konstantinopel ernannt worden.[302]

Die Demission des Marquisen Charles-Jean-Félix de La Valette, des letzten kaiserlichen Botschafters in London, zeigt zweierlei sehr klar: Einmal, dass die Kontinuität nach 1870 weniger durch Entlassungen als durch die Weigerung, weiterhin mitzuwirken, beeinträchtigt war; und zum zweiten, dass die Demissionen nicht in jedem Fall erst durch die Proklamation der Republik provoziert wurden: de La Valette war seit 1865 Mitglied der Regierung, zuletzt als Aussenminister. Er trat nach Napoléons Reformversprechen vom 12. Juli 1869 zurück, wurde Botschafter in London und demissionierte bereits im Januar 1870, als mit Emile Olivier die liberale Opposition die Regierungsverantwortung übertragen erhielt. La Valette (1806–1881) war bereits 1837 Botschaftssekretär in Stockholm, unterstützte 1848 Louis Napoléon, wurde 1851 Gesandter in der Türkei, 1853 Senator, 1861–1865 Botschafter in Konstantinopel, 1865 Innenminister, 1867–1869 Aussenminister. Obwohl die durch La Valettes Rücktritt geschaffene Vakanz nicht neu besetzt wurde, sperrte sich der Aussenminister Daru gegen die von Napoleon III. betriebene Entsendung Prévost-Paradols nach Washington mit dem Argument:

>»Je n'ai pas une ambassade vacante. Dès mon entrée au ministère j'ai écrit à tous les représentants de la France à l'étranger, je leur ai fait connaître quel changement radical avait lieu dans nos institutions intérieures, etc. Je croyais qu'il y en aurait au moins deux ou trois qui m'offriraient leur démission. Pas un n'a branché. Ils se sont tous déclarés prêts à servir l' Empire parlementaire avec le même entrain et la même conviction que l'Empire personnel. Je serai obligé de demander à l'Empereur de faire quelques sénateurs.«[303]

Kurz darauf ist davon die Rede, den später bei Kriegsausbruch traurige Berühmtheit erlangenden Benedetti im Senat unterzubringen – »d'enterrer«.

Der Prince Henri-Bernard-Godefroi-Alphonse de la Tour d'Auvergne-Lauraguais war zwar Berufsdiplomat und hätte darum eigentlich im auswärtigen Dienst bleiben können. Da er aber dem letzten Kabinett des Kaiserreiches als Minister gedient hatte, war ein Verbleiben unter dem neuen Regime nicht möglich. Dass das grosse Frankreich vor dem kleinen, aufstrebenden Preussen versagt hatte, wurde einerseits als Versagen des Regierungssystems, anderseits aber auch als Versagen der Verwalter dieses Systems verstanden. Ludovic Halévy schrieb in seinen Memoiren, die Diplomaten hätten Napoleon III. falsch informiert

>»pour flatter le penchant de l'Empereur et pour avoir de l'avancement.«[304]

---

[302] Nach der Demission widmete er sich privaten Studien und publizierte 1876 in zwei Bänden *Le Droit public et l'Europe moderne*.

[303] Daniel HALÉVY (Hrsg.), Carnets Ludovic Halévie (1862–1870), Bde. 1–2, Paris 1935, hier: Bd. 2, S. 53, Eintrag vom 7. Februar 1870.

[304] Ebenda, Bd. 2, S. 223.

Am 28. Februar 1871 hielt die Nationalversammlung fest, das Empire sei verantwortlich für Frankreichs Niederlage. Freycinets Urteil bezog sich zwar auf die Vorgänge im Jahr 1866, galt aber auch für 1870:

> »Notre diplomatie n'avait su ni prévenir le mal ni le réparer.«[305]

Der Comte Vincent Benedetti, der unglückliche Botschafter in Berlin, war das bekannteste Opfer unter den Entlassenen von 1870. Doch hätte gerade er, der in den Kriegsausbruch verwickelt war, wohl auch ohne Regimewechsel nach dem Krieg seinen Abschied nehmen müssen.

## Verbleiben der Berufsdiplomaten

Die personellen Wechsel von 1870 sollen nicht darüber hinwegtäuschen, dass (anders als im Innenministerium, wo sämtliche Präfekte ausgewechselt wurden) ein grosser Teil der Berufsdiplomaten wie Desprez die Stellen behielt und in seinem Fortkommen unbeeinträchtigt blieb. Für acht weitere Diplomaten mit Ministerrang bedeutete der Zusammenbruch des Kaiserreiches keine Zäsur. Der Comte Jean-Philippe-Gustave-Roger Le Doulcet de Pontécoulant ist wie Desprez eine schwer fassbare Gestalt. Seine nachträgliche Unauffälligkeit steht in deutlichem Widerspruch zur Wichtigkeit der damals eingenommenen Stellung. Mit 22 Jahren trat er 1854 in den diplomatischen Dienst, mit 30 wurde er Mitarbeiter von Drouyn de Lhuys' Kabinett; im Kabinett des nachfolgenden Aussenministers, Marquis de Moustier, erhielt er den Grad eines Redaktors, und im September 1870 wurde er, als ob nichts geschehen wäre, Sous-Chef in Jules Favres Kabinett, 1871 sogar Chef von Charles de Rémusats Kabinett, zuletzt im Ministerrang. Erst der 24. Mai (mit der Machtübernahme des »Ordre Moral«) entfernte ihn vorübergehend vom Entscheidungszentrum des Quai d'Orsay, doch die zweijährige Amtszeit Waddingtons, vom Dezember 1877 bis Dezember 1879, gab ihm ein weiteres Mal Gelegenheit, das Kabinett des Aussenministeriums zu leiten. Die Pontécoulant haben vor allem Militärs gestellt. Der Vater des Diplomaten war höherer Generalstabsoffizier, zwei Brüder waren ebenfalls Offiziere; ein Grossvater war Pair de France und hatte unter dem Empire verschiedene diplomatische Geheimmissionen insbesondere in Konstantinopel durchgeführt.[306]

Der Marquis Gaston-Robert Morin de Banneville hat seine Karriere schon während der Juli-Monarchie begonnen und nach der 48er-Revolution wegen seiner antirepublikanischen Gesinnung unterbrochen, seine Dienste aber wieder dem Zweiten Kaiserreich zur Verfügung gestellt. 1868 wurde er kaiserlicher Botschafter beim Vatikan und 1871–1873 Botschafter der provisorischen Republik in Wien und 1877 für ein paar Tage sogar Aussenminister. Banneville nahm, 55jährig, 1873 seinen Abschied, kehrte dann aber Ende 1877 nochmals kurz ins aktive Leben zurück, um für 14 Tage Aussenminister des ausserparlamentarischen Kabinettes des Generals de Rocheboüet zu sein. Zwei Tage vor der Demission des

---

[305] FREYCINET, Souvenirs, Bd. 1, S. 98.

[306] Vgl. dazu dessen Memoiren Gustave LE DOULCET, Comte de Pontécoulant, Souvenirs historiques et parlementaires du comte de Pontécoulant, ancien pair de France: extraits de ses papiers et de sa correspondance, 1764–1848, Bde. 1–4, Paris 1861–1865.

Kabinettes weiss Valfrey, Sous-directeur des Quai d'Orsay, dem Botschafter in Madrid zu berichten:

> »Notre nouveau ministre, fort découragé, porte déjà de se retirer à bref délai, il désirerait toutefois obtenir une ambassade, et nous ne voyons que celle de Constantinople qui lui conviendrait [...].«[307]

Der Baron George-Napoléon Baude, der 1868 zum Gesandten in Athen ernannt worden war, begleitete Thiers im Januar 1871 zu den Verhandlungen mit Bismarck und wurde im gleichen Jahr Gesandter in Brüssel und 1876 sogar Botschafter beim Vatikan. Baude wurde allerdings vorübergehend kaltgestellt. Schon zu Beginn des Monats Oktober 1871 war er seiner Funktion als Gesandter in Brüssel enthoben und wurde dort erst wieder nach Thiers' Sturz mit dem 9. Juni 1873 eingesetzt.[308] Und im März 1878 wurde Baude von Rom abberufen, weil die Umgebung des neuen Papstes Leo XIII. offenbar gegen ihn eingestellt war.[309]

Hugues-Marie-Henri Fournier, dessen erste Attachéjahre noch in die Zeit des Bürgerkönigtums fallen, durchlief während des Kaiserreiches eine schöne Karriere, wurde 1862 Minister in Stockholm und erlebte in der Dritten Republik einen zweiten Aufstieg zum Botschafter 1872/73 beim Quirinal und 1877–1880 bei der Pforte, um schliesslich als Senator des »centre gauche« seine Laufbahn zu beenden. Der Marquis Joseph-Jules-Paul-Marie-François de Gabriac de Cadoine war seit 1849 im diplomatischen Dienst. Seine Sympathien galten aber der konservativen, royalistischen Gruppe um de Broglie. Als ihn Thiers 1870 bat, die Geschäfte in St. Petersburg interimistisch zu führen, war für Gabriacs Entscheidung die Meinung des russischen Kanzlers und Doyens der europäischen Diplomatie ausschlaggebend:

> »Je m'adressais à lui, non pas comme au ministre des affaires étrangères de Russie, mais comme au doyen de la diplomatie européenne et au prince Gortschcow, en particulier, bien décidé à refuser, si sa réponse renfermait la moindre ambiguité.«[310]

Als bekannt wurde, dass de Noailles St. Petersburg übernehmen sollte, bat Gabriac, der diese Ernennung sehr begrüsste, um Versetzung, weil er nicht einen Schulkameraden zum Vorgesetzten haben wollte.[311] Aussenminister de Rémusat gibt von Gabriac das folgende Bild:

> »C'était un homme peu agréable de sa personne, gauche, important, presque un sot, et cependant chargé d'une mission ingrate et difficile, il s'en acquitta bien.«[312]

---

[307] Valfray an Chaudordy, 5. Dezember 1877, Papiers Chaudordy.

[308] Lefebvre de Béhaine an Robert de Billing, 9. Oktober 1871, in: Baronne de BILLING, Le Baron Robert de Billing. Vie, Notes, Correspondance, Paris 1895, S. 106.

[309] Papiers Desprez, Memoiren, Dossier 38, S. 19 f.

[310] Joseph de GABRIAC, Souvenirs diplomatiques de Russie et de l'Allemagne 1870–1872, Paris 1896, S. 111.

[311] Gabriac an Chaudordy, 4. März 1871, Papiers Chaudordy, Bd. 11.

[312] RÉMUSAT, Mémoires, Bd. 5, S. 391.

Nach einer zweiten Interimstätigkeit, während der er vom Juni 1871 bis Januar 1872 Frankreich in Berlin vertrat, wurde er Gesandter 1873 in Athen, 1876 in Brüssel und Botschafter 1878 beim Vatikan.

Zur Erklärung des Phänomens, dass Berufsdiplomaten – denn nur Berufsdiplomaten überstanden den Regimewechsel – sich über die Schwelle von 1870/71 hinweg halten konnten, bieten sich zum mindesten vier Antworten an: Entweder waren sie wie Desprez politisch unbelastete Fachleute, die unabhängig vom aktuellen Regime ihren Beruf ausüben wollten und ausüben konnten, oder sie passten sich der Zeit und der vorherrschenden Meinung an. Zu den Letzteren wurde 1876 der Präfekt von Ardèche gezählt, von dem man sagte, er sei sehr bonapartistisch vor dem 4. September, sehr republikanisch unter Thiers, sehr royalistisch und klerikal nach dem 24. Mai 1873 gewesen.[313]

Baude und Fournier könnten einer dieser beiden Kategorien angehört haben. Das Verbleiben könnte sich in gewissen Fällen auch dadurch erklären, dass die Diplomaten im neuen Regime geduldet wurden, obgleich sie wie Banneville Sympathien für das alte Regime hegten, oder dass sie umgekehrt wie Gabriac im alten Regime geduldet wurden, auch wenn sie eine andere Regierungsform bevorzugt hätten. Sicher war es für die junge Republik von Vorteil, auch Leute zu beschäftigen, welche über reiche Kenntnisse der gesellschaftlichen Verhältnisse und über gute Beziehungen verfügten. Dies dürfte bei einem Philippe-Amédée Bartholdi der Fall gewesen sein, der 1871 weiterhin als 1. Botschaftssekretär beschäftigt und 1873 Gesandter in Washington und 1877 im Haag wurde und von dem Gustave Schlumberger in seinen Memoiren sagt:

> »[...] brillant causeur, qui avait beaucoup vu, qui avait connu toute la société du Second Empire.«[314]

Manche Royalisten haben das Empire nicht unterstützt und dennoch in dessen öffentlichen Diensten gewirkt. Der Marquis Lionel de Moustier hat sich, obwohl er weiterhin königstreu blieb, als Botschafter und Aussenminister dem Zweiten Kaiserreich zur Verfügung gestellt – und stellen können. Seine Haltung hat er mit dem Argument gerechtfertigt, der Umstand, dass der König nicht auf seinem Platz sei, könne für ihn kein Grund sein, selbst auch nicht auf seinem Platz zu sein:

> »Ce n'est pas une raison parce que le roi de France n'est pas à sa place, pour que moi, je ne sois pas à la mienne.«[315]

Comte de Maugny, Mitarbeiter in Moustiers Kabinett, schilderte den Aussenminister ebenfalls als einen vom Empire unabhängigen Royalisten:

> »Rattaché au faubourg Saint-Germain par sa naissance [...] entièrement dévoué au régime impérial et très attaché à l'Empereur«, aber: »[...] il prétendait conserver son entière liberté d'action. Cette nature originale et fière plaisait au souverain, ha-

---

313 John Rothney, Bonapartism after Sedan, Ithaca/New York 1969, S. 169.

314 Gustave Schlumberger, Mes souvenirs 1844–1928, Bd. 2, Paris 1934, S. 209.

315 Zit. nach Wladimir d'Ormesson, Enfances diplomatiques: Saint Pétersbourg, Copenhague, Lisbonne, Athènes, Bruxelles, Paris 1932, S. 155.

bitué à plus de servilité, et il riait de très bon coeur des incartades, parfois un peu risquées, de son ministre.«[316]

Kontinuität auf abseitigen Posten

Nicht alle Posten waren von den politischen Erschütterungen in gleichem Mass betroffen. Die Umbesetzungen hingen von der politischen Wichtigkeit, aber auch von der Begehrtheit der einzelnen Posten ab. Wichtige Botschaften wie London, Wien, St. Petersburg waren den politischen Wechseln stärker ausgesetzt als weniger wichtige oder unangenehme Posten. (Zu den damaligen Einstufungen der verschiedenen Aussenposten, vgl. unten Kap. 3.1.).

Zu den Letzteren zählten damals die grossen aussereuropäischen Gesandtschaften in Washington, Tokio und Peking. Jules-François-Gustave Berthemy war 1862–1866 Gesandter in China, 1866–1870 Gesandter in den Vereinigten Staaten von Amerika und konnte 1870 den Gesandtschaftsposten in Brüssel des Krieges wegen nicht antreten, so dass er 1873 zum französischen Gesandten in Japan ernannt wurde, wo Maxime Outrey seit 1868 die französischen Interessen vertreten hatte. Outrey hingegen, der 1844 in den Dienst des Aussenministeriums getreten war und 1876 aus den Händen einer konservativen Regierung den nicht sehr begehrten Posten in Washington erhalten hatte, konnte sich sogar noch unter Gambetta behaupten und starb 1882 im Amt. Kontinuität auch im fernen Brasilien: Der dort 1868 eingesetzte Comte de Gobinau konnte im Mai 1872 sogar die Gesandtschaft in Stockholm übernehmen und dort fünf weitere Jahre Frankreich vertreten.

Weiterbeschäftigung der Subalternen

Zu den weniger wichtigen und deshalb nicht oder nicht sogleich umbesetzten Stellen zählten an jedem Ort die unteren Chargen. Die meisten Diplomaten, die mit jungen Jahren zur Zeit des Empire in die Diplomatie eingetreten waren und während dieser Zeit entsprechend der bescheidenen Verantwortung wenig kompromittierende Ämter innegehabt hatten, konnten ihre Laufbahn in der Dritten Republik fortsetzen und später sogar führende Positionen erreichen. Von den elf jungen Leuten, die der Bonapartist Comte de Maugny als seine Kollegen im Kabinett des Marquis de Moustier nennt (1866–1868), haben sich nach 1870 bloss vier – gezwungenermassen oder freiwillig – aus der Diplomatie zurückgezogen. Paul de Laboulaye und Gustave de Montebello brachten es beide bis zum Botschafter der Republik in St. Petersburg (Letzterer bis 1902), Albert Bourée bis zum Gesandten in China, Kopenhagen, Brüssel und Athen und 1898 sogar zum Botschafter, allerdings ohne Posten.

Der bereits vorgestellte Robert de Pontécoulant wurde, wie dargelegt, zuletzt Kabinettschef des gemässigt republikanischen Aussenministers Waddington, und Felix de Bourqueney wurde 1893 Protokollchef Casimir-Périers. De Saint-Vallier schliesslich, der dieses Kabinett geleitet hatte, avancierte in der Dritten Republik zum Botschafter und vertrat Frankreich 1877–1881 in Berlin.[317] Maugny, der zu-

---

[316] Albert de MAUGNY, Souvenirs du Second Empire. La Fin d'une Société, Paris 1889, S. 130 f.

[317] MAUGNY, Souvenirs, S. 116 f.

nächst die Offizierslaufbahn eingeschlagen hatte, 1866 aber in Moustiers Kabinett eingetreten war, blieb noch während Jules Favres Amtszeit als Geschäftsträger in Persien und wandte sich dann dem Journalismus zu. Etwas im Widerspruch
zu seinen Angaben, wie weit es die meisten seiner ehemaligen Kabinettskollegen
gebracht haben, steht Maugnys übertriebene und sein eigenes Schicksal verallge-
meinernde Aussage, neun Zehntel der Diplomaten des Empire hätten wegen des
Zusammenbruchs des Regimes und der blinden Leidenschaften den diplomatischen Dienst verlassen müssen.[318]

Da die Inhaber der unteren Chargen 1870 in der Regel nicht ausgewechselt
wurden, liess sich der Monarchist Duc Albert de Broglie, der zum Botschafter in
London ernannt worden war, von Vertrauensleuten nach England begleiten. Er
wollte, wie er sagte, nicht nur von Bonapartisten umgeben sein:

> »Je partis, accompagné de mon fils François et d'un sous-directeur des Affaires
> étrangères, mon ami Gavard, que j'emmenais sous prétexte de traiter des affaires
> commerciales qui pouvaient s'élever, en réalité pour avoir auprès de moi un secré-
> taire en qui je puisse prendre confiance, les secrétaires que j'allais trouver à Lon-
> dres étant tous des bonapartistes de la plus belle eau.«[319]

Diese Feststellung galt wahrscheinlich vor allem dem 2. Sekretär Marquis de Cau-
mont-Laforce und dem 3. Sekretär Comte Charles Walewski, die beide in der
Folge den auswärtigen Dienst verliessen. Kaum gelten konnte die Bemerkung für
den 1. Sekretär Tissot, der zwar kurz nach de Broglies Ernennung ebenfalls London verliess, aber weiter in der Karriere blieb und 1882 als Botschafter nach London zurückkehrte.

Auch Ernest Picard, den Thiers nach Brüssel geschickt hatte, weil er als Mitglied des »Gouvernement de la Défense Nationale« heftigen parlamentarischen
Angriffen ausgesetzt gewesen war, klagte im Mai 1872, er sei noch vollständig
von kaiserlichen Beamten umgeben, die ständig mit Leuten korrespondierten, die
den Männern des 4. September abgeneigt seien. Picard forderte ein Mitspracherecht bei der Berufung seiner Mitarbeiter:

> »Entourés d'un personnel qui a tout entier appartenu au gouvernement impérial,
> et qui est en correspondance continuelle avec des bureaux peu sympathiqes aux
> hommes du 4 Septembre, nous serions sans crédit et sans autorité.«[320]

Picards Biograf, Maurice Reclus, kommt ebenfalls zu der einen leisen Vorwurf
enthaltenden Feststellung, die Bonapartisten seien, nachdem sie schon unter Favre kaum dezimiert worden waren, wegen de Remusats Schwäche in der Lage gewesen, in den Quai d'Orsay zurückzukehren.

Das weitere Verbleiben bonapartistisch gesinnter Diplomaten gab noch 1878 zu
internen Diskussionen Anlass. Im März 1878 klagte ausgerechnet Saint-Vallier,
der früher Kabinettschef eines kaiserlichen Aussenministers gewesen war, es gebe
noch so viele militante Bonapartisten. Und im Dezember 1878 liess er Aussen-

---

[318] Ebenda, S. 134.

[319] BROGLIE, Mémoires, Bd. 2, S. 58.

[320] Picard an de Rémusat, 15. Mai 1872, in: Maurice RECLUS, Ernest Picard 1821–1877, Paris 1912, S. 335 f.

minister Waddington wissen, er hätte schon seit langem sein Kabinett von Bonapartisten säubern sollen. Saint-Vallier mahnte Waddington am 12. Dezember
1878:

> »[...] je vous ai toujours dit mon regret que vous n'ayez pas, comme je vous le de-
> mandais, nettoyé dès le début les écuries d'Augias. Vous vous seriez donné une
> grande force qui vous manque aujourd'hui et auriez ôté à la chambre le grief prin-
> cipal qu'elle a contre vous et que vos envieux exploitent avec soin. La nomination
> de Challemel, la mise de côté de Chaudordy, l'expulsion de Valfrey, le nettoyage
> de votre cabinet aurait dû être fait il y a 10 mois. Votre cabinet est un foyer du
> Bonapartisme vraiment trop connu.«[321]

Noch 1893 müssen, den Schilderungen eines entrüsteten Republikaners zufolge,
die unteren Ränge in grosser Zahl von Gegnern der Republik belegt gewesen
sein, ja es sei sogar vorgekommen, dass sich Generalkonsulsgattinnen beim Spiel
fremder Hymnen erhoben hätten, bei der Marseillaise hingegen sitzen geblieben
seien. Monteil, conseiller municipal de Paris, conseiller général de la Seine und
préfet de la République, bemerkte:

> »Aux Affaires étrangères, personnel intérieur et personnel extérieur sont dans leur
> généralité aussi mauvais, aussi funestes, aussi hostiles que possible à la Républi-
> que.«[322]

Es wäre indessen verfehlt, aus dem Verbleiben der meisten Beamten zu schliessen, Napoléon III. habe über 1870 hinaus im Quai d'Orsay treue Anhänger gehabt. Eine bloss punktuelle Bestätigung gibt Saint-Vallier, Botschafter in Berlin,
indem er seinem Chef, Aussenminister Waddington, vorwirft, er schirme die Tätigkeit des Aussenministeriums gegenüber Mac-Mahon weniger ab, als dies die
bonapartistische Regierung gegenüber ihrem autoritären Chef getan habe.

> »Je n'avais jamais pu admettre, et aucun agent de carrière plus que moi, que le Mi-
> nistre des Affaires étrangères dût communiqer au Chef de l'Etat tous les télégram-
> mes qu'il recevait; ceux que je vous ai expédiés étaient en général *pour vous*, et il ne
> serait pas possible que des Ambassadeurs n'eussent pas, avec leur Ministre l'entiè-
> re *liberté* et l'entière *discrétion* du Télégraphe; la situation que vous me révélez est
> absolument nouvelle et, comprise comme elle l'est par vous, elle restreindrait dans
> une mesure inacceptable votre propre liberté d'action comme celle de vos agents;
> il faut que ceux-ci puissent télégraphier avec une entière confiance, et c'est là un
> principe sur lequel, jusqu'ici, aucun doute n'avait encore été émis. J'ai été cinq ans
> chef de cabinet sous un régime autrement autoritaire que celui-ci, avec un chef
> d'Etat envers qui l'on devait s'imposer des devoirs bien plus étroits qu'à l'égard du
> Président actuel.«[323]

---

[321] MAE, Mémoires et Documents Allemagne, 166. Möglicherweise zielte diese Bemerkung
auch auf das Verbleiben von Pontécoulant und Valfrey. Vgl. auch die Briefe vom 24. und
31. März 1878 der gleichen Korrespondenz.

[322] Edgar MONTEIL, L'Administration, insbesondere S. 313–332, Zitat S. 321.

[323] Saint-Vallier an Waddington, Februar 1878, MAE, Mémoires et Documents Allemagne,
166. – Wir wissen wenig über die allgemeine Entwicklung der Verwaltung und über das Mass
ihrer Unabhängigkeit gegenüber den jeweiligen Regimen. Guy THUILLER, La vie quotidienne
dans les ministères au XIXᵉ siècle, Paris 1975 sagt nichts über die allenfalls unterschiedliche
Stellung der Verwaltung während des Kaiserreiches, der Restauration, dem Bürgerkönigtum,

Aussenminister de Rémusat, der ein entschiedener Gegner des Zweiten Kaiserreiches war und als Proskribierter neun Monate in England hatte verbringen müssen, fühlte sich 1871 verpflichtet, das ihm anvertraute Personal gegenüber dem pauschalen Vorwurf, es sei bonapartistisch, in Schutz zu nehmen. Wohl meinte auch er, der den Vorwurf der Inaktivität mit der Auffassung zu parieren versuchte, er sei bloss ein Provisorium zwischen zwei Revolutionen gewesen (jener des 4. September und jener des 24. Mai), dass die personellen Verhältnisse im Aussenministerium nach Reformen in der Rekrutierung und Ausbildung des Nachwuchses riefen:

> »Je n'en pris pas moins sous ma garde le personnel existant. Je résistai aux accusations de bonapartisme lancées assez généralement contre lui. Elles étaient médiocrement fondées pour la plupart, surtout dans la jeunesse diplomatique. Celle-ci avait plutôt un peu de légitimisme dans ses origines et des opinions de Jockey-Club européen qui la rendaient peu favorable à la République.«[324]

Über die Verhältnisse im Quai d'Orsay sagte er:

> »Je trouvais le ministère assez bien organisé. Maître de le refondre, j'y changeais peu de chose. Les quatre directions sont assez bien délimitées. Les chefs en étaient suffisants.«[325]

## Gesinnung oder Leistung

Eine allfällige Säuberung hätte sich, wie Klagen eines gemässigten Republikaners, des in Bern eingesetzten Botschafters Lanfrey zeigen, nicht so sehr gegen Anhänger einer bestimmten politischen Gruppe richten müssen als gegen unfähige Müssiggänger, welche sehr wohl die Ehre des Amtes, nicht aber die damit verbundenen Pflichten tragen wollten:

> »Notre diplomatie aujourd'hui peut se définir en deux mots; oisiveté et nullité. Le premier ministre qui aura le courage de tenter une réforme dans ce nid d'abus, n'aura pas deux choses à faire. Il faudra qu'il prenne la maison dans ses mains et qu'il la retourne comme on retourne un panier qu'on veut vider. Il faudrait commencer par réduire au *dixième* le nombre des fonctionnaires. Voilà sur ce point ma pensée très sincère et je vous la dis, bien entendu, *tout à fait entre nous*, car ces choses-là ne peuvent pas se dire publiquement, surtout aujourd'hui.«[326]

Von seinen Mitarbeitern Baron de Reinach (1. Sekretär mit 25 Dienstjahren), Comte de la Lande (2. Sekretär mit bald 20 Dienstjahren) und Comte de Grou-

---

dem Zweiten Kaiserreich, der III. Republik. Ezra Suleiman befasst sich in einem Aufsatz in allgemeiner Weise mit dem Verhältnis zwischen Beamten und Deputierten im Zeitraum der III.–V. Republik. Er versucht der Meinung zu widersprechen, dass den beiden Rollen ein stark antagonistisches Moment innewohnt, spricht zu Recht von den sich über das Gegensätzliche hinweg bildenden Allianzen, mündet aber zum Schluss weitgehend in die Meinung ein, gegen die er sich anfänglich ausgesprochen hat. Ezra SULEIMAN, L'administrateur et le député en France, in: Revue française de science politique 13 (1973), S. 729–757.

[324] REMUSAT, Mémoires, Bd. 5, S. 370.

[325] Ebenda, S. 368.

[326] Lanfray an Rey, 5. Januar 1872, in: Pierre LANFREY, Correspondance, Bde. 1–2, Paris 1885, hier: Bd. 2, S. 251.

chy (3. Sekretär mit 15 Dienstjahren) sagte Lanfrey, sie langweilten sich und schmissen Geld zum Fenster hinaus.

Aussenminister de Rémusat hätte sich bei seinen Mitarbeitern eine Disziplin gewünscht, die vor allem die Beamten der obersten Klassen sowohl vor privaten Lastern wie vor parteipolitischen Neigungen geschützt hätte und die er bei den deutschen und österreichischen und, wie er sagte, sogar bei den englischen Beamten in höherem Masse entwickelt sah als bei den französischen:

> »La Prusse, L'Autriche, l'Angleterre même trouveraient plus aisément des serviteurs consciencieux qui se chargeraient sans scrupules de représenter en quelque lieu qu'il le veuille, comme le veut et l'entend le gouvernement de leur pays. Mais moi, je ne puis être sûr de ceux que j'emploie.[...] J'ai toutes les peines du monde à me faire servir sans passion, et la neutralité éclairée qui doit presque toujours diriger le gouvernement, est vraiment trop rare en France chez les individus pour les besoins du service public.«[327]

Thiers äusserte sich in ähnlicher Weise:

> »Les agents sont en général trop agissants et pas assez observateurs. Ne laissez point passer un seul fait, un seul symptôme sans nous le signaler; mais donnez peu de conseils.«[328]

Eine wenig aussagekräftige Beschreibung von Mac-Mahons Auffassung in dieser Frage gab 1880 Ernest Daudet:

> »Il estime que ce n'est ni par le changement à outrance des fonctionnaires, ni par les lois persécutrices que se fondent les gouvernements. Sans doute, on doit exiger des fonctionnaires avec des qualités professionnelles par lesquelles se conquiert la confiance et se gagne le respect, un dévouement intelligent à la chose publique; mais, on ne saurait aller au-delà, ni vouloir que ce dévouement se traduise en des formes qui équivaudraient à l'abdication de toute indépendance et de tout honneur.«[329]

Während in den unteren Chargen der Diplomat nahezu beliebig verwendbar und entsprechend gesichtslos sein sollte, galt für die oberste Diplomatenklasse, für die Botschafter und Gesandten, ein anderer Massstab. Sie mussten, wie Thiers' Auswahl 1871 zeigt, über eine persönliche Ausstrahlungskraft verfügen, mussten mehr Staatsmänner als Bürochefs sein und wurden als ausgeprägte Persönlichkeiten im Auswahlverfahren gewogen und als solche je nach Mission für geeignet oder ungeeignet befunden.

Die Equipe der provisorischen Republik

Adolphe Thiers sah sich nach seiner Ernennung im Februar 1871 zahlreichen Forderungen politischer »Freunde« ausgesetzt:

---

[327] RÉMUSAT, Mémoires, Bd. 5, S. 442, im Zusammenhang mit den Zwistigkeiten zwischen den beiden französischen Botschaftern Bourgoing und Fournier in Rom.

[328] Thiers an Gabriac, 1. Februar 1873, in: Adolphe THIERS, Occupation et libération du territoire, Bde. 1–2, Paris 1900, hier: Bd. 2, S. 476.

[329] Ernest DAUDET, Souvenirs de la Présidence du Maréchal de Mac Mahon, Paris 1880, S. VI.

>Le plus grand nombre de mes amis se conduisent fort mal, pour des ambassades non données, des bâtons de Maréchal refusés, pour des portefeuilles qui n'arrivent pas.«[330]

Ihm ging es, als er nach geeigneten Männern für die Neubesetzung der wichtigsten Botschaften Umschau hielt, nicht darum, namenlose Verwaltungsbeamte zu finden. Die neuen Vertreter Frankreichs mussten drei Eigenschaften aufweisen: Ihr Vorleben durfte nicht durch politische Verbindungen mit dem Zweiten Kaiserreich belastet sein. Sie sollten gegen aussen Frankreich möglichst eindrucksvoll repräsentieren können und deshalb über ein »persönliches Ansehen« verfügen.

>C'est précisément parce que la France est malheureuse et humiliée qu'il convient d'envoyer dans les grands postes des hommes ayant une position personnelle et une belle fortune. Le nom du Duc de Noailles et celui du Duc de Broglie font très bien à l'étranger.«[331]

D'Haussonville sagte im Vorwort von Lanfreys Briefausgabe, Thiers habe »hommes considérables par leur situation sociale et notoirement monarchistes auprès des grands cabinets de l'Europe« gewählt.[332] Vicomte de Meaux sagte in seinen Memoiren, Thiers habe die Botschaften »aux héritiers de noms historiques« gegeben.[333] Nach Thiers' Formulierung mussten die Nominationen geeignet sein

>à faire agréer au monde aristocratique des cours étrangères une République bien ordonnée.«[334]

Laut Juliette Adam soll Thiers 1871 gesagt haben:

>Mes nominations d'hommes dont le prestige individuel et la situation pouvaient honorer la pauvre France à l'étranger ont été mon meilleur ›coup d'Etat‹.«[335]

Der Bonapartist Comte de Maugny setzt den Wechsel, der sich im diplomatischen Korps erst 1877–1880 vollziehen wird, aus einer perspektivischen Täuschung schon 1870/71 an:

>Il semble, d'ailleurs, que les hommes à la mode du second Empire, d'une grande allure et d'un type rien moins que banal, aient été les derniers représentants de la traditionnelle élégance française. Ceux qui ont émergé depuis sont d'une tout autre race: notre état social l'exige.«[336]

Maugny gehörte selbst zu denjenigen, die 1871 den diplomatischen Dienst verlassen haben. Schliesslich musste Thiers, der – wie ein treffendes Wort sagt – wohl das Volk hinter sich, jedoch das Parlament vor sich hatte, darauf achten, dass die Ernennungen gegen innen die konservative, monarchistische Mehrheit der Nationalversammlung zufrieden stellten. Gabriac, selbst Monarchist, bemerkte:

---

[330] Thiers an Duvergier de Hauranne, 16. Mai 1871, in: THIERS, Occupation, S. 441.

[331] Gabriac an Chaudordy, 4. März 1871, Papiers Chaudordy, Bd. 11. Ähnlich äussert sich Gabriac nochmals in seinen Souvenirs diplomatiques, S. 104.

[332] LANFREY, Correspondance, Bd. 1, S. 164.

[333] MEAUX, Souvenirs politiques, S. 30.

[334] Adolphe THIERS, Notes et souvenirs de M. Thiers, 1870–1873, Paris 1901, S. 207.

[335] Juliette ADAM, Mes angoisses et nos luttes, 1871–1873, Paris 1907, S. 63.

[336] MAUGNY, Souvenirs diplomatiques, S. 94.

> »[Thiers] tenait à donner au parti monarchique, en majorité dans la nouvelle As-
> semblée, sa part légitime d'influence et d'action.«[337]

Thiers' Diplomaten mussten also gerade nicht Anhänger der republikanischen
Partei sein, wie dies fälschlicherweise von Hansen, der mit dem 1871 trotz seiner
monarchistischen Gesinnung nicht weiterbeschäftigten Chaudordy befreundet
war, behauptet wird.[338] Steinbach vermutet, Thiers habe die monarchistische Opposition gegen seine Politik schwächen wollen und deshalb ihre möglichen Wort-
führer ins Ausland geschickt. Bei der Ernennung von Albert de Broglie könnte
diese Überlegung mitgespielt haben.[339] Thiers konnte, wie dargelegt, einen grossen Teil der diplomatischen Beamtenschaft des Empire übernehmen.

> »Il est devenu tout à fait impossible de conserver les diplomates qui ont servi
> l'Empire; je dois autant que possible les mettre de côté.«[340]

Diese bezeichnenderweise gegenüber einem Monarchisten abgegebene Willensäusserung ist aber kein Beleg dafür, dass Beamte des Empire ausgeschlossen worden sind; im Gegenteil, sie bezeugt lediglich, dass im November 1871 noch immer eine grosse Zahl von Beamten des Empire im diplomatischen Dienst war.
Gravierender als eine bonapartistische Vergangenheit war – insbesondere für die
Tätigkeit in Versailles – ein allzu exponiertes Vorleben im turbulenten Winter
1870/1871. Thiers hätte gerne Jules Favre, den Aussenminister und Vizepräsidenten des »Gouvernement de la Défense Nationale«, im Quai d'Orsay belassen,
doch musste er sich im Juli 1871 von ihm trennen, weil Favre wie der Innenminister Ernest Picard als ehemaliges Mitglied des Staatsstreichregimes die letzte
der drei Bedingungen nicht erfüllte und ständig den Angriffen der Orléanisten,
Legitimisten und Bonapartisten ausgesetzt war. Hinzu kamen Spannungen zwischen Thiers und Favre. Denn Favre unterwarf sich (im Gegensatz zu seinem
Nachfolger de Rémusat) nicht so leicht dem alles dominierenden Chef der provisorischen Republik; insbesondere hielt der scheidende Aussenminister Thiers'
Haltung gegenüber den vatikanischen Ansprüchen für zu nachgiebig.[341] Soviel
die konservativen Gegner an Favre auch aussetzten, sie anerkannten, dass der republikanische Aussenminister den Pressionsversuchen seiner Parteigenossen widerstanden und im diplomatischen Korps nur zwei Neubesetzungen vorgenommen hatte. Favre schickte den bereits siebzigjährigen, gemässigt republikanischen
Antoine Sénard, der in der Zweiten Republik Innenminister gewesen war und
1871–1881 Deputierter der »Gauche républicaine« war, im September 1870 als
Gesandten an den italienischen Hof in Florenz. Gleichzeitig ernannte er den pro-

---

[337] GABRIAC, Souvenirs, S. 104.

[338] Jules HANSON, Les coulisses de la diplomatie (1864–1879), Paris 1880, S. 249.

[339] STEINBACH, Diplomatie, S. 268. Steinbach irrt sich übrigens, wenn er von vier monarchistischen Botschaftern mit Mandaten in der Nationalversammlung spricht, denn der Deputierte de Vogüé ist nicht identisch mit einem der beiden Botschafter de Vogüé.

[340] Thiers an Gontaut-Biron, 21. November 1871, im Anhang von GONTAUT-BIRON, Mon
ambassade, Bd. 1, S. 427.

[341] THIERS, Notes et souvenirs, S. 206; MEAUX, Souvenirs politiques, S. 61; REMUSAT, Mémoires, Bd. 5, S. 319 und 330; BROGLIE, Mémoires, Bd. 2, S. 55; DDF Série I, Bd. 1, Nr. 34;
sowie natürlich Maurice Reclus' Biographie von Favre.

nonciert republikanischen Deputierten Pierre-Albert Tachard zum Gesandten in Brüssel. Tachard gehörte zu den elsässischen Deputierten, die im Februar 1871 nach der Abstimmung über die Friedenspräliminarien ihr Mandat niederlegten. Tachard war wenig später wieder im Gespräch als möglicher Gesandter für den Posten in Bern, doch wurde aus Rücksicht auf die elsässische Herkunft von einer solchen Nomination abgesehen. [342]

Die neuen Diplomaten

Von den »neuen« Männern der Ära Thiers war nur der kleinste Teil wirklich neu: der damals 41jährige Marquis Emmanuel-Henri-Vieturnien de Noailles, der während des Empire keine öffentlichen Ämter bekleidet und sich seinen privaten Studien gewidmet hatte; der noch jüngere, 1871 erst 34jährige Comte Eugène-Antoine-Horace de Choiseul-Praslin, der während Louis Napoléons Herrschaft die für Regimegegner noch am ehesten gangbare Offizierslaufbahn gewählt hatte; der Marquis Amour-Louis-Charles-René de Bouillé, der 71jährige Kavallerieoffizier, und schliesslich der schon 64jährige Vicomte Anne-Armand-Elie Vicomte de Gontaut-Biron, der sich lediglich im Conseil Général seines Departements auf unterer Ebene politisch betätigt und den das Zweite Kaiserreich nicht kompromittiert hatte.[343]

De Noailles wurde, nachdem er im März 1871 die Botschaft von St. Petersburg abgelehnt hatte[344], im Mai 1872 Gesandter in Washington und Ende 1873 Botschafter in Rom.[345] De Choiseul vertrat Frankreich vom März bis November 1871 ebenfalls in Rom, de Bouillé wurde im April 1871 zum Botschafter in Madrid und de Gontaut-Biron im Dezember 1871 zum Botschafter in Berlin ernannt. Neu und in Abweichung der von Thiers im allgemeinen befolgten Regel kamen ferner zwei republikanische Mitglieder der Nationalversammlung in die vorderen Ränge der Diplomatie: der bereits erwähnte Ernest Picard, dem Thiers Brüssel zuhielt, und Jules Ferry, der nach Athen durfte.[346]

Die Alten des Bürgerkönigtums

Weit bemerkenswerter ist die Tatsache, dass die grosse Mehrheit der neuen Diplomaten nur insofern neu war, als sie während des Second Empire, in der Regel aus eigenem Willen, eine abseitige Stellung eingenommen, hingegen vor Louis

[342] Albert Schoop, Johann Konrad Kern, Bd. 2, Frauenfeld 1976, S. 501.

[343] Laut Desprez war Gontaut-Biron vom Innenminister und stellvertretenden Aussenminister Auguste Casimir-Périer vorgeschlagen worden, Papiers Desprez, Memoiren, Dossier 27, S. 27.

[344] Vgl. Gabriac an Chaudordy, 4. März 1871, Papiers Chaudordy, Bd. 11. In seinen Memoiren sagt Gabriac, de Noailles habe wegen des Commune-Aufstandes den Posten nicht annehmen wollen, Souvenirs diplomatiques, S. 104. De Meaux berichtet in seinen Memoiren ebenfalls, dass de Noailles Petersburg angeboten erhalten hat, und fügt bei, Thiers habe de Noailles schon während des Krieges auf seiner Kabinettsliste gehabt, Meaux, Souvenirs politiques, S. 25.

[345] Solange die Stellung des französischen Vertreters beim italienischen König in Rom wegen des päpstlichen Widerstandes nicht geklärt war, hatte de Noailles den Rang eines Ministers erster Klasse; im Juli 1876 wurde er zum Botschafter befördert.

[346] Zu Picard, vgl. S. 137; zu Ferry, vgl. S. 163.

Napoléons Machtergreifung entweder im diplomatischen Dienst gestanden oder ein politisches Amt innegehabt hatte. Der Comte Jean-Francois-Guillaume de Bourgoing hatte schon 1848 als zweiter Botschaftssekretär seine Karriere verlassen, kehrte aber im Juni 1871 als Gesandter im Haag in den diplomatischen Dienst zurück und wurde wenig später Botschafter zunächst beim Papst, dann beim Sultan. Bourgoing hätte im Sommer 1871 die Gesandtschaft in Bern übernehmen sollen, wurde aber von der kulturkämpferisch eingestellten schweizerischen Regierung als zu klerikal abgelehnt, so dass Bourgoing nach den Niederlanden und Lanfrey in die Schweiz geschickt wurde.[347] Offenbar war Bourgoing, der 1874 zur Disposition stand, im Herbst jenes Jahres nochmals im Gespräch als allfälliger Botschafter in Bern. Und wiederum muss er wegen seiner klerikalen Gesinnung in der Schweiz nicht willkommen gewesen sein.[348]

Der Duc Albert de Broglie bekleidete wie sein gleichaltriger Kollege Bourgoing den Grad eines Botschaftssekretärs, als die Februar-Revolution ihn veranlasste, sich vom öffentlichen Dienst zurückzuziehen und sich nur noch der Verwaltung seiner Güter und seinen Studien zu widmen, die ihm 1863 ein anderes, gewissermassen auch öffentliches Amt eintrugen: einen Sitz in der französischen Akademie. Dieses Beispiel zeigt, dass man sich die orleanistischen Regimegegner keineswegs als einsame und isolierte Aussenseiter vorzustellen hat. Schon Napoléon III. hatte de Broglie eine Botschaft angeboten und de Broglie war offenbar nicht abgeneigt gewesen, nur sah er nicht, dass es in dem angebotenen Konstantinopel für Frankreich damals etwas zu tun gegeben hätte. Nach Rom wäre er als Botschafter beim Vatikan gegangen, doch wäre mit dieser Lösung der Aussenminister darum nicht einverstanden gewesen, weil ihm de Broglie zu sehr mit dem Klerus verbunden war.[349] Erst auf Thiers' Bitte hin kehrte er in den auswärtigen Dienst zurück und übernahm die französische Botschaft in London, wo er schon 1845 an der Seite seines Vaters gewesen war. Seine Rolle als Führer der monarchistischen Opposition gab er deswegen allerdings nicht auf, sie war ihm sogar wichtiger als die Diplomatie. Nachdem er ständig zwischen London und Versailles gependelt war, gab er die Botschaft schon nach wenigen Monaten Thiers wieder zurück. Juliette Adam schreibt im August 1871:

> »M. de Broglie est toujours à Londres. Il passe et repasse la Manche à chaque instant pour combattre M. Thiers, qui commence à en être quelque peu agacé, dit Saint-Hilaire.«[350]

Die Alten der Zweiten Republik

Die anderen Persönlichkeiten, die der Chef der provisorischen Republik für den auswärtigen Dienst wieder gewinnen konnte, hatten 1848 ihre Dienste der Zweiten Republik noch zur Verfügung gestellt und sich erst nach dem Staatsstreich vom 2. Dezember 1851 zurückgezogen. Der Comte Charles-François de Rémusat, mit 74 Jahren Thiers' Aussenminister, war schon Innenminister der Juli-Mon-

[347] SCHOOP, Kern, Bd. 2, S. 507.
[348] Politisches Departement an Lardy, 7. September 1874, BA Bern, E2/738.
[349] L. HALÉVY, Carnets, Bd. 2, S. 49 und 53.
[350] ADAM, Mes angoisses, S. 190.

archie und 1848 Mitglied der Kabinette von Thiers und Guizot gewesen und in den Jahren des Zweiten Kaiserreiches der Politik ferngeblieben. Der General Adolphe-Emanuel-Charles Le Flô, der neue Botschafter in St. Petersburg, war — worauf auch die für ihn verfassten Instruktionen hinweisen — schon 1848 mit 44 Jahren Gesandter der Zweiten Republik in Russland und 1852 einer der prominentesten Gegner Louis Napoléons gewesen. Nach Jahren der Verbannung und der Abgeschiedenheit kehrte der auch als »reaktionärer Monarchist«[351] eingestufte Orléanist 1870 ins öffentliche Leben zurück und wurde zunächst Kriegsminister der provisorischen Republik und war massgeblich an der Niederwerfung der Commune beteiligt.[352]

Auch der Marquis Charles-Jean Melchior de Vogüé verliess 1852 das Aussenministerium, in das Tocqueville 1849 den Zwanzigjährigen aufgenommen hatte. Vogüé, der sich schon während seiner ersten Diplomatenzeit als Botschaftsattaché in Russland für Archäologie interessiert und die Kaiserjahre zum Teil an der Ecole des Chartes, zum Teil auf Bildungsreisen verbracht hatte, pflegte auch nach seiner plötzlichen Ernennung zum Botschafter in Konstantinopel seine archäologischen Interessen: Als er 1902 zum Nachfolger seines Freundes, zeitweiligen Botschafterkollegen und Aussenministers Duc Albert de Broglie in die Akademie gewählt wurde, berichtete die Laudatio, er habe von Konstantinopel aus vergeblich versucht, die Arme der Venus von Milo zu finden.[353] Der Comte Bernard d'Harcourt, noch während der Zweiten Republik Gesandter in Stuttgart, wurde 1852 abberufen, weil er den Eid auf Napoléon III. verweigert hatte, und übernahm nach einem Unterbruch von nahezu zwei Jahrzehnten 1871 die Botschaft beim Vatikan, 1872 die Botschaft in London und 1875 die Botschaft in Bern. Und Claude-Francois-Philibert Corcelle, der sich während der Zweiten Republik noch für Louis Napoléons Politik begeistert hatte und 1849 Generalkommissar in Rom gewesen war, wurde als Gegner des Empire nach dem Staatsstreich kurz eingesperrt und trat dann als Finanzberater in den Dienst von Papst Pius IX. Seine besonderen Kenntnisse stellte er 1873–1876 der Republik als Botschafter wiederum beim Vatikan zur Verfügung.

Abgänge nach dem 24. Mai
Thiers' Sturz brachte einige wenige Veränderungen im diplomatischen Korps. Die wichtigen Posten Berlin und St. Petersburg blieben in den gleichen Händen. Aus London wurde der auf diesem Posten leicht überforderte Bernard d'Harcourt zurückgerufen und etwas später nach Bern geschickt. Wien war 1873 ebenfalls neu zu besetzen, denn Banneville war aus gesundheitlichen Gründen zurückgetreten.[354] Jules Ferry hätte unter dem »Ordre Moral«, wie die Ära unter Mac-

---

[351] BUTENSCHÖN, Zarenhymne, S. 34.

[352] Favre an Le Flô, 7. Juli 1871, DDF, Série I, Bd. 1, Nr. 21.

[353] De Heredias' Empfangsrede vom 12. Juni 1902, in: Discours académiques, S. 52.

[354] Aufgrund von Aufzeichnungen des Politischen Direktors des Quai d'Orsay, Félix-Hippolyte Desprez, wissen wir, dass nicht vorgeschobene, sondern tatsächliche Gesundheitsgründe Banneville veranlassten zurückzutreten. Die gleichen Aufzeichnungen geben Aufschluss über den Grund von Bernard d'Harcourts Wechsel von London nach Bern, Papiers Desprez, Memoiren, Dossier Nr. 30, S. 84.

Mahon bezeichnet wurde, nicht Diplomat bleiben können, doch war er schon im April 1873 aus Athen zurückgekehrt, und Ernest Picard konnte und wollte nach Thiers' Abgang nicht im Amt bleiben.[355]

Ob Fourniers Demission mit dem Machtwechsel in Paris zusammenhing, ob die Demission aus eigenem Antrieb oder auf Druck erfolgte, ist unklar. Die Reibereien zwischen ihm als dem Botschafter beim Quirinal und Bourgoing, dem Botschafter beim Vatikan, könnten eine Rolle gespielt haben. Als nämlich Bourgoing im Januar 1873 ersetzt wurde, stellte sich die Frage, ob nicht billigerweise auch Fournier Rom verlassen müsste. Da Fournier 1876, allerdings ohne Erfolg, auf der Liste der Republikaner für den Senat kandidiert und sich 1879 nach erfolgreicher Kandidatur beim »Centre gauche« eingetragen hat und zudem nach der Abdankung des Regimes vom 16. Mai im Dezember 1877 als Botschafter in Konstantinopel wieder als aktiver Diplomat eingesetzt wurde, darf man vermuten, dass die Demission von 1873 parteipolitisch motiviert war. Wie Fourniers Rücktritt war Fourniers Comeback von der parteipolitischen Konjunktur bestimmt. Desprez sagte von der Wiedereinstellung von 1877:

> »[...] Fournier dont la fortune se trouvait liée à celle des amis de M. Thiers.«[356]

Von Pierre Lanfrey schliesslich, dem Botschafter in Bern und Deputierten der Nationalverammlung, wissen wir, dass er aus Unzufriedenheit mit dem neuen Regime den diplomatischen Dienst verliess.[357]

## Nominationen des »Ordre Moral«

Zwei der Neubesetzungen, die vorgenommen werden mussten, fielen auf bereits amtierende Diplomaten, auf Baude und de Noailles. Und die fünf wichtigsten der weiteren 1873–1877 ausgesprochenen Ernennungen unterschieden sich kaum von den Ernennungen der Ära Thiers. Duc Louis-Charles-Elie-Amanien Decazes de Glücksberg war während der Herrschaft Louis-Philippes in den auswärtigen Dienst getreten und hatte sich im Februar 1848 wieder aus der Politik zurückgezogen. Im September 1873 ernannte ihn Aussenminister de Broglie zum Botschafter in London, wo er 1841 als Botschaftssekretär der Juli-Monarchie bereits tätig gewesen war. Schon nach zwei Monaten wurde er nach Paris gerufen, um an Stelle von Ministerpräsident de Broglie, der infolge einer Kabinettsumbildung das Innenministerium übernehmen musste, den Quai d'Orsay zu leiten. Vier Jahre blieb der Herzog im Amt und gab der Führung des auswärtigen Dienstes eine personelle Kontinuität, wie sie erst wieder mit Delcassé und Pichon zustande kam.

Decazes' Nachfolger in London war für kurze Zeit Duc Marie-Charles-Gabriel-Sosthène de la Rochefoucauld de Bisaccia, ein Mann der extremen Rechten, der erst 1871 das politische Parkett betreten hat und in London vor allem durch seine pompösen Feste auffiel und bereits nach einem halben Jahr zurückgerufen und durch einen Berufsdiplomaten ersetzt wurde. Botschaftssekretär Gavard,

---

[355] Reclus lässt in seiner Picard-Biographie (S. 311, 338) die Frage allerdings offen, ob Picard demissionieren wollte oder musste. Doch hätten gewiss beide, die neue Regierung wie Picard, nicht zusammenarbeiten wollen.

[356] Papiers Desprez, Memoiren, Dossier 38, S. 19 f.

[357] Zu den Hintergründen der Demission Lanfrey, s. unten, S. 150.

selbst Monarchist, schreibt in seinen Memoiren, Bisaccia habe seine Frau an den Grand-Prix de Paris begleitet:

> »Il partit ambassadeur et revint sans ambassade.«[358]

Die unveröffentlichten Memoiren des damaligen Politischen Direktors Desprez bestätigen das Bild des pompösen Gesellschafters, geben aber als Demissionsgrund Bisaccias schnell nachlassendes Interesse an der Diplomatie an; er, der zur Frohsdorfer Delegation gehört hatte, habe das Scheitern des Versuches, den bourbonischen Erbfolger Henri de Chambrun als französischen Staatschef einzusetzen, zum Anlass genommen, um zu demissionieren. Desprez' Urteil:

> »Ce n'était pas un diplomate de bien grande envergure malgré la somptuosité de sa table et le luxe des ses livrées.«[359]

1873 konnte man in einem wichtigen Blatt lesen, dass sich Bisaccia bisher nie für die Diplomatie interessiert habe und bezeichnete dessen Berufung als »une nomination véritablement politique«. Und weiter:

> »Est-ce le prix du concours de l'extrême droite? Le ministère a cru sans doute fort habile de s'en tirer à si peu de frais.«[360]

Steinbach sieht zwei mögliche Gründe für Bisaccias Rückberufung: Er habe im Mai 1874 dem in London weilenden Zaren in wenig taktvoller Weise den Vorschlag einer französisch-russischen Allianz unterbreitet und im Juni 1874 mit der Forderung, die Monarchie sei sofort wiederherzustellen, Mac-Mahons Missfallen erzeugt.[361] Bisaccia wurde ersetzt durch den Comte de Jarnac, der sich 1834 der Diplomatie zugewandt, sich aber im Februar 1848 ebenfalls ins Privatleben zurückgezogen hatte. Jarnac übernahm im August 1874 in London die Botschaft, der er 1840 als zweiter Sekretär zugeteilt gewesen war. Wenige Monate später musste der gleiche Posten wieder neu besetzt werden, da Jarnac, sechzigjährig, im März 1875 im Amt gestorben war. Auch der Marquis Georges-Douglas-Trévor-Bernard d'Harcourt, während der Juli-Monarchie Inhaber eines seiner Familie zustehenden Sitzes in der Chambre des Pairs, hatte 1848 der französischen Politik den Rücken gekehrt und sich wie sein Vater (man beachte die Vornamen des Sohnes) in England niedergelassen, um erst wieder 1873 ein Amt zu übernehmen, zunächst als Botschafter in Wien und 1875 als Nachfolger Jarnacs in London.

Der Comte Jean-Baptiste-Alexandre-Damase de Chaudordy, 1873 zum Botschafter in Bern und von diesem »poste d'attente« aus 1874 zum Botschafter in Madrid ernannt, war im Gegensatz zu den übrigen nach dem 24. Mai 1873 Nominierten während des Zweiten Kaiserreiches nicht abseits gestanden, ja er war sogar in wichtigen Positionen als Berufsdiplomat tätig gewesen: 1855 als persönlicher Sekretär des ehemaligen und künftigen Aussenministers Drouyn de Lhuys, 1862 als Mitglied in dessen Kabinett, seit dem 16. August 1870 als Kabinettschef

---

[358] Charles GAVARD, Un diplomate à Londres. Lettres et notes (1871–1877), Paris 1894, S. 200.

[359] Papiers Desprez, Memoiren Nr. 37, 7e partie.

[360] Revue des Deux Mondes (RDM) vom 15. Dezember 1873, S. 966 f.

[361] STEINBACH, Diplomatie, S. 146.

des letzten kaiserlichen Aussenministers de la Valette. Jules Favre übernahm Chaudordy im September 1870 und entsandte ihn während der Belagerung von Paris als Delegierten nach Tours. Dort führte er, der wenig später einen Platz unter der äusseren Rechten der Nationalversammlung einnehmen sollte, in bestem Einvernehmen mit dem Volkstribunen Gambetta einen Teil des aussenpolitischen Geschäfts. Chaudordy wurde denn auch, was man nur mit der gemeinsamen Zeit in Tours erklären kann, trotz gegensätzlichen Auffassungen im innenpolitischen Bereich 1881 Gambettas Botschafter in St. Petersburg.

Im Februar 1871 wurde er nicht mehr in die Equipe der aktiven Diplomaten übernommen, weil bei Jules Favre aus der Zeit der in Paris und Tours getrennt (und zum Teil wohl auch doppelspurig) geführten Geschäfte eine gewisse Verbitterung gegenüber seinem ersten Mitarbeiter zurückgeblieben war. Favre liess sich 1871 auch nicht durch Desprez' Fürsprache überreden, Chaudordy einen Posten zu geben. Chaudordys Ernennung nach Bern kommentierte Desprez:

> »Cette résidence était peu dans [ses] goûts, Chaudordy méritait mieux.«[362]

Eine besondere Stellung unter den Diplomaten der konservativen Republik nimmt Paul Léon Target ein. Der Deputierte des »centre droit« habe, wie der Aussenminister de Rémusat berichtet, bei jeder Kabinettsumbildung der provisorischen Republik den Wunsch vorgebracht, irgendwo Unterstaatssekretär sein zu dürfen. Nachdem er mit den Stimmen seiner Anhänger am 24. Mai 1873 Thiers zu Fall gebracht hatte, erhielt er vom konservativen Kabinett das Unterstaatssekretariat des Finanzministeriums angeboten. Target durfte dann aber, nachdem zuvor noch von den Posten Bern und Brüssel die Rede gewesen war, die Gesandtschaft im Haag übernehmen. Dort blieb er, bis im Dezember 1877 mit der Machtübernahme durch die gemässigten Republikaner für Target die Stunde schlug und ihm die Belohnung für seinen »Verrat« wieder abgenommen wurde. Desprez unterstrich den Zusammenhang zwischen Targets Haltung in der Nationalversammlung und seiner Ernennung zum Gesandten; er sprach von »titres acquis à la Tribune.«[363] Thiers' Freund de Rémusat schrieb in seinen Memoiren:

> »Il réclama son salaire et fut nommé ministre à la Haye.«[364]

Und Juliette Adam berichtete:

> »Jules de Lasteyrie, ami intime de Target, nous dit qu'il s'est vendu pour une ambassade.«[365]

Target vertrieb in Haag den Marquis de Gabriac, der ein Jahr zuvor dort hingeschickt worden war. Gabriac klagte später, er habe innert fünf Jahren drei verschiedene Posten leiten müssen und sei 1873 von Haag weg nach Athen geschickt worden,

> »[…] pour satisfaire les appétits trop pressés de M. Target.«[366]

---

[362] Papiers Desprez, Memoiren, Dossier Nr. 31, S. 36.

[363] Ebenda 30, S. 10 f.

[364] REMUSAT, Mémoires, S. 514.

[365] ADAM, Mes angoisses, S. 400.

Targets Biograph Jean Legaret nimmt den derart Kritisierten in Schutz: Jener habe nicht Thiers verlassen, sondern Thiers habe ihn verlassen, indem er sich mehr und mehr der Linken zugewandt habe.[367]

Das Korps der Jahre 1870–1877

Die Ernennungen des »Ordre Moral«[368] haben mit ihren Nominationen die folgenden Gemeinsamkeiten: Sie galten vorwiegend Leuten ohne bonapartistische Vorleben; sie berücksichtigten vor allem Monarchisten mit grossen Namen, Angehörige grosser Familien. Charlen Gavard, Geschäftsträger in London, anerkannte trotz seinen Vorbehalten gegenüber seinem Vorgesetzten, dass der Marquis de La Rochefoucauld de Bisaccia in London ein sehr hohes Ansehen genoss: Die Königin habe ihn empfangen, als ob er nicht französischer Botschafter gewesen wäre! Prinz de Polignacs Schwager zu sein und nicht einfach »Mister so und so«, sei gewiss ein grosser Vorteil. Wenn einem französischen Repräsentanten solchermassen Hochschätzung entgegengebracht werde, könnte man schliesslich sogar glauben, Frankreich selbst gelte etwas im Ausland:

> »La reine lui a fait un accueil comme s'il n'était pas ambassadeur de France. Elle a causé tout le temps et de ses parents et de ses enfants. Il est certain que, pour être ambassadeur, mieux vaut être le gendre du prince de Polignac, puis du prince de Ligne, le fils ou l'héritier d'un grand nom, que M. so and so.[...] La situation est changée ici, tout le monde cherche à se faire inviter, et, malgré soi, on finit par croire à l'existence d'un pays quand on sollicite les faveurs de son représentant.«[369]

Die Gemeinsamkeit der während Mac-Mahons Präsidentschaft ernannten Botschafter bestand darin, dass sie wie de Broglie und Bourgoing (die diesbezüglich in Thiers' Team eine Ausnahme waren) ihre Dienste der Zweiten Republik nicht zur Verfügung gestellt hatten und Vertreter eines prononcierteren Konservatismus waren. Die meisten der nach Thiers' Demission vorgenommenen Berufungen wären zur Zeit der ersten Präsidentschaft unvorstellbar gewesen. Dies gilt vor allem für den Herzog de La Rochefoucauld de Bisaccia, der ein erklärter Gegner Thiers' war.[370] Dass Chaudordy erst im Dezember 1873 Botschafter wurde, mag zum Teil mit seiner »réserve discrète, nuancée d'opposition« gegenüber Thiers' Regiment zusammenhängen, von der Comte de Moüy in seinen Memoiren berichtet.[371] Chaudordy hatte sich in der Abstimmung über die Friedensverträge am 1. März 1871 der Stimme enthalten. Doch war es weniger Thiers als Chaudordy selbst, der unter den damaligen Verhältnissen von einer Ernennung nichts wissen wollte. Bartholdi teilte am 17. Februar 1871 Chaudordy

---

[366] Gabriac an Saint-Vallier, 27. November 1877, Papiers Gabriac.

[367] Jean LEGARET, Paul Léon Target. Un député de l'Assemblée Nationale, Paris 1936, S. 62–73.

[368] Ordre Moral: aus einer Selbsterklärung hervorgegangene Bezeichnung des politischen Programmes der konservativen, klerikalen Partei. Wird auch allgemein verwendet zur Bezeichnung der restaurierten Aera der Amtszeit Mac-Mahons 1873–1879.

[369] GAVARD, Un diplomate à Londres, 3. Januar und 30. April 1874, S. 166 und 195.

[370] REMUSAT, Mémoires, Bd. 5, S. 418.

[371] Charles de MOÜY, Souvenirs et causeries d'un diplomate, Paris 1909, S. 244.

mit, wie sehr er es bedauern würde, wenn er sich zurückziehen und nur noch seinem Deputiertenmandat widmen würde.[372]

Dagegen wurden die von Thiers Berufenen nach dem 24. Mai 1873 grösstenteils in ihren Posten belassen oder nach geringfügigen Umbesetzungen in gleicher Funktion behalten. Acht Botschafter blieben in ihren Mandaten ungeschmälert, nur für drei brachte der Regierungswechsel ein Ende ihrer Aktivität im auswärtigen Dienst: für Aussenminister de Rémusat, dem es recht war, dem zurücktretenden Thiers folgen zu können; für Banneville, der Mac-Mahon immerhin so nahe stand, dass er 1877 für kurze Zeit wieder Aussenminister werden konnte oder wollte; und für Bouillé, über den wir durch die Aufzeichnung des Politischen Direktors erfahren, dass der Rücktritt des Marquis offenbar keine politischen Gründe hatte. Desprez, der den Botschafter als »personnage tout à fait au-dessous de sa charge« bezeichnete, schreibt, Bouillé habe nicht gewusst, was er in Madrid verrichten solle, und habe sich dann zurückgezogen.[373] Choiseul war in der Absicht, die Beziehungen zum Vatikan nicht zu belasten, schon zu Thiers' Zeiten »beurlaubt« worden, als Victor Emmanuel seinen Akkreditierungsort von Florenz nach Rom verlegte.[374] Und Lanfrey ging aus freien Stücken. Alles in allem stimmt Meaux' Feststellung, in der Aussenpolitik habe sich nach Thiers' Sturz nichts geändert – »ni agents ni instructions.«[375] Alles in allem bildeten die Persönlichkeiten, die während der ersten sieben Jahre der Dritten Republik die wichtigsten Stellen des auswärtigen Dienstes besetzt hatten, eine politisch wie sozial ziemlich homogene Gruppe.

Ludovic Halévys Ausruf, es habe sich 1870/71 nichts geändert, Frankreich habe bloss zwei Provinzen weniger und fünf oder sechs Parteien mehr –

> »Rien n'est changé en France, il n'y a que deux provinces de moins et cinq partis de plus.«[376] –

galt vor allem der Beobachtung, dass weder der Krieg noch der Zusammenbruch des Kaiserreiches die französische Gesellschaft grundlegend verändert hatten. Die politischen Führungsspitzen wurden zwar ausgewechselt, doch stellten der begüterte Adel und die wohlhabende Bourgeoisie weiterhin den überwiegenden Teil der Führungskräfte.

Die personelle Kontinuität über den Regimewechsel von 1870/71 und über den Regierungswechsel von 1873 hinaus findet ihren Ausdruck beispielsweise in der Laufbahn des Vicomte Léon-Armand-Anatole de Salignac-Fénelon. Er ge-

---

[372] Papiers Chaudordy, Bd. 11.

[373] Papiers Desprez, Memoiren, Dossier Nr. 37/7, S. 142.

[374] Vgl. etwa DDI III, Nr. 178, Bericht des italienischen Geschäftsträgers Ressmann vom 23. Oktober 1871.

[375] MEAUX, Souvenirs politiques, S. 149.

[376] HALÉVY, Notes et Souvenirs, S. 275. Diese auch in der wissenschaftlichen Literatur einhellig vertretene Auffassung findet man beispielsweise bei E. J. PRATT, La diplomatie française de 1871 à 1875, in: Revue Historique 167 (1931), S. 60–84, hier: S. 61 und zuletzt bei STEINBACH, Diplomatie (S. 15). – Zum hohen Prozentsatz adliger Abgeordneter in der Nationalversammlung 1871–1875, vgl. Jean BÉCARUD, Noblesse et représentation parlementaire, in: Revue française de Science Politique (Oktober 1973), S. 972–993.

hörte seit 1865 als »attaché payé«, seit dem Mai 1871 als »rédacteur«, seit dem Januar 1876 als »sous-chef« und seit dem August des gleichen Jahres als »chef« den verschiedenen Kabinetten an. Ende 1877 schied er halbwegs aus, wurde mit besonderen Aufgaben betraut und im Februar 1880 nach Freycinets Machtübernahme ganz entlassen.

In der Diplomatie konnte das Besitzbürgertum vor 1877 allerdings noch nicht zu den ersten Positionen vorstossen. Ob die adligen Diplomaten, welche die wichtigeren Posten innehatten, ihre führende Funktion aufgrund persönlicher Verdienste anvertraut erhielten, wie dies 1877 der französische Geschäftsträger in Konstantinopel, Graf de Moüy, meinte, oder ob bloss aufgrund von Privilegien erhalten hatten, wie dessen Gesprächspartner vermutete, ist schwer zu entscheiden. Nach dem »16. Mai« beruhigte de Moüy den türkischen Aussenminister:

> »Je lui ai répondu [...] que nous avions des institutions éminemment démocratiques, que notre aristocratie n'était en possession d'aucun privilège et que si des hommes distingués de la haute noblesse se trouvaient en effet à la tête de grands départements ministériels, ils le devaient à leur mérite personnel et non pas à leur naissance, et que, par conséquent, à aucun degré, le gouvernement actuel n'était un gouvernement aristocratique. J'ai dit tout cela [...] plutôt pour rendre hommage à la vérité que dans un intérêt politique.«[377]

Die Mobilität war eine nahezu unerlässliche, jedenfalls eine begünstigende Voraussetzung; doch heisst dies nicht, dass Eignung und Fähigkeit bei der Nomination unwichtig und bei den an leitender Stelle stehenden Diplomaten nicht vorhanden gewesen wären. In den unteren Rängen hingegen mögen ausser der Mobilität und der normalerweise damit verbundenen Fähigkeit, sich formsicher in der gehobenen Gesellschaft zu bewegen, weitere Qualitäten zuweilen gefehlt haben und deshalb auch Leute eingesetzt gewesen sein wie der Baron und die beiden Grafen, von denen der Botschafter Lanfrey 1872 sagte, sie seien unbrauchbare Müssiggänger, die nur Geld zum Fenster hinauszuwerfen verstünden.[378] Chateaubriand soll gesagt haben:

> »L'aristocratie passe par trois âges: celui des services, celui des privilèges, celui des prétentions.«

Die nach 1870 im Quai d'Orsay wirkenden Aristokraten sind nicht alle der gleichen Phase zuzuweisen; vielmehr waren sämtliche Phasen gleichzeitig vertreten.

## Angesehene Vorfahren

Die ersten Positionen wurden, wie die nachfolgenden Beispiele zeigen sollen, fast vollständig von alten Adelsfamilien gehalten, deren Angehörige seit Ludwig XIII. immer wieder wichtige Ämter innegehabt hatten. Aussenminister de Rémusat war Vergennes Grossneffe und La Fayettes Grosskind. Botschafter, Ministerpräsident und Aussenminister de Broglie war das Grosskind eines Adelsvertreters der Generalstände von 1789, der 1794 Opfer von Robespierres Guillotine geworden

---

[377] De Moüy an Decazes, 23. Mai 1877, MAE, Mémoires et Documents Turquie, Bd. 119.

[378] Lanfreys Urteil galt seinem 1. Sekretär Baron Charles de Reinach, seinem 2. Sekretär Comte de la Lande und dem 3. Sekretär Comte de Grouchy. Doch waren dies seiner Meinung nach bloss Beispiele eines allgemeinen Malaise.

war. Sein Grossonkel war Sekretär von Ludwig XV., sein Vater, noch Prinz ge-
nannt, war Aussenminister und Ministerpräsident der Juli-Monarchie, seine Mutter war die Tochter der Germaine de Staël, Grosskind von Necker. Der Vater des
Botschafters Marquis de Gabriac, dessen Ahnen an Saint-Louis' Kreuzzug teilgenommen hatten, war erster Page des grossen Napoléon, war Botschafter für
Karl X., Pair zur Zeit Louis-Philippes, Senator Napoléons III. Der Vater des
Botschafters de Bourgoing war ebenfalls eminenter Diplomat, sowohl im Ancien
Régime wie unter Napoléon; des Aussenministers Decazes' Vater hatte, nachdem
er für kurze Zeit Ludwigs XVIII. Polizeiminister gewesen war, ein halbes Jahr-
hundert vor seinem Sohn die Botschaft in London anvertraut erhalten; die d'Harcourt hatten ebenfalls im Ancien Régime wichtige Ämter besetzt und der Juli-
Monarchie einen Botschafter gestellt. Der Vater des Grafen de Jarnac, der General de Rohan-Chabot, war Adjutant des Königs Louis-Philippe gewesen. Corcel-
les, Chaudordy und Choiseul, der im Übrigen ebenfalls einen Botschafter und
Aussenminister zu seinen Vorfahren zählen konnte, hatten wie die meisten dieser
Gesellschaft Väter, die gewählte oder nominierte Mitglieder französischer Parla-
mente gewesen waren.

Familiäre Verbindungen

Familiäre Beziehungen verbanden die aktuelle Führungsschicht nicht nur mit
wichtigen Führungskräften der Vergangenheit; die Diplomaten der Oberschicht
verfügten, wie die übrigen Angehörigen dieser Schicht, auch in ihrer Zeit selbst
über ein familiäres Beziehungsfeld, das sich keineswegs auf das Aussenministerium beschränkte, hier aber an einigen Beispielen des Quai d'Orsay nachgewiesen
werden soll. Albert de Broglie nahm 1871 seinen Sohn Victor als Botschaftssekretär mit nach London und machte ihn 1873, als er das Aussenministerium
übernahm, zum Sous-Chef seines Kabinetts. Aussenminister de Rémusats Sohn
Paul hatte Thiers 1870 auf dessen Europareise begleitet und erhielt 1877 den
Posten in Den Haag angeboten.[379] Es war nichts Unstatthaftes, wenn Söhne im
»Geschäft« ihrer Väter – auch wenn es ein staatliches war – ausgebildet wurden.
Der Sohn des Politischen Direktors, Paul Desprez, begann seine Diplomatenlaufbahn, wie bereits ausgeführt, als noch nicht neunzehnjähriger Attaché bei seinem
Vater; neun Jahre blieb er in der Direktion seines Vaters und verliess schliesslich
1880 Paris, um in Rom zweiter Botschaftssekretär zu werden – doch wiederum
als Mitarbeiter seines Vaters, der zur gleichen Zeit zum Botschafter beim Vatikan
ernannt worden war. Auch die Karriere des Comte de Banneville weist auffallende Parallelen zu derjenigen seines Vaters auf. Sie begann 1867 in Bern, wo der
Marquis de Banneville Botschafter war, sie führte ihn zwei Monate nach der Ernennung des Vaters zum Botschafter beim Vatikan im Jahre 1868 ebenfalls nach
Rom; 1871 waren beide Banneville in Wien, der Vater wieder als Botschafter, der
Sohn zunächst noch immer als Attaché, später als dritter Botschaftssekretär, und
als der Vater im November 1877 das Aussenministerium übernahm, erhielt sein
Sohn den Posten eines Sous-Chefs seines Kabinetts. Als der Arbeitsminister
Teisserenc de Bort 1879 Botschafter in Wien wurde, nahm er seinen 29jährigen

---

[379] Zu Paul de Rémusat vgl. unten S. 153 ff.

Sohn als Sekretär mit. Edmond Teisserenc de Bort war schon zuvor im Arbeits-
ministerium Mitarbeiter seines Vaters gewesen. Aussenminister de Rémusat überredete seinen Schwager François de Corcelle die Botschaft beim Vatikan zu über-
nehmen. Der Überredete liess sich von seinem Sohn, ebenfalls einem François de
Corcelle, begleiten, der im Übrigen vorher Attaché im Kabinett seines Onkels de
Rémusat gewesen war.[380] Nicht nur Decazes' Vater war – wie er – Botschafter in
London gewesen, sondern auch sein Grossvater mütterlicherseits, der Comte de
Saint-Aulaire, der seinerseits in London ein Nachfolger seines Schwiegersohnes
war und Vorfahre eines weiteren Saint-Aulaire, der 1893 in den diplomatischen
Dienst eintreten und 1921–1924 Botschafter wiederum in London werden wird.
Botschafter Georges d'Harcourt, verheiratet mit einer Saint-Aulaire de Beaupoil
und der Linie d'Harcourt d'Orland zugehörig, war ein Onkel des Aussenministers
Decazes und ein Vetter des Botschafters Bernard d'Harcourt. Bernard d'Har-
court von der Linie der d'Harcourt-Beuvron hatte 1839 unter seinem Vater, dem
Duc François-Eugène-Gabriel d'Harcourt, der damals Botschafter in Madrid war,
seine Karriere begonnen und wurde 1871 wie schon sein Vater Botschafter beim
Vatikan. Die d'Harcourt waren übrigens über den Vicomte Gabriel-Paul-Othenin
d'Haussonville, der Mitglied der Nationalversammlung und Sohn des Diplomaten und Senators Joseph Othenin-Bernard d'Haussonville war, direkt mit den de
Broglie verwandt. Und ein Sohn von Georges d'Harcourt, der Deputierte Bernard d'Harcourt, war mit einer de Gontaut-Biron verheiratet, während ein zweiter Sohn, Emmanuel d'Harcourt, Mac-Mahons Ordonnanzoffizier und Präsident-
schaftssekretär und über die Frau des Marschalls zudem Mac-Mahons Vetter war.
Ende 1878 wechselte dieser d'Harcourt ebenfalls für kurze Zeit in den diplomatischen Dienst und wurde erster Sekretär des Marquis de Vogüé. Dieser de Vogüé
war es, der den anderen, den Comte de Vogüé, seinen Vetter, als Mitarbeiter
nach Konstantinopel rief.[381]

Zu den innerfranzösischen Verwandtschaften kam es in gewissen Fällen auch zu
grenzüberschreitenden Familienbanden. Der in London wirkende Botschafter de
Jarnac war durch seine Mutter mit den Herzögen von Leicester und durch seine
Frau mit den Lords Foley verbunden. Wenn auch die familiären Verbindungen zur
nichtfranzösischen Aristokratie eher die Ausnahme waren, bestanden innerhalb
der aristokratischen Internationale wohl durchwegs mentale Verbindungen, deren
Bedeutung besonders offensichtlich wurde, sobald französischerseits bürgerliche
Repräsentanten an die grossen Höfe Europas geschickt wurden. Wie empfindlich
die aristokratische Gesellschaft auf das Eindringen des französischen Grossbürgertums reagierte, zeigen beispielsweise die deutschen Berichte über die Gattin des
Botschafters de Montebello. Ein Bericht vom 1. Juli 1886 meldete aus Wien, de
Montebello habe sich wegen seiner Frau nicht dorthin schicken lassen, denn sie sei
zu wenig gesellschaftsfähig; sie sei zwar sehr reich und ganz liebenswürdig, aber

---

[380] REMUSAT, Mémoires, Bd. 5, S. 438.

[381] Meaux berichtet in seinen Memoiren (Souvenirs politiques, S. 399), Emmanuel d'Harcourt (1842–1928) sei von Mac-Mahon entfernt worden, weil er auf seinen Herrn einen zu
starken Einfluss ausgeübt habe. Ein ihm wohlgesinnter, ehemaliger Kollege bezeichnet die
Stellung des damals 35jährigen als »situation au-dessus de son âge, mais non de son mérite«,
MAUGNY, Souvenirs, S. 117.

Tochter eines früheren Ladenbesitzers.[382] Aus Paris traf zehn Jahre später die Meldung ein, de Montebellos Gattin habe sich an einem Fest unschicklich benommen und sich gebärdet, als befinde sie sich in einem engeren Kreis von Pariser viveurs. Wenig später sprach ein Bericht von »Madame sans gêne«, sie habe sich bei der Begrüssung der Zarin mit einer ungenierten, kurzen Verbeugung begnügt.[383]

Interne Spannungen

Wie wirkten sich die engen familiären Verknüpfungen im diplomatischen Korps auf die Gestaltung der Politik aus? Es wäre verfehlt anzunehmen, die verwandtschaftlichen Bande hätten automatisch einen Konsens und effiziente politische Kooperation erzeugt. Politisch wirksam schienen die familiären Beziehungen vor allem den Aussenstehenden, zumal der politischen Opposition, für welche die sichtbaren Familienrelationen ein Abbild der schwieriger abbildbaren internen Verbundenheit der gesamten Führungsschicht waren. Die einzige politisch relevante Gemeinsamkeit, nämlich die reservierte Haltung gegenüber der Republik[384] und die Aversion gegenüber dem Jakobinertum der radikalen Republikaner, erklärt sich aus der Zugehörigkeit zur Grossfamilie der traditionellen Führungsschicht. Doch was gegen aussen als Einheit wirkte, war intern weit weniger einheitlich. Die Führungsschicht wird oft mit dem Adel gleichgesetzt und der Adel fälschlicherweise als homogene und kompakte Schicht verstanden. Olivier d'Ormesson betonte zu Recht, dass der französische Adel nie ein Block gewesen sei, erst die französische Revolution habe mit der Absicht, die Aristokratie abzuschaffen, diese Klasse entstehen lassen.

> »[...] c'est depuis la Révolution française, et surtout depuis la IIIe République, que la notion entièrement erronée d'une ancienne aristocratie homogène a pris corps et s'est développée.« [385]

Die Führungsschicht war wie jede andere Gruppe inneren Spannungen ausgesetzt. Aussenminister de Rémusat äusserte sich über seinen Nachfolger de Broglie so abfällig, wie sich de Broglie unvorteilhaft über Bernard d'Harcourt äusserte, der an seiner Stelle die Botschaft in London übernommen hatte. Rémusat über de Broglie:

> »Il est sec, ironique, persifleur. Il aime peu l'Angleterre et il n'y a pas réussi. Il n'est pas fait pour la carrière diplomatique.«

Über Decazes, dessen Ernennung eine »faute grave« gewesen, sei, urteilte de Rémusat:

> »Ce dernier est intelligent, mais c'est un mauvais esprit, et qui ne manque pas d'audace; il ne se fera jamais une position à la tribune, mais il pourra s'y compromettre.«[386]

---

[382] PAAA Bonn, F 108, Bd. 1.

[383] Berichte vom 22. Januar und 25. Juni 1896, PAAA Bonn, F 108, Bde. 7 und 8.

[384] Eine Ausnahme bildeten diesbezüglich der Marquis de Noailles und der Comte de Choiseul.

[385] ORMESSON, Enfances diplomatiques, S. 154.

De Broglie über Bernard d'Harcourt:

> »Ses habitudes étaient sauvages et silencieuses, mais il portait un nom aristocratique [...].«

Wie wenig de Broglie von seinem Nachfolger hielt, geht auch aus der Bemerkung hervor, Thiers habe Bernard d'Harcourt schnell von seinem Posten beim Vatikan wegtransferiert, um zu zeigen, dass er keine Schwierigkeiten habe, einen Ersatz für ihn zu finden.[387] Und es brauchte Decazes' schützende Hand, damit Bernard d'Harcourt nach seiner Abberufung aus London und einem Jahr »demie grace« wieder wenigstens zum Botschafter in Bern ernannt wurde. Denn obwohl Bernard d'Harcourt gesellschaftlich durchaus zur Gruppe der »alten Welt« gehörte, war er kein Parteigänger der Konservativen.[388] Bernard d'Harcourt wurde von seinen Kollegen nicht gerade vorteilhaft beurteilt, so dass man schweizerischerseits über dessen Ernennung in Bern anfänglich wenig glücklich war. Allein, d'Harcourt erwies sich bald besser als sein Ruf und wurde entsprechend geschätzt.[389]

Zu den Unstimmigkeiten eher persönlicher Natur gesellten sich die Spannungen, die sich aus dem Gegensatz zwischen den Orléanisten als den Befürwortern der Wahlmonarchie und den Legitimisten als den Anhängern eines dynastischen Königtums ergaben. Vom orléanistischen Herzog Decazes wissen wir beispielsweise, dass er dem legitimistischen Mitdeputierten Herzog de Bisaccia nur deshalb die Londoner Botschaft gab, weil er dem Appetit der extremen Rechten etwas Rechnung tragen musste.[390] Decazes hätte schon damals die Botschaft in London seinem Onkel Georges d'Harcourt geben wollen, musste aber mit der Ausführung dieses Vorhabens bis zum Mai 1875 warten. Auch Gavard, der erste Botschaftssekretär in London und Parteigänger der Orleanisten, war auf den Legitimisten Bisaccia schlecht zu sprechen. Halb belustigt, halb verärgert berichtet er in seinen Memoiren, wie der Tapissier, der Kutscher, der Stiefelknecht als Vorhut in London erschienen seien.

> »Toute trace du passé disparaîtra sous les tentures, les glaces et les tableaux. Il n'en faut pas tant pour que nous passions tous marquis [...] il commande que tout le monde soit poudré pour le recevoir.«[391]

Beeinträchtigt wurde die Geschlossenheit der Führungsschicht schliesslich auch durch unterschiedliche Auffassungen in Einzelfragen der Tagespolitik. De Gontaut-Biron hielt den von de Broglie inszenierten Sturz Thiers' im Mai 1873 für verfrüht.[392] Andererseits wurde de Gontaut-Biron durch seinen Kollegen in

---

[386] REMUSAT, Mémoires, Bd. 4, S. 385 und 489.

[387] BROGLIE, Mémoires, Bd. 2, S. 104–109.

[389] SCHOOP, Kern, Bd. 2, S. 507 f.

[390] Decazes an Georges d'Harcourt, 1. Dezember 1873, Papiers Hanotaux, Bd. 6.

[391] GAVARD, Un diplomate à Londres, S. 161 und 165. Die unveröffentlichten Memoiren des politischen Direktors Desprez bestätigen, dass bei Bisaccias Ernennung parlamentarische Pressionen im Spiel gewesen sind, Papiers Desprez, Memoiren Nr. 37, Teil 7, S. 128 f.

[392] GONTAUT-BIRON, Mon ambassade, S. 337.

Brüssel, den Marquis de Gabriac, ungünstig beurteilt, weil er Bismarcks Politik nicht richtig eingeschätzt habe.[393]

Die während Thiers' Präsidentschaft und Decazes' Aussenministerium ernannten Botschafter bildeten – und dies ist die Folge ihrer sozialen und politischen Eigenart – auch in anderer Hinsicht eine Einheit: Ihre Karrieren liefen alle ungefähr zur gleichen Zeit aus. Albert de Broglie musste, nachdem er nach dem 16. Mai ein letztes Mal ein Kabinett gebildet hatte, um die Konservativen in den Kampf um die Wahlen vom Oktober 1877 zu führen, sich zurückziehen und konnte fortan nur noch als Senator einen Einfluss auf die Aussenpolitik ausüben, und mit seinem Vater zog sich auch Victor de Broglie, der im diplomatischen Dienst gestanden hatte, zurück. Albert de Broglie verlor im Januar 1885 auch das Mandat als Senator. Victor de Broglies Tochter schreibt:

> »A la suite des désilusions politiques de son père, le duc Albert en 1877, Victor se retira malgré sa jeunesse de la vie active jusqu'au jour où ma mère ayant hérité d'un vaste domaine en Anjou, il s'intéressa à l'agriculture [...].«[394]

Zwischen 1877 und 1879 verliessen de Gontaut-Biron, Banneville, de Broglie, Bourgoing, Baude, de Chaudordy, Choiseul, Georges d'Harcourt, Melchior de Vogüé, Le Flô und de Gabriac den auswärtigen Dienst; Fournier folgte wenige Monate später. Chaudordy und Choiseul war zwar eine kurze *rentrée* beschieden, doch nur der republikanisch gesinnte Marquis de Noailles konnte sich – zuletzt dank der Protektion Wilhelms II. – in Berlin bis 1902 halten.

### 3.2. 1877 bis 1880: Phase des Übergangs

Jede Phase ist für die angrenzenden Zeitabschnitte eine Phase des Übergangs. In der Dritten Republik waren die Jahre 1877 bis 1880 jedoch in besonderem Masse eine Übergangszeit. Eine alte Welt musste Stück um Stück der Staatsmacht an eine rasch vordrängende neue Welt abtreten: im Oktober 1877 in den Kammerwahlen, im Januar 1879 in den Senatswahlen und der Wahl Jules Grévys zum Präsidenten der Republik, im Februar 1879 mit der Wahl Gambettas zum Kammerpräsidenten. Der Comte de Vogüé, damals zweiter Botschaftssekretär, Angehöriger einer alten Familie, selbst nicht ohne Verständnis für die Politik der Republikaner, spürte die in unkomfortabler Gegenwart ihn gleichzeitig bedrängenden Welten der Vergangenheit und der Zukunft. Er umschrieb die beiden Welten wie folgt:

> »celui du passé, le mien, peuplé d'aveugles, de fous, celui de l'avenir, trop mêlé de canailles et d'imprudents incapables de gouverner.«[395]

Sein Onkel, der Marquis de Vogüé, der im Zuge dieser Entwicklung 1879 als Botschafter in Wien demissionierte, riet dem um zwanzig Jahre jüngeren Neffen, er solle im diplomatischen Dienst bleiben. Der Ältere setzte mit dem Untergang

---

[393] Gabriac an Saint-Vallier, 27. November 1877, MAE, Papiers Mémoires et Documents, Allemagne.

[394] Comtesse Jean de Pange, Comment j'ai vu 1900, Paris 1965, Bd. 2, S. 76. 1893 wurde Victor de Broglie Deputierter und behielt dieses Mandat bis zu seinem Lebensende 1906.

[395] Eugène-Melchior de VOGÜE, Paris, Saint-Petersbourg 1877–1883, Journal, Paris 1932, S. 66 f.

der alten Welt seiner Laufbahn ein Ende, doch glaubte er, dass der Jüngere in der neuen Welt bestehen und Karriere machen könne.[396] Nachdem der Umbruch vollzogen war, demissionierte 1882 allerdings auch der erst 34 Jahre alte Comte de Vogüé. Er zog sich aus dem nun von der republikanischen Politik beherrschten Staatsdienst zurück und gab damit eine Tradition auf, die den alten Familien Ehre, Pflicht und Privileg gewesen war. Allein, seine Demission war kein Rückzug aus der Politik. Melchior de Vogüé führte fortan ein unbeschwertes Gelehrtenleben, und 1888 wurde er in die Académie française gewählt.

## Die Epuration und ihre Ziele

Die in diese Zeit des Umbruchs fallenden Veränderungen in der Zusammensetzung der Beamtenschaft werden gemeinhin als Ergebnis von gewünschten und geplanten Säuberungsaktionen, als Werk der so genannten Epuration verstanden. Über die Epuration als generelles Phänomen und über die Säuberungsvorgänge speziell in den Anfängen der Dritten Republik sind unsere Kenntnisse noch sehr allgemein. In den 1970er Jahre wandten sich Spezialisten der Verwaltungswissenschaft dem Epurationsphänomen zu, sind aber kaum über die erste Bestandsaufnahme des Problems hinausgekommen.[397]

Das Aussenministerium wird in allgemeinen Darstellungen wie Gabriel Hanotaux' *Histoire de la France contemporaine* jeweils in einem Atemzug und ohne weitere Differenzierung als eine der um 1879 ebenfalls gesäuberten Verwaltungen erwähnt.[398] Hier sei nochmals danach gefragt, mit welchen Absichten und Argumenten die generelle Epuration der Ministerien gefordert wurde, um dann abzuklären, welches besondere Schicksal im gesamten Prozess dem Aussenministerium tatsächlich beschieden war. Es würde im Übrigen zu kurz greifen, wenn man sich die Epuration als eine Erscheinung bloss des Übergangs von der monarchistischen/bonapartistischen zur republikanischen Ära vorstellte. Die Republikanisierung machte mit den jeweiligen Anpassungen an die häufigen Regierungswechsel die Epuration zur Dauererscheinung. Als Clemenceau im Herbst 1906 Regierungschef wurde, kam bei den Cambons und bei Barrère sogleich die Befürchtung auf, dass sie als Anhänger Delcassés beiseite geschoben werden könnten.[399]

Die im Zuge von Regierungswechseln vorgenommenen Mutationen verfolgten den allgemeinen Zweck, entweder den von den Vorgängern politisierten Verwaltungskörper zu neutralisieren oder neutrale Funktionäre durch Sympathisanten auszuwechseln. Die Präfekturen, von denen die jeweilige Regierung mehr politi-

[396] E. M. de VOGÜE, Journal, S. 120.

[397] Les Epurations administratives au XIX^e et XX^e siècles (Papiers du colloque du 23 avril 1977 de l'Institut français des Sciences administratives), Genf 1977. Einen summarischen Überblick über die Epurationswellen von 1814–1879 gibt Christophe CHARLE, Les hauts fonctionnaires en France au XIX^e siècle, Paris 1980, S. 238 f. Das Interesse am Phänomen der Epuration bezieht sich vor allem auf die Zeit nach 1944, vgl. etwa Herbert LOTTMAN, L'Épuration (1943–1953), Paris 1986. – Henry ROUSSO, L'épuration en France, une histoire inachevée, in: Vingtième siècle – Revue d'histoire 33 (1992). Ferner das Colloque der Université von Rennes vom März 2007.

[398] HANOTAUX, Histoire, Bd. 4, S. 448.

[399] VILLATE, République, S. 279.

sche Agitation als desinteressierte Repräsentation erwartete, waren den politischen Veränderungen immer besonders stark ausgesetzt. Im September 1870 besetzte das »Gouvernement de la Défence Nationale« sämtliche Präfekturen neu, im Juni 1877 wechselte die Regierung des »Ordre Moral« im Hinblick auf die Wahlen rund 200 Präfekte und Unterpräfekte aus, und im Dezember 1877 wurden nach dem Sieg der Republikaner nur zwei von 89 Präfekten im Amt belassen und mussten ausserdem 78 Generalsekretäre und 280 Unterpräfekte die Verwaltung verlassen.[400] Über die Epuration im Zusammenhang mit der Liquidation der Beamten des »Ordre Moral« soll de Freycinet zufolge Léon Say zu Mac-Mahon gesagt haben:

> »Ces messieurs ont joué la partie, ils l'ont perdue; il est juste qu'ils s'exécutent [...] ou qu'on les exécute.«[401]

Diese Auffassung lag, mit graduellen Unterschieden, jeder Epuration zugrunde. – Die Epuration von 1877–1880 wollte aber mehr als bloss Anpassung der obersten Verwaltungsspitze an die aktuelle Regierung. Sie wollte eine Anpassung an die neue Regierungsform oder vielmehr an die neue Ära. Sie wollte die Republikanisierung der Beamtenschaft; nicht der gesamten Verwaltung und nicht jedes Verwaltungszweiges gleichermassen. Nachdem die Republikaner 1876 die Mehrheit der Kammersitze erobert hatten, entwickelten sie das zuvor schlecht brauchbare Argument, dass zwischen dem Geist der legalen Mehrheit und dem Geist der Beamtenschaft im Prinzip vollständige Übereinstimmung herrschen müsse. Eugène Spuller, ein prononcierter Republikaner, forderte in seinem Budgetbericht vom 6. Dezember 1877, dass nun alle Beamten

> »en parfaite communion de principe avec la majorité légale du pays« sein sollten.[402]

Der von Franck-Chauveau verfasste Budgetbericht für 1880 postuliert ebenfalls als Selbstverständlichkeit

> »tous les gouvernements qui se sont succédé en France ont pensé comme nous sur ce point; leur premier soin a été de mettre la composition du Conseil en harmonie avec les changements survenus dans l'établissement politique. [...] Certes, nous tenons autant que quiconque à conserver dans le Conseil d'Etat des hommes qui en sont la force et l'honneur, qui y ont fait leur carrière, qui sont avant tout des hommes de science et d'administration. [...] Mais nous ne croyons rien réclamer d'excessif en demandant qu'à cette compétence se joignent le respect des institutions nationales et un esprit conforme à l'ordre des choses établies.«[403]

Die Gleichschaltungsbestrebungen konzentrierten sich in erster Linie auf Funktionen, welche direkt einen Teil der Staatsmacht verwalteten. Vorab interessierten

---

[400] Gaston de SAINT-VALRY, Le revirement du 16 mai et l'administration préfectorale, in: Ders., Souvenirs et réflexions politiques, documents pour servir à l'histoire contemporaine, Bde. 1–2, Paris 1886, hier: Bd. 2, S. 201–210. – Maurice RECLUS, Le Seize Mai, Paris 1931, S. 79–81. – Jeanna SIWEK-POUDESSEAU, Le Corps préfectoral sous la troisième et la quatrième République, Paris 1969, S. 76–78. Weitere Zahlen über das Verbleiben und Ausscheiden der Präfekte 1870–1877 gibt: ROTHNEY, Bonapartism, S. 168 f.

[401] FREYCINET, Souvenirs, Bd. 2, S. 6 f.

[402] Budgetbericht vom 6. Dezember 1877, Nr. 178, S. 11.

[403] Anhang zum Protokoll der Kammerdebatte vom 8. Juli 1879.

sie sich für das zur internen Herrschaftssicherung wichtige Innenministerium. Im Weiteren galt die besondere Aufmerksamkeit der republikanischen Epurationsbestrebungen dem Justizapparat, von dem die Gesetzgebung und in einem gewissen Ausmass auch der Ausgang politischer Rechtshändel abhing.[404] 1870 wollte Gambetta den Conseil d'Etat auflösen; Crémieux verhinderte dies, suspendierte ihn bloss und setzte eine provisorische Kommission ein. 1879 erfuhr der Conseil d'Etat die tiefgreifendsten Personalwechsel seiner Geschichte.[405] Bis 1879 konnten Konservative, die aus der übrigen Verwaltung ausscheiden mussten, zum Teil im Conseil d'Etat unterkommen; zum Beispiel der Marquis de Châteaurenard. Eine besondere Form der Epuration war im Übrigen die Blockierung der Beförderung, wie sie beispielsweise Albert Vandeal im Staatsrat erlebte.

Gereinigt wurde auch der Schulapparat, wo es die Jugend dem Einfluss von Klerus und Klerikalen zu entziehen galt.[406] Die Republikaner machten nach 1877 wieder rückgängig, was die Monarchisten nach dem 24. Mai 1873 verfügt hatten. Auch nach der Auffassung des konservativen Publizisten war die Epuration nach dem Dezember 1877 nur die Retourkutsche für die Epuration nach dem Mai 1877:

> »Les hécatombes de préfets, de sous-préfets, de juges de paix, les changements de résidence des magistrats du parquet, que la précédente administration a compromis [...] ne sont à tout prendre que la contre-partie exacte, au point de vue républicain, des pratiques de l'administration antérieure.«[407]

Die Armee hat der Republikanisierung am längsten widerstanden. Ihr konservativer Charakter verschärfte sich sogar nach 1879, weil sie den Söhnen traditionsbewusster Familien zum Refugium wurde. Was die anderen Ministerien schon bald nach der Machtergreifung der Republikaner erlebten, widerfuhr der Armee erst nach der Jahrhundertwende unter Waldeck-Rousseau und Combes.[408] Die Gleichschaltungsbestrebungen von 1904 unter General André führten zur bekannten »affaires des fiches«. Die Armee wurde in kleinem Ausmass schon vorher von der Epuration berührt. Am 27. Januar 1879 wurden sämtliche Kommandanten von Armeekorps, die länger als drei Jahre das Kommando geführt hatten, entlassen. Die Massnahme traf 9 Generäle, darunter auch republikanisch Gesinnte, sie bezweckte aber die Entfernung von monarchistischen Militärs. Im Juni 1886 wurden unter General Boulanger die Angehörigen der französischen Fürstenhäuser aus der Armee ausgeschlossen.

Entlassungen oder Demission?
Die sich nach der Machtübernahme durch die Republikaner in den grossen Ministerien vollziehenden personellen Veränderungen sind bisher fast durchwegs als

---

[404] Le Conseil d'Etat. Son histoire à travers les documents d'époque. 1799–1974, Paris 1974.

[405] Ferner: R. WRIGHT, L'épuration du Conseil d'Etat de juillet 1879, in: Revue d'histoire moderne et contemporaine 19 (1972), S. 621–653.

[406] Auskünfte über die Epuration im Erziehungsbereich gibt Pierre SORLIN, Waldeck-Rousseau, Paris 1966, S. 156 f.

[407] SAINT-VALRY, Souvenirs, Bd. 2, S. 161.

[408] Raoul GIRARDET, La société militaire dans la France contemporaine 1815–1939, Paris 1953, S. 195 f.

Folge von Entlassungen und administrativen Massakern verstanden worden. Diese Annahme beruht auf der zutreffenden Feststellung, dass einerseits republikanische Stimmen in Presse und Parlament ständig die Reinigung der Administration forderten und es andererseits tatsächlich zu Neubesetzungen gekommen ist. Zwischen den beiden Beobachtungen besteht gewiss ein Zusammenhang. Epurationsforderungen und Personalwechsel müssen aber nicht nur und nicht einmal mehrheitlich über den Weg von Entlassungen miteinander verbunden sein. Vincent Wright, ein guter Kenner der Geschichte des Conseil d'Etat, hat in einem ersten Versuch, die verschiedenen Epurationsformen zu typologisieren, bereits festgehalten, dass Epuration auch in der Form der Autoepuration auftreten konnte.[409]

Die Autoepuration ist in dieser Systematik eine von fünf Epurationsformen. Die vier weiteren – die permanente, partielle, wilde und symbolische Epuration – gehen aus wirklichen Entlassungen hervor. Wright unterscheidet im Weiteren vier Epurationsmotive:

1. Dem grossen Publikum ein Zeichen der Änderung setzen wollen
2. die eigenen Anhänger durch Zuhalten von Ämtern zufriedenzustellen und mit Anhängern des alten Regimes abrechnen wollen
3. eine politisch zuverlässige Verwaltung schaffen wollen
4. mit exemplarischen Massnahmen die verbleibenden Beamten warnen wollen.

Wright erkennt die Autoepuration als Phänomen, sagt aber nicht, welche Bedeutung ihr im Rahmen der gesamten Epuration von 1877–1880 zukommt. Ohne diesen Vorgang speziell hervorzuheben, sagt Hanotaux in seiner erzählenden Darstellung richtig:

> »Les démissions spontanées ou forcées se multipliaient dans toutes les administrations [...].«[410]

Demission aus Furcht

Die personellen Wechsel der Jahre 1877–1880 sind in der Tat zu einem beträchtlichen Teil auf freiwillige Demissionen und auf Desertionen zurückzuführen. Die Epurationsforderungen spielten im Mutationsprozess insofern eine wichtige Rolle, als sie bei den Beamten die Befürchtung weckten, sie würden früher oder später ohnehin entlassen, und die Befürchtung ihrerseits die Bereitschaft förderte, sich freiwillig zurückzuziehen. Diese Wirkung kann man auch an Fällen erkennen, in denen es schliesslich doch nicht zu Demissionen gekommen ist. Der Berufsdiplomat Lefebvre de Béhaine schrieb kurz nach seiner Ernennung zum Gesandten im Haag am 9. Oktober 1871:

> »[...] il demeure évident que je n'emporterais pas plus de garanties que je n'en ai depuis trois mois et qu'il me faudra manoeuvrer au petit bonheur, c'est-à-dire me lancer dans les frais d'une installation, sans avoir obtenu la moindre assurance for-

---

[409] Vincent WRIGHT, Les épurations administratives de 1848 à 1885, in: Les épurations administratives, S. 69–80.

[410] HANOTAUX, Mon temps, Bd. 2, S. 39.

melle que je ne serai pas traité comme Baude, c'est-à-dire instantanément fou-droyé.«[411]

Gefördert wurde diese Demissionsbereitschaft durch Drohungen, wie sie etwa Gambetta 1872 in seiner bereits erwähnten Rede von Grenoble ausstiess, als er in vagen, aber offensichtlich wirkungsvollen Andeutungen die Machtübernahme durch die »couches nouvelles« in Aussicht stellte:

> »Oui, je pressens, je sens, j'annonce la venue et la présence dans la politique d'une couche sociale nouvelle, qui est aux affaires depuis tantôt dix-huit mois, et qui est loin à coup sûr d'être inférieure à ses devancières.«[412]

Diese Proklamation richtete sich ganz allgemein gegen die Notabeln der französischen Bourgeoisie, die nicht begriffen hätten, dass 1870 eine neue Generation aufgetaucht sei, bereit und fähig, die Staatsgeschäfte zu übernehmen. Gambettas Kampfansage galt weniger der Verwaltung als den Politikern, den erklärt konservativen Politikern, aber auch den pseudo-republikanischen Wortführern, den monarchistischen Wölfen im demokratischen Schafspelz. Die in den Ministerien sitzenden Angehörigen der anvisierten Schicht fühlten sich durch die pauschale und vage Erklärung freilich ebenfalls bedroht. Daniel Halévy bemerkte:

> »Tous enfin reconnurent dans la tirade énigmatique l'expression d'une vérité confuse et déplaisante, un trait de lumière qui offusquait les yeux.«[413]

Die Epurationsmassnahmen verfolgten nachweislich neben der direkten Beseitigung gewisser Beamter eine generalpräventive Absicht, welche bloss indirekt anvisierten Beamten zur Aufgabe entweder ihrer Abneigung gegenüber dem Regime oder ihres Postens bewegen sollte. Wiederum war es Gambetta, der im Februar 1876 nach den für die Republikaner siegreich ausgegangenen Wahlen verkündete, die erste Aufgabe eines liberalen Regimes werde es sein, mit exemplarischen Entlassungen die Anpassung der Beamtenschaft an das republikanische Regime zu erwirken:

> »Je ne demande pas des hécatombes de fonctionnaires. Je ne réclame pas qu'on imite nos adversaires qui, dès le 24 mai 73, se sont mis en chasse, contre ceux qui, de loin ou de près, avaient touché au 4 septembre, contre ceux qui étaient républicains. Je connais assez bien les fonctionnaires pour savoir qu'il n'est pas nécessaire d'en immoler un très grand nombre. Il faut seulement faire des exemples bien choisis et auxquels d'ailleurs tout le monde pense, des exemples que personne ne contestera, excepté les titulaires eux-mêmes.«[414]

Zwei Monate später drohte Gambettas Blatt *République française* mit parlamentarischen Vorstössen, falls sich die Regierung gegen die geforderte Personalreform

---

[411] BILLING, Vie, S. 106.

[412] Gambetta in Grenoble am 26. September 1872, s. Discours et plaidoyers, Bd. 3, S. 88 f. Vgl. ferner John Patrick BURY, Gambetta and the Making of the Third Republic (1870–1877), London 1973, S. 113–127. Zur Wirkung der Rede auf die Zeitgenossen, s. auch ADAM, Mes angoisses, S. 329 f.

[413] Vgl. HALÉVY, Fin, S. 178 f.

[414] Gambetta in Lyon am 28. Februar 1876 zwischen dem 1. und 2. Wahlgang, GAMBETTA, Discours et plaidoyers, Bd. 5, S. 167 f.

sträube und sich weiterhin über die »öffentliche Meinung« hinwegsetze. Dieser Artikel beanstandete insbesondere, dass de Gontaut-Brion und Target, der Thiers gestürzt hatte (vgl. oben), im Amt belassen wurden.[415] Und der Radikale Henri Brisson erklärte im Sommer 1879 unmissverständlich, die Reinigung des Conseil d'Etat solle sämtlichen Funktionären des Landes eine hohe Lektion sein:

> »De plus, je dis que cette élimination sera encore, pour tous les fonctionnaires ré-
> partis sur la surface du pays, une leçon suprême [...].«[416]

Das wiederholte Pochen an die Pforten der grossen Ministerien wurde von den persönlich Betroffenen sehr wohl vernommen. Sie durften aber damit rechnen, dass ihm nicht nachgegeben werde, solange Mac-Mahon auf seinem Posten aushielt (seine Amtszeit hätte ihm ein Ausharren bis zum November 1880 erlaubt) und solange er das Kriegs-, das Marine- und das Aussenministerium als Teil der präsidialen Prärogativen betrachten und vor den republikanischen Epurations-bestrebungen abschirmen konnte. Schon bei der Bildung des Kabinettes Dufaure im Dezember 1877 versuchte Mac-Mahon, allerdings nicht sehr erfolgreich, die Chefs dieser Ministerien zu halten, um die gute Organisation der Streitkräfte und den »esprit de suite nécessaire dans nos relations diplomatiques« zu erhalten.[417] Dass sich die Bedrohten durch Mac-Mahon einigermassen geschützt fühlten, geht beispielsweise aus den Memoiren des Comte de Meaux hervor:

> »Sans doute le Maréchal avait promis aux fonctionnaires fidèles de demeurer à
> son poste pour les défendre.«[418]

Demission aus Protest
Eine andere Art der Auto-Epuration war der auch im Kern freiwillige Rücktritt aus Protest gegen eine bestimmte Regierungsmassnahme oder aus der grund-sätzlichen Weigerung heraus, mit der neuen Regierung oder mit neuen Kollegen zusammenzuarbeiten. Beide Varianten kann man an den Personaländerungen des französischen Staatsrates beobachten: Nach der Demission des Präsidenten der Republik demissionierten im Februar 1879 aus Solidarität mit dem zurücktreten-den Mac-Mahon und in grundsätzlicher Abneigung gegenüber dem neuen, das heisst republikanischen Kabinett der Orléanist Andral, Vizepräsident des Conseil d'Etat, sowie drei weitere Staatsräte. Und nach der Ernennung von zehn neuen und dem Ausscheiden von sieben bisherigen Staatsräten im Juli 1879 reichten acht weitere aus Protest gegen die Ernennungen und aus Solidarität mit den Ent-lassenen ihre Demission ein.

Unter den abtretenden Staatsräten befand sich ein ehemaliger Diplomat und unter den Neuernannten ein künftiger Aussenminister. Emile Flourens, Aussen-minister in den Jahren 1887/88, wurde im Juli 1879 Maître de requêtes. Und der ehemalige Diplomat war Marquis de Châteaurenard, der im November 1870 vom Gouvernement de la Défense Nationale als Sonderbotschafter nach Bern ge-

---

[415] République française vom 27. April 1876.
[416] Henri Brisson in der Kammerdebatte vom 12. Juli 1879.
[417] FREYCINET, Souvenirs, Bd. 1, S. 388.
[418] MEAUX, Souvenirs politiques, S. 399.

schickt, im Herbst 1871 jedoch von Thiers wieder abberufen worden war. Der schweizerische Gesandte in Paris, Alfred Kern, überliefert, Châteaurenard sei durch die Savoyerfrage und die Vorstösse für die Auslieferung der in die Schweiz geflohenen Communards verbraucht gewesen und habe deshalb ersetzt werden müssen.[419] 1875 wurde er als Conseiller in den Staatsrat versorgt; im Herbst 1877 kandidierte er für die Kammer erfolglos auf der Liste des »Ordre Moral«. Nach Waddingtons Kabinettsbildung trat Châteaurenard als Staatsrat zurück.

Im Quai d'Orsay ist es schon früh ebenfalls zu einem Fall politisch motivierter Desertion gekommen. Dieser Fall zeigt zugleich, dass der Reflex der Desolidarisierung, der später vor allem als konservativer Reflex gegen linksrepublikanische Kabinette auftreten wird, auch als liberale Manifestation gegen ein konservatives Regime möglich war. Pierre Lanfrey, Gesandter in Bern, wollte unmittelbar nach Thiers' Demission im Mai 1873 seinen Posten aufgeben, er wurde aber von Aussenminister de Broglie gebeten zu bleiben und der neuen Regierung Gelegenheit zu geben, sich zu bewähren. Nachdem aber Lanfrey seine Bedingung, dass nämlich Frankreich nicht nur von der Rechten, sondern auch vom rechten und linken Zentrum regiert werde, nicht erfüllt sah, demissionierte er im Juni 1873. In einem provisorischen Abschiedsschreiben an den schweizerischen Bundespräsidenten Cérésole schrieb Lanfrey am 3. Juni 1873:

> »Si par leurs concessions les chefs du gouvernement parviennent à regagner l'appui du centre gauche, je reprends mes fonctions, sinon, non. [...] Je dois dire toutefois que le duc de Broglie, dans le seul entretien que j'ai eu avec lui, le lendemain de la chute de Thiers, m'a répété avec insistance qu'il laisserait le poste vacant jusqu'à ce que j'aie pu me faire, sur ses actes, une opinion motivée.«[420]

Zu weiteren Protestdemissionen kam es auch noch nach der Umbruchphase von 1877–1881. So legten beispielsweise im Sommer 1886 nach der Landesverweisung der Prinzen der Botschafter in Wien, Foucher de Careil, und der Botschaftsrat in Petersburg, Ternaux-Compans, ihr Amt nieder.

Als ein Jahr zuvor Jules Ferry die Gesandtschaft in Athen erhalten hatte, war es zu keinen Demissionen gekommen; die Demissionsdrohungen aber, denen Thiers damals offenbar ausgesetzt war, sind Belege für den gleichen Reflex. Ferry bemerkte:

> »Les voûtes du temple ne se sont pas abîmées. Aucune éruption du volcan qui se dresse à droite. [...] Tout ce qu'on a dit d'ailleurs des démissions offertes par la légation est faux [...].«[421]

Während die rechte wie die linke Presse Ferrys Nomination verurteilte, muss das Parlament sie eher begrüsst haben.

> »Cette nomination est approuvée par toute l'Assemblée, où il est fort peu sympathique«,

schrieb die zum gambettistischen Lager gehörende Juliette Adam.[422]

---

[419] SCHOOP, Kern, Bd. 2, S. 501.

[420] LANFREY, Correspondance, Bd. 2, S. 269 f. Vgl. auch SCHOOP, Kern, Bd. 2, S. 503 f.

[421] Jules Ferry an Charles Ferry, Mai 1872, in: Lettres de Jules Ferry, Paris 1914, S. 144.

[422] ADAM, Mes angoisses, S. 287 f.; ferner S. 299 und 403.

Desertion oder Destitution? Die im Kader des Aussenministeriums[423] während der Jahre 1877–1880 zu beobachtenden Veränderungen sind, wie im Folgenden einzeln dargelegt werden soll, zum grösseren Teil auf Desertionen und nur zum kleineren Teil auf Destitutionen zurückzuführen. Ein grosser Teil der an führender Stelle wirkenden Diplomaten war auf die aus ihrem Mandat fliessenden Einkünfte nicht angewiesen, so dass der Neigung, aus Protest zu demissionieren, keine Erwägungen finanzieller Art entgegenstanden. Auch der Herzog Decazes erwog mehrmals zurückzutreten; sein Verbleiben wird man u. a. damit erklären müssen, dass er sich im Verlaufe der Zeit zunehmend mit seinem Amt identifizierte. So schwach die Bindung an die einmal angenommene Aufgabe sein konnte, so gering war zuweilen der Anreiz, überhaupt ein Mandat anzunehmen. Thiers musste die Leute seiner Wahl überreden, bevor sie zusagten. Oder er stellte sie einfach vor vollendete Tatsachen:

> »Je ne les avais même pas consultés en les nommant. Je me suis adressé à leur patriotisme, et ils ont accepté.«[424]

Ein de Broglie ging nur widerwillig nach London, ein de Gontaut-Biron nur mit Vorbehalten nach Berlin, ein de Corcelle nur zögernd nach Rom und ein de Noailles lehnte es 1871 gar ab, nach St. Petersburg zu gehen, und liess sich erst im folgenden Jahr zum Gesandten in Washington ernennen. Am 4. März 1871 äusserte der Geschäftsträger Gabriac die Absicht, er werde St. Petersburg verlassen, wenn de Noailles in Petersburg ankomme, da er nicht einen Schulkameraden zum Vorgesetzten haben und im Übrigen gerne selbst irgendwo in Europa eine Gesandtschaft leiten möchte.[425] De Noailles hätte in St. Petersburg die grosse Tradition seiner Familie fortsetzen sollen, lehnte aber, nachdem der Aufstand der Commune ausgebrochen war, das Mandat ab.[426]

Dass die Posten allenthalben weit weniger begehrt waren, als man anzunehmen geneigt ist, zeigen ferner die verschiedenen Absagen. Der Comte de Maillé de la Jumellière, ein Grossunternehmer der Schwerindustrie, lehnte zum Beispiel die Ehre ab, die sich de Gontaut-Biron nachher aufdrängen liess.[427] Duc de Maillé bot nachher in Thiers' Auftrag den Posten de Gontaut-Biron an.[428] De Broglie hätte übrigens gerne im Herbst 1873 de Gontaut-Biron in Berlin ersetzt, um ihm die Leitung des Aussenministeriums zu überlassen. Doch scheiterte das Vorhaben schon an der Tatsache, dass de Broglie für Gontaut keinen Nachfolger

---

[423] Systematisch wurden bloss die Mutationsmotive auf der Ebene der Botschafter und Gesandten untersucht. Was geschah in den unteren Positionen? Beides ist denkbar: die stärkere Kontinuität, weil jene Diplomaten nicht direkt das Regime vertraten und deshalb nonkonforme Haltungen eher geduldet wurden; oder stärkerer Wechsel, weil sich für die unteren Chargen leichter republikanisch gesinnter Ersatz finden liess.

[424] Zit. nach ADAM, Mes angoisses, S. 64. Vgl. ferner THIERS, Notes et souvenirs, S. 207; und REMUSAT, Mémoires, Bd. 5, S. 330 f. und 357.

[425] Gabriac an Chaudordy, 4. März 1871, Papiers Chaudordy, Bd. 11.

[426] GABRIAC, Souvenirs diplomatiques, S. 104. Der Comte de Meaux berichtet ferner, Thiers habe de Noailles auch auf seiner Kabinettsliste gehabt, MEAUX, Souvenirs politiques, S. 30.

[427] GABRIAC, Souvenirs diplomatiques, S. 185.

[428] GONTAUT-BIRON, Mon ambassade, S. 2.

finden konnte! Überdies wäre Gontaut gar nicht bereit gewesen, das Aussenministerium zu übernehmen.[429] Solche Absagen sind allerdings höchst selten »aktenkundig« und werden in den wenigsten Fällen überliefert. Zufällig erfahren wir, dass sich Paul de Rémusat, Sohn von Thiers' gleichnamigem Aussenminister, im Dezember 1877 nicht bewegen liess, Waddingtons Gesandter in Den Haag zu sein.[430] 1870 hatte Paul de Rémusat Thiers auf dessen Europatournee begleitet, 1871 wurde er Mitglied und Sekretär der Nationalversammlung, 1876 Deputierter der Kammer; im Dezember 1877, als Waddington ihm den Posten anbot, war er nach einer Wahlniederlage im Oktober 1877 vorübergehend ohne Mandat, im Mai 1878 wurde er wieder Deputierter und 1879 Senator. – Die Nachfrage von Seite der Regierenden war im Allgemeinen grösser als die Bereitschaft der für geeignet befundenen Leute, sich zur Verfügung zu stellen.

Schonung des Quai d'Orsay

Aus zwei Gründen stand der Quai d'Orsay nicht im Vordergrund der Epurationsbestrebungen: Erstens kam dem Aussenministerium im innenpolitischen Kampf um die Macht eine geringe Bedeutung zu, und zweitens fiel es den Republikanern schwer, im eigenen Lager geeignete Leute für die anvisierten Positionen zu finden. Diese Schwierigkeit muss offenbar auch im Finanzministerium die Epuration hinausgezögert haben.[431] Hätte man den Personalwechsel auch in diesen Ministerien als dringende politische Notwendigkeit empfunden, wäre die Frage, ob der Ersatz fachlich qualifiziert sei, kaum ins Gewicht gefallen. Dennoch sah sich das Aussenministerium von Anfang an den republikanischen Gleichschaltungsforderungen ausgesetzt. Die Ernennung Ernest Picards zum Gesandten in Brüssel war für Léon Gambettas *République française* im November 1871 ein Anlass, um sich grundsätzlich zur Personalpolitik des Aussenministeriums zu äussern. Das diplomatische Korps sei jetzt nicht mehr eine gewöhnliche Vertretung eines persönlichen Souveräns, es müsse jetzt ein lebendiges Abbild der Nation werden. Die französische Diplomatie müsse nicht nur Frankreichs Ehre und Würde verteidigen, sie müsse auch von den Prinzipien durchdrungen sein, aus denen das Land seine Kraft schöpfe. Das Blatt wollte damit, wie es versicherte, nicht nach systematischer Proskription rufen. Seiner Meinung nach wäre es fahrlässig, wenn sich die Republikaner, die sich bisher um die Diplomatie herzlich wenig gekümmert hatten, »Diplomaten improvisieren« würden.

Hingegen dürfe die Diplomatie nicht mehr bloss eine Angelegenheit von Privilegierten bleiben, und Botschaften dürfe man nicht mehr vergeben, wie man früher Abteien vergeben habe:

> »Au premier rang des intérêts de la démocratie française figure la représentation diplomatique du pays, la personnification du droit national à l'étranger. Le corps diplomatique n'est plus comme autrefois, la simple représentation des relations personnelles des souverains, il devient l'image vivante de la nation elle-même, si c'est avec un soin scrupuleux que les gouvernements doivent choisir ceux qui sont

---

[429] Ebenda, S. 420.

[430] Überliefert durch ADAM, Après l'abandon, S. 114.

[431] WRIGHT, Épurations administratives, S. 74.

appelés à l'insigne honneur de faire partie de cette magistrature internationale. [...]
Il serait assurément très difficile et très périlleux d'improviser des diplomates. [...]
Nous ne réclamons pas des proscriptions systématiques, mais nous demandons
que notre diplomatie soit non seulement soucieuse de la dignité du pays et jalouse
de son honneur, mais qu'elle soit encore profondément imbue des principes dans
lesquels il puise sa force, et pénétrée de la nécessité de les faire triompher. Il faut
rompre avec ces habitudes de favoritisme, d'inertie et d'ignorance. Il faut cesser
de donner les ambassades comme on donnait jadis les abbayes [...].«[432]

Noch 1879 sollte die Republikanisierung des diplomatischen Korps mit den gleichen Argumenten gefordert werden.

Im September 1872 wiederholte die *République française* ihren Appell, sie
forderte insbesondere die Gleichschaltung des Justizministeriums und der Armee
und legte ihren Ansprüchen mit bemerkenswerter Selbstverständlichkeit die Annahme zu Grunde, dass Frankreich eine Republik sei und seine Diplomaten folglich Republikaner sein müssten. Nicht nur die ablehnende Haltung, sondern sogar die Gleichgültigkeit gegenüber der Republik wurde getadelt und als dem Ansehen des Landes abträglich bezeichnet. Neutralität war aus dieser Sicht nichts
anderes als versteckte Feindschaft.

»Il n'est pas moins triste de considérer comment la République française est re-
présentée au-dehors. [...] On ne peut servir efficacement le pays au-dehors qu'à la
condition d'aimer le gouvernement qu'il s'est donné. Or, les choix dans la diplomatie ont été pour la plupart si malheureux, on a tenu si peu compte de cette condition essentielle, les représentants du pays près des puissances étrangères se mon-
trent si indifférents pour ne pas dire plus, aux destinées de la République, que leur
attitude est un danger pour la considération de la France.«[433]

Nach dem Rücktritt Mac-Mahons wurde diese Forderung mit neuem Impetus gestellt und schliesslich auch durchgesetzt. Eugène Spuller, der nicht nur Redaktor
der *République française* war, sondern auch Berichterstatter der ganz von den Republikanern beherrschten Budgetkommission und zudem designierter Anwärter
auf ein zu schaffendes Untersekretariat im Aussenministerium, verkündete im
Sommer 1876, man müsse eine Regierung lieben, wenn man ihr als Beamter gut
dienen wolle. Der Berichterstatter fühlte sich autorisiert,

»à rappeler à tous les agents du Ministère des Affaires Etrangères que la République a le droit de compter sur leur fidélité autant que sur leurs services. Pour bien
servir un Gouvernement il faut l'aimer.«[434]

Ein sich 1893 zu Wort meldender Publizist spitzte diese Auffassung, speziell auf
die Diplomaten angewandt, noch etwas zu, indem er forderte, die im Ausland
tätigen Beamten müssten noch prononcierter republikanisch sein als im eigenen
Land, da sie im Namen der Nation auftreten würden.[435] 1907 wurde die republikanische Gesinnung für Diplomaten schliesslich zur undiskutablen (aber offenbar doch noch der nachdrücklichen Hervorhebung bedürftigen) Selbstverständ-

---

[432] République française vom 15. November 1871.

[433] République française, 8. September 1872.

[434] Bericht Nr. 1509 vom 14. Juni 1879, S. 15.

[435] MONTEIL, L'Administration, S. 313 f.

lichkeit deklariert, zumal die Beamten bei Amtsantritt gewissermassen ein Treue-versprechen abgelegt hätten:

> »Être républicain ne doit être considéré que comme un minimum, car l'hostilité au régime n'est à aucun degré acceptable, ni même honorable, pour des agents qui ont prêté un véritable serment de civisme à l'entrée de la carrière [...].«[436]

Die von den Gambettisten erhobene Forderung, die Diplomaten hätten republikanisch gesinnt zu sein, konnte von den Monarchisten, solange sich die verfassungsgebende Nationalversammlung nicht eindeutig für die republikanische Staatsform ausgesprochen hatte, zu Recht zurückgewiesen werden. Albert de Broglie betonte rückblickend, er habe weder als Botschafter noch als Aussenminister einer Republik dienen müssen, sondern einem konstitutionell undefinierten Übergangsregime:

> »[...] je ne servais nullement la République mais un gouvernement provisoire, intérimaire, reconnu comme tel, auquel on avait laissé le nom de république, par un ménagement peut-être excessif pour un désir de M. Thiers, sans prendre aucun engagement de le maintenir [...].«[437]

Als Gambetta am 10. Dezember 1881 im Senat den Duc de Broglie mit der Bemerkung ansprach:

> »Vous étiez à cette époque, ambassadeur de la République [...]«, replizierte der Angesprochene sogleich: »Elle n'était pas définitivement constituée.«

Als sich Thiers 1871 seine Botschafter aussuchte, wusste er um deren Gesinnung. Mit dem Zuzug von Mitarbeitern, die in die Nationalversammlung gewählt worden waren, ging man das Risiko ein, dass die Betreffenden ihr politisches Mandat ihrer Überzeugung gemäss ausübten. De Broglie, de Gontaut-Biron, de Choiseul, Courcelle, de Chaudordy und La Rochefoucauld Bisaccia durften als Mitglieder der Nationalversammlung für sich das Recht unabhängiger Meinungsäusserung in Anspruch nehmen, auch wenn dies von Mitdeputierten wie dem gambettistischen Edmond Adam als Anarchie empfunden wurde.[438] Als »anarchisch« konnte man beispielsweise de Broglies Rückkehr nach Frankreich nach dem Aufstand der Commune im März 1871 empfinden; de Broglie sah damals absichtlich von einer Anfrage ab, weil er befürchtete, von Thiers die Reiseerlaubnis nicht zu erhalten. Er wurde denn auch sogleich wieder nach London zurückgeschickt.[439] Wenn de Broglie als Führer der Rechten Thiers' Haltung in der Frage, ob die Wahlen gewisser Monarchisten validiert werden sollten, attackierte und damit, wie Adam hervorhob, die Innenpolitik einer Regierung tadelte, deren Vertreter im Ausland er war, wurde die französische Aussenpolitik dadurch kaum in Mitleidenschaft gezogen. De Gontaut-Biron muss Thiers sogar ausdrücklich erklärt haben, er werde trotz des Botschaftermandates Monarchist und Legitimist blei-

---

[436] Paul Deschanel als Budget-Berichterstatter für 1908, Chambre Nr. 1230, S. 399.

[437] BROGLIE, Mémoires, Bd. 2, S. 96.

[438] ADAM, Mes angoisses, S. 150.

[439] BROGLIE, Mémoires, Bd. 2, S. 64–75.

ben.[440] De Broglie schrieb über Gontaut, jener sei noch monarchistischer geworden, nachdem er gemerkt habe, dass Frankreichs Erzfeind Bismarck die Rekonstituierung der Monarchie verhindern wollte.[441]

Der 1871–1873 amtierende Aussenminister Charles de Rémusat begnügte sich mit der Erwartung, dass sich seine Diplomaten vor allem als »Franzosen« fühlten und ihre politischen Vorlieben für eine bestimmte Partei nicht in Erscheinung treten liessen; er meinte allerdings, mit dieser professionellen Zurückhaltung sei der Republik am meisten gedient:

> »Quand on est à l'étranger, on est forcément français. [...] Chez un agent diploma-
> tique qui a quelque sentiment de ses devoirs, l'esprit de parti, même l'opinion po-
> litique, ne tient pas une grande place. Au dehors, la nationalité domine tout, et
> l'intérêt du pays qu'on représente a presque toujours quelque chose d'absolu qui
> s'impose aux idées personnelles, aux préférences particulières.«[442]

Anfänglich wurden aber gar nicht so sehr die im Ausland tätigen Diplomaten an-visiert. Die republikanischen Epurationsbestrebungen galten in erster Linie der zentralen Verwaltung des Ministeriums. Die Aussenposten, von denen man glaubte, sie würden doch eher Repräsentationsfunktionen erfüllen als die eigent-liche Macht verwalten, wurden noch geschont. De Saint-Vallier schrieb in einem Brief an Waddington vom 12. Dezember 1878:

> »[...] il y a un an lorsqu'il s'agissait de mon entrée au Ministère et que je causais
> avec Gambetta, il me réclamait une exécution intérieure du Ministère plus
> vivement encore que celle du personnel extérieur.«[443]

Die Forderungen nach den Wahlen von 1876

Nach dem Wahlsieg der Republikaner im Frühjahr 1876 sah sich der gemässigt monarchistische Aussenminister Decazes gedrängt, am 14. März 1876 vor der Kammer die Erklärung abzugeben, dass nur loyale Mitarbeiter im Quai d'Orsay geduldet würden:

> »Nous ne saurions, en effet, admettre que le Gouvernement trouve des détrac-
> teurs parmi les agents qui ont mission de le servir.«

Diese Erklärung, die dem Protokoll zufolge eine »vive adhésion à gauche et au centre gauche« ausgelöst hat, wurde in Albert Grévys Budgetbericht von 1876 nochmals aufgenommen.[444] Jules Dufaure, der Premierminister, war damals so-gar bereit, Baron Baude, Vicomte Elie de Gontaut-Biron, Comte de Chaudordy und Comte Bernard d'Harcourt zu opfern. Die Stellung dieser vier Diplomaten war besonders gefährdet, weil sie entweder »allzu aristokratisch-monarchistische Vertreter« oder auch nur (was besonders für Bernard d'Harcourt zutraf) Inhaber von Posten waren, welche die Linke einem ihrer Gleichgesinnten zuhalten wollte.

---

[440] Gontaut-Birons Aufzeichnung eines Gesprächs mit Thiers vom 21. November 1871. Appendix zu GONTAUT-BIRON, Mon Ambassade.

[441] BROGLIE, Mémoires, Bd. 2, S. 143.

[442] REMUSAT, Mémoires, Bd. 5, S. 370.

[443] Saint-Vallier, Mémoires et Documents Allemagne 166.

[444] Nr. 322 vom 17. Juli 1876.

Aussenminister Decazes und der Präsident der Republik stellten sich schützend vor die vier Diplomaten.[445] Da der Erklärung vom März 1876 nicht die entsprechenden Änderungen folgten, wiederholte die inzwischen zur Mehrheit gewordene republikanische Opposition ihre Forderung nach Republikanisierung des diplomatischen Korps. Jules Ferry warf dem Aussenminister am 30. Mai 1876 vor, er habe mit keiner einzigen Ernennung dem Ausland gezeigt, dass sich in Frankreich eine friedliche Revolution vollzogen habe:

> »Quand tout changeait en France, le Quai d'Orsay pouvait-il seul prétendre à l'immutabilité? Quoi! Pas un ministre, pas un consul, pas un secrétaire d'ambassade, pas un choix qui montre à l'Europe qu'une révolution pacifique, mais profonde, vient de s'accomplir? [...] M. Decazes, il faut qu'on le sache, est l'extrême droite du conseil. Il y représente l'esprit de résistance, l'immobilité administrative, le culte des vieux cadres, la haine des hommes nouveaux.«[446]

Auch die von Gambetta präsidierte Budgetkommission der Kammer forderte am 13. Juni 1876 nochmals die Epuration des Quai d'Orsay – einstweilen aber ohne Erfolg. Die *République française*, die am 20. Juni 1876 ausführlich auf diese Angelegenheit zu reden kam, legte Decazes weiter zur Last, er habe im Februar 1876 in dem für die Aussenpolitik bestimmten Zirkular nach dem republikanischen Wahlsieg nicht wie 1873 nach der Machtübernahme durch die Konservativen auf die innenpolitischen Veränderungen hingewiesen. Noch im folgenden Jahr, als das Budget für das Jahr 1878 vorberaten wurde, erklärte Decazes der Budgetkommission, sein Personal sei Frankreich völlig ergeben, diese Ergebenheit würde jedoch nicht den gegenwärtigen Institutionen gelten. Eugène Spullers Budgetbericht warf Decazes vor:

> »Il n'a rien pu nous dire de leur dévouement à la République, mais il n'a point hésité à protester de leur dévouement à la France, abstraction faite des institutions qu'elle s'est données. Il s'est d'ailleurs refusé formellement à opérer aucune modification dans le personnel diplomatique ou consulaire [...].«[447]

Nach dem Wahlsieg der Republikaner hätte Mac-Mahon im November 1877 gerne Decazes über den nun unvermeidlichen Kabinettswechsel hinweg weiterhin im Quai d'Orsay belassen. Obwohl Decazes, der als gemässigter Monarchist dem »Centre Droit« angehörte und während vierer Jahre die Aussenpolitik von sieben Kabinetten geleitet hatte, immer eine persönliche, von der jeweiligen Regierung leicht abgesetzte Stellung gehabt hatte, wurde er in Rochebouets Kabinett der politisch wenig belasteten Fachminister (cabinet d'affaires) nicht aufgenommen. De Broglie bestätigt, dass Decazes einige Sympathien bei der Linken und immer eine etwas persönliche Position neben dem Kabinett gehabt habe.[448] Schon vor den Wahlen war davon die Rede gewesen, Decazes könnte nach Berlin gehen

---

[445] Der schweizerische Gesandte Kern an den Bundespräsidenten, 18. April 1876. Zit. nach SCHOOP, Kern, Bd. 2, S. 508 und 528.

[446] Discours et opinions politiques de Jules Ferry, Bde. 1–7, Paris 1893–1898, hier: Bd. 2, S. 232.

[447] Budgetbericht vom 6. Dezember 1877, Nr. 178, S. 11.

[448] BROGLIE, Mémoires, Bd. 2, S. 275.

und von dort, wie einer seiner Freunde hoffte, gestärkt zurückkehren und erneut das Aussenministerium übernehmen:

> »[...] si vous allez à Berlin, comme on le dit, vous puiserez dans ce poste d'une importance hors ligne une nouvelle force pour rentrer avec plus d'éclat dans un Ministère où vous avez rendu au pays les services les plus signalés.«[449]

Wenige Tage nach den Wahlen vom 14. Oktober 1879, in welchen der Aussenminister zudem eine persönliche Niederlage hatte einstecken müssen, vernahm der deutsche Botschafter, Decazes würde ersetzt. Ersetzt wurde er tatsächlich schon am 27. November 1877, aber nicht durch den Marquis de Vogüé, wie der deutsche Beobachter vernommen hatte, und Decazes erhielt für seinen Abgang auch nicht Berlin als »Türe« angeboten.[450]

Wechsel nach den Wahlen von 1877

Decazes' Nachfolger war Berufsdiplomat. Nach einer langen Diplomatenkarriere wurde Banneville im Dezember 1877 Aussenminister eines unpolitisch sein wollenden Kabinettes. Aber nach wenigen Tagen stürzte er mit seinen Ministerkollegen. Banneville wollte seinen Beruf wieder aufnehmen und wäre gerne wieder Botschafter geworden, wurde aber in der neuen Ära nicht mehr eingesetzt. Ein Kollege hielt fest:

> »Nous avons cru que Banneville allait être nommé à Constantinople et chacun, lui-même Banneville, s'y attendait au Ministère, mais voilà que la nomination ne se fait pas [...]. Je suppose que les gauches objectent contre Banneville son passé, son rôle dans le Ministère d'affaires etc.«[451]

Nach dem gescheiterten Versuch, mit einem Kabinett von Fachministern die jüngste Kräfteverschiebung zu Gunsten der Republikaner nicht zur Kenntnis nehmen zu müssen, bildete Dufaure ein Kabinett, das vom 13. Dezember 1877 bis zum 30. Januar 1879 regierte und die Aufgabe gehabt hätte, als Mitte-Rechts-Regierung die Front gegenüber der vordrängenden Linken zu halten. William-Henri Waddington, der neue Chef des Quai d'Orsay, war unter Thiers für kurze Zeit Erziehungsminister gewesen und hatte sich 1876 ein weiteres Mal als Erziehungsminister einsetzen lassen. Waddington war Numismatiker und Archäologe. Seine republikanische Gesinnung wurde durch seine klassische Bildung so weit gedämpft, dass sie auch den Konservativen noch akzeptabel erschien:

> »Sa science historique faisait oublier aux conservateurs sa tare républicaine.«[452]

Abgesehen vom Vorderen Orient, wo sich der Archäologe auskannte, waren Waddingtons Auslandserfahrungen, als er im Dezember 1877 bei der Umgrup-

---

[449] Gabriac an Decazes, 3. September 1877, Papiers Gabriac; vgl. ferner Chaudordy an Valfrey, 4. November 1877, Papiers Valfrey.

[450] HOHENLOHE-SCHILLINGSFÜRST, Denkwürdigkeiten, Bd. 2, S. 225, und E.-M. VOGÜÉ, Journal, S. 61 f. Nach der Niederlage in den Kammerwahlen vom Oktober 1877 musste Decazes in den Senatswahlen vom Januar 1879 eine weitere Niederlage einstecken und zog sich nachher ins Privatleben zurück.

[451] Châteaurenard an Chaudordy, 27. Dezember 1877, Papiers Chaudordy, Bd. 11.

[452] Freycinet, Mitglied von Waddington's Kabinett, in seinen Souvenirs, Bd. 1, S. 394.

pierung des Kabinetts das Aussenministerium übernehmen musste, so bescheiden wie seine erste Begeisterung für diese neue Aufgabe gering war.

> »Il se plaint beaucoup d'avoir été placé au Quai d'Orsay. Il y est arrivé avec mo-
> destie, prudence, il a combattu avec succès l'entré de Spuller comme sous-secré-
> taire d'Etat, enfin il en passe de se jeter dans les bras de Desprez.«[453]

Ein gutes Jahr später liess er sich nach Mac-Mahons Abgang dazu verleiten, vom
4. Februar 1879 an zusätzlich die Charge des Ministerpräsidenten zu übernehmen, eine Aufgabe, mit der er sich während elf Monaten herumplagte und die er
im Dezember 1879 in der leisen Erwartung wieder abgab, die Leitung des Quai
d'Orsay behalten zu können. War er schon als Aussenminister wegen der Forderung, er solle sein Ministerium von antirepublikanischen Beamten säubern, dem
Druck der Linken ausgesetzt gewesen, so verstärkte sich dieser Druck mit der
Übernahme der Kabinettsführung. Waddington verlor im Februar 1879 den kleinen Spielraum, den man den mit der Aussenpolitik betrauten Ministern üblicherweise liess.

> »[...] dès lors il cessait définitivement d'être tant soit peu indépendant de son parti,
> il n'avait plus la force suffisante pour résister à l'impatience de ses amis dans les
> questions du personnel.«[454]

### Unter dem Druck des Parlaments

Waddington mahnte in seiner Begrüssungsrede vom Dezember 1877 das versam-
melte Personal, es solle sich nicht in Gegensatz zur Republik stellen. Die Warnung
galt vor allem den jungen Diplomaten, die sich offenbar in wenig diplomatischer
Art über die Republik zu äussern pflegten.[455] Im Laufe seiner Regierungszeit übernahm Waddington immer mehr die Erwartungen der zur Macht drängenden Linken. Gegenüber dem schweizerischen Gesandten führte er im Januar 1879 aus:

> »C'est un devoir pour nous, si nous trouvons des hommes capables, de choisir
> comme agents des personnes qui ne remplissent pas seulement leurs fonctions
> comme un devoir, mais qui représentent les institutions actuelles de la France
> avec sympathie et qui leur soient sincèrement dévouées.«[456]

Jules Valfrey, ein konservativer Unterdirektor des Quai d'Orsay, hatte schon wenige Monate nach Waddingtons Amtsübernahme ernste Bedenken, dass der Aussenminister auf die Dauer dem Druck gewisser Parlamentarier nicht werde Stand
halten können:

> »Je ne suis pas sûr que M. Waddington soit toujours en état de résister aux efforts
> dont il est l'objet pour ouvrir le ministère à toutes les ambitions parlementai-
> res.«[457]

---

453 Unterdirektor Valfrey der Politischen Direktion an Chaudordy, 20. Dezember 1877, Papiers Chaudordy, Bd. 13.

454 Papiers Desprez, Memoiren, Dossier Nr. 41, S. 96.

455 Papiers Desprez, Memoiren, Dossier Nr. 38, S. 16.

456 Bericht Kern vom 11. Januar 1879, BA Bern, E2/739.

457 Valfrey an Chaudordy, 4. Mai 1878, Papiers Chaudordy, Bd. 13.

Seinem konservativen Gesinnungsgenossen Chaudordy liess er im November 1878 die Warnung zukommen, die Linke fordere vom Aussenministerium zwei Botschaften und zwei Gesandtschaften:

>>Les gauches exigent du ministère deux ambassades et deux légations. Je crois que vous êtes sacrifié, et que l'ambassade d'Espagne à Paris a déjà été pressenti sur votre successeur qui serait M. de Choiseul-Praslin. L'ambassade de Berne serait donnée du même coup à M. Challemel-Lacour, et M. Bernard d'Harcourt mis en disponibilité.<<[458]

Wie diese Vermutungen bekundeten, könnte vor allem die Absicht bestanden haben, Leute der eigenen Fraktion auf die fraglichen Posten zu hieven. Von Choiseul war bekannt, dass er eine Botschaft forderte und gerne nach Madrid ginge.[459] Ausser für Madrid interessierte er sich für den Posten in St. Petersburg:

>>[…] il reste à placer M. de Choiseul […]. M. de Choiseul demandait l'ambassade de Petersbourg. Le Général Le Flô a su se défendre.<<[460]

Der Comte Eugène-Antoine-Horace de Choiseul-Praslin war ein Mann der gemässigten Linken. Er war im März 1871 von der provisorischen Republik als Botschafter in Italien eingesetzt worden, wo er bis November 1871 blieb, und war ein entschiedener Anhänger von Thiers. Madrid sollte er nicht bekommen, er wurde vom spanischen König abgelehnt.[461] Im September 1880 wurde er Unterstaatssekretär von Aussenminister Barthélemy-Saint-Hilaire und später von Ferry. Die Neubesetzung der Botschaft in Madrid durch Vizeadmiral Jaurès, einem Senator des >>Centre gauche<<, zeigt, dass man einen Anwärter aus den Reihen der eigenen Partei unterbringen wollte (zu Jaurès, vgl. unten). Chaudordy bemerkte nicht zu Unrecht:

>>Le ministre des affaires étrangères invita nos agents à se montrer républicains. Il rappela quelques ambassadeurs et les remplaça par des amis politiques. Cela ne fit pas un bon effet sur les cours étrangères.<<[462]

Es könnte auch darum gegangen sein, jetzt, da neue Machtverhältnisse herrschten, einen Mann der vorangegangenen Phase zu beseitigen. Der schweizerische Geschäftsträger Lardy verstand Chaudordys Abberufung aus Madrid allerdings weniger als politische Massnahme; dem Botschafter seien charakterliche Schwächen zum Verhängnis geworden, er sei eben ein Hund, der aus allen Tellern fresse.[463]

Chaudordy war aber ausgesprochen ein Mann der konservativen Phase 1873–1877, er war ein warmer Unterstützer von de Broglie, in dieser Zeit kam er auch in die Diplomatie, wurde Botschafter in Bern, dann in Madrid und hätte sogar Konstantinopel haben können, wo er den unbefriedigenden Bourgoing abgelöst

---

[458] Valfrey an Chaudordy, 14. November 1878, ebenda.

[459] Châteaurenard an Chaudordy, 27. Dezember 1877, ebenda, Bd. 11.

[460] Valfrey an Chaudordy, 2. Januar 1878, ebenda, Bd. 13.

[461] Henri Oppert de BLOWITZ, My Memoirs, New York 1903, S. 19.

[462] CHAUDORDY, France, S. 125.

[463] SCHOOP, Kern, Bd. 2, S. 505 f. und 765.

hätte.[464] Der Politische Direktor Desprez, der seinen Kollegen Chaudordy sehr schätzte, versuchte vergeblich, dessen Entlassung zu verhindern.[465]

Diese Mutation hatte politische Hintergründe. Sie wurde von einer Thiers nahestehenden Regierung gegen Chaudordy durchgesetzt, weil er 1871–1873 Thiers nicht unterstützt hatte. Der konservative Chaudordy war mithin kein Opfer der Linken, sondern der gemässigten Republikaner, und insofern kein repräsentativer Fall für den Wechsel zwischen alter und neuer Welt.

Chaudordy musste im Dezember 1877 Madrid verlassen, ohne einen anderen Posten angeboten erhalten zu haben. Februar 1878 nahm Chaudordy den Auftrag, Frankreich an der Konferenz von Konstantinopel wenigstens temporär zu vertreten, in der Erwartung an, dass er ihn vielleicht nicht mehr zurück nach Madrid, sondern in eine bessere Stellung führen werde:

> »L'envoi à la conférence serait peut-être aussi pour moi une sorte de porte de sortie et il faut y penser.«[466]

Wieder Valfrey gegenüber erklärt er am 25. April 1878 deutlich, dass London die »ambassade plus élevée« sei, die er anstrebe:

> »C'est là où on devrait bien m'envoyer car avec les excellentes relations que j'ai avec eux je crois que je serais très utile.«

Schon im Mai 1876 war davon die Rede, dass Chaudordy, bevor er Senator werde, die Botschaft in London oder St. Petersburg übernehmen werde.[467] Am 10. Januar 1878 erhielt Chaudordy von Châteaurenard den beruhigenden Bericht, Fourniers Ernennung in Konstantinopel habe wenigstens den Vorteil, dass er, Chaudordy, in Madrid nicht mehr gefährdet sei; Waddington schätze ihn sehr.[468] Indessen wurde auch aus London nichts. Erst im Dezember 1881 hätte er von Gambetta doch noch die Botschaft in St. Petersburg bekommen können. Gambetta war ihm seit den gemeinsamen Tagen in Tours während des Winters 1870/71 und durch die gemeinsame Abneigung gegen Thiers verbunden geblieben[469], das Kabinett Gambetta stürzte jedoch schon im Februar 1882, bevor Chaudordy seinen neuen Posten beziehen konnte. Auch Flourens hegte noch 1886 die Absicht, ihn nach London zu schicken, wo er pikanterweise Botschafter Wadding-

---

[464] Valfrey an Chaudordy, 16. September 1876: Bourgoing könne nicht in Konstantinopel bleiben, anderseits könne man Bourgoing nur durch ihn, Chaudordy, ersetzen, Papiers Chaudordy, Bd. 13. Bourgoing war von seinem Posten zurückgerufen worden, ohne dass man bereits einen Nachfolger gehabt hätte: »Waddington est dans la plus grande perplexité parce qu'il doit pourvoir à la vacance de Constantinople, Bourgoing étant mis en disponibilité [...].« Châteaurenard an Chaudordy, 27. Dezember 1877, ebenda, Bd. 11. Am 31. Dezember 1877 wurde schliesslich Fournier zum Botschafter in Konstantinopel ernannt.

[465] Papiers Desprez, Memoiren, Dossier Nr. 41, S. 86.

[466] Chaudordy an Valfrey, 25. Februar 1878, Papiers Valfrey, Bd. 2.

[467] Canclaux an Chaudordy, 20. Mai 1876, Papiers Chaudordy, Bd. 11.

[468] Ebenda, Bd. 11.

[469] Die Chronik der RDM vom 15. Dezember 1873 schreibt über Chaudordy: »Il a montré de l'activité et du feu auprès de M. Gambetta, dont il partageait les entraînements et même les préventions contre M. Thiers.« (S. 966).

ton hätte ersetzen sollen, der als Aussenminister ihn im Dezember 1878 abgesetzt hatte. Desprez kommentierte das Projekt in seinen Memoiren:

> »La revanche eût été assez piquante.«[470]

Staatspräsident Grévy legte jedoch sein Veto gegen diese Nomination ein.[471] Von Waddingtons bevorstehender Ersetzung durch Chaudordy war sogar in der Presse zu lesen, und die auswärtigen Diplomaten befassten sich mit der Angelegenheit.[472]

Wenn Chaudordy, wie diese Stellungnahme vermuten lässt, durch die Revokation verletzt wurde, scheint er seinem Mandat nicht sonderlich nachgetrauert zu haben. Sein Freund Châteaurenard schrieb ihm:

> »Je sais d'ailleurs que tu regretteras moins que moi la vie diplomatique à l'étranger.«[473]

Der zweite von Valfrey für die Botschaft in Bern prophezeite Wechsel erfüllte sich dagegen nicht nur bezüglich der Abberufung, sondern auch der Neubesetzung. Der Wechsel in Bern war nicht wie bei Chaudordy ein Nein zum Inhaber des Postens, sie war vielmehr ein Ja zum Wunsch, den Posten einem Mann der siegreich aus den Wahlen hervorgegangenen Linken zuzuhalten. Bernard d'Harcourt hat seinen Posten in Bern nur indirekt aus politischen Gründen verloren: Er gehörte keiner Partei an und verfügte 1879 über keine republikanische Protektion, wie er 1873 über keine konservative Protektion verfügt hatte, als man ihm den Posten in London genommen hatte. Desprez bemerkte:

> »Il ne pouvait guère compter dans aucun parti sur un appui solide. [...] il s'était maintenu dans de froids rapports après son remplacement à Londres avec les chefs du parti conservateur et il n'avait pas su ou n'avait pas voulu se faire des amis dans le parti républicain modéré qui allait arriver au pouvoir. Il était destiné à être frappé à Berne par Ministre Waddington comme il l'avait été à Londres.«[474]

Eine Woche nach den Senatswahlen vom 5. Januar 1879 überliess Waddington den Posten in Bern einem dem radikalen Flügel der Republikaner angehörenden

---

[470] Papiers Desprez, Memoiren, Dossier Nr. 41, S. 91.

[471] Dies wird durch eine Eintragung im Tagebuch Hansen vom 31. Oktober 1887 bestätigt, die besagt, Grévy habe am Vortag in dieser Sache die Unterschrift verweigert, Papiers nominatifs Nr. 85. Eine ausführliche Darstellung der Affäre gibt Jules HANSEN, L'Ambassade à Paris du baron de Mohrenheim (1884–1898), Paris 1907, S. 50 f. Zum Projekt, Waddington durch Chaudordy zu ersetzen: Nachdem Grévy zurückgetreten und am 3. Dezember 1887 durch Carnot ersetzt worden war, muss Flourens nochmals versucht haben, sein Projekt zu verwirklichen. In einer nicht weiter identifizierbaren Korrespondenz ist am 2. Januar 1888 zu lesen: »Je le soupçonne de vouloir prouver qu'il est de nouveau possible d'employer Chaudordy.« Und am 7. März 1888: »Chaudordy n'a pas fait son apparition. C'est fort heureux.« MAE, Mémoires et Documents, Angleterre, Bd. 129. René Goblet, der am 4. April 1888 das Aussenministerium übernommen hat, geht in seinen Memoiren ebenfalls ausführlich auf den Versuch seines Vorgängers ein, Chaudordy an die Stelle Waddingtons zu setzten, GOBLET, Souvenirs, Bd. 3, in: Revue politique et parlementaire 137 (1928), S. 348 f.

[472] Vgl. etwa die deutschen Berichte über Gespräche mit englischen Diplomaten, 1. November 1887 und 31. August 1889, PAAA Bonn, F 105/1, Bde. 3 und 6.

[473] Châteaurenard an Chaudordy, 10. Januar 1878, Papiers Chaudordy, Bd. 11.

[474] Papiers Desprez, Memoiren, Dossier Nr. 37, S. 128 f.

Deputierten. Challemel-Lacours Nomination in Bern und General Gresleys Nomination als Kriegsminister seien erfolgt, wie ein konservativer Kommentator richtig feststellte,

> »pour amadouer les tigres de la gauche.«[475]

Der für Bern vorgesehene Paul-Armand Challemel-Lacour war über ein Jahr vor seiner Ernennung als angeblicher Anwärter auf diese Botschaft im Gespräch, nachdem Präsident Mac-Mahon vor Gambettas Ultimatum »de se soumettre ou de se démettre« kapituliert und den Willen der linken Kammermehrheit in der Erklärung vom 15. Dezember 1877 grundsätzlich akzeptiert hatte. Es brauchte aber noch den für die Linke vorteilhaften Ausgang der Senatswahlen, damit seine Nomination möglich war. Am 11. Januar 1879 bat Aussenminister Waddington die schweizerische Regierung um das Agréement für Challemel-Lacour. Waddington erklärte, noch ein paar Tage zugewartet zu haben,

> »je n'ai rien voulu brusquer, je tenais à ménager les responsabilités du Maréchal.«[476]

Dieser sollte am 30. Januar 1879 schliesslich demissionieren. Der Posten in der Schweiz hatte den Vorteil, für einen republikanischen Anfänger nicht zu aristokratisch zu sein, zudem hatte Challemel-Lacour sich bereits 1856 im Exil in der Schweiz befunden, wo er Literaturprofessor an der Eidg. Technischen Hochschule gewesen war. Waddington hob die Übereinstimmung zwischen den Ansichten des neuen Gesandten und dem Regime des Gastlandes hervor:

> »Nous tenons spécialement à être représentés auprès de la seule République européenne par un républicain de coeur.«[477]

Desprez, Leiter der Politischen Direktion, hielt ebenfalls fest:

> »M. Waddington avait besoin d'une ambassade non pas trop aristocratique pour les débuts d'un républicain lettré curieux de s'essayer à la diplomatie.«[478]

Aus konservativer Sicht ging es, wie weiter oben bereits gezeigt, vor allem darum, die Linke zu bedienen:

> »[...] une satisfaction à des hommes de la gauche, soit à M. Choiseul [...] soit à M. Challemel-Lacour qui veut, m'a-t-on dit, être ambassadeur à Berne.«[479]

Ein anderer Konservativer bemerkte ebenfalls, die Linke habe damit den Zugang zu den Botschaften aufgebrochen – »forcé l'entrée des ambassades«, zugleich wurde mit Befriedigung festgestellt, dass Challemel-Lacour im diplomatischen Personal niemanden gefunden habe, der sein erster Mitarbeiter sein wollte. Schliesslich habe man Rameau, den Sohn eines republikanischen Deputierten, gefunden.[480]

---

[475] Vogüé in seinem Journal, 14. Januar 1879, S. 108.

[476] Bericht nach BA Bern, 2/739.

[477] Vgl. Anm. 475. Vgl. auch den Artikel mit dem bezeichnenden Titel *Un ambassadeur républicain* in der *République française* vom 17. Januar 1879.

[478] Papiers Desprez, Mémoires Nr. 37, 7e partie.

[479] Châteaurenard an Chaudordy, 27. Dezember 1877, Papiers Chaudordy, Bd. 11.

[480] VOGÜE, Journal, 14. Januar und 10. April 1879.

Dem schweizerischen Repräsentanten gegenüber erklärte Waddington am 11. Januar 1879, er sei schon lange entschlossen gewesen, einen republikanischen Vertreter nach Bern zu schicken:

> »Je puis vous dire que, depuis deux ou trois mois, j'étais décidé à en faire la proposition au Ministère. Celui-ci est d'accord. Il y a eu un retard pour la signature, et je n'ai rien voulu brusquer; je tenais à ménager les responsabilités du Maréchal, bien que je fusse décidé dès le début à maintenir la proposition acceptée par le Cabinet.«

Waddington betonte im Weiteren, dass Challemel-Lacour nicht der äusseren Linken angehöre, ein sehr gebildeter Mann sei und etwa Lanfrey, der 1871–1873 in Bern gewesen sei, entspreche:

> »Il est de la gauche, mais non de l'extrême gauche. Il pense comme moi, comme vous; il a donné des preuves de la manière dont il juge certains hommes dangereux pour les Républiques.«[481]

Die Ausführlichkeit, mit der Waddington seinen neuen Gesandten empfahl, zeigt, dass Challemel-Lacour dieser Empfehlung bedurfte. Waddington erwartete, dass die Schweiz telegraphisch seinem Vorschlag zustimme, damit die Sache noch vor der Parlamentseröffnung geregelt sei.

Der schweizerische Gesandte, Johann Konrad Kern, begrüsste Challemel-Lacours Ernennung zum Botschafter in Bern; er war es gewesen, der als Schulratspräsident den französischen Emigranten an die Eidgenössische Technische Hochschule geholt hatte.[482] Challemel-Lacour hatte während des Empire als Universitätslehrer gewirkt und sich als Regimegegner exponiert; nach dem 4. September 1870 war er zunächst Präfekt, später Senator geworden und hatte 1871 mit Gambetta die *République française* gegründet. Der Posten in der kleinen Republik war für Challemel-Lacour tatsächlich nur eine erste Etappe auf einem Weg, der ihn schon 1880 nach London, dem wichtigsten Zentrum der europäischen Diplomatie und 1883 schliesslich zurück nach Paris an die Spitze des Aussenministeriums brachte.

### Der Fall Gontaut-Biron

Noch bevor de Chaudordy abgesetzt und Bernard d'Harcourt seines Postens beraubt worden war, wurde de Gontaut-Biron von Berlin zurückgerufen. Handelte es sich um eine Massnahme der Epuration? Nicht seine Rückberufung hatte parteipolitische Gründe, sondern sein Verbleiben bis zum Moment der Entlassung. Nur dank der parteipolitischen Protektion konnte der Botschafter, der seit 1876 zugleich Senator war, sich bis 1877 halten, obwohl seine Stellung schon seit 1875 angeschlagen war. Der republikanischen Opposition war nicht verborgen geblieben, dass Bismarck den französischen Botschafter als Belastung der deutschfranzösischen Beziehungen empfand und ihm vorwarf, er intrigiere am deutschen Hof und sei als Ultramontaner, der sich in innerdeutsche Angelegenheiten einmi-

---

[481] Bericht Kern vom 11. Januar 1879, BA Bern, E2/739.
[482] SCHOOP, Kern, Bd. 2, S. 508 f.

sche, nicht vertrauenswürdig.[483] Der deutsche Kanzler hatte schon 1875 Gontauts Rückberufung gefordert, er forderte sie 1876 wieder und 1877 wieder.[484] Gontaut selbst erklärte Bismarcks Feindschaft damit, dass er sich durch den März-Alarm 1875 nicht habe einschüchtern lassen und damals dem Kanzler das Spiel verdorben habe.[485] Er wäre bereit gewesen, nach London zu gehen, lehnte hingegen den Posten beim Vatikan ab, um nicht noch mehr als Klerikaler verschrien zu werden.[486] Adolphe Thiers, die graue Eminenz der Place Saint-Georges, sprach sich für Gontauts Rückberufung aus; Decazes und Mac-Mahon jedoch baten den Botschafter, in Berlin zu bleiben.[487] Nachdem sich die parteipolitischen Kräfteverhältnisse mit den Wahlen vom Oktober 1877 verschoben hatten und Rochebouets Kabinett diese Verschiebung nach links nicht hatte überspielen können, musste Mac-Mahon seinen Gesinnungsgenossen in Berlin fallen lassen. Der Form nach war de Gontaut-Birons Abgang eine Demission, dem Inhalt nach war sie, wie der Betroffene selbst klagte, eine Revokation.[488]

Ebenfalls in die erste Hälfte von Waddingtons Amtszeit fiel Baudes Abberufung von der Botschaft beim Vatikan im März 1878, doch waren dafür offenbar weder innenpolitische noch direkt aussenpolitische Gründe massgebend, sondern die Wahl Leos XIII. zum Oberhaupt der katholischen Kirche.[489]

Umschwung nach den Wahlen

Das Kabinett Dufaure hoffte, die Opposition zufrieden zu stellen, als es in seiner Regierungserklärung vom 16. Januar 1879 versicherte, es werde gegenüber Beamten, die erklärte Gegner der Republik seien, streng verfahren, aber nicht willkürlich vorgehen und niemanden bestrafen, ohne die Verfehlungen abgeklärt zu haben. Doch am 20. Januar 1879 wäre es über der Epurationsfrage gestürzt, wenn sich die gemässigte Linke nicht schützend vor die Regierung gestellt hätte. Grundsätzlich waren zwar auch die gemässigten Republikaner der Meinung, die Säuberung der Ministerien sei nötig, ja überfällig. Während aber die radikale Linke ungehalten war, weil die Verwaltung noch immer Leute beherbergte, die sich im Wahlkampf von 1877 durch ihr antirepublikanisches Engagement kompromittiert hatten, vertraute die gemässigte Linke darauf, dass die Regierung die längst fälligen Änderungen vornehmen werde. Nach der Beantwortung der Interpellation Senard setzte sich mit 208 gegen 116 Stimmen Ferrys Ordnungsantrag durch, welcher der Regierung das Vertrauen, zugleich aber die Erwartung aussprach, sie werde der republikanischen Mehrheit

---

[483] HOHENLOHE-SCHILLINGSFÜRST, Denkwürdigkeiten, Bd. 2, S. 155, und BROGLIE, Gontaut-Biron, S. 255 f.

[484] HOHENLOHE-SCHILLINGSFÜRST, Denkwürdigkeiten, Bd. 2, S. 155 und 175; E.-M. VOGÜÉ, Journal, S. 53.

[485] Gontaut-Biron an Decazes, 24. Juni 1875, DDF, Série I, Bd. 1, Nr. 440.

[486] HOHENLOHE-SCHILLINGSFÜRST, Denkwürdigkeiten, Bd. 2, S. 206.

[487] Ebenda, S. 185.

[488] GONTAUT-BIRON, Mon ambassade, Bd. 2, S. 337. Gontaut war nicht, wie Broglie 1896 in seiner Darstellung *La Mission de M. de Gontaut-Biron à Berlin* (S. 308) irrtümlich sagt, bereits vom Kabinett Rochebouët/Banneville zurückgerufen worden.

[489] Papiers Desprez, Memoiren, Dossier Nr. 38, S. 19 f.

»les satisfactions légitimes qu'elle réclame depuis longtemps au nom du pays« geben.[490]

Wie sehr sich die Regierung damals unter Druck gesetzt fühlte, geht aus einer Aufzeichnung des deutschen Botschafters von Hohenlohe hervor. Waddington habe ihm am 15. Januar 1879 gesagt:

> »Je dois vous avertir qu'il pourra se passer des incidents fort graves la semaine prochaine.«

Die Opposition habe es nun vor allem auf Stellen abgesehen, Gambetta riskiere, von der Bewegung überholt zu werden. Hohenlohe notierte weiter: »Es hängt von Zufälligkeiten ab, wie die Abstimmung ausfällt.«[491]

## Mac-Mahons Demission

Die Regierung konnte jedoch nicht beliebig dem Druck des Parlaments nachgeben, mussten doch ihre Massnahmen durch den Präsidenten der Republik gebilligt werden. Am 30. Januar 1879 fiel indessen auch diese Bastion. Marschall Mac-Mahon hatte – durch das Wahlresultat vom Oktober 1877 vor Gambettas Alternative »se soumettre ou se démettre« gestellt – am 13. Dezember 1877 mit der Billigung des so genannten Übergangskabinetts Dufaure zunächst die Unterwerfung gewählt. Am 30. Januar 1879, nach den Ergänzungswahlen des Senats, die den Republikanern nun auch in der zweiten Kammer die Mehrheit brachten, hätte Mac-Mahon 9 pensionsberechtigte Korpskommandanten mit seiner Unterschritt der Epuration ausliefern sollen. Er weigerte sich und zog die Demission weiteren Unterwerfungsakten vor.

Mac-Mahons Abgang blieb nicht ohne Konsequenzen auch für das Aussenministerium, doch waren diese Folgen – anders als man erwarten könnte – nicht Entlassungen von Anhängern der alten Welt, die nun des Präsidialschutzes entbehrten, sondern Desertionen aus Solidarität mit dem Marschall. Mit ihm demissionierten der Marquis Georges d'Harcourt, der General Le Flô und der Marquis de Vogüé, welche die wichtigen Botschaften London, Sankt Petersburg und Wien geleitet hatten. Der Marquis de Vogüé demissionierte, obwohl Waddington und Grévy ihn baten, im Amt zu bleiben.[492] Waddingtons Frau hielt fest:

> »Vogüé didn't like the Republic, didn't believe in the capacity or the sincerity of the Republicans – couldn't understand how Waddington could.«[493]

General Le Flô, den das Aussenministerium gerne schon 1876 losgeworden wäre[494], um den in Berlin gefährdeten Gontaut-Biron nach St. Petersburg zu ver-

---

[490] Journal Officiel, Débats, Chambre 1879 I, S. 414–423.

[491] HOHENLOHE-SCHILLINGSFÜRST, Denkwürdigkeiten, Bd. 2, S. 180 f.

[492] E.-M. VOGÜÉ, Journal, S. 69.

[493] WADDINGTON, Frenchwoman, S. 159.

[494] HOHENLOHE-SCHILLINGSFÜRST, Denkwürdigkeiten, Bd. 2, S. 155 f. Schon Thiers muss von Le Flôs Leistungen als Botschafter nicht sehr begeistert gewesen sein, sagt er doch von diesem Offizier, den er für seine Tätigkeit als Kriegsminister des »Gouvernement de la Défense Nationale« nach de Noailles Absage mit Petersburg belohnte: »Cet excellent officier de troupes aurait bien commandé une division, mais comme administrateur il avait moins de valeur.«

schieben, wäre seinerseits schon damals gerne nach Frankreich zurückgekehrt, er harrte aber auf Mac-Mahons Bitte hin aus, weil er wie der Marschall der Auffassung war, dass Armee und Diplomatie nicht den Wechselfällen der Politik ausgesetzt werden sollten. Ernest Daudet überliefert, der zum Zeitpunkt seines Rücktrittes 75 Jahre alte Le Flô habe 1876 nach dem Tod seiner Frau nach Frankreich zurückkehren wollen, sei aber Mac-Mahon zuliebe geblieben –

> »tant convaincu comme lui que les armées, comme la diplomatie, ne sauraient, sans de graves dangers pour les gouvernements, être soumises aux fluctuations de la politique.«[495]

D'Harcourts und de Vogüés Demissionen sind eindeutig als freiwilliges sich Abwenden vom Staatsdienst zu verstehen. Das neue Kabinett und insbesondere der weiterhin die französische Diplomatie leitende Minister hätten die beiden Botschafter gerne auf ihren Posten belassen. Châteaurenard bezeichnete den Marquis de Vogüé als »ami intime de M. Waddington« und sagte vom damals neuen Aussenminister:

> »[...] il est heureux de garder M. d'Harcourt à Londres.«[496]

Auch weniger prominente Mitarbeiter wurden von der Desertionswelle erfasst. Ohne direkt angegriffen worden zu sein, verliess damals Julen Valfrey, Unterdirektor der Politischen Direktion, den auswärtigen Dienst. Zum Leidwesen des verbleibenden Direktors zog es Valfrey vor, »freiwillig« zu gehen, bevor er dazu gezwungen würde. Offenbar konnten sich die Beamten mit einem freiwilligen Rücktritt eine bessere Pension sichern:

> »Il tenait à se réserver le bénéfice d'une retraite volontaire et ne voulait point s'exposer à une révocation qu'il jugeait possible de la part du successeur quel qu'il fût de M. Waddington.«[497]

Valfrey, der unter Aussenminister de Moustier (1866–1868) in den Quai d'Orsay gekommen war, hielt sich gefährdet, weil er sich als konservativer Publizist hervorgetan hatte. Die Befürchtung, so begründet sie im Allgemeinen war, wäre in diesem Fall wenig berechtigt gewesen. Waddingtons Nachfolger, Freycinet, suchte Valfrey sogar in seinem Redaktionsbüro auf, um ihm die Leitung der Politischen Direktion anzubieten. Die ganze, der Autoepuration eigentümliche Spannweite zwischen Freiwilligkeit und Nötigung kommt in einem Schreiben zum Ausdruck, das Valfrey am 18. Januar 1881 von seinem ehemaligen Mitarbeiter Raindre erhielt:

---

THIERS, Notes et souvenirs, S. 177. Man beachte übrigens die Auffassung, dass ein Botschafter ein »administrateur« sei!

[495] Ernest DAUDET, La France et l'Allemagne après le congrès de Berlin. La mission du comte de Saint-Vallier (décembre 1877–décembre 1881), Paris 1918, S. 97. Gontaut-Biron berichtet in seinen Memoiren (GONTAUT-BIRON, Dernières Années de l'ambassade en Allemagne 1874–1877, Paris 1907, S. 368) gestützt auf eine Äusserung Le Flôs ebenfalls, Mac-Mahon habe im Dezember 1877 zu Jules Simon gesagt, man müsse General Berthaut und Herzog Decazes in ihren Ämtern belassen und die beiden Ministerien »mettre en dehors et au-dessus des fluctuations de la politique«.

[496] Brief vom 27. Dezember 1877 an Chaudordy, Papiers Chaudordy, Bd. 11.

[497] Papiers Desprez, Memoiren, Dossier Nr. 42, S. 148.

> »Je comprends que vous ayez désiré échapper aux ennuis résultant de la situation
> actuelle; tout le monde a sa part de ces épreuves mais tout le monde ne peut pas,
> comme vous, s'y soustraire par un acte de résolution.«[498]

Von den weiteren Demissionen, die wenig Aufsehen erregten, weil sie niedrigere
Chargen betrafen, sei genannt der Comte François-Anne-Marie de la Rochefou-
cauld-Bayers, 32jährig und 2. Botschaftssekretär in St. Petersburg. De Vogüé verzeichnete schon im Sommer 1879 dessen Demissionsabsichten.[499] Ein Jahr später verliess er die Diplomatie tatsächlich, versehen mit dem Orden des *Chevalier de
la Légion d'honneur.*

### Waddingtons Nominationen

Wie ersetzte Waddington die verschiedenen Vakanzen seiner Amtszeit? Zwei
Botschaften vergab er an Berufsdiplomaten, die wenig begehrte Vertretung beim
Vatikan dem Monarchisten Gabriac und die Botschaft in Konstantinopel dem
nachmaligen Senator und gemässigten Republikaner Fournier. Auffallend ist die
grosse Zahl von Parlamentariern unter Waddingtons Nominationen. Bezeich-
nend für Waddingtons Rekrutierungsmethode war sein Wunsch, das *Annuaire du
Parlement* konsultieren zu können, als es darum gegangen sei, einen Nachfolger
für einen bestimmten Botschafter zu finden.[500] Ausser dem Senator Challemel-
Lacour nahm er vorübergehend fünf weitere Senatoren in den diplomatischen
Dienst auf. Beruhte dieser Rückgriff auf das Parlament auf dem Bedürfnis, sein
Ministerium gegen innen abzustützen oder, wie der damalige Direktor des Quai
d'Orsay meinte, auf der Überzeugung, dass gewählte Volksvertreter gegen aussen
mehr Vertrauen erwecken würden? Dazu Desprez:

> »M. Waddington, sans être hostile au personnel de Carrière, pensait avec beau-
> coup de ses amis, que les grands postes diplomatiques pouvaient être confiés avec
> avantage à des hommes du parlement. Ceux-ci étant par le suffrage des électeurs
> la représentation la plus exacte du pays seraient plus capables d'inspirer confiance
> au-dehors.«[501]

Am 5. Juli 1879 schrieb Waddington dem ein halbes Jahr zuvor zum Botschafter
gemachten Senator Challemel-Lacour:

> »[...] personne ne s'étonne que les ambassades soient données à des hommes poli-
> tiques, surtout à des hommes de votre valeur.«[502]

Die Nominationen galten Persönlichkeiten, die in zweifacher Hinsicht typische
Repräsentanten der Übergangszeit waren: Einmal, weil sie selbst nur für kurze
Zeit im diplomatischen Dienst standen, und zum anderen, weil es Leute waren,
die sowohl für das grossbürgerliche Regime der gemässigten Republikaner wie
für die einflussreiche Opposition der »Union Républicaine« annehmbar waren.
Waddingtons Nominationen entsprachen auch der im Juni 1879 im Budget-

---

[498] Papiers Valfrey, Bd. 1.
[499] E.-M. de VOGÜE, Journal, S. 133.
[500] BLOWITZ, My Memoirs, S. 19.
[501] Papiers Desprez, Mémoires, Dossier Nr. 41, S. 85.
[502] Papiers Challemel-Lacour.

bericht der Kammer von Eugène Spuller erneut vorgebrachten Forderung, dass die Diplomaten nicht nur Vertreter Frankreichs, sondern Vertreter der französischen Republik zu sein hätten:

> »Le moment est venu de faire pénétrer dans le corps diplomatique et consulaire la conviction que la France ne peut plus être séparée, comme on l'a fait trop souvent, des institutions républicaines qu'elle s'est donnée et qui sont le gage de son activité et de sa liberté au-dedans, de son prestige et de son influence au-dehors. C'est mal servir la France que de bouder ou même de décrier la République. Nul ne peut être tenu à prodiguer à un régime détesté des témoignages de dévouement dont la sincérité serait douteuse; mais aucun Gouvernement sérieux ne saurait accepter d'être desservi par ceux qu'il emploie.«[503]

Constant-Louis-Jean-Benjamin Jaurès, seit 1878 Vize-Admiral wie sein Vater, hatte einen grossen Teil seiner Karriere als Marineoffizier im Second Empire durchlaufen, sich aber 1870 an vorderster Stelle am Volkskrieg gegen die Invasoren beteiligt. Dass er als Deputierter und Senator dem »Centre gauche« angehörte, war eine günstige Voraussetzung für seine Wahl zum Botschafter; dass er im französischen Baskenland geboren war und über Spanischkenntnisse verfügte, machte ihn 1878, nachdem die zunächst angestrebte Platzierung de Choiseuls gescheitert war (vgl. oben), zum Nachfolger Chaudordys in Madrid.[504]

Ein weiterer Marineoffizier, Louis-Pierre-Alexis Pothuau, Admiral und Marineminister, wurde 1879 nach London geschickt, wo dem in der Diplomatie unerfahrenen Botschafter immerhin seine englischen Kontakte aus der Zeit des Krimkrieges nützlich sein konnten.

General Antoine-Eugène-Alfred Chanzy, 1879–1881 Botschafter in St. Petersburg, konnte den Konservativen genehm sein wegen seiner Dienste bei Papst Pius IX. in den 1860er Jahren, und den Gambettisten wegen seines Kommandos der Zweiten Loire-Armee im Winter 1870/71. 1873–1879 Generalgouverneur in Algerien, war er zugleich Mitglied der Nationalversammlung, seit 1875 Senator, und 1879 wurde er bei der Wahl von Mac-Mahons Nachfolger ungefragt von den Monarchisten gegen Grévy portiert. Juliette Adam war überzeugt, dass Chanzy nach dieser Präsidentenwahl nach dem entfernten St. Petersburg entsandt worden sei, weil Grévy auf diese Weise einen Rivalen aus Frankreich entfernen wollte.[505] Paul Cambons Brief vom 7. November 1878 entnehmen wir jedoch, dass schon vor den Wahlen vom 30. Januar 1879 davon die Rede gewesen war, Chanzy nach Russland zu senden. Allerdings, wie sein Bruder Jules Cambon, der ein enger Mitarbeiter Chanzys in Algerien war, mit einer ähnlichen Absicht, wie sie Adam vermutete:

[503] Bericht Nr. 1509 vom 14. Juni 1879, S. 15.

[504] Im Februar 1882 wurde Jaurès, der ein Onkel des bekannten Sozialistenführers Jaurès ist, Botschafter in Petersburg, doch demissionierte er schon im Sommer 1883, weil er wieder zur Marine zurückkehren wollte, Mary King WADDINGTON, Letters of a Diplomat's Wife 1883–1900, London 1903, S. 94. Vielleicht steht seine Heimkehr im Zusammenhang mit der Tonkin-Expedition (vgl. C. Jaurès, MAE Papiers nominatifs, Politische Korrespondenz 60/6. August 1883 und 69/23. August 1883). 1889 wurde er kurz vor seinem Tod noch Marineminister, Louis ANDRIEUX, A travers la République. Mémoires, Paris 1926, S. 298.

[505] ADAM, Après l'abandon, S. 303.

> »Gambetta qui redoute Chanzy comme un rival futur pour la présidence d'abord,
> comme un conseiller utile pour le Maréchal ensuite, désirerait l'éloigner le plus
> possible en dorant énormément la pilule.«

Immerhin muss für Chanzy damals eine Veränderung wünschenswert gewesen
sein. Der gleiche Brief hielt fest:

> »Cet éloignement du reste est au dire des amis de Chanzy dans l'intérêt du général
> car sa situation, attaqué comme il est, deviendra bientôt impossible.«[506]

Aus der Sicht der gemässigten Republikaner war Chanzy gar ein heimlicher Bonapartist. Paul Cambon bemerkte: »c'est un tempérament foncièrement bonapar-
tiste«.[507] Chanzy wusste nicht recht, ob er für die Präsidentschaft kandidieren solle. Am 30. Januar 1879 entfielen schliesslich 99 Stimmen auf ihn. Und da er es
unterlassen hatte, offiziell gegen diese Portierung zu protestieren, sah Paul Cambon – und hier wird der Gegensatz zur Erklärung Adam/Desprez deutlich – die
Aussicht gefährdet, die Botschaft in St. Petersburg zu erhalten.[508] Nach Chanzys
Demission in Petersburg erhielt er von Gambetta, der mit dieser Nomination den
Kämpfer von 1870 ehren wollte, das 6. Armeekorps Ost, eine Stellung, wie sie
sich der General schon immer gewünscht hatte.[509]

Pierre-Edmond Teisserenc de Bort, ehemaliger Landwirtschafts- und Handelsminister und Vater der Pariser Weltausstellung von 1878, war bloss Diplomat für
vierzehn Monate. Er liess sich im Februar 1879 die Botschaft in Wien geben,
kehrte aber bereits im April 1880 wieder zurück, aus gesundheitlichen Gründen
und weil er sich dort doch nicht am richtigen Platz fühlte. Moüy, damals erster
Botschaftssekretär in Wien, bemerkte:

> »Ce poste ne convenait pas à ses aptitudes.«[510]

Und Juliette Adam meinte:

> »Nous nous demandons, s'il sera assez Faubourg Saint-Germain pour subir l'éti-
> quette de la cour de Vienne. Nous en doutons.«[511]

Am 4. August 1882 erhielt Teisserenc de Bort das Portefeuille des Aussenministers angeboten, doch lehnte er das Angebot ab.[512]

Der Fall Saint-Vallier

Der wichtigste und der am längsten amtierende Diplomat der Übergangszeit war
der Comte Charles-Reymond de la Croix de Chevrières de Saint-Vallier, Senator
des »Centre gauche« wie der im gleichen Departement beheimatete und für seine

---

[506] P. CAMBON, Correspondance 1870–1924, Bd. 1, S. 91.

[507] Paul Cambon an Jules Cambon, 22. April 1877, VILLATE, République, S. 20.

[508] Paul Cambon an seine Frau, 2. Februar 1879, Correspondance 1870–1924, Bd. 1, S. 97.

[509] ADAM, Après l'abandon, S. 264.

[510] MOUY, Souvenirs et causeries, S. 249.

[511] ADAM, Après l'abandon, S. 303.

[512] LAVERGNE, Grévy, S. 87.

Nomination verantwortliche Aussenminister Waddington.[513] De Saint Vallier gehörte zu den höheren Berufsdiplomaten des Empire, deren Laufbahn mit 1870 nicht zu Ende war. 1866–1868 Kabinettschef des Aussenministers Marquis de Moustier, 1868–1870 Gesandter am württembergischen Hof in Stuttgart, wurde er zwar vom »Gouvernement de la Défense Nationale« nicht mit einer neuen Aufgabe betraut, doch schon Thiers setzte ihn im Sommer 1871 wieder ein: Bis Oktober 1873 bekleidete er als Verbindungsmann zu den deutschen Besatzungstruppen ein wichtiges und schwieriges Amt, das ihn auch in Deutschland als gewiegten Diplomaten bekannt machte. Schon 1875, zwei Jahre vor seiner Ernennung zum Botschafter in Berlin, sah Bismarck in de Saint-Vallier einen geeigneten Nachfolger für den nicht genehmen de Gontaut-Biron.[514] Im Dezember 1877 hätte de Saint-Vallier statt der Botschaft in Berlin an Waddingtons Stelle die Leitung des Aussenministeriums übernehmen können, doch zog er es vor – vielleicht auch aus gesundheitlichen Überlegungen[515] –, Frankreich in Berlin zu vertreten. Im November 1881 trat er von diesem Posten wieder zurück. Auch er demissionierte, weil er die Regierung nicht billigte, die er vertreten sollte.

Die Epuration ist nur als Makrophänomen, nur als Summe, als Anreihung oder Anhäufung von Einzelfällen gesellschaftspolitisch relevant. Wenn aber der Personalwechsel zu einem beträchtlichen Teil nicht auf Entlassungen, sondern auf Demissionen zurückzuführen ist, also auf eine Summe von individuellen Entscheiden, ist es wichtig zu wissen, welches jeweils die subjektiven Überlegungen waren, die zu einem solchen Entschluss führten. Die günstige Quellenlage erlaubt es, an de Saint-Valliers Fall die Epurationsproblematik einmal – und unseres Wissens zum ersten Mal – aus der Sicht des von den Umwälzungen direkt betroffenen Beamten herauszuarbeiten.

De Saint-Vallier war nicht unumstritten. Dass die Männer der Übergangzeit für die alte wie die neue Welt annehmbar waren, hiess nicht, dass sie von beiden Seiten auch geschätzt wurden. Die klerikalen und zum Teil monarchistischen Konservativen waren auf de Saint-Vallier allein schon deswegen nicht gut zu sprechen, weil er die Nachfolge eines ihrer engagiertesten Exponenten angetreten hatte:

»Saint Vallier vient de faire ses débuts à Berlin, comme porte-parole du parti républicain. Ses allures intempérantes fatiguent tout le monde, et je crains qu'elles n'ai-

[513] Waddington wie de Saint-Vallier hatten vorübergehend dem Conseil Général des Departement de l'Aisne präsidiert.

[514] HOHENLOHE-SCHILLINGSFÜRST, Denkwürdigkeiten, Bd. 2, S. 156. Eintrag vom 18. Mai 1875: »Mit Radowitz sprach ich dann über den eventuellen Nachfolger, und wir fanden als den besten St. Vallier.«

[515] FREYCINET, Souvenirs, Bd. 1, S. 492; BLOWITZ, My Memoirs, S. 17. Maugny zufolge muss Saint-Vallier schon zehn Jahre zuvor unter seiner schlechten Gesundheit gelitten haben, MAUGNY, Souvenirs, S. 115. Und nach Steinbachs Darstellung entsteht der Eindruck, Saint-Valliers ganze Laufbahn sei von Krankheit überschattet gewesen, STEINBACH, Diplomatie, S. 275 f. Ebenso WADDINGTON, Frenchwoman, S. 205.

dent pas au succès de sa mission, où, quoi qu'il en pense, il ne s'agit pas d'obtenir l'amitié de l'Allemagne.«[516]

De Saint-Valliers verbindliche Haltung gegenüber den Siegern von Sedan und die wohlwollende Aufnahme, die der neue Botschafter in Berlin gefunden hatte, brachten ihm das Misstrauen auch der Radikalen ein. Das abschätzige Urteil, das Juliette Adam weiterverbreitet, beruht auf der andernorts deutlich ausgesprochenen Annahme, dass, wer Bismarcks Wohlwollen habe, kein guter Franzose sein könne.[517] Wenn sich nun de Saint-Vallier schon bald mit dem Gedanken trug, seinen Posten wieder aufzugeben, lagen die Gründe dafür aber nicht in der Kritik an seiner Tätigkeit in Berlin. Die französische Opposition ging nie so weit, seine Abberufung zu fordern. Die Erfahrung, dass seine Tätigkeit aussenpolitisch sinnvoll und sein Verbleiben erwünscht war, liess ihn lange zögern, der Neigung zu demissionieren auch wirklich nachzugeben.

Erste Rücktrittsabsichten

De Saint-Vallier war noch kein Jahr in Berlin, als er bereits von der Möglichkeit sprach, sein Botschaftermandat zurückzugeben, und hervorhob, er sei nicht als Dauerrepräsentant, sondern vielmehr als Sonderbotschafter nach Berlin geschickt worden.

> »Je sens plus vivement que jamais en ce moment le poids de la solitude et de l'éloignement, et, plus je vois, plus je m'affermis dans la décision bien réfléchie dont je vous ai parlé de rentrer en France et d'y reprendre ma vie et mes fonctions de simple Sénateur lorsque nous pourrons regarder comme entièrement remplie la mission spéciale que vous m'avez confiée.«[518]

Während de Saint-Vallier im Oktober 1877 seine Demissionsabsichten mit einer allgemeinen Ermüdung begründete, gab er, als er im Dezember 1878 diese Absicht bekräftigte, einen politischen Grund an: die Befürchtung, Fournier, der wie er zum »Centre gauche« und der alten Garde der Berufsdiplomaten gehörte, könnte das Aussenministerium übernehmen und die sorgsam aufgebauten Beziehungen zu Deutschland innert acht Tagen zerstören.[519] Nachdem Waddington die schleichende Ministerkrise überwunden hatte, indem er gegen den Rat seiner Freunde im Februar 1879 zusätzlich zum Aussenministerium das Amt des Premierministers übernommen hatte, trug sich de Saint-Vallier weiterhin mit dem Gedanken zurückzutreten.

De Saint-Vallier war vom Dezember 1877 bis zum November 1881 Botschafter in Berlin. Seit dem April 1879 lag in seinem Schreibtisch ein undatiertes De-

---

[516] Valfrey an Chaudordy, 5. Februar 1878, Papiers Chaudordy, Bd. 13. Vgl. ferner Robert de Bonnieres, Mémoires d'aujourd'hui, Bde. 1–3, Paris 1885–1888, hier: Bd. 3. Seine Beurteilung am 10. November 1881.

[517] Adam, Après l'abandon, S. 204.

[518] Saint-Vallier an Waddington, 28. Oktober 1878, MAE, Mémoires et Documents, Allemagne, 166.

[519] Saint-Vallier an Waddington, 10. Dezember 1878 und 7. Januar 1879, ebenda, 166 und 166bis.

missionsschreiben – es lag bereit, um nötigenfalls ohne Verzug nach Paris geschickt zu werden:

>»[...] nous avons été sur le point de voir arriver aux affaires la bande de Grisson et
>de Floquet. Ma démission étant écrite depuis 8 mois pour une éventualité de ce
>genre, je me tenais prêt à la dater et l'expédier, bien résolu à ne pas demeurer une
>heure en fonction avec de pareilles gens dont l'avènement serait le signal de notre
>mise bien méritée au ban de l'Europe.«[520]

Welche Fälle zog de Saint-Vallier in Betrachtung, als er diesen Schritt vorbereitete? Seine Demission hätte sowohl ein Akt der Solidarisierung im Falle von Waddingtons Rücktritt als auch ein Akt der Desolidarisierung gegenüber einer schwach gewordenen Regierung sein können. Als nicht akzeptable Schwächeanfälle verstand de Saint-Vallier insbesondere die drei folgenden Möglichkeiten:

1. eine die katholische Bevölkerung diskriminierende Einschränkung der Unterrichtsfreiheit
2. die Totalamnestie der Communards und
3. die Aufnahme gewisser Politiker in die Regierung oder in den diplomatischen Dienst.

Vorweg sei gesagt, dass de Saint-Vallier schliesslich in allen Punkten nachgiebiger war, als er sich vorgenommen hatte.

Solidarität mit dem abtretenden Waddington?
De Saint-Vallier verliess seinen Posten nicht wie angekündigt nach Waddingtons Sturz. Am 26. Dezember 1879 gab Waddington sein Mandat als Ministerpräsident dem Präsidenten der Republik zurück, obwohl ihm eine knappe Mehrheit im Parlament treu geblieben war. Waddington hoffte, sich auf diese Weise von der ihn stark belastenden Innenpolitik zu befreien und sich in einem neuen Kabinett wieder ganz der Aussenpolitik widmen zu können. Die »Union républicaine« wollte jedoch, dass er, der im parteipolitischen Gefecht an vorderster Front gestanden hatte, ebenfalls untergehe. Innenpolitisch belastet war Waddington vor allem wegen seiner Weigerung, den Epurationsforderungen der Linken nachzugeben. Am 12. Dezember 1878 schrieb de Saint-Vallier von Gambetta:

>»Son unique grief contre vous, c'est que vous n'avez rien fait dans les questions de
>personnages [...].«[521]

Polizeipräfekt Louis Andrieux schrieb in seinen Memoiren:

>»On reprochait au cabinet Waddington de n'avoir pas assez ›épuré‹.«[522]

Selbst sein Freund de Saint-Vallier machte ihm dies zum Vorwurf. Doch war diese Zurückhaltung wirklich ausschlaggebend? Nach Jules Grévys Aussage hat Waddington tatsächlich bloss um die Abnahme des Ministerpräsidiums ersucht,

---

[520] Saint-Vallier an Chanzy, 6. Dezember 1879, ebenda, 167bis. – MOUY, Souvenirs, S. 97.
[521] Brief an Waddington, MAE Mémoires et Documents, Allemagne, 166.
[522] ANDRIEUX, Souvenirs, Bd. 1, S. 159.

doch de Freycinet habe diesen Posten nur zusammen mit dem Aussenministerium übernehmen wollen.[523] De Freycinet erklärt hingegen, er habe zunächst Waddington das Aussenministerium wieder geben wollen, doch habe Gambetta ihm angedroht, Waddington zu stürzen, weil er sich geweigert hatte, auf die Diskussion der Totalamnestie der Communards zurückzukommen:

> »Vous ne pouvez pas garder Waddington; nos amis ne le toléreraient pas. S'il reste au Quai d'Orsay, il sera renversé sur l'incident le plus futile, sur un article quelconque de son budget. [...] Il connaît mes sentiments pour lui. Mais je ne puis vaincre les répugnances de l'Union républicaine.«

Gambetta habe ihn hierauf ermuntert, selbst die Aussenpolitik zu übernehmen.[524] – De Saint-Vallier reichte zwar ebenfalls seine Demission ein und wollte, wie er seinem Kollegen in St. Petersburg berichtete, bei diesem Schritt keine Rücksicht auf allfällige Nachteile für die französische Aussenpolitik nehmen; denn sich mit Waddington solidarisch zu zeigen, sei für ihn Freundespflicht gewesen.

> »[...] ma position à l'égard de notre ancien Ministre différait en ceci que j'étais et suis son plus intime ami, ami d'avant, de pendant et d'après. Je ne me suis pas dissimulé un moment les graves inconvénients de ma démission, mais, du moment où il la désirait, où il me la demandait, je devais la donner et la donner à lui en le faisant juge du moment de la remettre. C'était mon devoir étroit d'ami de ne point abandonner dans la chute et celui a été le motif déterminant de ma conduite.«[525]

Mit Waddingtons Abgang stellte sich die als weiterer Demissionsgrund bereits genannte Frage, ob de Saint-Vallier die Equipe des nachrückenden Kabinetts billigte. Den deutscherseits vorgebrachten Bitten, er möge bleiben, schenkte er zunächst kein Gehör, denn er wollte nicht, wie er sagte, seinen Namen und sein Ansehen aufs Spiel setzen, um Leute wie de Freycinet und Gambetta zu decken und im Ausland annehmbar zu machen, wie er mit Waddington zusammen ein Jahr zuvor Jules Grévy, den ersten republikanischen Präsidenten der Dritten Republik, in Deutschland gewissermassen durchgesetzt habe.

> »Je suis déjà et je vais être l'objet de vives instances des souverains, du Prince de Bismarck, de tout le monde pour que je reste. Je ne le puis, ni ne le veux et n'entends pas aventurer mon nom et mon crédit pour couvrir et faire accepter Messieurs Freycinet et Gambetta comme nous avons, vous et moi, fait accepter l'an passé M. Grévy.«[526]

### Arrangement mit den Nachfolgern

Doch de Saint-Vallier blieb, nachdem Bismarck seinen Botschafter in Paris beauftragt hatte, die gleiche Bitte auch beim neuen Ministerpräsidenten und Aussenminister vorzubringen, und der neue Aussenminister, Charles de Freycinet, ihn hierauf »inständig« gebeten hatte, Berlin nicht zu verlassen. Seine Demission

---

[523] LAVERGNE, Grévy, S. 201 f.

[524] FREYCINET, Souvenirs, Bd. 2, S. 95 f. Vgl. ferner HOHENLOHE-SCHILLINGSFÜRST, Denkwürdigkeiten, Bd. 2, S. 286.

[525] Saint-Vallier an Chanzy, 6. Januar 1880, Mémoires et Documents, Allemagne, 167bis.

[526] Saint-Vallier an Waddington, 29. Dezember 1879, Waddington, Papiers d'agents, Rapport 2.

nahm er aber nicht zurück. Im Gegenteil: Die neue Regierung musste sie ihm quittieren. Von nun an hatte de Saint-Vallier nicht mehr sein Demissionsschreiben, sondern de Freycinets Abberufungsschreiben in der Schublade und mit ihm die Freiheit, es dann der deutschen Regierung zu übergeben, wenn es ihm angezeigt schien, wie de Freycinet sich ausdrückte:

»Je vous laisse d'ailleurs à apprécier par vous-même le moment qui paraîtra le plus convenable pour en opérer la remise et je vous serai obligé de vouloir bien continuer à diriger en attendant les services de l'ambassade.«[527]

Aus der Sicht de Saint-Valliers lautete die Eventualität: Wenn de Freycinets innenpolitisches Regierungsprogramm ihn aus Gewissensgründen dazu drängte:

»Je consens seulement sur le voeu du Gouvernement allemand et sur le désir de Freycinet, à ne pas faire maintenant usage de mes lettres de rappel; je les garde et j'avertis le ministre que j'en ferai usage (après avoir prévenu bien entendu) lorsque les mesures ou les projets du cabinet me feront un devoir de conscience d'effectuer ma retraite.«[528]

Es ging in der Tat nur um innenpolitische Fragen. De Freycinet bat de Saint-Vallier, ausdrücklich festzuhalten, dass der Kabinettswechsel keine grundsätzlichen Änderungen in der französischen Aussenpolitik zur Folge haben werde:

»Je vous prie de transmettre au Gouvernement allemand l'assurance que la modification ministérielle qui vient de se produire en France n'amènera aucun changement dans les principes auxquels obéit notre politique étrangère.«[529]

De Saint-Vallier hatte zunächst befürchtet, de Freycinets Vergangenheit, sein Anteil am »Kampf bis zum letzten Mann« im Winter 1870/71, würde sich nachteilig auf die französische Aussenpolitik auswirken.

»[...] le mal est grand et le choix de M. de Freycinet, homme de la guerre à outrance, est déplorable aux affaires étrangères; en Allemagne on le regarde comme un défi, ailleurs comme l'annonce d'une politique d'aventure.«[530]

De Freycinet war 1870/71 Delegierter des Verteidigungsministeriums in Tours und hatte bei der Organisation des militärischen Widerstandes gegen die deutschen Invasoren eine wichtige Rolle gespielt. De Saint-Valliers Befürchtung bestätigte sich jedoch nicht. Von de Freycinets Abberufungsschreiben machte er nur insofern Gebrauch, als er die Regierung in Paris von Zeit zu Zeit daran erinnerte und erneut mit seiner Demission drohte, zum Beispiel wenn in der offiziösen Presse Artikel zu lesen waren, die sich abschätzig über ihn oder über Bismarck äusserten.

»J'ai écrit sans détours à M. de Freycinet ce que je pense de sa manière de se servir de la presse, je lui ai rappelé qu'une note du ›Temps‹ venant de son Cabinet inso-

---

[527] Freycinet an Saint-Vallier, 2. Januar 1880, DDF, Série I, Bd. 3, Nr. 1.

[528] Saint-Vallier an Chanzy, 6. Januar 1880, MAE, Mémoires et Documents, Allemagne, 167bis.

[529] Freycinet an Saint-Vallier, 2. Januar 1880, DDF, Série I, Bd. 3, Nr. 1.

[530] Saint-Vallier an Waddington, 29. Dezember 1879, Waddington, Papiers d'agents, Bd. 7.

> lente pour moi, avait failli m'empêcher il y a deux mois de retirer ma démis-
> sion.«[531]

Zehn Tage später schrieb er an die gleiche Stelle:

> »J'avais cru Freycinet un autre homme et j'éprouve une complète déception, je
> pensais qu'il résisterait à un moment donné.«[532]

Auch als de Freycinet im September 1880 abtreten musste, weil er sich mit dem Papst arrangieren und sich mit der Auflösung der Jesuiten-Niederlassungen be-gnügen wollte, blieb de Saint-Vallier in Berlin. Er tue es aber nur aus Rücksicht auf die deutsch-französischen Beziehungen:

> »Il [Bismarck] ne m'a pas caché que le discours de Cherbourg et la retraite de M.
> de Freycinet avaient extrêmement inquiété l'Empereur qui lui avait même deman-
> dé s'il n'y aurait pas lieu de prendre quelques précautions militaires: ›Si votre dé-
> mission avait suivi celle de M. de Freycinet, comme le bruit en a couru, il y aurait
> eu certainement des dispositions prises en vue des éventualités que l'on redou-
> tait.‹ «[533]

Blieb de Saint-Vallier tatsächlich nur, weil Bismarck seine Demission als ernste Verschlechterung der deutsch-französischen Beziehungen aufgefasst hätte? Dass Jules Barthélemy-Saint-Hilaire, Thiers' Sekretär, mit dem er aus den Jahren 1871–1873 freundschaftlich verbunden war, die Leitung der französischen Diplomatie übernommen hatte, wird ihm das Verbleiben sicher erleichtert haben. Argwöh-nisch verfolgte er aber weiterhin die Vorgänge in Frankreich und liess sich von Gesinnungsgenossen über die Machenschaften in den Gängen des Palais Bour-bon informieren.

> »[...] j'ai écrit à M. Dufaure qui m'a répondu une lettre excellente admirable de pa-
> triotique sagesse, en me demandant de ne pas songer pour le moment à quitter
> mon poste; il veut bien me promettre de m'avertir quand les circonstances amène-
> ront une modification dans son opinion.«[534]

### De Saint-Valliers Eintreten für den Klerus

Ursprünglich wollte de Saint-Vallier unter Umständen auch wegen der antikleri-kalen Politik der Republikaner demissionieren. Neben der Absicht, sich allenfalls mit einer Demission von einem Regime, das er nicht billigte, zu distanzieren, heg-te er die Hoffnung, mit Demissionsdrohungen die Politik dieses Regimes beein-flussen zu können. Jules Ferrys Schulgesetz mit dem umstrittenen Artikel 7, wo-nach staatlich nicht autorisierte Ordensangehörige keinen Unterricht mehr sollten erteilen dürfen, war im März 1879 dem Parlament vorgelegt worden. Im Mai 1879 bekundete de Saint-Vallier gegenüber seinem Kollegen in St. Petersburg, wie sehr es ihn schmerze, seinen armen Freund Waddington mit seinem geachte-ten Namen Projekte von Leuten decken zu sehen, die nicht ins gleiche Minis-terium gehörten:

---

[531] Saint-Vallier an Chanzy, 2. April 1880, Mémoires et Documents, Allemagne, 167bis.

[532] Ebenda.

[533] Saint-Vallier an Barthélemy-Saint-Hilaire, 29. November 1880, ebenda, 167.

[534] Saint-Vallier an Valfrey, 2. Dezember 1880, Papiers Valfrey, Bd. 2.

»Quant à notre gouvernement, je suis comme vous bien inquiet et je vois avec une profonde douleur la cascade de concessions et de faiblesses par laquelle il passe; je ne sais plus où il s'arrêtera, et je suis plus désolé que je ne puis le dire de voir mon bon et pauvre ami Waddington couvrant de son nom respecté les actes et les projets de gens qui ne sont faits pour siéger dans le même ministère que lui.«[535]

Am 30. Juli 1879 schrieb der Senator dem Aussenminister, nur seine Krankheit hindere ihn daran, nach Paris zu kommen und den drei Tage zuvor von der Kammer gebilligten, im März 1880 aber vom Senat abgelehnten Art. 7 zu bekämpfen.[536] De Saint-Vallier war der Meinung, man müsse die Jesuiten streng überwachen und auch gegen sie vorgehen, wenn sie Gesetze verletzten, doch solle man sie nicht generell verbieten. Frankreich wolle Bismarcks Fehler wiederholen, in einem Moment, da Bismarck sich bemühe, diesen Fehler zu korrigieren.[537] Im April 1880 nahm sich de Saint-Vallier vor, er werde während der Sommerferien demissionieren, ohne im Ausland grosses Aufsehen zu erregen, aber auch nicht stillschweigend, zumal dieser Schritt mit dem gewaltsamen Vorgehen gegen die geistlichen Institutionen zusammenfallen werde:

»Je me suis marqué comme dernier terme de patience l'époque de mon congé normal dans deux mois; je résignerai alors mon poste sans tapage ni éclat, de vive voix, à Paris.«[538]

Für ihn stand offensichtlich schon damals fest, dass sich die Orden, welche Ende März den Befehl erhalten hatten, sich innert dreier Monate aufzulösen, dem Ukas der Laizisten nicht folgen werden. Doch als der Sommer kam, begnügte sich de Saint-Vallier damit, abermals den Vorsatz zu fassen, er werde gegen die antireligiösen Massnahmen protestieren – einen Vorsatz, den er im Mai 1881 wieder erneuerte:

»Il est à craindre qu'enfiévrés de leur succès, nos radicaux ne lancent des motions antisociales ou antireligieuses contre lesquelles je suis résolu à protester très haut. Cela peut m'amener à protester contre certains actes du Gouvernement, comme la décision du 29 mars ou la laïcité de l'instruction, et, par suite, nécessiter ma démission.«[539]

De Saint-Vallier protestierte tatsächlich gegen die unter Ferry rigoros durchgesetzte Auflösung von rund 300 nicht autorisierten Orden; er demissionierte sogar vorübergehend, zog aber, wie einem Brief an den neuen Aussenminister und Freund Barthélemy-Saint-Hilaire zu entnehmen ist, die Demission gleich wieder zurück.[540] Die Massnahmen gegen die religiösen Vereinigungen lösten auch andernorts Demissionen und Demissionsandrohungen aus.[541]

---

[535] Saint-Vallier an Chanzy, 3. Mai 1879, Mémoires et Documents, Allemagne, 167bis.

[536] Saint-Vallier an Waddington, 3. Juli 1879, ebenda, 166bis.

[537] Ebenda, Brief vom 6. Mai 1879.

[538] Saint-Vallier an Chanzy 12. April 1880, ebenda, 167 bis.

[539] Saint-Vallier an Chanzy, 12. April 1880, ebenda, 167 bis.

[540] Brief vom 3. Mai 1881, ebenda, 167.

[541] S. etwa das Demissionsschreiben des maître des requêtes Cauffard. In: Le Conseil d'Etat. Son histoire à travers les documents d'époque 1799–1974, Paris 1974, S. 638.

De Saint-Valliers Aversion gegen die Communards

Als wirkungslos und leer erwies sich de Saint-Valliers Drohung, im Falle eines zu weitgehenden Entgegenkommens gegenüber den Aufständischen von 1871 nicht länger in Berlin zu bleiben. In de Saint-Valliers Gegnerschaft gegen die Männer der Commune verband sich innenpolitische Feindschaft mit aussenpolitischen Überlegungen. Der 1833 als Sohn eines Marquis im Schloss von Coucy-les-Eppes geborene Graf, der 1886 im gleichen Schloss sterben sollte, war überzeugt, dass Frankreich vom übrigen Europa geächtet und wieder in Quarantaine gesetzt würde, wenn es den zum Teil eingesperrten, zum Teil verbannten Propheten einer grenzüberschreitenden Revolutionierung der europäischen Gesellschaft die Rückkehr ins öffentliche Leben und sogar den Eintritt in den Staatsdienst erlaubte:

> »[...] il est certain qu'en Europe nous perdons constamment du terrain depuis la chute du Maréchal et du ministère Dufaure. La défiance contre nous augmente à vue d'oeil et les puissances étrangères s'entendent et s'organisent entre elles en vue de l'éventualité de plus en plus prochaine, à leurs yeux, où nous tomberions dans l'anarchie, la Commune et les aventures guerrières ou propagandistes.«[542]

Es sei kurzsichtig, mahnte er im April 1879, sich auf den Standpunkt zu stellen, das Ausland habe sich nicht um Frankreichs innere Angelegenheiten zu kümmern und sich mit Frankreichs Friedensbeteuerungen zufrieden zu geben:

> »[...] cette insoutenable théorie que l'étranger ne devait pas s'occuper de ce que nous faisons chez nous du moment que nous lui affirmons notre intention de ne pas faire la guerre. Pour un avocat (il fait allusion à Jules Grévy, G. K.), le raisonnement est court, et les articles relatifs au mur mitoyen seraient relus avec profit.«[543]

Dem ersten Vorstoss für eine totale Amnestie der Communards vom Februar 1879 folgte ein zweiter im Januar 1880. Auch dieser wurde abgelehnt. Doch im Juni 1880, kurz vor der erstmaligen Inszenierung des »Quatorze Juillet« trat die Regierung de Freycinet selbst für die Totalamnestie ein, unterstützt, ja gestossen von Gambetta, der in einer grossen Rede den Deputierten versicherte, die Republik habe lange genug bewiesen, dass sie ein stabiles Regime sei, Europa habe jetzt nichts mehr gegen die Amnestie der Communards einzuwenden.[544] Der Senat zögerte und wollte dem Entscheid der Kammer vom 21. Juni 1880 nur teilweise folgen, indem er die Brandstiftungs- und Morddelikte von der Amnestie ausklammern wollte. Am 11. Juli 1880, drei Tage vor dem neuen Nationalfeiertag, wurde eine Kompromisslösung verabschiedet. Und de Saint-Vallier blieb dennoch auf seinem Posten, wie Waddington im Juni 1879 nach Blanquis' Begnadigung Ministerpräsident geblieben war, obwohl er wenige Wochen zuvor für diesen Fall in Aussicht gestellt hatte, keinen Tag länger im Amt zu bleiben.

---

[542] Saint-Vallier an Chanzy, 16. September 1880, von Frankreich aus geschrieben, MAE Mémoires et Documents Allemagne, 167bis.

[543] Saint-Vallier an Waddington, 5. April 1879, MAE Mémoires et Documents Allemagne, 166bis.

[544] Vgl. etwa HANOTAUX, Histoire, Bd. 4, S. 560.

De Saint-Valliers Haltung gegenüber seinen neuen Kollegen
Unausgeführt blieb schliesslich auch der dritte Vorsatz, mit Radikalen und ehemaligen Rebellen nicht – soweit er sich als Politiker verstand – in der gleichen Regierung oder – soweit er sich als Beamter verstand – nicht in der gleichen Verwaltung zu bleiben. Im April 1879 erklärte de Saint-Vallier, er werde demissionieren, wenn Leute zur Macht gelangten, neben denen er sein Amt nicht weiterführen könne.[545]

Wer waren die Leute, deren Regierungseintritt ihm die Fortsetzung seiner Tätigkeit in Berlin unmöglich gemacht hätte? Es war die »Bande« Brisson und Floquet, doch diese konnte einstweilen von den Regierungsgeschäften noch ferngehalten werden. Henri Brisson, der sich an der Staatsstreichregierung vom 4. September beteiligt hatte, wurde 1881 Kammerpräsident, er leitete aber erst 1885 ein Kabinett. Brisson erschreckte 1894 mit seiner Kandidatur für das Amt des Staatschefs wiederum ein paar Botschafter. Félix Faure notierte:

> »Quelques-uns de nos ambassadeurs avec qui je m'étais entretenu au moment de l'élection de M. Casimir Périer, m'avaient affirmé qu'ils n'eussent pas gardé leur poste si M. Brisson avait été élu.«[546]

Und Charles Floquet, 1871 wegen Kollaboration mit der Commune eingesperrt, durchlief wenig später in ähnlicher Kadenz 1885 und 1888 die gleichen Stationen. Und Eugène Spuller, Gambettas Gefährte aus der Zeit des totalen Kriegs, wäre als Regierungsmitglied ebenfalls unannehmbar gewesen. Spuller war als Anwärter auf einen Regierungsposten seit 1877 in der Presse schon mehrfach angekündigt worden. Ende 1877 stellte man im Lager der Konservativen befriedigt fest, dass Waddington mit Erfolg Spullers »entrée« als Unterstaatssekretär bekämpft habe.[547] Zu Beginn des Jahres 1879 nannte die Presse, beispielsweise *Le Soleil*, Fournier mit Spuller als Unterstaatssekretär als Waddingtons Nachfolger im Quai d'Orsay.[548] Ein Jahr später schrieb de Saint-Vallier seinem Kollegen in St. Petersburg, de Freycinets Kabinett sei nur eine Etappe, bald würden die Floquets und Spullers folgen, weshalb er lieber jetzt schon gehe.[549] Floquet musste etwas länger warten, hingegen erhielt Spuller bereits im November 1881 unter Gambetta das seit langem immer wieder angesprochene Unterstaatssekretariat.

Hingegen musste sich de Saint-Vallier schon im Januar 1879 gefallen lassen, dass der militant antiklerikale und damals mit Prozessen belastete Paul Challemel-Lacour zum Botschafter in Bern ernannt wurde. Im Sommer 1880 befürchtete er sogar, dass Challemel-Lacour Aussenminister werde:

---

[545] Saint-Vallier an Valfrey, 19. April 1879, Papiers Valfrey, Bd. 2.

[546] Papiers Félix Faure, Aufzeichnung vom Januar 1895. Brisson lag in der Wahl vom 27. Juni 1894 mit 195 Stimmen an zweiter Stelle hinter dem mit 451 Stimmen gewählten Casimir Périer.

[547] Valfrey an Chaudordy, 20. Dezember 1877, Papiers Chaudordy, Bd. 13.

[548] Saint-Vallier an Waddington, 7. Januar 1879, MAE Mémoires et Documents, Allemagne, 166bis.

[549] Saint-Vallier an Chanzy, 6. Januar 1880, ebenda, 167bis.

> »Si M. de Freycinet doit tomber maintenant ou à la rentrée des Chambres pour être remplacé par un Challemel-Lacour quelconque avec un Cabinet Brisson-Floquet [...].«[550]

Nachdem der aufgepfropfte Neuling innert kürzester Zeit sogar Frankreichs erste Botschaft in London erhalten hatte, klagte de Saint-Vallier wiederholt, Challemel-Lacour sei diesen Anforderungen nicht gewachsen:

> »Challemel-Lacour n'a même pas le sens de ce que l'on peut dire en taire et sa position est si médiocre, ses relations avec ses collègues si froides, son crédit si nul qu'il n'a que des rapports officiels, ce qui ne lui permet pas de rechercher des informations sans risquer de casser des vitres [...].«[551]

Was immer die Vertreter der alten Welt glaubten beanstanden zu müssen, sie konnten Challemel-Lacour wenigstens nicht wie anderen »Eindringlingen« zur Last legen, am Aufstand der Commune teilgenommen zu haben. Camille Barrère indessen, den de Freycinet im Februar 1880 ins Auswärtige Amt aufgenommen und – obwohl erst 29jährig – gleich mit dem Grad eines ersten Botschaftssekretärs und einer wichtigen Aufgabe ausstattete, war 1871 auf der Seite der Commune gestanden und hatte sich durch Flucht ins Londoner Exil, wo er bereits die letzten Jahre des Empire verbracht hatte, der Bestrafung durch die Versailler Regierung entzogen. 1870 war Barrère zunächst Sekretär eines ebenfalls aus England zurückgekehrten und von Gambetta eingesetzten Präfektes.[552] Auf Barrères Commune-Vergangenheit wurde später immer wieder hingewiesen: So berichtete der deutsche Gesandte in Stockholm am 22. Januar 1886:

> »Wie ich höre, ist die Ernennung des Herrn Barrère wegen dessen bekannter Vergangenheit aus der Zeit der Commune hier nicht besonders günstig aufgenommen worden.«[553]

Der deutsche Gesandte in Rom berichtete 15 Jahre später (auch dies ein Beleg für die Langlebigkeit der Erinnerung an Barrères Commune-Vergangenheit), Barrère habe dem schwedischen König damals zu seiner Rechtfertigung gesagt:

> »Sire, celui qui n'est pas communard à 18 ans n'a pas de coeur, et celui qui l'est encore à 25 n'a pas de tête.«[554]

Als Barrère für Bern vorgeschlagen wurde, kam auch der schweizerische Geschäftsträger in Paris auf Barrères Jugendsünden zu sprechen; Lardy schrieb am 14. April 1894:

> »Il a eu le malheur comme jeune homme à l'âge de 19 ans de faire des sottises pendant la Commune. Il a eu beaucoup de peine à faire oublier ce péché de jeu-

---

[550] Saint-Vallier an Chanzy, 14. August 1880, ebenda, 167bis.

[551] Saint-Vallier an Barthélemy-Saint-Hilaire, 13. Mai 1881 und nochmals ähnlich am 4. Oktober 1881, ebenda, Bd. 167. Ähnlich BONNIERES, Mémoires, Bd. 1, S. 47 und 227.

[552] Vgl. Léon NOËL, Camille Barrèe: ambassadeur de France, Bourges 1948, S. 16 f.

[553] PAAA Bonn, F 108, Bd. 1.

[554] PAAA Bonn, F 108, Bd. 12; Bericht vom 17. Dezember 1901 im Zusammenhang mit Gerüchten, Barrère werde nach Berlin versetzt.

nesse. [...] Le fait est qu'à Stockholm, où on ne l'avait agréé qu'en faisant une très forte grimace, on a été somme toute parfaitement satisfait de lui.«[555]

Als 1908 Barrères Entsendung nach St. Petersburg zur Diskussion stand, tauchte abermals die revolutionäre Vergangenheit dieses Diplomaten auf.[556] Charles Hardingue, der englische Unterstaatssekretär und ehemalige Botschafter in Petersburg, schrieb Arthur Nicolson, dem damaligen Botschafter in St. Petersburg, am 21. Januar 1908, er habe gehört, dass man deutscherseits Barrère nicht gerne in St. Petersburg sehen würde:

> »[...] my informant was told that the Germans have only to let the Emperor of Russia know that Barrère is an ex-communard for Barrère to be finished at once.«[557]

De Saint Vallier schluckte Barrères Nomination, die er als Skandal empfand. Und er schluckte noch mehr: Als nämlich Jules-Louis Andrieu, der sich 1871 bei der Zerstörung von Thiers' Stadtresidenz an der Place St.-Georges hervorgetan hatte, im April 1881 zum Vize-Konsul von Jersey ernannt wurde, konnte de Saint-Vallier zunächst nicht glauben, dass Barthélemy-Saint-Hilaire, der Thiers' engster Mitarbeiter gewesen war, eine solche Nomination unterzeichnet hatte. Er schrieb mehrere Protestbriefe und stellte bitter fest, Barthélemy könne bei Andrieu, der als 50jähriger an der Commune teilgenommen habe, nicht, wie de Freycinet es beim damals bloss zwanzig Jahre zählenden Barrère getan hat, wenigstens die Jugend als mildernden Umstand vorbringen. Nachdem er sich über die »pires bandits de la commune« ausgelassen hatte, stellte er bitter fest:

> »Vous Ministre, j'avais du moins l'assurance que les actes contre lesquels je proteste ne s'étendraient pas aux Affaires Etrangères et qu'on ne verrait pas se renouveler le scandale donné par votre prédécesseur de la nomination à un poste important comme la délégation du Danube d'un jeune homme n'ayant d'autres titres qu'une participation à la Commune et des articles à la ›République Française‹. Mais, du moins, l'extrême jeunesse de M. Barrère lors des évènements de 1871 était une excuse qui ne se retrouve à aucun degré dans une nomination que vous venez de signer et à laquelle j'ai refusé de croire tant que je ne l'ai pas lue avec stupeur à l'Officiel.«[558]

Der 1820 geborene Jules-Louis Andrieu blieb trotz des Protestes Konsul auf Jersey, wo er im März 1884 starb.

Der Botschafter in Berlin klagte, wie sehr solche Ernennungen Frankreichs Stellung im Ausland und seinem persönlichen Ansehen als Vertreter dieses Landes schadeten, ja er drohte abermals mit seinem Rücktritt – doch er blieb:

> »Ici, je vous l'affirme, je perdrais promptement les sympathies qu'on me témoigne et le crédit dont je jouis, si l'on me voyait continuer à servir un gouvernement qui

---

[555] BA Bern, E 2/741.

[556] Barrère wollte gar nicht nach Petersburg.

[557] PRO, London, Privatpapiere Nicolson.

[558] Saint-Vallier an Barthélemy, 3. Mai 1881, MAE, Mémoires et Documents, Allemagne, 167.

> recrute ses agents à l'étranger parmi les épaves de la Commune; vous connaissez
> mes résolutions, et vous savez que je n'attendrais pas pour me retirer [...].«[559]

Möglicherweise wäre er sogar unter Gambetta geblieben, wenn die deutsche
Regierung ihn darum gebeten hätte. Den Aufzeichnungen Hohenlohes zufolge,
stellt de Saint-Vallier am 2. November 1881 dem deutschen Botschafter in
Aussicht, er werde demissionieren, wenn die deutsche Regierung Gambetta nicht
das Vertrauen ausspreche und wenn für ihn persönlich das Kabinett, zum
Beispiel wegen einer Beteiligung Floquets, unannehmbar sei. »Entziehe also Fürst
Bismarck der französischen Regierung nach Gambettas Eintritt sein Vertrauen
nicht, so sei sein Verbleiben möglich.«[560] Kurz zuvor hatte sich de Saint-Vallier
gegenüber Barthélemy wie folgt ausgesprochen:

> »Si, plus tard, il plaît à M. Gambetta de nous faire de nouveau démembrer et en-
> lever la Franche-Comté avec le reste de la Lorraine, que du moins ce soit lorsque
> vous et moi ne serons plus là.«[561] Und: »L'Europe entière est sur ses gardes, in-
> quiète de voir le gouvernement de notre pays tomber en des mains qu'elle juge ca-
> pables de tenter les folies et les aventures; il importe que M. Grévy le sache
> bien.«[562]

### Widersprüchliche Neigungen

In de Saint-Vallier rangen zwei Neigungen, beide waren schon bei Thiers' und
Mac-Mahons Equipe zu beobachten: Einerseits war er der Versuchung ausgesetzt, den Dienst zu quittieren und nicht zu warten, bis die neuen Herren möglicherweise ihrerseits die Kündigung aussprachen. Anderseits meldete sich in ihm
der Wille auszuharren, um nicht den Günstlingen des neuen Regimes das Feld zu
überlassen. Im August 1880 mahnte de Saint-Vallier einen Gesinnungsgenossen,
er solle nicht aus den Augen verlieren, dass jede preisgegebene Position den Radikalen zur Beute würde:

> »[...] il ne faut pas perdre de vue qu'à l'heure présente chaque position délaissée
> par nous devient la proie des radicaux.«[563]

Schon ein halbes Jahr zuvor hat sich de Saint-Vallier in diesem Sinn geäussert:

> »[...] on attend impatiemment, dans ce monde-là, le moment de se ruer sur les pla-
> ces que nous occupons.«[564]

Dann wiederum hob er den anderen Gesichtspunkt hervor, wenn er sagte, er
werde den Herrschaften zuvorkommen und ihnen nicht das Vergnügen lassen,
ihn vor die Türe zu setzen

> »[...] il est certain que je prendrai les devants et ne laisserai pas à ces Messieurs le
> plaisir de me mettre à la porte ce qu'ils annoncent l'intention de faire pour vous et

---

[559] Saint-Vallier an Barthélemy, 4. Juni 1881, ebenda.

[560] HOHENLOHE-SCHILLINGSFÜRST, Denkwürdigkeiten, Bd. 2, S. 321.

[561] 12. September 1881, MAE, Mémoires et Documents, Allemagne, 167.

[562] 22. September 1881, ebenda.

[563] Saint-Vallier an Chanzy, 14. August 1880, ebenda, 167bis.

[564] Saint-Vallier an Chanzy, 12. Januar 1880, ebenda, 167bis.

pour moi, il y a suivant moi question de dignité à ne pas se laisser chasser par de pareilles gens.«[565]

Dass sich neben seiner Entschlossenheit, Widerstand gegen die Linke zu leisten, zuweilen auch die Bereitschaft sich anzupassen meldete, zeigt der an Waddington weitergegebene Rat, Gambetta gegenüber ein paar Konzessionen zu machen:

»Mon sentiment est qu'il faut le voir, s'entendre avec lui, lui donner quelques satisfactions qu'il faut l'amener à demander.«[566]

Im Dezember 1879 muss die Drohung, man werde Challemel-Lacour zum Botschafter in Berlin machen, de Saint-Vallier bestimmt haben, nicht dem zurücktretenden Waddington zu folgen.[567] War die in Aussicht gestellte Nachfolge Challemel-Lacours damals für ihn ein Grund zum Bleiben, so förderte 1881 eine ähnliche Nachricht möglicherweise de Saint-Valliers Demissionsbereitschaft: Der mit Gambetta befreundete Sir Charles Wentworth Dilke, so vernahm de Saint-Vallier im Oktober 1881 wenige Wochen vor seinem Rücktritt, habe Challemel-Lacours Abberufung gefordert, deshalb müsse der in London nicht genügende Botschafter nun anderswo untergebracht und der Posten in Berlin freigemacht werden.[568] 1879 irritierte ihn das Gerücht, Challemel-Lacour werde die Botschaft in Berlin erhalten, nicht sonderlich. Er war überzeugt, der Kaiser würde Challemel-Lacour das Agrément verweigern, wie überhaupt die Höfe von Wien, Berlin und St. Petersburg übereingekommen seien, keine Gesandten Gambettas anzuerkennen:

»Si vous étiez tombé, on aurait vu de tristes choses pour l'amour propre français, et les ambassadeurs de M. Gambetta auraient reçu un singulier accueil ou plutôt aucun accueil car on se mettait d'accord entre Vienne, Berlin et Petersbourg pour ne point les recevoir.«[569]

Wie de Saint-Vallier mit dem schützenden Boykott der monarchischen Höfe Europas rechnete, zählte er auf den Schutz der kollegialen Solidarität. Im Dezember 1879 prophezeite er, die »meisten« Botschafter würden ebenfalls demissionieren, wenn Waddington zurücktrete.

»[...] le jour où Waddington tomberait suivi dans sa retraite par la plupart des Ambassadeurs actuels, le discrédit et la défiance n'auraient plus de bornes.«[570]

---

[565] Saint-Vallier an Chanzy, 16. September 1880, ebenda, 167bis.

[566] Saint-Vallier an Waddington, 12. Dezember 1878.

[567] Saint-Vallier an Waddington, 6. Mai 1879. Bülow habe auf das Gerücht hin, Challemel-Lacour könnte nach Berlin entsandt werden, im Voraus gesagt, dass der Kaiser diese Ernennung nicht akzeptieren werde, ebenda, 166bis; E.-M. de VOGÜÉ, Journal, S. 156; und DAUDET, Saint-Vallier, S. 97 f.

[568] Saint-Vallier an Barthélemy-Saint-Hilaire, 9. Oktober 1881; bezieht sich auf Havas-Agenturmeldung und Gambettas *République Française*, ebenda, S. 167. Auch Grévy glaubte am 13. November 1881 zu wissen, dass Gambetta nach Regierungsantritt de Saint-Vallier zurückrufen werde, de Saint-Vallier habe dies selbst von einem Freund erfahren, dem der Posten bereits angeboten worden sei, LAVERGNE, Grévy, S. 56.

[569] Saint-Vallier an Waddington, 6. Dezember 1879, MAE, Mémoires et Documents, Allemagne, 166bis.

[570] Saint-Vallier an Chanzy, 6. Dezember 1879, ebenda, 167bis.

De Saint-Vallier dachte dabei möglicherweise an die Erklärung seines St. Petersburger Kollegen, er würde aus Protest gegen Ferrys Schulgesetze zurücktreten, falls sich de Saint-Vallier der Demonstration anschliesse.[571] Kurz zuvor hatten sich die Kollegen in Rom und Madrid ihm gegenüber in ähnlichem Sinn geäussert.

> »Noailles m'a écrit pour me prier de l'avertir de ce que je ferais, ne voulant pas demeurer après moi, et Jaurès m'en avait dit autant avant son départ de Paris.«[572]

De Saint-Vallier wie seine Kollegen spielten immer wieder mit dem Gedanken zu demissionieren. Sie verstanden sich nicht als neutrale Verwaltungsbeamte, sondern als Repräsentanten einer bestimmten Regierung und insofern auch als Politiker. Sie empfanden, zumal wenn sie dem Parlament angehörten oder gar Mitglied eines Kabinetts gewesen waren, die Diskrepanz zwischen ihrer Position und derjenigen der neuen Regierung entsprechend stark. Und da sie in der Regel auf das Einkommen, das ihnen der Staatsdienst brachte, nicht angewiesen waren, hätten sie eigentlich frei sein können, die latent ständig vorhandenen Demissionsabsichten tatsächlich durchzuführen. Der Grossgrundbesitzer und Senator des linken Zentrums, Graf Louis-Alexandre Foucher de Careil demissionierte aus Protest gegen die auch im Senat beschlossene Verbannung der französischen Erbprinzen und verliess im Sommer 1886 Wien, wo er Frankreich seit drei Jahren als Botschafter vertreten hatte. Schon 1883 nach der ersten Erklärung des Kabinettes und der Kammer, man werde die Prinzen aus der Armee ausschliessen, demissionierten aus Protest der Kriegsminister Jean-Baptiste Billot und der Marine- und Kolonialminister Jean-Bernard Jauré-Guiberry. Dass sich der Botschafter in Berlin, Baron Alphonse de Courcel, im September 1886 zur Disposition stellen liess, wurde vor diesem Hintergrund ebenfalls als Protest gegen die Ausweisung der Prinzen interpretiert.

Warum aber harrte ein de Saint-Vallier trotz seines Wohlstandes, trotz seines Widerwillens, einer radikalen Regierung dienen zu müssen, und trotz der Furcht, eines der ersten Opfer dieser Regierung zu sein, auf seinem Posten aus und demissionierte nicht schon früher? Berufsdiplomaten wie de Saint-Vallier, aber auch ein de Gontaut-Biron, der erst mit 54 Jahren zum Diplomat gemacht worden war und während sechs Jahren den gleichen Posten innehatte, identifizierten sich doch mit ihrer Mission so weit, dass sie einen Rücktritt als Abdankung oder gar als persönliche Niederlage empfanden. Zum Bleiben ermunterte auch die Meinung, man sei unentbehrlich, ja man erweise Frankreich mit dem Ausharren einen Dienst.

### De Saint-Valliers Leistungen

Was hat de Saint-Vallier mit seinem Verbleiben in Berlin erreicht? Sicher hat er damit verhindert, dass an seine Stelle ein Anhänger der neuen Regierung gesetzt werden konnte. Vielleicht ist es ihm auch gelungen, dem von der vorrückenden Linken bedrängten Waddington etwas den Rücken zu stärken und damit einer zu schnellen Öffnung nach links entgegenzuwirken.

---

[571] Saint-Vallier an Waddington, 13. Juli 1879, ebenda, 166bis.
[572] Saint-Vallier an Chanzy, 3. Mai 1879, ebenda, 167bis.

»Je multiplie sans grand succès les appels à sa fermeté, à son énergie; la seule chose qui paraisse faire quelque impression sur lui et M. Grévy, c'est ma détermina-
tion ferme et résolue de quitter mon Ambassade sans hésiter, si la chute du Cabinet fait tomber le pouvoir plus à gauche [...].«[573]

Doch wäre dies vor allem den besonders freundschaftlichen Beziehungen zum
Aussenminister zuzuschreiben und nicht dem Druck, der von den Demissionsdrohungen ausgegangen wäre. Solche Drohungen hatten sich schon 1872 als wirkungslos erwiesen, als Ferrys Ernennung zum Gesandten in Athen mit diesem
Mittel hätte verhindert werden sollen. De Saint-Vallier konnte den Vormarsch
der Linken nicht aufhalten und stand innenpolitisch auf verlorenem Posten.
Doch muss man bedenken, dass dieser Vormarsch nicht nur Machtgewinn für
die Linke bedeutet, sondern durch seine Verzögerung zugleich eine Mutation in
eine gemässigtere Regierungspartei förderte.

Was hat de Saint-Vallier im Bereich der Aussenpolitik erreicht? Seine Leistung
als Botschafter in Berlin bestand nicht in der Durchsetzung einer eigenen Linie,
seine Entspannungspolitik stand nicht im Gegensatz zu den Absichten des neuen
Regimes im eigenen Land und den Erwartungen des Gastlandes. De Saint-Vallier
durfte für sich in Anspruch nehmen, die von Paris gewünschte Politik besonders
gut vertreten zu haben. Seine innenpolitische Voreingenommenheit liess ihn allerdings die aussenpolitisch unzutreffende Auffassung vertreten, dass ein von den
Republikanern, die 1870/71 als Kriegspartei aufgetreten waren, geführtes Frankreich von Europa isoliert würde und dieses Frankreich nur mit einem Krieg aus
diesem Ghetto ausbrechen könne. De Saint-Vallier prophezeite für den Fall einer
Machtübernahme durch Gambetta (»l'homme de la guerre à outrance et des discours de Cherbourg et de Belleville«) und der Regierungsbeteiligung von Paul
Bert, Floquet und Lockroy:

»[...] la France se verra mise par l'étranger dans un véritable état de quarantaine où
elle ne pourra demeurer sans la plus cruelle humiliation, d'où elle ne pourra sortir
que par la folie d'une guerre insensée.«[574]

Während diese Fehlbeurteilung ohne aussenpolitische Folgen blieb, war die innenpolitische Aversion gegen links, die zu dieser Fehlbeurteilung geführt hatte,
aussenpolitisch nicht ganz bedeutungslos. Indem einige Botschafter eine konser-
vativere Haltung einnahmen als die neuen Kabinette, liessen sie den inneren
Wandel nur gedämpft gegen aussen in Erscheinung treten, was den Vorteil hatte,
dass die ohnehin skeptischen Mächte nicht auch noch in der Wahl der Auslandsvertretung brüskiert wurden. Dass sich die leichte Verzögerung in der Gleichschaltung des diplomatischen Personals auf die französische Aussenpolitik positiv auswirkte, muss freilich nicht heissen, dass dieser Effekt auch beabsichtigt
war. Die Duldsamkeit gegenüber den nicht ganz linientreuen Diplomaten stand
in auffallendem Gegensatz zur republikanischen Forderung, dass insbesondere
diejenigen eine regimetreue Gesinnung aufweisen müssten, die eine direkte Delegation der Staatsgewalt erhalten hätten. Das diplomatische Korps verwaltete
ebenfalls einen Teil der öffentlichen Gewalt und verkörperte im Ausland sogar

---

[573] Saint-Vallier an Chanzy, 3. Mai 1879, ebenda, 167bis.
[574] Saint-Vallier an Chanzy, 4. Oktober 1881, ebenda, 167bis.

den ganzen Staat. Doch die Regierungen der Übergangszeit drängten weit weniger auf politische Übereinstimmung, als sie dies beispielsweise bei den an der Politik weniger teilhabenden Beamten der Justiz forderten.

Léon Gambettas Regierungsantritt, mit dem die Zeit des Übergangs ihren Abschluss findet, zeigt nochmals deutlich die allgemeine Tendenz der neu antretenden Kabinettsführer, sich die Mitarbeit massgebender Politiker wie der führenden Diplomaten zu sichern. Was ursprünglich ein »Grosses Ministerium« hätte werden sollen, scheiterte aber an der mangelnden Solidarität unter den führenden Republikanern. Der neue Kabinettschef musste nach den Schwierigkeiten, Minister zu rekrutieren, auch noch in Kauf nehmen, dass zwei Botschafter unter seiner Ägide nicht mehr mitwirken wollten. Als nämlich Gambetta – im November 1881 endlich von Grévy gerufen – das Kammerpräsidium und den Einfluss des »pouvoir occulte« gegen die formelle Verantwortung für die Regierungsgeschäfte eintauschte, da traten de Saint-Vallier und Chanzy definitiv von ihren Posten zurück.

De Saint-Vallier äusserte sich ausführlich in der Presse über seine Demissionsmotive, die vorwiegend innenpolitischer Natur waren.[575] Hanotaux, dessen Sympathien Gambetta und Ferry galten, präsentiert in seinen Memoiren de Saint-Valliers Rücktritt als Rückruf und sagt, Gambetta habe ihn ersetzt, denn:

> »[...] il y avait, dans la pensée du comte de Saint-Vallier à l'égard des institutions nouvelles et de l'avenir de la France, un pessimisme à peine voilé.«[576]

Gambetta bemerkte zu Chanzys Rücktritt:

> »[...] il n'a pas voulu rester, je l'ai tourné et retourné sans qu'il me donnât une seule bonne raison de son départ. [...] le général Chanzy a tant répété qu'il s'en irait qu'il a fini par s'en aller sans en avoir envie.«[577]

Chanzy zog im November 1881 die Konsequenzen, die er bereits nach Waddingtons Rücktritt in Aussicht gestellt hatte:

> »Dans le cas où la composition de ce Cabinet entraînerait le Gouvernement vers une politique radicale ou même trop avancée, je sens qu'il me serait impossible de la représenter ici. Après les assurances que M. le Président de la République m'a chargé de donner quand j'ai pris ses instructions à mon départ.«[578]

Auch auf unteren Stufen kam es zu Demissionen infolge von Gambettas Regierungsantritt. So liess sich am 18. Dezember 1881 der im Quai d'Orsay mit Redaktionsarbeiten beschäftigte 38jährige Comte Marie-Cyprien-Anatole de Bellise-Durban in den Ruhestand setzen.

---

[575] Vgl. die Angaben bei STEINBACH, Diplomatie, S. 280 f.

[576] HANOTAUX, Mon temps, Bd. 2, S. 245.

[577] Paul Cambon an seine Frau, 3. Dezember 1881, Correspondance 1870–1924, Bd. 1, S. 143.

[578] Chanzy an Waddington, 30. Dezember 1879, Papiers Waddington, Rapport 2.

### 3.3. Nach 1880: Konsolidierung der Republik

Neue Posten für neue Leute

Der 1877 eingeleitete Machtwechsel brachte einige institutionelle Änderungen. Das Kabinett de Freycinet – die erste rein republikanische Regierung – war noch keinen Monat im Amt, als der in diplomatischen Fragen völlig unbewanderte Premierminister, der zugleich das Aussenministerium übernommen hatte, im Januar 1880 die von einem einzigen Chefbeamten über 13 Jahre kontinuierlich geleitete Politische Direktion des Quai d'Orsay zertrümmerte und drei getrennte Direktionen schuf: neben der Politischen Direktion eine besondere Personaldirektion und eine Rechtsabteilung. Diese Aufteilung mag es der Regierung erleichtert haben, ein Gegengewicht zur Verwaltung zu bilden – ihr Preis war aber, wie zeitgenössische Kritiker hervorhoben, der Verlust der inneren Einheit des Ministeriums. Albert de Broglie, der ehemalige Aussenminister, klagte:

> »Mais quelque graves que soient ces inconvénients de détail, l'effet le plus fâcheux encore, suivant moi, de ces divisions arbitraires, c'est encore d'avoir rompu l'unité intérieure du ministère; une seule direction tenant en main tous les services qui tiennent de près ou de loin à la politique, les inspirant tous d'une même pensée, les faisant converger au même but, imprimait à la conduite des affaires une sûreté, une certitude, une persistance qui est en matière de politique extérieure, encore plus qu'en tout autre, la condition indispensable du succès.«[579]

Die Verselbständigung der Personalpolitik fiel besonders stark ins Gewicht, denn die neue Regelung wollte den personellen Belangen eine eigene, von den aussenpolitischen Fragen unabhängige Bedeutung geben. Zweifellos ging es de Freycinet zunächst darum, über ein Instrument zu verfügen, das ihm die Möglichkeit gab, die von seinem Vorgänger Waddington anscheinend unterlassene Epuration des Aussenministeriums nachzuholen. Geleitet wurde die neue Personaldirektion von Jules Herbette, einem von Konservativen wie von Radikalen immer wieder an seine bonapartistische Vergangenheit erinnerten Republikaner jüngeren Datums.[580]

Herbette hatte aber am 4. September 1870 die Republik zu seiner Sache gemacht und war Sekretär des ersten republikanischen Aussenministers geworden. Während der konservativen Republik war er noch etwas im Hintergrund geblieben und hatte 1876 nach den für die Republikaner erfolgreich ausgefallenen Wahlen seine erste grosse Beförderung erlebt: Er wurde vom Konsul Zweiter Klasse zum Botschaftssekretär Erster Klasse befördert und zum Delegierten der Donaukommission ernannt.[581] Während es bei der Ernennung vom Januar 1880 zum

---

[579] Albert de BROGLIE, Le Ministère des Affaires étrangères avant et après la Révolution, in: Histoire et diplomatie, Paris 1889, S. 429.

[580] Für die Konservativen spricht BONNIÈRES, Mémoires, Bd. 1, S. 48; für die Radikalen der *Intransigeant* vom 13. Januar 1887. Herbette war Lektor der Herzogin d'Alba, Schwester von Eugène Bonaparte. Noch im Mai 1886 bestanden Zweifel, ob Herbette wirklich republikanisch gesinnt sei, vgl. LAVERGNE, Grévy, S. 374.

[581] Die Donaukommission war im März 1856 nach dem Krimkrieg geschaffen worden; sie war ein Aufsichtsorgan, das die freie Schiffahrt auf der Donau garantieren sollte. Weitere Aus-

Personaldirektor darum ging, einen Vertrauensmann der Regierung in eine Schlüsselposition zu setzen, war es bei der Ernennung zum Delegierten der Donaukommission nur darum gegangen, Herbette gut unterzubringen. Da sich damals für den ehemaligen Konsul offenbar kein geeigneter Posten finden liess, wurde einer geschaffen – eben derjenige eines Delegierten der Donaukommission.

De Saint-Vallier sah nicht ein, dass Frankreich für die Vertretung in der Donaukommission einen besonderen Posten schaffen musste, hatten doch die übrigen Mächte ihre regulär in Bukarest akkreditierten Diplomaten mit den Arbeiten dieser Kommission betraut. Er vertrat damit eine Auffassung, die 35 Jahre später, zunächst 1912 im Plenum während einer Budgetdebatte und ein Jahr später von Seiten der Budgetkommission, in der Kammer wieder vorgebracht wurde. Wenn de Saint-Vallier die Schaffung des Postens nicht billigte – unverständlich war sie ihm nicht. Er verstand sie als feiges Zurückweichen der schwach gewordenen Konservativen vor den vorrückenden Republikanern. Aussenminister Decazes habe damit erwirkt, dass die Republikaner ihre Kampagne gegen das Ministerium einstellten.

> »Que la faiblesse et la lâcheté de Decazes ont donnés au nommé Herbette pour acheter son silence dans la ›République française‹ à la suite de sa fameuse campagne contre le Ministre et le Ministère.«[582]

De Saint-Vallier rechnete Waddington vor, die Schaffung dieses Postens koste den Staat jährlich 28 000 Francs. De Saint-Vallier verwahrte sich in seinem Schreiben vom 24. März 1878 vor allem – wenn auch vergeblich! – dagegen, dass Herbette seine Mitgliedschaft in der Donaukommission zum Vorwand für eine Teilnahme am Kongress von Berlin nehme:

> »Sa présence ne serait justifiable, ni plausible à aucun titre quelconque, sauf comme l'organe de la ›République française‹ et l'agent au Congrès de M. Gambetta avec qui il intriguerait continuellement contre nous et en dehors de nous. Il faut que vous ignoriez la carrière, les agissements passifs, le caractère connu de M. Herbette pour que vous ayez pu avoir un seul instant l'idée de vous la laisser imposer. [...] ce serait folie d'amener un pareil homme.«[583]

Der Bonapartist Fidus deutet Herbettes Ernennung zum Delegierten der Donaukommission ebenfalls als Besänftigungsversuch gegenüber der Linken.[584] Rund dreissig Jahre später bezweifelte der Deputierte Louis Marin in seinem Bericht für das Budget 1914 ebenfalls die Notwendigkeit, einen besonderen Ministerposten für eine Aufgabe zu unterhalten, die den Betreffenden, der übrigens in Paris residierte, für zwei bis drei Wochen jährlich beschäftigte. Louis Marin wies ebenfalls auf die übrigen Staaten hin, die sich durch ihre auf dem Balkan stationierten Diplomaten oder Konsuln vertreten liessen:

---

künfte über die Donaukommission gibt Louis Marin in seinem Budgetbericht Nr. 3318 für das Jahr 1914, S. 71 f.

[582] MAE, Mémoires et Documents, Allemagne, 166.

[583] Ebenda.

[584] FIDUS, Journal sous la République opportuniste 1879–1820, Paris 1888, S. 70. Vgl. auch das Votum des Deputierten Emmanuel Brousse vom 14. Juni 1912, JO, S. 1485.

»Aucune raison sérieuse ne nous empêche d'imiter leur exemple. Aucune, sinon le désir du département de justifier par ce moyen l'existence dans les cadres d'un poste supplémentaire de ministre plénipotentiaire.«[585]

Der für Herbette geschaffene Posten wurde bei seiner Neubesetzung im Februar 1880 wieder dazu verwendet, einen Schützling der Regierung unterzubringen, einen Journalisten, der als idealer Mitläufer der Commune den etablierten Diplomaten besonders zuwider war: Der bereits kurz vorgestellte Camille Barrère begann seine lange und erfolgreiche Diplomatenlaufbahn ebenfalls in der Donaukommission.

Zur Verwaltungsreform vom Januar 1880: Einem Rechtfertigungsbericht aus den Papieren von de Freycinet entnehmen wir, dass im Januar 1880 im Quai d'Orsay ein »materielles und moralisches Chaos« geherrscht und wegen Waddingtons Toleranz dort noch immer die »Reaktion« ihr Unwesen getrieben haben soll; allein das Erscheinen eines unumwunden republikanischen Ministers habe streikähnliche Reaktionen bei einem Teil der Beamtenschaft ausgelöst:

»La seule apparition d'un ministre franchement républicain provoqua une sorte de grève dans les services du Cabinet et de la Direction des Affaires Politiques.«[586]

Schon auf Waddington hatte die Verwaltung des Aussenministeriums da und dort mit passivem Widerstand reagiert. Spuller schreibt in seinem Budgetbericht vom 4. November 1878 von einer

»secrète et sourde opposition des prétendus conservateurs de traditions que personne ne menace dans ce qu'elles ont de nécessaire, de légitime et de respectable.«[587]

Im Bericht des folgenden Jahres findet man abermals die Reklamation:

»Les résistances systématiques que la réforme du personnel a jusqu'à présent rencontrées doivent enfin céder.«[588]

Der passive Widerstand im diplomatischen Korps drückte sich auch in der bereits weiter oben erwähnten Schwierigkeit aus, für Challemel-Lacour, den ersten Botschafter der Linken, einen ersten Botschaftssekretär zu finden.[589]

Unerwähnt blieben jedoch in jenem Bericht die von de Freycinet angeordneten Destitutionen. Es seien Demissionen gewesen, die das neue Kabinett gezwungen hätten, Stellen neu zu besetzen, und so habe man diese Gelegenheit für eine kleine Blutauffrischung benützt. Doch wenn die neue Regierung Gelegenheit zu Neubesetzungen hatte, so war dies im Gegensatz zu den vorhergehenden Jahren nun vor allem auf Entlassungen und nicht auf freiwillige Rücktritte zurückzuführen. Das diplomatische Jahrbuch publizierte 1881 erstmals eine lange Liste von

---

[585] Budgetbericht Nr. 3318, S. 73. Die gleiche Auffassung bestand in Bezug auf die Pyrenäenkommission.

[586] Undatierter Bericht »Oeuvre administrative de M. de Freycinet au Ministère des Affaires Etrangères en 1880–1882«, zit. Bericht Freycinet; Freycinet, Papiers d'agents, Bd. 1.

[587] Nr. 850, S. 18.

[588] Nr. 1509, S. 15, Budget für das Jahr 1880.

[589] E.-M. VOGÜE, Journal, S. 117.

Beamten, die seit dem 1. Januar 1880 in irgendeiner Weise ausgesondert, pensioniert, zur Disposition gestellt oder einfach entlassen worden waren, ein Verzeichnis, das mit fortschreitender Gleichschaltung von Jahr zu Jahr kürzer wurde.

Führungswechsel in der Verwaltung

Im Januar 1880 wurde die Leitung der Politischen Direktion, auf deren Kosten die Personaldirektion geschaffen worden war, neu besetzt. De Freycinet schickte Desprez, der diesen Posten dreizehn Jahre lang verwaltet hatte, ins Ausland. Desprez' Nachfolger war – wenigstens für zwei Jahre – Baron Alphonse de Courcel, ein Bonapartist, der von 21 Dienstjahren 18 im Quai d'Orsay geleistet hatte und seit 1877 bereits offizieller Stellvertreter des Direktors gewesen war. Mit Desprez musste im Januar 1880 auch Meurand, der Direktor der Handelsabteilung, den Quai d'Orsay verlassen; im Juli 1880 verloren Guéroult, der Direktor des Rechnungswesens, im September der Archivdirektor Faugbre und im Oktober Villefort, der Direktor der Rechtsabteilung, ihre Stellen. Gabriel-Jacques-Joseph-Alfred Villefort, im Mai 1846 in den diplomatischen Dienst eingetreten und seit 1857 in der Rechtsabteilung tätig, wurde vorübergehend Guéroults Nachfolger, übernahm dann aber im Oktober 1880 das Präsidium der Pyrenäen-Kommission.

Der bonapartistische Publizist Eugène Balleyguier verübelte es de Courcel, dass er auf de Freycinets Eingriffe nicht aus Solidarität mit den kaltgestellten Kollegen ebenfalls den Abschied nahm.[590]

Werben um angesehene Ersatzleute

De Freycinet und Herbette mussten bei ihren Versuchen, eine neue Direktorenequipe zusammenzustellen, einige Absagen entgegennehmen. Die Historiker Albert Sorel und Albert Vandal – beide in gehobenen Gesellschaftskreisen sehr geschätzt und beide auf dem Weg in die Académie française, wo der erste 1894, der zweite 1897 empfangen wurde – refüsierten die ihnen angebotene Stelle des Politischen Direktors.[591] Der kurz zuvor aus der Diplomatie ausgetretene Valfrey liess sich durch de Freycinets Werben ebensowenig verleiten, in den Quai d'Orsay zurückzukehren und diesen Posten zu übernehmen.[592]

Unter den Ablehnenden befand sich ferner John Lemoine, der Senator des linken Zentrums, der sich mit seinen aussenpolitischen Pressekommentaren einen Namen gemacht hatte; er lehnte am 1. Mai 1880 die Gesandtschaft in Brüssel ab, die er sich vierzehn Tage zuvor hatte geben lassen. Auch Henri Marcel, der erst 1883 als Ferrys Kabinettschef in den Quai d'Orsay kam und seine wechselreiche Laufbahn schliesslich als Direktor der Bibliothèque Nationale beendete, liess sich damals nicht anwerben.

---

[590] FIDUS, Journal, S. 71. – Hanotaux schreibt, de Courcel sei Kabinettschef und Freund des besten kaiserlichen Aussenministers Drouyn de Lhuys gewesen, HANOTAUX, Mon Temps, Bd. 2, S. 246. In Wirklichkeit war er bloss Attaché payé jenes Kabinettes.

[591] Undatierter Bericht »Oeuvre administrative de M. de Freycinet au Ministère des Affaires Etrangères en 1880–1882.« Papiers Freycinet, Bd. 1. Vandal war 1877 in den Staatsrat eingetreten, demissionierte aber 1887, weil er dort kaltgestellt und nicht befördert wurde.

[592] Papiers Desprez, Memoiren, Dossier Nr. 42, S. 148.

Ein Jahr später versuchte sogar der als unerbittlicher Reinemacher gefürchtete Gambetta für seine Equipe neben den Neuen auch respektable Leute der alten Welt zu gewinnen. Albert Sorel erhielt erneut die Politische Direktion angeboten und lehnte sie erneut ab. An seiner Stelle konnte Gambetta den Publizisten Jean Jacques Weiss gewinnen, der bis 1877 noch ein Gegner der Republik und im Juli 1879 ein Opfer der Epuration im Conseil d'Etat gewesen war![593] Zudem hatte Gambetta, wie weiter oben bereits ausgeführt, den 1879 in Ungnade gefallenen Comte de Chaudordy zum Botschafter von St. Petersburg ernannt. Gemäss Jules Cambon wollte Gambetta sogar den Duc d'Aumale nach St. Petersburg schicken.[594] Und der Baron Des Michels, der auch seinen Allüren nach ein Adliger war und 1882 für allerdings nur kurze Zeit an den spanischen Hof geschickt wurde, konnte und wollte sich rückblickend auf die Freundschaft der beiden republikanischen Erzväter Gambetta und Ferry berufen:

> »Je savais avoir eu, sous le Gouvernement républicain, deux grands amis: Gambetta et Ferry. Je me trompais sur le nombre; j'en aurais eu trois, et vous prouvez chaque jour que le dernier en date ne le cédera en rien à ses maîtres.«[595]

Bei solchen Schmeicheleien ist man versucht zu fragen, ob der damals Sechzigjährige und sich seit zehn Jahren im Ruhestand befindende Diplomat einen neuen Posten bekommen wollte.

Während der Regierung von einer Seite vorgeworfen wurde, sie behalte die alte, die Aristokratie bevorzugende Personalpolitik bei, musste sich die Regierung von anderer Seite vorwerfen lassen, sie diskriminiere die adligen Diplomaten. Sollte Horric de Beaucaire, der 1907 durch das Ministerium Clemenceau zum Minister in Kopenhagen ernannt wurde, sich tatsächlich beklagt haben, er sei wegen seiner adligen Herkunft in seiner Karriere benachteiligt gewesen, hätte er einem Kriterium Bedeutung gegeben, das gewiss nicht ausschlaggebend war und höchstens als Vorwand diente.[596] Die Nobilität des Peletier d'Aunay war für Clemenceau kein Hindernis, sich immer wieder für den Grafen (und Gatten einer attraktiven Frau) einzusetzen, so dass der in Ungnade gefallene Diplomat während seines Ministeriums sogar eine Botschaft erhielt – wenn auch nur diejenige von Bern. 1892 musste sich der Graf gar den Vorwurf gefallen lassen, er habe öffentlich mit Communards fraternisiert.[597] Clemenceaus Interesse galt vor allem der Comtesse

---

[593] Zu Weiss: Freycinet, Souvenirs, Bd. 2, S. 201. – Hanotaux, Mon temps, Bd. 2, S. 198 f. – Eugène Spuller, Figures disparues, Bde. 1–3, Paris 1886–1894, hier: Bd. 3, S. 173–193. – Peter Pfeiffer, Das »Grand Ministère« Léon Gambettas, 10. November 1881–26. Januar 1882. Ein Beitrag zur Parlamentsgeschichte der Dritten Republik, Diss. Heidelberg 1974, S. 85. Zu Gambettas Angebot an Sorel: Hanotaux, Mon temps, Bd. 2, S. 131.

[594] Brief an Pichon, 8. Mai 1910, Papiers J. Cambon, Bd. 16. Da aber mehr als ein Vierteljahrhundert zwischen dieser Äusserung und der angeblichen Nominationsabsicht liegt und Jules Cambon damals noch keineswegs dem diplomatischen Dienst angehörte, könnte diese Angabe der Ausdruck einer vagen Erinnerung für ein und dasselbe Faktum sein, nämlich die Nomination Chaudordys.

[595] Baron Des Michels am 28. Juli 1896 an Aussenminister Hanotaux, Papiers Hanotaux, Bd. 21.

[596] Deutscher Bericht aus Kopenhagen vom 29. März 1913, PAAA Bonn, F 108, Bd. 20.

[597] L'Autorité vom 12. März 1892.

d'Aunay, einer Amerikanerin. Ein Albert de Maugny wurde aber gewiss wegen seiner politischen Einstellung und nicht wegen seiner adligen Herkunft nicht weiterbeschäftigt.

> »Je me demande seulement ce que peut avoir contre moi ce petit Monsieur Her-
> bette, que je n'ai jamais connu autrement que de nom, alors qu'il était moins que
> rien et que j'étais déjà quelqu'un. Je le mets au défi d'avancer quoi que ce soit, à
> quelque point de vue qu'on veuille se placer, qui puisse s'opposer équitablement à
> ma rentrée dans le service actif (car en fait, je n'ai même jamais été démissionnai-
> re) et qui justifie à un degré quelconque l'aversion qu'il a manifestée pour ma pe-
> sonne. [...] Il est vrai que je ne puis pas invoquer comme M. Barrère, par exemple,
> le titre incomparable d'ancien communard. C'est là, je l'avoue, une lacune; et
> j'ajouterai qu'il me serait même difficile de la combler [...].«[598]

## Die Einstellung des Adels

Robert de Billy schreibt in seinen Memoiren, Jules Herbettes Personalpolitik habe sich vor allem gegen die begüterte Aristokratie gerichtet und nur der mittellose
und entsprechend gefügige Adel sei verschont worden:

> »Comme chef du personnel, il avait su éliminer dans la carrière les quelques repré-
> sentants de familles historiques pour conserver uniquement ceux que leur pauvre-
> té obligeait à continuer le service, et il n'était jamais si satisfait que quand l'un
> d'eux avait faibli jusqu'à s'être rendu passible d'une comparution devant le conseil
> des directeurs. Il avait remplacé les grands noms par d'honorables et riches repré-
> sentants de la bourgeoisie bien rentrée, et s'étonnait qu'ils ne fussent pas accueillis
> à bras ouverts à l'étranger.«[599]

Die Gültigkeit dieser Aussage muss aber bezweifelt werden, solange Leute wie
der keineswegs mittellose Baron de Courcel, die nicht minder begüterten Foucher
de Careil, der Marquis de Noailles, der Marquis de Reverseaux, der Marquis de
Montebello, der Comte de Montholon und der Comte Lefebvre de Béhaine an
vorderster Stelle zu finden waren.

Haben folglich eher jene Recht gehabt, die der Republik vorwarfen, sie habe zu
wenig rigoros durchgegriffen und weiterhin Vertreter der alten Welt in den Reihen ihres Personals geduldet?

Die Forderung nach Demokratisierung und Republikanisierung der Diplomatie
vermengt häufig zwei Dinge, die nicht automatisch und deshalb nicht in jedem
Fall gekoppelt waren: familiäres Herkommen und politische Gesinnung. Politische Gesinnung sei hier gemeint als Einstellung zu grundsätzlichen Fragen der
Staatsform. Natürlich besteht in sozialpolitischen Belangen ein direkterer Zusammenhang zwischen gesellschaftlichem Standort und politischer Gesinnung.[600] Es
wäre verfehlt anzunehmen, der im auswärtigen Dienst stehende Adel sei wegen

---

[598] De Maugny an Ring, 28. April 1885; Ring war damals Politischer Direktor, Herbette
Chef des Kabinettes. Papiers Ring.

[599] Robert de BILLY, Souvenirs, Berlin um 1893.

[600] Mattei Dogan hat diesen Zusammenhang für die französische Kammer der Jahre 1898–
1940 numerisch nachgewiesen: Die Repräsentanten der oberen Schichten nehmen von rechts
nach links ab, während die der unteren Schichten zunehmen, Mattei DOGAN, Les filières de la
carrière politique en France, in: Revue française de Sociologie 8 (1967), S. 468–492.

seiner Nobilität zwangsläufig Parteigänger der Monarchisten oder der Konservativen gewesen. Ein Marquis de Noailles, Nachkomme ehrwürdiger Generäle, Diplomaten, Gelehrter und Bischöfe, bekannte sich zum »Centre gauche«, er kandidierte – allerdings erfolglos – 1872 gegen die monarchistischen Konservativen und war im Sommer 1877 im Gespräch als allfälliger Aussenminister der gegen die Regierung Broglie vereinigten Linken.

> »On dit que nous sommes menacés d'être lâchés par Noailles, qui est le candidat définitif des gauches au ministère des affaires étrangères.« Doch später: »Le gauches nous réservent, dit-on, Léon Say ou Waddington. Elles ne semblent pas jusqu'ici vouloir mettre en avant St. Vallier ou Noailles.«[601]

Umgekehrt entwickelten die grossen Köpfe der republikanischen Diplomatie – besonders ausgeprägt etwa ein Paul Cambon – ein aristokratisches, elitäres und auf berufliche Kompetenz pochendes Verantwortungsgefühl, das mit der Republik, wie etwa der radikale Clemenceau sie verstand, schlecht vereinbar war. Mit M. B. Hayne muss man die Meinung korrigieren, dass die Aristokratie noch bis tief in die 1890er Jahre dominiert habe, hingegen haben die bürgerlichen Nachfolger die konservativen Haltungen der Aristokraten übernommen.[602]

Der Sozialist Paul-Boncourt schreibt in seinen Memoiren:

> »Cambon, Barrère. Des noms républicains. Eux-mêmes l'avaient été, au moins dans leur jeunesse.«[603]

Schon 1880 stellte Paul Cambon, der parteipolitisch den gemässigten Republikanern um Ferry zuzurechnen ist, angewidert fest:

> »Je crois que nous assistons au début d'une nouvelle révolution qui se fera très pacifiquement, sans échafauds, ni crimes odieux mais qui aura pour effet d'éliminer absolument tout élément aristocratique des affaires publiques, aristocratie de nom et d'esprit. On s'enfoncera de plus en plus dans la médiocrité, c'est la loi des démocraties.«[604]

Und 1894 sah er im abermaligen Kabinettswechsel

> »une démonstration nouvelle de l'impossibilité de gouverner la France sous la forme d'une démocratie parlementaire.«[605]

1898 äusserte er sich wieder gegenüber seiner Mutter anlässlich des 50. Jahrestages der Februar-Revolution:

> »Mais cette aventure de 48 prouve à quel point la bourgeoisie française est incapable de soutenir un Gouvernement. Le bourgeois est par essence un lâcheur et un égoïste.«[606]

---

[601] Valfrey an Chaudordy, 20. Juni und 5. Dezember 1877, Papiers Chaudordy, Bd. 13.

[602] HAYNE, Foreign Office, S. 306 berichtigt Arno MAYER, The Persistence of the Old Regime, New York 1981, S. 309.

[603] PAUL-BONCOURT, Souvenirs, Bd. 1, S. 116.

[604] Brief Paul Cambons an seine Frau, 14. November 1880, Correspondance 1870–1924, Bd. 1, S. 131.

[605] Brief Paul Cambons an seine Mutter, 24. Mai 1894, ebenda, Bd. 1, S. 372.

Auf die 1902 gegenüber der Marquise de Montebello erhobenen Vorwürfe, sie strebe nach der Gunst der russischen Aristokratie, reagierte Paul Cambon mit der Bemerkung:

> »En vouloir à une Ambassadrice de ce qu'elle est Ambassadrice et fait proprement son métier c'est un comble.«[607]

Gewiss: Wie Thiers zur Zeit der »République sans républicains« für die Auslandsvertretung monarchistischen Adel eingesetzt hatte, wollten auch die etablierten Republikaner Leute mit »guten Namen« und entsprechenden Manieren in ihrem auswärtigen Dienst einsetzen. Obgleich die adligen Diplomaten einer in sich durch zahlreiche familiäre Bande verwobenen Gesellschaftsschicht angehörten, deren Führungsfunktionen eines der vererbten und durch die Grosse Revolution nicht beseitigten Privilegien war, wurden sie von den Republikanern, die sich als Testamentsvollstrecker von 1789 verstanden, gerne weiterhin mit führenden Aufgaben betraut. Als Ende 1896 die Frage diskutiert wurde, wer die Nachfolge des schliesslich erst 1898 zurückgetretenen Alphonse de Courcel antreten solle, sprach sich Hanotaux gegen die Berufung eines gewöhnlichen Diplomaten wie Paul Cambon und für das Verbleiben des Barons aus, weil das diplomatische Korps Frankreichs, verglichen mit den Repräsentanten der übrigen Staaten ohnehin nur wenige Diplomaten der adligen Oberschicht habe.

> »Nous avons déjà une représentation un peu diminuée, si nous la comparons avec celle de l'étranger presque tout entière composée de grands seigneurs et de gens extrêmemement riches. Du moins, si nous n'avons plus que des *diplomates*, ce sont des diplomates. Demain, nous n'aurons plus que des *fonctionnaires* ou des *politiciens*. Faut-il que ce soit de mes mains que s'accomplisse une oeuvre si fâcheuse et dont je vois tous les inconvénients!«[608]

Möglicherweise haben die bestehenden Gegensätze zwischen Hanotaux und Cambon diese Stellungnahme beeinflusst, doch angesichts von Hanotaux' notorischer Schwäche für die Salons der französischen und russischen Aristokratie kann es sich bei dieser Argumentation nicht nur um einen Vorwand gehandelt haben.

Ausser dem Wunsch, gesellschaftlich nicht benachteiligte Diplomaten im Ausland zu haben, bestand die Meinung, dass aristokratische Affinitäten zwischen entsandten Diplomaten und akkreditierenden Höfen von Nutzen sein könnten. Welchen Nutzen diese Affinitäten wirklich abwarfen, kann hier nicht untersucht werden. Bestanden haben sie jedenfalls. Noch 1902 soll Wilhelm II. den Wunsch geäussert haben, der Nachfolger des Marquis de Noailles solle ein Duc sein. Der dem abtretenden Botschafter nahestehende Gabriel Hanotaux überliefert, der deutsche Kaiser sei oft am früheren Morgen erschienen, wenn de Noailles noch im Bett gelegen habe, um mit dem französischen Botschafter stundenlang kameradschaftliche Gespräche zu führen:

---

[606] Brief Paul Cambons vom 24. Februar 1898, ebenda S. 437; vgl. ferner S. 144, 238, 255, 315 f. der gleichen Briefausgabe.

[607] Paul an Jules Cambon, 16. Januar 1902, ebenda, Bd. 2, S. 72.

[608] Hanotaux an Faure, 23. Dezember 1896, Faure, Fonds F. Berge.

»[…] c'était là cette confiance qui s'établit entre seigneurs, entre gens du même monde.«[609]

Es ist denkbar, dass die republikanische Epuration den Adel der unteren Chargen stärker traf, weil die Republik für jene Posten leichter Ersatzleute und sicher zahlreiche Aspiranten hatte und weil sich möglicherweise auf dieser Stufe unqualifizierte, aber privilegierte Leute eher hatten einnisten können.[610] In den oberen Chargen aber richtete sich die Epuration nicht speziell gegen die mehr oder weniger alten Familien der Oberschicht.

»Nouvelles couches«

Die Besonderheit der republikanischen Personalpolitik bestand nicht so sehr in der Ächtung adliger Diplomaten als in der Absicht, auch Angehörige der »couches nouvelles« in den unteren Rängen aufzunehmen und in die oberen Ränge der Diplomatie aufsteigen zu lassen. 1886 meldete Botschafter Münster aus Paris, der Sohn eines französischen Botschafters (möglicherweise des Barons de Talleyrand-Périgord) habe ebenfalls die Diplomatenlaufbahn einschlagen wollen, habe dann aber davon abgesehen, als er vernommen habe, dass der Sohn eines Schneidermeisters als Attaché im Quai d'Orsay aufgenommen worden sei.[611] Die Verachtung für Aufsteigende aus den unteren Schichten war zuweilen mit der Geringschätzung der Schulleistungen verbunden, mit denen die Neuen die Standesprivilegien der anderen wettmachen wollten. Der in der Diplomatie nicht mehr weiterbeschäftigte Robert de Bonnières stellte süffisant fest, indem er auf Challemel-Lacour anspielte:

> »Il ne suffit pas d'avoir été premier agrégé de philosophie en sortant de l'Ecole normale. […] Dans vingt ans, peut-être, la République aura fait des diplomates – mais nous n'y sommes pas.«[612]

Gambetta hat bewusst von »couches« und nicht von Klassen gesprochen, weil er die niedereren Regionen des gesellschaftlichen Systems nicht näher definieren wollte. Gambetta hat die Aufsehen erregende Passage seiner Rede von Grenoble von 1872 mehrfach selbst interpretiert und sein Diktum vor zu engen Interpretationen in Schutz genommen, z. B. in der Assemblée Nationale vom 12. Juli 1873 oder in seiner Rede von Auxerre vom 1. Juni 1874.[613] Der konservative Publizist Gaston de Saint-Valry bezeichnete Ende 1877, sich selbst zitierend, die neue Schicht als

> »alluvion secondaire ou tertiaire que l'action des idées de 89 et le fonctionnement du Code civil ont produit, alluvion à laquelle je me suis permis de donner le nom de parti des pharmaciens et des vétérinaires […].«

---

[609] Gabriel HANOTAUX, Les Carnets de Gabriel Hanotaux, in: RHD (1977), S. 5–142, Februar 1911.

[610] Diplomaten, wie Lanfrey 1871 sie in Bern antraf.

[611] Bericht Münster vom 24. Juni 1886, PAAA Bonn, F 108, Bd. 1. Münster sagt, er habe den ehemaligen Botschafter von Petersburg her gekannt.

[612] BONNIERES, Mémoires, Bd. 1, S. 50.

[613] GAMBETTA, Discours et plaidoyers, Bd. 4, S. 144 f.

und meinte damit eine Kraft solider Mittelmässigkeit und geschickter Strebsamkeit.[614] Ähnlich umschrieb Paul-Boncourt die Eigenschaften der aufstrebenden Schicht:

> »Esprit de famille, racines dans le sol natal, goût de la petite patrie, de l'économie et du travail. Bourgeois pour la plupart, militant à l'abri du besoin et dispensés des aventures, ils administraient l'Etat, leurs départements et leurs communes, avec l'ordre et la méthode qu'ils avaient apportés aux soins de leur vie privée, à l'établissement et à la conservation de leur patrimoine.«[615]

Die Karriere der Aufsteiger, die sich im Aussenministerium durchsetzten, verlief von der unteren in die obere Region der »bonne bourgeoisie«.[616] Die Neulinge stammten zum Teil aus halbbäuerlichen, zum Teil aus kleinbürgerlichen Verhältnissen, in denen zwar die Normen des Bürgertums galten, aber die Mittel zur Führung eines entsprechenden Lebensstils (noch) fehlten. Zum Teil stammten die neuen Diplomaten auch aus dem mittleren Bürgertum, waren aber gesellschaftlich benachteiligt, sei es durch den frühen Tod des Familienoberhauptes, sei es durch politische Ächtung.

Albert Decrais, der nachmalige Botschafter in Rom, Wien und London, war ein protestantischer Musterschüler, er holte sich in einem Lycée von Bordeaux jedes Jahr den »prix d'honneur« – und den »prix d'excellence«, aber die Bankierstochter aus Paris, die ihn liebte, durfte er, der anfänglich nur Advokat an einem Appellationsgericht war und kein Vermögen vorweisen konnte, zunächst nicht heiraten und dies, obwohl der Konservative Gaston de Saint-Valry im Januar 1878 attestieren konnte, er würde trotz seiner mittelständischen Herkunft in keinem Salon – unangenehm – auffallen:

> »[…] on trouve [dans le cadre préfectoral] encore une bonne quantité qui ne serait disparate dans aucun salon; on ne fera croire à personne par exemple, que M. Decrais ou M. de Brancion soit un échappé de brasserie ou un habitué de café démocratique.«[617]

Über das Herkommen Albert Billots, des Botschafters beim italienischen König, gibt die autobiographische Darstellung *Le roman d'un petit bourgeois* Auskunft. Billots Vater war zunächst Kleinbauer, dann Schulmeister, schliesslich Schulinspektor. Der Roman soll zeigen, dass man im egalitären System mit Fleiss und Ausdauer alles ohne Revolution und Gewalt erlangen könne. Der Vater soll gesagt haben:

---

[614] SAINT-VALRY, Souvenirs, Bd. 2, S. 163 f.

[615] PAUL-BONCOURT, Souvenirs et réflexions pour servir à l'histoire contemporaine, Bde. 1–2, Paris 1886, hier: S. 6.

[616] Zur Strukturierung der französischen Gesellschaft um 1880 vgl. MAYEUR, Débuts, S. 85 f. Während 1871 nur 11 % und 1893 15 % der Deputierten aus dem Kleinbürgertum und der Arbeiterklasse stammten, gehörten in den gleichen Jahren 89 % und 85 % zu den drei oberen Schichten des Adels und des oberen und mittleren Bürgertums. Vgl. DOGAN, Filières, S. 469.

[617] Gaston de SAINT-VALRY, Souvenirs, Bd. 2, S. 162. Alice Dethomas musste zuerst einen M. Godard heiraten und konnte erst nach dessen Tod Albert Decrais' Frau werden, DOLLOT, Decrais, S. 23. Maurice-Louis-Adolphe, der Sohn aus erster Ehe, führte den Doppelnamen Godard-Decrais, wurde ebenfalls Diplomat und verbrachte einige Monate als Attaché bei seinem Stiefvater in Brüssel.

»[…] avec notre régime égalitaire, le travail et la conduite mènent à tout sans révolution ni violences. C'est là mon évangile social. […] J'ai fait la moitié du chemin. A (mon fils) de parcourir la seconde étape.«[618]

Der Sohn versuchte in der Tat seine bescheidene Herkunft mit Tüchtigkeit zu
kompensieren: 1863 gewann er die Goldmedaille im juristischen Doktorexamen.
Die Staatsanwaltschaft, für die er sich interessierte, blieb ihm im Zweiten Kaiserreich dennoch verschlossen, weil er weder über Beziehungen noch über das
nötige Vermögen verfügte. Immerhin konnte er 1865 nach einem Intermezzo im
Journalismus mit 24 Jahren in die Rechtsabteilung des Quai d'Orsay eintreten.

Gustave de Coutouly, der spätere Gesandte in Mexiko und Bukarest, stammte
aus einer kinderreichen Pastorenfamilie, die früh den Tod ihres Vaters beklagen
musste. Während ein Bruder nach Neu-Kaledonien auswanderte und ein anderer
Bruder ein bescheidenes Leben als Konsul führte, gelang Gustave über den
Journalismus der Sprung in die Etage der höheren Beamten. Paul und Jules Cambons Vater war im Gerbereigeschäft tätig, er starb, als die beiden Söhne erst 5-
und 7jährig waren; die derart reduzierte Familie lebte in bescheidenen mittelständischen Verhältnissen. Der Grossvater mütterlicherseits war Lederhändler.[619]
Beide konnten das Lycée besuchen und ihre Ausbildung mit dem Lizenziat der
Ecole de droit abschliessen, einem Examen, über das sich das höhere Verwal-
tungspersonal jener Jahre in der Regel ausweisen konnte.

Der Vater Herbette war Lehrer gewesen, beide Söhne machten nach dem juristischen Diplom als Beamte Karriere, François-Louis wurde Präfekt, Direktor
einer Gefängnisverwaltung und schliesslich Staatsrat, Jules beschloss seine Laufbahn als Botschafter in Berlin. Camille Barrère, Frankreichs langjähriger Botschafter in Italien, stammte aus einer Familie, deren Vater ebenfalls im Unter-
richtswesen tätig war. Im Second Empire als Regimegegner politisch verfolgt,
wanderte Vater Barrère nach England aus. Dort erwarb sich Barrère, dessen hohe
Kultur später viel gelobt wurde, seine Bildung vor allem als Autodidakt.[620] Maurice Paléologue, der schon in untergeordneter Stellung eine wichtige Rolle spielte
und 1914 Botschafter in St. Petersburg wurde, kam wie Coutouly und die Cambons aus einer früh vaterlos gewordenen Familie, in seinem Fall rumänischer
Herkunft; er konnte aber wie die beiden Cambon und der mit ihm freundschaftlich verbundene Raymond Poincaré das Lycée Louis-le-Grand besuchen
und als Diplomat zu wichtigen Ämtern aufsteigen.

## Ambitionen und Ansprüche

Verfolgt man, wie dies dank der guten Darstellung von Laurent Villate leicht
möglich ist, die Laufbahnen der beiden Cambon, fällt auf, mit wie viel unver-
brämtem Karrierestreben stets neue Posten ins Auge gefasst wurden. Die mar-
kanten Ambitionen des kräftigeren Paul Cambon mögen besonders stark entwi-

---

[618] Zit. nach Georges DETHAN, Albert Billot. Directeur des affaires politiques du Quai
d'Orsay au temps de Jules Ferry 1883–1885, in: RHD 89 (1975), S. 1–12, hier: S. 3.

[619] VILLATE, République, S. 11 f.

[620] Ein schmeichelhaftes Bild des kultivierten Barrère, in dessen römischer Botschaft Würdenträger des Hofes und der römische Adel ein und aus gingen, zeichnet sein Mitarbeiter Jules
LAROCHE, Quinze ans à Rome avec Camille Barrère 1898–1913, Paris 1948, S. 11 f.

ckelt gewesen sein, im Kern aber waren sie zugleich repräsentativ für eine verbreitete, wenn nicht sogar allgemein vorhandene Haltung. Um 1880 war für sie
eine informelle Gruppe – bezeichnenderweise »la Famille« genannt – wichtig. Da
unterhielt man sich über Karrieremöglichkeiten, verteilte im Voraus gewisse Posten, versprach sich Hilfestellung.[621] Selbstverständlich gehörten auch die richtigen Eheabschlüsse dazu. Eine bestimmte Stelle bekommen war etwas, sie nach
einer gewissen Zeit gegen eine noch bessere auszuwechseln noch etwas Besseres.
Cambon war Präfekt des Département du Nord, 1880 sah er in der Brüsseler
Botschaft (die ihm gar nicht angeboten worden war) eine »sortie par une porte
que est arc triomphal«, an anderer Stelle ist von »quitter la tête haute« die Rede.
Cambon wollte auch kein »ewiger Präfekt« sein. »Il ne suffit pas entrer dans un
corps. Il faut y entrer avec autorité.«[622] Im Februar 1886 hielt er die Situation für
reif, eine Botschaft zu verlangen, entweder diejenige von Rom oder diejenige von
Konstantinopel.[623] Er musste aber noch fünf Monate warten, bis er Madrid
erhielt. Paul Cambon nahm diesen Posten unbescheiden als »poste de début« an,
und Ministerpräsident de Freycinet bestätigt: »Madrid convient pour cette apprentissage«.[624] Bei Jules Cambons Abgang aus Algerien war um 1894/95 (also
drei Jahre vor dem tatsächlichen Abgang) von »compensation« oder »récompense« oder von »belle porte de sortie« die Rede.[625] Die auf den Aussenposten sitzenden Diplomaten mussten während ihrer Aufenthalte in der Hauptstadt in
eigener Sache agieren und, wie Villate richtig feststellt, wie Regierungsmitglieder
angesichts drohender Mehrheitsverluste in den verschiedenen Fraktionen Stimmen sammeln. Dies hatte aber diskret zu geschehen. Paul Cambon war auch der
Meinung, dass sein Bruder Jules die Tage in der Metropole dazu nutzen müsse,
»pour se faire une majorité«, doch warnte er ihn zugleich, er solle sich nicht in der
Deputiertenkammer zeigen.[626] Im Frühjahr 1897 wurde die »Famille« auf Aussenminister Hanotaux angesetzt, damit dieser Jules Cambon für Bern vorsehe.
Schön ist die Formulierung eines Mitglieds der politischen Familie, es gehe darum, »contraindre le gouvernement à la lui offrir«.[627] Ausser den Posten gab es
auch noch Ehrungen einzufordern, insbesondere die Légion d'honneur. Als Jules
Cambon im Januar 1905 – aus der Sicht der Familie: endlich – zum »grand officier« befördert wurde, sprach der Bruder von einer »tardive réparation.«[628]

Ehemalige Journalisten
Die Neulinge, die um 1880 in die vorderen Ränge kamen, wurden aus drei Bereichen rekrutiert: aus den eigenen Beständen des Quai d'Orsay, aus der Presse

---

[621] VILLATE, République, S. 25 f.

[622] Ebenda, S. 69.

[623] An beiden Orten war er wegen seiner als antiitalienisch und antitürkisch empfundenen
Politik in Tunesien unerwünscht.

[624] VILLATE, République, S. 122.

[625] Ebenda, S. 114.

[626] Ebenda, S. 114.

[627] Xavier Charmes an P. Cambon, 1897. Zit. nach ebenda, S. 116.

[628] Ebenda, S. 263.

und aus dem Korps der Präfekte. Aus den eigenen Reihen stammte der bereits vorgestellte Jules Herbette, der im Juli 1882 beinahe sogar Aussenminister geworden wäre[629] und sechs Jahre später zum Botschafter in Berlin avancierte. In die gleiche Kategorie der unter dem Second Empire in den Quai d'Orsay eingetretenen und in der Dritten Republik bis in die obersten Grade aufsteigenden Berufsdiplomaten gehörten beispielsweise der 1856 eingetretene Jean-Baptiste-Félix Mariani und der 1865 eingetretene Albert Billot.

Einige Journalisten wurden schon vor der grossen Erneuerungswelle von 1880 ins Aussenministerium aufgenommen. André Lavertujon, der ehemalige Chefredaktor der *Gironde* war bereits von Thiers 1871 zum Generalkonsul von Amsterdam ernannt worden. Als Parteigänger von Thiers schied er im Mai 1873 wieder aus und kehrte in die Presse zurück, wo er als Redaktor des *Le Temps* tätig war, bis Thiers' ehemaliger Sekretär Barthélemy-Saint-Hilaire im Herbst 1880 Aussenminister wurde und ihm erneut ein Generalkonsulat gab, diesmal dasjenige von Antwerpen. Lavertujon blieb sieben weitere Jahre in diplomatischem Dienst, bekleidete zuletzt den Rang eines Ministers und wurde, was einer gewissen Folgerichtigkeit entsprach, 1887 Senator der Gironde, nachdem er sich schon acht Jahre zuvor vergeblich um einen Sitz in der Deputiertenkammer beworben hatte.[630]

Von denjenigen, die um 1880 direkt aus der Presse rekrutiert worden sind, seien insbesondere die drei folgenden Diplomaten genannt: Barrère, Coutouly und Gérard. Camille Barrère, der nachmalige Botschafter in Rom, war aus seinem Londoner Exil als Korrespondent der *Times* 1878 zum Kongress von Berlin gefahren, wo Waddington ihn entdeckte und ihm die Rückkehr nach Frankreich ermöglichte. Vor seinem Eintritt in den Quai d'Orsay arbeitete er in Gambettas *République française*, wie Spuller und die nachmaligen Aussenminister de Freycinet und Challemel-Lacour. Barrères Vorleben als Journalist war dem deutschen Botschafter in Rom, dem Grafen Anton von Monts, noch ein Vierteljahrhundert später in Erinnerung:

> »Der Botschafter kann sein journalistisches Origine nicht verleugnen. Ein Manipulieren mit und in der Presse ist ihm sozusagen zur zweiten Natur und zum Lebensbedürfnis geworden.«[631]

Gustave Coutouly wurde ebenfalls von Waddington in Berlin rekrutiert. Der *Le Temps* hatte Coutouly als Korrespondent an den Kongress geschickt. Gleich nach dessen Abschluss wurde er als Honorarkonsul einer diplomatischen Mission zugeteilt, die sich mit einer der Kongressfragen weiter zu beschäftigen hatte. Ein Jahr später, im Sommer 1879, rutschte er in die Zentralverwaltung des Quai d'Orsay, und schon im Oktober 1881 konnte er die Leitung einer Gesandtschaft

---

[629] Grévys Vorschlag am 31. Juli 1882 vor der Bildung des Kabinettes Duclerc, LAVERGNE, Grévy, S. 84.

[630] Zur Biographie dieses weniger bekannten Pressemannes und Diplomaten siehe Georges BOUCHON, Histoire d'une imprimerie bordelaise. 1600–1900. Les Imprimeries G. Gounouilhou, Bordeaux 1901.

[631] Bericht vom 14. März 1906, PAAA Bonn, F 108 Bd. 15. Vgl. auch NOËL, Barrère, Paris 1948.

übernehmen. Als Einstieg gab man ihm die seit dem verunglückten Abenteuer Napoléons III. nicht mehr begehrte Gesandtschaft in Mexiko.[632]

Im weiteren Sinn gehörte auch Auguste Gérard, der spätere Botschafter in Japan und China, zu den aus der Presse rekrutierten Diplomaten. Der im März 1880 gleich mit dem Pressedienst des Quai d'Orsay betraute Neuling war vor Eintritt in den diplomatischen Dienst als Lektor am deutschen Hofe tätig gewesen, wo er der Kaiserin Augusta täglich aus dem *Journal des Débats*, dem *Le Figaro* und der *Revue des Deux Mondes* vorzulesen hatte. Gérard, der schon während seines Studiums in republikanischen Pressekreisen verkehrt hatte, erhielt durch Gambettas und Henckel von Donnersmarcks Vermittlung diese Stelle. Über seine Tätigkeit als Pressechef schrieb Gérard, sie habe ihn täglich mit dem Kabinett des Ministers in Verbindung gebracht, de Freycinets Freundschaft für Gambetta habe ihm viel Wohlwollen eingetragen.

> »J'eus donc l'occasion, dès mes premiers pas, d'apprendre et de savoir de notre politique, un peu plus que n'en entrevoient d'ordinaire les débutants.«[633]

Eine höchst aufschlussreiche Korrespondenz zwischen de Saint-Vallier und Waddington zeigt, dass Gérard schon zwei Jahre zuvor mit dem Eintritt in das Aussenministerium gerechnet hatte. Gambetta, der 1881 Gérard zu seinem Kabinettschef ernannte, muss dem jungen Mann 1878 sogar so sichere Versprechungen gemacht haben, dass jener es nicht für nötig hielt, sich, entsprechend dem Rat de Saint-Valliers, um die Aufnahme auf normalem Weg zu bemühen. Waddington wollte offenbar von de Saint-Vallier wissen, von wem Gambetta seine Informationen aus Berlin beziehe. De Saint-Vallier sprach von der Möglichkeit, dass »un petit jeune homme, intelligent et faiseur, nommé M. Gérard« Gambettas Quelle sein könnte, und fuhr dann fort:

> »Gambetta m'avait beaucoup recommandé M. Gérard; je le vois donc de temps à autre, et je l'ai invité à dîner, mais il n'y a rien à tirer de ses conversations. Du reste, M. Gérard a de grandes prétentions qu'il m'a fait connaître et que j'ai dû décourager; il m'a dit qu'il comptait bientôt quitter le service de l'Impératrice, M. Gambetta devant vous demander pour lui un poste de secrétaire d'Ambassade ou de Rédacteur au Ministère auquel le préparait naturellement la position exceptionnelle qu'il occupait.«[634]

Am 17. April folgte ein weiteres Schreiben:

> »[...] je me demande ce que signifie le langage de Gambetta à son petit favori, le jeune Gérard qu'il veut faire entrer dans la diplomatie et à qui il avait mis dans la tête les plus folles idées de haute position d'emblée, etc. J'avais amené ce jeune homme à mieux comprendre les avantages de l'entrée par la porte droite en se préparant à l'examen qu'il comptait passer cette année; mais Gambetta lui a écrit

---

[632] Gustave SCHLUMBERGER, Mes Souvenirs 1844–1928, Bd. 2, Paris 1934, S. 181. – Papiers Desprez, Memoiren, Dossier Nr. 42, S. 152. – Bericht Bülow vom 19. April 1894 anlässlich Coutoulys Ernennung in München, PAAA Bonn, F 108, Bd. 6.

[633] Auguste GÉRARD, La Vie d'un diplomate sous la Troisième République, Paris 1928, S. 10 f., zit. S. 53. Siehe ferner ANDRIEUX, Mémoires, S. 298.

[634] Saint-Vallier an Waddington, 4. April 1878, MAE, Mémoires et documents, Allemagne, 166.

ces jours-ci qu'il ne voulait pas qu'il passât par la filière et que le moment appro-
chait où il pourrait le caser à Paris au Ministère dans un poste élevé comme il
l'entendait.«

Auch später und auch auf weniger exponierte Posten wurden immer wieder Presseleute geholt. Delcassé machte beispielsweise Alicide Ebray vom *Journal des Débats*
zum Generalkonsul von New York. Ebray hätte 1907 zum residierenden Minister
in Bolivien avancieren können, demissionierte aber, um in die Presse zurückzukehren und dort zu erklären, was ihm an der französischen Politik nicht passe.[635]

De Freycinet holte im Januar 1880 Girardet de Rialle, einen ehemaligen Redaktor der *République française*, ins Aussenministerium und machte ihn im September
1880 zum Archivdirektor. Im gleichen Jahr engagierte de Freycinet den 24jähri-
gen François Deloncle als Mitarbeiter seines Kabinetts; Deloncle hatte zuvor für
verschiedene Zeitungen geschrieben und leitete nach seinem Abschied von der
Diplomatie von 1890 an die Zeitung *Le Siècle*.[636]

Im Herbst des gleichen Jahres holten Ferry und Barthélemy-Saint-Hilaire den
Journalisten Francis Charmes in den diplomatischen Dienst und gaben ihm sogleich die Funktion eines Unterdirektors der Politischen Abteilung und den Grad
eines Ministers 2. Klasse. Francis Charmes wechselte mit 32 Jahren zur Diplomatie, nachdem er während zehn Jahren Journalist gewesen war, zunächst als
Mitarbeiter des *XIXe Siècle*, dann als Redaktor des *Journal des Débats*. Nach seiner
diplomatischen und parlamentarischen Tätigkeit wandte er sich mit 60 Jahren
wieder ganz der Publizistik zu und wurde 1907 Direktor der *Revue des Deux Mondes*, für die er schon seit 1894 die Redaktion des politischen Bulletin übernommen hatte. Francis' jüngerer Bruder, Gabriel Charmes, schrieb – seine Artikel bis
1880 mit Ch. Gabriel zeichnend – ebenfalls regelmässig für das *Journal des Débats*,
doch er starb schon 1886.

Und Jean Jacques Weiss, der von Gambetta im Dezember 1881 zum Politischen Direktor gemacht wurde, war vor und nach seiner zweimonatigen Amtszeit ebenfalls Journalist.[637]

Die seit der Machtübernahme der Republikaner stärker werdende Tendenz, neue
Diplomaten in Redaktionsstuben zu rekrutieren, kommt auch in der schliesslich
nicht vollzogenen Nomination des Journalisten John Lemoinne zum Ausdruck.
Bewusst sei bloss von einer sich verstärkenden Tendenz, Diplomaten aus der Pres-
se zu rekrutieren, die Rede. Lemoinnes Ernennung zum Gesandten in Brüssel im
Mai 1880 brüskierte die Diplomaten der alten Welt nicht nur, weil sie einem festen
Mitarbeiter des republikanischen *Journal des Débats* galt, sondern weil der Ernannte
eine Woche später ohne ersichtlichen Grund bereits wieder zurücktrat und mit
einem polemischen Artikel seine journalistische Tätigkeit wieder aufnahm. John
Lemoinne wurde noch im gleichen Jahr zum Senator auf Lebenszeit gewählt.

---

[635] *Le Gaulois* vom 19. Juli 1907.

[636] François Deloncle war 1881/82 Kabinettschef des Unterstaatssekretärs Spuller und wurde 1889 zum Deputierten gewählt.

[637] Weiss schrieb vor allem für das *Journal des Débats*, das *Journal de Paris* und für Monatshefte
wie z. B. die *Revue de Paris*. Sein publizistisches Leben ist treffend beschrieben bei HANOTAUX,
Mon temps, Bd. 2, S. 198 f. Vgl. auch PFEIFFER, Gambetta, S. 85.

Der Comte Melchior de Vogüé, der wenig später den diplomatischen Dienst verliess, glaubte in diesem Fall demonstriert erhalten zu haben, wie stark die Diplomatie dem neuen Regime und seinen Grobheiten ausgesetzt war:

> »Ce dédain du spirituel journaliste est peut-être l'un des coups les plus violents qui aient été portés au prestige tout en façade de notre pauvre vieux métier.«[638]

Auch der als Berater par excellence vorgestellte Hippolyte Desprez (vgl. oben S. 33) kam aus der Redaktion der *Revue des Deux Mondes*, als er 1852 mit 33 Jahren in den diplomatischen Dienst eintrat, und de Bourqueney begann seine Karriere im *Journal des Débats*. Der 1877 noch unter dem Regime der Konservativen in den Quai d'Orsay aufgenommene Jules Valfrey war ebenfalls Journalist und hatte früher für den orleanistischen *Moniteur* geschrieben und schrieb nach seinem Ausscheiden aus der Diplomatie, zum Teil unter dem Pseudonym »Whist« für den *Figaro*. Schriftsteller und Journalist war sodann der noch unter dem Second Empire am 18. Juni 1870 zum Gesandten in den Vereinigten Staaten gemachte Lucien Anatole Prévost-Paradol. Auch auf unterer Stufe wurden Leute aus der Presse rekrutiert, zum Beispiel Auguste Jacquot, der 1882 von Gambetta in den Konsulardienst geholt wurde.[639]

### Ehemalige Präfekte

Die Präfekturen konnten wie die Presse Ausgangspunkt einer Karriere sein, die über den politischen Weg zur Diplomatie führte. Der Botschafter und Aussenminister Challemel-Lacour war, bevor er zur Diplomatie kam, beides gewesen: Präfekt und Journalist, aber es war das politische Mandat, das ihm den Zutritt in den Quai d'Orsay verschafft hat. Um 1880, aber auch später, kam es immer wieder zu direkten Übertritten von der präfektoralen in die diplomatische Laufbahn. Im Mai 1880 übernahm Albert Decrais, nachdem er 1871–1876 in drei Departements Präfekt und für kurze Zeit auch Conseiller d'Etat gewesen war, die Gesandtschaft in Brüssel. Im September 1880 folgte ihm René Millet, der nachmalige Gesandte in Stockholm, der 1878–1880 in Präfekturen tätig war, bevor er im September 1880 von dem mit ihm befreundeten Aussenminister Barthélemy-Saint-Hilaire zum Kabinettschef gemacht wurde. Im Februar 1882 wurde Paul Cambon, der nachmalige Botschafter in Madrid, Konstantinopel und London, nach elfjähriger Laufbahn in der präfektoralen Verwaltung in den auswärtigen Dienst geholt, um das tunesische Protektorat einzurichten und zu verwalten.[640] Er wurde von Maurice Bompard begleitet, der in Cambons letzter Präfektur bereits Mitarbeiter des neu ernannten Verwalters von Tunis gewesen war und später Frankreichs Botschafter in St. Petersburg und Konstantinopel wurde. Cambon hatte schon spätestens seit 1880 im ungeliebten Lille davon geträumt, von der Welt der Präfekturen in die der Diplomaten wechseln zu können, nach Lissabon, Athen oder Brüssel!

---

[638] De VOGÜÉ, Journal, Eintrag vom 9. Mai 1880, S. 195. An Stelle Lemoinnes trat am 8. Mai 1880 Albert Decrais.

[639] Vgl. Brief des Betreffenden an Marcel vom 4. November 1897, Papiers Marcel.

[640] VILLATE, République, S. 27 f.

»J'ai rêvé ce matin de tout cela dans mon lit.« Und später, am 8. Oktober 1880 »[...] je prends Lille en dégoût. Je suis comme un collégien le jour de la rentrée.«[641]

Die Präfekte waren wesentlich stärker der Politik ausgesetzt als die Minister, von den jeweiligen Innenministern wurde erwartet, dass sie dem gerade vorherrschenden politischen Trend entsprachen.

Die Präfekte nahmen wie die Diplomaten eine Zwischenstellung ein, halb waren sie Beamte, halb waren sie Politiker. Als Beamte brachten sie eine Verwaltungserfahrung mit, die sich für die angestrebte Reorganisation des auswärtigen Dienstes als nützlich erweisen konnte. Und als Politiker befanden sich die aus den Präfekturen hervorgegangenen Diplomaten weitgehend im Einklang mit den neuen republikanischen Kabinetten. Ein Albert Decrais und ein Paul Cambon waren unter Thiers zu Präfekten ernannt worden. Der jüngere Jules Cambon gehörte zum Kabinett von Thiers' Erziehungsminister Jules Simon und wurde von der Regierung Waddington zum Präfekten ernannt. Der Präfekt Decrais war so sehr ein *homo politicus*, dass er wie der ebenfalls in die Diplomatie übertretende Präfekt Olivier d'Ormesson nach dem »16. Mai« den Dienst quittierte und erst im Dezember 1877 wieder in seine Präfektur zurückkehrte.[642]

Rekrutierung des Nachwuchses

Neben den als Sonderfällen verstandenen Neubesetzungen im Zuge der Epuration stellte sich den Republikanern die Frage, wie sie ihren regulären Nachwuchs rekrutieren sollten.[643] In den republikanischen Reformplänen nahmen die Ausbildungsfragen und die Aufnahmemodalitäten eine wichtige Stellung ein. Von republikanischer Seite waren schon bald nach dem deutsch-französischen Krieg Reformforderungen gestellt worden, welche wie Ernest Picard 1874 von den Diplomaten erprobtes Wissen und sicheres Können – »science éprouvée et intelligence incontestable« – verlangten. Unter diesen Voraussetzungen, räumte Picard ein, dürfe die französische Diplomatie durchaus auch auf die grossen Namen des Landes zurückkommen:

> »(La diplomatie) pourra revenir aux grands noms de notre pays, mais elle ne leur appartiendra pas de droit; son seul domaine sera le travail, le mérite et le patriotisme.«[644]

De Freycinet stellte fest, vor seinem Amtsantritt habe die Rekrutierung des Nachwuchses ganz von der Gutwilligkeit der vorgesetzten Stellen abgehangen.

---

[641] Paul Cambon an seine Frau, 23. September 1880 (zit. nach VILLATE, République, S. 47).

[642] Decrais und d'Ormesson haben noch zwei weitere zufällige Gemeinsamkeiten: Beide waren, bevor sie in den Dienst der Departementsverwaltung eintraten, für kurze Zeit diplomatischer Attaché, und beide waren dies in Brüssel. Insofern kann man den Übertritt in den Quai d'Orsay auch als Rückkehr bezeichnen.

[643] Zur Rekrutierung und zum Concours, vgl. auch BAILLOU, Affaires étrangères, S. 110–116 und 149–156.

[644] Vorwort zu Louis HERBETTE, Nos Diplomates et notre diplomatie. Etude sur le Ministère des affaires étrangères, Paris 1874, S. X.

Decazes' Versuch von 1877, ein Eintrittsexamen einzuführen, sei über erste Ansätze nicht hinweggekommen:

> »Malgré le besoin moderne de garanties pour le recrutement des fonctions publiques, les agents du Ministère des Affaires Etrangères étaient [...] livrés au bon plaisir de l'autorité supérieure.«[645]

Ein Erlass vom 13. Juli 1868 hatte wohl für die Konsuln eine Prüfung eingeführt, für die angehenden Diplomaten aber keine Vorschriften vorgesehen. Auch Charles de Rémusat, der Aussenminister der Jahre 1871–1873, hätte sich in einigen Fällen ganz gerne auf restriktive Zulassungsbestimmungen berufen, um ihm vorgestellte Aspiranten nicht annehmen zu müssen:

> »Lors donc que des fils de bonne famille vous sont présentés, les repousser est difficile. Aucune condition d'admission n'étant exigée, plus d'un ne se présente qu'avec une écriture incorrecte et une orthographe douteuse.«[646]

Louis Herbette klagte in seiner Reformschrift von 1874, man habe das Lizenziat der Rechte nur von denen verlangt, die nicht über genug Protektion verfügten.[647] Jusserand hätte zwar ein solches vorweisen können, auch stammte er aus einer begüterten Familie, doch fehlte ihm, wie der englisch sprechende Franzose sagte, der nötige »political pull«. Der nachmalige Botschafter in Washington startete deshalb 1876 auf dem Geleise der konsularischen Karriere, er konnte aber nach vier Jahren unter Barthélemy-Saint-Hilaire in die diplomatische Laufbahn überwechseln.[648]

Wie die angehenden Diplomaten vor der Einführung einer Prüfung rekrutiert wurden, illustrieren die folgenden zwei Beispiele: 1867 konnte der Comte Olivier d'Ormesson, obgleich er erst 18 Jahre zählte, als Attaché in den diplomatischen Dienst gesteckt werden, weil der damalige Aussenminister Harquis de Moustier ein naher Cousin von d'Ormessons Mutter war. Der junge Olivier, der 1871 den diplomatischen Dienst wieder verliess und später die Präfektenlaufbahn einschlug, um erst 1886 wieder in den diplomatischen Dienst zurückzukehren, wurde 1867 nach Brüssel geschickt, wo der Leiter der französischen Gesandtschaft, der Vicomte Alfred de la Guéronnière, ein Onkel mütterlicherseits, sich des jungen Attachés besonders annehmen sollte.[649] Der 20jährige Marquis Gustave-Louis de Montebello trat am 15. Februar 1858 zusammen mit seinem 57jährigen Vater Duc Napoléon-Auguste de Montebello in den diplomatischen Dienst ein. Der Vater wurde Botschafter in St. Petersburg, wohin ihm der Sohn (der 1801 ebenfalls Botschafter in St. Petersburg werden sollte) bald als Attaché folgte. Der Sohn blieb zunächst aber im Quai d'Orsay, wo er die Protektion des damaligen Aussenministers Comte Colonna-Walewski und seines Onkels, des Senators und kaiserlichen Adjutanten Comte Gustave-Olivier de Montebello, genoss.

---

[645] Œuvre administrative de M. de Freycinet au Ministère des Affaires Etrangères en 1880–1882, Papiers Freycinet, Bd. 1.

[646] REMUSAT, Mémoires, Bd. 5, S. 369.

[647] HERBETTE, Nos Diplomates, S. 22 f.

[648] Jean Jules JUSSERAND, What me befell. Reminiscences of J. J. Jusserand, Boston 1933, S. 28.

[649] ORMESSON, Enfances diplomatiques, S. 10 f. Olivier d'Ormesson heiratete später die Nichte dieses Onkels.

Examensordnung von 1877

Decazes hat in der Tat mit dem Dekret vom 1. Februar und dem Erlass vom 10. Juli 1877 ein Examen auch für angehende Botschaftssekretäre eingeführt. Aufgrund dieser Examensordnung sind in den Jahren 1877–1880 73 Bewerber aufgenommen worden, auch Leute, die sich später in der rein republikanischen Ära durchsetzten und bewährten. 1877 passierte Georges Cogordan, der 1902–1904 Politischer Direktor war; 1878 Horric de Beaucaire, der Gesandte in Kopenhagen in den Jahren 1907–1913. 1879 wurde Chilhaud-Dumaine aufgenommen, der Botschafter in Wien in den Jahren 1912–1914, und Geoffray, der Botschafter in Madrid in den Jahren 1910–1914. Alle verfügten über Universitätsexamen, Doktorate oder Lizenziate in der Regel juristischer Richtung, und alle waren zuvor zwei bis drei Jahre als unbezahlte Attachés zugelassen gewesen.

Allein, die Aufnahme des nachmaligen Aussenministers Gabriel Hanotaux bestätigt de Freycinets Aussage, dass die Examensordnung nicht strikt beachtet wurde. Hanotaux stammte übrigens auch aus den »couches nouvelles«, sein Grossvater war Bauer, sein Vater Advokat. Im kleinbürgerlichen Milieu der zweiten wie zuweilen sogar noch in der dritten Generation der in die Oberschicht aufsteigenden Bourgeois war das agrare Vorleben noch durchaus gegenwärtig. Hanotaux bezeichnete sich stolz als »fils de la terre et terrien.«[650] Der deutsche Botschafter, Graf Münster, glaubte in Hanotaux noch zum Zeitpunkt seiner Ernennung zum Aussenminister den »Enkel eines kleinen Bauern« zu spüren.[651] Hanotaux kam nach der Ecole des Chartes seiner historischen Interessen wegen im Januar 1879 in den Quai d'Orsay und arbeitete zunächst als unbezahlter Attaché in den Archiven. Er schlug die bezahlte, reguläre, aber nicht sehr begehrte Stelle eines Botschaftssekretärs in Washington aus, die ihm Waddington bemerkenswerterweise examensfrei angeboten hatte. Im Februar 1880 konnte Hanotaux in die normale Beamtenkategorie übertreten, ohne sich einem Examen unterzogen zu haben.[652]

Die 1880 von de Freycinet eingeführte Examensordnung des republikanischen Systems konnte nicht jede Unregelmässigkeit unterbinden. Philippe Berthelot, der Autor der Reform von 1907 und Politischer Direktor von 1919 sowie Generalsekretär der Jahre 1920 und 1925–1933 war 1895 als junger Mann in den diplomatischen Dienst eingetreten, ohne das Examen der egalitären Republik bestanden zu haben. Der später zu verantwortungsvollen Ämtern aufsteigende Berthelot hatte nämlich bereits zwei Jahre unbezahlt als Stagiaire im Konsulardienst verbracht und war kurz zuvor durch die Aufnahmeprüfung gefallen, als der Vater, der Chemiker Marcelin Berthelot, im November 1895 zwei Tage nach seiner Ernennung zum Aussenminister seinen Sohn zum Botschaftssekretär 3. Klasse – »hors cadre« selbstverständlich – ernennen wollte. Felix Faure, der Präsident der Republik, wehrte sich gegen diese Nomination, weil sie Philippe Berthelot sogar besser gestellt hätte als die Anwärter, welche die Prüfung bestanden hatten.[653] De

---

[650] GRUPP, Kolonialexpansion, S. 16.

[651] Bericht vom 31. Mai 1894, PAAA Bonn, F 107, Bd. 7.

[652] HANOTAUX, Mon temps, Bd. 2, S. 125.

[653] Notes personnelles Félix Faure, Bd. 2, November 1895, Fonds F. Berge.

Margeries Biograph Auffray zufolge soll Philippe Berthelot sogar zweimal die Aufnahmeprüfungen nicht bestanden haben, aber dank seinem Vater 1889 als »attaché payé« seines persönlichen Kabinetts aufgenommen worden sein.[654] Der junge Berthelot wurde am 18. Februar 1889 »élève chancelier« in Lissabon, wo er ein Jahr lang in den portugiesischen Bibliotheken Dokumente zu den französisch-portugiesischen Beziehungen zusammensuchen durfte. Vater Berthelot konnte als ehemaliger Erziehungsminister seinem Sohn diese Stelle verschaffen. Berthelot Senior brachte es fertig, im Februar 1896, kurz bevor er das Aussenministerium wieder aus den Händen gab, ihn doch noch zum Botschaftssekretär 3. Klasse zu ernennen.

Examensordnung nach 1880
Am 10. Juli 1880 führte de Freycinet einen einheitlichen Concours für alle am diplomatischen Dienst Interessierten ein. Wer auf diese Weise provisorisch in das Aussenministerium aufgenommen wurde, absolvierte einen Stage von zwei Jahren und trat nach dieser Ausbildungzeit und einem »examen de classement« definitiv in den diplomatischen Dienst ein. Die jungen Diplomaten durften sich in der Reihenfolge ihrer Klassierung die freien Stellen aussuchen. Dem Primus war in der Regel ein Posten im Kabinett des Aussenministers reserviert oder er erhielt andere Angebote wie Sabatier, für den sich Paul Cambon 1905 von London aus sogleich interessierte, nachdem er erfahren hatte, wie gut Sabatiers Prüfung ausgefallen war.[655] Die hinteren Ränge mussten sich zuweilen mit dem Einstieg in die konsularische Laufbahn begnügen, doch sogar die Durchgefallenen konnten bis zu einem Viertel die für die élèves-vice-consuls vorgesehenen Plätze belegen und durch diese Hintertür gelegentlich in die Diplomatie hinüberwechseln. Deschanels Bericht für die Kammer-Budgetsitzung 1912 hielt fest, dass in zwanzig Jahren nur 13 von den beiden untersten Konsulstufen in die beiden untersten Diplomatenstufen hinüberwechselten. Weiter oben sei der Wechsel noch schwieriger gewesen.[656]

Die von de Freycinet 1880 eingeführte Prüfungsordnung wurde immer wieder etwas modifiziert; einmal wurden die Anwärter für den diplomatischen und konsularischen Dienst zusammen, einmal getrennt geprüft, einmal wurde das Auslandsobligatorium auf diese oder jene Länge festgelegt, 1890 wurde der gesamte Stage auf drei Jahre verlängert, 1902 wieder auf zwei Jahre reduziert, doch im Prinzip blieb die Aufnahmeordnung die gleiche. Amédée Outrey nennt als einzigen Zweck der Prüfung die Garantie, dass der Nachwuchs über das nötige Wissen verfüge. Er weist den Vorwurf zurück, dass berufsständisches Kastendenken, das heisst die Absicht, sich gegen andere Berufsauffassungen abzuschirmen, diese Examen bestimmt habe. Er übersieht allerdings, dass gerade die Abneigung gegen gesellschaftliches Kastendenken ein wichtiges Motiv für Schaffung und Ausbau der Examensordnung war.[657]

---

[654] AUFFRAY, Pierre de Margerie, S. 251.

[655] Paul Cambon an seinen Sohn Henri Cambon, 8. Mai 1905, Fonds Louis Cambon. Sabatier hat im Examen vom 13. April 1905 als Bester abgeschnitten.

[656] Bericht Dechanel für das Budget 1912, S. 144.

[657] Outrey gibt im Übrigen eine Zusammenstellung der verschiedenen für die Examensordnung massgebenden Dekrete, Amédée OUTREY, Histoire et principes de l'administration

Zweck der Prüfungen

Die Aufnahmeprüfungen verfolgten einen doppelten Zweck: Sicher ging es darum, eine Rekrutierungsmodalität zu finden, die dem Ministerium den besten Nachwuchs sicherte, was die recht zufällige Kooptation von Bekannten und Empfohlenen nicht gewährleisten konnte. Die Examen sollten darüber hinaus, wie in der übrigen Verwaltung, das der Republik wichtige Egalitätsprinzip verwirklichen und möglichst vielen Interessierten eine Chance einräumen. Paul Lauren schreibt in *Diplomats and Bureaucrats* (1976) völlig willkürlich, man habe um die Jahrhundertwende begonnen, bei der Rekrutierung nicht nur auf Loyalität und Empfehlungen abzustellen, sondern auf Kenntnisse und Fähigkeiten.[658] In Wirklichkeit hat schon das Dekret vom 10. Juli 1880 eine Examensordnung eingeführt, die in diesem Sinne den Nachwuchs rekrutieren sollte. Freilich spielten auch nach 1880 – und auch nach 1900! – persönliche Empfehlungen bis zu einem gewissen Grad weiterhin eine Rolle. So klagte noch 1904 der Deputierte Dubief im Budgetbericht für die Kammer:

> »On aime trop à considérer seuls admissibles aux fonctions diplomatiques les jeunes gens auxquels la naissance et la fortune font un statut spécial. A eux la cote d'amour pour l'admission au concours, à eux les meilleurs postes et les distinctions.«

Soweit kann man dem Berichterstatter folgen. Vorbehalte sind hingegen der Meinung gegenüber angebracht, dass diese Favorisierung nur oder in der Hauptsache Angehörigen der alten und noch immer regierungsfeindlich gesinnten Oberschichten zugute gekommen sei. Dubief fragte:

> »Est-il nécessaire de constater que ce n'est pas dans ces couches que se trouvent les meilleurs et les plus sûrs partisans de la République?«[659]

Favorisiert wurden nämlich vor allem die Angehörigen der neuen, republikanischen Elite.

Die Stellen, die das Aussenministerium zu vergeben hatte, waren begehrt. Es meldeten sich immer viel mehr Kandidaten, als berücksichtigt werden konnten. De Saint-Aulaire berichtet, bei seinem Examen seien, nachdem die meisten schon nach dem schriftlichen Examen ausgeschieden waren, für vier Posten noch zwanzig zum mündlichen Examen zugelassen worden.[660] Im April bewarben sich 66 Kandidaten und nur 5 wurden zu Attachés d'ambassade ernannt.[661] Victor Turquan sagt 1893 in seinem »Guide pratique des jeunes gens dans le choix d'une carrière« von der diplomatischen Laufbahn, sie sei

---

française des affaires étrangères, in: Revue française de Science Politique 3 (1953), S. 298–318, 491–510, 714–738, hier: S. 503 f.

[658] Paul Gordon LAUREN, Diplomats and Bureaucrats. The first Institutional Responses to Twentieth-Century Diplomacy in France and Germany, Stanford 1976, S. 100.

[659] Bericht Dubrief für das Budget 1904, S. 47.

[660] SAINT-AULAIRE, Confession, S. 12 f.

[661] BLONDEL, Carrière, S. 18.

> »une des rares carrières qui n'ont presque pas été atteintes par la diminution de prestige que subissent en ce moment les fonctions publiques.«[662]

De Saint-Aulaire wurde über Napoléon III. und dessen Mexikoabenteuer befragt. Er habe, so gesteht er in seinen Memoiren, nichts gewusst und geflunkert, doch habe er eine gute Note erhalten, weil Flunkern in der Diplomatie eben eine Tugend sei.[663] Immerhin versuchte man mit einem Punktesystem mit Noten von 1 bis 20 und zusätzlichen Punkten für breitere Sprachkenntnisse oder Punktabzügen für solche, die keinen Militärdienst leisten mussten, zu einem nachprüfbaren Urteil zu kommen. Ob tatsächlich Unvoreingenommenheit, ob die Rivalität im eigenen Korps dafür sorgte – Kandidaten angesehener Familien konnten nicht damit rechnen, allein wegen ihrer Herkunft die Aufnahmeprüfungen zu bestehen. Paul Cambon war bereits der bedeutendste Mann im diplomatischen Korps, als sein Sohn Henri Ende 1899 durchs Examen fiel, um es allerdings im April 1900 dann doch noch zu bestehen.[664] Cambon äusserte sich sehr kritisch über Examen und Examinatoren, er wollte aber seinen Sohn nicht mit einer besonderen Demarche protegieren. An Jusserand schrieb er:

> »[...] je le croyais en état de passer. Il y a beaucoup de choses à dire sur la façon dont le concours a été mené.«[665]

Henri Cambon durfte immerhin einen Teil seines Stages bei seinem Vater in London verbringen, wofür sich Paul Cambon bei Delcassé extra bedankte.[666]

Einem Sohn des ehemaligen Aussenministers und Staatschefs Casimir-Périer verweigerten die Examinatoren zweimal und definitiv die Aufnahme. Paul Cambon schrieb seinem Sohn Henri über den jungen Casimir-Périer:

> »Il n'allait jamais chez Bertrand! Il n'a pas fait les visites d'usage aux gens chargés de donner la note de stage, il n'a même pas envoyé ses compositions de stage. Delavaud ne décolérait pas en parlant de lui. Cet air ambiant a dû imprégner les juges du concours. Il est vrai que les épreuves écrites sont anonymes et alors on ne comprend guère qu'on l'ait écarté par mauvaise humeur.«[667]

Die mündlichen Themen wurden ausgelost, die schriftlichen Arbeiten beurteilt, ohne dass man die Namen der Verfasser kannte. Aber gerade die Unterlassungen, die man dem jungen Casimir-Périer zur Last legte, zeigen, wie wichtig der direkte und persönliche Kontakt zwischen Bewerber und Beurteilenden war. Dass die Prüfung nicht bloss als Farce verstanden wurde, zeigt der folgende Fall: Der 27jährige Legrand war 1910 durch die Diplomatenprüfung gefallen, durfte aber in einer zweiten Selektion als erster Nichtzugelassener den Platz eines élève vice-consul in London einnehmen. In Unkenntnis dieser zweiten Wahl protestierte Delavaud, der die erste Prüfung präsidiert hatte und zu seiner Überraschung

---

[662] Zit. nach Guy THUILLIER, in: Revue administrative 32 (1979), Nr. 192, S. 616.

[663] SAINT-AULAIRE, Confession, S. 12 f.

[664] Briefe Paul Cambons an seinen Sohn Henri vom 27. März, 1., 14. und 15. Dezember 1899, Fonds Louis Cambon.

[665] Brief Paul Cambons vom 21. Januar 1900, Papiers Jusserand, Bd. 22.

[666] Brief Paul Cambons vom 27. März 1899, Papiers Delcassé, Bd. 3.

[667] Brief Paul Cambons vom 8. Mai 1905, Fonds Louis Cambon.

Legrands Nomination im »Journal Officiel« zur Kenntnis nahm, gegen die Ernennung. Er glaubte, man habe Legrand (für den vor der Prüfung viel Propaganda gemacht worden war!) in seiner Abwesenheit illegal doch zugelassen.[668]

Wenn auch die Prüfungen unter geregelten Verhältnissen ablaufen mussten, Manipulationsmöglichkeiten bestanden offenbar bei der Festlegung der belegbaren Plätze. 1888 wurde, ohne dass dies vom Aussenminister verneint oder gar widerlegt worden wäre, in der Deputiertenkammer der Vorwurf erhoben, die Zahl der zur Verfügung stehenden Plätze sei, nachdem die Prüfungsresultate bereits vorlagen, herabgesetzt oder erhöht worden, um missliebige Anwärter auszuschalten oder willkommenen Nachwuchs aufnehmen zu können.[669]

Gesuche und Beanstandungen

Selbst die Prüfungsordnung liess immerhin so viel Spielraum, dass Bittsteller, wie aufschlussreiche Briefe belegen, doch immer wieder sicher nicht nur erfolglos versuchten, ihren Einfluss geltend zu machen. 1883 bat der Senator und ehemalige Botschafter de Saint-Vallier die Examinatoren, sie sollten einen schüchternen Bewerber, der aus der Provinz stamme und in Paris zu wenig eingeführt sei, wohlwollend empfangen:

> »Je ne veux bien entendu solliciter aucune faveur pour M. de Romanu (?), mais appeler sur lui votre bienveillance en vous priant de le recommander à celle des examinateurs, car élevé en province et dans sa famille, il a une timidité et une inquiétude lui rendant bien nécessaires un bon accueil et quelques mots de bonté et d'encouragement.«[670]

Ein anderer Alt-Botschafter, Baron Des Michels, setzte sich 1899 für Gustave Homberg ein: Hanotaux solle die Jury doch wissen lassen, dass der junge Mann, der unter Prüfungsangst leide, so erfolgreich abschliessen sollte, wie er es verdiene:

> »Il est un jeune homme tout à fait exceptionnel. C'est un premier de concours tout indiqué, aussi une nature physique ultranerveuse, effet paralysant. [...] Je voudrais donc, à la veille du premier examen de stage que vous missiez les juges au courant de cette situation en même temps que de votre désir de voir le jeune homme réussir comme il le mérite.«[671]

Es konnte auch vorkommen, dass sich die Botschafter, bei denen der Stagiaire sein Praktikum absolviert hatte, zum Anwalt bestimmter Kandidaten machten. Paul Cambon setzte sich 1891 von Konstantinopel aus bei Aussenminister Ribot für Edmond Fabre-Luce ein, der ein erstes Mal durchs Examen gefallen war. Diese Demarche ist deshalb von besonderem Interesse, weil sie sich zugleich sehr kri-

---

[668] Bericht von Delarue Caron de Beaumarchais an Robert de Billy, 6. Dezember 1910, Papiers Billy, Bd. 34.

[669] Der Deputierte Bigot zitierte in der Budgetdebatte vom 29. Februar 1888 verschiedene Beispiele, Annales, S. 193.

[670] Saint-Vallier an Billot, damals Politischer Direktor, 22. Juni 1883, Papiers Billot.

[671] Des Michels an Hanotaux, 6. März 1899, Papiers Hanotaux, Bd. 21; Hanotaux war damals nicht mehr Aussenminister, verfügte aber gewiss noch über einigen Einfluss im Quai d'Orsay.

tisch über das Examen ausliess, in dem die Kenntnis eines genauen Datums mehr Gewicht hat als tausend Fähigkeiten, die man von einem Diplomaten erwartete:

> »Voici un jeune homme instruit, laborieux, passionné pour sa besogne, parlant bien l'Allemand et l'Anglais, aimant vivre à l'étranger – enfin un secrétaire idéal. Je l'avais déjà remarqué l'an dernier et Jusserand l'avait apprécié comme moi. Il a échoué une première fois à ce concours difficile où la connaissance exacte d'une date a plus d'importance que les mille qualités exigées d'un diplomate. Il échouera peut-être encore cette fois et alors il abandonnera la carrière. Ce sera très fâcheux. Ils sont plusieurs dans ce cas, 4 ou 5, je crois. Ne pourriez-vous pas les faire concourir entre eux? Des gens qui ont rendu des services à l'étranger pendant plusieurs années méritent d'être traités un peu différemment de ceux qui n'ont jamais quitté Paris et qui se présentent pour la première fois? Vous pourriez même – et cela compléterait utilement vos réformes – établir un régime de faveur pour les attachés ayant passé un certain nombre d'années au dehors.«[672]

Zwei Jahre später bestand Edmond Fabre-Luce die Prüfung als Bester. Robert de Billy sagt dazu in seinen Souvenirs (Teil 3), sein Kollege Edmond Fabre-Luce habe von seinem dadurch erworbenen Recht, im Kabinett des Aussenministeriums mitzuarbeiten, keinen Gebrauch machen wollen, da er es vorzog, mehr Zeit für seine Spaziergänge mit Mlle Germain zu haben; deshalb habe er, Robert de Billy, der den zweiten Platz belegte, ins Kabinett eintreten können. Fabre-Luce verliess 1895 den diplomatischen Dienst, er heiratete Henriette Germain, die Tochter von Henri Germain, dem Gründer des Crédit Lyonnais. Aus dieser Ehe stammt Alfred Fabre-Luce, der 1919/20 kurz als zwanzigjähriger Attaché im diplomatischen Dienst war und sich später der Schriftstellerei zuwandte.

Etwas später liess sich, ebenfalls im Zusammenhang mit einem missratenen Examen, aus Athen der Gesandte de Montholon vernehmen, die Prüfung entspräche in keiner Weise dem Geiste der Berufsdiplomatie:

> »[...] il a de sérieuses aptitudes et il eût fait un agent de premier ordre. Je crains qu'il ne se présente plus. Les examens actuels ne sont point conformes à l'esprit de la carrière et feront grand tort à celle-ci.«[673]

Der durchgefallene Kandidat war ein de Bourgoing; er erschien später tatsächlich nicht mehr auf der Liste der erfolgreichen Examenskandidaten.

Prüfungsstoff war: Diplomatiegeschichte seit dem Frieden von Utrecht, Völkerrecht, Kolonialgeschichte, Wirtschaftsgeographie, die wichtigsten Geldsysteme, Transportwege, Telegraphenverbindungen, ein bis zwei Fremdsprachen, wovon eine Englisch oder Deutsch sein sollte. Die Konsulanwärter mussten als zweite Fremdsprache neben Englisch auch Spanisch können.[674]

---

[672] Paul Cambon an Ribot, 19. Oktober 1891, Papiers Ribot, Bd. 1, S. 31.

[673] Montholon an d'Ormesson, damals Gesandter in Kopenhagen, 5. Januar 1894, Papiers W. d'Ormesson.

[674] Die Vorschriften wurden immer wieder leicht abgeändert. Vgl. die Dekrete vom 14. Oktober 1890, 20. November 1894, 6. Dezember 1899, 6. Mai 1900, 10. Juli 1902, 17. Januar 1907. Welcher Prüfungsstoff in einer einzelnen Prüfung zur Sprache kam, berichtet AUFFRAY, Pierre de Margerie, S. 31. Im Weiteren siehe Ludwig DISCHLER, Der auswärtige Dienst Frankreichs, Bde. 1–2, Hamburg 1952, hier: Bd. 1, S. 28 f., und LAUREN, Diplomats, S. 100 f.

Auch von Seiten der Ecole des Sciences politiques wurde 1913 bemerkt, die Prüfungen würden den Gedächtnisfragen mehr Gewicht geben als den Überlegungsfragen. Nachdem sich Eugène d'Eichthal, Direktor dieser angesehenen Ausbildungsstätte am 17. Mai 1913 an Léon Bourgeois gewandt hatte, schrieb letzterer am 3. Juni 1913 an Aussenminister Pichon:

»[...] la surcharge de certaines parties des programmes entraîne les candidats à une préparation où la mémoire joue un rôle plus considérable que le jugement.«[675]

Die an das baccalauréat anschliessende Privatschule war 1874 mit dem Ziel gegründet worden, die intellektuelle und moralische Reform Frankreichs zu fördern und so die Revanche vorzubereiten. Seit den 1890er Jahren kamen die meisten Nachwuchskräfte von der Rue Saint Guillaume, wie man diese Herkunft ebenfalls bezeichnete. 1905–1927 waren von 192 angehenden Diplomaten 153 Absolventen dieser Schule.[676] Paul Cambon hatte eine auffallend starke Abneigung gegen Kandidaten, die von der »Science Po« kamen:

»Je ne crois pas qu'à l'Ecole des Sciences politiques on apprenne son métier. J'ai peur qu'on y devienne trop facilement quelque chose commes des messieurs d'Athènes, c'est à dire des dilettantes encombrants.«[677]

Gesinnungskontrollen

Obwohl das Aussenministerium bei der Rekrutierung seines Nachwuchses nach 1880 vermehrt auf berufsspezifische Fähigkeiten und Kenntnisse Wert legte, blieb die politische Gesinnung der Bewerber nicht unbeachtet. Der aus einer gemässigt monarchistischen Familie stammende Pierre de Margerie musste 1882 mit der Anmeldung für den Concours eine Erklärung deponieren, dass er sich der Republik gegenüber loyal verhalten werde.[678] Offiziell wurde die Forderung etwas allgemeiner umschrieben, es könnte aber sehr wohl ebenfalls um die rechte Gesinnung gegangen sein. Der von Eugène Spuller verfasste Bericht für das Budget 1880 verlangte die Nomination von Kandidaten –

»des nominations d'agents dont les études antérieures, les connaissances pratiques et l'autorité soient rehaussées par le caractère et les opinions.«[679]

Paul Claudel verdankte seine Zulassung zum Concours der Fürsprache Jules Ferrys; denn auch er musste eine Garantieerklärung vorlegen, welche die Aufrichtigkeit seiner republikanischen Gefühle bezeugte.[680] Der Comte de Saint-Aulaire

[675] Papiers Bourgeois, Bd. 4. Das Programm des concours vom Frühjahr 1914 wurde in der Folge etwas entlastet. Vgl. auch Papiers Thiébaut, Bd. 1911–1919.

[676] Walter Rice SHARP, Public Personnel management in France, in: Civil Service abroad. Great Britain. Canada. France. Germany, New York/London 1935, S. 105. Zum zweijährigen Lehrplan, s. Christophe CHARLE, Hauts fonctionnaires, S. 47 f. Eine andere Zahl: Von 1899–1936 stammten von 284 deren 249 von Science Po. Vgl. HAYNE, Foreign Office, S. 306.

[677] Paul Cambon an Mutter, 11. November 1895, zit. nach VILLATE, République, S. 176.

[678] AUFFRAY, Pierre de Margerie, S. 28.

[679] Nr. 1509, S. 15.

[680] Guy THUILLIER, Un jeune diplomate, Paul Claudel, in: Revue administrative 1978, S. 372 f.

berichtet, sein Freund André des Rotours sei vom Concours ausgeschlossen worden, weil sich ein Verwandter bei den Wahlen auf der Liste der Opposition präsentiert habe. Für sich selbst befürchtete er, dass man ihm seine Ausbildung in einer Jesuitenschule zur Last legen werde. Er habe sich um ein Empfehlungsschreiben bemüht. Die für jeden Kandidaten noch 1892 obligatorische Formalität war im Grunde aber ein Relikt aus der Zeit, da man noch keine Prüfungen veranstaltet hatte. Ein solches Schreiben sei keine eigentliche Empfehlung gewesen, sondern ein »simple certificat d'honorabilité«. De Margerie musste ebenfalls ein solches Schreiben vorweisen.[681] Barthélemy-Saint-Hilaire habe ihm indessen keine Empfehlung geben wollen, weil er gegen das gerade regierende Kabinett gestimmt habe; er solle, so lautete sein Rat, einen Deputierten der Mehrheit aufsuchen. Rückfragen beim Concierge, insbesondere über die Zeitungslektüre der Bewerber, sollten ebenfalls die politische Zuverlässigkeit abklären.[682] 1888 gab Aussenminister Flourens unverhohlen zu, auf Gesinnungskontrollen abzustellen; er erklärte in aller Öffentlichkeit, es sei seine Pflicht, Bewerber von den Aufnahmeprüfungen auszuschliessen, wenn sie das herrschende Regime ablehnten. Das sei unter dem Kaiserreich und dem vorangegangenen Regime nicht anders gewesen. Der Deputierte Bigot:

> »Les ministres des affaires étrangères qui se sont succédé au quai d'Orsay se sont tous attribué le droit d'écarter du concours quiconque leur déplaisait.«

Aussenminister Flourens:

> »Messieurs, le ministre des affaires étrangères déclare qu'en agissant ainsi il a cru remplir strictement simplement son devoir. Cette manière de procéder a été appliquée sous tous les gouvernements, sous l'Empire comme sous tous les régimes qui l'avaient précédé, et j'en ai les preuves! Un ministre manquerait à toutes ses obligations vis-à-vis du Gouvernement dont il fait partie, s'il admettait parmi les fonctionnaires de ce Gouvernement, et notamment parmi ceux qui sont chargés de le représenter à l'étranger, de faire comprendre, apprécier, estimer et respecter ses institutions, des hommes qui, à l'intérieur, les combattent.«[683]

Nachdem die erste Selektion dafür gesorgt hatte, dass die Eigenschaften des Nachwuchses ein gewisses Mass an Übereinstimmung mit den Erwartungen des Ministeriums aufwiesen, sorgte der Stage für eine weitere Anpassung an den »esprit de corps«. Die Einführung in die Welt der Diplomatie erfolgte indessen weniger am Arbeitsplatz in den einzelnen Büros, sondern während des 5-Uhr-Tees, zu dem sich das Korps zu versammeln pflegte. Dort wurden die Jungen täglich während einer halben Stunde unterrichtet, sie erhielten Einblick in die Traditionen und lernten die Normen des Hauses kennen.[684] Hanotaux bezeichnete den 5-Uhr-Tee auch als Stätte wichtiger Entscheidungen.[685] Auch in Paul Hervieus

---

[681] SAINT-AULAIRE, Confession, S. 12 f.

[682] Als sich Jacques d'Aumale 1912 um Aufnahme im Quai d'Orsay bewarb, ist offenbar auch beim Concierge ein Leumundszeugnis eingeholt worden, Jacques d'AUMALE, Souvenirs d'un diplomate. Voix d'Orient, Montreal 1945.

[683] Budgetdebatte der Kammer vom 29. Februar 1888, JO, S. 193 f.

[684] Octave HOMBERG, Les Coulisses de l'histoire. Souvenirs 1898–1928, Paris 1938, S. 17.

[685] HANOTAUX, Mon Temps, Bd. 2, S. 76.

satirischer Darstellung nimmt der 5-Uhr-Tee eine wichtige Stellung ein; ihr zufolge habe die »Pause« sogar ein bis zwei Stunden gedauert.[686]

Die Hilfsarbeiten des Nachwuchses

Während der eigentlichen Arbeitszeit wurden die jungen Diplomaten mit zweierlei Aufgaben beschäftigt: Entweder wurden sie als billige Hilfskräfte eingesetzt, als Kopisten mangels anderer Vervielfältigungsmöglichkeiten oder als Kuriere, welche vertrauliche Sendungen an die Aussenposten zu begleiten und die Reise zum Teil sogar aus dem eigenen Sack zu bezahlen hatten. 1883 hätte Pierre de Margerie als Kurier nach Petersburg fahren können:

> »Une mission intéressante pour les nouveaux attachés du Quai d'Orsay était d'assumer le ›courrier‹ de Saint-Petersbourg avec arrêt à Varsovie. On avait proposé dès le début à notre jeune attaché d'en assumer un, sans lui cacher que cela entraînerait une dépense de sa poche d'au moins 500 Francs [entspricht einem Zehntel des Jahresgehaltes eines 3. Sekretärs]. Sa famille, aux charges nombreuses, n'avait qu'une modeste fortune et il avait dû reculer, comme la plupart de ses collègues, devant une telle dépense.«[687]

Blondel begleitete 1911 während seines Stages ohne grosse Begeisterung die diplomatische Post nach Berlin:

> »Ce voyage m'initiait aux petits côtés du service de l'Etat.«[688]

Oder sie mussten alte Depeschen kopieren, um sich so den Stil der diplomatischen Ausdrucksweise anzueignen und sich zugleich kalligraphisch zu üben. In dieser Beziehung brachte die Einführung der Dritten Republik keine Änderungen, obwohl es an Mahnern nicht fehlte. Die Kopiererei wurde schon 1874 in Louis Herbettes Reformschrift getadelt.[689] Auch Gabriel Hanotaux bezeichnete das Kopieren als wenig sinnvolle Arbeit.[690] In die gleiche Richtung ging im Grunde Octave Hombergs Kritik:

> »[…] on est trop longtemps témoin avant de pouvoir devenir soi-même acteur.«[691]

Positiv eingestellt war hingegen der 1890 in konsularischen Dienst eingetretene Paul Claudel. Noch 1938 schrieb er:

> »Je persiste à croire dans mon for intérieur qu'il n'y avait pas de meilleure école pour la formation d'un diplomate, que cette besogne de copiste qui a valu aux apprentis de la carrière le nom de secrétaires.«[692]

---

[686] Paul HERVIEU, Deux plaisanteries: Histoire d'un duel; Aux affaires étrangères, Paris 1888, S. 229 f.

[687] AUFFRAY, Pierre de Margerie, S. 37.

[688] BLONDEL, Carrière, S. 18.

[689] L. HERBETTE, Nos diplomates, S. 22 f.

[690] HANOTAUX, Mon temps, Bd. 2, S. 25.

[691] HOMBERG, Coulisses, S. 70.

[692] Le Figaro vom 4. Februar 1938.

Die Verhältnisse waren etwa die gleichen geblieben wie 1856, als der junge, hoffnungsvolle Baron Des Michels zur »Mitarbeit am Kongress« eingeladen wurde, um in der Folge jeweils bis in die frühen Morgen hinein Dokumente abzuschreiben.[693] Jules Laroche erinnerte sich an seinen Stage:

> »[…] une pièce sombre du service des archives, où on nous faisait copier des rapports datant de l'ancienne monarchie.«[694]

Jusserand hatte die gleiche Erinnerung:

> »My new fonctions were simple enough and consisted principally in copying the drafts of our chief's letters for the Minister to sign. It was considered that, by dint of copying beginners would become acquainted with the proper diplomatic style.«[695]

Eine weitere Übung neben der puren Abschrift war die sogenannte Analyse, d. h. die Zusammenfassung von Depeschen. – Courcel soll um 1895 als Botschafter in London ausgerufen haben:

> »Nous n'avons pas besoin de gens intelligents. Des plumes, des plumes, messieurs!«[696]

Um die Jahrhundertwende setzte sich auch in den französischen Amtsstuben langsam die Schreibmaschine durch, doch vor allem die kleineren Aussenposten blieben noch längere Zeit ohne diese Neuerung. Aussenminister Pichon versprach Ende 1906 in einem Zirkularschreiben, worin er von den Konsuln Berichte in doppelter Ausführung verlangte, er werde einen Sonderkredit zur Anschaffung von Schreibmaschinen beantragen.

> »J'ai l'intention de solliciter du Parlement les crédits nécessaires pour permettre à ceux des consulats qui n'en possèdent pas d'acquérir des machines à écrire avec lesquelles il sera facile de dactylographier deux ou trois copies à la fois.«[697]

Mit der Verbesserung der Vervielfältigungstechnik fiel der Bedarf an diplomatischen Hilfsarbeitern nicht einfach weg. Noch immer mussten Telegramme entschlüsselt und verschlüsselt werden. Diese zeitraubende Rechnerei hielt die Leute ebenfalls bis tief in die Nacht in ihren Büros fest. Nochmals Robert de Billy:

> »[…] pendant plusieurs mois je copiai assidûment toutes les fois que je n'avais pas à chiffrer ou à déchiffrer.«[698]

---

[693] DES MICHELS, Souvenirs, S. 5.

[694] Jules LAROCHE, Au Quai d'Orsay avec Briand et Poincaré 1913–1926, Paris 1957, S. 10.

[695] JUSSERAND, Reminiscences, S. 41.

[696] Robert de BILLY, damals 3. Sekretär in London, Souvenirs, Bd. 3, S. 32.

[697] Zirkular vom 7. November 1906, in: Budgetbericht der Kammer für das Jahr 1908, S. 466. Charles-Roux' Darstellung, man habe im Quai d'Orsay um 1904 die Schreibmaschine eingeführt (wobei die diplomatische Korrespondenz von dieser Neuerung allerdings noch nicht erfasst wurde), stimmt mit den eigenen Beobachtungen überein, François CHARLES-ROUX, Souvenirs diplomatiques d'un age révolu, Bde. 1–3, Paris 1956–1961, hier: Bd. 1, S. 91.

[698] Vgl. Anm. 696.

Besoldung der Diplomaten

Die republikanischen Bestrebungen, mit mehr Regelmässigkeit mehr Gerechtigkeit in das Personalwesen des Quai d'Orsay zu bringen, beschränkten sich nicht
auf die Aufnahmemodalitäten; sie galten ebensosehr den Besoldungs- und Beför-
derungsordnungen. Dass die Diplomaten für ihre Dienste gut und regulär ent-
löhnt wurden, war dem republikanischen Regime aus drei Gründen besonders
wichtig: Erstens wollte es nicht gezwungen sein, wegen mangelnder Finanzen begüterte Diplomaten einsetzen zu müssen, die zwar für einen Teil der Repräsen-
tationsausgaben selbst aufkamen, dem neuen Regime gegenüber aber in der Regel
kühl oder gar feindlich eingestellt waren. Zweitens wollte es mit einer angemessenen Entlöhnung dasselbe verwirklichen, was es mit den Aufnahmeexamen anstrebte, nämlich Chancengleichheit. Die Ausübung dieses Berufes sollte möglich
sein, ohne dass man über zusätzliche Mittel aus privaten Vermögen verfügte.
Während den aus der begüterten Führungsschicht stammenden Söhnen wenn
nicht die Begabung, so doch oft die Ergebenheit fehlte, fehlten dem begabten
und ergebenen Nachwuchs oft die privaten Mittel.

Schliesslich sollte die Verbesserung des Besoldungswesens die Beamten allgemein und unabhängig von ihren parteipolitischen Sympathien enger an den Staat
binden. Nur wenn die Mitarbeit bezahlt, wenn die Repräsentanten kostendeckend
entlöhnt wurden, konnte der Staat von ihnen erwarten, dass die in seinem Namen
geführten Geschäfte auftragsgemäss und sorgfältig erledigt wurden. Jules Herbette, der erste Leiter der Personaldirektion, hegte, als er Botschafter in Berlin war, die
Hoffnung, in Frankreich würde sich wie in Preussen eine Beamtenaristokratie
bilden, die sich nicht durch Reichtum und Snobismus beeinträchtigen lasse:

> »Il voyait se former en France une aristocratie républicaine aussi fermée que la
> noblesse prussienne et qui saurait sans se laisser entamer par l'argent et le snobis-
> me, tenir tête aux dynasties qui la méprisaient, et à l'Eglise catholique.«[699]

In den Berichten der Budgetkommission wurden in jenen Jahren alle drei Zielsetzungen, zumeist kombiniert, immer wieder genannt. 1878 begrüsste die Budgetkommission die geplante Besoldungsrevision, weil sie geeignet sei, begabte und
tüchtige Leute anzuziehen. Eugène Spuller forderte im Namen der Kommission,
dass das diplomatische Korps des republikanischen Frankreich denjenigen offen
stehen müsse, die der Republik ihre Talente und ihre Ergebenheit zur Verfügung
stellen möchten. Man habe den Kredit erhöht,

> »pour attirer, dans la carrière si éminente et si honorée de la diplomatie politique
> et consulaire, des hommes sérieux et instruits, capables et laborieux, dévoués aux
> intérêts permanents de la France, mais dévoués aussi aux institutions républicai-
> nes que notre pays s'est librement données. […] Il est absolument impossible
> d'admettre que le Corps diplomatique et consulaire de la France républicaine reste
> fermé aux hommes qui ont du mérite, des talents, des lumières et du dévouement
> à mettre au service du Gouvernement de la République.«[700]

---

[699] Papiers Billy, Souvenirs, Bd. 3.
[700] Budgetbericht vom 4. November 1878 für 1879, Nr. 850, S. 18.

1880 hiess die Budgetkommission eine weitere Erhöhung der Kredite wiederum mit der Begründung gut, die Regierung habe in dankenswerter Weise eine gewisse Zahl überzeugter Republikaner in den diplomatischen Dienst aufgenommen:

> »Elle a d'ailleurs accueilli favorablement la plupart des augmentations demandées, parce qu'elle sait gré à M. le Ministre des Affaires étrangères, d'avoir, pour rendre la vie aux services qui relèvent de lui, fait appel à un certain nombre d'hommes dévoués à l'opinion républicaine [...].«[701]

1882 wehrte sich Louis Legrand als Berichterstatter der Budgetkommission der Kammer gegen die im Vorjahr laut gewordenen, aber ohne Unterstützung gebliebenen Beanstandungen, den Missionschefs würden zu hohe Löhne bezahlt; denn die Diplomaten anderer Grossmächte würden oft sogar besser entlöhnt, und es ginge nicht an, dass die Repräsentanten der Republik schlechtere Figur machten als diejenigen der Monarchien. Zudem sollte man bei der Auswahl nicht auf die privaten Vermögensverhältnisse achten müssen:

> »Ces allocations ne sont pas plus élevées et elles restent même parfois inférieures à celles qui sont attribuées par la plupart des grandes puissances à leurs principaux agents diplomatiques. Or il ne convient pas que les représentants de la République française soient condamnés à faire moins bonne figure à l'étranger que les agents des monarchies européennes. Il y aurait de non moindres inconvénients à ce que notre Gouvernement, pour remédier à l'insuffisance du traitement, en fût réduit à choisir ses agents en vue de leur situation de fortune et non pas uniquement en considération de leur aptitude et de leur dévouement. Il est de l'intérêt supérieur de la France républicaine de ne pas s'enlever le moyen de recruter sa diplomatie parmi les représentants les plus intelligents et les plus sûrs de sa politique.«[702]

Repräsentationskosten

Die Verteilung der Gelder trug zwar der Tatsache Rechnung, dass der Aufwand für Repräsentationspflichten nicht überall gleich hoch war. Um 1880 galt der folgende Verteilungsschlüssel: Der Botschafter in St. Petersburg erhielt 250 000 Francs, für London waren 200 000 Francs bestimmt, für Wien 170 000 Francs, für Berlin 140 000 Francs, für Konstantinopel 130 000 Francs, für Madrid 120 000 Francs, für die beiden Botschafter in Rom je 110 000 Francs, für Bern 60 000 Francs und für Washington und Tokio je 80 000 Francs. Später wurden Besoldung und Repräsentationszulagen getrennt. Sämtliche Botschafter erhielten eine einheitliche Jahresbesoldung von 40 000 Francs. Die Skala der neu festgelegten Repräsentationszulagen (Mittelwerte der Jahre 1904–1913) bestätigte weitgehend die alte Reihenfolge: Die teuerste Botschaft war Petersburg mit 170 000 Francs; ihr folgten London mit 160 000, Wien mit 120 000, Konstantinopel mit 110 000, Berlin mit 100 000, die beiden Botschaften in Rom mit je 80 000, Madrid mit 70 000, Bern mit 20 000, Tokio mit 90 000 und Washington mit 120 000 Francs. Die Repräsentationszulagen waren aber keine sicheren Kredite und konnten Jahr für Jahr geändert werden.

---

[701] Bericht von Antoine Proust vom 14. Juni 1880, Nr. 2736, S. 3. Unter den das Aussenministerium »belebenden« Neuen befanden sich Barrère und Gérard.

[702] Bericht vom 20. Juni 1882, Nr. 992, S. 17.

Mit diesen im Vergleich zur Besoldung des Aussenministers oder des Politischen Direktors (die 60 000 Francs und 25 000 Francs erhielten) doch hohen Beträgen mussten die Missionschefs für die gesamten Residenzkosten aufkommen, für die Löhne des nichtdiplomatischen Personals, die Miete der Residenzen, für die damals in den meisten Fällen der Botschafter besorgt sein musste, und insbesondere für die Empfänge, die zu geben er von Amts wegen verpflichtet war. Mit den zur Verfügung gestellten Geldern konnten die Pflichtausgaben aber nicht gedeckt werden.

Der linksrepublikanische Budgetberichterstatter Eugène Spuller machte sich in der Kammerdebatte vom 1. August 1879 indirekt zum Anwalt des konservativen Comte d'Harcourt, als er für die Belassung des Gehaltes von 60 000 Franken für die Berner Botschaft eintrat, die damals in den Händen seines Parteikollegen Challemel-Lacour lag:

> »[…] on n'a pas su, ou du moins on n'a pas dit que M. le comte d'Harcourt, prédécesseur de l'honorable M. Challemel-Lacour, avait été obligé d'acheter à ses frais une maison, et que cette maison qu'il n'habite plus lui reste aujourd'hui pour compte.«[703]

Der französische Staat kaufte erst nach und nach feste Residenzen im Ausland: 1880 in Bern, 1882 in Madrid, 1894 im Haag; 1907 wurde die neue Botschaft in Wien bezogen, in Washington hingegen besass man zu jener Zeit erst das Grundstück für die künftige Botschaft. 1909 wurden Botschaften in Lissabon und Brüssel erworben, 1911 der Palazzo Farnese in Rom. Der Palazzo Farnese war schon unter Ludwig XIV. und Napoléon die Residenz des französischen Botschafters und diente von 1874 an wieder als Botschaftsgebäude. Barrère betrieb mit Delcassés Zustimmung den Kauf des Gebäudes, das im Besitze der neapolitanischen Bourbonen war. 1904 wurde der Kauf durch die Kammer mit 529 von 531 Stimmen gutgeheissen, darauf aber im Senat durch Clemenceau aus persönlicher Gegnerschaft zu Barrère blockiert. Nach Clemenceaus Sturz hiess der Senat den Kauf am 30. Dezember 1909 gut. Inzwischen hatte aber in Italien die Auffassung an Boden gewonnen, dass dieser Palast, der ein nationales Monument sei, nicht in ausländischen Besitz übergehen solle.[704] Der schliesslich zustande gekommene Kaufvertrag von 1911 räumte Italien ein Rückkaufsrecht nach 25 Jahren ein. Mussolini wollte von diesem Recht Gebrauch machen, wurde aber durch die Abtretung eines Gebäudes in Paris von vergleichbarem Wert zufriedengestellt. Die Reihenfolge der Ankäufe richtete sich nicht nach der Wichtigkeit der Posten. Vor dem Erwerb einer Residenz in Bern äusserte sich der Botschafter in Berlin gegenüber dem Botschafter in St. Petersburg:

> »Je suis moins indulgent que vous au sujet de l'achat d'une maison à Berne avant Vienne et Petersbourg.«[705]

---

[703] Spullers unfreiwillige Fürsprache für d'Harcourt provozierte den ironischen Zwischenruf: »Le pauvre homme!«, JO, S. 7898.

[704] Vgl. die ausführliche Darstellung von LAROCHE, Quinze ans à Rome, S. 205–210.

[705] Saint-Vallier an Chanzy, 13. November 1879, MAE, Mémoires et Documents, Allemagne, 167bis.

In der Budgetdebatte vom 16. Januar 1911 kam der Deputierte de Grandmaison auf die Gebäudefrage zurück und verlangte höhere Kredite für französische Residenzen, insbesondere diejenigen im südamerikanischen Raum. Er begründete diesen Antrag einerseits mit Hinweisen auf die Knappheit der Spesengelder und die Höhe der Mietbeträge, anderseits aber auch mit nationalistischen Überlegungen: Wo die französische Vertretung bloss in Miete sei, könnte sie plötzlich auf die Strasse gestellt werden:

> »[…] il importe que des mesures soient prises pour que notre amour-propre ne soit pas exposé, le cas échéant, à une telle humiliation, surtout là où nous voyons les représentants des nations rivales, comme les Italiens et les Allemands, étaler leur luxe avec quelque affectation.«[706]

Vorausgesetzte Privatvermögen

Der Marquis de Montebello konnte dank dem Vermögen seiner bürgerlichen Frau in Konstantinopel wie in St. Petersburg seine Botschaft zur wichtigsten gesellschaftlichen Begegnungsstätte machen. Ihm wurde nachgesagt, er habe zusätzlich jedes Jahr 400 000 Francs für seine Repräsentationsaufgaben aufgewendet.[707] Nachdem Montebello in Ungnade gefallen und von St. Petersburg abberufen worden war, gab er leicht verbittert bekannt, er habe die Hälfte seines Vermögens in Russland verbraucht:

> »J'ai dépensé la moitié de ma fortune là-bas, et je ne le regrette pas. […] Dans une ambassade, il n'y a pas que les affaires, il y a la manière dont on représente sa patrie. Je peux le dire, l'ambassade de France ne connaîtra plus l'éclat qu'elle connut avec moi […].«[708]

Der deutsche Botschafter in Paris rechnete 1902 damit, dass Montebellos Nachfolger, Bompard, nicht die »glänzende Rolle« des Marquisen werde spielen können[709]; immerhin muss Bompard dann doch jährlich 100 000 Francs aus eigener Tasche aufgewendet haben, denn Barrère, der französische Botschafter in Rom, begründete 1908 seine Weigerung, nach Russland zu gehen, unter anderem mit dem Argument, nicht wie Bompard jedes Jahr soviel zusätzlich aufbringen zu können.[710] Barrère übertrieb, als er sagte, nicht einmal ein Zwölftel dieser 100 000 Francs ausgeben zu können. Barrère wollte nicht nach Petersburg, weil er lieber nach London gegangen wäre. Barrère stammte aus einfachen Verhältnissen, war aber mit einer Banquierstochter verheiratet. Die Frage, wie man den Aufwand für die gesellschaftlichen Verpflichtungen finanzieren solle, war eine wichtige und die

---

[706] JO, S. 78. – Der Bericht Dubief zum Budet von 1904 gibt eine Zusammenstellung der 14 seit 1891 erworbenen oder gebauten Gebäude, deren Mehrzahl Konsulatsgebäude im asiatischen Raum waren (S. 103). Vgl. ferner ANDRIEUX, Mémoires, S. 304.

[707] BLONDEL, Carrière, S. 43. Graf von Alvensleben, Montebellos Kollege in Petersburg, hob denn auch in seinem diplomatischen Nachruf die »ausgedehnte Gastlichkeit« hervor, die Montebello in seinem Hause geübt habe, Bericht vom 12. März 1903; GP, Bd. 18, Nr. 5909.

[708] Interview im *Echo de Paris* vom 18. Februar 1903.

[709] Bericht Radolin 14. November 1902, GP, Bd. 18, Nr. 5906.

[710] Barrère an Pichon, 20. Januar 1908, Papiers Pichon, Institut und Papiers Barrère, Quai d'Orsay.

Diplomaten beschäftigende Frage. Als Barrère 1895 Madrid angeboten erhielt, fragte er Paul Cambon, der 1885 bis 1891 diesen Posten geleitet hatte:

>La vie y est-elle chère? Peut-on espérer y faire, ce qui n'a été qu'un rêve pour moi comme pour vous, quelques économies ? Ou bien le traitement est-il entièrement absorbé?«[711]

Zwei Jahre später hätte Barrère die Botschaft in Wien übernehmen können, die dann der Marquis de Reverseaux erhielt, weil Barrère sie als zu teuer ablehnte.[712] Damals hätte offenbar auch Jules Cambon, dem abtretenden Generalgouverneur von Algerien, Wien offengestanden. Sein Bruder war aber der Meinung, Wien wie Rom seien zu teuer, er solle Bern oder Madrid anstreben.[713] Aus dem gleichen Grund konnte Pierre de Margerie 1914 St. Petersburg nicht übernehmen, so dass er während des ganzen Krieges Politischer Direktor blieb und erst 1919 Botschafter in Brüssel wurde:

>[…] les Margerie étaient, l'un et l'autre, dépourvus de fortune personnelle et se sentaient hors d'état de mener le train voulu pour représenter dignement la France auprès d'une cour particulièrement fastueuse.«[714]

Auch Paul Cambon schätzte, man müsse in St. Petersburg mindestens weitere 200 000 Francs einsetzen können:

>On ne peut aller là à moins d'avoir 200 000 Francs de rente ou d'être général.«[715]

Und 1891 zögerte er lange, ob er Montebellos Nachfolge in Konstantinopel antreten solle, weil die vom Staat zur Verfügung gestellten 130 000 Francs mit Sicherheit nicht genügen würden:

>Herbette a de la fortune, je n'en ai point et vous ne pouvez imaginer à quel point un grand état de maison est nécessaire dans un poste comme celui-là. Avec les obligations qu'elle entraîne, l'ambassade de Constantinople est l'une des moins rétribuées de toute la carrière. Il est certainement impossible de s'en tirer avec 130 000 f à côté de collègues comme Radowitz, White, Blanc, qui ont maison ouverte. Montebello oublie qu'il est fort riche et que sa fortune lui a donné des facultés particulières. Nul n'ignorait, et le Sultan moins que personne que l'ambassade de France était la première par l'élégance et la largeur de l'hospitalité. Un titulaire pauvre succédant immédiatement à un nabab devra modifier tellement les habitudes de l'ambassade que, malgré toutes les qualités que vous voudrez bien lui attribuer, il n'en sera pas moins un personnage diminué; ce n'est pas le moyen d'acquérir de l'influence sur des Turcs.«[716]

Als der Posten in Madrid 1910 neu besetzt werden musste, sprach für den zu ernennenden Geoffray ausser der Erfahrung, den Umgangsformen, der Überlegen-

---

[711] Brief vom 15. November 1895, Fonds Louis Cambon.

[712] Brief an Marcel, 23. August 1897, Papiers Marcel.

[713] Paul Cambon an seine Mutter, 8. April 1897, Fonds Louis Cambon.

[714] AUFFRAY, Pierre de Margerie, S. 243.

[715] Paul Cambon an Jules Cambon, 4. April 1902, Fonds Louis Cambon. Zu den »Militärbotschaftern«, vgl. den Abschnitt über St. Petersburg in Kap. 4.1.

[716] Paul Cambon an Ribot, 20. Mai 1891, Papiers Ribot, Bd. 2.

heit und seiner charmanten, eleganten und diskreten Frau auch sein Vermögen, das zumal in Madrid eine »essentielle Voraussetzung« sei:

> »Geoffrey a de l'expérience, du tact et du sang-froid, sa femme est charmante, élégante et discrète. Leur fortune leur permettra de recevoir beaucoup, c'est une condition essentielle dans une ville aussi restreinte que Madrid. Une bonne situation mondaine y fortifie beaucoup un ambassadeur.«[717]

Jules Herbette, dessen Vermögen ihm den Vorschlag einbrachte, er solle in Konstantinopel Montebellos Nachfolger werden, konnte in Berlin nicht nur die von einem Botschafter offenbar erwarteten Extraleistungen erbringen, er sprang sogar mit Vorschüssen ein, wenn die Staatskasse mit ihren regulären Zahlungen im Verzug war. Im Februar 1892 mahnte er seinen Aussenminister, der Staat schulde ihm vom Vorjahr noch 13 000 Francs (was immerhin etwa einem Drittel eines Botschaftergehalts entsprach).

> »Me permettez-vous de solliciter votre intervention pour hâter le règlement de mes avances ? Elles dépassent maintenant 14 000 f, dont 13 000 pour 1891.«[718]

Zusätzliche Mittel waren indessen nicht nur auf der Stufe der Missionschefs erforderlich. De Margerie hätte, wenn er 1886 den Posten eines Botschaftssekretärs in Washington angenommen hätte, einen Teil der mit dieser Stelle verbundenen Kosten selbst tragen müssen. Er habe deshalb mit sechs anderen diesen Posten abgelehnt, und ein achter, weniger qualifizierter Kollege habe ihn schliesslich angenommen.[719] Dass das eigene Vermögen für das Auskommen im diplomatischen Beruf wichtig war, zeigt auch Montebellos Antrag für seinen Mitarbeiter vom September 1891:

> »Je vous suis bien reconnaissant de me donner Margerie ainsi que je vous l'ai demandé et je désirerais beaucoup l'emmener avec moi. Mais comme il n'a pas de fortune et qu'il mérite du reste un tour de faveur, je vous prierais de lui donner le grade et le traitement de second secrétaire. Je tiens beaucoup à avoir auprès de moi ce collaborateur actif, intelligent qui pourra me rendre de grands services et qui mérite toute votre bienveillance.«[720]

Dass die 5 000 Francs, die Henri Cambon als Jahresgehalt eines dritten Sekretärs in Rom bezog, nicht genügten, geht aus einem Schreiben hervor, worin der Vater Paul Cambon seinem 30jährigen Sohn schrieb:

> »Nous ferons ton budget et je compléterai ce qui te manque.«[721]

---

[717] Paul Cambon, der früher Botschafter in Madrid war, aus London an Aussenminister Pichon, 13. Juli 1910, Papiers Pichon, Institut. Zwei Tage darauf wurde Geoffray dann ernannt. Noch 1911 erklärte Paul Deschanel, es sei verständlich, wenn man bei den Ernennungen der Diplomaten auf deren besondere Kenntnisse, Gesundheit und »leur condition de fortune« achte, Bericht Nr. 1237 für das Budgetjahr 1912, S. 21.

[718] Jules Herbette an Ribot, 14. Februar 1892, Papiers Ribot, Bd. 4.

[719] Pierre de AUFFRAY, Margerie, S. 37.

[720] Montebello an Aussenminister Ribot vom 7. September 1891, Papiers Ribot, Bd. 1.

[721] Paul Cambon an Henri Cambon, 25. Oktober 1890, Fonds Louis Cambon.

Die Konsuln waren ebenfalls unterbezahlt: Ein élève-consul in New York erhielt jährlich 1 800 Francs, in Chicago 1 500 Francs, in Nouvelle Orléans 1 200 Francs, was den Kommissionssprecher des Senats in der Debatte vom 15. Januar 1907 zur Bemerkung veranlasste, dies seien »traitements de famine«.

Geduldete und erwünschte Schwarzarbeit

Allen grundsätzlichen Erklärungen und konkreten Bemühungen zum Trotz ist es der Republik in den ersten Jahrzehnten ihrer Herrschaft nicht gelungen, sich vom System der komplementären Privatfinanzierung ganz zu lösen. 1882 versuchte das Parlament die ungesunden Verhältnisse zu sanieren, indem es einen Sonderkredit zur Besoldung aller »Attachés non payés« bewilligte, daran aber die Erwartung knüpfte, dass sich das Aussenministerium an den neu fixierten Personaletat halten werde. Doch schon bald war alles wieder beim Alten. Charles Dupuy, Budgetberichterstatter des Senats, verwies in der Sitzung vom 15. Januar 1907 auf den Sonderkredit von 1882 und fragte:

> »Qu'est-il advenu de ce crédit? D'abord on a régularisé la situation; mais peu à peu les attachés non payés ont reparu ainsi que les traitements au rabais.«[722]

Schon 1890 war die unkontrollierte Personalzunahme ein Thema: Auf den Vorwurf des Deputierten Chiché, die zentrale Verwaltung sei zu sehr aufgeblasen worden, reagierte der seit 8 Monaten als Aussenminister fungierende Ribot in der Budgetdebatte der Kammer vom 6. November 1890 in der Tat mit der Erklärung, dass die Zahl des Personals in den letzten Jahren zu stark gewachsen sei und dass er sie wieder verringern wolle.

> »J'ai annoncé que je prendrais des mesures à cet effet, que désormais je ne laisserais entrer personne dans les cadres de l'administration centrale […].«[723]

Der ehemalige Aussenminister Ribot erklärte 1902, er habe 1890 bei Amtsantritt das Doppelte an Ersten Botschaftssekretären und Ministern vorgefunden, als die Personaletats vorsahen, doch sei es ihm bis zu seinem Abgang 1895 gelungen, wieder ordentliche Verhältnisse zu schaffen.[724] Ribot reagierte mit diesen Äusserungen auf Ausführungen des Budgetberichterstatters Dubief über die mangelnde Harmonie zwischen Grad, Funktion und Besoldung. Delcassé, der damalige Aussenminister, fühlte sich nicht verantwortlich für diesen Missstand, er habe sich sogar bei Amtsantritt dafür eingesetzt, die Missstände (für die offenbar Hanotaux verantwortlich war), wieder etwas abzubauen.[725]

1891 beanstandete jedoch der spätere Aussenminister Stephen Pichon, damals in der Eigenschaft als Berichterstatter zum Budget des Aussenministeriums, man finde jedes Jahr in den Stellungnahmen der Budgetkommission die gleichen Hinweise, ohne dass diese eine Änderung bewirkten. Pichon stellte fest, dass zur Zeit sechs Erste Botschaftssekretäre und 13 Zweite Botschaftssekretäre nur die Besoldung der nächst unteren Stufe erhielten und dass vier Dritte Botschaftssekretäre

---

[722] JO, S. 79.

[723] Annales, S. 228.

[724] Budgetdebatte der Kammer vom 21. Januar 1902.

[725] JO, S. 92.

überhaupt keinen Lohn bezogen. Und 1892 erhob der neue Berichterstatter der Kammer abermals die gleiche Forderung:

> »Si nous cherchons dans les rapports annuels de la Commission du budget, nous y trouvons régulièrement, à cet égard, les mêmes critiques. [...] Les mêmes observations avaient été constamment faites sans produire le résultat pratique qu'on en attendait.«[726]

Auch im folgenden Jahr, 1892, beanstandete der Deputierte Antonin Dubois, dass das Privatvermögen bei der Rekrutierung noch immer eine zu grosse Rolle spiele:

> »Dans un régime qui est le fruit des progrès du savoir et de la raison publique, qui travaille à élever sur les ruines de l'autorité du rang et de la naissance une autorité nouvelle, celle de l'intelligence et du mérite, il n'y a pas de question plus importante que celle du recrutement des carrières publiques. Or nous estimons que, dans la carrière diplomatique, la fortune joue encore un trop grand rôle, et qu'il serait possible, sans augmentation de dépenses, d'assurer à l'intelligence et au mérite une plus libre entrée. Certes, la fortune ne saurait être une cause d'exclusion, mais il faut qu'elle cesse d'être une sorte de nécessité de l'occupation des emplois. Une portion importante du personnel diplomatique se trouve, à cet égard, dans une situation tout à fait inacceptable. Les traitements des secrétaires auprès de nos légations et de nos ambassades ne permettent pas de vivre à l'étranger et dans les milieux officiels, si les titulaires n'ont pas de fortune personnelle, et cette insuffisance prend des proportions absolument dérisoires quand ces titulaires ont une famille.«[727]

Im März 1893 zum Beispiel wurde de Margerie zum zweiten Botschaftssekretär befördert, eine diesem Grad entsprechende Besoldung erhielt er aber erst im Juli 1894.[728] Noch 1902 beanstandete der Budgetberichterstatter der Kammer die mangelnde Harmonie zwischen Grad, Funktion und Besoldung (vgl. oben). Es gab weiterhin die Absurdität des »attaché payé sans traitement«. Noch 1905 zählte man 27 Attachés, die etatwidrig und unbesoldet im diplomatischen Dienst wirkten. Der Bericht für das Budget 1906 beklagte, einen erfolglos gebliebenen Bericht von 1904 zitierend, den antidemokratischen Charakter des gegenwärtigen Besoldungssystems.

> »Le système actuel est à la fois anormal et antidémocratique. Il se résume en cette constatation, que certains postes ne peuvent être occupés que par des agents très fortunés ou par des agents qui s'endettent [...].«[729]

Gervais führte weiter aus:

> »Les augmentations du personnel, ne correspondant pas à de nouvelles charges budgétaires, sont de peu d'importance dans un pays où l'ordre féodal a survécu en une aristocratie puissante, où le fonctionnaire fortuné considère l'emploi public comme un noble passe-temps. Il n'en est pas de même dans une démocratie. En ouvrant les carrières à tous, par voie de concours, l'Etat républicain ne saurait de-

---

[726] Bericht Nr. 1630 vom 18. Juli 1891 für das Jahr 1892, S. 17.

[727] Bericht Nr. 2275 vom 7. Juli 1892.

[728] AUFFRAY, Pierre de Margerie, S. 77.

[729] Zitat aus dem Bericht Dubief für das Budget 1905, S. 57.

mander à ses serviteurs que leur science et leur temps; il leur doit en revanche les moyens de vivre et d'agir […].«[730]

Im folgenden Jahr, 1907, sagte der Berichterstatter im Senat, diese Missstände würden sicher den »fils de famille« passen, seien aber einer Demokratie unwürdig.[731] In der Deputiertenkammer hatte bereits im Vorjahr der Budgetbericht beanstandet, dass Teilentlöhnungen an Amateurdiplomaten abgegeben würden, und der Budgetbericht für das Jahr 1911 sprach vom Postulat der kostendeckenden Remuneration als von einem erst noch zu verwirklichenden Vorhaben.[732] Und ein internes Reformprojekt, das auf Poincarés Weisung am 1. März 1912 redigiert wurde, hielt ebenfalls fest, das Parlament habe schon mehrmals diesen Missstand angeprangert, doch:

> »Malgré ces indications, cette pratique anti-démocratique et fâcheuse à tous égards (car on ne peut rien exiger de fonctionnaires sans traitement) a persisté.«

Das Projekt sah vor, anstelle der 27 unbezahlten Posten 11 bezahlte zu schaffen.[733] Doch das Aussenministerium nahm weiterhin die unbezahlte Mitarbeit von Leuten an, die entweder als »surnuméraire« bei Examen nicht in die Ränge der zu vergebenden Posten gekommen waren oder gar nicht daran dachten, sich einem Examen zu stellen. Andere Diplomaten nahmen beträchtliche Einkommensreduktionen gerne in Kauf, wenn sie damit bewirken konnten, dass sie in Paris bleiben durften und nicht auf einen entfernten Posten geschickt wurden. Die Mitarbeit im »Quai« war noch für viele nicht Broterwerb, sondern vor allem ein ehrenvoller und das persönliche Prestige mehrender Zeitvertreib.

Während in vielen Fällen das Geld fehlte, um die Leute richtig zu entlöhnen, wurden andererseits – was man im Parlament ebenfalls beanstandete – im Status der Disponibilität befindliche Günstlinge mit Scheinaufträgen versehen, damit jene ihre Dienstalterrechte nicht verloren. Botschaftssekretär Robert de Courcel (ein Neffe des Alt-Botschafters und Senators Baron Alphonse de Courcel) erhielt 1910/1911 auf diese Weise ein Jahresgehalt von 5 000 Francs, um den Verkehrszuwachs im Hafen von Genua infolge des Simplon-Durchstichs zu studieren.[734]

Die Personalordnung unterschied zwei Arten von Nichtaktivität: 1. à la disposition: Übergangsstadium von einem Jahr, nach welchem der Beamte entweder den Dienst wieder aufnehmen sollte oder in den Status der Disponibilität versetzt wurde; die Anciennitätsrechte blieben gewahrt. Während dieser vorher 2–3 Jahre dauernden Einstufung bezogen die Diplomaten anfänglich die Hälfte ihrer Löhne, dann 3/4 oder 2/3, wenn der Jahreslohn höher als 10 000 Francs war. 2. en disponibilité: Übergangsstadium von der Länge der geleisteten Dienstzeit oder maximal zehn Jahren, nach welcher der Beamte entweder reaktiviert oder pensioniert wurde.[735]

---

[730] Bericht der Budgetkommission der Chambre Nr. 2661 für 1906 von A. Gervais, S. 222.

[731] Charles Dupuy im Senat am 15. Januar 1907.

[732] Bericht Nr. 333 zur Sitzung vom 13. Juli 1906 und Bericht Nr. 1237 für das Jahr 1911 von Paul Deschanel, S. 142.

[733] MAE, Série C, Personnel, textes et projets de réforme 1880–1912, Bd. 86.

[734] Bericht Nr. 3318 von Louis Marin für das Budget von 1914, Bd. 2, S. 105 f.

[735] Vgl. auch Budgetdebatte der Kammer vom 21. Januar 1902, S. 91.

Freiheit der Nomination oder Sicherheit der Beamtenschaft

Die Absicht, mit mehr Regelmässigkeit mehr Überprüfbarkeit und damit mehr Gerechtigkeit ins Personalwesen zu bringen, hat, wie aufschlussreiche Klagen belegen, persönliche Begünstigungen und Beförderungen, die vom vorgeschriebenen Drei-Jahres-Rhythmus abwichen, nicht ausgeschlossen. 1904 musste Paul Cambon mit zahlreichen und schliesslich auch energischen Demarchen zunächst beim Personalchef Delavaud, dann bei Aussenminister Delcassé dafür sorgen, dass Vicomte Gustave de Manneville, der seit acht Jahren (!) bei ihm 2. Botschaftssekretär war, nicht kurz vor der Einführung eines Beförderungsstoppes durch regelwidrige Beförderungen von ein paar Bevorzugten überrundet wurde.

Kurz vor Inkrafttreten des Dekretes, dass nur noch auf zwei Vakanzen eine Ernennung vorzunehmen sei, wollte Delavaud eine »liquidation« lancieren, das heisst noch schnell sechs Diplomaten zu 1. Botschaftssekretären befördern (dies obwohl dieser Grad bereits übersetzt war) und dabei den amtsältesten dieser Stufe übergehen. Paul Cambon schreibt am 10. März 1904 seinem Sohn Henri:

> »Tous les amis de Delavaud ou tous ceux dont les pères ou les protecteurs ont obtenu des promesses de Delcassé se sont soulevés: Aynad, Laforge, Delvincourt etc.«

Am 20. April 1904 schrieb Cambon in dieser Sache einen weiteren Brief, worin er sein Bedauern ausdrückte, dass nun sein Sohn die negativen Folgen dieser Intervention zu tragen haben werde, denn bei der jetzigen Desorganisation von Budget und Personal sei sogar die Anwendung des Rechts eine Gunst.[736]

Manneville wurde dank Cambons Intervention auf den 1. Januar 1905 schliesslich doch noch befördert. Zwei weitere Beispiele zeigen, dass dies kein Einzelfall war. 1896 wandte sich Edgar le Marchand zweimal an den Kabinettschef Marcel, weil seine Kollegen Dumaine, Geoffray und Denaut zum Minister 2. Klasse befördert wurden und er nicht.[737] Die Reklamation blieb ohne direkten Erfolg. Le Marchand erhielt erst zwei Jahre später die gewünschte Beförderung. Im gleichen Dossier lag die Klage von Comte Arthur de Pourtalès-Gorgier aus Tokio:

> »[…] depuis j'ai vu donner leur promotion à des collègues moins qualifiés que moi, sous le rapport de la durée du service que sous celui des capacités requises chez un diplomate, à des collègues qui ont fait presque toute leur carrière en Europe, qui n'en ont connu que les avantages et jamais les déboires.«[738]

Paul Deschanel brachte 1907 als Budgetberichterstatter wie sein Kollege zwanzig Jahre zuvor Verständnis dafür auf, dass der Minister die Kompetenz haben müsse, den rechten Mann an den rechten Ort zu setzen:

> »Le ministre, qui a la responsabilité, doit conserver un droit éminent de choisir (en s'inspirant des considérations bien entendues du service, des qualités indispensab-

---

[736] Weitere Briefe der gleichen Korrespondenz in dieser Sache: 16., 17. März, 28. April, 12. Mai, 9. und 29. November 1904, Fonds Louis Cambon.

[737] Briefe vom 31. August und 3. Dezember 1896, Papiers Marcel.

[738] Brief vom 28. November 1897.

les à tel ou tel poste et des notes des différents agents) celui qui est le plus digne d'être désigné.«[739]

Dennoch machte er sich wie seine Vorgänger zum Anwalt der auf sichere Karrieren bedachten Beamtenschaft. Schon 1887 sprach sich ein Deputierter für die Einhaltung von Regeln aus:

> »[…] abstraction faite du cas où le département choisit l'homme désigné et met ›the right man in the right place‹, il doit se montrer très réservé dans ces sortes de nominations, s'il ne veut point décourager son personnel.«[740]

Zwei Jahre später kritisierte Deschanel wieder die »ekzessive« Zahl von Nichtdiplomaten in diplomatischem Dienst und beanstandete, dass 2 von 19 Gesandtschaften, 27 von 31 Generalkonsulaten und ebensoviele Konsulate und Vize-Konsulate von Leuten besetzt seien, die nicht für diese Aufgabe ausgebildet seien.[741] Wie die Beamten der übrigen Ministerien bildeten auch die Berufsdiplomaten 1907 eine Vereinigung zur Verteidigung der berufsständischen Interessen. Nach der Darstellung von Guy Thuillier (1976) zu schliessen, kam es, nachdem die Beamten des Finanzministeriums als erste berufsständische Gruppe Forderungen vorgebracht hatten, von 1904 an zu zahlreichen Gründungen von Beamtenverbänden.[742] In der Budgetdebatte vom 11. März 1914 sah sich der Deputierte Maurice Damour veranlasst, an Paul Deschanels Resolution vom 5. Dezember 1907 zu erinnern, die vom Minister Vorschläge erwartete, wie die soziale Sicherheit seiner Beamten verbessert werden könnte. Der Vorstoss bewirkte, dass die Frage der allgemeinen Verwaltungskommission überwiesen wurde. In der gleichen Debatte wies Albin Rozet, der Präsident der aussenpolitischen Kommission auf das Elend hin, in dem gewisse Beamte und deren Angehörige lebten:

> »[…] nous avons vu même des veuves d'agents obligées de prendre des métiers, parfaitement honorables du reste, mais qui ne cadraient pas avec la situation sociale qu'avait occupée leur mari.«[743]

Ausdruck dieser Bewegung ist auch die 1906 erschienene Schrift von Georges Demartiel *Le personnel des ministères* – Ein Dekret, mit dem die Regierung den mehrfach ausgesprochenen Wünschen der »Association professionnelle des Agents et Fonctionnaires des Affaires Etrangères« entsprechen wollte, schränkte am 22. September 1913 die Nominationskompetenz des Ministers wenigstens so ein, dass nur die beiden obersten Ränge (Botschafter und Gesandter, das heisst bevollmächtigter Minister 1. Klasse) mit Leuten besetzt werden durften, die nicht

---

[739] Paul Deschanel im Bericht Nr. 1230 für das Jahr 1908, S. 399.

[740] Gerville-Réache im Bericht Nr. 2095 für 1888, S. 27.

[741] Bericht Deschanel Nr. 2749 für das Budgetjahr 1910, S. 47.

[742] THUILLIER, La vie quotidienne, S. 220 f. Zur etwas speziellen, weil den politischen Wechselfällen besonders stark ausgesetzten Situation der Präfekte, vgl. Jeanne SIWEK-POUYDESSEAU, Le corps préfectoral sous la troisième et la quatrième république, Paris 1969, S. 45 f. Vgl. ferner: Henri CHARDON, L'Administration de la France: les fonctionnaires, Paris 1908. Und Alexandre LEFAS, L'Etat et les fonctionnaires, Paris 1913. Sowie LAUREN, Diplomats, S. 98 f.

[743] JO, S. 1484.

aus der »Karriere« stammten. Alle übrigen Ränge und damit verbundenen Funktionen waren den Berufsdiplomaten reserviert.

> »Ce décret, répondant aux voeux plusieurs fois exprimés par l'Association professionnelle des Agents et Fonctionnaires des Affaires Etrangères, était également inspiré par la volonté marquée par le Parlement de voir donner à tous les fonctionnaires un statut limitant l'arbitraire, et les garantissant contre les abus des recommandations.«[744]

Vorübergehend dachte man daran, dem Minister einen festen Prozentsatz von freien Nominationen zu überlassen. Doch man befürchtete, dass auf diese Weise die Willkür legitimiert und sogleich das ganze Kontingent ausgeschöpft würde, und wollte im Gegenteil den Aussenminister mit einer strengen Reglementierung vom Druck nicht legitimierter Anwartschaften befreien:

> »[…] en légitimant l'irrégularité, on aurait fait un pas de plus dans la voie de l'arbitraire, et la réserve fixée au Ministre aurait été immédiatement atteinte. Il est préférable, à tous égards, de l'assurer contre les sollicitations extérieures, en fixant des réglements inviolables, sanctionnés par le Parlement.«[745]

Daneben muss auch die Tendenz bestanden haben, dem Minister überhaupt jede Freiheit der Wahl zu nehmen. Im gleichen Bericht heisst es:

> »Pour assurer l'avancement rapide des fonctionnaires méritants et donner aux agents les garanties qu'ils réclament, on a pensé quelquefois à établir un tableau d'avancement en dehors duquel le ministre ne pourrait nommer.«[746]

Die Widerstände gegen allfällige Eindringlinge zeigen sich etwa in der Vorsicht, welche der Quai d'Orsay an den Tag legte, als 1910 die Botschaft von Madrid neu besetzt werden musste. Der Aussenminister liess im Gastland um das Agrément für seinen Kandidaten nachsuchen, bevor er die von ihm und dem Präsidenten der Republik schliesslich zu vollziehende Nomination dem Ministerrat vorlegte. Er wollte auf diese Weise ausschliessen, dass Ministerkollegen versuchen könnten, Paul Doumer, der wenige Wochen zuvor durch die Wahlen gefallen war und sein Deputiertenmandat verloren hatte, eine neue »Situation« zu verschaffen:

> »[…] on ne saisira le conseil des ministres qu'après avoir reçu l'agrément, c'est-à-dire alors que toute discussion sera devenue impossible. Ce mystère […] ne s'explique que par la peur d'être sollicité par quelque gros personnage.«[747]

Geoffray, der Mann des Quai d'Orsay, wurde tatsächlich nach Madrid geschickt, und Doumer wurde 1912 Senator von Korsika.

Zwei Gründe sind vor allem zu nennen, warum das Aufpfropfen von plötzlichen Neuankömmlingen, von »gens d'emblée« nicht geschätzt war. Einerseits wurden dadurch die in ihren Aufstiegschancen beeinträchtigten Berufsdiplomaten entmutigt; ihr Eifer, ihre Ausdauer konnte infolge dieser Störungen Schaden

---

[744] Reformstudie vom 28. Juli 1917, MAE, Série C 114.

[745] Bericht Deschanel Nr. 1230 für das Budget 1908, S. 325.

[746] Ebenda, S. 399.

[747] Paul Cambon an Henri Cambon, 12. Juli 1910, Fonds Louis Cambon.

leiden. Delcassé hatte diese Konsequenzen vor Augen, als er dem ihm nahestehenden Paul Cambon darlegte, warum er Jules Cambon, dem Eindringling, dem
man immerhin die Botschaft in Washington zur Verfügung gestellt hatte, den
Posten in Madrid einstweilen nicht geben konnte. Delcassé erklärte,

> »que quelque fût son insuffisance ce Patenôtre était en place et qu'il ne pouvait le
> mettre à pied sans décourager immédiatement tous les gens et leur ôter toute sé-
> curité.«[748]

Klagen sind diesbezüglich schon für die Zeit um 1871 belegt:

> »[…] la diplomatie demande une réforme. Un défaut inévitable peut-être de cette
> carrière, c'est qu'un usage à peu près universel autorise à en donner souvent les
> postes les plus élevés non aux gens du métier, mais à des hommes politiques,
> même à des gens du monde un peu considérables. […] Le jeune homme qui entre
> dans la carrière a donc très peu d'exspoir d'arriver au premier rang.«[749]

De Saint-Vallier wies auch auf diese Störung hin, als er sich gegen die Ernennung
des Communard Andrieu wandte:

> »Mais franchement quel besoin y avait-il de mettre un intrus mal famé, sans servi-
> ces antérieurs et de vilains antécédents dans un des Vice-Consulats de faveur dont
> vous pouvez disposer et d'en frustrer tous ces pauvres chanceliers, commis, etc.,
> qui font quinze et vingt ans de carrière dans les climats les plus meurtriers […]
> défendez les petits et les humbles de la carrière !«[750]

Wilde Nominationen konnten sich im Übrigen auch bewähren. Als geglückt bezeichnete Maurice Damour in der Kammerdebatte vom 16. November 1911 die
Ernennung von Daniel-Abel Chevalley, der 1905 mit 36 Jahren, nachdem er zuvor Lehrer an den Lycées Voltaire et Louis le Grand gewesen war, in das Aussenministerium eingetreten und seit 1910 Leiter der Unterdirektion Amerika
war.[751] Anderseits betrachteten die durch günstige Konjunkturen favorisierten
Amateure ihre Posten unter Umständen wie ein »bureau de tabac« und waren,
wie Paul Deschanel 1907 ausführte, nicht bestrebt, mit Leistungen die Richtigkeit
ihrer Ernennung zu beweisen, zumal ihre Nomination bereits bewiesen hatte,
dass nicht Verdienste zählten, sondern Willkür entschied:

> »Le principal inconvénient d'introduire les gens d'emblée […] c'est que ces favori-
> sés considèrent la plupart du temps leur poste comme un bureau de tabac, et, loin
> de chercher à justifier leur choix par leur mérite, ne travaillent pas, n'attendent
> rien de leur valeur et tout de l'arbitraire, origine de leur carrière. Le danger vient
> de l'abus des influences politiques, qui risquent de prendre le dessus sur les préoc-
> cupations professionnelles […].«[752]

Paul Cambon, der bereits seit einem Vierteljahrhundert zur Beamtenschaft des
Quai d'Orsay gehörte, seitdem er 1885 als Auswärtiger auf Anhieb in den obers-

---

[748] Paul Cambon an Jules Cambon, 14. April 1899, Fonds Louis Cambon.

[749] REMUSAT, Mémoires, Bd. 5, S. 369.

[750] Saint-Vallier an Barthélemy-Saint-Hilaire, 4. Juni 1881, MAE, Mémoires et Documents,
Allemagne, 167.

[751] JO 1911, S. 76.

[752] Bericht Nr. 1230 für das Budget 1908, S. 324.

ten Rang des diplomatischen Korps gesetzt worden war, liess ebenfalls berufsständische Töne anklingen, als er das Vorgehen seines Botschafterkollegen in
St. Petersburg, des Marinegenerals Charles-Philippe Touchard, missbilligte:

> »[…] voilà ce que c'est que d'avoir des ambassadeurs choisis au hasard.«[753]

So leicht, wie man das Geschenk erhalten hatte, so leicht gab man es in vielen
Fällen wieder aus der Hand. Unruhe entstand sowohl durch das Einschleusen
von Auswärtigen wie durch deren auch zeitlich höchst limitiertes Interesse an der
neuen Aufgabe.

Müssten auch mangelnde berufliche Qualifikationen als weiterer Grund für die
Vorbehalte gegenüber den dilettierenden Diplomaten genannt werden? Gewiss
wurde die Eignungsfrage zuweilen nicht in Bezug auf die Fähigkeiten des Nominierten, sondern auf die innenpolitischen Nebeneffekte der Nomination gestellt.
Die berufsständischen Vorbehalte konnten sich freilich mit politischer Aversion
vermengen, wie eine Äusserung de Saint-Valliers zeigt, der dem Aussenminister
riet, gegenüber dem »Diplomatenlehrling« Challemel-Lacour Reserven anzubringen:

> »Aussi, je vous conjure d'être très prudent dans vos communications quand il
> s'agit d'un apprenti diplomate de la force de notre Représentant à Londres. Je n'ai
> pas d'inquiétudes lorsque vous transmettez des confidences à des hommes du mé-
> tier comme Tissot ou Desprez, ou à d'autres déjà rompus à nos devoirs comme
> Noailles ou Duchâtel; mais, pour M. Challemel-Lacour, il n'en est pas de mê-
> me.«[754]

Die Berufsdiplomaten neigten natürlich dazu, von den Zufallsdiplomaten anzunehmen, dass es sich um unqualifizierte Leute handeln müsse. Dass diese Annahme nicht immer zurecht bestand und dass Professionelle auch in der Lage waren,
dieses Vorurteil zu revidieren, zeigen Pierre de Margeries Urteile über seinen neuen
Chef Charles Thomson. Er sei von unübertrefflicher Vulgarität, notierte sich de
Margerie, er werde seine diplomatischen Berichte sicher im Boulevard-Café schreiben wie einst seine Zeitungsberichte. Nach wenigen Wochen jedoch lobte de Margerie die hohe Intelligenz des neuen Gesandten in Kopenhagen und würdigte dessen durchschlagenden Erfolg beim anfänglich ebenfalls skeptischen Königshof.

> »C'est un républicain qui ne parle que des fonctionnaires républicains, que de
> l'avenir de la République. Il doit tout à celle-ci. […] Il est d'une vulgarité qui n'a
> d'égale que feue Vulgarité en personne; je croirais volontiers qu'il boit l'absinthe à
> cinq heures et qu'il fera ses dépêches comme autrefois ses articles de journaux,
> sur un coin de table de marbre, dans un café du Boulevard; il s'inquiète des lieux
> de divertissement où la bohème se rencontre.«

Die zweite Stellungnahme wird nicht wörtlich zitiert; de Margeries Biograph,
Auffray, schreibt, de Margerie habe schliesslich notiert,

---

[753] Paul Cambon an Henri Cambon, 12. März 1909, Fonds Louis Cambon.

[754] Saint-Vallier an Barthélemy-Saint-Hilaire, 13. Mai 1881, MAE, Mémoires et Documents
Allemagne, 167.

»que le dehors si peu engageant cache une grande capacité et que le ministre se tire fort bien d'affaire, que sa bonhomie a parfaitement réussi auprès du gouvernement danois à défaut du monde diplomatique.«[755]

## Ehemalige Mitarbeiter der Kabinette

Die geregelte Laufbahn der Berufsdiplomaten wurde insbesondere durch zwei Arten von unregelmässigen Ernennungen gestört: Erstens durch den »parachutage« von Personen, welche der Regierung nahestanden und in die obersten Ränge des diplomatischen Korps »abgeworfen« wurden, und zweitens, eher auf der mittleren Stufe, durch persönliche Mitarbeiter der Aussenminister, die nach dem Abgang ihrer Chefs in das Korps der regulären Diplomaten wechseln wollten. Diese Form der Infiltration lässt sich schwer nachweisen; sie ist nur erkennbar, sofern es sich um prominentere Fälle handelt, etwa um Kabinettschefs. Sie hat aber auch in anderen Fällen sicher eine Rolle gespielt. Die Vorteile, in einem Kabinett mitarbeiten zu können, spiegeln sich in der Bemerkung, die Jules Herbette seinem ehemaligen Stagiaire Robert de Billy gegenüber machte:

»Là vous vous créerez d'utiles relations de carrière, et vous ferez honneur à votre ancien chef.«[756]

Henri Marcel war 1883–1885 ein erstes Mal Kabinettschef der Aussenminister Challemel-Lacour und Ferry, er fand zwar nach Auflösung des Kabinetts zunächst Unterkunft im Staatsrat, er tauchte 1894 aber wieder im Aussenministerium auf und wurde sogleich als Minister 2. Klasse eingestuft. Sein zweiter Abgang als Kabinettschef führte ihn Ende 1897 weg von Hanotaux direkt in die Gesandtschaft in Stockholm. Diesen Posten verliess er allerdings bereits ein gutes Jahr später wieder, um erneut in den Staatsrat einzuziehen und später Direktor zunächst der Bibliothèque Nationale, dann des Louvre zu werden. Auch René Millet ist, aus der Departementsverwaltung kommend, 1880 als Kabinettschef in das Aussenministerium eingetreten. Obgleich er nur ein halbes Jahr als Mitarbeiter von Barthélemy-Saint-Hilaire in diesem Ministerium gewirkt hatte, setzte er sich nach dem Kabinettswechsel im Quai d'Orsay fest. Im Gegensatz zu Marcel gab er nicht nur ein kurzes Gastspiel, sondern blieb die nächsten zwanzig Jahre unter den Diplomaten und avancierte bis zum Botschafter. 1893 trat Paul Revoil als Kabinettschef des Aussenministers Develle in den Quai d'Orsay ein, er wechselte nach dem Abgang seines Herrn in die Konsulardirektion, wurde 1894 unter Hanotaux wieder Kabinettschef und blieb nach Hanotaux' erstem Rücktritt 1895 zunächst fünf weitere Jahre und nach einer dreijährigen Amtszeit als Generalgouverneur in Algerien nochmals fünf Jahre in Diensten des Aussenministeriums, zuletzt als Botschafter in Madrid.

## Wilde Nominationen in den oberen Rängen

Noch bevor die Gesandten- und Botschaftergrade 1913 ausdrücklich freigegeben wurden, waren natürlich insbesondere die obersten Chargen immer wieder Gegenstand fremder Ambitionen. Die Erhebungen zeigen aber, dass die Berufs-

---

[755] AUFFRAY, Pierre de Margerie, S. 43.

[756] Brief vom 3. Januar 1894, Papiers Robert de Billy.

diplomaten durchwegs in der Mehrzahl waren und die Zahl der frei Nominierten stets abnahm. So sind zum Beispiel 1880 von 8 Botschaftern 5 Berufsdiplomaten, 1890 von 10 Botschaftern 8 Berufsdiplomaten, 1900 desgleichen, 1910 sind sämtliche Botschaften mit Berufsdiplomaten besetzt, wobei Nicht-Diplomaten, wenn sie über zehn Jahre im Quai d'Orsay tätig waren, im nächsten Querschnitt zu den Berufsdiplomaten gezählt wurden (die Brüder Cambon, A. Decrais, G. Bihourd). In den Rängen der Minister 1. und 2. Klasse waren die Verhältnisse ähnlich.

Doch nicht nur die absoluten Zahlen sind zu beachten, sondern auch die Auswirkungen der externen Nominationen auf das Beförderungskarussell, das bei jedem Zuzug eines Auswärtigen intern auf allen Ebenen nicht drehen konnte. Dieser Effekt kommt in einer wenige Wochen nach der Ernennung des auswärtigen Constans gefallenen Bemerkung zum Ausdruck:

> »[…] nous espérions toujours que la nomination de M. Constans à la Présidence au Sénat, en dégageant une ambassade nous aurait permis de faire un mouvement.«[757]

Ende 1899 zum Beispiel wehrte sich Delcassé gegen die Ernennung Lozés zum Botschafter in Bern mit dem Argument, dieser Einschub würde ihm die Möglichkeit eines Revirement nehmen.[758] Er gab den Posten Bihourd, der allerdings Jahre zuvor ebenfalls als Einschub in den Quai d'Orsay gekommen war, der nun aber in Den Haag Baylin de Monbel Platz machte, der seinerseits den Posten in Tanger räumte, damit – und das war der wichtigste Aspekt dieses Mouvements – der Mitarbeiter des Generalresidenten in Tunis, Paul Revoil, in diesem für Delcassé wichtig werdenden Aktionsfeld eingesetzt werden konnte. Einer anderen Quelle zufolge hätte Ende 1899 nicht der vorübergehend in der Wiener Botschaft versorgte Polizeipräfekt Lozé, sondern der in Algerien offenbar unhaltbar gewordene Generalgouverneur Laferrière in Bern untergebracht werden sollen. Delcassé wusste damals diese Abfindung schliesslich zu verhindern, indem er dem Ministerrat seine Demission angedroht habe.[759] Auch Paul Cambon riet seinem Aussenminister:

> »Vous ne vous ferez pas d'ennemis si vous montrez de la volonté et si vous défendez votre administration, c'est vous notre chef et il faut qu'on sache que c'est vous qui faites les nominations dans votre ministère.«[760]

---

[757] Maurice Borel (chef adjoint du cabinet Delcassé) an den vormaligen Kabinettschef Marcel, 11. März 1899, Papiers Marcel. Jeanne Siwek-Pouydesseau hat ermittelt, dass in den Jahren 1876–1918 von 199 Präfekten, über die Auskünfte zu erhalten waren, 13 Diplomaten wurden und 30 ins Parlament wechselten. Eine besonders grosse Gruppe bildeten die 75 Präfekte, die Trésoriers-payeurs généraux wurden, SIWEK-POUYDESSEAU, Le corps préfectoral, S. 74. Über Karrieren einzelner Präfekte und ihren allfälligen Wechsel in die Diplomatie gibt die stark biographisch gehaltene Darstellung von Pierre HENRY Auskunft: Histoire des préfets, cent cinquante ans d'administration provinciale. 1800–1950, Paris 1950, insbesondere S. 195–269.

[758] Bericht Münster vom 7. November 1899, PAAA Bonn, F 108, Bd. 119.

[759] Paul Cambon an seinen Sohn Henri, 24. Oktober 1899, Fonds Louis Cambon. Laferrière wurde darauf noch ein weiteres Jahr in Algerien gelassen.

[760] Paul Cambon an Bruder Jules am 13. Oktober 1899, ebenda.

Die Aussenminister waren freilich nicht immer nur die Interessenvertreter des Quai d'Orsay, zuweilen siegte in ihnen auch der Politiker, der auf das Parlament Rücksicht nehmen musste.

Auch unter der Herrschaft der egalitären Republikaner musste, wie an den folgenden Beispielen erläutert worden soll, das diplomatische Korps es sich gefallen lassen, dass diplomatische Posten als Abfindung oder persönliche Gefälligkeit verteilt wurden und die republikanischen Kabinette genau das taten, was Gambetta den Notabeln der »alten Welt« nachsagte und 1871 Thiers vorwarf, nämlich Botschaften zu vergeben, wie man früher Abteien vergab. Umgekehrt betonten gerade Konservative, sie seien noch imstande gewesen, eine reguläre Verwaltung zu führen und ihre Beamten vor externen Ambitionen zu schützen.

So bezeichnete Villefort, Mitarbeiter der Rechtsabteilung des Quai d'Orsay, Bernard d'Harcourts Abberufung aus London als

> »exploitation du parlementarisme au profit des députés et au détriment de la bonne diplomatie«.[761]

Das Pikante an dieser Klage ist die Tatsache, dass ein Konservativer über konservative Rücksichten auf die konservative Mehrheit der Nationalversammlung klagte. Selbst der Radikale Clemenceau schanzte nach seiner Machtübernahme Ende 1906 dem Gatten der mit ihm befreundeten Gräfin d'Aunay die Botschaft in Bern zu. Dies war aber insofern ein Sonderfall, als d'Aunay früher Berufsdiplomat gewesen war: Charles-Marie-Stephen Le Peletier d'Aunay wurde 1893 wenige Tage nach Clemenceaus Wahlniederlage von der Gesandtschaft Kopenhagen abberufen und darauf wegen Disziplinwidrigkeit aus dem diplomatischen Dienst entlassen. 1898 bis 1918 war er Senator der Nièvre, nachdem er schon zuvor Mitglied und Präsident des Conseil Général dieses Departements gewesen war. Ein deutscher Bericht aus Kopenhagen weiss schon vor d'Aunays Abberufung aus Kopenhagen zu berichten, dass sich der Gesandte für ein politisches Mandat interessiere, um schneller Botschafter zu werden.[762] Nachdem Clemenceau 1902 ebenfalls Senator geworden war, setzte er sich für die Reintegration seines Freundes der Gauche démocratique ein; bei Aussenminister Delcassé allerdings ohne Erfolg[763], mit mehr Erfolg hingegen bei Delcassés Nachfolger Rouvier. Dieser erwirkte im November 1905 d'Aunays Wiedereingliederung in den diplomatischen Dienst, zunächst ohne besondere Aufgaben. Als Clemenceau Innenminister des Kabinettes Sarrien war, wollte er seinen Schützling dem Aussenministerium als Unterstaatssekretär aufdrängen.

> »Il voudrait faire nommer au Quai d'Orsay comme sous-secrétaire d'état son protégé ordinaire d'Aunay et Bourgeois résiste comme de juste. D'Aunay dans la place, c'est Clemenceau ministre des affaires étrangères in partibus.«[764]

---

[761] Bericht Lardy vom 10. September 1874, BA Bern, E 2/738.

[762] Bericht vom 4. Juni 1893, PAAA Bonn, F 108, Bd. 5.

[763] Georges SUAREZ, Soixante années d'histoire française. Georges Clemenceau, Bde. 1–2, Paris 1932, hier: Bd. 2, S. 343, 364, 397.

[764] Paul Cambon an seinen Sohn Henri, 18. Juni 1906, Fonds Louis Cambon.

Nachdem Clemenceau die Regierungsverantwortung übernommen hatte, wollte d'Aunay zuerst nach der Botschaft in Berlin greifen, weshalb sich damals vor allem die deutsche Diplomatie mit seiner Person beschäftigte. Am 4. November 1906 (Clemenceaus Kabinett war am 25. Oktober 1906 gebildet worden) berichtete Radolin, indem er auf eine Veröffentlichung des *Echo de Paris* Bezug nahm, von d'Aunays Ambitionen und fügte bei:

> »Seit Jahren gehört er zur blinden Gefolgschaft Clemenceaus. Das dürfte in der Tat sein einziger titre de gloire sein.«[765]

Am 4. Dezember 1906 berichtete der englische Botschafter, Clemenceau habe das Berlin-Projekt aufgeben müssen, weil der Widerstand einiger Ministerkollegen zu gross gewesen sei. Aber:

> »D'Aunay still hopes to get something.«[766]

Und so bekam er Bern. Am 17. Juli 1911 meldete ein deutscher Bericht, d'Aunay habe Bern verlassen, sei ohne das Abschiedsessen abzuwarten nach Paris zurückgeeilt, weil er gehofft habe, in einem allfälligen Kabinett Clemenceau ein Portefeuille zu erhalten.[767] Die Regierung wurde indessen am 27. Juni 1911 ohne Clemenceau gebildet.

### Weitere Präfekte

In den Genuss der von politischen Konjunkturen abhängigen Überschreibungen kamen vor allem Parlamentarier und Präfekte. Die um 1880 im Zug der Epuration zu verzeichnenden Übertritte aus dem Korps der Präfekte erklären sich aus dem Wunsche oder der Notwendigkeit, bestimmte Stellen wie etwa die von Decrais übernommene Gesandtschaft in Brüssel neu zu besetzen. Die weiteren Wechsel sind weniger darauf zurückzuführen, dass Stellen zu besetzen, als dass Präfekte irgendwo zu versorgen waren und deshalb im auswärtigen Dienst untergebracht wurden. Von den Brüdern Cambon weiss man, wie sehr sie darauf bedacht waren, diesen Wechsel vollziehen zu können.[768] 1893 tauschte der 43jährige Henri-Auguste Lozé auf diese Weise die Polizeipräfektur gegen die Botschaft in Wien. Zuvor hatten die Radikalen, nachdem Lozé die »bourse de travail« hat schliessen lassen und es zu Studentenunruhen im Quartier Latin gekommen war, den Rücktritt des Polizeipräfekten gefordert. Lozé seinerseits muss schon seit längerer Zeit an einen Rücktritt gedacht und sich nach einem Posten in der Diplomatie umgesehen haben. Anfänglich hiess es dann, Lozé würde Gesandter in München, doch erhielt er schliesslich Wien »malgré que c'est un peu gros«, wie Aussenminister Develle gesagt haben soll. 1897 wurde Lozé, ohne gefragt worden zu sein, zum Generalgouverneur von Algerien ernannt und auf diese Weise, was schon längst Hanotaux' Wunsch gewesen sei, von Wien entfernt. Lozé nahm den dornenvollen Posten in Algerien allerdings nicht an, sondern wandte sich der Politik zu. Zunächst muss er aber mit Loubets Unterstützung versucht haben, in Bern die

---

[765] Mit weiteren Berichten, PAAA Bonn, F 108, Bd. 16.

[766] PRO London, Privatpapiere Grey.

[767] PAAA Bonn, F 108, Bd. 19.

[768] Allgemein dazu: VILLATE, République.

Nachfolge des verstorbenen Botschafters Montholon anzutreten, er scheiterte aber am Widerstand Delcassés. 1902 wurde er Deputierter, 1906 Senator.[769]

1896 tauschte Eugène Poubelle die Seine-Präfektur gegen die Botschaft beim Vatikan. Paul Beau, Hanotaux' Kabinettschef, schrieb im April 1896 dem damals in Bern residierenden und auf seine Ernennung zum Botschafter beim Quirinal wartenden Camille Barrère, der Botschafter beim Vatikan, Comte Lefebvre de Behaine, bleibe beurlaubt:

> »On offre son ambassade à divers préfets plus ou moins fatigués.«[770]

1897 tauschte Jules Cambon das algerische Generalgouvernement gegen die Botschaft in Washington. Jules Cambon kam als Generalgouverneur von Algerien schon früh in Konflikt mit den lokalen Deputierten, weil er sich nicht als deren Vollzugsorgan verstand und gegenüber der einheimischen Bevölkerung eine flexiblere Haltung einnahm. Seine Widersacher lancierten Monate vor dem effektiv vorgenommenen Wechsel immer wieder Pressemeldungen, man werde Jules Cambon einen diplomatischen Posten anbieten. 1896 begann der Deputierte Charles Jonnart, sich für den Posten in Algerien (den höchsten, den das Innenministerium vergeben konnte) zu interessieren. Premierminister Méline wollte schon im September 1896 Cambon durch Jonnart ersetzen. Er hätte sich dadurch die algerischen Deputierten Etienne und Thomson sowie Jonnarts Schwiegervater Aynard, ebenfalls Deputierter, und dessen Freunde des linken Zentrums zu Dank verpflichten können. Da er sich aber nicht zugleich mit den Cambons anlegen wollte, war er bestrebt, Jules Cambon eine akzeptable Abfindung anzubieten. Méline zufolge war Hanotaux im Dezember 1896 bereit, Jules Cambon in den diplomatischen Dienst aufzunehmen:

> »[...] il est résolu à profiter du mouvement diplomatique auquel va donner lieu la démission de M. de Courcel pour dégager l'ambassade de Berne et l'offrir à M. Cambon, qui l'a acceptée d'avance.«[771]

Doch im April 1897 sträubte sich Hanotaux plötzlich, nachdem sich sein Verhälnis zu Paul Cambon über der russischen Politik in Konstantinopel verschlechtert hatte. Präsident Faure notierte den Wortwechsel im Ministerrat:

> »(Hanotaux:) ›J'ai accepté en décembre, mais depuis cette date, les Cambon sont devenus des ennemis personnels, je n'ai plus aucune raison de les admettre dans mes services; j'y perdrais toute autorité.‹ Et comme Méline insistait: ›Choisissez entre Cambon et moi‹. C'est alors Méline qui déclare que, dans ces conditions, il se retirera. Voilà une crise ministérielle.«[772]

---

[769] Bericht des deutschen Botschafters Münster vom 5., 11., 12., 15. Juli 1893, vom 5. Oktober 1897 und 7. November 1898, und des deutschen Botschafters von Tschirschky aus Wien vom 19. Oktober 1897, PAAA Bonn, F 108, Bd. 5, 9, 11; Barrère an Paul Cambon, 10. Juli 1893, und Paul Cambon an seine Mutter, 2. und 5. Oktober 1897, MAE, Papiers privés.

[770] Papiers Barrère. Der Präfekt Poubelle wurde am 23. Mai 1896 zum Nachfolger Lefebvres bestimmt.

[771] Méline an Jonnart, 25. Dezember 1896, Papiers Hanotaux Bd. 25. Faure bestätigt dies mit seinen Aufzeichnungen.

[772] Aufzeichnung vom 13. April 1897, Fonds F. Berge.

Gegenüber dem deutschen Botschafter erklärte Hanotaux, er wolle den Einfluss der Präfekten im diplomatischen Korps stoppen, er wolle nach Henry nicht auch noch Jules Cambon.[773] Am 14. Oktober 1897 wurde Jules Cambon doch zum Botschafter, aber in Washington ernannt. Schon am 2. Oktober 1897 hatte Paul Cambon ein Dankesschreiben an Hanotaux gesandt.[774] Und Jonnart? Er desinteressierte sich plötzlich wieder für die zuvor angestrebte Möglichkeit, nach Algerien zu gehen, so dass Lépine Jules Cambons Nachfolger wurde.

Justin de Selves tauschte ebenfalls die Seine-Präfektur gegen einen Posten der Diplomatie: in diesem Fall aber den Ministersessel im Quai d'Orsay. Justin de Selves, seit 1880 Präfekt, war schon 1906 als möglicher Botschafter für Wien im Gespräch gewesen; der deutsche Botschafter von Wedel berichtete aber am 11. November 1906, de Selves denke laut de Reverseaux' Aussage nicht daran, seine Präfektur aufzugeben. Nachdem er 1909 Senator geworden war, wurde er im Juni 1911 Aussenminister. Paul Cambon hielt die Idee, ihm die Aussenpolitik zu geben, bloss »parce qu'il a cessé de plaire comme Préfet« für eine grosse Ungeheuerlichkeit.[775]

Während es bei diesen Ernennungen eher um Abfindung für den Verlust eines wichtigen Postens ging, handelte es sich bei Arsène Henrys Tausch der Präfektur von Alpes-Maritimes gegen die Gesandtschaft in Bukarest um einen durch politische Protektion möglich gemachten Aufstieg. Der Comte d'Aubigny wurde im Oktober 1897 in Bukarest von Henry abgelöst und nach München versetzt. Vor seiner Abreise äusserte er sich in Bukarest dem deutschen Gesandten, Gref Leyden, gegenüber, Aussenminister Hanotaux pflege seit Jahren seinen Freund, den Romancier Bourget, an der Riviera zu besuchen, und sei dort in einer schwachen Stunde gewonnen worden, dem Präfekten jener Region einen diplomatischen Posten zu geben. Aubigny habe sich nicht beklagt, hingegen bemerkt,

> »der diplomatische Dienst seines Landes könne aber durch solche frivole Einschübe nicht an Ansehen und Beliebtheit gewinnen.«[776]

Wenig später ergänzte der deutsche Botschafter in Paris die Auskünfte über den neuen Diplomaten: Henry habe alljährlich in Nizza und Umgebung fremden Fürstlichkeiten aufwarten müssen, verfüge über gewandte Formen und ein entgegenkommendes Wesen.[777] Nach Henrys Ernennung zum Direktor der Konsulate und Handelsangelegenheiten schrieb Paul Cambon seinem Sohn am 18. Oktober 1904:

> »Avec Henry nous entrons dans les fonctionnaires de hasard. Ce qu'il y a de pis c'est que Delcassé ne connaît même pas son nouveau collaborateur; il l'a choisi pour faire plaisir au Président de la République!«[778]

---

[773] Bericht Münster vom 5. Oktober 1897, PAAA Bonn, F 108, Bd. 9.

[774] Papiers Hanotaux, Bd. 19.

[775] Brief an Sohn Henri Cambon, 28. Juni 1911, Fonds Louis Cambon (PAAA Bonn, F 108, Bd. 16).

[776] Bericht vom 27. September 1897, PAAA Bonn, F 108, Bd. 9.

[777] Bericht vom 19. Oktober 1897, ebenda.

[778] Fonds Louis Cambon.

Für Anatole Charles Catusse, der seine Laufbahn ebenfalls als Präfekt begonnen und im Finanzministerium fortgesetzt hatte, bedeutete die Ernennung zum Gesandten in Schweden sicher den krönenden Abschluss seiner Karriere. Ein besonderer Fall war der Wechsel des Comte Olivier d'Ormesson von der Präfektur Basses-Pyrénées nach St. Petersburg. Der liberale Katholik war alles andere als ein Günstling des damals gerade regierenden Kabinetts. Sein Übertritt stand in keinem Zusammenhang mit der angestrebten Republikanisierung, denn es ging im Gegenteil darum, in einer besonders delikaten Situation einen dem Zaren willkommenen Gesandten zu schicken. Die *Revue diplomatique* stellte am 11. Mai 1889 in einem dem Diplomaten d'Ormesson gewidmeten Artikel fest:

> »L'administration préfectorale est depuis 1870 une bonne école de diplomates; l'idéal c'est dans cette fonction, ayant plusieurs maîtres, de n'obéir à aucun.«

## Umweg über die Kolonialverwaltung

In anderen Fällen erfolgte wie bei Paul Cambon und bei Maurice Bompard die Rekrutierung aus dem Korps der Präfekte auf dem Umweg über die Kolonialverwaltung. Im November 1886 begann der nachmalige Botschafter in Berlin und ehemalige Präfekt Georges Bihourd eine Diplomatenlaufbahn im Protektorat Annam und Tonkin. Sein Vorgänger in Indochina war Charles Thomson (der Bruder des bekannten Deputierten Gaston Thomson). Auch Charles Thomson durchlief die drei Phasen Präfektur–Kolonialverwaltung–Diplomatischer Dienst. 1891 musste er allerdings Kopenhagen, seinen ersten und einzigen Posten, verlassen und sich mit einer leitenden Stelle in der Finanzverwaltung zufrieden geben. Dass Thomson ungern Kopenhagen verliess, geht aus einem nicht näher identifizierbaren, am 29. Juni 1891 Valfrey zugestellten Schreiben hervor:

> »M. Thomson tâche de faire bonne mine à mauvais jeu, mais je crois qu'au fond de son âme les 60 000 frs. ne le consolent que médiocrement de quitter la carrière diplomatique.«[779]

1897 wechselte Jules Cambon, der 1907 in Berlin Bihourds Nachfolge antrat, über die Verwaltung des offiziell als Teil des Mutterlands betrachteten Algerien vom Innen- ins Aussenministerium. Gabriel Alapetit ging nach langjähriger Tätigkeit als Präfekt den gleichen Weg wie Paul Cambon 25 Jahre zuvor: Er wurde 1906 Generalresident von Tunis und wechselte 1918 nach Madrid. Justin Massicault konnte nicht den ganzen Weg zurücklegen, er wurde nicht mehr Botschafter und starb 48jährig, als Generalresident von Tunis, nachdem er zuvor mehrere Jahre Präfekt gewesen war. Die Annahme eines Postens in der Kolonialverwaltung war so etwas wie eine Vorausleistung, die nachher mehr oder weniger direkt mit einem diplomatischen Posten honoriert wurde. 1886 konnte man im Aussenministerium keinen Beamten finden, der bereit gewesen wäre, nach Indochina zu gehen. Der Deputierte Ribot konnte schliesslich den Präfekten »seines« Departements, eben Bihourdt, für diesen Posten gewinnen. Nach dessen Rückkehr ver-

---

[779] Papiers Valfrey. Charles Thomson wurde 1891 trésorier-payeur général.

sprach ihm der inzwischen zum Aussenminister ernannte Ribot die nächste frei-
werdende Gesandtschaft.[780]

Abfindungen für Parlamentarier
Der Anteil der aus dem Parlament rekrutierten Diplomaten war unter Thiers und
später unter Waddington besonders hoch. Beide stellten die grundsätzliche Überlegung an, dass Volksvertreter im Ausland als Vertreter ihres Landes mehr Gewicht haben könnten. Thiers' Wahl folgte allerdings nur bei der Ernennung von
Monarchisten wie de Broglie oder de Gontaut-Biron diesem Prinzip. Mit der Nomination von Picard und Ferry traf er rein innen- und personalpolitische Entscheide: Wie Picard mit Brüssel abgefunden wurde, weil er als Innenminister unhaltbar geworden war, bekam Ferry Athen, weil er die Seine-Präfektur wieder
abtreten musste. Thiers hatte Ferry am 24. Mai 1871 zum Préfet de la Seine ernannt, wurde aber deswegen in der Nationalversammlung interpelliert, so dass
Ferry am 5. Juni 1871 zurücktrat. Als Ersatz versprach ihm Thiers die Gesandtschaft in Washington. Ferry schrieb am 6. Juni 1871 seinem Bruder Charles:

> »M. Thiers me parle de nouveau de l'Amérique!« und am 17. Juli 1871 schrieb er
> in der gleichen Korrespondenz: »Je suis fort décidé à partir pour l'Amérique, mais
> fixer le jour du départ, c'est autre chose.«

Kurz bevor de Noailles, der ein Jahr zuvor den Posten in St. Petersburg abgelehnt hatte, nach Washington gesandt wurde, erhielt Ferry von Thiers Den Haag
oder Athen angeboten.

> »Le petit roi m'a appelé et enjôlé, me priant de lui faciliter, en renonçant à l'Amé-
> rique, une combinaison de personnes à laquelle il tient beaucoup.«[781]

Aus der Briefausgabe, der auch die übrigen Zitate entnommen worden sind, geht
hervor, dass Ferry schon vor dem 13. März 1873 zurückgerufen worden und in
der ersten Hälfte des April 1873 wieder in Paris gewesen ist. Ferrys Biograph,
Maurice Reclus, schreibt, Ferry habe es nach Frankreich zurückgetrieben, weil
ihm die politische Debatte gefehlt habe; er sei dann gerade auf den 24. Mai 1873
in Paris angekommen, als Thiers gestürzt und Mac-Mahon gewählt wurde. Ferry
habe hierauf sogleich seine Demission als Diplomat eingereicht und wieder in der
Nationalversammlung seinen Platz eingenommen.[782] Später bezeichnete Ferry in
einem Brief an Billot vom 1. Mai 1886 das Intermezzo im Dienste des Quai
d'Orsay als »mon exil attique.« Dass es darum gegangen war, Ferry vorübergehend von der Innenpolitik fernzuhalten, geht aus Ferrys Brief an seinen Bruder
vom 6. Juni 1871 hervor; Thiers soll zu ihm gesagt haben:

---

[780] Bericht Lardy vom 27. Januar 1900 anlässlich Bihourds Ernennung nach Bern, BA Bern
2001, Bd. 702.

[781] Jules Ferry an seinen Bruder Charles 16. Juni 1871 und Ende April 1872, FERRY, Lettres.
Pierrards Dictionnaire der III. Republik sagt, Ferry sei bis am 24. Mai 1873 (dem Tag von
Thiers' Sturz) Gesandter in Athen gewesen, Pierre PIERRARD, Dictionnaire de la III<sup>e</sup> Républi-
que, Paris 1968.

[782] RECLUS, Ferry, S. 100.

»Vous reviendrez, reposé, instruit, les haines s'apaiseront.« Juliette Adam: »Cette nomination est approuvée par toute l'Assemblée, où il est fort peu sympathique.«[783]

Die »Abtei« Bern wurde 1879 Challemel-Lacour weniger als persönliche Abfindung, sicher aber als Abfindung der hinter ihm stehenden Partei zugesprochen. Louis Andrieux' Ernennung vom März 1882 zum Botschafter in Madrid trug hingegen deutlich die Züge einer persönlichen Abfindung. Noch im Januar 1882 stellte sich nämlich die Frage, ob der Deputierte und ehemalige Polizeipräfekt ein Portefeuille im nächsten Kabinett erhalten sollte. Grévy bestimmte jedoch schon damals, dass Andrieux nach Madrid gehen werde. Was Gambettas Anhänger als Belohnung dafür verstanden, dass Andrieux Gambettas Kabinett habe stürzen helfen, empfand der Belohnte eher als Ungnade – als Versuch nämlich, ihn vom Parlament zu entfernen. Grévy hat schon am 30. Januar 1882 die Meinung vertreten: »Andrieux prendra une ambassade.«[784] Ernannt wurde Andrieux aber erst am 13. März 1882. Andrieux war am 16. Juli 1881 als Polizeipräfekt zurückgetreten, weil er mit der Reorganisation der Polizeipräfektur nicht einverstanden war und diese als Deputierter, der er bereits war, ohne Zurückhaltung bekämpfen wollte. Auguste Gérard sah in Andrieux' Ernennung zum Botschafter in Madrid den Dank für dessen Beteiligung am Sturz von Gambetta. Andrieux war Berichterstatter der Kommission gewesen, welche Gambettas Projekt der Listenwahlen vorberaten und Gambetta darüber zu Fall gebracht hatte.[785] Andrieux schreibt zu seiner Nomination:

> »Ma nomination [...] fut moins un témoignage de son amitié ou de sa confiance qu'un gage donné à ceux qui voulaient m'éloigner du Parlement. C'est ainsi que des considérations de politique intérieure décident trop souvent de la désignation de nos représentants à l'étranger.«[786]

Andrieux blieb nur während eines halben Jahres, in das zudem eine lange Sommerpause fiel, im Amt. Nachdem er sich im Sommer während seines Frankreichaufenthalts mit einer Rede in Gegensatz zu Premier- und Aussenminister Duclerc gestellt hatte, wurde sein parlamentarischer Urlaub nicht verlängert und er musste im September 1882 vom spanischen Hof Abschied nehmen.[787]

Bei der Nomination des Senators Foucher de Careil 1883 zum Botschafter in Wien muss ebenfalls die Absicht mitgespielt haben, Fouchers Verhalten im Senat zu belohnen, wie zehn Jahre zuvor Targets Verhalten in der Assemblée Nationale belohnt worden war. Hansen hielt fest:

---

[783] ADAM, Mes angoisses, S. 287. Ferner im gleichen Band S. 299, 403.

[784] LAVERGNE, Grévy, S. 65.

[785] ANDRIEUX, Mémoires, S. 88.

[786] ANDRIEUX, Mémoires, S. 297.

[787] Nicht ermitteln liess sich der Grund, warum Gabriel Pierre Deville, der sozialistische Deputierte, der 1906 nicht mehr kandidiert hatte, im April 1907 in den Quai d'Orsay aufgenommen wurde, um zunächst – lediglich auf dem Papier – französischer Gesandter in Äthiopien und 1909 ein sein Amt dann tatsächlich ausübender Gesandter in Griechenland zu werden.

»Le gouvernement avait acheté sa voix dans la question de la réforme de la magistrature, devant le Sénat, et le poste de Vienne avait été confié à M. Foucher de Careil en récompense d'un suffrage dans un scrutin très disputé.«[788]

Und wie Andrieux und manche der auf diese Weise zu Diplomaten gewordenen Politiker verliess Foucher den diplomatischen Dienst wieder so schnell und plötzlich, wie er gekommen war.

Die meisten Deputierten und Senatoren gaben im Quai d'Orsay nur kurze Gastspiele. De Broglie blieb ein Jahr Botschafter, Decazes zwei Monate, Laufrey zwei Jahre, Bisaccia ein halbes Jahr, Ferry ging für ein halbes Jahr nach Athen, Picard für anderthalb Jahre nach Brüssel, Target blieb immerhin vier Jahre Gesandter in Den Haag. Auch Andrieux blieb nur ein halbes Jahr und Foucher de Careil kehrte nach drei Jahren der Diplomatie wieder den Rücken. Der ehemalige Deputierte Louis Legrand, der 1882 bis 1895 Gesandter in den Niederlanden war, wäre wohl auch nur drei Jahre auf diesem Posten geblieben, wenn seiner Kandidatur in den Kammerwahlen 1885 Erfolg beschieden gewesen wäre. Louis Legrand war 1870 Sous-Préfet und im Februar 1876 Deputierter des Departement du Nord gewesen. Diesen Sitz tauschte er gegen die Gesandtschaft im Haag, kandidierte aber 1885 wieder im gleichen Departement. 1886 wurde er Vizepräsident des Generalrates dieses Departementes, was mit seiner Tätigkeit als Gesandter vereinbar war.

Auch Poubelle, der als einer der »müden« Präfekte zum Botschafter gemacht worden war, verliess schon nach anderthalb Jahren wieder seinen Posten, weil er als ehemaliger Seine-Präfekt für den Sitz des Seine-Senators kandidieren wollte.[789] Deutscherseits interpretierte man den Wechsel nicht als Rücktritt, sondern als Abberufung; Frankreich habe im Hinblick auf die Protektoratsverhandlungen einen dezidierteren und gewiegteren Vertreter beim Vatikan haben wollen.[790]

Jules Thiessé blieb 1886 nur ein knappes Jahr in Venezuela. Auch für Constans war der Aufenthalt in China und Indochina 1886–1889 ein Intermezzo zwischen zwei Amtszeiten als Innenminister. Ebenfalls nur transitorischer Natur war die diplomatische Tätigkeit von Charles-Jacques-Marie Tanneguy Duchâtel: Nachdem der zum »centre gauche« gehörende Comte beim Wechsel von der Nationalversammlung in die Deputiertenkammer im Februar 1876 nicht mehr gewählt worden war, wurde er im Oktober des gleichen Jahres mit noch nicht 40 Jahren Gesandter in Kopenhagen, später Gesandter in Brüssel und Botschafter in Den Haag, um sich nach seiner Demission vom Februar 1883 wieder vermehrt der Innenpolitik zuzuwenden und im Oktober 1885 erneut Deputierter zu werden. Bei Francis Charmes lagen die Verhältnisse nur wenig anders: 1880/81 hatte er zwar für zehn Monate in diplomatischem Dienst gestanden, er liess sich aber im Sommer 1881 in die Deputiertenkammer wählen und kam 1885 nur in den Quai d'Orsay (wo er Politischer Direktor wurde) zurück, weil er 1885 bei den Erneuerungswahlen durchgefallen war; bei den nächsten Wahlen 1889 verliess er das Aussenministerium wieder, um erneut Deputierter zu werden. Anlässlich von Francis Charmes' Rücktritt gab der deutsche Botschafter das folgende Urteil ab:

---

[788] Tagebuch Hansen, Eintrag vom 5. Juni 1885, Hansen, MAE, Papiers nominatifs.

[789] Bericht Lardy vom 30. Dezember 1898, BA Bern, E 2001/702.

[790] Bericht Bülow vom 22. Dezember 1898, PAAA Bonn, F 108/10.

«Wenn ich auch niemals Veranlassung hatte, über Herrn Charmes direkt zu klagen, so fehlte ihm doch diejenige diplomatische Schulung, welche in seiner Stellung unerlässlich ist, auch kam bei ihm nicht selten Pedanterie und Neigung zu Spitzfindigkeiten, vorübergehend auch ein chauvinistischer Hauch, zum Vorschein.«[791]

Stephen Pichon war der einzige Deputierte, dessen Engagement in der Diplomatie nicht nur vorübergehender Natur war. Im Mai 1894 trat er, nachdem seine politische Karriere wie diejenige des befreundeten Clemenceau mit dem Panamaskandal ein vorläufiges Ende genommen hatte, in das Aussenministerium ein und diente – sogleich als Gesandter eingesetzt – kontinuierlich und geduldig auf weniger begehrten Posten, er vertrat Frankreich in Südamerika, China, Tunesien, bis er 1906 mit Clemenceaus Hilfe den grossen Sprung machen und als Aussenminister Diplomatie und Politik verbinden konnte. Pichons Übertritt ausgerechnet in die Diplomatie war nicht zufällig. Pichon hat sich bereits als Deputierter für die Aussenpolitik interessiert und 1891 den Bericht für das kommende Budgetjahr des Aussenministeriums verfasst.[792] Diese Aufgabe verschaffte ihm persönliche und sich später wohl als nützlich erweisende Beziehungen zum Quai d'Orsay. Die Wichtigkeit seiner damaligen Stellung kann man an einem Korrespondenzenfragment ablesen, aus dem hervorgeht, dass Aussenminister Ribot Pichon die Frage vorgelegt hat, ob man nicht die Kredite für die Botschaften in Rom, Wien und Konstantinopel erhöhen könne.[793] 1906 galt er nach 12jährigem Dienst im diplomatischen Korps als »Professioneller«; diesen Ruf erwarb man sich aber nur langsam. Lange blieb man für die bereits Vorhandenen (die früher vielleicht auch etwa von aussen gekommen waren) ein »Eindringling«. Pichon hatte bereits vier Jahre in Südamerika gedient und war bereits seit einigen Monaten in Peking, doch er wurde, wenigstens nach seiner eigenen Beurteilung, immer noch nicht als Berufsdiplomat betrachtet.

»Je sais que ›la Carrière‹ n'aime pas beaucoup qu'on fasse avancer des intrus comme moi, et j'en suis vraiment désolé […] pour Elle. Mais quoi que le sacrifice lui coûte, je crois qu'il est essentiel qu'Elle l'accomplisse puisque le Président de la République l'a ainsi voulu.«

Pichon schrieb diese Zeilen am 11. Oktober 1898, weil die erste Meldung vom 24. Juni, er sei zum Minister 1. Klasse befördert worden, noch nicht bestätigt und die Entlöhnung noch nicht angepasst worden sei.[794] Kurz vor der Ernennung zum Aussenminister war davon die Rede, Pichon die Botschaft von Madrid zu geben. Paul Cambon, wegen dieser Eventualität beunruhigt, schrieb bezüglich des spanischen Königshauses am 14. September 1906 seinem Sohn:

»Que pensera le jeune roi, que pensera la reine mère de la vulgarité de Pichon et de sa femme?«[795]

[791] Münster am 28. Oktober 1889, PAAA Bonn, F 105/1, Bd. 6.

[792] Nr. 1630, 212 S.

[793] Paul Cambon an Ribot, 19. Oktober 1891, Papiers Ribot, Bd. 1.

[794] Papiers Delcassé, Bd. 5.

[795] Fonds Louis Cambon.

Auch Bompard wurde 1902, als er die Botschaft von St. Petersburg übernahm, von seinem Vorgänger, dem Marquis von Montebello, als ehemaliger Präfekto- rialbeamter apostrophiert, obwohl bereits zwanzig Jahre seit dem Übertritt von der einen in die andere Verwaltung verstrichen waren. François Charles-Roux, damals Attaché in St. Petersburg, überliefert das Diktum, wonach sich Montebello bei Bekanntwerden von Bompards Ernennung gegenüber dem Botschaftspersonal geäussert habe:

> »Messieurs, entrez dans les préfectures!«[796]

## Unvereinbarkeit parlamentarischer und diplomatischer Mandate?

Delcassé, der ehemalige Aussenminister, erklärte schon nach acht Monaten, er wolle die St. Petersburger Botschaft wieder verlassen, die er erst im Februar 1913 angetreten hatte und die er vereinbarungsgemäss für eine Dauer von mehreren Jahren hätte übernehmen sollen. Paradoxerweise war für die Kürze dieser Inter- mezzi gerade derjenige Grund nicht massgebend, der nach 1875 eigentlich hätte entscheidend sein sollen – die Vorschrift nämlich, dass Deputierte nur zeitlich befristete diplomatische Missionen annehmen durften. Aussenminister Jonnart war überzeugt, dass Delcassés Dispens beliebig verlängert werden könnte. Dem englischen Botschafter sagt er von Delcassé:

> »As however he is a Deputy he cannot theoretically absent himself for more than six months at a time and perhaps the Emperor might not like to have an Ambas- sadeur in that condition, but he (M. J.) had been Deputy and Governor General of Algeria at the same time and for a long time.«[797]

Im Aussenministerium rechnete man offenbar damit, dass Delcassé längere Zeit in St. Petersburg bleiben würde. Paléologue, Delcasssés Nachfolger in St. Petersburg, notierte am 21. Oktober 1913:

> »Je n'hésite pas à lui rappeler que, lors de sa nomination, il y a huit mois, je l'avais, de mes propres oreilles, entendu nous affirmer qu'il se consacrerait à son ambas- sade pendant trois ou quatre ans au moins.«

Der gleichen Quelle zufolge verstand auch Aussenminister Doumergue Delcassés plötzliches Bedürfnis heimzukehren nicht, denn:

> »La situation parlementaire ne lui offre aucun rôle à jouer en ce moment […].«[798]

Delcassé war während dieser acht Monate mehrmals nach Paris zurückgekehrt. Der *Figaro* reklamierte am 2. Mai 1913, dass Delcassé, nachdem er kaum einen Monat in St. Petersburg gewesen war, schon wieder in Paris weilte, und forderte seine sofortige Rückkehr nach Russland. Wie sehr war Delcassé am Posten in St. Petersburg interessiert? Im Februar 1913 hatte er gerade das in der Regierung Briand innegehabte Portefeuille des Marineministeriums abgegeben und war nicht mehr in der Kombination des neuen, wiederum von Briand gebildeten Kabinettes. Der Vertreter der Schweiz wusste zu berichten, dass Briand für Delcassé

---

[796] CHARLES-ROUX, Souvenirs, Bd. 1, S. 57.

[797] Bertie an Grey, 17. Februar 1913, PRO London, Privatpapiere Grey.

[798] PALÉOLOGUE, Quai d'Orsay, Eintrag vom 26. Dezember 1913, S. 262.

St. Petersburg gefordert hatte und von Poincaré die Erfüllung dieses Wunsches auch erwarten durfte, weil er sich für dessen Wahl zum Staatspräsidenten einge-setzt hatte.[799] Es ist möglich, dass Delcassé sich erhoffte, via diesen wichtigen Aussenposten wieder in den Quai d'Orsay zurückkehren zu können, wie dies am 26. August 1914 denn auch eintreten sollte. Trotzdem heisst es, dass er nur wi-derwillig nach St. Petersburg gegangen sei; sein Sohn Jacques hatte sich kurz zuvor bei einem Flugunfall schwer verletzt, zudem war er soeben Präsident der Radicaux de gauche geworden. Laut Judet soll Delcassé das Ministerpräsidium angestrebt[800], laut Porter soll er es abgelehnt haben, im Kabinett Briand ein weiteres Mal das Marine- oder neu das Kriegsministerium zu übernehmen.[801] Von Delcassés allfälliger Nomination für St. Petersburg war aber schon früher die Rede gewesen. Pierre de Coubertin schrieb am 2. Januar 1902 dem damaligen Aussenminister Delcassé, es zirkuliere das Gerücht,

> »que vous en avez assez des fardeaux de la politique générale et que vous songez à prendre l'ambassade de Pétersbourg. Mais vous ne ferez jamais cela, bien enten-du.«[802]

Auch 1908 war von ihm als möglichem Nachfolger Bompards die Rede.[803] Bot-schafter Schoen überliefert, Poincaré habe den Posten in St. Petersburg zuerst Ribot angeboten.[804]

Zur Zeit des Provisoriums der Dritten Republik hatte man ohne weiteres zu-gleich Botschafter und Mitglied der Nationalversammlung sein können. Le Flô kam 1875 sogar extra aus St. Petersburg angereist, um in Versailles über die Ver-fassung abzustimmen, und kehrte wegen der gespannten internationalen Lage nach der Abstimmung sogleich wieder auf seinen Posten zurück.[805] Gontaut-Biron blieb auch nach seiner Ernennung zum Botschafter in Berlin im Parlament aktiv:

> »[…] mon éloignement de Versailles et de Paris ne m'empêchait pas d'entretenir des relations avec mes collègues de l'assemblée nationale et plus tard au Sénat.«[806]

Im Oktober 1873 ging der Wunsch, de Gontaut-Biron möge nach Versailles kommen und seine Stimme abgeben, sogar von Regierungschef de Broglie aus.[807] De Saint-Vallier liess sich im Februar 1880 von Grévy und Freycinet ausdrücklich seine »liberté de vote entière« bestätigen.[808] Auch Chanzy übte sein Mandat aus;

---

[799] Minister Lardy an Bundespräsident Müller, 21. Februar 1913, BA Bern, 2300 Paris, Bd. 66.

[800] Ernest JUDET, Georges Louis, Paris 1925, S. 205 f.

[801] Charles W. PORTER, The Career of Théophile Delcassé, Philadelphia 1936, S. 310.

[802] Papiers Delcassé, Bd. 4.

[803] Bompard an Louis, 25. Januar 1908, Papiers Louis.

[804] SCHOEN, Erlebtes, S. 149.

[805] ADAM, Nos amitiés politiques, S. 235 und 240.

[806] GONTAUT-BIRON, Mon ambassade, S. 1 f. Zur parlamentarischen Aktivität des Bot-schafters Saint-Vallier siehe oben.

[807] Ebenda, S. 405 und 414 f.

[808] Saint-Vallier an Chanzy, 16. Februar 1880, MAE, Mémoires et Documents, Allemagne, 167bis.

de Saint-Vallier schrieb am 23. Oktober 1881, kurz vor dem Sturz des Kabinettes Ferry und Gambettas Regierungsantritt, dem Aussenminister Barthélemy-Saint-Hilaire:

> »Chanzy m'écrit qu'il vous a demandé une prolongation de congé pour pouvoir siéger au Sénat et attendre les événements.«[809]

Thiers versicherte Albert de Broglie sogar, dass diese Funktionen definitiv miteinander vereinbar seien:

> »Je n'ai pas besoin de vous dire que les fonctions diplomatiques resteront définitivement compatibles avec les fonctions législatives.«[810]

1875 wurde dann aber die Bestimmung eingeführt, dass aus der Staatskasse bezahlte Beamte nicht zugleich Deputierte sein durften.

> »L'exercice des fonctions publiques rétribuées sur les fonds de l'Etat est incompatible avec le mandat de député. – Tout député nommé ou promu à une fonction publique salariée cesse d'appartenir à la Chambre par le fait même de son acceptation; mais il peut être réélu si la fonction qu'il occupe est compatible avec le mandat de député.«[811]

Auch für die Präfekte wurde die Unvereinbarkeit mit einem parlamentarischen Mandat erst 1875 durchgesetzt.[812] Politische Mandate auf departementaler Ebene waren nicht ausgeschlossen, doch muss es ratsam gewesen sein, sich vor deren Annahme mit seinem Vorgesetzten zu verständigen. Jean Beau war Gesandter in Brüssel, als man ihn fragte, ob er, der bereits Conseiller municipal war, sich als Abgeordneter von Saujon auch in den Conseil général der Charente-Inférieure wählen lassen dürfe. Beau fragte seinen Vorgesetzten und Parteikollegen, den Aussenminister Pichon, ob er kandidieren dürfe und begründete die Kandidatur mit dem Argument, er müsse sich zur Verfügung stellen, weil der Erfolg der Partei auf dem Spiel stehe.[813]

Die Deputierten konnten sich aber eine »mission temporaire« geben und sich im Parlament für ein halbes Jahr beurlauben lassen, ohne dass sie deswegen ihr Mandat verloren. Dieser Urlaub liess sich nach Ablauf problemlos erneuern.

Andrieux nahm die ihm angebotene Botschaft an »à titre de mission temporaire, pour un délai de six mois renouvelable.« In seinen Memoiren führte er dazu aus:

> »J'échappais ainsi à l'incompatibilité et je conservais mon mandat de député.«[814]

Als der österreichische Botschafter in Paris, Szécsen, am 21. Februar 1913 seiner Regierung Delcassés Ernennung mitteilte, fügte er bei:

---

[809] Ebenda, Allemagne Bd. 167.

[810] BROGLIE, Mémoires, Bd. 2, S. 53.

[811] Art. 8 und 11 des Gesetzes vom 30. November 1875.

[812] SIWEK-POUYDESSEAU, Le corps préfectoral, S. 73.

[813] Beau an Pichon, 29. Juni 1910, Papiers Pichon, Institut.

[814] ANDRIEUX, Mémoires, S. 298.

»Herr Delcassé behält übrigens sein Deputierten-Mandat bei und erhält von der Kammer einen sechsmonatlichen Urlaub der ad infinitum verlängert werden kann.«[815]

De Margeries Biograph Auffray nennt Delcassés Ernennung ebenfalls

»une mission de six mois qu'on comptait bien lui renouveler pendant plusieurs années.«[816]

Der konservative Deputierte Jules Delafosse stellte sich in der Budgetsitzung vom 27. November 1886 allerdings auf den Standpunkt, dass solche Erneuerungen dem Geist des Gesetzes vom 30. November 1875 widersprächen; Paragraph 2 von Art. 9 halte nämlich eindeutig fest:

»Toute mission qui a duré plus de six mois cesse d'être temporaire.«

Delafosse betonte bei dieser Gelegenheit wiederum, dass allzu kurze Amtszeiten auch nicht erwünscht seien, weil erstens die Diplomaten doch Zeit zur Einarbeitung benötigten und zweitens jeder Wechsel zumal auf entfernten Posten mit teuren Reise- und Installationsspesen verbunden sei.[817]

Andrieux nahm, als er nach Madrid ging, bloss die erste Hälfte, Delcassé nahm während einer Mission in St. Petersburg auch die zweite Hälfte dieser Regelung in Anspruch. Delcassés baldige Rückkehr war also nicht von reglementarischen Restriktionen bestimmt. Sie erklärt sich vielmehr aus dem Wunsch, als Politiker, der er war, möglichst bald in seinen ursprünglichen Wirkungsbereich zurückzukehren, zumal die Wahlen der Deputiertenkammer bevorstanden.

Während die nominierende Regierung und die nominierten Deputierten zuweilen glaubten, ein Botschafter mit einem parlamentarischen Mandat sei ein besonders guter Auslandsvertreter, weil er von einem Teil des französischen Volkes gewählt worden sei, war diese Lösung in den Vertretungsländern nicht unbedingt gerne gesehen. Den im Januar 1907 für Madrid nominierten Deputierten und Ex-Minister Georges Leygues wollten die Spanier nicht akkreditieren; man wünschte am spanischen Hof einen definitiv residierenden und nicht bloss provisorisch eingesetzten Botschafter.[818] Leygues war bereits in seinen letzten Tagen als Kolonialminister Anwärter auf einen diplomatischen Posten. In dieser Eigenschaft erschien er schon am 21. September 1906 in einem Brief Paul Cambons an seinen Sohn Henri; Cambon führte dort weiter aus:

»Je prévois que peu à peu les ambassades seront peuplées de politiciens.«[819]

Und am 21. November 1906 schrieb er, man habe Leygues voreilig Madrid versprochen:

---

[815] Oester. Dok., Bd. 5, Nr. 5891.

[816] AUFFRAY, Pierre de Margerie, S. 242.

[817] DELAFOSSE, Vingt ans, S. 54.

[818] Berichte Radowitz vom 4. und 11. Januar 1907, PAAA Bonn, F 108, Bd. 16. Sowie *Echo de Paris* vom 18. November 1906, *Journal des Débats* vom 5. Januar 1907 und *Le Matin* vom 11. Januar von 1907.

[819] Fonds Louis Cambon.

»On regrette beaucoup certaines promesses imprudentes et l'on s'aperçoit qu'il ne suffit pas d'être bel homme et député pour faire un ambassadeur.«[820]

Für die Senatoren galt das Prinzip der Gewaltentrennung nicht. Nicht nur Diplomaten profitierten von dieser Regelung. Justin de Selves beispielsweise konnte von 1909 bis 1911 Senator und Seine-Präfekt sein. 1876 wurde de Gontaut-Biron zum Senator gewählt und blieb dennoch Botschafter in Berlin. Die meisten der um 1879/1880 berufenen Senatoren waren ebenfalls nur vorübergehend und nur für kurze Zeit in der Diplomatie tätig. Challemel-Lacour drei Jahre, Chanzy anderthalb Jahre, Pothuau ein Jahr, Léon Say sechs Wochen, Teisserenc de Bort ein Jahr, Foucher de Careil drei Jahre, Jaurès und de Saint-Vallier immerhin vier Jahre. Einige wenige Senatoren hielten mit bemerkenswerter Ausdauer an den ihnen zugesprochenen Botschaften fest. Der Senator Emmanuel Arago, der als Nachfolger des Senators Challemel-Lacour 1880 die Botschaft in Bern übernommen hatte, blieb vierzehn Jahre lang im Amt und musste, 82jährig, 1894 sogar zum Rücktritt gezwungen werden. Arago war insofern nicht ganz ohne diplomatische Erfahrung, als er 1848 ein paar Monate Gesandter der Zweiten Republik in Berlin gewesen war. 1870 war er Justizminister des »Gouvernement de la Défense Nationale«, 1871 Innenminister. Senator war er seit 1876. Über die Gründe, warum der 82jährige Arago 1894 von Bern abberufen wurde, stellten deutsche Beobachter verschiedene Vermutungen an: Trotz körperlicher Tüchtigkeit habe sich bei Arago in den letzten Jahren eine geistige Ermüdung bemerkbar gemacht, Arago habe es aber abgelehnt zurückzutreten. Aussenminister und Ministerpräsident Casimir-Périer habe die Abberufung gegen den Willen von Präsident Carnot durchgesetzt; die französische Presse sehe Mélines Protektionismus als Grund der Ungnade für den freihändlerisch gesinnten Arago.[821] Anderthalb Jahre später vermutete oder befürchtete Aragos Nachfolger, Barrère, man könnte ihn wieder durch Arago ersetzen wollen![822] Auf dem gleichen Posten wirkte in den Jahren 1907–1911 wiederum ein Senator – der Graf und Clemenceau-Schützling d'Aunay. Der vormalige Aussenminister Waddington war während der Jahre 1883–1893 Botschafter in London und zugleich Senator von Aisne und der Senator Alphonse de Courcel vereinigte in den Jahren 1894–1898 eine ähnliche Doppelfunktion, als Nachfolger Waddingtons in London und als Senator von Seine-et-Oise.

Der Vorstoss, den der radikal-sozialistische Deputierte Gustave Hubbard in der Budgetdebatte vom 19. Januar 1893 in der Unvereinbarkeitsfrage unternommen hat, wollte ausdrücklich als unpersönliche und grundsätzliche Demarche verstanden sein, sie war dennoch Ausdruck der ganz konkreten Unzufriedenheit mit der Tätigkeit des Senator-Botschafters Waddington in London, zumal nur von ihm und von Arago, der zur gleichen Zeit als Senator-Botschafter in Bern wirkte, die Rede war. Hubbard forderte eine symbolische Kreditkürzung von 1 000 Francs als

---

[820] Ebenda.

[821] PAAA Bonn, F 108, Bd. 6, Berichte vom 17., 20., 24. April 1894. Vgl. ferner den Bericht vom 15. Juli 1906 der gleichen Serie Bd. 15, und den Bericht vom 20. Mai 1905 in: F 105/1/21.

[822] Barrère an Paul Cambon, 15. November 1895, Fonds Louis Cambon.

Protest gegen die Tatsache, dass jemand der Verwaltung und zugleich deren Kontrollinstanz angehören konnte.

> »Je demande à la Chambre [...] de manifester de la façon la plus nette son désir de voir le personnel administratif absolument dans la main du pouvoir parlementaire; de sorte que ce personnel n'ait aucun moyen de pratiquer une politique propre, que ses membres gardent leur véritable rang et leur véritable rôle, celui qu'ils doivent avoir dans notre pays, c'est-à-dire de subordonnés aux pouvoirs publics, en recevant des instructions et n'ayant jamais à émettre un jugement sur ceux sous l'autorité desquels ils sont placés.«[823]

Aussenminister Develle ging auf das Grundsätzliche der Frage nicht ein und erklärte lediglich, es gehe nicht an, dass man mit Budgetanträgen ein bestehendes Gesetz wie dasjenige zur Frage der Unvereinbarkeit bekämpfe. Wie ist die Tatsache zu interpretieren, dass immerhin 150 Deputierte Hubbards Antrag folgten, während 263 dagegen stimmten? Ein grösserer Teil der Befürworter bekundete wohl auf diese Weise doch seine spezielle Unzufriedenheit mit Waddingtons Wirken in London und wollte sich nicht grundsätzlich für eine Verschärfung der Gewaltentrennung aussprechen. Jedenfalls blieb dieser Vorstoss ein Zwischenspiel ohne Konsequenzen, wurde doch gerade die Botschaft in London ein Jahr später wieder mit einem Senator besetzt.

Léon Says Entsendung nach London war ein Spezialfall. Es ging nicht darum, Say einen Posten zu verschaffen. Der Senator und ehemalige Finanzminister wurde nach London geschickt, um die festgefahrenen Handelsvertragsverhandlungen neu in Gang zu bringen. So stand im vorneherein fest, dass er schon nach wenigen Wochen wieder zurückkehren werde, doch entsandte man ihn als regulären Botschafter, weil man der Meinung war, dass er auf diese Weise mit mehr Autorität auftreten könne. Am 30. April 1880 war er zum Botschafter ernannt worden, am 6. Mai 1880 traf er in London ein, und schon vierzehn Tage später, am 25. Mai 1880, wurde er zum Senatspräsidenten gewählt. Léon Say soll gesagt haben,

> »pour moi les fonctions de sénateur priment toutes les autres.«[824]

Ernest Constans hat 1898 seinen Vorgänger in Konstantinopel nicht von seinem Posten verdrängt. Auf Delcassés Bitte hatte sich nämlich Paul Cambon nach langem Zögern schliesslich bereit erklärt, die wichtige Botschaft London zu übernehmen und Konstantinopel auszugeben. Anderseits wusste Jules Cambon, damals Generalgouverneur in Algerien, schon vier Jahre vor Constans' Wechsel in die Diplomatie zu berichten, dessen Frau wünsche entweder eine Botschaft oder seinen Posten in Algerien.

> »D'autre part Madame Constans change d'ambition plus souvent que de chemise, et tantôt elle veut une ambassade et tantôt le gouvernement d'Alger. Ce qu'elle ne veut pas, c'est rester sur la grève. Je crois bien qu'au moment où M. Dupuy avait

---

[823] Hubbard am 19. Januar 1893, Annales, S. 152.

[824] Georges MICHEL, Léon Say. Sa vie, ses œuvres, Paris 1900, S. 351 f. S. auch Georges PICOT, Léon Say. Notice historique sur la vie et ses travaux, Paris 1900, S. 45.

> espéré la Présidence de la République, il avait promis quelque chose de mon côté à
> Constans, mais autre temps, autre chanson.«[825]

Dieser Appetit war sehr wohl verständlich, nachdem Aussenminister Develle ein
Jahr zuvor, 1893, Constans die Botschaft beim Quirinal angeboten hatte, um Billot
nach London verschieben zu können. Der deutsche Botschafter Münster berichtete am 30. April 1893, Develle habe auf Wunsch von Präsident Carnot
Constans Rom angeboten, und wenn jener angenommen hätte, wäre Billot nach
London geschickt worden.[826] Baron de Reaille stellte Constans in der Kammerdebatte vom 17. Juli 1888 die Frage:

> »Est-ce comme gouverneur général ou comme député que vous parlez?« Und
> Hubbard doppelte nach: »Nous voyons un sous-secrétaire d'Etat interpellé par un
> fonctionnaire qui est son subordonné, et on ne sait pas ici si c'est le fonctionnaire
> ou le député qui interpelle.«

Constans hingegen stellte sich auf den Standpunkt, er habe eine Mission erhalten,
die am 14. Mai 1888 zu Ende gegangen sei:

> »[…] je suis ici un député comme tous les députés […], je ne suis nullement fonc-
> tionnaire.«

Da Constans nicht bereit war, sich der amtierenden Regierung unterzuordnen,
wurde seiner Mission im Oktober 1888 definitiv ein Ende gesetzt. Constans' Laufbahn ist das Musterbeispiel einer Karriere, die das parlamentarische Mandat als
Sprungbrett für weitere Ämter zu gebrauchen verstand. Seine Kandidatur als
Deputierter in den Jahren 1875–1889 verschaffte ihm 1879 zunächst ein Unterstaatssekretariat, 1880 für drei Jahre das Portefeuille des Innenministers, 1886 für
ein Jahr die Gesandtschaft in China und für die folgenden drei Jahre das Generalgouvernement in Indochina. Das Amt eines Generalgouverneurs war offenbar mit
dem Deputiertenmandat vereinbar, doch blieb diese Kombination, wie das Beispiel der Kammerdebatte vom Juli 1888 zeigt, nicht unangefochten. 1890 wechselte Constans in den Senat, und 1898 hielt ihm sein Senatskollege de Freycinet, in
dessen Kabinett er 1890–1892 Innenminister gewesen war, die Botschaft von
Konstantinopel zu, indem er seinen Eintritt als Kriegsminister in das Kabinett
Dupuy unter anderem von der Erfüllung dieser Forderung abhängig machte.
Delcassé habe auf Paul Cambons Frage, warum er Constans zum Botschafter ernannt habe, geantwortet:

> »Freycinet avait exigé cette nomination en entrant dans le ministère Dupuy.«[827]

Schon 1886 war es de Freycinet gewesen, der Pichon nach dessen knapper Wiederwahl nach China geschickt hatte – »pour se refaire.«[828] Der deutsche Botschafter Münster erklärt in seinem Bericht vom 19. Dezember 1898 die Nomination mit

---

[825] Jules Cambon an Paul Cambon 5. Oktober und um den 31. Oktober 1894, Papiers Jules
Cambon, Bd. 25.

[826] PAAA Bonn, F 108, Bd. 5. Von Constans war schon 1891 als möglichem Nachfolger
Montebellos in Konstantinopel die Rede, Bericht Münster 25. Mai 1891, ebenda, Bd. 4.

[827] Paul Cambon an Jules Cambon, 1. Januar 1902, Fonds Louis Cambon.

[828] Notes personnelles de Félix Faure (Fonds F. Berge), Bd. 2, November 1895.

einer weiteren einleuchtenden Überlegung: »Die jetzige Regierung fürchtet seinen grossen Einfluss im Senat.«[829] Allerdings wäre der gleichen Quelle zufolge Constans gerne nach Konstantinopel gegangen, ihm sei wiederholt der Eintritt in die Regierung angeboten worden, doch wolle er sich in diesen Zeiten (Frankreich steckte mitten in der Dreyfus-Affäre, G. K.) nicht verbrauchen lassen.[830]

Bezeichnenderweise war es Constans, der dem jungen Octave Homberg in Konstantinopel den vielsagenden Rat gab, er solle doch nicht so dumm sein und in der gewöhnlichen Stufenleiter der diplomatischen Karriere bleiben. Zu den grossen Posten führe ein anderer Weg, die Karriere nämlich, die im Kabinett eines Ministers beginne und über ein Deputiertenmandat zu den obersten Rängen der Verwaltung führe.

> »Comment, intelligent comme vous paraissez l'être, avez-vous choisi une carrière aussi bête que la carrière diplomatique? Vous pourriez être chef de cabinet de ministre, puis vous faire élire député, et arriver ainsi d'emblée aux postes de gouvernement qui seuls valent la peine d'être convoités!«[831]

Man konnte Senator und zugleich Diplomat sein – konnte man aber auch Diplomat sein und Senator erst noch werden wollen? Eine Kandidatur erforderte in der Regel einen Wahlkampf, und das war unter Umständen eine hochpolitische Angelegenheit. In den neunziger Jahren nahm sich der Ministerrat das Recht heraus, George Cogordan, den damaligen Generalkonsul in Kairo, von einer Kandidatur abzuhalten, indem er diese als unvereinbar mit seiner Stellung bezeichnete. Cogordan dankte Aussenminister Hanotaux, dass er sich im Conseil für ihn eingesetzt habe, und rechtfertigte nochmals sein Vorhaben:

> »Mon but, je vous l'ai dit, en pensant au Sénat, était d'accroître ici mon autorité. C'est vous dire que, mis en demeure de choisir, je garde mon poste.«[832]

### Abtretende Minister

Erstaunlicherweise waren die abtretenden Aussenminister für die Berufsdiplomaten eine weit weniger gefährliche Konkurrenz als die ämterhungrigen Deputierten und die jungen Karrieristen der Ministerkabinette. Als ehemaliger Minister, der nicht dem Aussenministerium vorgestanden hat und nach seinem Rücktritt in den diplomatischen Dienst eingetreten ist, ist seit 1880 lediglich Constans zu verzeichnen. Der Kolonialminister Georges Leygues (1857–1933) versuchte zwar nach seinem Rücktritt im Oktober 1906, wie Andrieux »en mission temporaire«, also ohne Verlust seines Deputiertenmandates, die Botschaft von Madrid zu erhalten. Die französische Presse stand diesem Vorhaben eher ablehnend gegenüber.[833] Und Spanien wünschte keinen provisorischen, sondern einen definitiv akkreditier-

---

[829] PAAA Bonn, F 108, Bd. 10.

[830] Ebenda, Bericht vom 28. Dezember 1898.

[831] HOMBERG, Coulisses, S. 64.

[832] Schreiben ist nur mit 7. Juli datiert, Papiers Hanotaux, Bd. 18.

[833] Vgl. etwa *Echo de Paris* vom 18. November 1906, *Journal des Débats* vom 2. Januar 1907 und *Le Matin* vom 11. Januar 1907.

ten Botschafter.[834] Am 31. Dezember 1906 sagte Pichon dem deutschen Botschafter Radolin zu einem Artikel des *Temps* vom gleichen Tag, er gehe auf Leygues zurück, der einen ihm vom Präsidenten zugesagten Botschafterposten nicht erwarten könne und auf Madrid rechne.[835] Im Februar 1907 war Leygues offenbar immer noch Anwärter eines Botschaftspostens; am 15. Februar 1907 schrieb Beau Aussenminister Pichon, er sei froh, dass man d'Aunay und nicht Leygues zum Botschafter in Bern ernannt habe.[836]

Delcassé und Waddington waren die einzigen, die als ehemalige Aussenminister Botschafterposten übernahmen. Beide haben aber ihre Botschaften nicht als Abfindung für den Verlust ihres Ministersessels entgegengenommen. Im Falle Delcassés lagen acht Jahre zwischen dem Sturz und der bereits durch die Übernahme des Marineministeriums vorbereiteten Rückkehr in die Aussenpolitik. Im Falle Waddingtons lagen beinahe vier Jahre zwischen beiden Daten, und Waddington hatte sich sogar ausdrücklich geweigert, unmittelbar nach seinem Sturz als Botschafter weiterhin im Dienste des Quai d'Orsay zu stehen.[837] Nach seinem Rücktritt zog sich Waddington zunächst für drei Monate ins antike Rom zurück.[838] Im März 1883 erhielt Waddington zuerst Wien angeboten. Nach seiner Rückkehr von der Sondermission zur Krönung des Zaren wurde er am 18. Juli 1883 zum Botschafter in London ernannt. Im November 1883 wollte ihn Ferry als Nachfolger Challemel-Lacours ins Aussenministerium zurückrufen. Da aber Waddington innert fünf Jahren die fünfte Nomination für die Londoner Botschaft war und die englische Königin den ständigen Wechsel missbilligte, musste von dieser Berufung abgesehen werden.[839] Die Meinung, dass der in England aufgewachsene Waddington die Botschaft in London übernehmen solle, bestand schon im November 1878 während Waddingtons ersten Aussenministeriums.[840]

Von anderen Aussenministern ist belegt, dass sie immerhin versucht haben, auf diese Weise einen guten Abgang zu finden, Decazes' Freunde hofften 1877, der untragbar gewordene Aussenminister könnte Botschafter in Berlin werden (vgl. oben S. 169); von Ribot hiess es 1893, er begehre möglicherweise die Botschaft in London. Schon im Herbst 1885 muss Ribot, nachdem er als Deputierter nicht mehr gewählt worden war, als möglicher Botschafter in London im Gespräch gewesen sein; Jules Cambon fragte seinen Bruder Paul am 24. November 1885:

»Est-ce que sérieusement on parle de Ribot pour Londres?«[841]

---

[834] Vgl. auch den Bericht Radowitz vom 11. Januar 1907, PAAA Bonn, F 108, Bd. 16; sowie Les Carnets de Gabriel Hanotaux, in: RHD (1977), S. 5–142, hier: S. 30.

[835] GP, Bd. 21, Nr. 7240.

[836] Papiers Pichon, Institut.

[837] FREYCINET, Souvenirs, Bd. 2, S. 96.

[838] Auch der englische Botschafter Lyons soll es bedauert haben, dass Waddington London nicht angenommen habe. Mary King WADDINGTON, Italian letters of a Diplomat's Wife. Januar-May 1880, February-April 1904, London 1905, S. 6 f.

[839] AUFFREY, Pierre de Margerie, S. 32.

[840] Paul CAMBON, Correspondance 1870–1924, Bd. 1, S. 91.

[841] Papiers Jules Cambon, Bd. 25.

Schon 1891 wusste der deutsche Botschafter Münster von der möglichen Nachfolge Ribot zu berichten, falls Waddington abberufen und Montebello nicht ernannt werde und »falls Mme Ribot es nicht durchsetzen sollte, dass ihr Mann seine
jetzige Stellung mit dem Botschafter-Posten in London vertauscht.«[842] Nach Ribots Sturz als Ministerpräsident im März 1893 berichtete Münster weiter, man be-
haupte, Carnot habe Ribot London angeboten, doch habe Challemel-Lacour ihm
gegenüber die Auffassung vertreten, Ribot käme für London nicht in Frage, denn
er sei zu stark kompromittiert. Zwei Monate später ergänzte Münster, Ribot habe
Waddington in London nur beseitigt, weil er selbst diesen Posten einnehmen
wollte, doch habe sich Develle, der Aussenminister des Kabinettes Ribot wie des
nachfolgenden Kabinettes Dupuy, geweigert, diesem Wunsche nachzukommen;
von Seite der Kammer drohe ein Misstrauensvotum, falls Ribot Botschafter in
London würde.[843] Auch Waddingtons Gattin hörte von Ribots Ambition, in
London die Nachfolge ihres Mannes anzutreten, doch vermutete sie (zurecht),
Ribot werde es vorziehen, in der Innenpolitik zu bleiben.[844] Drei Jahre darauf war
Ribot im Gespräch als Nachfolger Herbettes in Berlin.[845] Und 1908 wurde ihm
Bompards Nachfolge in St. Petersburg angeboten, doch habe er diese Nomination
abgelehnt, weil sie die internationale Lage hätte schlimmer scheinen lassen, als sie
tatsächlich war.[846]

Der im Sommer 1898 als Aussenminister ausgeschiedene Hanotaux hätte sich
ebenfalls gerne in London niedergelassen. Schon nach seinem ersten Abgang als
Aussenminister (November 1895) erhielt Hanotaux von seinem Nachfolger Berthelot den Posten beim Vatikan angeboten, lehnte ihn aber ab, so dass Berthelot
den Plan fasste, Hanotaux nach Berlin zu senden, wo er Herbette hätte ablösen sollen.[847] Im April 1896 war Hanotaux aber bereits wieder Aussenminister und blieb
es, bis ihn Delcassé am 29. Juni 1898 ablöste. Schon im Februar 1898 wusste Paul
Cambon seinem Bruder Jules zu berichten, was er aus Paris erfahren hatte:

> »Gabriel voudrait se défiler et se préparer à prendre l'ambassade de Londres.«[848]

Die Gerüchte um die Besetzung des Postens in London wurden durch die Tatsache gefördert, dass Courcel, wie man allgemein wusste, gerne zurückgetreten
wäre. Doch nicht nur die sich abzeichnende Vakanz in London, auch Hanotaux'
unerfreuliche Situation als Aussenminister gab den Gerüchten Auftrieb. So schrieb
Jules Hansen am 8. Januar 1898 in sein Tagebuch, Hanotaux werde sich vielleicht
zum Botschafter in St. Petersburg ernennen lassen. Hanotaux' Interesse an der
Botschaft in London blieb den englischen Diplomaten nicht verborgen. Monson

[842] Bericht vom 6. April 1891, PAAA Bonn, F 108, Bd. 4.

[843] Berichte vom 5. April und 3. Juni 1893, PAAA Bonn, F 105/1/8.

[844] WADDINGTON, Italian Letters, S. 372.

[845] Bericht Münster vom 27. Januar 1896, PAAA Bonn, F 108, Bd. 7.

[846] Martin E. SCHMIDT, Alexandre Ribot. Odyssey of a Liberal in the Third Republic, Den
Haag 1974, S. 106.

[847] Münster vom 24. Januar 1896, gestützt auf eine direkte Auskunft Berthelots, PAAA
Bonn, F 108, Bd. 7.

[848] Brief vom 17. Februar 1898, Fonds Louis Cambon.

berichtete darüber schon am 20. Mai 1898 und am 9. Juni 1898 meldete er nach einem Gespräch mit dem Aussenminister:

> »He did not mention London but I cannot but think that he must mean to take that Embassy.«

Doch am 5. Juli 1898 (eine Woche nach der Bildung des neuen Kabinettes) rechnete Monson nicht mehr damit, dass Hanotaux London erhalten werde.[849] Hanotaux hegte in der Tat den Wunsch, nach London gehen zu können, wollte sich aber erst in zwei bis drei Monaten ernennen lassen, weil er zuvor den 2. Band seines *Richelieu* abschliessen wollte.[850] Dass Hanotaux keinen Botschafterposten annehmen und in Chantilly an seiner Richelieu-Biografie weiterarbeiten wolle, wusste Münster schon am 30. Juni 1898 zu berichten.[851] Bompard hielt es für unmöglich, den durch seine Aussenpolitik stark in Gegensatz zu England geratenen Hanotaux nach London zu senden, hätte aber Hanotaux möglicherweise in Berlin gesehen. Bertrand dagegen meinte, Berlin käme nur in Frage, wenn de Noailles wirklich gehen wolle, denn Hanotaux könne nicht jemanden hinauswerfen, den er selbst eingesetzt habe; Madrid, Rom und Konstantinopel kämen auch nicht in Frage und St. Petersburg sei zu teuer! Im Übrigen vermutete er, dass Bompard vielleicht selbst nach London gehen wolle. Für ihn aber war klar:

> »Depuis trois semaines tout le monde répète que cela va de soi pour vous.«

Es wäre wohl möglich, dass sich Hanotaux schon 1894 für die Botschaft in London interessierte, wie dies Schoen am 1. Oktober 1894 berichtete.[852]

Im Herbst 1898 wäre Bourgeois, der Erziehungsminister des damals zerfallenden Kabinetts Brisson, bereit gewesen, anstatt im neuen Kabinett einen Ministersessel zu erhalten, die Botschaft in Berlin zu übernehmen. Am 28. Dezember 1898 berichtete der deutsche Botschafter Münster aus Paris, Bourgeois wolle sich auf einen Botschafterposten zurückziehen. Für Konstantinopel sei es zu spät (Constans war tags zuvor auf jenen Posten ernannt worden), die französische Presse berichte, Bourgeois spekuliere nun auf St. Petersburg, doch Delcassé stelle eine solche Nomination in Abrede.[853] Dass an diesen Gerüchten etwas Wahres war, zeigen die Aufzeichnungen des Präsidenten Faure. Die Beratungen vom 25. Oktober 1898 hätten gezeigt, dass die Ernennung Bourgeois' zum Botschafter eine gute Lösung sei, denn Bourgeois müsse auch irgendwie untergebracht werden. Félix Faure notierte sich am 27. Oktober 1898:

> »Bourgeois accepterait une ambassade. Berlin.«[854]

---

[849] Berichte an Salisbury, Christ Church Oxford, Privatpapiere Salisbury.

[850] Vgl. die Schreiben von Hanotaux' Privatsekretär Pierre Bertrand an seinen Chef über Gespräche mit Bompard, dem Direktor der zuvor von Hanotaux geleiteten Handelsabteilung, sowie mit Courcel, Briefe vom 2., 4. und 7. Juli 1898 in den Papiers Hanotaux, Bd. 17.

[851] PAAA Bonn, F 107, Bd. 10.

[852] PAAA Bonn, F 108, Bd. 6.

[853] PAAA Bonn, F 108, Bd. 10.

[854] Papiers Faure, Fonds Berge.

1906, als Bourgeois bei der Machtübernahme durch Clemenceau das Aussenministerium abgeben musste, war erneut von seiner Ernennung für Berlin die Rede. Die deutsche Vertretung in Paris wusste schon 1905 zu berichten, dass Rouvier »in der That« Bourgeois Berlin angeboten habe. Doch Bourgeois habe abgelehnt, weil er mit dem zu ersetzenden Bihourd gut befreundet sei.[855] Im gleichen Jahr berichtete der schweizerische Gesandte aus Paris, Bourgeois strebe noch immer die Botschaft in Berlin an:

> »[…] il y avait fait nommer son ami Bihourd pour tenir le lit chaud jusqu'au jour où il lui conviendrait de s'y coucher.«[856]

Am 11. März 1906 berichtete der deutsche Botschafter Radolin, Prinz Albert von Monaco habe sich mit Bourgeois in Verbindung gesetzt, um ihn zu bewegen, auf das von Sarrien angebotene Aussenministerium zu verzichten und dafür Berlin anzunehmen; Sarriens Kombination sei ohnehin unsicher, und Bihourd könne man im April 1906 nach 30 Jahren Dienstzeit pensionieren, ohne ihn zu verletzen.[857] Drei Tage später wurde Bourgeois doch Sarriens Aussenminister; das Kabinett konnte jedoch, wie vorausgesagt, nicht lange bestehen und wurde am 25. Oktober 1906 durch das Kabinett Clemenceau abgelöst. Am 26. September 1906 berichtete Radowitz, Jules Cambon vermute, Bourgeois habe am meisten Aussicht, nach Berlin entsandt zu werden.[858] Drei Monate später wurde schliesslich Jules Cambon zum Botschafter in Berlin ernannt.

Abschluss der Epuration

Die Epuration hatte mit dem Gleichschaltungsprozess der Jahre 1880–1882 kein Ende. Fortan ging es aber nicht mehr um den Austausch von Konservativen gegen Republikaner, sondern um Epurationsvorgänge innerhalb des republikanischen Lagers. Es war dieses Phänomen, was dem Konservativen Albert de Broglie 1882 Mühe bereitete zu verstehen. Dass man Konservative durch Republikaner ersetzte, begriff er wohl; unbegreiflich war ihm aber, dass die Republik schon bald und weiterhin in kurzen Intervallen ihre eigenen Männer wieder stürzte und sich von ihrer eigenen Auswahl distanzierte. *Die* Republik gab es zu jenem Zeitpunkt freilich nicht mehr. Bis zur Eroberung der republikanischen Mehrheit in beiden Kammern agierten Frankreichs politische Kräfte trotz vielfältigen Schattierungen in erster Linie als Teilkräfte entweder des konservativen oder des republikanischen Blockes. Mit 1879 wurden jedoch die schon zuvor bestehenden Unterteilungen im republikanischen Lager politisch relevant. Diese Unterteilungen bestanden zum Teil gewiss infolge unterschiedlicher Auffassungen von den zu pflegenden Inhalten und Methoden der Politik. Das kristallisierende Moment waren aber bei weitgehend ähnlichen Programmen die persönlichen Rivalitäten innerhalb des republikanischen Lagers. Auch Lavergne hält fest:

---

[855] Berichte vom 9. und 15. Juni 1905, PAAA Bonn, F 105/1, Bd. 22.

[856] Bericht Lardy vom 2. November 1905, BA Bern, 2300 Paris, Bd. 58.

[857] PAAA Bonn, F 1051, Bd. 24.

[858] PAAA Bonn, F 108, Bd. 16.

>Tous avaient les mêmes convictions républicaines et laïques. Mais la différence des tempéraments, la lutte pour le pouvoir qui les animaient expliquent la vivacité de leurs réactions.«[859]

So einheitlich, wie Lavergne darlegt, waren die republikanischen Überzeugungen nicht; richtig an dieser Aussage ist vor allem, dass den innerrepublikanischen Gegensätzen der persönliche Kampf um die Macht zugrunde lag. De Broglies Kritik war grundsätzlicher:

>[…] il serait désirable qu'après avoir placé dans de nouveaux agents la confiance retirée à d'anciens serviteurs de la France, la république n'eût pas paru ensuite, par des mutations trop fréquemment renouvelées, avoir eu lieu à l'essai de se repentir ou de se dégoûter elle-même de ses propres choix.«[860]

Das von de Broglie getadelte Fallenlassen der eigenen Leute bezog sich auf die mit Regierungsfunktionen betrauten Minister. Bis zu einem gewissen Grad kam es aber zu ähnlichen innerrepublikanischen Wechseln im Beamtenkorps. Wenn J. J. Weiss 1882 nach Gambettas Sturz nicht zu den weiterbeschäftigten Funktionären des Quai d'Orsay zählte, wurde dies kaum beanstandet, war doch Weiss erst von Gambetta in das Aussenministerium geholt worden. De Freycinet rechtfertigte die Entlassung von Weiss:

>Polémiste fin et redoutable, sujet à des soubresauts imprévus, tirant presque vanité de son opposition à la République, il n'était pas à sa place à la direction des affaires politiques du quai d'Orsay, où il faut avant tout un esprit calme et pondéré, dépourvu de formes agressives, professant le respect du régime qu'il représente vis-à-vis des étrangers. Je l'ai eu sous mes ordres pendant quelques semaines et, tout en rendant hommage à ses qualités, j'avais hâte de le remplacer par un collaborateur plus familier avec les mœurs de la maison.«[861]

Mehr Aufsehen lösten Entlassungen von regulären Berufsdiplomaten aus. In der Regel wurden sie jedoch nicht entlassen, sondern umgeteilt oder einfach nicht mehr befördert. Das war die normale Form der innerrepublikanischen Epuration.

Jules Herbette war 1880 als Personaldirektor so sehr ein Mann de Freycinets, dass man ihn nach dem Sturz des Aussenministers nicht im Quai d'Orsay behalten wollte. Man bot ihm die Gesandtschaft in Stockholm an. Herbette, der auf eine lückenlose Beamtenkarriere zurückblicken konnte, schlug dieses Angebot jedoch aus und zog es vor, in die Reserve zu gehen und abzuwarten, bis de Freycinet wieder an die Macht komme.[862] Nach einem Unterbruch von anderthalb Jahren hielt er tatsächlich mit de Freycinet wieder als Personaldirektor Einzug in den Quai d'Orsay – um sich nach de Freycinets zweitem Abgang im Herbst 1882 erneut zur Disposition stellen und sich in dem de Freycinet nahestehenden *Télégraphe* als Auslandsredaktor anstellen zu lassen. Bei de Freycinets dritter Amtszeit als Aussenminister war Herbette selbstverständlich wieder dabei. Die jeweiligen Regierungswechsel zwangen Herbette bloss, seine privilegierte Stellung, nicht aber den

---

[859] LAVERGNE, Grévy, S. 15.

[860] Albert de BROGLIE, Histoire et Diplomatie, Paris 1889, S. 322.

[861] FREYCINET, Souvenirs, Bd. 2, S. 201.

[862] FIDUS, Journal, S. 185. In der Zwischenzeit war Herbette für den *Télégraphe* tätig, mit dessen Hilfe er offenbar de Freycinets Comeback vorbereitete, LAVERGNE, Grévy, S. 374.

Dienst schlechthin aufzugeben. Herbette, der auf die Beamteneinkünfte nicht angewiesen war und völlig freiwillig jeweils den Dienst quittierte und sich selbst den Status eines politischen Beamten gab, war nur bedingt ein Opfer der Epuration und ist ein weiterer Beleg dafür, dass ausser Destitutionen auch Desertionen zu Veränderungen in der Zusammensetzung der Beamtenschaft führen können.

Privilegierung und Benachteiligung
Auf Privilegierung kann Benachteiligung folgen. Diese im Fall Herbettes bereits in Ansätzen sichtbar gewordene Regel wird bestätigt durch Auguste Gérards wechselreiche Laufbahn – Schicksal eines Republikaners in republikanischen Zeiten. Durch Gambettas Protektion in de Freycinets Amtszeit Beamter des Aussenministers und auf Anhieb Chef des Pressedienstes geworden, musste er nach Barthélemy-Saint-Hilaires Amtsantritt diese Stelle verlassen. Er wurde, wie er selbst klagte, als Botschaftssekretär ins amerikanische Exil geschickt, kehrte aber nach Gambettas Machtübernahme im Dezember 1881 in den Quai d'Orsay zurück und durfte wenige Tage vor Gambettas Demission noch schnell eine vorzeitige Beförderung zum ersten Botschaftssekretär erleben. Mit Spuller verbunden durch gemeinsame Freundschaft mit Gambetta, kann Gérard während Spullers Aussenministerium seinem ehemaligen Mitarbeiter in Gambettas Kabinett, Gabriel Hanotaux, nach dessen Wahlniederlage die Unterdirektion der Protektorate anbieten und umgekehrt während Hanotaux' Amtszeit als Aussenminister 1897 die Gesandtschaft in Brüssel in Empfang nehmen.

Benachteiligung muss nicht heissen, dass Privilegierung rückgängig gemacht wurde. Gérard beklagte sich, dass er von Delcassé und dessen Nachfolgern neun Jahre lang in Belgien gelassen worden sei, weil er wegen Hanotaux' Freundschaft als suspekt gelte.[863] Auch Ferrys engere Mitarbeiter wurden nach dem Sturz des »Tonkinois« nicht einfach entlassen, sondern umgeteilt, das heisst aus der Hauptstadt geschickt. Während sich der nicht in diplomatischem Dienst stehende Kabinettschef Marcel in den Staatsrat absetzte, wurde Hanotaux, Ferrys stellvertretender Kabinettschef, im Juli 1885 nach Konstantinopel geschickt; der Kolonialist Millet, der in der Politischen Direktion gearbeitet hatte, im Oktober 1885 nach Belgrad, ferner Cogordan, ebenfalls ein ehemaliger Mitarbeiter der Politischen Direktion, im August nach Peking, und Albert Billot schliesslich, Ferrys Politischer Direktor, nach einem Krankheitsurlaub im November 1885 nach Lissabon geschickt. Hanotaux berichtet, de Freycinet habe ihn sogar noch weiter weg schicken und zum Gouverneur in Tonkin machen wollen. Dank einem Arztzeugnis sei er nur nach Konstantinopel geschickt worden:

> »L'impopularité du ›patron‹, comme nous disions, s'étendait, toute proportion gardée, à ses subordonnés, à ses familiers, à son cabinet. […] Le nouveau ministre,

---

[863] GERARD, Vie, S. 64 f. und 315 f. Hanotaux, Gérards adjoint in Gambettas Kabinett, verfasste denn auch das Vorwort zu diesen Memoiren. Und in Delcassés Nachlass ist ein Brief erhalten, worin sich Gérard im Sommer 1898 gegen Vorwürfe verwahrt, die aus Delcassés Umgebung offenbar gegen ihn erhoben wurden. Delcassé, Papiers privés, Lettres de diplomates, Bd. 4.

> désireux de satisfaire les tombeurs de Jules Ferry, avait résolu, en catimini, de se
> débarrasser le plus vite possible de son entourage.«[864]

Die nachträgliche Darstellung wird durch ein zeitgenössisches Dokument belegt.
Billot schrieb in einem Brief an Hanotaux vom 8. Oktober 1885:

> »On assure que vous avez eu la main forcée.«[865]

Die »Deportation« nach Konstantinopel veranlasste Gabriel Monod immerhin,
Hanotaux am 27. Juli 1885 ein Gratulationsschreiben zu senden.[866] Im Falle Billots
war der Wunsch nach einem Wechsel freilich gegenseitig, und einmal mehr wird
hier deutlich, dass es nicht nur die Eliminationstendenz der Neuen, sondern auch
Verweigerungstendenz der Alten gab. Als Verweigerer musste Billot in Kauf
nehmen, dass ohne seine Mitwirkung die Geschäfte anders liefen. Dennoch klagte
er im Herbst 1885:

> »[…] que vont devenir les traditions, les vues d'ensemble, l'unité d'impulsion? Je
> souhaite que nos intérêts extérieurs n'aient pas à souffrir de ces mouvements.«[867]

Billot erklärt seinen Weggang von der politischen Zentrale als

> »suivre le maître dont il devenu le collaborateur intime et l'ami. Il refuse de prêter
> son concours à la politique d'effacement que l'on va reprendre.«[868]

Dass auch Billot halbwegs in Ungnade gefallen war, kann man aus der Tatsache
ablesen, dass er der erste Politische Direktor war, der nach seinem Abgang nur eine
Gesandtschaft und nicht eine Botschaft – nur Lissabon und nicht Madrid –
angeboten erhielt.

## Innerrepublikanische Revolution

Wenn noch Jahrzehnte nach der grossen Epuration der 1880er Jahre immer wieder
die Forderung laut wurde, man habe darauf zu achten, dass das Personal des Aussenministeriums republikanisch gesinnt sei, mag dies den Eindruck erwecken, die
Republikanisierung dieses Departements sei noch lange nicht verwirklicht worden.
Mit dem Berichterstatter für das Budget 1883 können wir aber feststellen, dass
schon 1882 die Gleichschaltung der Diplomatie weitgehend abgeschlossen war:

> »Trop longtemps on a voulu séparer les deux causes indivisibles et sous le spécieux
> prétexte d'une aptitude professionnelle qui n'est pas le monopole d'une caste, on a
> persisté à maintenir en fonction des agents qui se faisaient un point d'honneur de
> ne pas respecter le Gouvernement qu'ils représentaient. Cette insubordination
> frondeuse qui diminuait notre considération extérieure et qui scandalisait les

---

[864] HANOTAUX, Mon Temps, Bd. 4, S. 4 f.

[865] Papiers Hanotaux, Bd. 17.

[866] Ebenda.

[867] Brief an Hanotaux, 8. Oktober 1885, Papiers Hanotaux, Bd. 17.

[868] Albert BILLOT, Jules Ferry. Son oeuvre coloniale et diplomatique, Paris 1904, S. 38. Dass
es sich bei dieser Darstellung nicht um eine nachträgliche Uminterpretierung handelt, belegt
ein Schreiben von Kabinettschef Herbette an Billots Nachfolger, Ring, vom April 1885, worin
es heisst: »Billot insiste être relevé de la Direction Politique« – wohl unter Angabe gesundheit-
licher Gründe, Papiers Ring, Bd. 15.

étrangers eux-mêmes, a cessé en grande partie, grâce aux divers mouvements qui ont été successivement opérés dans le personnel diplomatique.«[869]

Nachdem de Freycinet bereits eine erste grössere Säuberung vorgenommen hatte, liess sein unter Ferry tätiger Nachfolger Barthélemy-Saint-Hilaire 1880/81 das Departement durch seinen Unterstaatssekretär Choiseul ein weiteres Mal durchleuchten und mehrere Stellen neu besetzen. Der schweizerische Gesandte Kern berichtete, Jagerschmidt, Clavéry und Villefort seien Opfer dieser neuen Epurationswelle gewesen.[870] Georges-Charles Jagerschmidt, seit 1845 im Aussenministerium, Schwiegersohn des Protokollchefs Feuillet de Couches, verstand sich als regime-unabhängiger Beamter, hegte aber – wohl gerade aus diesem Selbstverständnis heraus – eine gewisse Abneigung gegenüber dem Parlament. Im Januar 1880 von de Freycinet über seine Einstellung befragt, antwortete er:

> »Je ne connais que mon pays. Sous quelque forme de gouvernement que ce soit. République ou monarchie, faites le bien du pays, rendez le grand et prospère et je suis avec vous.«[871]

Jagerschmidt zufolge musste er seinen Posten bloss aufgeben, um Mariani, dem Cousin des damaligen Kammervizepräsidenten Floquet, seinen Platz abzutreten. Während für Jagerschmidt der Abschied definitiv war, ist der 1852 in den Quai d'Orsay eingetretene Paul Clavéry nur vorübergehend in Ungnade gefallen: Der in der Politischen Direktion tätige Diplomat wurde von Gambetta im Dezember 1881 in das Generalkonsulat in Antwerpen versetzt, kehrte aber mit de Freycinet im Februar 1882 wieder in die Zentrale zurück und wurde Direktor der Handels- und Konsularabteilung. Gabriel-Jacques-Joseph Villefort war im Januar 1880 von de Freycinet zum Direktor der Rechtsabteilung gemacht worden und wurde nun von de Freycinets Nachfolger im Oktober 1880 in die Commission des Pyrénées delegiert, ein 1856 geschaffenes Gremium zur Behandlung französisch-spanischer Grenzfragen, in das schon zuvor andere Diplomaten kurz vor ihrer Pensionierung abgeschoben worden waren: der Comte de La Rochefoucauld (1875–1878), der Vicomte de Saint-Ferriol (1876/77). In der Budgetdebatte vom 14. Juni 1912 forderte der Deputierte Pradet-Balade die Aufhebung der inzwischen überflüssig gewordenen Kommission, doch erklärte Aussenminister Poincaré, diese Kommission sei durch einen internationalen Vertrag geschaffen worden und könne deshalb nicht einfach aufgelöst werden.[872]

Die stets wiederkehrenden und eben auch 1906 wiederholten Absichtserklärungen, man werde besonders darauf achten, dass der Quai d'Orsay republikanisch sei, wie auch die Klagen über angeblich unrepublikanische Verhältnisse im Aussenministerium perpetuierten – unreflektiert oder als kalkulierte Appelle an den republikanischen Instinkt – in stehenden Wendungen eine politische Parole, die sich

---

[869] Louis Legrand im Bericht Nr. 992 vom 20. Juni 1882 für das Jahr 1883, S. 3.

[870] SCHOOP, Kern, Bd. 2, S. 608.

[871] Jacques CAILLE, Charles Jagerschmidt, Paris 1951, S. 225.

[872] JO, S. 1484. Ferner der Budgetbericht Nr. 3318 von Louis Marin für das Jahr 1914, S. 75 f.

während der Präsidentschaft Mac-Mahon herausgebildet und damals wohl ihren Sinn gehabt, inzwischen aber ihre Berechtigung weitgehend verloren hatte.

Es wäre aber ein Irrtum anzunehmen, dass alle Angehörigen alter Familien aus dem diplomatischen Dienst entfernt worden wären. Noch 1913 finden wir beispielsweise einen Comte Jacques d'Aumale im Korps der Diplomaten; noch 1900 ist ein Comte Charles de Chambrun de Pineton in den Quai d'Orsay eingetreten und hat es immerhin bis zum Botschafter gebracht und 1936 seine Laufbahn in Rom beendet, wo sein Grossvater Claude Tircuy de Corcelle 1873–1876 Botschafter beim Vatikan gewesen war.[873] Diese Diplomaten waren freilich keine Parteipolitiker der alten Welt, doch müssen sie, was Mentalität, Stil, Habitus betrifft, wohl ihr zugerechnet werden. Man wird sie zu jenen zu zählen haben, von denen Paul Cambon 1906 sagte, sie seien korrekte Leute, würden Wert darauf legen, ebenfalls korrekt behandelt zu werden, und würden nun aber durch Clemenceau wohl vertrieben werden (vgl. oben).

Die Epuration der Radikalen

Paul Cambons Befürchtung erwies sich als nicht unbegründet. Als Georges Clemenceau im November 1906 sein Regierungsprogramm vorstellte, teilte er beiläufig mit, er wolle eine republikanische Diplomatie:

> »D'ailleurs, notre diplomatie – que nous voulons républicaine – se souviendra que etc […].«[874]

Obgleich er sich damit vor allem gegen eine bestimmte aussenpolitische Methode – gegen die Geheimdiplomatie der grossen Kabinette – stellte, könnte er mit dieser Bemerkung auch die Zusammensetzung des diplomatischen Korps anvisiert haben, zumal Clemenceau bereits im vorangegangenen Kabinett Sarrien als Innenminister neue Säuberungen verlangt und möglicherweise auch durchgeführt hatte. Clemenceau war noch nicht Ministerpräsident, als Paul Cambon im Juli und wieder im September und Oktober 1906 eine »etwas brutale« Personalpolitik voraussagte, falls Clemenceau an die Spitze der Regierung treten werde. Paul Cambon schrieb schon am 22. Juli 1906 seinem Sohn, Clemenceau sei im Kabinett Sarrien der wirkliche Regierungschef. Im Brief vom 20. September erneuerte er diese Aussage, er fügte bei, Clemenceau würde Tag für Tag im Ministerrat seine Denunziationen vortragen und schrieb weiter:

> »Le moment approche où l'on oeuvrera la diplomatie comme on a essayé d'épurer l'armée. Les politiciens envahiront la carrière et l'on verra notre diplomatie faire partout une pitoyable figure.«[875]

Am 26. Oktober 1906 schrieb er seinem Sohn wieder, dass Clemenceau der eigentliche Leiter des Quai d'Orsay würde, wenn er Regierungschef würde:

> »En réalité, il dirigera le Quai d'Orsay et comme il est un peu possédé de la manie épuratoire, le personnel sera soumis à un régime sévère. […] son administration

---

[873] Auch de Chambruns Vater stand von 1863 an in diplomatischen Diensten. Vgl. Charles de CHAMBRUN, Traditions et souvenirs, Paris 1952.

[874] Clemenceaus am 5. November 1906 in der Kammer vorgetragene Regierungserklärung.

[875] Fonds Louis Cambon.

du personnel sera quelque peu brutale et je crains qu'il ne froisse beaucoup de très braves gens et de bons serviteurs qui tiennent à être traités avec politesse. Il y en a encore un très grand nombre dans la carrière, ce sont eux qui font la meilleure figure à l'étranger.«[876]

Erwartungsgemäss bezog Clemenceaus Aussenminister Stephen Pichon die Regierungserklärung auch auf die personellen Verhältnisse im auswärtigen Dienst und erklärte gegenüber der Presse, die Republik müsse in der Lage sein, ihre Beamten aus dem Lager der Republikaner zu rekrutieren.

»Il serait inadmissible que le gouvernement de la République donnât le spectacle de l'impuissance à trouver dans le parti républicain des hommes capables de la représenter [...].«[877]

Im Parlament wurde Pichon daraufhin vom sozialistischen Deputierten und ehemaligen Communard Jean Allemane in der Kammerdebatte vom 11. Dezember 1906 gedrängt:

»Il existe au quai d'Orsay des éléments réactionnaires. [...] Je demande qu'au ministère des affaires étrangères la réaction ne gouverne pas; je demande que M. Pichon dise nettement à ses subordonnés: Vous servirez la République, ou vous quitterez le quai d'Orsay.«[878]

Pichon hatte schon – oder noch – 1891 gefordert:

»On pourra encore souhaiter que tout personnel, sans exception, soit animé du dévouement sincère qu'il doit au Gouvernement de la République.«[879]

Auch hier trat die doppelte Epurationsmotivation zutage: Man wollte die einen aus ihren Stellen verdrängen, weil sie dem neuen Regime nicht genehm waren, und man wollte den anderen, die dem vormaligen Regime nicht genehm und entsprechend benachteiligt gewesen waren, jetzt die »verdienten« Posten zur Verfügung stellen. Letzteres geschah immer auch unter dem Druck der eigenen Anhänger. Der sozialistische Deputierte Jean Allemane machte sich zum Sprachrohr dieser Ansprüche, als er dem Kabinett Clemenceau nach dem ersten Regierungsjahr attestierte, es habe schon viel für die Wiedergutmachung vormaliger Ungerechtigkeiten getan; zugleich betonte er aber, die Regierung sei mit ihrem Werk noch nicht am Ende angelangt:

»[...] trop de républicains ont été frappés au ministère des affaires étrangères, parce que républicains, non pas parce qu'ils n'étaient pas à la hauteur de leur tâche, mais à cause de leurs opinions politiques. [...] Vous savez très bien que j'ai dû intervenir, d'autres de nos collègues sont intervenus comme moi. [...] Je pourrais citer notamment un chef de famille [...] qui a été sacrifié parce qu'il s'affirmait républicain au milieu de gens qui étaient les protégés d'une autre fraction politique. Je sais, monsieur le ministre, que vous avez pris quelques mesures de réparation et de justice. Je le reconnais très loyalement. Mais il y a peut-être encore quelques

---

[876] P. CAMBON, Correspondance 1870–1924, Bd. 2, S. 226.

[877] Stephen Pichon in einem Interview von Marcel Hutin, Echo de Paris, 12. November 1906.

[878] JO, S. 3142.

[879] Bericht Nr. 1630 für das Jahr 1892.

victimes de ce genre, des fonctionnaires qui ont été tout au moins déplacés et envoyés dans des postes inférieurs.«[880]

1906 ging es schon längst nicht mehr um die Frage, ob ein Beamter die Republik bejahe. Wer nur »Republikaner« und nicht »Radikaler« war und zudem als klerikal galt, musste damit rechnen, dass er abgeschoben wurde. So wurden Chilhaud-Dumaine von München nach Mexiko und Pierre de Margerie von der Donaukommission nach Siam versetzt.[881]

Pierre de Margerie hatte seine Nomination aus der Presse erfahren. Clemenceau wollte seine sofortige Abreise, doch Berthelot wusste diesen Willen etwas abzuschwächen und dem Betroffenen etwas Zeit zu lassen. Auch Pichon muss damals als Stossdämpfer gewirkt haben. Jules Laroche schreibt zwar, Pichon sei neben dem gefürchteten Clemenceau bloss ein kleiner Junge gewesen.

»Il devait s'employer à adoucir les chocs, mais ne réussirait pas à les prévenir.«[882]

Der letzte der prononcierteren Konservativen verliess nach Clemenceaus Machtübernahme Ende 1906 die Diplomatie: Der Marquis Jacques-Marie-Ferdinand-Frédéric de Réverseaux de Rouvray Guéau, seit 1897 Botschafter in Wien, hatte sich zwar schon vier Jahre zuvor in Frage gestellt gesehen, als sich das neu gebildete antiklerikale Kabinett Combes im Sommer 1902 seiner beiden Kollegen in Berlin und St. Petersburg entledigte. Dass die Marquisen de Noailles und de Montebello adligen Standes und eher laue Republikaner waren, spielte damals bei ihrer Revokation sicher eine gewisse Rolle. Überdies waren beide praktizierende Katholiken, und weiter kam hinzu, dass der bereits 72jährige Marquis de Noailles etwas verbraucht und der Marquis de Montebello durch sein gesellschaftliches Verhalten bei Präsident Loubet in Ungnade gefallen war.

Zu Marquis de Noailles: Sein Vorgänger, der republikanische Parvenu Jules Herbette, sah in dem Marquis trotz dessen Zugehörigkeit zum »centre gauche« einen Vertreter der alten Welt:

»J'ai fait la politique du pays, lui il fera celle du château.«[883]

Er war 1896 nach 10jährigem Ruhestand von Hanotaux nach Berlin geschickt worden. Von deutscher Seite wurde festgestellt: »Sicherlich kommt er nicht als ›faiseur‹, sondern mit dem Bedürfnis nach Ruhe und angenehmen persönlichen Beziehungen.«[884] Präsident Faure bezeichnete ihn schon 1897 als alt und verbraucht.[885] Nach Delcassés Amtsübernahme schien de Noailles' Verbleiben in Berlin gefährdet, denn gegen de Noailles sprach nicht nur sein Alter, sondern auch die Tatsache, dass er mit Delcassés Vorgänger, Hanotaux, verbunden war. Deutschland setzte sich damals für de Noailles' Verbleiben ein.[886] Der Marquis

---

[880] Kammerdebatte, 5. Dezember 1907, JO, S. 2312.

[881] AUFFRAY, Pierre de Margerie, S. 167.

[882] LAROCHE, Quinze ans à Rome, S. 205.

[883] Hanotaux, 28./29. Mai 1896, Les Carnets, S. 29.

[884] Bericht Radowitz vom 27. Mai 1896, PAAA Bonn, F 108, Bd. 8.

[885] Félix Faure, Notes personnelles, 13. April 1897, Fonds François Berge.

[886] Brief vom 18./19. Januar 1899, RADZIWILL, Lettres, Bd. 1, S. 177.

de Noailles war mit dem deutschen Kaiser gut befreundet. Schon 1898 bemerkte Wilhelm II. zu einem Bericht über eine allfällige Abberufung seines Freundes:

> »Das würde ich als persönliche Beleidigung auffassen. Ich verehre Noailles und will ihn behalten.«[887]

Auch später noch setzte man sich deutscherseits für de Noailles' Verbleiben ein. Wenige Wochen vor der Abberufung schrieb Reichskanzler Bülow, Radolin habe »schon so oft« und erst wieder vor ganz kurzer Zeit interveniert, man könne nicht jetzt schon wieder vorstellig werden; de Noailles sei doch allmählich recht stumpf geworden und man könne Frankreich auf die Länge keine Vorschriften machen.[888] 1902 bestand schon längst keine Übereinstimmung mehr zwischen dem immer radikaler werdenden Regime und dem immer älter werdenden Botschafter. In Berlin fühlte sich de Noailles wohl, ihm graute vor der Rückkehr:

> »Il ne se réjouit guère d'aller reprendre la vie au milieu de tous les radicaux qui gouvernent Paris et la France.«[889]

De Noailles erinnerte Delcassé in einem Brief vom 19. August 1902 daran, dass man ihn gebeten habe, nach Berlin zu gehen, und dass er sich dieser Pflicht nicht habe entziehen wollen. Und nun müsse er wieder abtreten, obwohl er gerne noch etwas geblieben wäre:

> »Je souhaitais y rester un peu de temps encore.«[890]

Auch aussenpolitisch divergierten die Auffassungen: Während Delcassé Deutschland umgehen, ja isolieren wollte, versuchte de Noailles eine Annäherung zwischen den feindlichen Nachbarn herbeizuführen.[891]

Zu de Montebello: Übereinstimmend nennen alle Quellen als hauptsächliche Ursache für de Montebellos Rückberufung die Spannungen zwischen dem Botschafter und dem Präsidenten der Republik, Spannungen, die zuweilen als Konflikt zwischen einem vormals bonapartistischen Adligen und der Republik interpretiert wurden, die aber wohl weitgehend persönlicher Natur waren. Präsident Loubet fühlte sich brüskiert, weil de Montebello ihn nicht zur Taufe eines seiner Grosskinder eingeladen hatte, an welcher Zar Nikolaus II. als Pate zugegen war und die eigenmächtig in das Programm der Staatsvisite von Compiègne vom September 1901 eingeschoben worden war. Paul Cambon schrieb:

> »On ne lui pardonne pas la faveur que lui ont manifesté les autocrates de Russie, ni l'aisance qu'elle [la marquise, G. K.] a montrée dans les rapports avec les souverains tandis que toutes les dames officielles faisaient paquet.«[892]

---

[887] Randbemerkung zum Bericht Münster vom 3. Dezember 1898, GP 13/3557.

[888] Aufzeichnung vom 11. April 1902, PAAA Bonn, F 108, Bd. 12. Vgl. Brief vom 20./21. Januar 1903, RADZIWILL, Lettres, Bd. 3, S. 44.

[889] Hanotaux, 1. November 1902, Les Carnets, S. 27.

[890] Papiers Delcassé, Bd. 5.

[891] Brief vom 28./29. März 1901, RADZIWILL, Lettres, Bd. 1, S. 305.

[892] Brief an seinen Bruder Jules, 16. Januar 1902, Correspondance 1870–1924, Bd. 2, S. 72, s. auch den Brief vom 4. April 1904, sowie den Bericht Radolin vom 7. Juli 1902, PAAA Bonn, F 108, Bd. 12; und CHARLES-ROUX, Souvenirs, S. 7 f.

Der Marquis de Montebello rechtfertigte sich, der Zar habe sich damals selbst als Pate aufgedrängt; dass anlässlich der Staatsvisite ausser der Zarin nur die Marquise während des Essens den Hut auf dem Kopf behalten habe, sei nicht die Schuld seiner Frau, sie habe nicht wissen können, dass die übrigen Frauen nicht wussten, wie sie sich zu verhalten hätten:

> »Chacun sait que pour un déjeuner une femme garde son chapeau.«[893] Aus der Zeit vom Oktober 1901 überliefert Legrand, der Kommandant des Elysées, folgende Äusserung Loubets: »[…] notre meilleur agent à Pétersbourg est le Tsar.«[894]

De Montebello wusste, wie gefährdet seine Position war, vor seiner Rückreise nach St. Petersburg im Dezember 1901 wollte er Loubet deshalb fragen, ob etwas Wahres an den Pressegerüchten über seine Rückberufung sei. Dubois, Legrands Nachfolger als Kommandant des Elysées, notierte sich:

> »Sans être dans les secrets des dieux, je crois fondées les craintes du marquis qui ne passe ni pour un diplomate habile, ni pour un serviteur dévoué de la République.«[895]

De Montebello soll Loubets Pläne, den Zaren im Jahr 1900 zur Weltausstellung einzuladen, und anfänglich auch Loubets Reise nach St. Petersburg vom Mai 1902 sabotiert haben. Combarieu, Generalsekretär des Elysées, schrieb im März 1902:

> »Il a ouvertement essayé d'empêcher l'Empereur d'inviter le Président à lui rendre sa visite […].«[896]

Auf der dann doch zustande gekommenen Reise bemerkte Dubois in St. Petersburg, dass in Montebellos Arbeitszimmer wohl die Porträts von Mac-Mahon und Faure hingen, dasjenige von Loubet hingegen in einer Ecke stand:

> »On a l'impression du peu de sympathie qui doit régner ici pour le gouvernement de la République française.«[897]

Aussenminister Delcassé muss hingegen alles in allem mit de Montebello zufrieden gewesen sein, wenn auch aus Motiven, die von Loubets Anhängern gerne registriert wurden:

> »Delcassé continue à défendre son ambassadeur. ›Il m'est très dévoué‹, dit-il, ›je lui fais faire ce que je veux.‹ «[898]

Belastend wirkte sich für de Montebello seit der Machtübernahme durch Combes die ordensfreundliche Haltung der Botschaftsgattin aus.[899]

---

[893] Echo de Paris vom 18. Februar 1903.

[894] Edmond LEGRAND-GIRARDE, Un quart de siècle au service de la France 1894–1918, Paris 1954, S. 431.

[895] Emile DUBOIS, Mes souvenirs de l'Elysée 1900–1906. Paris o. J., S. 34.

[896] Abel COMBARIEU, Sept ans à l'Elysée avec le président Emile Loubet. De l'affaire Dreifus à la conférence d'Algeciras 1899–1906, Paris 1932, S. 35, 61, 184.

[897] DUBOIS, Souvenirs, S. 57.

[898] COMBARIEU, Sept ans, S. 184.

[899] Bericht Alversleben vom 16. August 1902, PAAA Bonn F, 108, Bd. 12, und Echo de Paris vom 18. Februar 1903.

Warum blieb der Marquis de Reverseaux damals im Amt? Einer deutschen Quelle zufolge soll es zwei Gründe gegeben haben: Man habe Hemmungen, die Demokratisierung der französischen Diplomatie allzu offen zu betreiben, und de Reverseaux habe gute Beziehungen zum Nuntius.[900] Nach der 1902 erlebten Gefährdung trug sich der bald 60jährige Diplomat mit dem Gedanken, den Staatsdienst aus eigenen Stücken zu verlassen, weil ihm, wie er sagte, die Regierungsverhältnisse in Frankreich verleidet seien. Im Sommer 1906, vier Monate vor der Bildung des Kabinetts Clemenceau, stand bereits fest, dass der Marquis auf Jahresende demissionieren werde. Ein weiteres Mal sehen wir, wie die Bereitschaft zur weiteren Zusammenarbeit nicht von Seiten der neuen Regierung, sondern von Seiten der Diplomaten aufgekündet wird. Möglicherweise begünstigte auch in diesem Fall die Furcht vor einer drohenden Abberufung den Demissionsentschluss de Reverseaux'.

Aussenminister Bourgeois soll während seiner kurzen Amtszeit vom März bis Oktober 1906 dem im vierzigsten Dienstjahr stehenden Berufsdiplomaten die Abberufung angedroht haben. Wenn nun der Marquis im November 1906 Pichons und Clemenceaus Bitte, in Wien zu bleiben, nicht stattgab, hatte dies jedoch vor allem zwei Gründe: Es widerstrebte seiner politischen Überzeugung, dem neuen Kabinett zu dienen, und zweitens fühlte er sich nicht mehr wohl in der Umgebung der Mitarbeiter, die man ihm zuteilte und die ihm, nach seiner Aussage, Schwierigkeiten bereiteten.[901] Der Abgang des Marquis de Reverseaux ist jedenfalls nicht direkt auf den Epurationswillen von Pichon und Clemenceau zurückzuführen.

Am 19. Juni 1906 berichtete der deutsche Botschafter in Wien, Graf von Wedel, de Reverseaux' Gattin habe ihm mitgeteilt, dass der Marquis auf Jahresende demissionieren werde und dass die Interventionen des Präsidenten Fallières ihn nicht zum Bleiben veranlassen könnten. Wedel wertete diesen Schritt als konsequente Haltung eines Monarchisten, der mit der französischen Innenpolitik nicht einverstanden sei und zudem befürchte, eines Tages ohnehin abberufen zu werden. Die früheren Rücktrittsabsichten müssen auch durch Differenzen mit Aussenminister Delcassé hervorgerufen worden sein. Der schweizerische Gesandte Lardy berichtete am 7. Juni 1905:

> »On m'assure que Reverseaux, très heureux de la chute de Delcassé, ne compte plus se retirer, ce qui écarte les déplacements dont on m'avait entretenu.«[902]

Kurz nach de Reverseaux' Ernennung 1897 zum Botschafter in Wien wurde er in einem deutschen Bericht als echter Aristokrat geschildert:

> »Da er von Hause aus ein vornehmer Mann ist, leidet er nicht an dem Dünkel und der Steifheit, die geradezu den aus rein demokratischen Schichten kommenden

---

[900] Bericht Schlözer vom 26. September 1902, PAAA Bonn, F 108, Bd. 13.

[901] Was Graf von Wedel am 30. November 1906 nach Berlin berichtete, hatte ihm der Marquis persönlich mitgeteilt: Pichons und Clemenceaus Wunsch, ihn zu behalten, und die Schwierigkeiten, die er mit seinen Mitarbeitern habe, PAAA Bonn, F 108, Bde. 15 und 16.

[902] BA Bern, 2300 Paris 1(339).

franzöischen Vertretern im Ausland ihren Landsleuten gegenüber eigen zu sein scheint.«[903]

Aus Clemenceaus Anhängerschaft wird überliefert, dass der Marquis de Reverseaux Clemenceau sabotiere, dass er seine Instruktionen, die eine französische Vermittlung im Serbienkonflikt anbieten wollten, nicht ausgeführt und so eine Gelegenheit verpasst habe, den künftigen Weltkrieg zu verhindern, und zwar nur deshalb, weil er dem »verhassten Führer der Radikalen« den Erfolg nicht habe gönnen wollen.[904]

Ein echtes Opfer der radikalen Regierung war hingegen der mit de Reverseaux befreundete Comte Olivier d'Ormesson, der Frankreich bis 1909 als Gesandter in Brüssel vertrat. Mit 58 Jahren wurde er, der seine Karriere als Botschafter in Wien oder St. Petersburg beschliessen wollte, sanft beiseitegeschoben. Schon im Vorjahr hatte sich d'Ormesson wegen seines Grafentitels gefährdet gesehen. Im Sommer 1907 berichtete der deutsche Gesandte in Brüssel, d'Ormesson bezeichne sich überall lautstark als »vieux républicain« und fürchte, wegen seines Grafentitels durch die Radikalen abgesetzt zu werden.[905] Im Sommer berichtete Reuss, d'Ormessons Abberufung sei jetzt beschlossen, sei aber schon seit Jahresbeginn bekannt. Die radikale Regierung habe d'Ormesson als ausserordentlichen Botschafter an die Trauerfeierlichkeiten nach dem Attentat in Lissabon entsandt, um ihm dann zu eröffnen, dass er wegen seines hohen Ranges nicht nach der Gesandtschaft Brüssel zurückkehren könne. Man habe ihm einen Posten in der Zentrale angeboten, den er schon vor zehn Jahren innegehabt hatte (offenbar die Direktion des Protokolls). Nun hoffe d'Ormesson auf einen guten Posten bei der Metro.[906] D'Ormessons Nachfolger, Jean Beau, galt als weniger radikal als der abgeschobene Graf; er verfügte aber als Diplomat mit einer langen Hauskarriere über die bessere Protektion. Das Versprechen, d'Ormesson als Verwaltungsrat eines grösseren Unternehmens irgendwo unterzubringen, wurde offenbar nicht eingelöst.[907]

Aber auch andere Diplomaten, beispielsweise Camille Barrère, der ehemalige Communard, der manche Freunde unter den Radikalen zählte, waren Clemenceaus forscher Personalpolitik ausgesetzt. Clemenceaus persönliche Abneigung hatte ihren Grund in Barrères Freundschaft mit Gambetta und Delcassé. Als Clemenceau im November 1906 im Begriffe stand, an die Spitze der Regierung zu treten, ver-

---

[903] Radowitz, 12. Dezember 1897, PAAA Bonn, F 108.

[904] Berta SZEPS-ZUCKERKANDL, Ich erlebte fünfzig Jahre Weltgeschichte, Stockholm 1939, S. 194 f. Clemenceaus jüngerer Bruder Paul war mit Sophie Szeps, der Schwester des österreichischen Zeitungsmannes Jules Szeps, verheiratet.

[905] Heinrich XXXI. Reuss, 12. August 1907, PAAA Bonn, F 108, Bde. 17 und 18.

[906] Ders. am 19. August 1908, ebenda. – Hingegen ist Bihourds Abgang nicht auf Clemenceaus Regierungsübernahme zurückzuführen. – Clemenceau hat auch Benachteiligungen beseitigt. Geoffray musste ungewöhnlich lange Botschaftssekretär in London bleiben, weil er als klerikal galt. Die persönliche Bekanntschaft mit Clemenceau bei dessen Londoner Besuch 1908 öffnete ihm schliesslich den Weg für die Fortsetzung seiner Karriere, Bericht Lancken vom 13. Juli 1910 anlässlich Geoffrays Ernennung zum Botschafter in Madrid, PAAA Bonn, F 108, Bd. 19.

[907] W. d'ORMESSON, Enfances diplomatiques, S. 200.

liess Barrère eilig Paris, um ihm keine Antrittsvisite abstatten zu müssen.[908] Dem Marquis de Reverseaux zufolge hätte Clemenceau gerne Barrère beseitigt, doch sei Barrère einigermassen geschützt, weil er aus der – gemeinsamen – Kommunarden-Zeit »des petits papiers« besitze.[909] Clemenceau muss seine negative Einstellung zu Barrère dann aber schnell revidiert haben. Am 16. Januar 1907 schrieb Aussenminister Pichon, der Ministerpräsident schätze seine Arbeit sehr und würde ihn gerne kennenlernen.[910] Rückblickend notierte Barrère über seine Begegnung mit Clemenceau:

> »Clemenceau m'a assuré de son amitié en des termes qui m'ont vivement touché.«[911]

Barrères Verbleiben in Rom war damit allerdings nicht gesichert; Clemenceau trug sich nämlich mit dem Gedanken, Barrère gegen dessen Willen nach St. Petersburg zu schicken. Doch am 15. Januar 1908 konnte Henri Cambon seinem Vater schreiben:

> »M. Clemenceau avait été convaincu de la nécessité de laisser M. Barrère là où il est.«[912]

Barrère bildete zusammen mit den beiden Cambon ein starkes Trio, sowohl in personalpolitischen als auch, soweit nötig, in aussenpolitischen Belangen. Paul Cambon schrieb am 8. Dezember 1908 seinem Bruder, man habe mit Freuden festgestellt, dass die Drei in der Bosnien-Affäre nicht am selben Strick gezogen hätten:

> »Barrère, toi et moi formons une trinité qu'on redoute et qu'il faut toujours montrer unie.«[913]

Die über das Verwaltungsschema hinausgehenden Verbindungen und Verflechtungen konnten sich für das Funktionieren der Aussenpolitik dort als Vorteil erweisen, wo die politische Zentrale nicht imstande war, die nötige Kohärenz und Einheit der Doktrin herbeizuführen. Die beiden Cambon haben ihre Diplomatie nachweislich aufeinander abgestimmt und mit Barrère vor allem auch in der Zeit, da Paul Cambons Sohn bei Barrère in Rom war, ein diplomatisches Trio gebildet, das für die französische Aussenpolitik deshalb von grösster Bedeutung war, weil die drei Diplomaten (wenn man von St. Petersburg absieht, wo 1902–1907 mit Bompard ein langjähriger Mitarbeiter Paul Cambons Botschafter war) zugleich die Inhaber der drei wichtigsten Aussenposten London, Berlin und Rom waren.

## Die neue Elite

Das Prinzip der permanenten Epuration war doch nicht so stark, dass sich nicht neue »Dynastien« hätten etablieren können. Gewisse Familien des republikani-

---

[908] LAROCHE, Quinze ans à Rome, S. 205; Barrère an Paul Cambon, 10. Januar 1907, MAE Papiers P. Cambon.

[909] Bericht von Wedel, 5. Januar 1907, PAAA Bonn, F 108, Bd. 16.

[910] Papiers Pichon, Institut.

[911] Brief an Pichon, 28. Januar 1912, ebenda.

[912] Fonds Louis Cambon.

[913] Fonds Louis Cambon.

schen Bürgertums stellten sich nun wie vormals die Adelshäuser über Generationen in den Dienst der Diplomatie und liessen den Staatsdienst zu einer kleinen Familientradition werden. Der Fall Cambon ist bloss der bekannteste dieses Phänomens. Jules Cambon hätte nach dem Debakel in Algerien ohne Hilfe seines älteren Bruders, der damals Botschafter in Konstantinopel war, kaum in den diplomatischen Dienst wechseln können. Die Söhne der beiden Brüder, Henri und Roger, schlugen ebenfalls die diplomatische Laufbahn ein. Paul Cambon war es etwas peinlich, dass 1913 bei der Besetzung einer freien Stelle seiner Botschaft unter Missachtung berechtigter Ansprüche von zwei anderen Botschaftssekretären sein Neffe Roger bevorzugt wurde.[914] Eine weniger offensichtliche Protektion der Familienangehörigen war aber auch für ihn selbstverständlich: 1906 erteilte er seinem Sohn den Rat, er solle in Barrère einen zusätzlichen Schutzherrn zu finden trachten, denn er und sein Bruder könnten gelegentlich pensioniert werden, so dass er ohne ihren Schutz auskommen müsste.

> »Je ne serai pas toujours là, ni ton oncle non plus, d'ici 2 ou 3 ans il est probable que nous serons à la retraite et il ne faut pas te trouver seul.«[915]

Paul Cambons Protektion beschränkte sich allerdings nicht auf Familienangehörige; sie erstreckte sich in der Regel auf die weiteren Mitarbeiter der eigenen Botschaft, die so etwas wie eine kleine Familie bildeten und für die er gegenüber Paris oder anderen Kollegen des Kaders mit väterlichen Empfehlungen eintrat, sowie die Ende der 1870er Jahre gebildete »Familie« von Gesinnungsfreunden mit gemeinsamen Karriereinteressen.[916]

Vier weitere Fälle sollen die verschiedenen Formen der Protektion von Familienangehörigen belegen:

Jules Herbette, 1880 eine der treibenden Kräfte bei der Liquidation der alten Welt, verwendete sich 1891 dafür, dass sein Sohn, Maurice Herbette, früher als üblich zum Aufnahmeexamen zugelassen wurde.[917] Maurice hatte seinen Stage selbstverständlich bei seinem Vater in Berlin absolviert und nach bestandenem Examen ist Herbette Jr. ebenso selbstverständlich Attaché in der väterlichen Botschaft geworden. Henri Allizé, Jules Herbettes Schwiegersohn, wurde 1885 Mitarbeiter des von Herbette geleiteten Kabinetts de Freycinet und 1887 wiederum Herbettes Mitarbeiter in Berlin, so dass der französische Botschafter in der Reichshauptstadt über längere Zeit sowohl seinen Sohn als auch seinen Schwiegersohn bei sich hatte. Und 1896, als der Botschafter zurücktrat, gehörte zu Herbettes Abdankungsbedingungen, dass Allizé befördert und seinem Sohn gelegentlich ein Posten in der Politischen Direktion angeboten werde.[918] Allizé wurde in der Folge

---

[914] Paul Cambon an Jules Cambon, 12. Februar 1913, Fonds Louis Cambon. Aus dem Schreiben geht weiter hervor, dass Paléologue, der Politische Direktor, Roger Cambon die Wahl zwischen London und St. Petersburg gelassen habe.

[915] Paul Cambon an seinen Sohn Henri, 21. September 1906, Fonds Louis Cambon.

[916] VILLATE, République, S. 24 f.

[917] Jules Herbettes Bitte an Ribot datiert vom 24. März 1891, Papiers Ribot, Bd. 3. Der Sohn bestand den Concours allerdings erst am 3. Dezember 1894.

[918] Zu den Demissionsbedingungen vgl. Schreiben von Jules Herbette an Marcel vom 5. und 13. Mai 1896, Papiers Marcel.

tatsächlich zum Ersten Botschaftssekretär befördert, und Maurice Herbette drei Monate später wunschgemäss Mitarbeiter der Politischen Direktion. Herbettes republikanischer Protektionismus kam auch dem Grafen Marie-Victor-Félix de Bourqueney zugute. Im September 1886 nahm er den Grafen, der sich seit dem November 1871 ferngehalten hatte, als 1. Botschaftssekretär nach Berlin mit. Laut einem Bericht des Grafen von Pourtalès vom 27. September 1886 war de Bourqueney mit einer Tochter des ehemaligen Aussenministers Walewsky verheiratet und Walewsky habe Herbette, als jener während des Zweiten Kaiserreiches im konsularischen Dienst gestanden hatte, protegiert, wofür sich Herbette nun erkenntlich zeigen wollte.[919]

Zweites Beispiel: Emanuel Arago, Sohn des bekannten Naturwissenschaftlers François Arago und Neffe von Etienne Arago, der am 4. September 1870 das Pariser Bürgermeisteramt übernommen hatte, war vor seiner Ernennung vom Juni 1880 zum Botschafter von Bern Deputierter der Nationalversammlung, war zweimal Minister gewesen und 1876 zum Senator auf Lebenszeit gewählt worden. Nach Bern nahm dieser Repräsentant der französischen Republik seinen 18jährigen Sohn, einen weiteren François Arago und künftigen Schwiegersohn des Ministers und Zeitungsverlegers Jean Dupuy, als »Attaché autorisé« mit. François Arago verbrachte sämtliche zwölf Jahre an der Seite seines Vaters in Bern und wurde zweimal früher, als im Beförderungsplan vorgesehen, mit übergeordneten Funktionen betraut.[920] Am 14. Mai 1885 wandte sich der Botschafter Arago an Ring, den damaligen Politischen Direktor, und forderte für seinen damals erst 23jährigen Sohn die Beförderung zum 3. Botschaftssekretär, auf die François Arago dann allerdings noch anderthalb Jahre warten musste.[921] Herbette, damals Botschafter in Berlin, äusserte sich im April 1894 dem schweizerischen Kollegen gegenüber, nicht Arago, sondern dessen Sohn sei seit langem der französische Botschafter in Bern gewesen.

> »Savez-vous déjà que M. Arago se retire? Il va prendre sa retraite, il quitte définitivement. [...] Vous savez du reste que depuis longtemps c'était François qui était l'ambassadeur.«[922]

Nach der Rückkehr des Vaters war auch der Sohn wieder in Paris tätig: in der Politischen Direktion und bezeichnenderweise vorübergehend auch als Mitarbeiter im Kabinett eines Aussenministers. 1903 liess er sich (was für die Karriere eines Angehörigen der republikanischen Eliten folgerichtig war) in die Deputiertenkammer wählen.

Drittes Beispiel: Albert Decrais wurde von den republikanischen Reinemachern 1880 in den diplomatischen Dienst geholt. Nachdem schon sein Stiefsohn Godard-Decrais ein paar Monate als Attaché in seiner Gesandtschaft in Brüssel verbracht hatte, durfte sein Sohn Louis Jean Decrais zunächst einen Stage in Rom

---

[919] PAAA Bonn, F 105/1, Bd. 1.

[920] Im Juli 1884 erhielt er die Funktion eines 3. Sekretärs, im November 1886 auch den Grad und den Lohn eines 3. Sekretärs (hors cadre), im August 1889 die Stellung eines 2. Sekretärs, um im Februar 1893 auch den entsprechenden Grad und Lohn zu erhalten.

[921] Papiers Ring, Bd. 14.

[922] Bericht Roth vom 16. April 1894, BA Bern, E 2/740.

absolvieren, als der Vater Botschafter in Rom war. Der junge Decrais setzte seinen Stage in Wien fort, als der Vater Botschafter in Wien wurde, und wirkte – inzwischen ins diplomatische Korps aufgenommen – als Attaché in London, während der Vater Botschafter in London war. 1899 wurde er Kabinettschef des Kolonialministeriums, dessen Chef wiederum sein Vater war, der inzwischen wie der junge Arago die diplomatische Karriere mit der eines Deputierten und Ministers gewechselt hatte.

Und letztes Beispiel: Jean-Baptiste-Félix Mariani, bis 1880 unbedeutender Konsul, zuletzt in Basel, erlebte dank seiner Verwandtschaft mit Floquet, dem Fraktionspräsidenten der Union Républicaine, eine steile zweite Karriere, zunächst in der Zentrale in Paris, dann mit der Entsendung zuerst nach München und 1888, nachdem sein Cousin Floquet Premierminister geworden war, nach Rom als Botschafter beim Quirinal.[923]

Die Beispiele liessen sich mehren.[924] Sie alle weisen darauf hin, dass mit der grossen Epuration von 1880 und der Ausschaltung der alten Elite das Oberschichtphänomen an sich nicht beseitigt war und dass die neuen Kräfte im Widerspruch zu ihren egalitären Zielsetzungen eine neue Elite bildeten und ihre bevorzugte Stellung in der Verwaltung meistens den guten Beziehungen zu Parlamentariern verdankten.

Bei der Beförderung von Berufsdiplomaten wie bei der Nomination von zunächst diplomatiefremden Leuten war oft parlamentarischer Einfluss im Spiel. Ohne die Widersprüchlichkeit der parlamentarischen Klagen über regelwidrige Ernennungen besonders hervorzuheben, antwortete ein Kommentar des *Le Temps* vom 29. Oktober 1909 auf den Bericht Deschanel:

> »[…] l'honorable rapporteur sait, comme nous, que dans le plus grand nombre de ces choix, les influences parlementaires ont d'ordinaire plus de part encore que les décisions gouvernementales.«

Dass der Berufsdiplomat Raymond Aynard Ende Februar 1911 zum Minister 2. Klasse befördert und zum Unterdirektor der Kanzlei ernannt wurde, bedeutete keine Missachtung oder Verletzung geltender Regeln. Dennoch darf man annehmen, dass die Stellung von Aynards Vater der Beförderung förderlich gewesen sei. Am 2. März 1911 schrieb Edouard Aynard, angesehener Deputierter, Mitglied

---

[923] Vgl. mit CAILLÉ, Jagerschmidt, S. 225 und GÉRARD, Vie, S. 151, FERRY, Lettres, S. 493, und die deutschen Botschaftsberichte vom 22. und 23. Oktober 1888, PAAA Bonn, F 108, Bd. 3. Münster hatte schon am Tag nach Floquets Kabinettsbildung nach Berlin berichtet, dass Floquet Mariani am liebsten zum Aussenminister gemacht hätte, aber in parlamentarischen Kreisen auf zuviel Widerstand gestossen sei, Bericht vom 4. April 1888, PAAA Bonn, F 107, Bd. 4.

[924] Um nur noch ein weniger bedeutendes Beispiel beizufügen: Poincarés persönlicher Sekretär war Marcel Gras, der mit einer Nichte Poincarés verheiratet war. Poincaré behielt Gras in seinem engeren Mitarbeiterstab, als er 1913 vom Quai d'Orsay ins Elysée wechselte, BLONDEL, Carrière, S. 23–25. Dass der diplomatische Dienst zu einer Familientradition wird, kann man auch in der Zwischenkriegszeit und noch in unseren Tagen feststellen. Die Söhne von Jacques Seydoux, der vor 1914 Sekretär der Sous-Direction d'Asie war, wurden Botschafter in Deutschland und Russland. Und Jean François-Poncet, der Sohn des ehemaligen Botschafters in Berlin und Bonn, André François-Poncet, begann seine Laufbahn im Quai d'Orsay, wurde 1976 Staatssekretär des Aussenministeriums und am 29. November 1978 Frankreichs Aussenminister.

wichtiger Kommissionen und ehemaliger Vizepräsident der Kammer, dem soeben zurückgetretenen Aussenminister Pichon, wie sehr er dessen Abgang bedaure. Und:

> »J'avais également à coeur de vous remercier de votre haute bienveillance envers mon fils, compris dans la dernière promotion que vous avez signée.«[925]

Dass parlamentarische Verbindungen bei der Besetzung von Stellen von Vorteil sein konnten, lässt auch das folgende, nicht direkt der Diplomatie entnommene Beispiel vermuten: Der Bruder des Abgeordneten Gaston Thomson, eines einflussreichen Mannes der Kolonialpartei, wurde Lieutenant-Gouverneur in Cochinchine, und dessen Kabinettschef wurde Théodore Etienne, der ein Bruder des Abgeordneten und Führers der Kolonialpartei Eugène Etienne war.

Wie die alte Elite protegierten die an die Macht gekommenen Republikaner natürlich ihresgleichen, wobei sich die Zugehörigkeit zur neuen Elite durch parteipolitische Gesinnung, aber mindestens so sehr auch durch familiäre Herkunft definierte und Protektion sowohl Begünstigung als auch Schutz vor Benachteiligung bedeuten konnte. Der republikanische Protektionismus nahm dabei wenig Rücksicht auf die administrativen Regeln und auf das Gebot der personellen Kontinuität. Ein de Moüy wäre nicht schon nach zwei Jahren in Rom ersetzt worden, wenn Floquet nicht Mariani dort hätte unterbringen wollen. Dabei bedeutete unabhängig von der Frage, ob beispielsweise Mariani für diesen Posten geeignet gewesen sei, die durch solche Wechsel hervorgerufene Irritation der übrigen Diplomaten eine weitere Störung.

---

[925] Papiers Pichon, Institut.

# DRITTES KAPITEL

## DIE STRUKTURELLEN VORAUSSETZUNGEN DER REPUBLIKANISCHEN AUSSENPOLITIK

### 1. Das Aussenministerium und die Botschaften der Republik

Die Verwaltungsstrukturen waren im Gegensatz zu den instabilen Personalverhältnissen bemerkenswert stabil. Obwohl die Verwaltung des Aussenministeriums nach 1870 durch stets neue Teilreformen in permanenter Unruhe gehalten wurde, blieb die Organisation in ihren Grundzügen erhalten. Der Wille, personelle Änderungen herbeizuführen, wirkte sich hinsichtlich der Verwaltungsstruktur im Gegenteil eher konservierend aus: Gewisse Stellen konnte man nur auswechseln, wenn sie erhalten blieben. Ohne den Zusammenhang von Epuration und Systemkonservierung zu sehen, klagte Louis Herbette in seiner Reformschrift von 1874 über den scheinbar paradoxen Sachverhalt:

> »Non, rien n'a changé que quelques hommes, et c'est dans le système qu'il faut surtout chercher le mal et le remède.«[1]

Grundlegende Änderungen schlug allerdings auch Herbette nicht vor.

### Die Politische Direktion

Das Aussenministerium führte zwei separat geleitete Dienste: Der diplomatische Dienst wurde vom Politischen Direktor, der konsularische Dienst im Prinzip vom Handelsdirektor geleitet. Im Kapitel über die wirtschaftlichen Kräfte in der französischen Aussenpolitik soll noch näher ausgeführt werden, dass die Politische Direktion gegenüber der Handelsdirektion eine Vorzugsstellung einnahm. Als die beiden Direktionen 1907 zusammengelegt wurden, bestätigte sich die Dominanz der Politischen Direktion. Der Handelsdirektor Henry nahm seinen Abschied und der Politische Direktor Louis wurde so etwas wie ein Generaldirektor. Da die Verwaltungszentrale des Aussenministeriums vor 1915 nicht von einem Diplomaten im Botschafterrang geleitet wurde, kam es zur paradoxen Situation, dass den Botschaftern ein rangtieferer Diplomat verwaltungsmässig übergeordnet war und umgekehrt der übergeordnete Leiter der Verwaltungszentrale darauf wartete, zum Gesandten oder Botschafter befördert zu werden. Nachdem de Courcel die Leitung der Politischen Direktion abgegeben hatte, war er noch während neun Jahren Botschafter in Berlin und London; Decrais war nachher noch elf Jahre Botschafter in Rom und Wien, de Montholon noch 17 Jahre

---

[1] HERBETTE, Nos diplomats, S. 3.

Gesandter in Athen und Brüssel und Botschafter in Bern, und Billot war noch 13 Jahre in Lissabon und Rom.

Der als Politischer Direktor bewährte und sehr geschätzte Georges Louis musste 1909, wenn er in den Botschafterrang kommen wollte, die Zentrale verlassen und einen Aussenposten übernehmen, obwohl er dort nicht seinen besonderen Fähigkeiten entsprechend eingesetzt war.[2] Normalerweise durfte ein Politischer Direktor bei seinem Abgang mit einer Botschaft rechnen. Nur Billot und Bapst (wenn man von den bloss interimistisch eingesetzten Direktoren de Ring und de Montholon absieht) mussten sich mit Gesandtschaften zufriedengeben. Vielleicht spielte die allgemeine Konstellation eine gewisse Rolle; anderseits werden Billots allzu gute Beziehungen zum vorangegangenen Kabinett und Bapsts nicht restlos befriedigende Amtsführung eine gewisse Rolle bei der nachfolgenden Ernennung gespielt haben.

Der Posten eines Politischen Direktors war von denen, die dafür in Frage gekommen wären, gar nicht sonderlich begehrt. So hat Chilhaud-Dumaine, der Leiter der wichtigen Unterdirektion Nord, der nachher Geschäftsträger in München, dann Gesandter in Mexiko und 1902 schliesslich Botschafter in Wien wurde, 1904 diesen Posten refüsiert. Schon zwei Jahre zuvor, als sich Cogordan für die Politische Direktion gewinnen liess, war Chilhaud-Dumaine der Meinung gewesen, dies sei ein zweifelhafter Aufstieg, wenn jemand einen geruhsamen Aussenposten gegen die aufreibende Tätigkeit in der Zentrale tausche.

> »Cogordan s'apprête à se réhabituer à la malesquine (?) directoriale. Je souhaite que le fauteuil, après tant d'années passées sur des divans et des sofas, ne lui semble pas trop inconfortable. Il est en tout cas satisfait de changer de siège, même s'il doit goûter peu de repos dans celui où il s'installe.«[3]

Auch Geoffray, der wie Cogordan Generalkonsul in Kairo war, wollte 1909 nicht Louis' Nachfolge antreten, weil er befürchtete, in diesem Fall seine Karriere aus Altersgründen nicht mehr als Botschafter beschliessen zu können.[4] Darum fiel schliesslich die Wahl auf den nicht sehr erfolgreichen Bapst, der vorher bereits Gesandter in Peking gewesen war.

## Die Unterdirektionen

Die Politische Direktion führte zwei Unterabteilungen: die »Sous-Direction du Nord« und die »Sous-Direction du Midi«. Die für die nördliche Hemisphäre zuständige Abteilung, die sich mit den Beziehungen zu den Grossstaaten England, Russland, Deutschland und Österreich zu befassen hatte, war weit bedeutender als die andere Abteilung, die für den Mittelmeerraum zuständig war. Jusserand schrieb, kurz bevor er die Leitung dieser Subdirektion übernahm:

---

[2] Louis wurde im Juni 1909 nach St. Petersburg geschickt. Schon im Januar 1907 war er für Madrid als Nachfolger Jules Cambons im Gespräch. Diese Beförderung liess sich aber nicht verwirklichen, u. a. weil Louis' Frau eine Spanierin aus einfachen Verhältnissen war.

[3] Chilhaud-Dumaine an Jusserand, 30. August 1902, Papiers Jusserand, Bd. 60.

[4] Paul Cambon an seinen Sohn Henri, 3. April 1904 und 26. Mai 1909, Fonds Louis Cambon. Geoffray wurde dann in der Tat 1910 Botschafter in Madrid.

»[...] des diverses sous-directions celle du Nord me paraît par dessus toutes.«[5]
Bompard gratulierte Jusserand: »Le Nord, après tout, c'est la grande sous-
direction, celle de la haute politique et c'est un poste d'honneur.«[6]

Absichten, die Zweiteilung aufzuheben, bestanden schon früher. Paléologue verriet Jusserand am 28. April 1890 unter dem Siegel strengster Verschwiegenheit,
man wolle eine Dreiteilung vornehmen, und wusste auch schon, wer die drei
Subdirektionen leiten werde: Jusserand die Subdirektion Europa, Hanotaux die
Subdirektion Afrika und Corcelle (jun.) die Subdirektion Asien und Amerika.[7]

An dieser Zweiteilung, die aus einer Epoche stammte, da sich die internationale
Politik weitgehend auf den europäischen Raum beschränkte, versuchte man auch
noch festzuhalten, als Asien, Afrika und Amerika vermehrt in das Gesichtsfeld
der Grossmächte rückten. Erst 1907, nachdem man sich während drei Jahrzehnten mit Um- und Zuteilungen und der Bildung und Wiederauflösung von
Sonderabteilungen beholfen hatte, wurde diese Zweiteilung aufgegeben. An Stelle
der beiden alten Unterdirektionen traten vier neue Unterdirektionen. Die tunesischen, marokkanischen und südamerikanischen Angelegenheiten, in denen die
wirtschaftlichen und politischen Interessen besonders eng miteinander verknüpft
waren, waren schon vor der allgemeinen Fusion von 1907 in besonderen Büros
einheitlich bearbeitet worden.

1907 wurde zudem ein schon 1870 gefordertes Postulat verwirklicht: Die poli-
tisch-diplomatischen und die wirtschaftlich-konsularischen Angelegenheiten wurden nicht mehr getrennt behandelt; beide Bereiche wurden einer gemeinsamen
Direktion unterstellt und eben in den vier Regionaldirektionen einheitlich bearbeitet. Decazes hatte schon 1870 in seinem Bericht für das Budget 1871 die Zusammenlegung der beiden Direktionen vorgeschlagen.[8] Desgleichen Louis Herbette in seiner Reformschrift von 1874, die sich auf eine gleichlautende Forderung des Berichtes Arago vom 20. Februar 1874 stützte.[9] Einfachheitshalber wird
hier diese zentrale Direktion im Folgenden auch »Politische Direktion« genannt,
obwohl sie »Direction des affaires politiques et commerciales« hiess. Diese Ver-
einfachung ist auch materiell vertretbar, war doch 1907, wie bereits angedeutet,
die Politische Direktion der fusionierende und die Konsular- und Handelsdirektion der fusionierte Teil.

Die Fusionen der beiden Dienstzweige erlaubten eine Gesamtschau und Einheitlichkeit der Politik wenigstens in kleinen Teilbereichen. Sie stellte aber hohe
Ansprüche an die Leiter der einzelnen Büros, hätten doch diese nun im politischen wie im wirtschaftlichen Bereich bewandert sein und generell den steigenden Ansprüchen, die man an eine zunehmend spezialisierte Diplomatie stellte,
gewachsen sein müssen. Die Einheitlichkeit in Teilbereichen ging allerdings auf
Kosten der gesamten Einheit, zumal sich der theoretisch für alles zuständige
Generaldirektor unmöglich um alles kümmern konnte. Es erstaunt deshalb nicht,

---

[5] Brief an den Politischen Direktor Nisard vom 31. März 1890, Papiers Jusserand, Bd. 21.

[6] Brief vom 20. Juni 1890, ebenda.

[7] Papiers Jusserand, Bd. 21.

[8] Budgetbericht 1871, S. 8.

[9] HERBETTE, Nos diplomats, S. 38.

dass in der Folge immer wieder Klagen über »Eigenmächtigkeiten« der Büros laut wurden.

Die Unterteilung von 1907 sah folgende Zuständigkeitsbereiche vor: einen ersten für Europa, Afrika und Ozeanien, einen zweiten für den Balkan, die Türkei und den Vorderen Orient, einen dritten für Asien und einen vierten für Amerika. Die Zusammenstellung der ersten Domäne leuchtet nicht ganz ein; 1913 wurde denn auch Ozeanien von der Subdirektion Europa getrennt und der für Asien zuständigen Abteilung angegliedert, und 1914 wurde an Stelle einer Levante-Abteilung eine eigene Afrika-Abteilung gebildet. Den meisten strukturellen Veränderungen lagen bloss administrative Überlegungen oder Überlegungen der persönlichen Konvenienz zu Grunde. Politische Hintergründe hatte hingegen die 1907 im Zusammenhang mit der angestrebten Einverleibung Marokkos vorgenommene (und nachträglich eben wenig einleuchtende) Zusammenlegung der europäischen und nordafrikanischen Angelegenheiten. Amédée Outrey schreibt 1953 in seinem Aufsatz über den Quai d'Orsay:

> »[...] mais par une décision assez peu explicable, il réunit ces affaires d'Europe à celles de l'Afrique et de l'Océanie.«[10]

Ein Reformbericht von 1912 schlug denn auch vor, man solle die Vierteilung den vier Kontinenten Europa, Afrika, Asien und Amerika anpassen, und erklärt auch das Unverständliche:

> »(Cette répartition) n'a été adoptée en 1907 qu'en raison de la nécessité de masquer la question du Maroc et de décharger momentanément la Sous-Direction d'Europe des questions d'Orient, pour lui donner tout loisir de se consacrer à l'affaire marocaine qui occupait presque toute notre scène diplomatique.«[11]

### Die speziellen Dienste

Neben diesen nach geographischen Räumen aufgeteilten Sektionen führte das Aussenministerium einige auf besondere Fachbereiche spezialisierte Büros: eine Kanzlei, eine Rechtsabteilung, eine Finanzverwaltung, einen Chiffrierdienst[12], eine Protokoll- und eine Personalabteilung. Diese Spezialdienste waren einmal der Politischen Direktion, einmal dem persönlichen Kabinett des Ministers unterstellt, oder sie bildeten vorübergehend eine eigene Direktion.[13] Das Interessante dieser verschiedenen Umstrukturierungen ist nur die allgemeine Tendenz: Die stets wechselnden Minister und ihre Mitarbeiterstäbe vermochten ihre Kompetenzen und ihren Einfluss auf Kosten der Politischen Direktion zu erweitern. Um die Jahrhundertwende waren die folgenden Spezialdienste dem Kabinett unterstellt: das Personalbüro, der Chiffrierdienst, der sich als »Cabinet noir« auch

---

[10] OUTREY, Administration, S. 510.

[11] Unsignierter Bericht aus dem Jahre 1912, MAE, Série C, adm. 23, Bd. 28.

[12] »Une foi introduit dans le sanctuaire«, blieb man in der Regel in diesem Dienst tätig. Auf Théophile Béguin-Billecocq, der insgesamt von 1846–1884 in der Verwaltung arbeitete, folgte als Direktor dessen Cousin Ernest Billecocq. Vgl. BAILLOU, Affaires étrangères, S. 97–101.

[13] Eine gute Übersicht der verschiedenen Phasen und eine Zusammenstellung der Dekrete gibt OUTREY, Administration.

mit dem Entziffern fremder Depeschen beschäftigte[14], der Pressedienst (eine Schöpfung de Freycinets aus dem Jahre 1880), der Übersetzungsdienst, das Speditionsbüro, das ein- und ausgehende Korrespondenz zu registrieren hatte, sowie die Verwaltung des Geheimfonds.

### Die protokollarischen Angelegenheiten

Eine besondere Stellung nahm der protokollarische Dienst ein. Der Protokollchef gehörte zwar zum Quai d'Orsay, er nahm aber auch im Elysée in der Umgebung des Staatschefs wichtige Funktionen wahr. In seinen Zuständigkeits- und Ausführungsbereich gehören die Formalitäten des Zeremoniells bei Audienzen und Staatsbesuchen, die Verwaltung der diplomatischen Privilegien, die Ausfertigung formeller Schriftstücke wie Verträge, Vollmachten, Ratifikationen, Akkreditierungs- und Rückberufungsschreiben sowie die Verleihung von Ehrungen an Ausländer oder Franzosen im Auslande wie die Entgegennahme ausländischer Ehrungen für Franzosen. Wie bereits 1848 übernahm der Protokollchef auch die Funktion des »Introducteur des Ambassadeurs«, die zuletzt während des Zweiten Kaiserreiches einem besonderen Würdenträger des Hofes anvertraut worden war.[15] Dem Protokollchef kam, abgesehen von seiner Sonderstellung beim Präsidenten der Republik, aus einem weiteren Grund besondere Bedeutung zu. Er war im Regime der steten Wechsel und der kurzen Gedächtnisse der Verwalter von Traditionen und konnte dank seinem Sonderwissen gegenüber unsicheren oder verunsicherten Neulingen mit dem entsprechenden Gewicht auftreten.

Joseph-Hippolyte-Gabriel Mollard wurde 1874 Protokollchef und ersetzte Feuillet de Conches, der ein halbes Jahrhundert zuvor in den protokollarischen Dienst eingetreten und seit 1868 dessen Direktor war. Der noble Robert de Bonnières störte sich an der einfachen Herkunft dieses Mollard, der (nur) dank seiner schönen Schrift in den protokollarischen Dienst aufgenommen worden sei und nun dank der sozialen Veränderungen nach 20 Jahren subalterner Tätigkeit Chef dieses Dienstzweiges wurde:

> »Avant M. Mollard, les bureaux du Protocole n'avaient jamais eu cette importance. On conçoit d'ailleurs que ce service ait pris une grande place sous un gouvernement d'hommes nouveaux.«[16]

---

[14] Einen informativen Aufsatz über die Tätigkeit des Cabinet noir hat 1976 Christopher Andrew veröffentlicht: Christopher ANDREW, Déchiffrement et diplomatie: le cabinet noir du Quai d'Orsay sous la Troisième République, in: Relations Internationales 5 (1976), S. 37–64. Als Paléologue im Januar 1912 Politischer Direktor wurde, wurde der Chiffrierdienst vom Kabinett getrennt und ihm unterstellt.

[15] Vgl. Jean SERRES, Manuel pratique de Protocole à l'usage des postes diplomatiques et consulaires de France à l'étranger, Paris 1950. René Dollot, selbst Diplomat, hat dieses mit einem Vorwort des ehemaligen Protokollchefs de Fouquinières versehene Buch besprochen und einige eigene Aperçus beigesteuert in: RHD 64 (1950), S. 182–187. Vgl. ferner: Les Introducteurs des ambassadeurs 1885–1900, Paris 1901, 80 S.

[16] BONNIERES, Mémoires, Bd. 1, S. 236–243, hier: S. 239.

1902 illustrierte der Budgetberichterstatter der Kammer, Fernand Dubief, die schädliche Aufblähung der Zentralverwaltung am Beispiel des Protokolls. Während früher ein einziger Diplomat diesen Dienst versehen habe, seien es heute zehn Leute, und von diesen zehn seien sechs irregulär und ohne Entlöhnung beschäftigt:

> »Aujourd'hui il y a dix fonctionnaires du protocole, quatre sont rétribués, six ne le sont pas et travaillent pour la gloire.«[17]

Desprez riet dem neuen Protokollchef, die hochspezialisierten Kenntnisse, die sich Mollard beim Studium der europäischen Etikettevorschriften erworben hatte, in einem Handbuch darzulegen. Mollard folgte diesem Rat aus naheliegenden Gründen nicht und vererbte das persönliche Wissen seinem Sohn Armand Mollard, den er 1881 als Attaché zu sich in die Lehre genommen hatte. 1888 wurde der 55jährige Mollard zunächst durch die Grafen Olivier d'Ormesson und de Bourqueney ersetzt, 1895 folgte Crozier, und 1902 konnte der jüngere Mollard, der bereits stellvertretender Direktor war, tatsächlich die Direktion des Protokolls übernehmen, wie dies die *Revue Diplomatique* schon 1889 vorausgesagt hatte, als sie die Meinung äusserte, d'Ormesson müsse lediglich die Zeit überbrücken, bis der Nachkomme dieser »sympathischen Dynastie« in der Lage sei, das Amt des Vaters zu übernehmen.[18] Von Mollard junior heisst es:

> »Nourri dans le sérail, il en connaissait tous les détours.«[19]

1893 wurde von republikanischer Seite beanstandet, der Aussenminister sei, da die Formfragen in aussenpolitischen Angelegenheiten eine wichtige Stellung einnähmen, der Gefangene seines Apparates.[20] Während der Präsidentschaft Félix Faures (1895–1899) nahm das Zeremoniell Formen an, die das Protokoll in offensichtlichen Widerspruch zum republikanischen Charakter des Regimes und der biederen Herkunft des Staatschefs brachten. Legrand-Girarde, der Kommandant des Elysées, bekannte 1897, er glaube nicht, dass der Hof unter dem grossen König formalistischer gewesen sei:

> »Je doute que sous le grand Roi, le cour fût plus formaliste.«[21]

---

[17] Debatte vom 21. Januar 1902, JO, S. 90.

[18] Die *Revue diplomatique* vom 11. Mai 1889 schreibt, man habe d'Ormesson ausgewählt, »pour remplacer M. Mollard en attendant que l'héritier de cette sympathique dynastie se trouve en état de remplir cette charge difficile.« Auch Dollot spricht von der »Dynastie« Mollard, die ein Vierteljahrhundert das Protokoll geleitet habe (RHD 64 (1950), S. 187). Armand Mollard wurde am 1. November 1913 zum Gesandten in Luxemburg ernannt und durch William Martin ersetzt. Comte Marie-Victor-Félix de Bourqueney, Protokollchef der Jahre 1893–1895, stammte ebenfalls aus traditionsreichem Milieu. Als Sohn des Comte Adolphe-François de Bourqueney wurde er 1847 in Konstantinopel geboren, wo sein Vater Botschafter war, bevor er 1856 Botschafter in Wien wurde. Zudem war der Protokollchef mit Marie Colonna-Walewski, einer Tochter des Botschafters und Aussenministers des Zweiten Empires, verheiratet.

[19] BAILLOU, Affaires étrangères, S. 83–85, hier: S. 84. Der jüngere Mollard blieb bis November 1913 und wurde dann durch William Martin ersetzt.

[20] MONTEIL, L'Administration, S. 313 f.

[21] LEGRAND-GIRARDE, Au service, S. 94.

Wie Faure, dem »Président-Soleil«, dessen Vater ein einfacher Möbelhändler des Faubourg Saint-Denis war, fiel es manchem Repräsentanten der »nouvelles couches« nicht schwer, die Formalismen der traditionellen Welt zu verinnerlichen und vielleicht aus einem gewissen Kompensationsbedürfnis heraus sogar auf die Spitze zu treiben.[22] In der Kammerdebatte vom 21. Januar 1902 beanstandete der Budgetberichterstatter Fernand Dubief unwidersprochen die räumliche und kompetenzmässige Ausdehnung des Protokolldienstes – »ce service a envahi la moitié d'une aile du palais du quai d'Orsay« – und forderte dessen Redimensionierung.[23]

### Antagonismus zwischen Politischer Direktion und Kabinett

Es lag in der Natur der beiden Institutionen, dass die Politische Direktion und das Kabinett des Ministers in einem gewissen Konkurrenzverhältnis zueinander standen. Der Reformbericht vom 15. Dezember 1906 verwischte diesen Antagonismus, wenn er schrieb:

> »Le cabinet, en dehors du service personnel du Ministre, de ses attributions spéciales et des missions de confiance qu'il remplit, ne doit être qu'un couloir entre les bureaux qui traitent les affaires et le Ministre qui décide.«[24]

Während die Politische Direktion als Institution der Verwaltung tendenziell eine reguläre und traditionelle Art der Problembewältigung betrieb, richtete sich das Kabinett eher nach den tagespolitischen, durch parlamentarische und parteipolitische Konstellationen bestimmten Bedürfnissen und Notwendigkeiten. Wie tief der Minister und sein Stab im parlamentarischen und innenpolitischen Geschehen steckten, zeigen die Klagen der Gesandten und Botschafter, der Minister sei zu jeder Zeit bereit, Deputierte und Senatoren zu empfangen, finde aber keinen freien Moment, um den eigenen Diplomaten, die sich auf der Durchreise in Paris aufhalten, eine Audienz zu geben. Olivier d'Ormesson beklagte sich beispielsweise über Delcassés Unsichtbarkeit und Unerreichbarkeit, und sein Sohn Wladimir stellte diesem Phänomen das andere gegenüber:

> »La chose est d'autant plus regrettable qu'il suffit d'être sénateur, député, pour que la porte soit grande ouverte. Le moindre membre de la Commission des Affaires extérieures de la Chambre ou du Sénat a ses entrées dans le cabinet ministériel, et Dieu sait pourtant si, la plupart du temps, il ne vient que pour y dire des balivernes.«[25]

Und René Millet, ein ehemaliger Kabinettschef, schrieb, der Minister kenne höchstens fünf bis sechs Botschafter, denn:

---

[22] Siehe etwa die Artikel des *Intransigeant* vom 25. März 1898, »Le Président-Soleil« und von *Le Matin* vom 21. November 1898, »Sa Majesté«. Zu Faures Vorliebe für höfische Zeremonien, vgl. auch Kap. 2.1.

[23] JO, S. 104.

[24] Budgetbericht Deschanel für 1908, S. 456.

[25] W. ORMESSON, Enfances diplomatiques, S. 113.

»Le Ministre est absorbé par la vie parlementaire.«[26]

Im Abschnitt über Poincaré (vgl. Kap. 2.1) findet sich ein eindrücklicher Beleg für diese Präponderanz. Der Gegensatz zwischen der Politischen Direktion und dem Kabinett war zudem allein schon im Umstand angelegt, dass die Kompetenzen schwer abgrenzbar waren und beide Instanzen im Grunde das Gleiche betrieben oder betreiben wollten: nämlich Frankreichs Aussenpolitik.

Je nach personeller Konstellation trat der Antagonismus etwas schärfer zutage oder wurde er sogar bis zur Bedeutungslosigkeit abgebaut. Dass manche Karrieren abwechslungsweise auf beiden Linien verliefen – einmal in der Politischen Direktion, einmal im Kabinett – wirkte sich wohl mildernd auf den institutionellen Antagonismus aus. Der Abbau des Gegensatzes erfolgte aber auf Kosten der Politischen Direktion. Wer vorübergehend in der Politischen Direktion tätig war, wird sich eher auf gewonnene Erfahrungen im Kabinett besonnen und insbesondere nach der Möglichkeit, wieder in einem solchen Kabinett mitzuwirken, ausgerichtet haben, als dass sich umgekehrt ein vorübergehend in einem Kabinett tätiger Diplomat als Angehöriger der Politischen Direktion verstand. Das Kabinett wurde weniger stark von den Berufsdiplomaten geprägt, als die diplomatische Verwaltung durch das Kabinett politisiert wurde. Generell verlief die Entwicklung zu Ungunsten der Politischen Direktion. Dass die Stellung des Politischen Direktors schliesslich zu schwach war, wurde da und dort erkannt – eine Reformschrift von 1912 forderte die materielle und moralische Stärkung des Direktors – und hat wohl auch dem Vorhaben, das Amt eines Generalsekretärs zu schaffen, etlichen Auftrieb gegeben.[27]

Die Politische Direktion gewann immer wieder an Bedeutung, wenn sich ihr Leiter im Einklang mit dem regierenden Minister befand. Das gute Zusammenspiel war dann natürlich gewährleistet, wenn der Aussenminister nicht nur die Mitarbeiter seines Kabinetts bestimmte, sondern bei Amtsantritt oder während seiner Amtszeit einen neuen, ihm entsprechenden Politischen Direktor aussuchen konnte. Auf diese Weise hat Gambetta Weiss, hat de Freycinet Ring und Poincaré Paléologue ernannt. Albert Billot hingegen ist nicht von Ferry zum Politischen Direktor ernannt worden, und dennoch harmonierte das Zusammenspiel der beiden so gut, dass der in der Verwaltungsstruktur angelegte Antagonismus wegfiel. Während Ferrys Kabinettschef Henri Marcel die im Parlament und im Ministerrat zur Sprache kommenden Fragen bearbeitete, kümmerte sich Billot um den diplomatischen Aussendienst.[28] Ein Beleg dafür ist beispielsweise ein Schreiben Ferrys vom 18. Juli 1884, worin er Billot schrieb:

> »J'approuve le projet d'instructions pour le Baron de Courcel, sauf un point de détail.«

Als de Freycinet im April 1885 zum dritten Mal in den Quai d'Orsay einzog und ihm wieder Jules Herbette zur Seite stand und Billot als Politischer Direktor

---

[26] René MILLET, Le Ministère des Affaires Etrangères, in: Revue hebdomadaire vom 11. März 1911, S. 177–203, hier: S. 181.

[27] Undatiertes Reformprojekt aus dem Jahr 1912, MAE, Série C, Adm. 23, Bd. 28.

[28] Vgl. DETHAN, Billot, S. 7 f.

demissionierte, lag das Schwergewicht wieder eindeutig auf Regierungsseite: Billots Nachfolger de Ring wurde schon bald aus Gesundheitsgründen beurlaubt, und de Montholon führte nur interimistisch die Politische Direktion, so dass Jules Herbette, wie Billot bitter feststellte, die gesamte Macht auf sich vereinigen konnte.

> »Herbette y réunit tous les pouvoirs. De Ring a dû prendre un congé pour cause de maladie. C'est à Montholon (!) qu'on vient de confier l'intérim de la Direction politique: Herbette y conservera sans doute la haute main.«[29]

Schon drei Wochen zuvor hatte Hanotaux einen Brief erhalten, worin Ferry ihm schrieb:

> »Laissons Herbette et ses sourdes menées et prenons virilement notre place.«[30]

Hanotaux, der 1886 Deputierter werden sollte, befasste sich offenbar schon damals mit dem Gedanken, für die Kammer zu kandidieren und sich an den Wahlen vom 4. Oktober 1885 zu beteiligen.

Offenbar konnte es auch zu Spannungen zwischen den beiden Institutionen kommen, wenn deren Träger beide von der gleichen Stelle eingesetzt worden waren. 1912, während Poincarés Aussenministeriums standen Paléologue und Daeschner eher in einem Konkurrenzverhältnis zueinander. Vorübergehend aufgewertet wurde die Politische Direktion unter der Leitung des mit Poincaré befreundeten Paléologue. Äusserlich zeigt sich die Aufwertung daran, dass am 29. Januar 1912 – vier Tage nach Paléologues Amtsantritt – das Chiffrierbüro vom Kabinett abgetrennt und der Politischen Direktion angegliedert wurde. Mit Poincarés Wechsel ins Elysée 1913 wurde die Stellung der Politischen Direktion weiter verstärkt. Die Aussenminister Jonnart und Pichon mussten sich sogar anstrengen, dass sie zu dem durch den Präsidenten der Republik protegierten Paléologue ein Gegengewicht zu bilden vermochten. Henri Cambon berichtete seinem Vater, Berthelots Wahl zum Kabinettschef sei eine Wahl gegen Paléologue gewesen, und Paléologue behalte Depeschen zurück, obwohl doch die gesamte Korrespondenz den Weg durch das Kabinett nehmen müsste.[31] Unter Poincaré war das Verhältnis zwischen den beiden Instanzen mehr kompetitiv als feindschaftlich. Paul Cambon schrieb am 22. Mai 1912 seinem Bruder Jules:

> »Au Quai d'Orsay c'est toujours la même chose, fossé profond entre la direction politique et le cabinet. Ni Daeschner ni Paléologue sont gens à se faire une petite guerre […] mais ils ne s'entendent pas.« In einem Schreiben an seinen Sohn vom 20. Mai 1912 ging Cambon sogar noch weiter: »[…] ils ne s'entendent pas et même se combattent.«

Poincaré kommt in seinen Memoiren nicht auf diesen Gegensatz zu sprechen. Im Januar 1914 wurde die Politische und Konsularische Direktion als Gegengewicht zum Kabinett vorübergehend überhaupt eliminiert: Pierre de Margerie, der einen Monat zuvor die Leitung des Kabinetts angetreten hatte, erhielt zu jenem Zeit-

---

[29] Billot an Hanotaux, 8. Oktober 1885, Papiers Hanotaux, Bd. 17.

[30] Ebenda, Bd. 22.

[31] Briefe an Paul Cambon vom 5. und 29. April 1913, Fonds Louis Cambon.

punkt auch noch die Leitung der politischen und konsularischen Angelegenheiten übertragen. Pierre de Margerie blieb sogar unter Viviani Kabinettschef (13. Juni bis 3. August 1914), obwohl sein Schwager Jules Auffray 1902 Viviani in den Wahlen besiegt hatte. Margerie hatte nochmals diese Doppelfunktion inne, als er vom Oktober 1915 bis März 1917 Briands Kabinettschef war.

### Schicksal der Personalangelegenheiten

Die Kompetenzverschiebung zwischen den beiden Einflusszonen kommt im Schicksal der Zuständigkeit für personelle Fragen deutlich zum Ausdruck: Bis 1880 haben die Politische und die Konsular-Direktion ihre Personalfragen selbst verwaltet. Aussenminister de Freycinet entriss im Januar 1880, wie im Zusammenhang mit der Epuration bereits kurz erwähnt worden ist, der regulären Administration dieses Ressort, integrierte es aber noch nicht in sein Kabinett, sondern machte aus ihm eine eigene Direktion. Wie diese Aufteilung aus der Perspektive der Diplomaten beurteilt werden konnte, zeigt de Bonnières Bemerkung, die Diplomaten seien nun gezwungen

> »à satisfaire deux directions à la fois. M. Jules Herbette directeur du personnel est, en tout cas devenu d'un coup un homme tout-puissant.«[32]

Vor 1880 war natürlich nicht der Politische Direktor alleine zuständig; Desprez konsultierte vor Entscheidungen in Personalfragen den Kabinettschef Pontécoulant.[33]

Als de Freycinet nach neun Monaten das Zepter abgeben musste, wurde die Personaldirektion von seinem Nachfolger wieder aufgelöst und das Ressort den ursprünglich zuständigen Direktionen zurückgegeben. Doch kaum war de Freycinet 1882 wieder an der Macht, liess er die Personaldirektion neu erstehen. In den Jahren nach de Freycinets zweiter Demission als Aussenminister vom August 1882 waren die Kompetenzen in Personalfragen nicht eindeutig geregelt. Dem Organigramm zufolge waren sowohl die Politische Direktion (respektive Handelsdirektion) als auch das Kabinett zuständig. 1883 war die Politische Direktion zuständig für »la direction des travaux politiques et du contentieux, le personnel des fonctionnaires et agents diplomatiques«; zugleich wurde das Kabinett als zuständig erklärt für »l'examen de toutes les questions qui se rattachent au personnel.« Der Niedergang der Politischen Direktion spiegelte sich auch im Schreiben, das Albert Billot zu seiner Ernennung zum Politischen Direktor gratulierte und auf die

> »reconstitution de la Direction Politique telle que je l'ai connue autrefois«

hoffte.[34] Als de Freycinet 1885 ein drittes Mal das Aussenministerium übernahm, wurde Jules Herbette, de Freycinets vormaliger Personaldirektor, Kabinettschef, so dass die Personalfragen wenigstens de facto ganz eine Angelegenheit des Ka-

---

[32] Aufzeichnung vom 29. Januar 1880, Bd. 1, S. 48.

[33] Vgl. etwa den Brief Chaudordys an Valfrey vom 25. April 1878, Papiers personnels Chaudordy.

[34] Raindre an Billot, 18. Dezember 1882, Papiers Billot.

binettes wurden. Herbette wollte nicht mehr für personelle Angelegenheiten ver-
antwortlich gemacht werden können, blieb aber weiterhin zuständig für diese
Fragen. Bei Amtsantritt schrieb er 1885 dem ehemaligen Politischen Direktor
Ring:

> »Il n'y aurait pas de Direction du Personnel proprement dite. J'en ai assez de deux
> épreuves malheureuses […]. Je serais simplement Directeur du Cabinet et Secréta-
> riat […].«[35]

René Millet, 1880 selbst Kabinettschef, zeigte sicher einen wesentlichen Aspekt
auf, wenn er 1911 über de Freycinet schrieb:

> »Un ministre voulut avoir sous la main la menue monnaie des petits postes à
> distribuer pour les marchandages parlementaires.«[36]

Und sechs Jahre später, als de Freycinet zwar nicht Aussenminister, aber Ministerpräsident war, wurde das Personalbüro 1891 durch ein Dekret auch de jure
dem Kabinett angegliedert. Was ein anonymer Pamphletist 1893 feststellte, war
nur insofern unrichtig, als er den damaligen Aussenminister Ribot primär dafür
verantwortlich machte. Denn in der Tat wurden die Personalfragen, indem sie
dem Kabinett überlassen wurden, aus der mehr oder weniger geregelten und
sicheren Welt der Verwaltung in die Einflusszone des Parlaments gerückt und
damit vermehrt der politischen Willkür ausgesetzt.

> »Tous les dossiers du personnel sont maintenant centralisés à son cabinet où se
> décident, en dehors des directions, les grâces et les disgrâces. Que résulte-t-il de
> cette combinaison nouvelle? C'est que tous les agents de tous les degrés se trou-
> vent sans défense à la merci des influences parlementaires, lesquelles intervien-
> nent beaucoup plus aisément au cabinet d'un ministre que dans une hiérarchie dé-
> fendue par les traditions, par les souvenirs d'un travail commun et par une atmos-
> phère assurée de justice réciproque.«[37]

Die Schilderung, die Daeschner 1906 als ehemaliger Kabinettschef von den Verhältnissen in der nachfolgenden Ära Bourgeois gibt, ist gewiss übertrieben, im
Kern aber ziemlich zutreffend: Bourgeois unterbreite alle Fragen dem Ministerrat, sogar die Personalfragen, und da zöge jeweils jeder Minister einen Par-
lamentskollegen aus der Tasche hervor.[38]
    Als man 1906 im Quai d'Orsay eine grosse Reform einleitete, kam die Reform-
kommission zum Schluss, die Personaldirektion habe ein zu grosses Gewicht bekommen. Sie müsse auf einen technischen Dienst reduziert werden. Das Re-
formdekret von 1907 beliess die Personalangelegenheiten beim Kabinett, verlangte aber, dass die Politische Direktion und die zuständige Unterdirektion vor jeder
Nomination konsultiert würden.

> »Le bureau du personnel a pris une trop grande importance et devrait être réduit à
> n'être qu'un service technique ayant un chef distinct de celui du cabinet qui

---

[35] Papiers Ring, Bd. 15.

[36] MILLET, Ministère, S. 183.

[37] Alexandre RIBOT, Le Quai d'Orsay et M. Ribot 1890, Orléans 1893, S. 24.

[38] Paul Cambon, dessen Botschaftssekretär Daeschner gewesen ist, an seinen Sohn Henri,
10. Juli 1906, Fonds Louis Cambon.

change fréquemment (et qui resterait d'ailleurs chef du personnel comme repré-sentant du Ministre).«[39]

»Le cabinet du ministre, dégagé du personnel des services annexes, conservera la direction du personnel; le ministre a la responsabilité de la politique et l'une de ses prérogatives essentielles est d'en choisir les agents. Mais il importe que le point de vue politique, qui doit avoir toute son importance, n'efface pas celui du mérite professionnel, qui pourrait être assuré par les notes des chefs de section et l'avis du directeur politique et commercial.«[40]

Wie wenig allerdings diese Vorschrift eingehalten wurde, zeigen die in der Bud-getsitzung vom 16. Januar 1911 vorgebrachten Klagen eines vormaligen Konsuls: Der unabhängige republikanische Deputierte Maurice Damour forderte den Aus-senminister unter allgemeinem Applaus auf, die Personaldirektion nicht mehr durch den Kabinettschef verwalten zu lassen, sondern einem erfahrenen Diplo-maten zu übergeben. Der schöne Applaus allein änderte freilich nichts. In der Budgetdiskussion für das Jahr 1912 erneuerte Damour wörtlich sein Anliegen und in der Budgetdebatte für das Jahr 1913 stellte er, weil sich immer noch nichts geändert hatte, halbwegs resigniert fest, das Wort von der vollkommenen Stabili-tät der negativen Traditionen in der Verwaltung sei leider nur zu wahr. 1914 nahm Damour jedoch einen neuen Anlauf und deponierte erneut eine Re-solution zum Schutze der personalpolitischen Interessen des diplomatischen und konsularischen Korps.

»Et comment la direction du cabinet qui, par son origine, par sa composition, par ses attributions mêmes, ne saurait connaître exactement les besoins du service et les conditions du service et les conditions de la vie à l'étranger pourrait-elle, sans inconvénients, assumer la lourde charge de la direction du personnel? [...] je prie M. le ministre des affaires étrangères de vouloir bien compléter les dispositions du décret du 29 avril 1907 modifie par celui du 13 août 1910, en instituant un bureau technique du personnel composé, par roulement, d'agents ayant la pratique de l'étranger. Ce bureau aurait à sa tête un chef distinct de celui du cabinet et qui de-vrait posséder la plus haute expérience.«[41]

»Aucune de ces questions n'a été résolue, et l'on peut toujours faire allusion au-jourd'hui à ce que l'on a appelé avec trop de raison la stabilité parfaite des tradi-tions négatives de l'administration.«[42]

## Zweifelhaftes Ansehen der Kabinette

Der Ruf, in dem die Kabinette standen, war nicht nur positiv. In den Augen der Verwaltung und der nicht zum Zug kommenden Neider erschienen die Kabinette leicht und gerne als Dunkelzone der Macht und als Ort der Intrige und der Kor-ruption. Dieser sicher nicht durchwegs unzutreffenden Sicht ist entgegenzuhal-ten, dass die Kabinette auch der Ort waren, von dem reformerische Impulse auf

[39] Reformbericht vom 15. Dezember 1906.

[40] Schlussbericht vom April 1907.

[41] Damour in der Kammerdebatte vom 16. Januar 1911, JO, S. 76 f. Intervention vom 30. November 1911, JO, S. 3460 f. Intervention vom 14. Juni 1912.

[42] JO, S. 1481. – Intervention vom 10. März 1914, JO, S. 1461, 1488.

eine zur Erstarrung neigende Verwaltung ausgingen.[43] In jedem Fall bildeten sie zusammen mit der Politischen Direktion den Ort, wo man den Puls des Geschehens spürte. Die Möglichkeit, an den entscheidenden Geschäften teilzunehmen, aber auch die Möglichkeit, in der Zentrale nützliche Beziehungen anzuknüpfen, machten die Arbeit in der Zentrale des diplomatischen Dienstes attraktiv. Mitarbeiter eines Kabinetts (und in bescheidenerem Mass galt dies auch für die Politische Direktion) hatten gute Gründe, eine grosse Karriere vor sich zu sehen.[44] Wer es sich irgendwie einrichten konnte, blieb in der Hauptstadt, und wer in der Hauptstadt war, verfügte über die besten Voraussetzungen, um dafür zu sorgen, dass er auch weiterhin in Paris bleiben konnte und nicht ins Ausland und schon gar nicht auf unbeliebte Posten geschickt wurde. Der gemässigt republikanische Deputierte Maurice Damour beanstandete in der Budgetdebatte vom 30. November 1911 diese Zustände völlig zurecht, aber ohne eine Änderung herbeizuführen:

> »C'est la carrière de Paris, la plus douce, exempte de tout souci, de toute difficulté et de toute affaire, sauf cependant celles étrangères au ministère, dont on peut utilement s'occuper pour servir ses intérêts personnels ou préparer son avenir, de façon à s'assurer plus tard une agréable compensation dans d'autres carrières plus avantageuses. C'est enfin, messieurs, la carrière de tout repos, c'est surtout la carrière la plus rapide.«[45]

Ob Folge oder Ursache – mit der Bedeutung der Kabinette wuchs auch die Zahl der Mitarbeiter in den Kabinetten. Während die Kabinette der Jahre 1870 bis 1879 in der Regel nicht mehr als fünf Mitarbeiter beschäftigten, hielten die Aussenminister nach 1880 meistens doppelt so viel Mitarbeiter. Hanotaux führte in den Jahren 1895–1897 Kabinette mit 8 bis 13 Mitgliedern, Delcassé in den Jahren 1898–1905 Kabinette mit 15 bis 20 Mitgliedern. Sowohl die stets grösser werdende Zahl der freigewählten persönlichen Mitarbeiter wie die mangelnde Qualifikation mancher Auserwählter waren für die Berufsdiplomaten wie für parlamentarische Kritiker immer wieder Anlass zu Beanstandungen. Francis de Pressensé urteilte als Budgetberichterstatter für das Jahr 1904, die Kabinette des Aussenministeriums seien im Vergleich mit den Kabinetten anderer Ministerien zwar bescheiden, doch hielt auch er fest:

> »La question des cabinets ministériels, de leur accroissement déraisonnable et constant, du rôle excessif joué dans les affaires les plus délicates par un état-major improvisé, surtout de la façon dont la gratitude ministérielle s'acquitte aux frais de l'Etat et au détriment des droits des simples fonctionnaires retenus par leurs em-

---

[43] Diesen Aspekt hebt besonders der folgende Aufsatz hervor: Pierre LEGENDRE, Les cabinets ministériels après la grande Guerre, in: Michel ANTOINE/Pierre BARRAL/Philippe DELPEUCH (Hrsg.), Origines et histoire des cabinets des ministres en France, Genf 1975, hier: S. 77.

[44] Pierre Barral spricht ebenfalls von einem Initiationseffekt, der sich auf die Karriere günstig auswirke: Pierre BARRAL, Les cabinets ministériels sous la IIIᵉ République 1871–1914, in: ANTOINE/BARRAL/DELPEUCH, Cabinets des ministres, S. 73.

[45] JO, S. 3460.

plois loin des rayons du soleil, devra tôt ou tard être posée et résolue par le Parlement.«[46]

Und der Reformbericht vom 15. Dezember 1906 schlug vor, sich mit vier engeren Mitarbeitern und vier Attachés zu begnügen, und hielt fest:

>»Le développement du cabinet du Ministre au point de vue du personnel ne peut présenter que des inconvénients.«[47]

Doch nicht nur die Grösse der Kabinette und der gesamten Zentrale des diplomatischen Diensts wurde von parlamentarischer Seite immer wieder beanstandet, auch die Unterteilung des diplomatischen Korps einerseits in Diplomaten, die ihre Karriere in Paris durchlaufen und in der Nähe der »Gnadenquelle« leben konnten, und anderseits in Diplomaten, die ihr ganzes Leben in schlechten Klimas unbeachtet und vergessen im Abseits verbringen mussten.

Schon 1883 beanstandete der Bericht Spuller, die Zentrale sei zu gross, sie sei sogar grösser als das englische und das deutsche Aussenministerium, und forderte, dass die Diplomaten vermehrt im Ausland Dienst leisten sollten.[48] Und 1911 zitierte Paul Deschanel wörtlich, was er 1906 schon erfolglos angeprangert hatte:

>»Il y a, en réalité, deux carrières, celle de Paris et celle de l'extérieur. A ceux qui font la plus grande parti de leur carrière à Paris, qui vivent près du soleil, l'avancement rapide, et, le jour où ils se décident à faire une infidélité aux charmes de la capitale, les postes enviés; aux autres, à ceux dont la santé s'use en de malsains climats, trop souvent l'oubli. Quel que soit le mérite d'un agent, s'il se confine trop longtemps dans les bureaux du quai d'Orsay, il perd certaines qualités et l'occasion d'en acquérir d'autres. Son esprit se ferme au spectacle de l'étranger, à la diplomatie d'information; il ne juge plus de même ni les correspondances qu'il reçoit, ni les réponses qu'elles exigent. On devrait revenir, sur ce point, au règlement de 1891 et établir un roulement entre la carrière du Ministère et celle du dehors. Aucun agent ne devrait passer au grade supérieur, s'il n'avait rempli effectivement la fonction de son grade à l'étranger pendant un certain temps.«[49]

Aussenminister Pichon beanstandete 1906 nach seinem Amtsantritt diesen Zustand ebenfalls. Als ehemaliger Diplomat, der Frankreich in Südamerika und China vertreten hatte, war er zu dieser Kritik besonders legitimiert:

>»Il est regrettable aussi qu'il y ait deux catégories d'agents, ceux qui restent à Paris et ceux qui vont au dehors, ceux qui restent en Europe et ceux qui passent les mers. On parle couramment ici des ›agents d'Amérique‹ ou des ›agents d'Extrême-Orient‹, comme si c'était une catégorie à part, une classe de parias.«[50]

---

[46] Bericht Nr. 1196, S. 58.

[47] Budgetbericht Deschanel für 1908, S. 457.

[48] Nr. 2364 für das Budget 1884, S. 6.

[49] Budgetbericht für 1907, Nr. 333 und Budgetbericht für 1912, Nr. 1237, S. 21.

[50] Gespräch in *Le Temps* vom 17. November 1906 mit dem Journalisten und ehemaligen Diplomaten Georges Villiers.

## Herrschaft der »jungen Löwen«

Maurice Paléologue war bereits Stellvertretender Kabinettschef gewesen und war gerade der Politischen Direktion zugeteilt, als er 1901 erklärte, er zöge es vor, in einer untergeordneteren Stellung an interessanten Geschäften mitzuwirken als in gehobenerer Stellung einer sinnlosen Beschäftigung nachzugehen.

> »J'aimerais mieux assister à de grandes choses dans un grade inférieur, qu'à des choses mesquines et inquiétantes dans le grade le plus ›élevé‹.«[51]

Paléologue blieb, wurde aber auf Jahresende dennoch befördert. Jusserand hingegen gehörte zu den wenigen, die es ausdrücklich vorzogen, im Ausland Dienst zu tun.[52] Im Sommer 1902 hatte Jusserand, damals Gesandter in Kopenhagen, Politischer Direktor des Quai d'Orsay werden können, lehnte aber dankend ab.[53]

Äussere Stellung, Grad und Titel entsprachen mitunter keineswegs der Wichtigkeit der Geschäfte, in die man schon als junger Diplomat involviert sein konnte. Diese Diskrepanz trat natürlich überall dort auf, wo sich hochgestellte Entscheidungsträger mit jungen Mitarbeitern umgaben. Dies würde Paul Cambon weiter nicht gestört haben. Worüber er sich aber in den letzten Jahren vor dem Krieg immer wieder aufhielt, war die Grösse des Aktionsspielraumes und letztlich des Einflusses, die man infolge nachlässiger Führung den jungen Löwen liess, und die disproportionierte Kompetenzfülle, der nicht jeder charakterlich gewachsen war. 1911 äusserte sich Paul Cambon gegenüber seinem Bruder Jules empört über

> »tous les gamins présomptueux et ambitieux dont Herbette est le plus beau représentant« und fügte bei: »[…] je suis effrayé de la façon un peu matamore dont Conty traite les affaires, tandis que Bapst n'a aucune autorité sur lui. Je suis surtout effayé de l'esprit taquin, présomptueux, intransigeant et étroit du jeune Herbette qui a l'autorité de l'homme qui est toujours là. Tous ces jeunes gens saboteront la politique extérieure comme ils ont saboté l'organisation de la maison.«[54] Am 12. Juni 1911 klagte er wieder: »[...] nous sommes livrés à des jeunes, qui apportent un peu d'information et un rare absolutisme d'esprit dans leur manière de comprendre les affaires et les hommes.« Und am 16. Juli 1911 geht er sogar so weit: »Que cela finisse bien ou mal, j'ai grande envie de m'en aller. Nous ne pouvons plus servir avec les jeunes polissons qui nous mènent.«[55]

Am 9. September 1911 schrieb er in einem nicht abgesandten Brief an Aussenminister de Selves:

> »[…] je suis un peu surpris quand je vois des jeunes gens qui ne sont jamais sortis de leur bureau trancher de tout et vous conseiller des démarches pleines d'inconvénient.«[56]

---

[51] Paléologue an Jusserand, 19. Juni 1901, Papiers Jusserand, Bd. 22.

[52] Vgl. seine Autobiographie JUSSERAND, Reminiscences, S. 133.

[53] Schreiben vom 18. Juli 1902, Papiers Delcassé.

[54] Brief vom 14. April 1911, Papiers Jules Cambon, Bd. 25.

[55] Ebenda.

[56] P. CAMBON, Correspondance 1870–1924, Bd. 2, S. 342.

Sein Bruder, Jules Cambon, äusserte sich in gleicher Weise:

> »Nous ne sommes décidément plus que des vestiges du passé au milieu de gamins mal élevés qui nous ignorent.«[57]

So jung waren die »jungen Löwen« freilich auch nicht: Alexandre-Robert Conty, Vizedirektor der Politischen Direktion, war damals 47, Maurice Herbette, Kabinettschef, war 40, während Paul Cambon 68 Jahre alt war.

Ähnliche Klagen sind auch für die folgenden Jahre belegt. So klagte Paul Cambon am 25. Januar 1913 seinem Bruder gegenüber wieder über die »jeunes crocodiles«:

> »Ils sont tous toujours des candidats à quelque chose.«[58]

Und schon früher sprach Paul Cambon eher despektierlich vom »petit clan qui s'occupe du personnel«.[59] Doch auch die offizielle Reformkommission sah zu jener Zeit gerade im Bereich der Personalpolitik diese Schwäche:

> »[…] les inconvénients résultant de la jeunesse du chef [du cabinet et du personnel] qui peut manquer de l'autorité, de l'expérience et de l'impartialité nécessaires pour discuter avec des agents d'un grade plus élevé, leurs titres et leurs ambitions.«[60]

### Die Leiter der persönlichen Kabinette

Die Mitarbeiter der Kabinette wurden teils auf Grund ihrer Kenntnisse, teils auf Grund von persönlichen Beziehungen ausgewählt. Etwas zu allgemein stellt Pierre Barrai fest:

> »Le choix se fait un peu selon la compétence, un peu selon les relations.«[61]

Die gleiche Publikation enthält eine Liste der Kabinette sämtlicher Ministerien, doch weist das Verzeichnis der Kabinette des Aussenministeriums grosse Lücken auf, und zwar überall dort, wo die Amtszeiten der Aussenminister zu kurz waren, um in dem meistens im Frühjahr erscheinenden diplomatischen Jahrbuch erwähnt zu werden. Zum Beispiel: Gambettas Amtszeit dauerte vom November 1881 bis Januar 1882 und wurde deshalb nicht erwähnt. Die nachfolgende Amtszeit de Freycinets dauerte nicht viel länger, nur bis Ende Juli 1882, sie fiel aber in eine Jahreszeit, während der das *Annuaire* zusammengestellt und publiziert wurde. Da manche der in dieser Zusammenstellung fehlenden Kabinettschefs nur nach längeren Recherchen identifiziert werden konnten, sollen ergänzungshalber die nicht verzeichneten Kabinettschefs hier aufgeführt werden: Chaudordy und Ring (Kabinett Favre), de Wimpffen (Kabinett Banneville), Georges Pallain, Auguste Gérard (Kabinett Gambetta), Henry Marcel (Kabinett Challemel-Lacour), Léon Robert (Kabinett Gablet), Jean-Paul Lafargue (Kabinett Casimir-Périer), Georges

---

[57] An Paul Cambon, 9. Januar 1912, Fonds Louis Cambon.

[58] Fonds Louis Cambon.

[59] Brief vom 22. Juli 1906 an seinen Sohn, Fonds Louis Cambon.

[60] Bericht vom 15. Dezember 1906, in Budgetbericht Deschanel für das Jahr 1908, S. 456.

[61] BARRAL, Cabinets ministériels, S. 71.

Lyon (Kabinett Berthelot), Jean-Baptiste-Paul Beau (Kabinett Bourgeois), Napoléon-Eugène-Emila Thiébaut (Kabinett Bourgeois), Maurice Herbette (Kabinett Cruppi), Raymond Aynard (Kabinett Jonnart), Pierre de Margerie (Kabinette Doumergue, Bourgeois, Viviani). Diese Zusammenstellung berücksichtigt nicht die zuweilen geführte Unterscheidung zwischen »chef« und »directeur« des Kabinettes und geht auch nicht auf die Besonderheit ein, dass der Kabinettschef manchmal zugleich der »secrétaire particulier« war. Zum Direktor eines Kabinetts konnte man sich vor allem dann machen lassen, wenn der Minister zusätzlich das Regierungspräsidium innehatte und deshalb zwei Kabinette unterhielt.

Was ihre Leiter betrifft, kann man immerhin präzisieren, dass von 33 Kabinettschefs 24 Berufsdiplomaten waren. Zuweilen brachten Minister, die vorher ein anderes Ministerium geführt hatten, aus dem früheren Tätigkeitsbereich ihren engsten Mitarbeiter mit. Des Ingenieurs de Freycinet erster Kabinettschef im Aussenministerium war der 31jährige Ingenieur Paul-Camille Alfred Rabel, der bereits im Ministerium für öffentliche Arbeiten de Freycinets Kabinettschef gewesen war. Henri Marcel war im Innen- und Kultusministerium wie im Ministerium für Öffentliche Arbeiten Kabinettschef gewesen, bevor er 1883 die gleiche Funktion im Aussenministerium ausübte. Léon Robert war Goblets Kabinettschef 1885/86 im Erziehungsministerium und 1888/89 im Aussenministerium.[62] Als Hanotaux am 30. April 1896 die Leitung des Aussenministeriums wieder übernahm, hätte er gerne Revoil wieder als Kabinettschef gehabt, doch der inzwischen in Tunis eingesetzte Revoil wollte nicht schon wieder seinen Posten wechseln.[63]

Edouard-Dellpeuch, als 22jähriger bereits Universitätsprofessor, wurde mit 25 Jahren Kabinettschef des Kammerpräsidenten Floquet, mit 27 Jahren Kabinettschef des Erziehungsministers Faye und 1889 mit 29 Jahren Kabinettschef des Aussenministers Spuller. Paul Revoil war 1890 bis 1893 bereits Develles Kabinettschef im Landwirtschaftsministerium gewesen, als er 1893 mit Develle in das Aussenministerium einzog. Der ehemalige Advokat hatte 1866 mit dreissig Jahren seine Verwaltungslaufbahn als Kabinettschef des Staatssekretärs de La Porte des Marine- und Kolonialministeriums begonnen und wurde nach Develles Rücktritt unter Hanotaux nochmals Kabinettschef des Aussenministeriums.

Jean-Paul Lafargue wurde im Dezember 1893 nur deshalb Kabinettschef im Aussenministerium, weil sein Chef Casimir-Périer, dessen Kabinettschef er bereits zuvor gewesen war, das Kammerpräsidium mit der Leitung des Aussenministeriums tauschte. Kabinettschef des Kammerpräsidenten Casimir-Périer war Lafargue geworden, nachdem er 1888/89 schon Kabinettschef des Kammerpräsidenten Jules Méline gewesen war.

Begonnen hatte diese Karriere 1887 mit einer Stelle als persönlicher Sekretär des Premier- und Finanzministers Tirard. Und wo endete sie? Wie Casimir-Périer seinen engsten Mitarbeiter vom Palais Bourbon in den Quai d'Orsay mitgenom-

---

[62] S. Roberts Würdigung in GOBLET, Souvenirs III, in: Revue politique et parlementaire Dezember 1928, S. 346.

[63] Revoil an Hanotaux, 1. Mai 1896, Papiers Hanotaux, Bd. 28.

men hatte, nahm er, als er zum Präsidenten der Republik gewählt wurde, Lafargue vom Quai d'Orsay ins Elysée mit und machte ihn dort zum Generalsekretär. Der Finanzinspektor Moreau schliesslich, der 1903 Rouviers Kabinett im Finanzministerium geleitet hatte, kümmerte sich neben Daeschner auch um diplomatische Fragen, nachdem Rouvier Delcassé gestürzt und das Aussenministerium übernommen hatte. In umgekehrter Richtung, vom Aussenministerium in ein anderes Ministerium, kamen entsprechende Mutationen so selten vor wie Aussenminister selten nach dem Quai d'Orsay ein anderes Ministerium übernahmen. Ribot nahm im Januar 1893 seinen Kabinettchef des Aussenministeriums, Legationsrat Crozier, mit, als er Premier- und Innenminister wurde, und 1895 machte er als Premier- und Finanzminister den Botschaftssekretär Gavarry zum Kabinettchef, der schon 1890 bis 1893 in den Kabinetten der Aussenminister Ribot und Develle mitgewirkt hatte.

Diese sieben Kabinettchefs waren zwar keine Fachleute der Diplomatie, man kann sie aber durchaus als Fachleute für allgemeine Stabsarbeiten bezeichnen. Von den beiden anderen Kabinettchefs ohne diplomatische Fachkenntnisse kam nur einer offensichtlich bloss auf Grund von persönlichen Beziehungen zu diesem Amt: Lyon, Philosoph, wurde 1895 Kabinettchef des Chemikers Marcelin Berthelot und verstand von Diplomatie und Verwaltung so wenig wie der mit ihm verschwägerte Aussenminister.

> »M. Lyon, philosophe sans grande portée, ignorait également la politique étrangère et la Carrière. Paul Revoil avait tenté sans succès de lui expliquer quelques-unes des affaires en cours.«[64]

Der andere Kabinettchef ohne diplomatische Vorkenntnisse war Georges Pallain (als Mitarbeiter Gambettas), der vorher als Unterpräfekt und als Personaldirektor des Finanzministeriums und nachher wieder als Beamter im Finanzministerium und in der Zolldirektion war und schliesslich Gouverneur der »Banque de France« wurde.

Die 24 Kabinettchefs, die aus dem Korps der Berufsdiplomaten rekrutiert wurden, können nicht alle vorgestellt werden. Die meisten Kabinettchefs dieser Kategorie verkörperten, wie die folgenden Beispiele aufzeigen, den Typ des diplomatischen Bürokraten, der in Paris blieb und sich durch seine dauernde Präsenz zunächst in der Verwaltungszentrale eine Position schuf und erst zum Schluss in das Korps der im Ausland tätigen Diplomaten wechselte, um dort einen der begehrten Posten zu übernehmen. Philippe Crozier verbrachte die ersten 12 Jahre seiner Karriere (abgesehen von einem kurzen Londoner Aufenthalt) in der Pariser Zentrale, einmal in der Politischen Direktion, in die er nach einer Ausbildung zum Artilleristen 1881 als 24jähriger Attaché eingetreten war, einmal im persönlichen Mitarbeiterstab des Aussenministers, das heisst der Politiker Challemel-Lacour, Ferry, Goblet, Spuller und Ribot. Nach seinem letzten Dienst als Kabinettchef wurde er 1893 auf Anhieb Gesandter in Luxemburg, später Gesandter in Kopenhagen und Botschafter in Wien.

Auch Jean Beau verkörpert den Diplomaten, der nach einer langen Karriere in verschiedenen Kabinetten mit begehrten Posten belohnt wurde. 1883 begann er

---

[64] Papiers Billy, Souvenirs, Teil 3, S. 19.

als 26jähriger seine Laufbahn im Kabinett Challemel-Lacour/Ferry. Nach anderthalb Jahren Rom wurde er 1891 Mitarbeiter in Ribots Kabinett und nahm
dort als Chef der Personalabteilung eine einflussreiche Stellung ein. 1894 war er
in Hanotaux' Kabinett stellvertretender Kabinettschef, 1896 unter Bourgeois
erstmals Kabinettschef und unter Delcassé für vier Jahre wiederum Kabinettschef. Von Delcassé erhielt er 1901 die Gesandtschaft in Peking, und dieser Ernennung folgten bis 1914 drei weitere: Beau wurde Generalgouverneur in Indochina, Gesandter in Brüssel und schliesslich Botschafter in Bern. Dass sich Beau
als Personalchef in einer Schlüsselposition befand, belegt beispielsweise Albert
Billots Schreiben, worin der Botschafter dem jungen Robert de Billy mitteilte, er
habe ihm wunschgemäss in Rom einen Attachéposten offen behalten, und ihn
beauftragt:

> »Chargez-vous de voir le chef du service du personnel, M. Beau, et priez-le, de
> ma part, de régulariser cet accord par une nomination officielle.«[65]

Beau hatte schon im Voraus Anspruch auf die Botschaft in Bern erhoben und es
deshalb 1907 sehr begrüsst, dass man d'Aunay und nicht Leygues schickte:

> »Il est sensiblement plus vieux et on peut espérer qu'il occupera moins longtemps
> un poste qui sera bien mon affaire quand j'aurai à me reposer de 6 ou 7 ans
> d'Indo-Chine […].«[66]

Im Juni 1909 wurde er aber zunächst Gesandter in Brüssel, wo er nach Aussage
eines Betroffenen seinen Vorgänger verdrängte. Zutreffend an der folgenden
Schilderung ist sicher die Einschätzung des Rückhaltes, den Beaus Ambitionen
im Quai d'Orsay genossen:

> »M. Beau, qui était Gouverneur général de l'Indochine, commençait à s'ennuyer à
> Hanoi. […] Du jour où mon père apprit que le gouverneur d'Indochine était can-
> didat à sa sucession il sut à quoi s'en tenir et fit ses préparatifs de départ.«[67]

Auch Maurice Paléologue ist dem Typ des diplomatischen Bürokraten zuzurechnen, obwohl er nie Chef eines Kabinettes war. Paléologue, dessen Karriere 1880
in de Freycinets Kabinett begonnen hatte, konnte sich abwechslungsweise in der
Politischen Direktion und im Kabinett einsetzen lassen und trat erst 1907 nach
27 Dienstjahren in Paris als Gesandter in Sofia seinen ersten Auslandsposten an.
Der erste Teil der Karriere von Nosky-Georges-Henri-Emile Daeschner weist in
18 Jahren drei Nominationen in die Politische Direktion, fünf Nominationen in
Kabinette der Aussenminister und eine Nomination zum Botschaftssekretär in
London auf, wo er immerhin sechs Jahre tätig war. Daeschner hatte bereits als
26jähriger Stagiaire in einem Kabinett mitwirken können und wurde, nachdem er
mit 38 Jahren Rouviers und Bourgeois' Kabinettschef und anschliessend andert-
halb Jahre Botschaftssekretär in Madrid gewesen war, mit 49 Jahren Poincarés
Kabinettschef und beschloss seine Laufbahn als Gesandter in Lissabon und
Bukarest. Daeschner hatte aufgrund von Paul Cambons Empfehlung den Posten

---

[65] Brief vom 11. Dezember 1893, Papiers Billy, Correspondance, Bd. 27.

[66] Beau an Pichon, 15. Februar 1907, Papiers Pichon, Institut.

[67] W. ORMESSON, Enfances diplomatiques, S. 196 f.

bei Poincaré bekommen. Paul Cambon schrieb am 19. Januar 1912 seinem Bruder von einer Besprechung mit Poincaré:

> »Il m'a demandé un directeur et un chef de cabinet. Le dernier sera Daeschner qui est déjà arrivé et qui est sorti de chez moi tout à l'heure pour aller prendre possession de son nouvel emploi.«[68]

Maurice Herbettes Karriere spielte sich ebenfalls weitgehend in der Metropole ab. Zwar hatte er sie als 18jähriger bei seinem Vater in der Botschaft in Berlin begonnen, doch seit seiner Aufnahme 1896 in die Politische Direktion verliess er Paris nur für kurzfristige Sondermissionen, 1907–1912 war er unter den Aussenministern Pichon, Cruppi und de Selves in deren Kabinetten tätig, und von 1913 an wiederum in der weiteren Verwaltung der Zentrale, bis er nach dem Krieg als Botschafter nach Brüssel gehen durfte.

Napoléon-Fernand-Camille Gavarry leistete, wenn man von den kurzen Sonderaufträgen am Schluss seiner Karriere absieht, nur zwei von 36 Dienstjahren im Ausland. Dieser nirgends persönlich in Erscheinung tretende Diplomat trat 1880 mit 24 Jahren in das Kabinett von Barthélemy-Saint-Hilaire ein, er war im folgenden Kabinett Gambettas wieder dabei, ebenso in de Freycinets Kabinett von 1882, nach zwei Auslandsjahren und vierjähriger Tätigkeit in der Politischen Direktion war er 1889 Mitarbeiter in Spullers Kabinett, 1891 in Ribots Kabinett, 1893 in der Politischen Direktion, 1894 in Hanotaux' Kabinett, 1895 in Bourgeois' Kabinett, 1900 in Delcassés Kabinett, 1904 in der Konsulardirektion, 1908 – inzwischen mit dem Grad eines Ministers erster Klasse versehen – als Chef der Verwaltungsdirektion. 1906 gehörte er mit den ehemaligen Kabinettschefs Crozier und Thiébaut[69] und dem künftigen Kabinettschef Berthelot zu der Kommission, welche die Reform von 1907 plante.

Solche Hauskarrieren waren allerdings nicht ein Produkt oder gar eine Ausgeburt des republikanischen Regimes. Schon ein Desprez, ein Pontécoulant oder ein Salignac-Fénelon hatten ihre Karrieren weitgehend in Paris gemacht. Letzterer hatte, bevor er 1876 Decazes' Kabinettschef wurde, von 17 Hilfsdienst- und Dienstjahren nur drei im Ausland (als unbezahlter Attaché in Frankfurt) verbracht.

Den Einladungen zur Mitarbeit in den Kabinetten und den Berufungen zum Kabinettschef lagen in jedem Fall persönliche Beziehungen zugrunde, doch waren diese Beziehungen nur ausnahmsweise verwandtschaftlicher Natur. Einzig Raymond Aynards Nomination stand in einem einsehbaren Zusammenhang mit verwandtschaftlichen Beziehungen. Aynard befand sich schon seit zwanzig Jahren in diplomatischem Dienst, als er 1913 Kabinettschef seines Schwagers Jonnart wurde, doch muss seine Berufung sicher mit seinen familiären Verbindungen erklärt werden. Schon zehn Jahre zuvor hatte ihn sein Schwager als Kabinettschef geholt, als er Generalgouverneur in Algerien gewesen war. Schon der

---

[68] Papiers Jules Cambon, Bd. 25.

[69] Ausser der Regel sei auch die Ausnahme an einem Beispiel dargelegt: Thiébaut wurde 1906 Bourgeois' Kabinettschef, obwohl er 24 Jahre lang auf Aussenposten gedient hatte. Seine Karriere begann zwar in de Freycinets Kabinett, dann führte sie ihn aber nach Shanghai, Charleston, New York, Washington, Bern und Berlin.

Anfang von Raymond Aynards Karriere lässt vermuten, dass dem jungen Diplomaten die Stellung seines Vaters, des Deputierten Edouard Aynard, zugute kam, konnte er doch seinen Stage im Büro des Premierministers Ribot absolvieren.

Paul-Eugène Dutasta verdankte seine Ernennung nicht dem Aussenminister, sondern dem für den Aussenminister massgebenden Premierminister Clemenceau. Dutasta konnte 1899 als Attaché in Delcassés Personalbüro seine Laufbahn antreten und genoss überdurchschnittlich günstige Startbedingungen. Von den verschiedenen ihm zugesprochenen Posten trat er bloss denjenigen in Bangkok wirklich an und blieb im Übrigen in Paris, wo er 1906–1911 Pichons Kabinettschef war. 1911 liess er sich beurlauben und übernahm einen offenbar attraktiveren Posten in einer renommierten Bank. Erst im Februar 1918 kehrte er in die Diplomatie zurück und wurde Botschafter in Bern und etwas später Generalsekretär der Friedenskonferenz. Obwohl Dutasta sicher vieles der persönlichen Protektion verdankte, muss er die ihm zugehaltenen Posten gut verwaltet haben. Paul Cambon, der einerseits gegenüber dem Milieu der Kabinette eher skeptisch eingestellt war, andererseits Sinn für Qualität hatte, urteilte:

> »[...] il est fort bien et il a toute la confiance du ministre.«[70]

Philippe Berthelot, der, wie schon dargelegt, die Prüfungshürde nur mit Hilfe seines Vaters nehmen konnte, begann seine Beamtenlaufbahn 1895 im Kabinett seines Vaters. Nur zwei seiner 35 Dienstjahre verbrachte er im Ausland. Seit 1904 war er kontinuierlich in Paris tätig: 1904 in der Politischen Direktion, 1905 als stellvertretender Kabinettschef Rouviers', 1906 als stellvertretender Kabinettschef Bourgeois', unter Pichon zunächst als Leiter der Reform von 1907, später wieder in der Politischen Direktion, 1913 als Kabinettschef Pichons, dann erneut in der Politischen Direktion und 1920 schliesslich als Generalsekretär des Ministeriums im Rang eines Botschafters. In der Politischen Direktion ärgerte man sich über Berthelots privilegierte Position:

> »Berthelot rédige toutes les réponses aux postes, pour les affaires importantes; le reste, il l'expédie à la Direction politique, au troisième étage; fureur de Margerie, qui n'a plus que du travail courant.«[71]

Das Phänomen der Hauskarrieren lässt sich an der Laufbahn der Kabinettschefs gut aufzeigen, es beschränkte sich aber nicht nur auf diese. So hat beispielsweise George Cogordan von 38 Dienstjahren 30 in der Zentrale verbracht, zuletzt als Politischer Direktor, bis er 1904 in diesem Amt starb. Auch in den unteren Rängen zog man es vor, in Paris zu bleiben. Für diejenigen hingegen, die den Rang eines Gesandten oder gar eines Botschafters einnehmen wollten, war ein Auslandsaufenthalt unvermeidlich. Als Missionschef konnte man allerdings immer

---

[70] An seinen Sohn Henri, 4. Dezember 1906, Fonds Louis Cambon. Für die Ressentiments der benachteiligten oder zum mindesten nicht dermassen bevorzugten Diplomaten und Konsuln der untersten Kategorie steht die Schrift von Henri POGNON, Lettre à Monsieur Doumergue, Président du conseil, ministre des affaires étrangères, au sujet d'une réforme du ministère des affaires étrangères, Paris 1914, S. 168, in der auch von Dutasta die Rede ist (S. 39). Von Dutasta wird gesagt, er sei ein illegitimer Sohn Clemenceaus. Vgl. z. B. AUFFRAY, Pierre de Margerie, S. 355.

[71] Morand, 13./16. August 1916.

wieder längere Heimaturlaube geniessen und in der Zwischenzeit Posten von seinen Mitarbeitern verwalten lassen.

### Die Rangordnung der Aussenposten

Die Distanz zum Mutterland spielte bei der Bewertung der Aussenposten eine nicht unwichtige Rolle. Die Attraktivität der Posten hing im Weiteren von den diplomatischen Entfaltungsmöglichkeiten und dem damit verbundenen politischen Risiko ab; zum Teil auch von den Möglichkeiten, gesellschaftliche Beziehungen zu pflegen, und vom persönlichen Komfort, den die verschiedenen Posten boten, sowie schliesslich von den persönlich zu erbringenden Kosten ab. Einen besonderen Gesichtspunkt bildete die Nähe zu Paris. Darum waren Bern und Brüssel sehr beliebt. Aber auch in London, Berlin und Rom wurde die relative Nähe zur Zentrale geschätzt. Mit persönlichen Auftritten im Machtzentrum konnte man besser Einfluss auf die Politik nehmen und zugleich seine eigene Position absichern. Am 29. Januar 1913 schrieb Geoffray beispielsweise von Barrère, dem Botschafter beim Quirinal in Rom:

> »Barrère, qui n'est pas, vous le savez, en termes très chauds avec notre futur Président de la République, peut avoir l'envie de venir prendre le vent à Paris.«[72]

Die Auslandsvertretungen lassen sich in drei Kategorien einteilen: erstens in die Vertretungen bei den fünf Grossmächten, zweitens die Vertretungen bei den mittleren und kleineren Staaten Europas und drittens die aussereuropäischen Posten. In der ersten Kategorie nahm London vor St. Petersburg, Berlin, Wien und Rom den ersten Platz ein.

### London

Anfänglich nahm London insofern eine Sonderposition ein, als es in der britischen Metropole immer eine grössere Kolonie von Exilfranzosen gab. 1871 lehnte Charles de Rémusat, der kurz darauf zum Aussenminister ernannt wurde und im Übrigen von Napoléon III. proskribiert selbst neun Monate im Londoner Exil gelebt hatte, diesen Posten ab, weil er befürchtete, sich zu wenig von den dort niedergelassenen Orléanisten, mit denen er sich an sich gut verstand, absetzen zu können.[73]

London war das wichtigste Zentrum der internationalen Politik vor 1914. Da die Informationen über die europäische wie die aussereuropäische Politik dort zusammenliefen, liessen sich die Mächte in der Regel mit erstklassigen Diplomaten in London vertreten, und diese Vertretung wiederum hatte einen weiteren Anstieg des Informationsaustausches in London zur Folge. Auch für Frankreich, das sich einerseits die englische Diplomatie zum Vorbild nahm, anderseits aber der britischen Metropole gern den Vorrang abgelaufen hätte, war London schon vor dem Abschluss der Entente Cordiale von 1904 der wichtigste Aussenposten mit dem grössten Personalbestand und der umfangreichsten Korrespondenz. London wies im Weiteren den Vorzug auf, nur eine Tagesreise von Paris entfernt

---

[72] Papiers Billy, Bd. 23.
[73] REMUSAT, Mémoires, Bd. 5, S. 330 f. – BROGLIE, Mémoires, Bd. 2, S. 54.

zu sein. Entsprechend häufig reisten die französischen Botschafter zwischen beiden Hauptstädten hin und her. Geoffray klagte 1903, dass während der acht Jahre, da er Botschaftssekretär in London gewesen war, die französische Botschaft in London sich eigentlich in Paris befunden habe. Brugère verzeichnet am 5. Juni 1903 Geoffrays Bemerkung:

> »Il me dit que Cambon est toujours absent, qu'il en était de même de M. de Courcel et que c'est bien fâcheux. Depuis huit ans qu'il est à Londres, l'ambassade est pour ainsi dire à Paris.«[74]

Der Baron Alphonse de Courcel war und blieb Senator des Departements der Seine-et-Oise, als er die Botschaft in London übernahm, und hielt sich allein schon deswegen oft in Frankreich auf. Zudem verbrachte der 1894 zum Wiedereintritt in die Diplomatie überredete Baron die letzten zwei Botschafterjahre 1896–1898 nur widerwillig in London.

1886 gab Alphonse de Courcel seinen Posten in Berlin auf und zog sich vorübergehend aus der aktiven Diplomatie zurück. De Freycinet, der damalige Aussenminister, erklärte, de Courcel habe ihm gegenüber wiederholt den Wunsch nach ein bis zwei Jahren Urlaub geäussert, weil er in Ruhe einige wichtige Privatgeschäfte erledigen wollte. De Freycinet liess de Courcel ungern ziehen; de Courcels Frau, der man damals schon, wie später beim Rücktritt von London, einen starken Einfluss nachsagte, muss den Botschafter zur Demission gedrängt haben. Die gleiche Quelle nennt ausser den Vermögensgeschäften die angeschlagene Gesundheit des Botschafters (Diabetes) als Rücktrittsmotiv.[75] Möglicherweise protestierte Baron de Courcel mit seinem Abgang auch gegen die im Juni 1886 beschlossene Verbannung der französischen Prinzen, wie die russische *Novoe Vremia* vom 12./24. Oktober 1886 vermutete. 1891 wurde Alphonse de Courcel Verwaltungsratspräsident der Chemin de fer d'Orléans und 1892 Senator. Ferner gehörte er dem Verwaltungsrat der Suezkanal-Gesellschaft an. 1893 liess er sich als Diplomat kurz reaktivieren und präsidierte das Schiedsgericht über einen englisch-amerikanischen Streitfall; er lehnte damals aber den Posten des Botschafters in London ab.[76]

Als er 1894 dennoch nach London ging, stellte er lediglich in Aussicht, zwei Jahre zu bleiben. Im Dezember 1896 wollte de Courcel London aufgeben und wieder die Leitung der Orléans-Bahn übernehmen, weil dort sein Nachfolger gestorben war. Da sich aber nicht ohne weiteres ein Nachfolger für de Courcel in London finden liess, die Orléans-Bahn ihm den Präsidentensessel aber reserviert hielt und sich einstweilen mit zwei Vizepräsidenten behalf, harrte de Courcel in London noch etwas aus. Politische Meinungsverschiedenheiten zwischen de Courcel und Hanotaux können bestanden haben, soweit eben Meinungsverschiedenheiten zwischen einem französischen Botschafter in England und einem vor allem die französisch-russischen Beziehungen pflegenden Aussenminister beinahe unvermeidlich waren; doch waren sie nicht wie im Falle von Decrais' Demis-

---

[74] ANDREW, Théophile Delcassé.

[75] Berichte Münster vom 1. und 23. Juli 1886, PAAA Bonn, F 108, Bd. 1.

[76] Bericht Münster vom 1. Juli 1893, PAAA Bonn, F 105/1, Bd. 8.

sion ausschlaggebend.[77] Die letzten beiden Jahre von de Courcels Tätigkeit in London (1896–1898) wurden von allen als Provisorium betrachtet. »Courcel, s'en va-t-il ou non?«, fragte beispielsweise Daeschner in einem Brief vom 13. Juli 1897.[78]

De Courcels Nachfolger, Paul Cambon, reiste immer wieder nach Paris, um am Quai d'Orsay seine England-Politik zu untermauern und auf die gesamte französische Aussenpolitik einen gewissen Einfluss auszuüben. So war Paul Cambon beispielsweise im Juni 1906 in Paris, um bei der Ausarbeitung der Instruktionen für die Algéciras-Konferenz mitzuwirken.[79] Und am 7. Mai 1912 schrieb er seinem Bruder Jules Cambon:

> »Je suis rentré à Londres après deux jours passés à Paris dans un vrai hourvari. J'ai vu Poincaré le dimanche matin et Paléologue tous les jours. J'avais écrit à ce dernier plusieurs lettres personnelles sur le Maroc et sur les négociations avec l'Espagne.«[80]

Während eines der weiteren Besuche im Jahr 1912, am 1. November, schrieb er seinem Bruder nach Berlin:

> »Ce matin j'ai vu les deux P.«[81] (Poincaré und Paléologue)

Der Posten in London war an sich wegen seiner Wichtigkeit und Nähe begehrt, und dies bekam beispielsweise Paul Cambon während seiner 23jährigen Tätigkeit in der englischen Hauptstadt mehrmals zu spüren. Schon 1906 befasste sich Cambon, der schliesslich erst 1920 zurücktrat, mit dem Gedanken, er könnte gelegentlich abberufen werden. Zudem wusste man, dass sein Freund Barrère Botschafter in London werden wollte. So vernahm der englische Botschafter Bertie im Mai 1905, Barrère sei der Meinung, Paul Cambon könnte Delcassés Nachfolge antreten oder Präsident Loubets Nachfolger werden.[82] Bertie sah in diesen Äusserungen Barrères Absicht, Cambon in London zu beerben, und berichtete am 17. September 1913 wieder:

> »It has been stated in the French Press that C. was going to retire and was to be succeeded by Barrère.«[83]

In den 1880er und 1890er Jahren hingegen, als die Ägypten-Frage die französisch-englischen Beziehungen schwer belastete, wurde der französische Vertreter in England (ähnlich wie der französische Botschafter in Berlin) leicht zum Opfer

---

[77] Berichte Münster vom 16., 17. und 22. Dezember 1896 und Bericht Hatzfeld vom 17. Dezember 1896, PAAA Bonn, F 108, Bd. 8; Bericht Monson vom 18. Dezember 1896, Christ Church Oxford, Privatpapiere Salisbury; Hanotaux an Faure, 23. Dezember 1896, Papiers Faure; Berichte Münster vom 14. Mai und 27. Oktober 1897, PAAA Bonn, F 108, Bd. 9.

[78] Papiers Billy, Bd. 27. Vgl. auch Paul Cambons Briefe an seine Mutter vom 18. Februar, 25. März und 13. September 1897 (Fonds Louis Cambon) und Hanotaux' Carnets III (1893–1897), Teil 4, in: RDM vom 15. Mai 1949, S. 208–220, hier: S. 216, vom 26. März 1897.

[79] Brief an seinen Sohn Henri, 1. Juli 1906, Fonds Louis Cambon.

[80] P. CAMBON, Correspondance 1870–1926, Bd. 3, S. 15.

[81] Fonds Louis Cambon.

[82] Bericht vom 15. Mai 1905, PRO, Privatpapiere Lansdowne, Bd. 11.

[83] PRO, Privatpapiere Grey.

der gespannten Verhältnisse und zur Zielscheibe der französischen Anglophobie. Dies musste Waddington erfahren, dem man ohnehin immer wieder seine englische Herkunft zur Last legte (vgl. auch Kap. 2.2). Dies war auch der Grund für die Schwierigkeit, 1893 für Waddington, 1894 für Decrais und 1896 für de Courcel einen Ersatz zu finden. 1893 lehnten de Courcel, Cambon und Billot die Botschaft in London ab.[84] Am 28. April 1893 teilte Jusserand Waddington mit, man habe immer noch keinen Nachfolger gefunden.[85] Am 3. Juni 1893 schrieb Montholon aus Athen:

> »Le candidat pour Londres parait difficile à dénicher!«[86]

Auch der Marquis de Montebello schreckte 1893 davor zurück, nach London zu gehen, obwohl er nur widerwillig in St. Petersburg war. Montebello war im August 1891 ungern nach Petersburg gegangen. 1893 hätte er in London Waddingtons Nachfolge antreten können. Doch folgte er dem Rat Léon Says (des Onkels seiner Frau, der für ein paar Wochen ebenfalls Botschafter in London gewesen war), im gegenwärtigen Moment nicht nach London zu gehen, da sich die französisch-englischen Beziehungen in einer schwierigen Phase befänden.[87] Überdies hätte die englische Königin ihn ungern in London gesehen, weil sie ihm die Taktlosigkeit nicht verziehen habe, 1879 als erster Botschaftssekretär in London am Tag der Beerdigung des Prince Impérial einen Ball gegeben zu haben.[88]

Der schliesslich am 21. Juli 1893 ernannte Decrais wäre lieber in Wien geblieben[89], und er verliess London bereits wieder nach einem Jahr, nachdem es zu Meinungsverschiedenheiten zwischen ihm und Aussenminister Hanotaux gekommen war.[90] 1894 zog es de Reverseau vor, statt in London Decrais' Nachfolge anzutreten, Botschafter in Madrid zu werden.[91] Und noch 1897 hat de Reverseau Konstantinopel London vorgezogen.[92] Billot lehnte London 1897 nochmals ab. Und de Courcel wie Cambon mussten überredet werden, nach London zu gehen.

Paul Cambon hatte, bevor er 1898 den Posten schliesslich übernahm, ihn mehrfach abgelehnt.[93] Cambon nannte dabei immer wieder drei Gründe, warum er London nicht annehmen könne: 1. Die Rücksichten auf die Gesundheit seiner Frau, 2. die Tatsache, dass er sich in Konstantinopel eine Position geschaffen

---

[84] Berichte Hatzfeld und Münster vom 1. und 3. Juni 1893, PAAA Bonn, F 108.

[85] Papiers Waddington.

[86] Papiers d'Ormesson.

[87] Bericht Radowitz vom 31. März 1891, Bericht Münster vom 12. Juli 1893, Bericht Werder vom 16. Juni 1893, PAAA Bonn, F 108, Bd. 4 und 5, 105/1, Bd. 8.

[88] VOGÜÉ, Journal, S. 142; Bericht Münster vom 22. Dezember 1896, PAAA Bonn, F 108, Bd. 8.

[89] Bericht Ratibor, 30. Juni 1893, PAAA Bonn, F 108, Bd. 5.

[90] Decrais an Revoil oder Nisard, 11. September 1894, Papiers Hanotaux, Bd. 20; Bericht Schoen, 1. Oktober 1894, und Bericht Metternich, 2. Oktober 1894, PAAA Bonn, F 108, Bd. 6.

[91] Bericht des deutschen Vertreters in Kairo vom 21. April 1894, ebenda.

[92] Bericht Radowitz, 12. Dezember 1897, PAAA Bonn, F 108, Bd. 91.

[93] VILLATE, République, S. 177.

habe, die er nicht aufgeben möchte, und 3. die Auffassung, dass es in London im Moment nichts zu tun gebe. Der erste und der dritte Grund wurden im folgenden Schreiben vom 20. Januar 1893 an seine Mutter genannt:

> »Je ne voudrais aller à Londres à aucun prix, d'abord parce qu'Anne ne pourrait pas y habiter, ensuite parce qu'il n'y a rien à faire pour nous avec les Anglais en ce moment. Je ne ferais pas mieux que Waddington qu'on accuse bien à tort et qui a fait l'impossible pour denouer une situation inextricable.« Zehn Tage später schrieb er wiederum seiner Mutter: »Le rôle d'un ambassadeur de France en Angleterre est en ce moment absolument sacrifié.« Und am 20. April 1893 wiederum an seine Mutter: »Develle a fait auprès de moi de nouvelles instances pour Londres, mais j'ai refusé derechef.«

Vier Jahre später wäre Cambon bereit, nach London zu gehen, weil er auf diese Weise näher bei Paris wäre, wo sich seine todkranke Frau aufhielt.[94] Dennoch wies er Delcassés Angebot im Juli 1898 zurück, so dass der Aussenminister im September 1898 nochmals bitten musste:

> »La prise de Khartoum a réveillé la question d'Egypte et ouvert celle du bassin du Haut-Nil. [...] Le prochain retour de Lord Salisbury à Londres rend absolument nécessaire la présence d'un ambassadeur.«[95]

Paul Cambon, der inzwischen seine Frau verloren hatte, sagte am 16. September 1898 zu und schrieb tags darauf seinem Sohn:

> »Un refus dans les conditions où on fait appel à moi ne serait pas honorable.«[96]

### St. Petersburg

Neben London war St. Petersburg – der Posten, wo Frankreich mehr als andernorts ein Gegengewicht zu Deutschland schaffen und dieses Gegengewicht erhalten und verstärken wollte – die wichtigste Botschaft der französischen Diplomatie.[97] Die Vertretung an der Newa war allerdings nicht sehr begehrt, weil sie teuer, weit entfernt und klimatisch nicht sehr angenehm war. Auf zwei dieser Eigenheiten wies Laboulaye, der damalige Botschafter in Petersburg, 1890 hin:

> »La chance veut précisément qu'il y ait deux candidats de bonne volonté, ce qui n'arrive pas toujours pour un poste aussi cher et aussi malsain que l'est Saint-Pétersbourg.«[98]

Auch Barrère führte in seinem Schreiben, worin er Petersburg ablehnte, die Kosten und das Klima an, das für seine Töchter nicht gut sei und seinem Alter schlecht bekomme.[99] Und Jules Cambon missfiel schlichterdings alles in der russischen Residenzstadt; am 9. September 1912 schrieb er seinem Bruder Paul:

---

[94] An seine Mutter, 26. Mai 1898, Papiers privés Paul Combon.

[95] Telegramm 306/14. September 1898, MAE, Correspondance, Nouvelle Série.

[96] Fonds Louis Cambon. Vgl. ferner Cambons Brief an Delcassé vom 29. September 1898, Papiers Delcassé, Bd. 3.

[97] BUTENSCHÖN, Zarenhymne, S. 32 f.

[98] An Ribot, 22. April 1890, Papiers Ribot, Bd. 1.

[99] Barrère an Pichon, 20. Januar 1908, Papiers Barrère und Papiers Pichon, Institut.

»J'aimerais aller à Rome, mais je ne veux pas aller à Pétersbourg où tout me dépla-ît.«[100]

Weitere Eigenheiten konnten sich – wie Bompard und Louis erfahren mussten – für die eigene Karriere als gefährlich erweisen: die hohen Ansprüche des russi-schen Hofes, der Umgang mit dem unberechenbaren Zaren und der gesell-schaftliche, konstitutionelle Gegensatz zwischen der französischen Regierung, die sich zuweilen schroff republikanisch gebärdete, und dem erzkonservativen Re-gime des Gastlandes. Maurice Bompard wie Georges Louis mussten ihre Ab-berufung aus der Presse erfahren, nachdem man ihnen im Quai d'Orsay kurz zuvor noch versichert hatte, dass von einem Wechsel keine Rede sein könne. Beidemal waren Russland und sein Vertreter in Paris wesentlich am Entscheid beteiligt. Russischerseits warf man Bompard vor, er unterhalte zu vertraute Be-ziehungen zur innerrussischen Opposition, zu den Kadetten und den Sozialisten. Dieser Vorwurf ging auf einen Auftrag zurück, den Bompard 1896 auf Geheiss von Aussenminister Bourgeois umgesetzt und mit dem er dem Zaren geraten hatte, sich mit der Duma zu verständigen. Am 4. Februar 1908 schrieb Jules Cambon aus Berlin:

»[...] la situation qui lui a été faite à Pétersbourg vient par la la plus grande part des instructions qui lui avaient été données pour le prédécesseur de M. Pichon pour plaire à l'ignorance de quelques députés français.«[101]

Paul Cambon machte Aussenminister Pichon schwere Vorwürfe, weil er Bom-pard zurückgerufen habe, bevor dessen Nachfolger bestimmt war; Bompard habe diese Behandlung nicht verdient und Frankreich habe sich allzu leichtfertig rus-sischen Wünschen gefügt:

»Vous avez l'air de le disgracier, de céder à une information de Pétersbourg. Ce n'est pas le moyen de donner de l'autorité au représentant que vous enverrez là-bas.«[102]

Schon von Bompard, dem ersten bürgerlichen Zivilisten, den Frankreich an den russischen Hof entsandt hatte, hiess es, er habe es nicht verstanden, sich in der russischen Gesellschaft eine gute Position zu schaffen. Der gleiche Vorwurf sollte 1912 auch Louis treffen. Louis ging 1909 ungern nach Petersburg und war als Bürokrat des Quai d'Orsay auch nicht geeignet für diesen Posten. Paul Cam-bon schrieb am 26. Mai 1909 seinem Sohn:

»[...] il convient encore moins que Bompard à ce poste. Ils sont l'un et l'autre faits exprès pour le Service intérieur, ils auraient du y rester, mais leurs femmes ont voulu être ambassadrices!«[103]

---

[100] Fonds Louis Cambon.

[101] An Georges Louis, Papiers Jules Cambon, Bd. 15; ebenfalls in Papiers Georges Louis.

[102] Schreiben vom 3. Februar 1908, Papiers Pichon, Institut. Siehe auch Maurice BOMPARD, Mon ambassade en Russie 1903–1908, Paris 1937, S. 285 f.

[103] Fonds Louis Cambon.

Georges Louis hatte zudem zwei besondere Handicaps zu überwinden: Der Zar und sein Hof waren verstimmt wegen der Abberufung von Louis' Vorgänger. Der britische Botschafter Bertie meinte:

>There is no doubt that word went round on the arrival of Louis that he should be boycotted by Society [...]. Louis is an excellent official but he has hitherto not been a Societyman and his wife is very shy and quite unaccustomed to the ways of court and society life.«[104]

Der zweite Nachteil bestand darin, dass der Fall Bompard für Russland ein Präzedenzfall war. Als im Mai 1912 in Paris eine Pressekampagne gegen Louis gestartet wurde, registrierte Jules Cambon:

>On recommence comme avec Bompard.« Er schrieb seinem Bruder nach London: >Iswolski reproche à Louis de ne pas aller dans le monde.«[105]

Und von London aus schrieb Paul Cambon seinem Sohn nach Rom über das Verhalten des russischen Botschafters in Paris:

>[...] alléché par le succès de ses réclamations contre Bompard il s'imaginait disposer de notre ambassade à Pétersbourg.«[106]

Louis' Abberufung wurde in der Kriegsschulddiskussion eine gewisse Bedeutung beigemessen; Poincaré habe den friedliebenden Louis abgesetzt, um die Vertretung beim Allianzpartner dem kriegerischen Delcassé überlassen zu können.[107] Der schweizerische Gesandte interpretiert den Wechsel ebenfalls als Ausdruck der Absicht, die Allianz zu stärken, zumal Delcassé, was auch andere festgestellt haben und sich dann auch bewahrheiten sollte, keineswegs fähig und gewillt war, ein aufwendigeres Gesellschaftsleben zu führen, als es Louis betrieben hatte.

>Il n'en reste pas moins que la mise de côté de M. Louis, prudent, discret, pas casse-cou, mais peu décoratif et trop économe, implique le désir de M. Poincaré de paraître donner plus d'activité aux relations franco-russes. M. Delcassé réussira-t-il mieux à Pétersbourg? il n'est ni plus decoratif, ni plus dépensier que M. Louis et ceux qui connaissent les cercles de la cour russe sont sceptiques.«[108]

Bis 1886 liess sich Frankreich in Russland durch Militärs vertreten, die öfters als die Diplomaten, welche einem strengeren Protokoll unterworfen waren, Gelegenheit hatten, an militärischen Anlässen wie Manövern und Paraden mit dem Zaren den persönlichen und informellen Kontakt zu pflegen. Für die Entsendung eines Militärs sprach allein schon der Umstand, dass sich auch Deutschland durch militärische Botschafter im Generalsrang und der deutsche Kaiser zusätzlich durch einen seiner persönlichen Adjutanten beim Zaren vertreten liessen.[109]

[104] Bertie an Grey, 1912, PRO, Privatpapiere Grey.

[105] Brief vom 18. Mai 1912, Fonds Louis Cambon.

[106] Brief vom 20. Mai 1912, ebenda.

[107] JUDET, Georges Louis.

[108] Lardy an Bundespräsident Müller, 21. Februar 1913, BA Bern, 2300 Paris, Bd. 66.

[109] Deutschland hielt bis 1895 militärische Botschafter in Petersburg und bis 1907 in Wien. Dazu und zu den persönlichen Gesandten des deutschen Kaisers, vgl. CECIL, Diplomatic service, S. 120 f.

Dem bonapartistischen General Fleury folgten nach 1871 als Vertreter der Republik: General Le Flô, General Chanzy, Admiral Jaurès und General Appert. Appert war nicht nur als Vorsitzender des Kommunardentribunals ein ausgewiesener Antisozialist, er war auch als Gatte einer Dänin am Hof gerne gesehen, weil die Zarin eine dänische Prinzessin war.[110] 1886 hätte wiederum ein Militär, General Jean-Baptiste Billot, Apperts Nachfolge antreten sollen, doch verweigerte der über Apperts Rückberufung und die Begnadigung eines russischen Anarchisten verärgerte Zar das Agrément.[111] Während eines halben Jahres liessen sich die beiden Staaten nur auf Geschäftsträgerebene vertreten; französischerseits wurde diese Zeit durch Olivier d'Ormesson überbrückt. Als 1886 die Beziehungen auf Botschafterebene wieder aufgenommen wurden, hätte man es auf russischer Seite gerne gesehen, wenn Frankreich wieder einen Militär entsandt hätte, Admiral Jauréguiberry oder General Gaillard. D'Ormesson wusste aber Paris zu überzeugen, dass eine diplomatische Vertretung vorzuziehen sei, weil der häufige Kontakt mit dem launischen Zaren gar keinen Vorteil böte und der ausgleichend wirkende Aussenminister als Gesprächspartner geeigneter sei.

> »Il est indubitable que les rapports sont plus directs et plus fréquents entre l'empereur et un ambassadeur militaire. A tout instant, des parades, des revues, d'autres solennités du même genre donnent à un général l'occasion d'approcher le monarque et d'être invité à la table impériale, privilèges rarement accordés à un civil. [...] Toutefois, étant donné le tempérament bien connu d'Alexandre III et ses manifestations de mauvaise humeur, on doit se demander si les occasions trop fréquentes de rapprochement sont toujours à désirer? [...] n'aurait-on pas intérêt au cours de circonstances difficiles, à éviter des contacts trop répétés entre notre représentant et lui. Dans ces conditions, un ministre des Affaires étrangères prudent, temporisateur et conciliant, comme celui qui dirige actuellement la politique extérieure de la Russie, ne serait-il pas d'autant mieux l'intermédiaire souhaité que son désir sera toujours d'éviter ou tout au moins d'adoucir dans la forme les sorties parfois violentes de l'empereur?«[112]

In den Jahren 1886 bis 1907 war Frankreich in St. Petersburg durch Berufsdiplomaten vertreten, durch Paul-Levebvre de Laboulaye, durch den Marquis Gustave-Louis de Montebello und Maurice Bompard. Erst 1908 wurde mit Admiral Charles-Philippe Touchard für kurze Zeit wieder ein Militär eingesetzt, was intern zutreffend als Verlegenheitslösung bezeichnet, gegen aussen aber als Wahl präsentiert wurde, die den militärischen Charakter der französisch-russischen Allianz unterstreichen sollte.[113] Ein belgischer Gesandtschaftsbericht stellt fest, diese Wahl sei in Petersburg mit Zufriedenheit aufgenommen worden:

---

[110] BUTENSCHÖN, Zarenhymne, S. 41.

[111] Edmund TOUTAIN, Alexandre III et la République française. Souvenirs d'un témoin 1885–1888, Paris 1929, S. 73–89; Tagebuch Hansen, MAE, Papiers nominatifs, 16. April 1886; Ferry an Albert Billot, 1. Mai 1886, FERRY, Lettres, S. 395.

[112] Persönliches und vertrauliches Schreiben an de Freycinet vom 23. Oktober 1886, MAE, Corresp. Politique, Russie, Bd. 274, ausführlich zitiert in TOUTAIN, Alexandre III, S. 134.

[113] Zur internen Version vgl. Brief von Barrère an Pichon vom 25. Januar 1908 (Papiers Pichon, Institut); zur offiziellen Version vgl. etwa Le Temps vom 6. Februar 1908.

»On apprécie favorablement le retour à la tradition française qui fut inaugurée en 1870 et interrompue seulement par la mission de MM. de Montebello et Bompard, c'est-à-dire de choisir dans l'élément militaire étranger aux luttes de partis, le représentant de la République français près du Czar.«[114]

Im Gegensatz zu Barrère begrüsste Paul Cambon die Entsendung eines Militärs nicht:

»L'avantage du Général était, autrefois, la faculté qui lui était donnée d'aborder l'Empereur le jour de la parade hebdomadaire, mais aujourd'hui, il n'y a plus de parade et il y a en revanche, en Russie des intérêts financiers et industriels considérables, auxquels un Général ne comprendra rien. En outre, la question d'Orient se réveille en Macédoine et en Perse et il faudrait un diplomate pour de bon en ce moment, à Pétersbourg.«[115]

Nach Touchard wurden wieder Berufsdiplomaten nach St. Petersburg entsandt, alles Leute mit erstklassigen und der Bedeutung dieses Postens entsprechenden Eigenschaften: Georges Louis war zuvor während fünf Jahren der Politische Direktor und inoffizielle Generalsekretär des Quai d'Orsay gewesen, Théophile Delcassé genoss das Prestige des erfahrenen Aussenministers und wieder aufsteigenden Politikers; Maurice Paléologue, der Frankreich bis zur Revolution von 1917 in Russland vertrat, war ebenfalls Direktor des Quai d'Orsay gewesen, er verfügte aber über eine noch wichtigere Eigenschaft: Er war ein Intimus des Präsidenten der Republik, soweit man das Vertrauen Poincarés überhaupt haben konnte.

## Berlin

Unter den übrigen Vertretungen in den Hauptstädten der Grossmächte Deutschland, Österreich und Italien nahm die Botschaft in Berlin eine besondere Stellung ein. Von den einen wurde sie als besonders wichtig eingestuft und mit einem Vorposten in Feindesland verglichen, von dem Krieg und Frieden abhingen. Botschafter Jules Herbette, vom September 1886–Mai 1896 in Berlin, verstand sich als

»observateur, sentinelle avancée, l'oeil et l'oreille toujours tendus.«[116]

1877 mass Gabriac wegen Bismarck Berlin die Rolle zu, die doch eher London einnahm, indem er von der Botschaft in der Hauptstadt des deutschen Reichs sagte, er sei heutzutage der einzige politische Posten.

»C'est de là que tout part aujourd'hui et que tout arrive, l'Europa n'ayant pas perdu l'habitude d'être toujours gouvernée par quelqu'un, qu'il s'appelle Metternich, Nicolas, Palmerston, Napoleon III ou Bismarck.«[117]

[114] 6. Februar 1908, Belg. Dok., Bd. 4, Nr. 6.

[115] Brief an seinen Sohn Henri vom 4. Februar 1908, Correspondance 1870–1924, Bd. 2, S. 244. S. auch die Carnets de Georges Louis, Bd. 1, S. 23.

[116] Brief an Ribot, 12. April 1890, Papiers Herbette, Bd. 1.

[117] Gratulationsbrief zur Ernennung de Saint-Valliers vom 27. November 1877, Papiers Gabriac.

1886 muss Premier- und Aussenminister de Freycinet zum deutschen Botschafter Münster gesagt haben, kein Posten sei wichtiger als der in Berlin und die Erhaltung der guten Beziehungen zu Deutschland sei ihm die wichtigste Aufgabe, die er als Minister habe.[118]

Neben der Vorstellung, dass dieser Posten besonders wichtig sei, gab es die völlig gegenteilige Vorstellung, dass Berlin völlig unwichtig sei. Hanotaux war offenbar der Meinung, in Berlin sei überhaupt nichts zu machen, dieser Posten sei so bedeutungslos, dass man jeden die Umgangsformen einigermassen beherrschenden Diplomaten zum Botschafter in Berlin ernennen könnte. De Courcel wie Barrère äusserten sich in ähnlichem Sinn. De Saint-Aulaire zufolge soll Hanotaux um 1895 gesagt haben:

> »Un enfant bien élevé suffit pour l'Ambassade de Berlin.«[119]

Schon 1885 hatte de Courcel Zweifel am Sinn seiner Tätigkeit in Berlin geäussert:

> »[…] je me demande, s'il restera quelque chose d'utile de tout ce que nous faisons ici, et s'il y a chance d'arrêter les cataclysmes, c'est une ingrate besogne d'être soldat ou diplomate français de nos jours.«[120]

Barrère schrieb am 10. Juni 1908 mit Bezug auf Berlin:

> »Avec ces gens-là, il n'y a rien à faire qu'à gagner du temps et à se préparer solidement et sans relâche.«[121]

Der Posten in Berlin war entsprechend wenig begehrt. De Broglie sagte, Gontaut-Biron sei mit seiner Ernennung zum Botschafter in Berlin im Dezember 1881 zu einer furchtbaren Ehre verurteilt worden:

> »[…] être appelé ou plutôt condamné à ce redoutable honneur.«[122]

De Gontaut-Biron selbst sprach von einem Opfer, das man dem Vaterland nicht verweigern dürfe:

> »On m'a fait valoir, entre autres raisons, qu'il m'était demandé d'aller à un poste d'honneur, devant l'ennemi, au feu, et qu'une pareille demande ne se refusait que difficilement.«[123]

Als Edouard de Levebvre im Sommer 1886 de Courcel ablösen sollte, zog er es bei weitem vor, auf seinem Posten beim Vatikan zu bleiben.[124] Botschafter Jules Herbette sprach in einem Brief an Ribot vom 16. Januar 1893 (im siebten Jahr seiner Tätigkeit in Berlin) von einem »poste ingrat mais intéressant.«[125] Schon 1891 wünschte er einen »weniger militanten« Posten und wies darauf hin, dass er

---

[118] Bericht Münster vom 1. Juli 1886, PAAA Bonn, F 108, Bd. 1.

[119] Auguste-Félix de SAINT-AULAIRE, Je suis diplomate, Paris 1954, S. 11.

[120] Schreiben an Valfrey vom 7. April 1885, Papiers Valfrey, Bd. 2.

[121] Papiers Pichon, Institut.

[122] BROGLIE, Gontaut-Biron, S. 3.

[123] GONTAUT-BIRON, Mon ambassade, S. 431.

[124] BAILLOU, Affaires étrangères, S. 300.

[125] Papiers Ribot, Bd. 4.

mit viereinhalb Jahren die bisher längste Amtszeit eines französischen Botschafters in Berlin aufweise. Dies traf aber nur für einen der drei Vorgänger zu. Als sich 1891 tatsächlich die Frage stellte, ob Herbette von Berlin abberufen und durch Paul Cambon ersetzt werden sollte, hätte der damals in Madrid eingesetzte Botschafter diesen »Kelch« refüsiert. Paul Cambon schrieb schon am 6. März 1891 seiner Mutter:

»Dieu me préserve de ce calice que je n'accepterai jamais que contraint et forcé«,

am 31. März 1891 schrieb er einem unbekannten Adressaten, er wolle aus klimatischen Gründen nicht nach Berlin gehen und:

»Je ne pourrais rien faire là-bas.«[126]

Am 11. April 1891 teilte er seinem ehemaligen Mitarbeiter Bompard streng vertraulich mit:

»On me poursuit pour m'envoyer à Berlin dans quelques mois et je me défends en disant que je n'irai pas dans un poste dont ma femme ni pourrait pas supporter le climat. Que Dieu m'épargne ce calice!«[127]

Derselbe Cambon schrieb 1898 seinem Bruder, der damals einen Posten in Europa suchte, es sei wohl denkbar, dass man ihm Berlin anbieten werde, da man immer grösste Schwierigkeiten habe, jemanden für diese Botschaft zu finden; Berlin sei zwar nicht so viel wert wie Rom, doch sei Berlin der Posten, auf dem man die wenigsten Schwierigkeiten habe, da man ja wisse, dass in Berlin nichts zu machen sei. Wenig später sprach Paul Cambon allerdings auch von der anderen Seite dieser Vertretung, als er seinem Bruder riet, Bern der Botschaft in Berlin vorzuziehen, weil man in Berlin immer der Gefahr ausgesetzt sei, schreckliche Erschütterungen erleiden zu müssen.

»Comme on sera toujours très embarrassé de trouver quelqu'un pour Berlin, il est possible qu'on te le promette.«[128] Und: »Cela ne vaudrait certainement pas Rome, mais enfin! Berlin est peut-être le poste où l'on a le moins d'ennuis d'affaires puisqu'on sait bien qu'on ne peut rien faire.«[129]

In Bern könnte er sein

»sans crainte de ces à-coups terribles qu'on peut toujours subir à Berlin.«[130]

Jules Cambon hätte damals, weil er um jeden Preis Washington verlassen wollte, Berlin angenommen, trotz der Schwierigkeiten und Gefahren, wie Paul Cambon gegenüber Aussenminister Delcassé ausdrücklich hervorhob.[131] Der Marquis de Noailles hatte schon im Frühjahr 1899 das Pensionsalter erreicht. Auch Paul Cambon wusste, wie zwei Briefe vom 10. März und 4. April 1902 an seinen

[126] Fonds Louis Cambon.
[127] Henri Cambon, Un Diplomate, Paul Cambon, ambassadeur de France 1843–1924, Paris 1937, S. 118 f.
[128] Paul Cambon an Jules Cambon, 24. Oktober 1898, Fonds Louis Cambon.
[129] Paul Cambon an seine Mutter, 27. Oktober 1898, ebenda.
[130] Paul Cambon an seinen Bruder, 18. Februar 1899, ebenda.
[131] Paul Cambon an Delcassé, 17. Dezember 1898, Papiers Delcassé, Diplomates, Bd. 3.

Bruder Jules belegen, von diesen Ambitionen.[132] Nachdem er aber als Botschafter in Madrid nach Europa zurückberufen worden war, war er eigentlich sehr zufrieden und wechselte nur ungern nach Berlin, und als er 1912 nach den Kongo-Marokko-Verhandlungen mit dem Gedanken spielte, Berlin zu verlassen, wäre ihm Rom als Ersatz sehr recht gewesen. Der in St. Petersburg akkreditierte Louis und Geoffray von Madrid wären damals jedoch nicht bereit gewesen, Jules Cambon in Berlin zu ersetzen, weil sie sich nicht ebenfalls die Finger verbrennen wollten. Ende 1905 hat Jules Cambon Berlin noch abgelehnt.[133] Ende 1906 vertrat Paul Cambon die Meinung, Jules Cambon solle in Madrid bleiben und nicht nach Berlin gehen.[134] Und wenig später erklärte Aussenminister Pichon dem deutschen Botschafter in Paris, Cambon wäre lieber in Madrid geblieben und sei bloss dem Ruf des Ministers gefolgt.[135] Jules Cambon hätte immerhin Wien haben können, hat dies aber (vielleicht aus Kostengründen) ausgeschlagen.[136]

Die Leiter dieses »Vorpostens« riskierten in Krisenfällen den Unmut insbesondere der eigenen Presse auf sich zu ziehen und – wie es Jules Herbette und Jules Cambon beinahe und Georges Bihourd tatsächlich widerfuhr – von der eigenen Regierung geopfert zu werden.

Nachdem die deutsche Kaiserin Auguste Viktoria 1891 in Paris gewesen war und mit ihrem taktlosen Besuch der Ruinen des 1870 in Brand geschossenen Kaiserschlosses Saint-Cloud die Gemüter der französischen Nationalisten erregt hatte, wurde auch Jules Herbette das Objekt heftiger Pressepolemiken. Am 28. Februar 1891 forderte der Botschafter in Berlin seinen Aussenminister auf:

> »Il faut montrer de l'énergie contre les Déroulède [...].«

Am 19. März 1891 dankte er Ribot dafür, dass er sich vor ihn gestellt habe:

> »Ma position est difficile: je suis pris entre deux feux. En France, le gros public veut la paix, mais il tient à garder la main sur le pommeau de l'épée. Il accepterait de même que je fusse à tout prix en bons termes avec les Allemands, pourvu que j'observasse une attitude rogue, en apparence. Cette attitude ne serait pas plus agreable aux Prussiens que conforme à mon caractère. Je m'en tiens donc a la dignitée doublée de bonne humeur. [...] Quand vous me croirez usé à Berlin, je souhaite que vous me le disiez en toute franchise. Quand je serai moi-même à bout de force et de patience, je vous en avertirai. Et alors, nous préparerons doucement la voie a mon déplacement. Voila quatre ans et demi que je suis ici et dans deux mois je serai l'ambassadeur de France qui sera resté le plus longtemps à Berlin depuis 1871. N'aurai-je pas le droit de prétendre à un poste moins militant, celui de Constantinople par exemple? Je ne parle, bien entendu, que par hypothèse. Car en ce moment, tout bruit de changement produirait le plus fâcheux effet.«

Doch schon am 23. März 1891 klagte Jules Herbette wieder,

---

[132] Fonds Louis Cambon.

[133] Des Portes an Jusserand, 4. Dezember 1905, Papiers Jusserand, Bd. 26.

[134] Paul Cambon an seinen Sohn Henri, 6. November 1906, Fonds Louis Cambon.

[135] Bericht Radolin vom 31. Dezember 1906, GP, Bd. 21, Nr. 7240.

[136] Radowitz am 5. Januar 1907, PAAA Bonn, F 108, Bd. 16. Über die Sondierungen bei Louis und Geoffray berichtet Lancken am 10. Februar 1912, ebenda, Bd. 19.

»d'avoir constamment en butte depuis quatre ans aux attaques des Boulangistes et Déroulédistes. […] Meurtri comme je l'ai été à Berlin, j'ai bien quelque titre à laisser ce peste à l'un de mes collègues.«

Am 6. Juni 1891 schrieb er für den Fall, dass er in Berlin bleiben sollte:

»Il me faudrait une sorte de nouvelle investiture, et la certitude que le gouvernement ne me laisserait pas attaquer sans me couvrir.«[137]

Auch vor und nach 1891 tauchten immer wieder Gerüchte auf, Herbette werde aus Berlin abberufen.

Über Georges Bihourds Tätigkeit in Berlin ist vor der Tanger-Krise kaum Negatives zu registrieren. Doch nach dem März 1905 hagelte es nur so negative Urteile: Paléologue warf ihm Inaktivität vor:

»[...] notre pitieux ambassadeur n'a su ni trouver ni provoquer l'occasion de traiter la question marocaine.«[138]

Paul Cambon schrieb am 15. April 1905 seinem Sohn:

»[...] s'il y avait eu à Berlin un bon ambassadeur, l'affaire aurait pu se régler convenablement avec les Allemands. Bihourd etait suffisamment muni pour causer utilement.«[139]

Der Deputierte Arago urteilte im Juni 1905:

»Bihourd ne connaît personne, ne représente rien […].«[140]

Bihourd wurde zwar nicht sogleich ersetzt. Als Verurteilter blieb er einstweilen in Berlin sitzen, bis er Ende 1906 im 60. Lebensjahr selbst zurücktrat. Die Prinzessin Radziwill registrierte:

»Bihourd continue à vouloir partir pour jouir de sa maison fleurie de Nice.«[141]

Eine Vorstellung von Bihourds letzten Tagen in Berlin gibt die Schilderung seines Nachfolgers:

»Cette maison est toute à réparer et à refaire et il suffit de la voir pour se rendre compte de l'état de découragement dans lequel était tombé Bihourd et d' indifférence aux choses du confort qui était ce qui l'intéressait le plus autrefois.«[142]

Nach der Agadir-Krise hatte Jules Cambon plötzlich ein besonderes Verständnis für Bihourd. Im August 1911 erhielt er bloss mündliche Instruktionen, deren Ausführung ihm Paris später möglicherweise vorwerfen würde, notierte er sich

---

[137] Papiers Ribot, Bd. 2.

[138] Aufzeichnung vom 10. April 1905, PALÉOLOGUE, Tournant, S. 288.

[139] P. CAMBON, Correspondance 1870—1924, Bd. 2, S. 185.

[140] RADZIWILL, Lettres, Bd. 3, S. 163.

[141] Brief vom 25./26. November 1906, ebenda, S. 263; ferner Bericht Radolin vom 10. Dezember 1906, PAAA Bonn, F 108, Bd. 16.

[142] Jules Cambon an seinen Bruder Paul, o. D., im April 1907, Papiers Jules Cambon, Bd. 25. In Nizza, wo Bihourd seinen Lebensabend verbrachte, verfasste er 1908/09 einen ausführlichen Rechenschaftsbericht.

am 30. August 1911.[143] Schon im Juli 1911 stand für einen deutschen Beobachter fest, dass Jules Cambon, wie immer die Krise ausgehe, Berlin werde verlassen müssen.[144] 1912, nachdem auch er, wie Caillaux im Zusammenhang mit dem Kongo-Vertrag, beschuldigt worden war, nationalen Boden preisgegeben zu haben, war ihm die Tätigkeit in Berlin verleidet; gerne hätte er damals nach Rom gewechselt.[145] Bezeichnend für seine damalige Stimmung ist die Bemerkung:

> »Je ne parle plus, je me considère comme une boîte aux lettres.«[146]

Noch Ende 1913 zirkulierten Gerüchte von Jules Cambons Demission. Aufgrund eines Berliner Korrespondentenberichtes in *The Sun* vom 5./6. November 1913 schrieb Jusserand noch am gleichen Tag aus Washington:

> »Quelle mauvaise nouvelle nous apportent les journaux! Est-ce vraiment vrai? et êtes-vous las de votre rôle de grand garde? Je sais que vous aviez pensé jadis à plaider la langueur de services auxquels tout le monde rend hommage, mais je vous croyais revenu à de meilleurs sentiments.«[147]

Berlin war entweder besonders wichtig oder speziell unwichtig; Berlin war sicher heikel und deswegen nicht bedingt begehrt. Es gab dennoch immer auch Botschafter, die gerne hingingen oder hingegangen wären. Die Versetzung des Botschafters de Noailles von Konstantinopel nach Berlin wurde von einem Diplomaten des Quai d'Orsay zurecht als Belohnung verstanden, die Hanotaux seinem Freund und ehemaligen Vorgesetzten zukommen liess.[148] Mit der Nomination dieses Adligen war auch die Absicht verbunden, den Hohenzollern zu schmeicheln, die sich zuvor mit dem Plebeier Herbette (»Herr Bette«) hatten zufriedengeben müssen.[149] Aussenminister Delcassé liess den bereits etwas altersmüden Marquisen in Berlin, weil auch er der Meinung war, dass man auf diesem Posten nur »schnarchen« könne.

> »Delcassé l'avait maintenu, considérant que nous ne pouvions rien faire d'utile à Berlin et que notre consigne était simplement d'y ›ronfler‹.«[150]

Bihourd durfte im Wechsel von Bern nach Berlin jedoch eine weitere Stufe seiner Karriere sehen, und Barrère, damals Botschafter in Rom, hätte sich gerne an Stelle von Bihourd oder als dessen Nachfolger in die Hauptstadt des deutschen Reiches schicken lassen. Als Barrère in Bern war, interessierte er sich noch nicht für die Vertretung in Deutschland:

---

[143] Fonds Louis Cambon.

[144] Bericht von der Lancken, 26. Juli 1911, GP, Bd. 29, S. 300.

[145] Briefe an Paul Cambon vom 9. September und 2. November 1911, Fonds Louis Cambon.

[146] Brief an Paul Cambon vom 3. November 1912, ebenda.

[147] Papiers Jules Cambon, Bd. 15.

[148] Papiers Billy, Souvenirs, Bd. 3, im Moment von Noailles' Ernennung Mitarbeiter des Kabinettes, vorher Stagiaire in Berlin.

[149] HOMBERG, Coulisses, S. 51. 1901/02 Botschaftssekretär in Berlin, nachdem er Attaché in Delcassés Kabinett gewesen war.

[150] Ebenda.

»[...] de Berlin je ne veux pas entendre parler. [...] Au fond c'est à Rome qu'on devrait m'envoyer [...]«[151]

Als sich 1902 die Frage stellte, wer in Berlin den Marquis de Noailles ersetzen solle, muss sich Barrère für diesen Posten interessiert haben. Am 30. März 1902 berichtete der deutsche Botschafter in Rom, Graf von Wedel, Barrère habe dem bayrischen Gesandten Freiherr von Tucher gegenüber erklärt, seine Aufgabe in Rom sei bald erledigt; die Botschaft in London, früher sein Lieblingsposten, komme nicht in Frage, falls aus Berlin nichts werde, würde er sich für Petersburg interessieren.[152] Deutscherseits hätte man Barrère nicht gerne in St. Petersburg gesehen, weil er die Allianz möglicherweise verstärkt hätte; und da er in Rom Deutschland unbequem und der Kaiser mit einer Akkreditierung in Berlin »ganz einverstanden« war, gab Radolin in Paris Delcassé zu verstehen, dass Barrère willkommen wäre. Radolin erhielt aber den Bescheid, dass Barrère in Rom bleiben wolle, doch Delcassés Kabinettschef fügte hinzu, Barrère sei viel zu ehrgeizig, als dass er sich mit Rom begnügen werde.[153] Am 9. November 1902 konnte Wedel berichten (Bihourd war inzwischen zum neuen Botschafter in Berlin ernannt worden), Barrère sei nach Rom zurückgekehrt und habe ihm erzählt, er habe seine Kandidatur nicht mit Nachdruck gestellt, um nicht Verlegenheit und Feindschaft zu schaffen; er habe es vorgezogen zu warten, werde aber bald einen wichtigen Posten übernehmen.[154] Gemeint war wohl London. Auch in den folgenden Jahren erschien Barrère in der deutschen Korrespondenz immer wieder als Bewerber für Berlin. Noch 1906 registrierte man deutscherseits Barrères Wunsch, Botschafter in Berlin zu werden, doch bezeichnete man diese allfällige Nomination als »durchaus unerwünscht«; man hätte Barrère aber, wenn für ihn die Alternative London oder Berlin gelautet hätte, lieber in der eigenen Hauptstadt gehabt.[155] Von Barrère selbst sind Briefe erhalten, worin er Ende 1900 Aussenminister Delcassé schrieb, dass der ihm persönlich bekannte Graf von Bülow auf die Gratulation anlässlich der Ernennung zum Reichskanzler herzlich gedankt habe; diesen Dank interpretierte Barrère so:

»Cela signifie, je pense, que si Berlin devient vacant, j'y serais bien accueilli.«[156]

Barrère war der Meinung, seine Arbeit in Rom werde in den nächsten 18 Monaten zuende gehen, und bat Delcassé deshalb, Berlin und Petersburg solange nicht neu zu besetzen. Anderthalb Jahre später, kurz bevor am 29. August 1902 Bihourd nach Berlin und Bompard nach Petersburg ernannt wurden, bat er Delcassé, mit seinem Entscheid zuzuwarten, bis er am 7. August in Paris ein-

---

[151] An Paul Cambon, 15. November 1895, Fonds Louis Cambon.

[152] PAAA Bonn, F 108, Bd. 12.

[153] Bülows Schreiben vom 11. April 1902 und Radolins Berichte vom 17. April, 5. und 16. Juli 1902, ebenda.

[154] PAAA Bonn, F 108, Bd. 13.

[155] Berichte Flotow, Tschirschky und Bülow vom 20. und 26. August und vom 10. September 1906, PAAA Bonn, F 108, Bd. 16.

[156] Vgl. Anm. 157.

treffe, und insbesondere den Inhaber der Berliner Botschaft nicht nach St. Petersburg zu verschieben –

> »de ne pas toucher à Noailles de façon à disposer de Berlin, le cas échéant, à tête reposée. [...] J'aurais beaucoup à vous dire au sujet du mouvement et du personnel.«[157]

### Rom-Quirinal

Die französische Botschaft beim Quirinal in Rom, der die Aufgabe zufiel, eine zu starke Anlehnung Italiens an das verbündete Deutschland zu verhindern und wenn möglich Italien sogar auf die Seite Frankreichs zu ziehen, war ein wichtiger, ein interessanter und deshalb von den Diplomaten der obersten Kategorie geschätzter Posten. Als Henri Cambon als Botschaftssekretär von Kairo nach Rom wechselte, erklärte ihm sein Vater, Rom sei viel wichtiger als Kairo, wo man inzwischen die französische Position zu räumen begonnen habe.

> »Virtuellement, l'Italie est détachée de la triple alliance, mais elle reste, en équilibre, elle oscille et c'est un travail de tous les instants pour l'attirer à nous sans lui causer de trop grands embarras du côté de Berlin.«[158]

Für Emmanuel de Noailles und Albert Decrais war Rom allerdings bloss Zwischenstation. Ersterer liess sich nach zehn Jahren Rom nach Konstantinopel versetzen und wechselte später nach Berlin. Letzterer wurde nach vier Jahren Rom noch Botschafter in Wien und London. Moüy, Mariani, Billot und Barrère hingegen beendeten ihre Karrieren in der italienischen Hauptstadt. Comte Charles de Moüy verliess, von seinem Nachfolger verdrängt, Rom mit 54 Jahren. Comte de Moüy hoffte, nach seiner Abberufung von Rom mit einem anderen Posten abgefunden zu werden, blieb noch während vier Jahren »mit besonderen Aufgaben« betraut und schied dann aus dem diplomatischen Dienst aus.[159] Jean-Baptiste-Félix Mariani, ein Cousin des damaligen Premierministers Floquet, starb in der Ewigen Stadt (vgl. unten). Albert Billot hätte Aussenminister und Botschafter in London werden können, er blieb aber gerne in Rom und demissionierte mit 56 Jahren aus gesundheitlichen Gründen.[160] Camille Barrère hatte es schon von München und dann von Bern aus auf Rom abgesehen[161]; nachdem er dann aber die Botschaft in Rom vier Jahre geführt hatte, hätte er diesen Posten gerne gegen einen anderen – gegen London oder Berlin – eingetauscht und blieb ungern während 26 Jahren in Italien. Aus einem Brief zu schliessen, den Barrère

---

[157] Briefe vom 11. und 30. Dezember 1900 und vom 18. Juli 1902, Papiers Delcassé, Diplomates I.

[158] Paul Cambon am 27. September 1906, Fonds Louis Cambon.

[159] Moüy an Aussenminister Goblet, 7. November 1888, Papiers Goblet.

[160] Zum Ärger Barrères, der auf seine Beförderung nach Rom wartete, lehnte Billot noch im Sommer 1897 eine Versetzung nach London ab. Barrère schrieb am 2. Juli 1897 Paul Cambon: »On a faiblement tâté Billot pour Londres. Billot a déclaré qu'il préférait son poste.« Fonds Louis Cambon.

[161] Notfalls wäre Barrère auch mit Madrid zufrieden gewesen, wofür er sich schon 1891 interessiert hatte und das er 1893 wieder in Aussicht gestellt erhielt. Und am 2. Mai 1897 schrieb er Marcel: »Faute de Rome je me résignerais à accepter Madrid dans certaines conditions.« Papiers Marcel.

am 6. Juli 1893 Paul Cambon schrieb, hätte Barrère schon damals in der Nachfolge Waddingtons nach London gehen können:

> »[...] on a voulu me bombarder à Londres; je m'y suis refusé parce que c'était vraiment trop enfantin. Ensuite on a pensé à Decrais.«[162]

Zur gleichen Zeit erscheint er aber in einem Brief an Hanotaux als übergangener Interessent für diesen Posten, der insbesondere eine Bevorzugung Montebellos nicht hingenommen hätte:

> »Si M. me passe sur les épaules, je prendrais mon parti et je m'occuperais sans regard des moyens de m'en aller.«[163]

Auch die Ernennung de Reverseaux' als Nachfolger von de Courcel hätte er als persönlichen Affront empfunden.[164] Seinem um acht Jahre älteren Kollegen und Freund, Paul Cambon, entgingen die Ambitionen nicht, die Barrère für London hegte.

> »Son idée de derrière la tête est évidemment de me succéder à Londres«,

schrieb er am 21. September 1906 seinem Sohn Henri Cambon, und dies sei ihm sehr recht, er und sein Bruder Jules Cambon würden vielleicht noch zwei bis drei Jahre bleiben, Barrère sei noch jung und dann der Letzte der »ancienne carrière.«[165] Dem englischen Botschafter gegenüber bestätigte Barrère, dass er nicht nach St. Petersburg wollte:

> »Barrère [...] said he would prefer to remain at Rome rather than anywhere else except London if Paul Cambon gave up.«[166]

Noch 1919 hätte er gerne Cambons Nachfolge in London angetreten. Barrère hatte während des Second Empire und nach dem Aufstand der Commune längere Jahre im englischen Exil verbracht, sprach englisch und schrieb Jusserand dann und wann englische Briefe. Als Barrère zwar nicht nach London oder Berlin gehen konnte, aber St. Petersburg angeboten erhielt und diesen Posten nicht annehmen wollte, spielte er das Argument aus, er müsse der Kontinuität wegen in Rom bleiben:

> »[...] cette maison est quelque chose de plus qu'une Ambassade [...] elle est presque un Gouvernement, dans le sens légitime que l'on peut donner à l'expression par rapport à une représentation étrangère. C'est le résultat de 21 ans de politique et d'efforts suivis.«[167]

---

[162] Fonds Louis Cambon.

[163] Brief vom 7. Juli 1893, Papiers Hanotaux, Bd. 17.

[164] Undatiertes Schreiben aus dem Jahr 1886 an Hanotaux' Kabinettschef Marcel, Papiers Marcel.

[165] Fonds Louis Cambon.

[166] Bertie an Grey, 3. November 1907, PRO, Privatpapiere Grey.

[167] An Pichon, 20. Januar 1908, Papiers Pichon, Institut.

Wien

Die französische Vertretung in Wien hätte ähnliche Ziele verfolgen können wie diejenige in Rom. Sie erscheint aber über Jahrzehnte nur als Ort gesellschaftlicher Verpflichtungen. Am 6. Januar 1893 riet Jules Ferry seinem Freund Albert Billot, er solle Wien nicht annehmen.

> »Vous faites à Rome d'excellente besogne et il n'y a rien à faire à Vienne que de recevoir et de parader, quand on a beaucoup d'argent.«[168]

Auch in Barrères Beurteilung erscheint Wien nicht als politisch wichtiger Posten; Jules Cambon schrieb seinem Bruder:

> »Il prétends qu'à Vienne avec 175 000 et le logement, on n'est pas plus malheureux qu'ailleurs.«[169]

Briand hingegen sprach von Wien als vom wichtigsten Posten der Diplomatie:

> »C'est la plus importante de toutes nos ambassades. Elle est au confluent des races, à proximité de l'Orient […].«[170]

Das ist allerdings ein für die Spätzeit typisches Urteil, als der Weltkrieg vor der Türe stand. Aber noch damals mass die französische Diplomatie Wien nicht die Bedeutung bei, die Briand ihm verbal attestierte. Keiner der französischen Botschafter in Wien fiel durch hervorragende Aktivität auf. René Dollot, Chronist und Archivar des Quai d'Orsay, weiss über Decrais' Jahre in Wien nur eine österreichische Pressestimme zu zitieren, wonach Decrais es verstanden habe, sich in der Wiener Gesellschaft eine eminente Stellung zu schaffen.[171] Dass der ehemalige Polizeichef Lozé diplomatisch nicht gross in Erscheinung trat, erstaunt nicht. Für de Reverseaux war Wien offenbar zu wenig interessant; er wäre, zumal er vorher in Kairo gewesen war, lieber nach Konstantinopel gegangen.[172] Und dass Chilhaud-Dumaine, der zuvor Gesandter in Mexiko gewesen war, 1912 in Wien eingesetzt wurde, ist auch nicht gerade ein Zeichen dafür, dass Wien als ein wichtiger Posten galt.[173] Crozier, der ehemalige Protokollchef des Quai d'Orsay und Vorgänger von Chilhaud-Dumaine in den Jahren 1907–1912, interessierte sich anscheinend auch mehr für gesellschaftliche als diplomatische Fragen. Auf die österreichisch-russischen Vereinbarungen in der Bosnien- und Herzegowina-Frage Bezug nehmend und Croziers mangelnde Berichterstattung kritisierend, schrieb Paul Cambon am 5. Oktober 1908:

---

[168] FERRY, Lettres, S. 565.

[169] Brief vom 21. März 1886, Papiers Jules Cambon, Bd. 25.

[170] Aristide Briand zu Mgr. Lacroix in einem 2 1/2 Stunden dauernden Gespräch vom 10. Februar 1914, *Revue de Paris* vom 1. Oktober 1930, S. 649.

[171] DOLLOT, Decrais, S. 34.

[172] Bericht Radowitz vom 12. Dezember 1897, PAAA Bonn, F 108, Bd. 9. Sowie de Reverseaux an Hanotaux, 4. Oktober 1898, Papiers Hanotaux, Bd. 28. Der deutsche Botschafter in Wien, Graf von Wedel, berichtete am 19. Juni 1906, de Reverseaux verfüge in Wien über keinen grossen Einfluss, PAAA Bonn, F 108, Bd. 15.

[173] In seinen Memoiren berichtet Chilhaud-Dumaine lediglich über das Leben der Wiener Gesellschaft und über die allgemeinen diplomatischen Vorgänge.

> »Notre ambassadeur à Vienne était le seul qui gardât le silence; évidemment la politique ne le regarde pas et il s'entretient d'autres sujets avec ses collègues.«[174]

Von Clemenceau ist ein ähnliches Diktum überliefert:

> »Nous n'avons pas d'ambassadeur à Vienne, nous ne savons rien par lui et nous n'y sommes pas représentés.«

Der österreichische Diplomat Khevenhüller, der dies aus Paris berichtete, urteilte selbst:

> »Ich halte ihn nicht für einen hervorragenden Vertreter, er ist uns jedoch im allgemeinen freundlich gesinnt und bei einem Wechsel würden wir kaum gewinnen.«[175]

Schon 1909, drei Jahre vor der tatsächlichen Abberufung ist davon die Rede, dass Crozier mit Constans und Touchard zurückgerufen werde. Der englische Botschafter dazu:

> »Clemenceau and Pichon have a great contempt for Crozier. Pichon says that his information is unreliable and a few days ago he observed to me that Crozier ought never to have been transferred from the Protocole where he was admirable to a post abroad.«[176]

Das Urteil von Pichon und Clemenceau mag erstaunen, wenn man bedenkt, dass es ja die beiden gewesen waren, die Crozier zum Botschafter gemacht hatten. Constans und Touchard wurden in der Tat im Sommer 1909 abberufen, Crozier aber blieb. Im dritten Monat von Poincarés Aussenministerium wurde Crozier schliesslich doch abberufen, nachdem der neue Aussenminister vom ersten Tag an dessen Ersetzung gefordert hatte. Paul Cambon dazu:

> »Cette mesure un peu brutale ne s'implique par aucun fait connu.«[177]

Crozier wurde zurückgerufen, ohne dass zuvor wie üblich die Nachfolge geregelt worden war. Lancken, deutscher Botschaftsrat in Paris, wusste am 18. Februar 1912 zu berichten, Crozier wolle nur gehen, wenn man ihm eine gute Versorgung sichere. Die Regierung habe auf ein Finanzinstitut Druck ausgeübt und für Crozier einen Posten mit einem Jahreseinkommen von 60 000 Francs erhalten.[178] Bei diesem Finanzinstitut muss es sich um die Société Générale gehandelt haben.[179] Für Croziers Abberufung können persönliche Differenzen mit seinem Botschaftsrat Guillemin bestimmend gewesen sein.[180]

---

[174] Papiers Jules Cambon, Bd. 25.

[175] Bericht vom 9. Januar 1909, Oester. Dok., Bd. 1, Nr. 867. René Dollot überliefert uns ein spätes Urteil Barrères aus dem Jahr 1927: »Ce n'est pas un Ambassadeur.« RHD 1950, S. 186.

[176] Bertie an Grey, 11. März 1909, PRO, Privatpapiere Grey.

[177] Brief an Henri Cambon vom 25. März 1912, Fonds Louis Cambon.

[178] PAAA Bonn, F 108, Bd. 19.

[179] Vgl. *Cri de Paris* vom 18. Februar 1912 und Les Carnets de Georges Louis, Eintrag vom 5. Januar 1914, Bd. 2, S. 87.

[180] Vgl. SAINT-AULAIRE, Confession, S. 206; und Bericht Tschirschky vom 29. Oktober 1909, PAAA Bonn, F 108, Bd. 18.

Konstantinopel

Konstantinopel, die erste der Botschaften, die nicht zu den grossen Fünf zählten, müsste, gemessen am Interesse, das die Grossmächte dem Osmanischen Reich entgegenbrachten, als wichtiger Posten bezeichnet werden. Seine Wichtigkeit wurde durch die besondere Stellung Frankreichs als formell anerkannter Protektor der christlichen Gemeinschaften im Orient und durch die Weitläufigkeit des konsularischen Dienstes erhöht, der jener Botschaft unterstellt war. Während sich de Noailles von Rom, Montebello von Brüssel und Paul Cambon von Madrid nach Konstantinopel befördern liessen, zog es de Chaudordy vor, in Erwartung einer Beförderung nach London Konstantinopel auszuschlagen. Der Aussenminister Jules Favre hatte gewiss recht, wenn er 1871 sagte, das Osmanische Reich sei das Feld, auf dem die Grossmächte ihre Kräfte messen würden, doch auch der Comte de Chaudordy, der 1875 in Konstantinopel Verhandlungen geführt hatte, schätzte die Situation richtig ein, wenn er die Auffassung vertrat, die Orientpolitik würde in St. Petersburg, London, Berlin und Wien gemacht.

> »[...] c'est là que, depuis de longues années, les grandes Cours sont habituées à essayer leurs forces et à mesurer leur puissance.«[181] – »La question politique se resoudra à St. Pétersbourg, Londres, Berlin ou Vienne et entre les maitres de ces pays, Constantinople éprouvera seulement le contrecoup de décisions déjà prises.«[182]

Dies musste ein verärgerter Paul Cambon während seiner Amtszeit als Botschafter von Konstantinopel persönlich erfahren, als die französische Orientpolitik zu einem grossen Teil zwischen Paris und St. Petersburg ausgehandelt wurde. Wenn Hanotaux am 3. August 1895 Paul Cambon schreibt,

> »je crois que j'ai habitué les gouvernements à s'adresser à vous toutes les fois qu'il y a quelque chose à faire ou à éclaircir«,

so zeigt diese Äusserung, dass die Orientfragen vorher nicht in Konstantinopel besprochen wurden. Dem war schon unter Ribot so. Aussenminister Ribot antwortete Cambon auf dessen Klage über mangelnde Einheit in der Orientdiplomatie, das heisst eben wegen der Parallelität der Verhandlungen:

> »Vous avez raison. Je ne demande pas mieux que de vous aider à centraliser entre vos mains les affaires qui doivent être traitées à Constantinople.«[183]

Zwischen Hanotaux und Paul Cambon kam es über dieser Situation zu Differenzen, als der Aussenminister 1896 begann, die Orientfragen selbständig mit St. Petersburg zu verhandeln.[184]

---

[181] Favre an den französischen Botschafter in Konstantinopel, Marquis de Vogüé, 12. Juni 1871, DDF, Série I, Bd. 1, Nr. 8.

[182] Chaudordy an Valfrey, 18. Juni 1876, Papiers Chaudordy.

[183] Brief vom 3. Januar 1892, MAE, Papiers Paul Cambon.

[184] Vgl. etwa Paul Cambon an Hanotaux, 2. Novembez 1896, Papiers Hanotaux, Bd. 19.

## Madrid

Madrid, wo Frankreich seit der Herrschaft Ludwigs XIV. ausser dem Vatikan als einzige Macht einen Vertreter im Rang eines Botschafters unterhielt, rangierte im Grunde als Hauptstadt einer zweitklassigen Macht hinter Wien. Der Posten nahm aber auf Grund der diplomatischen Tätigkeit, welche den deutschen Einkreisungsversuchen entgegenzuwirken und Frankreichs Interessen in Nordafrika zu verteidigen hatte, gegenüber Wien eher eine vorrangige Stellung ein. Für sieben von zwölf Spitzendiplomaten war der Posten in der spanischen Hauptstadt nur Durchgangsstation. Und sieben der nach Madrid ernannten Botschafter hatten zuvor leitende Posten in Nordafrika innegehabt: Roustan und Paul Cambon in Tunesien, de Reverseaux und Geoffray in Kairo, Jules Cambon und Revoil in Algerien, Letzterer auch in Tanger wie Patenôtre.

## Rom-Vatikan

Wenig begehrt war die Botschaft beim Vatikan, weil dem Vertreter beim Papst – einer allgemeinen, hier aber stärker wirkenden Tendenz folgend – Sympathien oder innere Affinitäten zu Gastland und Gastgeber unterstellt wurden und der Botschafter beim Vatikan darum antiklerikalen Attacken ausgesetzt war. Dies war der Grund, weshalb de Broglie diese Vertretung nicht übernehmen wollte und Desprez als Botschafter beim Vatikan (1880–1882) eher unglücklich war.[185] Dies wurde auch Edouard Lefebvre wohl zutreffenderweise nachgesagt, der sich während über 13 Jahren (Oktober 1882–Mai 1896) für ein gutes Verhältnis zwischen seinem Land und dem Gastgeber einsetzte, aber schon 1893 Ziel von Abberufungsplänen war.[186]

Die Vertretung beim Papst wäre an sich ein wichtiger Aussenposten gewesen. Frankreich nahm als »grösste katholische Nation«, wie Aussenminister Barthélemy-Saint-Hilaire 1881 Frankreich nannte, und als traditionelle Schutzmacht des Papstes und als Konkordatspartner eine wichtige Stellung ein; nur Österreich, Spanien und Portugal waren ebenfalls durch Botschafter vertreten. Der Papst wäre als Gegenspieler des mit Deutschland verbündeten Italien und als Opfer des deutschen Kulturkampfes ein natürlicher Verbündeter Frankreichs gewesen, dessen Macht, wie der französische Aussenminister 1881 im Parlament betonte, diejenige einer 100 000 Mann starken Armee übersteige. Der Aussenminister wies darauf hin, dass man sogar 1793 die Beziehungen zum Vatikan nicht abgebrochen und Napoleon die Wichtigkeit dieses Postens mit dem Abschluss des Konkordates von 1801 anerkannt habe. Im Zentrum stand aber das Argument, dass bloss Frankreichs Rivalen vom Abbruch der Beziehungen zum Vatikan profitieren würden.[187]

---

[185] Jules Cambon wurde 1898 and 1902 aus dem gleichen Grund abgeraten, die Botschaft beim Vatikan zu übernehmen.

[186] BAILLOU, Affaires étrangères, S. 303.

[187] Rede vom 5. Juli 1881, ausser im Journal Officiel abgedruckt in: Jules BARTHELEMY-SAINT-HILAIRE, Fragments pour l'histoire de la diplomatie française, Paris 1882, S. 266–270.

Der Vatikan erscheint in einem Brief Gérards, des damaligen Geschäftsträgers der Botschaft beim Quirinal, als potentieller Verbündeter Frankreichs.[188] Und Lefebvre de Béhaine, Botschafter beim Vatikan[189], schreibt zur gleichen Zeit, der Gegensatz zwischen Vatikan und Quirinal sei aus französischer Sicht zu begrüssen:

> »Nous sommes bien loin de la consiliazione; je ne le regrette pas, car la conciliation pour les Italiens, c'était l'enrôlement de la Papauté au service de la Maison de Savoie, alias de la Triple Alliance.«[190]

Diese geistige Macht sollte für die eigene Sache gewonnen und gleichzeitig vor fremdem Einfluss wenn möglich abgeschirmt werden. Im Speziellen ging es darum, die 1878 durch den Berliner Kongress bestätigte Stellung Frankreichs als Protektor der orientalischen Christenheit zu halten und die Interessen der 18 religiösen Institute, die Frankreich in Rom unterhielt, zu wahren.[191] Barthélemy-Saint-Hilaire betonte 1881:

> »[...] c'est par les mains de notre ambassadeur près du Saint-Siège que passent toutes les affaires des missionnaires. A tout moment, un grand nombre de questions délicates et compliquées sont résolues par son entremise.«[192]

Die französische Vertretung beim Heiligen Stuhl wurde durch parlamentarische Vorstösse anlässlich der allgemeinen Budgetdebatten immer wieder in Frage gestellt. 1876 eröffnete Pierre Tirard in der Budgetkommission mit einem Antrag auf Abschaffung der Botschaft die Reihe der Vorstösse. 1879 folgte ihm Benjamin Raspail. 1881 war es Madier de Montjau, der mit seinem Antrag auf Streichung des Betrages von 110 000 Francs für die Besoldung des Botschafters die Vertretung beim Vatikan aufheben wollte und mit 171 gegen 202 Stimmen unterlag. Penlevey drang mit dem Antrag nicht durch, sich mit einem Geschäftsträger zu begnügen (was der Vatikan nicht angenommen hätte) und den Budgetposten deshalb um die Hälfte zu reduzieren. Penleveys Antrag wurde mit 268 gegen 173 Stimmen abgelehnt. Die Aufhebung der Vertretung beim Vatikan wurde mit den Argumenten verfochten, dass der Papst nach seinem Verlust der weltlichen Rechte nur noch eine Scheinsouveränität aufrecht erhalte und die französische Republik gegenüber dem italienischen Volk moralisch verpflichtet sei, seine Beziehungen zu dem restaurativ oder revanchistisch gesinnten Kirchenfürsten abzubrechen.[193]

1887/88 tat sich Camille Pelletan hervor und fragte, wie es denn möglich sei, dass über die Tätigkeit einer Botschaft, deren Wichtigkeit man immer betone, nie

---

[188] Brief an Goblet vom 9. September 1888, Papiers Goblet.

[189] Vgl. auch den Aufsatz über Lefebvre de Béhaine, der von 1882–1895 französischer Botschafter beim Vatikan war, in: BAILLOU, Affaires étrangères, S. 295–305.

[190] Brief an Goblet vom 20. Juni 1888, Papiers Goblet.

[191] Über das religiöse Protektorat informieren: Georges OUTREY, Etudes pratiques sur le Protectorat religieux de la France en Orient, 1898 (MAE, Mémoires et Documents, Turquie, Bd. 107). Sowie die allgemeinen Dossiers der Nouvelle Série, Saint-Siège, Protectorat de la France, Bde. 28–38. Ferner: François CHARLES-ROUX, France et chrétiens d'Orient, Paris 1939.

[192] Siehe oben, Anm. 187.

[193] Verhandlungen vom 5. Juli 1881.

ein Farbbuch erscheine; die Kredite für diese Botschaft hätten im Grunde den Charakter von Geheimfonds-Geldern. Die »ewige Debatte«, wie sie 1902 im Budgetbericht genannt wurde, fand erst 1904 ein provisorisches Ende.[194] Die Budgetdebatte vom 24. November 1903 brachte nochmals eine Abstimmung über die Beibehaltung der Botschaft beim Vatikan. 324 stimmten dafür, 231 waren für den von sozialistischer Seite eingebrachten Vorschlag, »die überflüssigste der Botschaften« aufzuheben und die Kredite um 60 000 Francs zu reduzieren.

Staatschef Loubet stattete dem italienischen König 1904 in Rom einen offiziellen Besuch ab und löste damit den scharfen Protest des Papstes aus. Die Spannungen zwischen dem Vatikan und dem vom Antiklerikalismus beherrschten Frankreich erwiesen sich damals als so stark, dass es zum offenen Bruch kam, Frankreich seinen Botschafter zurückrief und seine Botschaft schloss.[195] Die beziehungslose Zeit sollte, wie dargelegt, bis 1920 dauern. Da die beiden französischen Vertretungen in Rom immer in einem etwas konkurrenzierenden und leicht gespannten Verhältnis zueinander gestanden haben, war diese Lösung dem Inhaber der verbleibenden Botschaft beim Quirinal sehr recht. Barrère konnte im Oktober 1906 einem jüngeren Diplomaten die Pflege der inoffiziellen Beziehungen anvertrauen, Paul Ollé-Laprune, der als Sohn des engagiert katholischen Philosophielehrers Léon Ollé-Laprune Zugang zum Vatikan hatte. Saint-René Taillandier bedankte sich am 25. Oktober 1906 bei Barrère für die Ernennung seines Neffen:

> »Vous savez ses convictions religieuses. Vous aurez vite fait de constater par vous-même combien il est éloigné d'être un clérical si on réserve ce mot comme on le devrait aux insensés qui font de la religion un parti politique.«[196]

1920 nahm während Briands Aussenministerium die französische Botschaft beim Vatikan ihre Tätigkeit mit der Entsendung Jonnarts wieder offiziell auf. Premier- und Aussenminister Edouard Herriot vom Cartel des Gauches (Juni 1924–April 1925) machte diesen Schritt dann aber wieder rückgängig, doch das nachfolgende Kabinett Painlevé, wiederum mit Aussenminister Briand, nahm die diplomatischen Beziehungen auf Botschafterebene mit dem Vatikan erneut auf.

Wie war das Verhältnis zwischen den beiden französischen Vertretungen in Rom? Die waren in den 1870er und 1880er Jahren gewiss stärker als zu den Zeiten Billots und Barrères. Deshalb konnte Billot feststellen:

> »Le temps n'était plus où les deux représentants de la France à Rome, vivant chacun dans un monde différent, se croyaient séparés par des convenances professionnelles.«[197]

---

[194] Budgetbericht 604 der Kammer für 1903, S. 31 f.

[195] Eine gute Übersicht über die Vorgänge, die zum Abbruch der Beziehungen geführt haben, gibt Dubiefs Budgetbericht Nr. 1946 der Kammer für das Jahr 1905, S. 66–95. Vgl. ferner Maurice M. J. LARKIN, Loubets Visit to Rome and the Question of Papal Prestige, in: Historical Journal 4 (1961), S. 97–103.

[196] Papiers Barrère. Vgl. auch LAROCHE, Quinze ans à Rome, S. 142.

[197] BILLOT, Les Débuts d'une ambassade, in: Revue de Paris, April 1902, S. 537–555.

Jules Laroche schrieb für 1898 sogar, die Beziehungen seien, nachdem die beiden Botschaften zuvor völlig aneinander vorbeigelebt hätten, ausgesprochen herzlich gewesen.[198] Der institutionelle Antagonismus aber blieb.

*

Eine besondere Kategorie bildeten die kleineren Posten in Frankreichs Nachbarschaft: Bern, Brüssel, Den Haag und – schon etwas entfernter – Kopenhagen. Die Beliebtheit dieser Posten war grösser als ihre Wichtigkeit und erklärt sich mit der geringen Entfernung, das heisst der Leichtigkeit der Verbindungen zur Metropole.

### Bern

Den ersten Rang in dieser Gruppe nahm zweifellos die Vertretung in der Schweiz ein, wo Frankreich, seitdem es 1530 in Solothurn eine Botschaft errichtet hatte, immer eine diplomatische Vorrangstellung eingenommen hatte und auch nach 1870 noch einnahm – zum Leidwesen der Schweiz und zum Ärger anderer Mächte.

> »La France croyait favoriser considérablement sa politique en donnant à ses représentants auprès de la Diète le plus haut diplomatique, à l'effet de reléguer les envoyés des autres Etats à l'arrière-plan.«[199]

Im Weiteren war der Posten phasenweise statt mit Botschaftern nur mit Ministern besetzt.[200] Vom schweizerischen Gesandten in Berlin, Arnold Roth, erfuhr de Saint-Vallier Ende 1878, man hoffe in der Schweiz, dass die vakante Botschaft wiederum nur mit einem Minister besetzt und dadurch zu einer gewöhnlichen Gesandtschaft würde.

> »On espère aussi que M. Challemel viendra comme Ministre et qu'avec lui disparaîtra cette anomalie impossible à justifier d'un ambassadeur dont les prérogatives sont une gêne constante pour le gouvernement fédéral et une cause de froissements très désagréables dans le corps diplomatique.«[201]

Als Barrère im April 1894 nach Bern geschickt wurde, war er mit seinen 43 Jahren der Jüngste des diplomatischen Korps und als Ranghöchster dennoch dessen Doyen. Lardy schrieb am 14. April 1894:

> »Si le Conseil fédéral voulait demander que le rang du représentant de la France fût modifié, ce serait le moment.«

Am 16. April 1894 antwortete das Politische Departement, es sei nicht abgeneigt, die Parität herzustellen.[202] Die Parität wurde erst nach dem Bundesratsbeschluss

---

[198] LAROCHE, Quinze ans à Rome, S. 7 f.

[199] C. BENZIGER, Les représentations diplomatiques étrangères en Suisse de 1798 à 1927, in: Bulletin Consulaire Suisse, Jg. 7, Februar 1928, Supplément Nr. 13, S. 3.

[200] In den Jahren 1798–1804, 1808–1824, 1831, 1849–1858, 1868–1874.

[201] Brief an Aussenminister Waddington vom 21. Dezember 1878, Papiers Waddington.

[202] BA Bern, E2/741.

vom 17. Februar 1953, aber nicht durch die Abwertung der französischen Vertretung, sondern durch die Aufwertung anderer Vertretungen hergestellt.[203]

Der Leiter der Mission in Bern führte den Grad eines Botschafters, doch konnte er mit dieser Situation weitere Ambitionen verbinden und Bern als Warteposten verstehen. Für Challemel-Lacour war Bern ein bescheidener Anfang, dem nach kurzer Zeit die Berufung nach London folgte. Bereits bei der Ernennung Lanfreys im Herbst 1871 spielte der Gesichtspunkt offenbar eine Rolle. Comte d'Haussonville schrieb im Vorwort zu Lanfreys Briefen:

> »M. Thiers lui rendait service en l'envoyant pour ses débuts représenter la France dans un pays démocratique, de moeurs simples, où le nouvel ambassadeur était assuré de rencontrer et rencontra en effet le plus sympathique accueil.«[204]

In Bern wartete Barrère bekanntlich auf seine Berufung nach London, Rom oder Madrid. Für Paul Revoil war Bern nur eine Station zwischen Paris und Madrid. Er hätte nach dem Willen seiner Freunde Etienne und Thomson Madrid, das er 1907 dann tatsächlich auch erhalten sollte, oder er hätte schon damals Konstantinopel erhalten sollen und musste sich schliesslich mit Bern zufrieden geben.[205]

Revoil war am 28. November 1905 zum Botschafter in Bern ernannt worden, damit er, mit dem Botschaftergrad versehen, am 1. Dezember 1905 als französischer Handlungsbevollmächtigter an der Konferenz von Algéciras in Funktion treten konnte. Die Konferenz ging im März 1906 zu Ende, sodass Revoil erst im Mai 1906 den Posten in Bern auch tatsächlich antrat. Bereits wenige Monate später wurde er abermals befördert und übernahm zu Beginn des Jahres 1907 die französische Botschaft in Madrid.

> »La nomination Revoil à Berne s'exécute décidément. Il sera à son poste le 1er Juin.«[206]

Bern wurde vor allem von denjenigen geschätzt, die Botschafter sein und zugleich in der französischen Innenpolitik ein Wort mitreden wollten. Lanfrey und Chaudordy waren gleichzeitig Mitglieder der Nationalversammlung. Chaudordy bemerkte in seinen *Considérations*:

> »Par ma position d'ambassadeur en Suisse j'avais des relations très intimes avec le gouvernement.«

Der Botschafter in Bern war damals zugleich Mitglied der parlamentarischen Kommission, die den Indochina-Vertrag von 1874 vorzuberaten hatte. Er hätte sogar die Berichterstattung übernehmen sollen, lehnte aber ab, weil er mit dem

---

[203] Geschäftsbericht des Bundesrats für das Jahr 1953, S. 114.

[204] LANFREY, Correspondance, Bd. 1, S. 165.

[205] Bericht Stumm aus Madrid vom 13. November 1905 und Bericht Flotow vom 23. November 1905, PAAA Bonn, F 108, Bd. 15.

[206] Kabinettschef Daeschner an Jules Cambon, 22. April 1906, Papiers Jules Cambon, Bd. 11. Dass ein Zusammenhang zwischen Revoils Entsendung nach Bern und Revoils Status an der Algéciras-Konferenz bestand, geht aus einem Brief von Des Portes an Jusserand vom 4. Dezember 1905 hervor, Papiers Jusserand. Zur Akkreditierung in der Schweiz siehe in BA Bern das Dossier B 2001/702.

Vertrag nicht einverstanden war.[207] Challemel-Lacour, Arago und d'Aunay waren gleichzeitig Mitglieder des Senats. Bern war mit insgesamt 23 von 43 Jahren wesentlich länger mit Parlamentariern besetzt als andere Botschaften.

Eine weitere Überlegung spielte ebenfalls eine Rolle: Wie man in Paris meinte, das anspruchslose Bern dem Anfänger Challemel-Lacour überlassen zu können, muss Delcassé angenommen haben, Bern sei so bescheiden, dass es ihn auch dann akzeptieren werde, wenn er wegen privater Affären für eine Vertretung bei den »grossen Höfen« zu kompromittiert sei (vgl. unten). Aus rein diplomatischer Sicht war Bern von geringer Bedeutung. Bezeichnenderweise erhielt Barrère 1894 bei seiner Ernennung nach Bern von einem Kollegen so etwas wie ein Kondolenzschreiben:

> »J'attendais pour vous un autre poste, où votre activité eût trouvé un champ d'action plus large.«[208]

Albert Billot, Botschafter beim Quirinal, tröstete Barrère, indem er Bern als Durchgangsposten für etwas Besseres und ausserdem als guten Beobachtungsposten bezeichnete und beifügte, dass die schweizerisch-französischen Beziehungen immerhin eine Verbesserung dringend nötig hätten. Auf das Alter des 82-jährigen Vorgängers anspielend, bemerkte Billot weiter, er habe damit gerechnet, dass Arago in Bern den 100. Geburtstag feiern könnte.

Als Jules Cambon 1899 von Washington aus einen diplomatischen Posten in Europa suchte, stand einen Moment lang zur Diskussion, ob er die Botschaft in Bern übernehmen und zugleich in Lyon für den Senat kandidieren sollte. Im September 1899 musste Bern nach dem Tod Montholons neu besetzt werden. Jules Cambon bemühte sich vergeblich um den Posten. Nicht er, sondern Bihourd wurde Gesandter in Bern. Zuvor hatte ihn sein Bruder ermahnt, eine allfällige Ernennung nach Bern nicht als Beleidigung zu empfinden.

> »Pour toi, si la combinaison Berne se présente, je te conseille de l'accepter non comme une injure mais comme une solution très favorable à tes projets sur Lyon.«[209]

Im Weiteren erklärte er ihm, Bern habe den Vorteil der Nähe und der Distanz. Man könne beobachten und einwirken und zugleich im Hintergrund bleiben und sich aufsparen:

> »Si tu es à Berne, à 2 pas de Lyon, ta candidature pour le Sénat se pose d'elle-même et j'aimerais mieux à ta place être sénateur et ambassadeur à Berne que simplement ambassadeur à Berlin ou même que sénateur et ambassadeur à Berlin.«[210]

---

[207] Jean-Baiptiste-Damaze de CHAUDORDY, Considérations sur la politique extérieure et coloniale de la France, Paris 1897, S. 29.

[208] Brief vom 21. April 1894, Papiers Barrère.

[209] Paul Cambon an Jules Cambon, 18. Februar 1899, Fonds Louis Cambon.

[210] Ebenda.

Und in einem Brief an die Mutter:

> »Il a tort, Berne serait un poste merveilleux en ce moment. Il serait là en observation, maître de ses actions, près de Paris tout en étant assez loin pour s'isoler et se réserver.«[211]

Zwei Jahre zuvor hatte er sich ähnlich geäussert:

> »Considérer la nomination à Berne comme une déchéance serait un enfantillage.«[212]

Jules Cambon war tatsächlich eine Kandidatur für den Senat angeboten worden. Ende 1899 verzichtete er aber definitiv auf diese Möglichkeit, weil sie »l'affaire de Berne« oder sogar seine Stellung in Washington hätte gefährden können. Jules Cambon hoffte in der Tat, die am 31. Januar 1900 schliesslich Bihourd zugesprochene Botschaft in Bern erhalten zu können. Sein Bruder Paul Cambon bedauerte den Verzicht auf die Senatskandidatur, da sie Jules dem Posten in Bern nicht näher bringe und Washington nicht gefährde; doch fand auch er, ein Verzicht sei vielleicht besser, weil sein Bruder in Lyon Edouard Aynard, den mächtigen Präsidenten der Lyoner Handelskammer und Vizepräsidenten der Deputiertenkammer, und die Regierung gegen sich gehabt hätte und ihm für die Kandidatur zu wenig Mittel zur Verfügung gestanden hätten. Der nicht unbegüterte Botschafter in London bemerkte:

> »C'est en ces moments-là qu'on regrette amèrement l'absence de fortune.«[213]

Nähe und Distanz, dies liess 1902, wie bereits angedeutet, selbst in Aussenminister Delcassé vorübergehend den Wunsch wach werden, seinen Sitz in der Kammer gegen einen im Senat einzutauschen und die Botschaft in Bern zu übernehmen. Nachdem Delcassés Gattin und deren Tochter wegen einer Delcassé belastenden Skandalgeschichte Paris vorübergehend verlassen hatten, berichtete der englische Aussenminister Lansdowne dem englischen Botschafter in Paris, Edmund Monson, was er vom französischen Botschafter in London über Delcassé erfahren hatte:

> »I am told that what especially weighs with him is that a seat in the Senate is not incompatible with taking an Embassy. He had in his eye the post at Berne; where he could have be taken himself with his wife, in spite of all the scandal which would make it difficult on her account for him to be accredited to a great court.«[214]

Im Zusammenhang mit der möglichen Übernahme der Botschaft Bern durch Delcassé wurde gesagt, der Botschafter in der Schweiz könne im Grunde wohnen, wo er wolle, und dass Arago auch hauptsächlich in Nizza gelebt habe. Anderseits war es Aragos dringender Wunsch gewesen, in Bern ernannt zu werden.

---

[211] Paul Cambon an seine Mutter, 20. Februar 1899, ebenda. Vgl. auch VILLATE, République, S. 202.

[212] Brief vom 1. April 1897, Fonds Louis Cambon.

[213] Paul Cambon an seinen Bruder am 16. Januar und an seinen Sohn am 22. Januar 1900, Fonds Louis Cambon.

[214] Brief vom 31. Dezember 1902, PRO, Privatpapiere Lansdowne.

Lange vor seiner Ernennung hatte er sich von dem mit ihm befreundeten Präsidenten Grevy Bern versprechen lassen, sobald es frei werde. Von Bihourd ist überliefert, Bern habe ihn gelangweilt, er sei aus diesem Grund oft nicht auf seinem Posten gewesen. Und Daeschner schliesslich hätte sich 1906 ungern auf diesen »langweiligen« Posten schicken lassen:

> »Daeschner redoute cet endroit ennuyeux.«[215]

1887 hätte der Comte d'Ormesson hingegen, der kurz darauf nach Athen und später nach Brüssel geschickt wurde, gerne von Lissabon nach Bern gewechselt, weil er auf diese Weise endlich zum Botschafter befördert worden wäre; Bern wäre ihm aber auch aus klimatischen Gründen und wegen der Ausbildung seiner Kinder sehr recht gewesen:

> »Pour le cas où la vacance de Londres réagirait indirectement sur le Poste de Berne, où celui-ci deviendrait vacant et où le Ministre jugerait le moment venu de penser à moi pour une ambassade, laissez-moi vous dire tout simplement que, pour diverses raisons d'ordre privé, climat, facilités d'éducation, la résidence de Berne me serait actuellement très agréable. De votre côté, peut-être auriez-vous avantage, à un moment donné, à vous assurer la Disposition de Lisbonne?«[216]

Nisard, der Politische Direktor des Quai d'Orsay, musste 1898 nach Hanotaux' Sturz ausser Haus befördert werden und erhielt darum verschiedene Angebote. Er schlug zwei besser bezahlte und angesehenere Posten aus, um in der Schweiz, wo er seit 30 Jahren die Ferien verbrachte, Botschafter zu werden!

> »M. Nisard a demandé Berne et a persisté à demander Berne malgré l'offre de deux postes mieux payés et plus en vue.«[217]

Nisard musste dann noch ein paar Wochen in Paris bleiben und ging Ende 1898, aber nicht nach Bern, sondern widerwillig nach Rom. Schweizerischerseits muss man es offenbar geschätzt haben, wenn die Diplomaten keine allzu eifrigen Aktivitäten entwickelten. Zur Ernennung Montholons schrieb Lardy am 24. Dezember 1897:

> »[…] il ne fait pas de zèle et a les qualités qu'il faut à Berne pour nous laisser tranquilles.«[218]

## Brüssel

Brüssel war nur in einem Punkt weniger attraktiv als Bern: Frankreich unterhielt dort statt einer Botschaft nur eine Gesandtschaft. Picard, der 1871 bis 1873 Mitglied der Nationalversammlung und zugleich Botschafter in Brüssel war, muss wie Gérard, der 1897 bis 1906 den gleichen Posten verwaltete, an Brüssel die Möglichkeit geschätzt haben, mit Frankreich in dauerndem Kontakt bleiben und

---

[215] Paul Cambon an seinen Sohn Henri, 18. Juni 1906, Fonds Louis Cambon; Daeschner war 1898–1905 Paul Cambons Mitarbeiter in London und wurde es wieder 1908 für weitere drei Jahre.

[216] D'Ormesson an den Kabinettschef Marcel, 19. Juli 1897, Papiers Marcel.

[217] Lardy über eine Auskunft Delcassés in einem Bericht vom 19. Oktober 1898, BA Bern, E 2001/702.

[218] Ebenda.

seine freundschaftlichen wie seine politischen Beziehungen pflegen zu können. Aussenminister de Rémusat tröstete Picard anlässlich seiner Ernennung:

> »[...] la Belgique qui en effet vous éloigne moins de l'Assemblée qui doit vous servir de centre et rester le principal théâtre de votre action politique.«[219]

Picards Biograph überliefert denn auch, Picard sei »fort régulièrement« nach Versailles gekommen. Die konservative Presse habe kritisiert, dass Picard öfter in Versailles als in Brüssel sei, sie sei dann aber verstummt, als Target »quasi-ambassadeur« in Holland geworden sei.[220] Im Juli 1873 war Picard allerdings schon nicht mehr in Brüssel. Gérard schreibt in seinen Memoiren:

> »Pendant ma mission de Belgique, j'eus la faculté de rester en communication constante avec la France. Je pus ainsi, non seulement continuer mes relations avec mes amis [...], mais me tenir en contact avec les événements et la vie politique de mon pays.«[221]

Wladimir d'Ormesson schrieb von seinem Vater, der 1906–1909 Gesandter in Brüssel war:

> »En attendant une ambassade, il convoitait Bruxelles en raison de la proximité de Paris.«[222]

In der gleichen Darstellung ist von einer weiteren Eigenschaft die Rede, die als Vorzug dieses Postens empfunden wurde:

> »L'existence à Bruxelles était si semblable à celle de Paris!«[223]

Als sich Paul Cambon, ohne ein entsprechendes Angebot erhalten zu haben, im Herbst 1880 überlegte, ob er nicht von Lille, wo er Préfet du Nord war, nach Brüssel wechseln könnte, nannte er unter den Vorzügen neben der Nähe zu Paris und der Problemlosigkeit des Postens einen weiteren Vorzug:

> »l'inutilité de savoir une langue étrangère.«

Als ein Nachteil neben der grossen Belastung des Privatvermögens nannte er, dass der Posten sehr begehrt sei, was ihn schwer erreichbar machte und zudem in sich trug, dass man ihn unter Umständen schnell wieder abgeben müsste.[224]

Die Versetzung von der Gesandtschaft Brüssel nach der Gesandtschaft Athen empfand Bourée als Abstieg. Frédéric-Albert Bourée ist einer der wenigen Diplomaten, die wegen ihrer diplomatischen Tätigkeit in Ungnade gefallen sind. Er wurde im Mai 1883 aus China, wo er Gesandter Frankreichs war, abberufen. Das Kabinett Ferry warf ihm eigenmächtiges Vorgehen und ungenaue Berichterstattung vor, doch wurde er nach Ferrys Sturz von de Freycinet rehabilitiert und zunächst zum Gesandten in Kopenhagen gemacht. Dass er den Wechsel nach

---

[219] 8. November 1871, RÉMUSAT, Mémoires, Bd. 5.

[220] RECLUS, Picard, S. 327 f. und 334.

[221] GERARD, Vie, S. 353.

[222] ORMESSON, Enfances diplomatiques, S. 196.

[223] Ebenda, S. 169.

[224] Paul Cambon an seine Frau, 23. September 1880, Papiers privés Paul Cambon. Vgl. auch VILLATE, République, S. 47.

Athen als Abstieg empfunden hat, spricht er in einem Brief vom 22. September 1896 an Marcel aus.[225] Ein Wechsel nach Kopenhagen wäre ebenfalls als Abstieg empfunden worden, wie umgekehrt der Wechsel von Kopenhagen nach Brüssel, den Duchâtel, Bourée und d'Ormesson vornehmen konnten, tatsächlich ein Aufstieg war.

## Kopenhagen

Frankreich konnte trotz des republikanisch-monarchistischen Gegensatzes mit Dänemarks Sympathien rechnen, denn beide hatten Ähnliches erlitten: Wie Frankreich 1871 das Elsass, musste Dänemark 1864 Schleswig-Holstein den Preussen überlassen. Jusserand, Gesandter in den Jahren 1898–1902, sprach in einem Brief vom 9. November 1899 an Delcassé von der steigenden Bedeutungslosigkeit Kopenhagens, aber auch von der Verbundenheit der französischen und dänischen Nation:

> »Le Danemark renonce de plus en plus aux vastes pensées, néglige son armée, se déclare ami de tout le monde, mais surtout des plus forts et tend à n'être plus – aristocratie, bourgeoisie et le reste – qu'une association de marchands, et non pas même de marchands armés comme ceux de Londres aujourd'hui et ceux de Venise autrefois. Nous avons sans doute moins droit que personne de les juger sévèrement, puisque leur amitié pour nous a contribué à leurs premiers désastres et à leur décadence, mais ce n'est pas une raison pour ne pas voir et constater cette situation.«[226]

Als Jusserand Ende 1898 zum Gesandten in der dänischen Hauptstadt gemacht wurde, versuchte René Millet ihn zu trösten:

> »Eh bien, il ne s'agit plus que de voir le bon côté. Ce sera, pour vous, la liberté du travail.« (3. Januar 1899)

Trost glaubte auch Montebello ihm spenden zu müssen; er tat es ebenfalls am 3. Januar 1899 mit Worten, die von der offenbar wenig begeisternden dänischen Gegenwart ablenkten und auf die Wichtigkeit hinwiesen, welche die russische Diplomatie diesem Posten beimass:

> »Votre avenir est assuré, car un Russe ne sort pas de Copenhague sans être au moins ambassadeur.« (3. Januar 1899)

Bevor Iswolski 1906 russischer Aussenminister wurde, sei er Gesandter in Kopenhagen gewesen. In ähnlicher Richtung ging der Trost, der von Barrère kam. Dieser wusste, wovon er sprach, hatte er doch zehn Jahre zuvor den Posten in Stockholm innegehabt.

> »Vous y observez des choses intéressantes; et vous y deviendrez rapidement papabile.« (29. Dezember 1898)

Der dänische Hof spielte zur Zeit Christians IX. (1863–1906) eine wichtige Rolle als Informationszentrum und als Begegnungsstätte, da der damalige König der Dänen als Schwiegervater des russischen Zaren Alexander III., als Schwiegervater

---

[225] Papiers Marcel.
[226] Hier und die folgenden drei Schreiben, Papiers Jusserand, Bd. 22.

des englischen Erbprinzen Eduard VII. und als Vater des griechischen Königs Georg I. über gute Verbindungen verfügte. Für Frankreich war Kopenhagen darum ein interessanter Beobachtungsposten, es war aber auch die Kontaktstelle, von der aus Annäherungsversuche an Russland unternommen werden konnten.

Comte d'Aunay, Gesandter in den Jahren 1891–1893, zog sich den Unwillen des Aussenministers Casimir-Périer zu, weil er seinen antirussisch eingestellten Freund Clemenceau über eine geplante Begegnung französisch-russischer Kriegsschiffe in dänischen Gewässern informierte und in der Folge dieses schliesslich nicht durchgeführte Vorhaben durch die Presse vorzeitig bekannt wurde. D'Aunay war allerdings noch unter Develle zurückgerufen worden, und zwar – was etwas Ausserordentliches war – ohne bereits für einen anderen Posten ernannt worden zu sein.[227] Der Gesandte wurde vor das unter dem Vorsitz des Aussenministers tagende Comité des Directeurs zitiert und musste erklären, wie die offenbar vom Pariser Korrespondent Biowitz weitergeleitete Information, deren öffentliche Verbreitung die französisch-russische Allianz belastete, in die *Times* gelangt sei. Comte d'Aunay bedeutete eine Belastung für die französisch-russischen Beziehungen. Am 12. März 1892 beispielsweise sorgte er für Entrüstung, weil er am Jahrestag der Commune mit den Communards fraternisierte und sie als die Verteidiger der Republik feierte. Dies sei ein völlig unmögliches Verhalten für einen Diplomaten, der am Hof des Schwiegervaters des mit Frankreich verbündeten Zaren akkreditiert ist. Und am 19. April 1892 erschien d'Aunay in einem deutschen Bericht als Gegenspieler der russischen Diplomatie, dem gegenüber Ribot über Aufdringlichkeiten Mohrenheims, des russischen Botschafters in Paris, geklagt habe und der es als seine Aufgabe betrachte, in Kopenhagen Mohrenheim entgegenzuwirken.[228]

Im Januar 1894 wurde d'Aunay aus der Diplomatie ausgeschlossen, nachdem er am 8. September 1893 durch den Russland sehr genehmen Comte d'Ormesson ersetzt worden war, der 1886 Geschäftsträger in St. Petersburg gewesen war. Ein weiterer deutscher Bericht äusserte sich zur offiziellen Erklärung, dass d'Aunay aus gesundheitlichen Gründen Kopenhagen verlasse: Sie sei teilweise richtig, denn d'Aunay sei tatsächlich leidend, doch habe die Rückberufung einen weiteren Grund: den »Sturz« Clemenceaus.[229] Der Führer der Radikalen, mit dem d'Aunay eng verbunden war, war wenige Tage zuvor in den Kammerwahlen vom 2. September 1893 in der Tat nicht wiedergewählt worden. Nachdem Clemenceau am 25. Oktober 1906 an die Macht gekommen war, wurde sogleich die Frage diskutiert, ob d'Aunay in die Diplomatie zurückkehren werde. In dieser Debatte kam mehrfach die Affäre zur Sprache, die zum Rücktritt von 1893 geführt hatte.[230]

Stockholm

Stockholm lag ausserhalb des europäischen, jedenfalls des zentraleuropäischen Kreises. Für Barrère, Gesandter der Jahre 1885–1888, war es ein Verbannungsort,

[227] Billy, Souvenirs, Bd. 3.

[228] Bericht Münster, PAAA Bonn, F 107, Bd. 6.

[229] Bericht Schoen vom 11. September 1893, ebenda.

[230] Vgl. *Le Soleil* und *L'Eclair* vom 26. November und *Gil Bas* vom 30. November 1906.

wo er nur das Schattenleben eines Diplomaten führe und wo ein guter Haus-
angestellter, ausgerüstet mit einer gewissen Dosis Dummheit genügen würde. Er
werde bescheiden, schrieb er 1887 zur Winterzeit, das Höchste seiner Wünsche
sei es, nach der niederländischen Hauptstadt transferiert zu werden:

> »Je suis l'ombre d'un diplomate qui envoie quelquefois des ombres de dépêches.
> [...] Je suis tellement excité de ce long repos et de cet exil dans les glaces que je
> deviens modeste. Le comble de mes voeux est d'être transféré à la Haye. [...] Je
> vous assure, cher ami, qu'il n'est pas besoin d'avoir fait de fortes études, ni potas-
> sé Shakespeare, comme vous, ni travaillé, comme moi, dans le Guano Dreyfus ou
> dans les affaires d'Orient, pour représenter dignement son pays auprès d'une
> Cour du Nord. Un bel uniforme, de la solennité, une certaine exactitude sur les
> visites, en un mot les qualités qu'on exige d'un bon domestique, seraient ample-
> ment suffisantes, et même une certaine dose de stupidité ne nuirait pas. Elle em-
> pêcherait du moins de faire de tristes réflexions sur le néant des carrières humai-
> nes.«[231]

Millet, 1889 seit einem Jahr in Stockholm, hätte damals gerne die Nachfolge
Charmes' angetreten, der – wieder in die Kammer gewählt – die Leitung der Politischen Direktion niedergelegt hat; aber er musste auf dem Posten, den er damals als Exil und als weit unter seinen Fähigkeiten bezeichnete, weitere fünf
Jahre bleiben.[232]

   Baron de Billing verbrachte seine »monotonen« Tage in Stockholm vor allem
mit der Lektüre französischer Zeitungen, und dies in einem abscheulichen Klima,
wie er am 20. Juni 1875 seiner aus gesundheitlichen Gründen in Paris gebliebenen Frau schrieb:

> »Il fait aujourd'hui 40 degrés de chaleurs; en hiver, on descend à 32 degrés au-
> dessous de zéro. Comme salubrité, c'est la seule ville d'Europe où les décès
> dépassent les naissances.«[233]

## Mexiko

Wie wenig geschätzt die Vertretungen ausserhalb des alten Kontinentes im Allgemeinen waren, ist bereits dargelegt worden. Die Abneigung galt den Posten in
Asien wie den Posten in Südamerika. Die Gesandtschaft in Mexiko war doppelt
unbeliebt: einmal wegen der Distanz, zum andern aber auch wegen Napoléons III. gescheiterten Inthronisierungsversuches von 1863. Chilhaud-Dumaines
Versetzung von München nach Mexiko wurde als Strafversetzung interpretiert.
Diese betreffend schrieb Charles Roux:

> »[...] envoyé en demi-disgrâce à Mexico où il marquerait le pas en subissant un re-
> tard immérité dans sa carrière.«[234]

Chilhaud-Dumaine hatte sich diese Sanktion zugezogen, weil einer seiner Mitarbeiter einem Vertreter des Nuntius in München eine Visitenkarte überlassen
und dies irgendwelche Weiterungen gehabt habe. Der Marquis de Noailles, der

---

[231] Brief an Marcel, 12. Dezember 1887, Papiers Marcel.
[232] Millet an Jusserand, 31. Oktober 1889, Papiers Jusserand, Bd. 21.
[233] BILLING, Vie, S. 240 und 258.
[234] CHARLES-ROUX, Souvenirs, S. 95.

erste Gesandte der provisorischen Republik, war hingegen eine Ausnahme, denn er war mit seiner Nomination vom Mai 1872 offenbar zufrieden.[235]

## Washington

Jules Ferry, der 1871 ganz gerne nach Washington gegangen wäre und sich dann aber mit Athen zufriedengeben musste, bezeichnete die diplomatische Vertretung in Washington als im Grunde überflüssig. Am 17. Juli 1871 schrieb er seinem Bruder Charles:

> »Favre est d'avis que je puis prendre du temps ou n'en pas prendre à ma convenance. Ce qui prouve uniquement que l'ambassade de Washington est une énorme superfluité.«[236]

Edouard-Alphonse Lefebre hätte 1873 nach Washington gehen können, er zog es aber vor, die Vertretung in München zu übernehmen.[237] Erst mit dem spanisch-amerikanischen Krieg von 1898 traten die Vereinigten Staaten als Grossmacht in Erscheinung. Die diplomatischen Vertretungen waren allerdings schon fünf Jahre zuvor, 1893, auf Grund eines amerikanischen Vorstosses, zu Botschaften aufgewertet worden. Damals beschloss der amerikanische Kongress, in Paris und in London eine Botschaft zu führen. Trotzdem verstand auch Auguste Gérard seine Entsendung 1880 nach Washington und 1889 nach Montenegro als Unglück und als Zeichen der Ungnade. Gérard wäre lieber auf dem alten Kontinent geblieben –

> »dans mon désir de ne pas m'éloigner d'Europe et de continuer à me consacrer aux questions de politique générale.«[238]

Théodore Justin-Dominique Roustan, Frankreichs Generalresident in Tunesien, hatte schon am 28. Mai 1878 Jules Valfrey von der »Sous-Direction du Midi et de l'Orient« zu verstehen gegeben, dass er sich, um von Tunis wegzukommen, auch mit einem bescheidenen Posten abfinden würde:

> »Je suis disposé à aller au bout du monde pour ne plus entendre parler de Tunis [...].«[239]

Am 6. Mai 1879 meldete er sich wieder bei Valfrey und bewarb sich um einen aussereuropäischen Posten, nachdem er vernommen hatte, dass die Vertretungen in China, Japan und Persien im Laufe des Jahres frei würden:

> »Je n'ai pas envie d'être enterré à Tunis.«[240]

Als er 1881 in einem Prozess gegen den radikalen *Intransigeant*[241] von der Beschuldigung der persönlichen Bereicherung nicht genügend reingewaschen wor-

---

[235] BILLING, Vie, S. 122.

[236] FERRY, Lettres, S. 126.

[237] BAILLOU, Affaires étrangères, S. 286.

[238] GÉRARD, Vie, S. 156.

[239] Papiers Valfrey.

[240] Ebenda.

[241] Zum Prozess gegen den *Intransigeant*, vgl. GANIAGE, Protectorat, S. 685–699. Und REINACH, Gambetta, S. 436–445.

den war, wurde er nach den Worten von Hanotaux so schnell als möglich und so weit als möglich »deportiert«, indem ihn Paris im Februar 1882 zum Gesandten in Washington machte:

> »Roustan fut déporté, le plus tôt qu'on put, le plus loin que l'on put, à l'ambassade de Washington.«[242]

Harry Blumenthal verstand diese Ernennung ebenfalls als Abschieben und wies darauf hin, dass Roustans erste Handlung in den USA der Versuch gewesen sei, sich in der Presse zu rechtfertigen.[243]

Jules Patenôtre, der unter normalen Umständen 1891 Gesandter in Washington wurde, scheint die ersten Jahre in der Neuen Welt geschätzt zu haben, doch auch er liess sich schon 1895 gerne eine Nomination auf einen Posten in Europa in Aussicht stellen. Es war ein Versprechen, auf dessen Erfüllung er noch zwei Jahre lang warten musste. Patenôtre mahnte Marcel, den damaligen Kabinettschef, am 4. August 1896:

> »La perspective d'y échapper d'une façon définitive par une nomination en Europe comblerait tous mes vœux. Le Ministre avait bien voulu me faire concevoir à cette égard de sérieuses espérances. Il y a de cela près d'un an! La réalisation est-elle impossible?«[244]

Dass Patenôtre in den Vereinigten Staaten nicht sehr unglücklich gewesen sein kann, darf man aus seinen Memoiren schliessen, die ausführlich von Land und Leuten handeln und über seine persönlichen Beziehungen zu Paris nichts Ausserordentliches verzeichnen.[245] Wovor Patenôtre im Sommer 1896 vor allem fliehen wollte, war die tropische Hitze – »la température tonkinoise«, wie im zitierten Brief zu lesen steht. Paul Cambon berief sich ebenfalls auf die grosse Hitze, die in Washington herrsche, als er im Sommer 1900 für seinen Bruder einen Urlaub erbat. Der lang ersehnte Posten in Europa sollte dann Madrid heissen, den schon sein Vorgänger Roustan erhalten hatte und den sein Nachfolger Jules Cambon ebenfalls nach den Jahren des amerikanischen Exils erhalten sollte.

Jules Cambon, dem man im Oktober 1897 als Ersatz für das algerische Generalgouvernement die Botschaft in Washington gab, war über diese Abfindung gar nicht glücklich. Als noch vor seiner Abreise bekannt wurde, dass die Botschaft in Bern möglicherweise frei würde, war Paul Cambon der Meinung, sein Bruder solle sich nicht einschiffen und sich für Bern bewerben. Bern wäre dem schliesslich doch nach Washington abgereisten Botschafter auch noch zwei Jahre später sehr angenehm gewesen. Nachdem aber Bern mit Montholon besetzt worden war, vertrat Paul Cambon die Auffassung, Jules solle sich, da Montholon bald pensioniert werde, jetzt schon weiterhin für Bern bewerben.[246] Als Montholon

---

[242] HANOTAUX, Mon Temps, Bd. 2, S. 251.

[243] Vgl. *New York Times* vom 19. Juni 1882: »The New French Minister«, Henry BLUMENTHAL, France and the United States: Their Diplomatic Relations 1789–1914, New York 1972, S. 146.

[244] Papiers Marcel.

[245] Jules PATENOTRE, Souvenirs d'un diplomate: voyages d'autrefois, Bde. 1–2, Paris 1913.

[246] Paul Cambon an seine Mutter, 25. und 26. Dezember 1897, Fonds Louis Cambon.

im September 1899 im Amte starb, muss sich Jules Cambon dann aber vergeblich um Bern bemüht haben.[247] Statt Jules Cambon erhielt Bihourd den Posten. Ribot schrieb am 19. April 1900 Jusserand:

> »Jules était navré de retourner à Washington. Il a eu de la peine à croire qu'on ne lui donnerait pas Berne.«[248]

Jeden Frankreichurlaub – und die Urlaube dauerten Monate – benützte er, um seine Rückberufung nach Europa zu betreiben.[249] Am 3. März 1899 meldete ein deutscher Gesandtschaftsbericht, Jules Cambon sei wieder in Washington eingetroffen. Cambon interessiere sich für die Nachfolge von de Noailles in Berlin, die ihm der verstorbene Präsident Faure in Aussicht gestellt habe.[250] Etwa zur gleichen Zeit sprach Paul Cambon beim neuen Präsidenten der Republik vor und sondierte, ob man seinem Bruder nicht Madrid geben könnte, zumal Patenôtre, der französische Botschafter in Spanien, sich mit dem Gedanken trage, Senator zu werden.[251] Im Januar 1900 befand sich Cambon noch immer in Paris und Ribot wusste Jusserand zu berichten, dass Cambon gar nicht mehr nach Washington zurückkehren wolle, auf das Alter seiner Mutter hinweise und insistiere, wie abträglich das Washingtoner Klima seiner Familie sei.[252] Am 12. Juni 1901 bat Paul Cambon Aussenminister Delcassé, er möge seinem Bruder einen Ferienurlaub gewähren.

> »Cet exil qui se prolonge demande à être adouci.«[253]

Der Biograph des ersten Botschaftssekretärs von Washington erklärt hingegen, Jules Cambon habe Washington schon im Mai 1901 verlassen und sei bis zum Jahresende weggeblieben; Pierre de Margerie musste in zwei Jahren den Botschafter während über zwölf Monaten vertreten.[254] Von den 60 Monaten seiner Amtszeit als Botschafter in den USA verbrachte Jules Cambon deren 26 in Europa, und sechs Mal unternahm er die mehrere Tage dauernde Atlantiküberfahrt hin und zurück.[255] Die Reisen in den Urlaub musste man selbst bezahlen und während des Urlaubs bezog man nur die Hälfte des Lohnes.

Muss man Jules Cambons Entsendung nach Amerika tatsächlich als Verbannung verstehen? Es ist wohl denkbar, dass die algerischen Deputierten Thomson

---

[247] Bericht Münster vom 7. November 1899, PAAA Bonn, F 108, Bd. 11.

[248] Papiers Jusserand.

[249] Barrère befürchtete damals einen kurzen Moment lang, Jules Cambon könnte es ausser auf Bern vielleicht auch auf seinen Posten in Rom abgesehen haben. Barrères Auffassung, dass Jules Cambon nicht daran gedacht habe, seine neue Stelle unter Umständen nicht anzutreten, trifft nicht zu. »Je suis convaincu«, schrieb er am 20. Dezember 1897 Marcel, »que Jules Cambon n'a pas songé un seul instant à la possibilité de changer de poste avant d'avoir rejoint le sien (il a bien trop d'esprit pour cela) et que les suppositions contraires sont chimériques.« Papiers Marcel.

[250] PAAA Bonn, F 108, Bd. 10.

[251] Paul Cambon an Jules Cambon, 14. April 1899, Fonds Louis Cambon.

[252] Brief vom 21. Januar 1900, Papiers Jusserand.

[253] Papiers Delcassé, Bd. 3.

[254] AUFFRAY, Pierre de Margerie, S. 135.

[255] VILLATE, République, S. 200.

und Etienne ein Interesse daran hatten, den ehemaligen Generalgouverneur von Frankreich fern zu halten, damit er ihnen nicht in die Quere kommen oder gar ein Mandat übernehmen und sie im Parlament bekämpfen konnte. Paul Cambon schrieb am 21. Februar 1901 seinem Bruder, Thomson fürchte, er – Jules Cambon – würde im Falle einer Rückkehr nach Europa genau das tun, was er – Thomson – selbst ebenfalls täte: sich ins Parlament wählen lassen

> »pour lui donner des embarras à la chambre et gêner ses opérations algériennes.«[256]

Paul Cambon hatte schon am 31. Oktober 1897 in einem Brief an seine Mutter erklärt, dass Jules, falls er den angebotenen diplomatischen Posten ausgeschlagen hätte, sich eigentlich nur noch an die Spitze einer quasi revolutionären Bewegung hätte stellen können und sich an den Wahlen von 1898 hätte beteiligen müssen.[257] Etienne warf Cambon vor, gegenüber der muslimischen Bevölkerung zu entgegenkommend gewesen zu sein.[258]

Keine zwei Wochen nach Jules Cambons Ernennung nach Washington erklärte Paul Cambon, nun müsse man ihn möglichst bald, das heisst etwa in einem Jahr, wieder nach Europa zurückholen. Er vertrat anderseits aber auch die Meinung, es sei ganz gut, dass sein Bruder Frankreich vorübergehend verlassen, sich innerlich wie äusserlich von Kontroversen und Polemiken distanzieren könne. Jules Cambon selbst erkannte diesen Vorteil:

> »Je suis content pour quelque temps d'être loin. Ici personne ne me parle de ce qui se passe à Paris, d'Alger, de Thomson ni des autres.«[259]

Unter dem Eindruck der Dreyfus-Affäre urteilte Paul Cambon in einem Brief vom 23. Februar 1899 an seine Mutter über die Situation seines Bruders im amerikanischen Exil:

> »Il verra un autre monde que celui de Paris, il sortira de cette atmosphère surchauffée, de cette maison de fous. […] Quand l'orage sera passé on saura gré à tous ceux qui n'y ont pas été mêlés et qui ont, tranquillement servi leur pays sans se mêler à ces stupides querelles.«[260]

Der Bericht, den Jules Cambon wenige Wochen nach seiner Ankunft aus Amerika schickte, tönte ganz versöhnlich, verriet aber noch in seiner Versöhnlichkeit die Geringschätzung des diplomatischen Postens Washington. Es verdriesse ihn nicht, schrieb er damals seiner Mutter, dieses grosse und ausserordentliche Land zu sehen:

> »Je ne suis pas fâché de voir ce grand pays qui est si extraordinaire.«[261]

---

[256] Papiers Jules Cambon.

[257] Paul Cambon an seine Mutter, 31. Oktober 1897, Fonds Louis Cambon.

[258] Vgl. dazu VILLATE, République, S. 111. Dort auch zu Washington, S. 179 f.

[259] Am 4. Februar 1898 an seine Mutter, Papiers Jules Cambon, Bd. 26.

[260] Fonds Louis Cambon.

[261] Jules Cambon an seine Mutter, 4. Februar 1898, Papiers Jules Cambon, Bd. 26.

Nachdem es Jules Cambon gelungen war, im spanisch-amerikanischen Konflikt eine Vermittlung herbeizuführen und sich von der Hauptstadt der immer wichtiger werdenden Vereinigten Staaten aus einen Namen in der grossen Politik zu schaffen, stellte Paul Cambon zufrieden fest, es sei doch gut gewesen, dass er nach Washington habe gehen können:

> »Plus tu vas et plus je me félicite que tu aies été envoyé là-bas. Que serais-tu à Berne, grand Dieu!«[262]

Dennoch wollte sich Jules Cambon so schnell wie möglich aus Amerika abberufen lassen. Zugleich bemühte er sich aber, seinen Kollegen im Quai d'Orsay die Augen für die wachsende Bedeutung der Neuen Welt zu öffnen. Jules Cambon schrieb seinem neuen Botschaftssekretär Pierre de Margerie am 10. April 1901:

> »On a pris jadis, au Quai d'Orsay, l'habitude de ne pas mettre en leur vraie place ces gens-ci [les Américains], qui s'en blessent et qui en veulent un peu au vieux monde de ce qu'ils appellent des dédains et qui n'est que de l'ignorance.«

Aus den Briefen, welche Pierre de Margerie 1901 bei seiner Ernennung zum ersten Botschaftssekretär in Washington von den beiden Cambon erhielt, sprach einerseits die Erkenntnis, dass die Vereinigten Staaten von Amerika eine grosse Zukunft vor sich haben werden, anderseits aber immer noch die Notwendigkeit, den in die Neue Welt abkommandierten Diplomaten eine tröstende Perspektive in Aussicht stellen zu müssen. Paul Cambon schrieb damals:

> »Je suis très content que vous soyez nommé à Washington. Comme les Etats-Unis vont dominer le monde d'ici à cinquante ans et que l'histoire de leur ingérence dans les affaires de l'Europe sera celle de la politique dans le siècle qui s'ouvre, il n'y a pas de poste plus intéressant pour un jeune diplomate. Vous aurez beaucoup à faire.«[263]

Und Jules Cambon fügte bei, dass die künftigen Entscheidungen nicht im Mittelmeer, sondern im Pazifik fielen und dass es deshalb nötig sei,

> »que ceux qui, comme vous, ont l'avenir devant eux, prennent contact avec ces nouveaux venus qui n'ont pas de bornes dans leurs ambitions.«[264]

Die Cambons kamen somit zur gleichen Beurteilung wie der Baumwollhändler Casella, der fünf Jahre zuvor seinem Freund Félix Faure gegenüber die damals noch selten vorhandene Auffassung vertrat, dass die Zukunft den jungen Völkern, den Amerikanern und den Russen, gehören und es in fünfzig Jahren in Europa mehr als nur ein Holland geben werde.

> »L'avenir appartient aux peuples jeunes, Amérique et Russie, et ceux qui vivront dans cinquante ans d'ici, pourront voir plus d'une Hollande en Europe.«[265]

Trostbedürftig schien offenbar auch Jules Jusserand, als er 1902 Jules Cambons Nachfolge antrat und von Kopenhagen nach Washington wechselte. Als ob es

---

[262] Paul Cambon an Jules Cambon, 10. März 1902, Fonds Louis Cambon.

[263] Paul Cambon an Jusserand, 14. März 1901, in: AUFFRAY, Pierre de Margerie, S. 129.

[264] Brief vom 10. April 1901, ebenda.

[265] Casella an Faure, 23. Dezember 1895, Papiers Faure, Fonds Berge.

darum gegangen wäre, einen Widerwilligen zu überreden, insistierte Alexandre Ribot damals in einem Gratulationsbrief:

> »Il n'y a pas aujourd'hui de poste plus considérable. Les Etats-Unis ont la préten-
> tion de devenir les maîtres du monde. De fait, leurs progrès ont de quoi nous in-
> quiéter ou, tout au moins, nous, rendre attentifs.«[266]

Und Georges Picot äusserte sich am 24. August 1902 in ähnlichem Sinne:

> »Je ne sais si je ne m'abuse, mais la mission des Etats-Unis me paraît, au com-
> mencement du XX$^e$ siècle, uns des plus importantes de notre petite planète. Nous
> ne pouvons nous faire d'illusions: l'équilibre du monde se déplace vers l'ouest
> [...].«[267]

Paul Cambon berief sich auf seinen Bruder Jules, als er Jusserand gegenüber beteuerte, wie bescheiden doch die europäischen Angelegenheiten aus amerikanischer Sicht seien, und sich zur Behauptung verstieg, Jules Cambon wäre gerne in Washington geblieben, wenn ihn nicht familiäre Gründe daran gehindert hätten.

> »Au dire de mon frère, Washington est le poste le plus intéressant du monde et les
> affaires de la petite Europe semblent minuscules à travers les lunettes américaines.
> Sans ses obligations de famille il aurait voulu rester là-bas.«[268]

Ribots Vermutung, dass Jusserand lieber in Europa geblieben wäre, traf zu. In gewundenen Sätzen erklärte der Auserkorene wenige Tage vor seiner Ernennung, dass er als alter Europäer natürlich mit nicht weniger Freude einen Posten auf dem alten Kontinent angenommen hätte, dass er dem Ruf aber folgen werde, wenn es nicht anders ginge.

> »Peut-être auriez-vous préféré ne pas quitter l'Europe et Pétersbourg aurait pu
> vous tenter, quoique vous n'auriez jamais songé à y remplacer notre ami Monte-
> bello. Mais vous êtes si bien préparé à nous rendre de grands services à Washing-
> ton.«[269]

Jusserand war immerhin mit einer Amerikanerin (Elise Richards) verheiratet.[270] Trotzdem ging auch er ungern.

> »Si je mentionne ici que, vieil Européen, et mêlé dès longtemps aux questions qui
> concernent notre politique immédiate, je n'eusse pas accepté assurément avec
> point de plaisir un poste sur le vieux continent, c'est que votre bienveillance est
> telle que vous ne me saurez sans doute pas mauvais gré de mentionner un senti-
> ment, en lui-même assez naturel. Mais si vous jugez à propos que je passe
> l'Atlantique [...].«[271]

---

[266] Ribot an Jusserand, 31. August 1902, Papiers Jusserand, Bd. 60.

[267] Papiers Jusserand, Bd. 60.

[268] Paul Cambon an Jusserand, 5. September 1902, ebenda.

[269] Ribot an Jusserand, 31. August 1902, ebenda.

[270] BAILLOU, Affaires étrangères, S. 283.

[271] Jusserand an Delcassé, 16. August 1902, Papiers Delcassé, Bd. 4.

In seinen Memoiren konnte Jusserand nach zwölf Jahren Washington allerdings nicht dazu stehen, wie ungern er nach Amerika gekommen sei. Deshalb betonte er, wie traurig es ihn gemacht habe, Kopenhagen verlassen zu müssen.[272]

Bis 1914 nahm der Einfluss der Vereinigten Staaten und mit ihm die Bedeutung des Postens in Washington zu. Zudem hatte das Weisse Haus 1906 den Franzosen anlässlich der Algéciras-Konferenz seine Nützlichkeit beweisen können. Frankreich wurde von den USA in den Vorverhandlungen zur Algéciras-Konferenz stark unterstützt. Am 25. April 1906 gratulierte der amerikanische Präsident Roosevelt dem französischen Botschafter nach Abschluss der für Frankreich vorteilhaft verlaufenen Konferenz:

> »Vous avez été le principal artisan de cette conférence.«[273]

Dennoch meinte Maurice Paléologue 1914 als eben ernannter Botschafter in St. Petersburg seinem Kollegen in Washington schreiben zu müssen, er, Jusserand, hätte eigentlich diesen Posten verdient, doch sei zu hoffen, dass er demnächst nach Europa zurückkehren werde oder zurückkehren dürfe – nach Wien, Berlin oder London.

> »[…] vous étiez, selon moi, désigné pour Pétersbourg. Puissiez-vous nous revenir bientôt en Europe, sur les bords du Danube, de la Sprée ou de la Tamise.«[274]

Jusserand indessen blieb noch weitere zehn Jahre in Washington, wo seine Karriere im Oktober 1924 ein brüskes Ende fand.

## Tokio

Tokio schliesslich war nach Washington die letzte Auslandsvertretung, die vor 1914 den Status einer Botschaft erlangte. Die Aufwertung erfolgte nach dem russisch-japanischen Krieg im Februar 1905 mit der Nominierung Gaston Raindres, der durch Revoil von der Berner Botschaft verdrängt worden war. Bereits nach einem Jahr wollte der Abgeschobene Tokio wieder verlassen, was nicht für eine grosse Beliebtheit der Botschaft im Fernen Osten spricht. Offenbar versuchte Raindre, während eines Heimaturlaubes einen neuen Posten zu erhalten. Kabinettschef Daeschner berichtete Jules Cambon am 22. Mai 1906:

> »Pour Raindre la situation n'est pas encore changée – il doit toujours partir pour Tokyo.«[275]

Im Juni 1906 war er aber bereits wieder in Paris und verfasste am 26. Juni 1906 einen Bericht als Grundlage für die Instruktionen für seinen Nachfolger.[276] Im Juli 1906 wurde schliesslich bekannt, dass der 58jährige Raindre die Diplomatie verlassen und als Direktor in die Banque Russo-Chinoise eintreten werde. Raindres Aussicht, einen Sitz in dieser Bank zu erhalten, wird in auffallender

---

[272] JUSSERAND, Reminiscences, S. 215.

[273] Charles LYON-CAEN, Nachruf des Instituts, 16. Dezember 1933, S. 60.

[274] Paléologue an Jusserand, 28. Januar 1914, Papiers Jusserand, Bd. 37.

[275] Papiers Jules Cambon, Bd. 2.

[276] Mitteilung Françoise Démanche, 5. Januar 1979.

Übereinstimmung in Paul Cambons Brief an seinen Sohn vom 10. Juli 1906[277] und in einem Schreiben des Reichskanzlers Bülow vom 15. Juli 1906 erwähnt.[278] Auch Botschaftssekretär Pourtalès-Gorgier gestand 1896 dem befreundeten Kabinettschef Marcel, dass er nur gezwungenermassen nach Japan gegangen sei und einen Posten in Europa vorgezogen hätte.

> »Si vous aviez occupé cette situation il y a 15 mois, je n'aurais pas été contraint de prendre le chemin du Japon et la promesse qui m'avait été faite d'un poste dans une des ambassades d'Europe eût été tenue.«[279]

### Peking und andere periphere Posten

Peking und andere Vertretungen in Asien waren nicht beliebter. Pierre de Margerie konnte das »Unglück«, nach Peking entsandt zu werden, um ein paar Jahre aufschieben, weil der literarisch interessierte Aussenminister Hanotaux 1898 davon absah, den mit Edmond Rostands Schwester verheirateten de Margerie nach China zu versetzen. Paul Cambon, der 1891 bis 1893 in Konstantinopel de Margeries Vorgesetzter gewesen war, schrieb in einem Brief an seine Mutter in diesem Zusammenhang:

> »Hanotaux redoute les gens qui écrivent en prose et en vers.«[280]

Als der gleiche Diplomat 1907 nach Bangkok ernannt wurde, kondolierte ihm Revoil, versprach ihm eine Demarche beim Minister, bat ihn aber, er solle es ihm doch sagen, wenn etwas gegen ihn vorliege! Im Weiteren riet er ihm, der Zentrale in Paris mitzuteilen, dass er das Klima in Bangkok nicht ertrage. Er empfahl den Einsatz eines Argumentes, womit Kollegen nicht nur Versetzungen nach tropischen Regionen oder nach dem kalten St. Petersburg, sondern sogar Ernennungen in Berlin oder London von sich abwenden wollten.[281] Für die Dienste im Fernen Osten traf in hohem Masse zu, was für den diplomatischen Dienst fern von Frankreich im Allgemeinen galt und worauf in den Ausführungen über die bequemen Hauskarrieren in Paris bereits hingewiesen worden ist. Oft mussten die Diplomaten ihre Angehörigen in Frankreich zurücklassen, weil sie ihren Familien nicht zumuten konnten, sich in fremden, unwirtlichen und von der europäischen Zivilisation wenig berührten Ländern niederzulassen oder, wie der diplomatische Jargon sich ausdrückte, »begraben« zu lassen. Paul Cambon schrieb von Konstantinopel aus seiner Frau, die todkrank in Frankreich weilte, La Boulinière müsse alleine nach Teheran, weil sich die Familie nicht »enterrer« lassen wolle.[282] Es gab freilich auch unter den wenig begehrten Posten der

---

[277] Fonds Louis Cambon.

[278] PAAA Bonn, F 108, Bd. 15.

[279] Pourtalès-Gorgier an Marcel, 20. Juni 1896, Papiers Marcel.

[280] Brief vom 5. Februar 1898, Fonds Louis Cambon. Edmond Rostand hat im Jahr zuvor – 1897 – das berühmte Versdrama *Cyrano de Bergerac* verfasst. Im diplomatischen Jahrbuch ist die schliesslich nicht ausgeführte Nomination vom 9. Februar 1898 verzeichnet. Pierre de Margerie wurde ein Jahr später nach Kopenhagen geschickt; seine Entsendung nach Peking erfolgte im April 1909.

[281] Revoil an de Margerie, 23. Juli 1907, Papiers Margerie.

[282] Brief vom 2. Februar 1898, Fonds Louis Cambon.

Dritten Welt noch Abstufungen, so dass Paul Cambon von Antony-Wladislas Klobukowski in einem Brief an seinen Sohn Henri vom 4. August 1906 sagen konnte:

> »[…] au Siam Delcassé n'a pas été content de lui et il a été envoyé en disgrâce à Lima.«[283]

Entsprechend häufig und lang waren die Heimaturlaube dieser Diplomaten. Laboulaye schrieb von St. Petersburg aus, als er in einem Brief an Aussenminister Ribot die entfernten Posten mit Minen verglich, in denen die Arbeiter in Schichten arbeiten und zwei oder mindestens anderthalb Equipen eingesetzt sein müssten.

> »[MM Nisard et Cogordan) savent que pour les postes éloignés, il est besoin, comme pour les mines, de deux équipes, au moins d'une équipe et demie.«[284]

### Keine aussenpolitisch determinierte Personalpolitik

Die Frage, ob zwischen der Personalpolitik und der Aussenpolitik der Dritten Republik signifikante Zusammenhänge bestanden haben, machte eine eingehende und bisher nicht geleistete Abklärung einer Vielzahl von Einzelfällen nötig. Das Ergebnis dieser mit viel Aufwand betriebenen Abklärungen könnte man als mager bezeichnen, denn es mündet in die schlichte Feststellung, dass die Personalpolitik nicht durch aussenpolitische Motive bestimmt gewesen ist.

Ausser der Affäre Louis sind wir keinem weiteren Fall begegnet, von dem man sagen könnte, dass aussenpolitische Optionen zu Absetzungen oder Nominationen geführt hätten. Die meisten Mutationen sind auf private und verwaltungstechnische Gründe zurückzuführen. Der Umstand, dass sich diese Personen von Berufs wegen mit der hohen Weltpolitik beschäftigten, verleitet leicht dazu, deren Sein und Wollen ebenfalls mit der Weltpolitik in Verbindung zu bringen. In Wirklichkeit – und die private Korrespondenz zeigt das in eindrücklicher Weise – war die Diplomatie nur ein Teil und zuweilen nur ein kleiner Teil dessen, was die Diplomaten beschäftigte. Die privaten Aspekte des Berufslebens nahmen einen grossen Raum im Denken der Diplomaten ein: der Wunsch nach persönlicher Entfaltung, die Freuden über kleine Annehmlichkeiten, der Ärger über oft ebenfalls kleine Unannehmlichkeiten, der Anspruch auf gerechte Behandlung durch die eigene Verwaltung u. a. m.

In der Wertschätzung beispielsweise der einzelnen Aussenposten kann man gewiss auch eine politische Seite aufzeigen, doch dominierten in dieser und in den meisten anderen Fragen die privaten Aspekte. Die Frage etwa, ob man auf diesem oder jenem Posten seine Einkünfte ganz ausgeben musste oder ob man etwas davon zurücklegen konnte, oder die Frage, ob die Mitarbeiter des Postens (und deren Gattinnen!) eine angenehme Gesellschaft waren, ob die eigene Gattin mit dem Ort zufrieden, ob das Klima gesundheitsschädigend ist, ob man den Kindern eine rechte Ausbildung geben kann und zu welcher Nomination dieser Posten, der in der Regel ja nur eine Zwischenstation gewesen ist, noch führen

---

[283] Fonds Louis Cambon.
[284] Laboulaye an Ribot, 22. April 1890, Papiers Ribot, Bd. 1.

wird. Selbst Paul Cambon, der wohl ernsthafteste Diplomat unter den grossen Botschaftern, fällte 1898 den Entscheid, ob er von Konstantinopel nach London wechseln wolle (für ihn war es eine Frage des Wollens und nicht des Könnens) aufgrund familiärer Überlegungen.

Zwischen den aussenpolitischen und den privaten Mutationsmotiven gibt es einige diplomatisch motivierte Umbesetzungen, vor allem Abberufungen, deren Erklärungen aber auf der praktischen Umsetzungsebene und nicht auf der Ebene der grossen Zielsetzungen einzuordnen sind. Dazu gehört die Abberufung Bourés von 1883 aus Peking während des Krieges um Tonkin, dazu gehört die Abberufung von 1893 des über der Ägyptenfrage verbrauchten Waddington aus London, dazu gehört Bompards Abberufung von 1907 und Louis' Abberufung von 1913, beide aus St. Petersburg.

Frédéric-Albert Bourée wurde am 31. Mai 1883 zur Disposition gestellt und im Juli 1885 als Gesandter in Kopenhagen wieder in den diplomatischen Dienst aufgenommen. Bourée wurde zurückgerufen, weil er auf eigene Verantwortung mit China Verhandlungen geführt hatte, die nachher im Aussenministerium als belastend empfunden wurden.[285]

Gewissen Abberufungen wollte man eine entscheidende Bedeutung für den Verlauf der französischen Aussenpolitik, ja: der Weltgeschichte geben. Alfred Fabre-Luce hat in der Abberufung des französischen Gesandten in Belgrad, Léon Descos, eine Massnahme vermutet, die sich gegen einen unbequemen Mitwisser um kompromittierende Hintergründe des Attentates von Sarajewo gerichtet habe. Descos' Abberufung stand indessen, wie wir aus anderer Quelle wissen, schon im Januar 1914 zur Diskussion.[286] Georges Louis registrierte am 7. Januar 1914 die »Vorbereitung eines grosseren Mouvement« und hielt unter anderem fest, Descos kehre nach Belgrad zurück, er werde vielleicht bald durch Boppe ersetzt.[287]

## Der Fall Louis

Reichlich spekulativ waren und sind gewisse Interpretationen von Georges Louis' Abberufung aus St. Petersburg vom Februar 1913. Einer insbesondere von Ernest Judet vertretenen Auffassung zufolge hätte Georges Louis, wenn er 1914 noch in St. Petersburg gewesen wäre, sogar den Kriegsausbruch verhindern können; seine Abberufung dagegen und die Wahl Delcassés zu seinem Nachfolger seien kriegstreibende Massnahmen gewesen.[288] Gerade der Fall Louis zeigt, wie schwer es zuweilen ist, aussenpolitisch und diplomatisch motivierte Mutationen präzis voneinander zu unterscheiden. In Poincarés Bereitschaft, dem Wunsche

---

[285] Siehe Challemel-Lacours Rechtfertigung in der Kammerdebatte vom 15. Mai 1883 und im Senat vom 2. Juni 1883. Bourée war der Sohn des kaiserlichen Botschafters in Konstantinopel der Jahre 1866–1870 und genoss als Bonapartist die Sympathie von Herbette und Ring, Papiers Ring, Bd. 15.

[286] Alfred FABRE-LUCE, 1914: qui était l'assassin?, in: L'Histoire démaquillée, Paris 1967, S. 104 f.

[287] Les Carnets de Georges Louis, S. 89.

[288] Zu den tagespolitischen Interessen dieser Interpretation vgl. KEIGER, Poincaré, S. 140 und 193 f.

des russischen Botschafters und ehemaligen Aussenministers Iswolski zu entsprechen und Georges Louis abzuberufen, spiegelt sich gewiss eine bestimmte Aussenpolitik. Dies muss aber nicht heissen, dass das Opfer dieser Politik, in diesem Fall Louis, eine andere Aussenpolitik habe durchsetzen wollen. Auch persönliche Motive wie Iswolskis geltungssüchtige Intrigen könnten den Handel ausgelöst haben. Auf Seiten Poincarés wird jedenfalls betont, dass Poincaré und Louis die gleiche Haltung eingenommen hätten. Beide hatten dem Allianzpartner gegenüber misstraut, seien zugleich aber auch der Auffassung gewesen, dass Russland in jedem Fall unterstützt werden müsse.[289] Aber auch Poincaré selbst äusserte sich – allerdings erst nachträglich – zufrieden:

> »Il assimile, comme toujours, ses idées à celles du gouvernement et il a raison, puisqu'en fait, sur la politique à suivre, aucun dissentiment ne se produit jamais entre lui et Paris.«[290]

Auf Seiten Louis' ist ein Gegensatz herausgearbeitet worden, der zu Beginn des Konfliktes möglicherweise noch gar nicht bestanden hat; der Gegensatz nämlich zwischen einem angeblich russlandhörigen Ministerpräsidenten und einem auf Frankreichs Eigenständigkeit bedachten Botschafter.[291] Die ungleiche Kräfteverteilung spiegelt sich auch in der Tatsache, dass nicht im Gegenzug auch Iswolskis Abberufung gefordert wurde, wie dies beispielsweise Jules Cambon erwartete. Nach dem ersten Kompromittierungsversuch, dem Artikel im *Echo de Paris* vom 17. Mai 1912, schrieb Jules Cambon am 18. Mai 1912 seinem Bruder:

> »On recommence comme avec Bompard. [...] Quand un ambassadeur est dans la situation où cet article met Louis, ses jours sont comptés au poste qu'il occupe, mais j'espère qu'on répondra par la demande de renvoi d'Iswolski. Cela me paraît nécessaire.«[292]

Wohl spiegelt sich in der Affäre Louis Poincarés Aussenpolitik; die Affäre selbst hat indessen eher diplomatischen Charakter, sie betraf die Ausführung der Aussenpolitik. Georges Louis war, wie das übereinstimmende Urteil der Zeitgenossen lautete, ein guter Bürokrat und darum ein guter Politischer Direktor. Als er 1904 die Leitung der Politischen Direktion übernahm, qualifizierte ihn Paléologue so:

> »Georges Louis est honnête et consciencieux; il a l'esprit clair, souple et nuancé.«[293]

Paul Cambon war zunächst eher skeptisch:

> »Il est expérimenté et plein de sens mais un peu indifférent et paresseux, il n'aura pas d'action sur Delcassé.« Und: »C'est un esprit droit, froid, sûr, mais il n'a pas les ressources de son prédécesseur.«

---

[289] WRIGHT, Poincaré, S. 66 f.
[290] POINCARÉ, Au service, Bd. 2, S. 13, auf den Juni 1912 bezogen.
[291] JUDET, Georges Louis, S. 49 und 182.
[292] Fonds Louis Cambon.
[293] PALÉOLOGUE, Tournant, S. 38.

Doch schon wenige Wochen später lautete das Urteil entschieden positiv.[294] Im Januar 1906 erscheint Louis in Cambons Korrespondenz allerdings als Zauderer:

>»Louis est un dilettante, qui voit toujours le pour et le contre.« Und: »Louis ne peut dire ni oui ni non à rien sans interroger la terre entière.«

Er hielt ihn nicht für genial, aber für integer:

>»Si la première qualité d'un homme politique est de ne pas se faire de la lèche on peut dire que Louis est l'homme d'état le plus complet que la France ait jamais eu. Je crois cependant que Richelieu se faisait de la lèche et Napoléon aussi.«[295]

Der deutsche Botschafter urteilt gleich:

>»Er ist ein durchaus anständig denkender, ponderierter, jedem Intrigengeist fern stehender, wie wohl etwas trockener Beamter, mit dem aber ein dienstlicher Verkehr angenehm ist.«[296]

Louis arbeitete mit grossem Eifer. Paul Cambon stellte am 7. Februar 1909 in einem Brief an seinen Sohn fest:

>»[...] un bourreau de travail, il travaille à la fois comme un directeur et un rédacteur.«[297]

Dieser Eifer hatte freilich auch seine negative Seite. Am 28. März stellte Cambon fest:

>»Louis n'en peut plus, il est malade, il a des clous, il continuera de vouloir tout faire par lui-même, il se laisse encombrer et il ne fait rien.«[298]

Alles in allem war er so tüchtig, dass man ihn auch nach seiner Ernennung nach St. Petersburg von Zeit zu Zeit nach Paris rief und mit der Leitung der Zentrale betraute, beispielsweise im Juli 1910 während Pichons Ferienabwesenheit oder im November 1911, als ein russischer Bericht meldete:

>»Im gegenwärtigen Augenblick leitet [...] die wichtigsten politischen Angelegenheiten hier zeitweilig der vorzüglich orientierte Herr Georges Louis [...].«[299]

Caillaux lobte ihn als »grand fonctionnaire« und als »trop clairvoyant ambassadeur«[300] und Aussenminister Jonnart sagte von ihm 1913:

>»Je n'avais entendu dire que du bien de M. G. Louis, alors qu'il était directeur des Affaires politiques.«[301]

---

[294] Briefe an seinen Sohn vom 3. und 28. April und 10. Juni 1904, Fonds Louis Cambon.

[295] Paul Cambon an seinen Bruder Jules vom 16. und 30. Januar 1906, Papiers Jules Cambon, Bd. 25.

[296] Bericht Radolin vom 10. Dezember 1906, PAAA Bonn, F 108, Bd. 16.

[297] Papiers privés Paul Cambon.

[298] Ähnlich am 26. März 1906 ebenfalls an seinen Bruder Jules, Papiers Jules Cambon, Bd. 25.

[299] Russ. Dok. III, Bd. 2/1, Nr. 77.

[300] CAILLAUX, Mémoires, Bd. 3, 1947, S. 21.

[301] POINCARÉ, Au service, Bd. 3, S. 116. Siehe auch BLONDEL, Carrière, S. 20.

Als Botschafter dagegen war er alles in allem weniger erfolgreich. Aussenminister Pichon hob gegenüber dem abberufenen Vorgänger von Louis die folgenden Eigenschaften hervor: Louis sei der Erste der Minister 1. Klasse, er sei der erste Mann der Zentrale und seit 30 Jahren in der Diplomatie tätig.

> »Il est universellement connu et apprécié par les représentants des puissances avec lesquels il entretient en France les relations les meilleures.«[302]

Bertie, der englische Botschafter in Paris, schätzte Louis' ruhige Art, die Geschäfte zu erledigen, er prophezeite aber schon im Moment der Ernennung, dass Louis als Botschafter ungeeignet, weil »quiet and harmless«, sei; Geoffray, an den man ebenfalls gedacht habe, wäre viel besser gewesen.[303] Die deutsche Botschaft in St. Petersburg berichtete schon am 27. April 1910, Louis' Demission würde nicht erstaunen, Louis sei unglücklich und in keiner guten Position, zudem stehe er mit dem englischen Vertreter schlecht.[304] Paul Cambon bekundete mehrfach seine Unzufriedenheit mit Louis' Tätigkeit als Botschafter:

> »Louis, homme d'intelligence, de sens et d'expérience mais qui n'offre que de qualités d'un éminent bureaucrate et qui n'a pas de riposte.«[305] Oder: »Louis, là nous n'avons personne, nous ne savons rien, en un pareil moment c'est lamentable.«[306]

Gegenüber Paléologue ist im Allgemeinen besondere Vorsicht am Platz[307]; nach den Feststellungen in der Cambon-Korrespondenz erscheint seine Notiz vom 28. Januar 1913 jedoch ziemlich glaubwürdig:

> »L'insuffisance de Georges Louis devient trop scandaleuse. Tous mes collègues m'ont demandé son rappel.«[308]

Anlässlich des Rückrufes soll der russische Aussenminister Sasonow dem englischen Botschafter wiederholt haben, was er schon oft von Louis gesagt habe,

> »that he was not an Ambassador but a ›comis de bureau.‹ Buchanan fügte bei: »I fancy that Poincaré when he was here saw that the French Embassy had no status, more specially as Madame Louis is never here.«[309]

Mit Jean-Claude Allain muss man feststellen, dass die inoffizielle Erklärung des Rückrufes – die offizielle Erklärung gab natürlich gesundheitliche Gründe an – gar nicht so unrichtig war, wenn sie von Müdigkeit und Unfähigkeit sprach.[310] Ganz aus der Luft gegriffen waren die Hinweise auf Louis' Gesundheit aber auch nicht. Jules Cambon schrieb am 29. Oktober 1912 seinem Bruder Paul:

---

[302] Schreiben an Touchard vom 25. Mai 1909, Papiers Pichon, Institut.

[303] Schreiben an Grey vom 25. Mai 1909, PRO, Privatpapiere Grey.

[304] PAAA Bonn, F 108, Bd. 18.

[305] Am 30. Januar 1911 an Francis Charmes, Papiers privés Paul Cambon.

[306] An Jules Cambon, 16. Dezember 1912, Fonds Louis Cambon.

[307] Paul Cambon beispielsweise bemerkte am 12. Februar 1912 zu seinem Bruder Jules: »Paléologue, avec son sombre pessimisme qui arrange les relations d'entretiens auquels il n'a pas assissté […].«

[308] PALÉOLOGUE, Quai d'Orsay, S. 21.

[309] Bericht vom 20. Februar 1913 an Nicolson, PRO, Privatpapiere Nicolson.

[310] ALLAIN, Caillaux, S. 1742.

>>Louis, qui est malade et dans son lit, juge tout par ses papiers.«[311]

Für Poincaré war Louis' Ungenügen weniger eine Frage, ob der Diplomat besser in der Zentrale oder auf einem Aussenposten eingesetzt sei. Mit Jonnart betont er vielmehr, dass Louis' Fahigkeiten gesundheitshalber nachgelassen hätten.[312] Buchanan glaubte dagegen nicht, dass gesundheitliche Gründe massgebend waren:

>>Louis's sudden recall has come like a bolt from the blue, and his health has very little to do with it.«[313]

Diese bescheidene und alles andere als spektakuläre Deutung der Revokation von Louis weist wie der gesamte Befund dieses Teils der Untersuchung einen negativen Zug auf: Sie verneint den höheren oder tieferen Sinn, den man dem Fall geben will, indem man ihn mit aussenpolitischen Optionen verbindet. Poincaré-Biograf J. F. V. Keiger schlägt sich ganz auf die Seite derjenigen, welche in der Krankheit den Grund für die Revokation sehen. Zudem habe Louis mit 65 das offizielle Pensionierungsalter erreicht. Dass damals Paul Cambon 69 und Jules Cambon 67 waren, nimmt diesem Argument allerdings einen Teil der erklärenden Substanz, hingegen kann man Keiger zustimmen, wenn er beifügt,

>>Louis was unable to fulfil the role that Poincaré's new energetic diplomacy called for.«[314]

## Nochmals Delcassé

Auch Théophile Delcassés Nachfolge in St. Petersburg darf man nicht mehr Sinn geben, als ihr zukommt.[315] Insbesondere – und das gilt auch für den Fall Louis – darf man nicht als Absicht deuten, was man an Auswirkung erkennen kann. Die nachträgliche Analyse von Delcassés Aufenthalt an der Newa kann wohl zum Schluss kommen, dass das achtmonatige Wirken des ehemaligen Aussenministers zu einer Verstärkung der Tendenz geführt hat, den internationalen Konflikten mit einer Politik der Härte zu begegnen. Das muss aber nicht heissen, dass man dies im Moment der Entsendung auch gesucht und gewollt hat. Delcassés Biograph Jacques Raphael Leygues sagt einerseits völlig zurecht, dass die Absicht, Delcassé aus der französischen Innenpolitik zu entfernen, ein oder sogar *das* Motiv der Ernennung gewesen sei. Andererseits begeht Leygues den für seine hagiographische Optik bezeichnenden Fehler, den umgekehrten Vorgang, das heisst Delcassés Rückkehr, mit höherem Sinn aufzuladen. Da der Entscheid nicht bei Delcassés Gegenspielern, sondern beim Helden selbst liegt, dürfen es nicht mehr innenpolitische und offenbar als niedrig empfundene Motive sein (etwa die bevorstehenden Wahlen), die Delcassé nach Hause treiben; nun ist die stolze Tatsa-

---

[311] Fonds Louis Cambon.

[312] POINCARÉ, Au service, Bd. 1, S. 115 f.

[313] Ebenfalls im Bericht vom 20. Februar 1913 an Nicolson, PRO, Privatpapiere Nicolson.

[314] KEIGER, Poincaré, S. 141.

[315] Das »nochmals« bezieht sich auf die Kontroverse zu den Vorgängen von 1905 (vgl. Kap. 3.2).

che ausschlaggebend, dass Delcassé seine Mission vollendet, das heisst dem russischen Partner auf die Beine geholfen und damit die Allianz gestärkt hat.[316]

Dass die Personalpolitik nicht primär nach aussenpolitischen Kriterien betrieben wurde und sich darum an den Mutationen nicht beabsichtigte Richtungswechsel ablesen lassen, heisst nicht, dass umgekehrt durch die Wechsel, das heisst den wechselnden Einfluss wechselnder Personen, die Aussenpolitik nicht geprägt worden sei. Die Wechsel selbst waren indessen, soweit sie nicht im Karrieresystem der Rotationen und in privaten Motiven begründet waren, vor allem innenpolitisch motiviert und resultierten aus dem Bestreben, die Verwaltung der Farbe der jeweiligen Regierung anzupassen. Keiner der Regime- und Kabinettswechsel wirkte sich auf die Verwaltung als einschneidende Zäsur aus. Die Regierungswechsel hatten wohl Veränderungen in der Zusammensetzung des diplomatischen Personals zur Folge, doch vollzogen sich diese Veränderungen gestaffelt im Stile der partiellen Kabinettserneuerungen, des »replâtrage«.

### Ohne aussenpolitische Absichten, aber mit aussenpolitischer Wirkung

Die Republikaner hatten von den ersten Tagen der provisorischen Republik an lautstark die Epuration des Staatsapparats gefordert und diese Forderung mit dem Argument begründet, dass die Beamtenschaft gesinnungsmässig mit der Regierungsform gleichgeschaltet sein müsse. Diese Forderung kam zu einem Zeitpunkt auf, als die Beamtenschaft der provisorischen Republik grösstenteils tatsächlich antirepublikanisch, monarchistisch oder bonapartistisch war.

Im Prozess der permanenten Anpassung können wir drei Phasen erkennen, während denen Mutationen besonders häufig auftreten: Die erste fällt in das Jahr 1870/71 und erstreckt sich vom Untergang des Zweiten Kaiserreichs bis in die ersten Monate von Thiers' Präsidentschaft. Die zweite Phase liegt zwischen MacMahons Demission im Januar 1879 und den Anfängen von de Freycinets erstem Ministerium 1880. Die letzte Epurationswelle fällt in die Zeit von Clemenceaus erstem Kabinett nach dem Oktober 1906. Wenn man, wie Lauren es tut, einen »turning point« ausmachen will, dann ist dies nicht die von ihm vorgeschlagene Jahrhundertwende, sondern eben die Zeit um 1880.[317] Von der allgemeinen Auswirkung der grossen Epuration um 1880 sprach der nicht persönlich betroffene Gaston Raindre in einem Brief vom 19. November 1880 an Valfrey:

> »[...] ce n'est pas à dire que nous puissions voir sans regrets s'éloigner nos anciens chefs, du Ministère ou de l'étranger. Nous y perdons de bonnes relations et de bonnes traditions et nous regrettons les unes comme les autres.«[318]

Doch auch diesbezüglich muss man festhalten, dass sich die Entwicklung nicht um einen Punkt dreht und keine Wende so tiefgreifend war, wie man auf Grund von republikanischen Absichtserklärungen anzunehmen geneigt sein kann.

---

[316] Jacques Raphael LEYGUES, Delcassé, Paris 1980, S. 209–215.

[317] Vgl. etwa die späteren, aus dem Jahr 1909 stammenden Klagen über regelwidrige Nominationen.

[318] Papiers Valfrey.

Bereits nach der zweiten Epurationswelle von 1880 findet man im Aussenministerium keine militanten Anhänger der vorrepublikanischen Staatsordnung mehr. Entgegen bisheriger Annahmen müssen wir jedoch feststellen, dass diese Mutationen nicht nur auf Entlassungen, sondern zu einem beträchtlichen Teil auf mehr oder weniger freiwillige Demissionen zurückzuführen sind. Aus Protest gegen das neue Regime – gegen seine Vertreter wie seine Massnahmen – oder aus einem Gefühl wachsender Unsicherheit kündigten die stolzen und die sich bedroht fühlenden Beamten der alten Welt, zumal sie auf Berufseinkünfte nicht angewiesen waren, dem neuen Regime ihre Solidarität.

Der zweite Schub brachte, was vom ersten Schub nicht gesagt werden kann, nach übereinstimmenden Aussagen einen schmerzlichen Verlust von qualifizierten Beamten. Die Epuration wurde zum Teil durch die Ambitionen potentieller Ersatzleute gefördert, zum Teil aber auch betrieben, ohne dass man sich überlegte, wie die Eliminierten zu ersetzen seien, so dass es im Quai d'Orsay teilweise an geeigneten Mitarbeitern mangelte. Dies war der Grund, warum sich die beiden Cambon schon 1881 überlegten, ob sie von der Präfekturverwaltung in den Quai d'Orsay wechseln sollten.

> »Nous avons discuté avec Jules s'il conviendrait le cas échéant d'entrer dans les Affaires étrangères. Au fond le manque de personnel est effrayant. C'est le plus grand mal du moment et il ira en augmentant. […] Le recrutement se fera de plus en plus comme en Amérique dans le monde des politiciens.«[319]

Paul Cambon übernahm 1882 die Verwaltung des Protektorats Tunesien und 1885 die Botschaft in Madrid. Am 31. Juli 1886 schrieb Botschafter Münster aus Paris, Cambon sei zwar ein guter Verwaltungsmann, man habe ihn aber aus Mangel an qualifizierten Diplomaten genommen.[320] Es werde Jahre brauchen, stellte Gabriel Hanotaux fest, bis die von der Epuration geschlagenen Wunden wieder geheilt seien.

> »Il faudra des années pour panser les blessures faites par la République à cette heure douloureuse.«[321]

Nach der grossen Epuration der Jahre 1878 bis 1880 verstummten die Rufe nach Gleichschaltung nicht, obwohl die Verwaltung dem Regime weitgehend angepasst war. Die Klagen über zu wenig »gereinigte« Ministerien sind, da sie sich nicht an der inzwischen veränderten Realität orientierten, kein Indiz dafür, dass die Epuration gleichsam auf halbem Weg stehen geblieben wäre. Ganz ausgetilgt wurden, zumal im Aussenministerium, die Vertreter der alten Welt freilich nicht. Die Überlebenden verloren aber ihre privilegierte Stellung; sie wurden geduldet und in der Regel nicht mehr benachteiligt oder bevorzugt als andere Beamte.

Das idealtypische Beispiel einer durchaus erfolgreichen Karriere eines Vertreters der Alten Welt ist Desprez, 1866–1880 Politischer Direktor des Aussenministeriums und anschliessend noch zwei Jahre Botschafter beim Vatikan. Von Alexandre-Antoine-Jean Colonna-Walewski hingegen, der ein bescheidenes Kon-

---

[319] P. Cambon, Correspondance 1870–1924, Bd. 1, S. 142, Brief vom 29. November 1881.

[320] PAAA Bonn, F 108, Bd. 2.

[321] Hanotaux, Histoire, Bd. 4, S. 466.

suldasein führte, wissen wir, dass er als Sohn eines Aussenministers des Zweiten Kaiserreiches benachteiligt war. Albert Billot, 1890–1897 Botschafter in Rom, hat sich für den General-Konsul seiner Botschafterdomäne eingesetzt und mehrfach vergeblich dessen Beförderung in der Légion d'Honneur beantragt.[322] Er war der gleichen Benachteiligung ausgesetzt wie Albert Vandal im Staatsrat, über dessen Schicksal der Marquis de Ségur schrieb:

> »[...] il portait ›un nom d'Empire‹, c'était une tare irrémissible. Trois fois, par ses supérieurs hiérarchiques, ce nom fut inscrit sur la liste pour l'emploi de maître des requêtes, trois fois il fut rayé par un garde des sceaux vigilant. C'était lui indiquer le chemin de la porte; il la prit sans mot dire, sans la faire claquer derrière lui.«[323]

## Neue Elite

Hingegen trat an Stelle der alten eine neue Elite. Was Joseph Paul-Boncourt als Stimme der sozialistischen Opposition über die etablierten Republikaner kritisch bemerkte, hätte auch von Seiten der verdrängten Monarchisten oder der konservativen Opposition vorgebracht worden können: Daniel Halévy habe dem Buch *La fin des Notables* nicht den richtigen Titel gegeben, seien doch die alten Notabeln lediglich durch neue ersetzt worden.

> »[...] c'était plutôt de nouveaux notables, qui en remplaçaient d'autres, une relève plutôt qu'une fin.«[324]

Zwar begründeten die neuen Notabeln ihren Regierungsanspruch unter anderem damit, alte Privilegien zerstören zu wollen; allein, sie führten – einmal im Besitze der privilegierten Stellungen – die Tradition der paternalistischen Protektion und der parteiorientierten Favorisierung selbst weiter. Es ist deshalb ein Irrtum zu meinen, die persönlichen Begünstigungen hätten, automatisch gewissermassen, mit der Einführung von Aufnahmeprüfungen und Promotionsordnungen aufgehört.[325] Sie haben vorher nicht in dem Masse bestanden, wie man anzunehmen geneigt ist, und haben nachher trotz allen guten Absichten und ultimativen Forderungen weiterbestanden.

## Permanente Anpassung verschiedenster Art

Der grossen Reform von 1880 unter de Freycinet folgten die grossen Reformen 1891 unter Ribot und 1907 unter Pichon. Doch was haben diese Reformen und die verschiedenen kleinen partiellen Reformen erreicht?

Alles in allem kann man sagen, die Regierungsverantwortlichen und Chefbeamten haben es verstanden, das Leistungsvermögen der diplomatischen Verwaltung dem steigenden Leistungsdruck anzupassen. Die eine Anpassung ging zum einen dahin, die Auslandsvertretung dem erweiterten Aktionsfeld anzugleichen und die

---

[322] DETHAN, Billot, S. 8.

[323] RDM 1910, S. 247 f. Der Autor dieses Artikels war selbst auditeur des Staatsrates gewesen von 1876–1879.

[324] PAUL-BONCOURT, Souvenirs, S. 6.

[325] LAUREN, Diplomats, S. 100.

diplomatische und – wie noch darzulegen sein wird – die handelspolitische Präsenz auch im aussereuropäischen Raum zu gewährleisten (vgl. unten Kap. 3.3).

Zur Anpassung des diplomatischen Apparates an den erweiterten Aktionsraum und die steigende Bedeutung der aussereuropäischen Diplomatie gehörte die Aufwertung 1893 der Gesandtschaft Washington und 1905 der Gesandtschaft Tokio zu Botschaften, 1887 die Schaffung eines Generalkonsulates in Siam und 1897 einer Gesandtschaft in Äthiopien. Lauren weist sehr schön die Öffnung des diplomatischen Horizontes nach, indem er zeigt, wie der vormals knappe Kartenteil des *Annuaire diplomatique* nach 1900 umfangreicher wird, wie Asien beispielsweise statt auf einer auf zwei Seiten reproduziert wird und wie die Angaben auf diesen Karten detaillierter werden.[326]

Anpassung im Sinne von Erweiterung des diplomatischen Dienstes war offenbar leichter zu verwirklichen als Anpassung im Sinne von Abbau überflüssig gewordener Posten des konsularischen Dienstes. In den Jahren vor 1914 wurde vor allem von Seiten des Parlaments immer wieder gedrängt, auch in dieser Richtung anpassungsfähig zu sein. Der Deputierte Dubief forderte in seinem Bericht für das Budget von 1905 im Gegenzug zur Schaffung neuer Konsulate zumal in China

> »la suppression des nombreux postes devenus inutiles en Europa« und nannte als Beispiele die Vertretungen in Florenz, Venedig, Savona, Ventimillia, Palma, Corfu »dont les titulaires n'ont d'autres titres à leur nomination que des amitiés puissantes. J'en pourrais nommer vingt autres parmi les postes qui n'ont plus de raison de garder leur rang.«[327]

Die andere Anpassung musste der Möglichkeit und der Notwendigkeit des intensiveren Nachrichten- und Meinungsaustauschs Rechnung tragen. Und diesen stets grösser werdenden Ansprüchen hatte das Aussenministerium mit einem Budget gerecht zu werden, das an sich schon eher bescheiden war und von allen Ministerien das kleinste Wachstum aufwies.

> »Tandis que le budget général de l'Etat passait de 1 600 millions de francs à 4 700 000 000 de francs dans la période 1871–1913, le budget des Affaires étrangères passait, lui de 12 800 000 francs à 21 700 000 francs, c'est-à-dire que le budget de l'Etat triplait pendant que celui des Affaires étrangères ne passait même pas du simple au double.«[328]

Albin Rozet, der Präsident der außenpolitischen Kommission, wies in der Budgetdebatte der Kammer vom 11. März 1914 darauf hin, dass der Anteil der Ausgaben für die Aussenpolitik ständig sinke: 1870 habe er 1/127 der öffentlichen Ausgaben ausgemacht, 1882 noch 1/167, 1890 noch 1/180, 1912 noch 1/204,

---

[326] LAUREN, Diplomats, S. 41 f.

[327] Dubief, Budgetbericht für 1905, S. 58.

[328] Louis Marin in seinem Budgetbericht Nr. 3318 der Kammer für das Jahr 1914, S. 204. Der gleiche Bericht gibt eine Übersicht über die Ausgaben des Aussenministeriums seit der französischen Revolution. Die Zahlen weisen kleinere Abweichungen auf gegenüber einer ähnlichen Zusammenstellung, die Paul Doumer in seinem Budgetbericht Nr. 148 des Senats für das Jahr 1913 gibt (S. 75 f.).

1913 noch 1/225.[329] In der Budgetdebatte des Senats vom 11. Februar 1901 beanstandete der Berichterstatter Edouard Millaud die permanenten Budgetüberschreitungen, die nicht auf die »credits additionnels« (z. B. für Staatsempfänge), sondern auf die »credits suplémentaires« zurückzuführen seien.[330] Die Ausgaben des französischen Aussenministeriums wurden zuweilen auch mit denjenigen des englischen und deutschen Aussenministeriums verglichen. Der Budgetbericht für das Jahr 1888 zeigte beispielsweise, dass den Zentralverwaltungen der Aussenministerien in Frankreich rund 673 000 Francs, in Deutschland 1 032 000 Francs, in England 1 275 000 Francs auf jeden Beamten zur Verfügung stehen. Auch in absoluten Zahlen ergäbe sich wohl die gleiche Reihenfolge.[331]

Der Personalbestand blieb, nachdem er 1880 beinahe verdoppelt worden war, trotz steigenden Anforderungen konstant und wurde sogar eher wieder abgebaut. In den Jahren 1870–1914 verdoppelte sich in Frankreich die Zahl der Beamten und erlebte der Personalbestand der Verwaltung den grössten Ausbau. 1836 gab es 261 Einwohner auf einen Beamten, 1870 war das Verhältnis 165:1, 1914 knapp 185:1 und 1939 noch 62:1.[332] Der Personalbestand des Aussenministeriums dagegen blieb ziemlich konstant. Welches jeweils der genaue Bestand war, ist zum Teil eine Definitionsfrage. Wie soll man die im Status der Disponibilität befindlichen, wie die zum halben Tarif in Paris, statt im Ausland arbeitenden Diplomaten zählen? 1890 sprach Aussenminister Ribot von 146, die Nachzählung des Deputierten Chiché ergab 165.[333] Beide aber sprachen nur von den Diplomaten und nicht vom wesentlich grösseren Bestand der Konsuln. In dieser Zahl müssen die Hilfskräfte (Schreiber, Übersetzer etc.) einbezogen sein. Dem Budgetbericht des Senators Doumer für das Jahr 1913 entnehmen wir, dass 1891 der Bestand der Diplomaten von 200 auf 181 reduziert worden sei. 1907 wurde der Bestand – das Kabinett ausgeschlossen – auf 138 fixiert. Das diplomatische Jahrbuch für 1907/08 verzeichnet indessen 166 Diplomaten: 10 Botschafter, 49 Minister 1. und 2. Klasse, 101 Sekretäre 1., 2. und 3. Klasse und 6 Attachés. Die 1972 publizierte Untersuchung über das französische Verwaltungssystem von Darbel/Schnapper gibt folgende Bestandszahlen: 1870: 93, 1875: 102, 1880: 91, 1885: 172, 1890: 144, 1895: 144, 1900: 152, 1905: 159, 1910: 130, 1914: 186.[334] – Schuman zufolge sollen es insgesamt 1 000 Mitarbeiter (400 in Paris, 600 im Ausland) gewesen sein.[335]

---

[329] JO, S. 1485, seine Angaben stammen aus dem zitierten Bericht von L. Marin, S. 206. Die Budgetbeträge stimmen nicht ganz mit den definitiven Jahresrechnungen überein und wurden bis zu 5 % überschritten.

[330] JO, S. 297. Zum Verhältnis zwischen Staatshaushalt und Bruttosozialprodukt, s. Jean BOUVIER [u. a.] (Hrsg.), Histoire economique et sociale de la France, Bd. 4, Paris 1979, S. 250 f. Eine Übersicht über die allgemeine Entwicklung der öffenlichen Ausgaben in den Jahren 1815–1938 gibt ferner die Histoire de l'administration française depuis 1800. Problèmes et méthodes. Actes du colloque du 4 mars 1972, Genf 1975, S. 64.

[331] Budgetbericht Nr. 2095 für 1888, S. 77.

[332] Histoire de l'administration française, S. 108.

[333] Kammerdebatte vom 6. November 1890.

[334] Alain DARBEL/Dominique SCHNAPPER, Morphologie de la haute administration française, Paris 1972, Bd. 2, S. 180 f.

[335] SCHUMAN, War and Diplomacy, S. 37.

## Gesteigerte Arbeitsleistungen

Das Aussenministerium baute sein Nachrichtennetz aus, intensivierte die Kollektivsendungen, die dem Austausch von Depeschen unter den Aussenposten dienten; es verbesserte den Kurierdienst und richtete ein besonderes Empfangs- und Speditionsbüro ein.

Dass die Zentrale die Inhaber von Aussenstellen vermehrt über die Tätigkeit der Kollegen informieren wollte, wurde 1908 von Paul Cambon grundsätzlich sehr begrüsst.[336] Mit der konkreten Handhabung der »envois collectifs« war der Botschafter dagegen gar nicht zufrieden, weil sie grösstenteils unbrauchbare Angaben, nicht aber die genauen Auskünfte enthielten, die er gebraucht hätte. Für ihn war diese scheinbare Verbesserung ein bürokratischer Leerlauf, auf dessen Dienste er lieber verzichtete.

> »La valise d'hier m'a apporté des analyses de dépêches communiquées en envoi collectif au nombre de 225 et pesant un kilo cent trente-trois grammes.«[337]

Cambon forderte insbesondere, dass man sich in Paris überlege, welche Depeschen den betreffenden Botschafter interessieren dürften, und ihm diese Texte dann im vollen Wortlaut zustelle, was die zeitraubende Zusammenfassung erübrige und ihn in die Lage versetze, sich ein zuverlässiges Bild von den Darlegungen seiner Kollegen zu machen:

> »C'est à Paris que (les pièces) doivent être choisies et leur deux production in extenso demandera certainement moins de temps et moins de travail que la rédaction de ces innombrables analyses qui ne servent qu'à surcharger les courriers et à encombrer les cartons de la Chancellerie.«

Am 6. Januar 1910 notierte sich das Bureau des Communications, dass Paul Cambon keine Analysen mehr zugestellt haben möchte.[338] Die beiden Cambon tauschten indessen untereinander offizielle Schriftstücke aus.
Besonders zwischen den beiden Cambon fand ein Austausch von Korrespondenzen statt, der nicht über die Zentrale in Paris lief. Am 30. Juli 1911 schrieb Paul Cambon seinem Bruder Jules:

> »Je t'envoie une botte de télégrammes et de lettres parce que le Quai d'Orsay, après avoir pendant si longtemps abuse des communications les ménage trop et les fait souvent de manière incomplète ou inexacte.«[339]

Zeitgenössische Statistiken sollten belegen, dass die Anforderungen bei etwa gleichbleibenden Personalbeständen stets grösser wurden. Der Budgetbericht der Nationalversammlung für das Jahr 1874 gab die folgende Entwicklungsreihe: 1851 seien 38 257 ein- und ausgehende Depeschen registriert worden, 1869 seien es 68 817 und 1872 bereits 78 119 gewesen. In der Kammer wehrte sich Gabriel Hanotaux als Budgetberichterstatter gegen die Reduktion von 60 000 Francs

---

[336] Schreiben vom 4. und 7. Februar 1908, Papiers privés Paul Cambon.

[337] Schreiben vom 12. März 1908, ebenda.

[338] MAE, Série C, Adm. 23, 114.1, Circulaires relatives à la correspondance 1882–1907.

[339] Fonds Louis Cambon.

unter anderem mit dem Hinweis, dass der Quai d'Orsay 1878 nur 42 384 Briefe, 1888 hingegen 60 230 und in einem Zwischenjahr sogar noch mehr Briefe produziert habe.[340]

## Arbeitszeiten der Zentrale

Das Tagespensum der Kabinettsmitglieder wurde durch die Arbeitsgewohnheiten des Ministers bestimmt. Während Waddington die Arbeit erst nach seinem Morgenritt um 10.30 Uhr aufnahm, hingegen bis in die Nacht arbeitete, stand der ehemalige Altphilologe Barthélemy-Saint-Hilaire um 5 Uhr auf und erwartete um 8 Uhr von seinen Mitarbeitern die erste Zusammenstellung der Nachttelegramme und der Morgenpresse.[341]

Zu Delcassés Zeiten musste das Kabinett um 9 Uhr antreten und bleiben, bis der Minister wegging, mindestens aber bis 17.30 Uhr. Delcassés Kabinettschef hielt es 1903 für nötig, Barthélemys und Ribots wenig erfolgreiche Anstrengungen in Erinnerung zu rufen, die Beamten des Aussenministeriums zu längeren Arbeitszeiten anzuhalten. Die Zahl der Beamten, die am Morgen arbeite, werde immer kleiner, der Arbeitsbeginn am Nachmittag immer später, der Feierabend immer früher. Delavauds Vorschlag ging dahin, dass die Büros um 9.30 Uhr die Arbeit aufzunehmen hätten, dass von jeder Sous-Direction mindestens ein Redaktor schon von 10 bis 12 Uhr vorhanden und dass das gesamte Personal von 14 bis 18 Uhr anwesend sein soll.

> »Le nombre des agents venant le matin a diminué progressivement, l'heure d'arrivée dans l'après-midi a été reculée, et l'heure de départ avancée.«[342]

Ribot erwartete eine minimale Präsenzzeit von fünf Stunden. Wurde diesen Erwartungen entsprochen? Aus einer Presseäusserung zu schliessen, herrschten noch drei Jahre später ähnliche Verhältnisse. Wenn die Diplomaten voll besoldet würden, schrieb *Le Temps* am 18. November 1906 im Hinblick auf die bevorstehende Reform, dürfe man auch damit rechnen, dass sie morgens vor 11 Uhr und nachmittags vor 16 Uhr zur Arbeit kämen.

> »Il n'y a pas d'administration qui se puisse comparer au Quai d'Orsay pour le nombre des poignées de mains échangées et l'animation des couloirs.«

Diese Bemerkung deckt sich mit der Forderung des Reformberichtes vom 15. Dezember 1906, der ebenfalls die kurzen Präsenzzeiten beanstandete und etwas forderte, was offensichtlich noch nicht verwirklicht worden war: für alle Beamten ohne Ausnahmen Arbeitszeiten von 10.30 bis 12 Uhr und von 14.30 bis 18.30 Uhr:

---

[340] 4. Juni 1889.

[341] Jusserand, Souschef in Barthélemys Kabinett, in: JUSSERAND, Reminiscences, S. 53. Auch Hanotaux überliefert, wie er auf 5 Uhr morgens zu Barthélemy-Saint-Hilaire bestellt worden sei, HANOTAUX, Mon temps, Bd. 2, S. 66.

[342] Delavaud an Delcassé, 17. Juli 1903, Papiers Delcassé.

>»Les heures de présence sont insuffisantes. Mais il est aisé d'augmenter la durée
du travail en prescrivant que tous les agents sans exception viendront de neuf
heures et demie à midi et de deux heures et demie à six heures et demie [...].«[343]

Das Aussenministerium liess Telefonleitungen und elektrische Lampen installieren und führte in den 1890er Jahren, allerdings erst nach England und
Deutschland, die Schreibmaschine ein und mit den Schreibmaschinen auch das
weibliche Personal. Ein maschinengeschriebener Bericht des Aussenministeriums
aus dem Jahr 1899 wünschte eine Erhöhung der Zahl der Daktylographen von 11
auf 15 und wies darauf hin, dass im Foreign Office und im Auswärtigen Amt die
Schreibmaschine bereits eingeführt sei.[344] Der Personaletat der Verwaltungszentrale sah 1907 im Gesamtbestand von 138 Mitarbeitern auf der untersten
Lohnstufe »emplois de dame dactylographes« vor.[345] Ausser der Schreibmaschine
wurden andere Vervielfältigungsapparate angeschafft. Von 1910 an führte das
Budget den besonderen Posten »Maschinen und Motoren«.

Als Jules Laroche nach 15 Jahren Auslandstätigkeit 1913 wieder nach Paris zurückkehrte, konnte er die Politische Direktion kaum wiedererkennen: Vorher
hatte der Politischen Direktion nur ein Telefon zur Verfügung gestanden, jetzt
stand in jedem Büro ein solcher Apparat; eine Equipe von Daktylographinnen
nahm nun den Attachés die Kopierarbeit ab. Doch der Fortschritt hatte auch
seinen Preis. Wehmütig erinnerte sich Jules Laroche an die 5-Uhr-Tees, die – wie
schon dargelegt – zu den wichtigsten Unterrichtsstunden der angehenden Diplomaten zählten. Wenn man jetzt überhaupt noch Tee trinke, so stehe die Tasse
auf der Pultecke, die intensiver gewordene Arbeit werde nicht mehr unterbrochen:

>»L'atmosphère n'était plus la même [...]. Ces moeurs aimables n'étaient plus de
mise en 1913. Si on prenait encore le thé, c'était sur un coin de table, sans inter-
rompre un travail devenu plus intense.«[346]

Im gleichen Artikel wurde eine Besoldungsreform befürwortet, auf dass man
damit rechnen könne, dass die Mitarbeiter vor elf Uhr morgens und vor vier Uhr
nachmittags ins Ministerium kämen.

## Räumlichkeiten

Über die Geschichte und die Ausstattung des 1853 bezogenen und 1856 eingeweihten Gebäudes informiert der Guide bleu oder Jacques Chastenet, Le Quai
d'Orsay, Paris 1953.[347] Was für uns noch von Interesse ist: Die republikanische

[343] Reformbericht vom 15. Dezember 1906, in: Budgetbericht Deschanel für 1908, S. 452,
und JO 5. Mai 1907, S. 3271.

[344] MAE, Série C, Personnel, Projets de réorganisation 1898–1900; der Bericht an den Conseil d'Etat ist in der vorliegenden Kopie undatiert.

[345] Zur »révolution feminine« vgl. etwa die Angaben von THUILLIER, La vie quotidienne, S.
195 f.

[346] LAROCHE, Quai d'Orsay, S. 10 f. Ähnliches belegt CHARLES-ROUX in seinen Souvenirs,
S. 96.

[347] BAILLOT, Affaires étrangères, geht nicht mehr auf die Gebäudefrage ein, die in den vorangegangenen Bänden behandelt wurde.

Opposition billigte es, dass ausser dem Aussenminister auch dessen Kabinettschef und der Politische Direktor im Ministerium wohnten, doch bezeichnete sie
es als Missbrauch, dass auch die Direktoren des Archivs und des Rechnungswesens neuerdings dort wohnten.[348] Waddington, der erste republikanische Aussenminister, hatte anfänglich Skrupel, sich mit seiner Familie am Quai d'Orsay zu
installieren; sein Kabinettschef Pontecoulant und der Politische Direktor Desprez mussten ihn zuerst von dieser Notwendigkeit überzeugen. Letzterer
schreibt:

> »[...] je savais combien est difficile et lent le travail de l'administration centrale,
> lorsque le Directeur politique ne peut conférer facilement avec le Ministre en de-
> hors des heures reglementaires. [...] Il doit y habiter, ce n'est pas une faveur, mais
> une obligation.«[349]

Eine schmale Treppe führte vom Arbeitsraum im Parterre ins Schlafzimmer im
ersten Stock.[350] Weil Paléologue von seinem Residenzrecht keinen Gebrauch
machen, das heisst sich der Residenzpflicht nicht unterziehen wollte, durfte 1912
sein Stellvertreter Pierre de Margerie die Dienstwohnung beziehen.[351]

## Die Reform von 1906/07

Der grossen Reform, welche schliesslich in den Bericht vom 29. April 1907 und
in verschiedene grundlegende Änderungen mündete, war eine halbjährige Kom-
missionsberatung von Fachleuten vorausgegangen: Am 25. Oktober 1906
übernahmen Clemenceau und Pichon die Regierungsgeschäfte. Am 6. November
1906 setzte Pichon die Reformkommission ein. Am 18. November 1906 begrüsste *Le Temps* Pichons Reformprojekt als das erste grössere Reformwerk seit
demjenigen Ribots von 1891. Bourgeois und Rouvier sei zu wenig Zeit geblieben
und Delcassé habe sich um die Weltpolitik und nicht um die Organisation seines
Ministeriums gekümmert.[352] Die Kommission wurde von Philippe-Maurice
Crozier, dem ehemaligen Protokollchef, damaligen Gesandten in Kopenhagen
und künftigen Botschafter in Wien, präsidiert. Ihr gehörten im Weiteren die
Diplomaten im Ministerrang Gavary und Thiébaut an. Als eigentlichen Gestalter
dieser Reform wird der damals erst 40jährige Sekretär der Reformkommission,
Philippe Berthelot, genannt.[353] Was der Reformbericht vom 15. Dezember 1906

---

[348] Republique française, 24. Juni 1876.

[349] Papiers Desprez, Memoiren Nr. 38, S. 11–13.

[350] WADDINGTON, Frenchwoman, S. 79.

[351] AUFFRAY, Pierre de Margerie, S. 225.

[352] Ähnlich äusserte sich Beau in einem Brief an Pichon vom 15. Februar 1907, Papiers Pichon, Institut.

[353] Ein ausführlicher Bericht vom 15. Dezember 1906, sowie ein Schlussbericht vom 29.
April 1907 und zwei Dekrete vom gleichen Tag über den Personalbestand und die Organisation des Aussenministeriums waren das Ergebnis der Kommissionsarbeiten. Vgl. JO vom 3. Mai
1907, S. 3265–3275, sowie Paul Deschanels Budgetbericht Nr. 1250 für 1908, wo im Anhang
(S. 433 f.) alle Berichte und Dekrete abgedruckt sind. Aussenminister Pichon äusserte sich über
das Reformprojekt gegenüber dem ehemaligen Diplomaten Georges Villiers, vgl. *Le Temps*
vom 17. und 18. November 1906. Über die Reform berichtet Paul Deschanel der Kammer im
Budgetbericht Nr. 1230, Bd. 2, für 1908.

über die vorangegangenen Reformen sagte, galt auch für den 1906/1907 unternommenen Reformversuch:

> »L'Organisation actuelle du Ministère remonte a près d'un siècle et n'a été modifiée que partiellement par des réformes successives qui ont laissé une certaine confusion dans les services tout en maintenant une séparation excessive entre eux.«[354]

Die Reform verwirklichte in der Hauptsache einen auch von offizieller Seite immer wieder vorgebrachten Wunsch: die Fusion der politischen-diplomatischen und der wirtschaftlichen-konsularischen Direktion. Paul Cambon war dem Vorhaben gegenüber grundsätzlich positiv eingestellt. Noch während die Kommission an der Reform arbeitete, schrieb er seinem Sohn Henri:

> »L'idee générale est bonne et répond a mes sentiments.« Er fürchtete sogar, dass die Reform zu wenig weit gehen werde: »[...] mais comme le ministre ne veut pas aller devant le Parlement – en quoi il a tort – cette grande reforme se maintient dans les cadres anciens c'est-à-dire qu'elle conserve 2 directions. Seulement l'une d'elles sera le ministère et l'autre ne sera rien.«[355]

P. G. Lauren (1907) neigt dazu, diese Reform positiv zu bewerten, M. B. Hayne (1993) ist dagegen der Meinung, dass sich Lauren von den offiziellen Reformpapieren habe blenden lassen. Tatsache ist, dass sowohl der Reformbedarf bestehen blieb als auch die Reformbemühungen nach 1907 munter weitergingen. Es stellt sich tatsächlich die Frage, ob alle Reformen auch Verbesserungen gebracht haben. Was in Organigrammen steht, nimmt sich in der Wirklichkeit oft anders aus und entspricht nicht immer ganz dem angestrebten Sinn. In der Budgetdebatte des Senates vom 24. Dezember 1907 hatte der Budgetberichterstatter Charles Dupuy zwar erklärt:

> »La réforme administrative dont je parle est une chose accomplie; je vois M. le ministre des affaires étrangères me faire un signe d'assentiment.«[356]

Es wäre aber ein Irrtum zu meinen, die angestrebte Vereinheitlichung und Stärkung der Führung sei 1907 tatsächlich verwirklicht worden. In Wirklichkeit hatte die Fusion gerade das Gegenteil zur Folge: Dem mit der Gesamtleitung betrauten Direktor entglitt ob der Fülle und Vielfalt der anfallenden Geschäfte die Geschäftsführung. Die vier Unterdirektoren waren in ihrer Politik so frei, dass die »jungen Wölfe«, wie Jules Cambon die Unterdirektoren nannte, das Ministerium in selbständige Provinzen aufteilen konnten. Schon zu Beginn des Jahres 1908 lautete der skeptische Befund:

> »Je trouve que la nouvelle Organisation au Ministère donne tous ses fruits. Louis est noyé et les jeunes loups qui se taillent des provinces dans le Ministère détruisent toute unité de service.«[357]

Und 1910 urteilte Paul Cambon über die Früchte der Reorganisation:

---

[354] In Deschanels Budgetbericht für 1908, S. 445.

[355] Schreiben vom 12. Februar 1907, Papiers privés Paul Cambon.

[356] JO, S. 1248.

[357] An Paul Cambon, 8. Februar 1908, Papiers Jules Cambon, Bd. 25.

»La désorganisation du ministère est telle qu'on ne trouve plus de responsabilité nulle part. La grande réforme destinée à centraliser tous les Services politiques et commerciaux en une seule main a été pratiquée de telle façon qu'il n'y a plus nulle part ni chef ni agent responsable. Le Service est éparpillé en une infinité de sous-directions qui s'ignorent les unes les autres et qui ignorent le directeur, le personnel est réparti sans aucun souci de la compétence ou de la valeur morale des individus de sorte qu'on n'a plus aucune securité.«[358]

Freimütig hatte sich Cambon zuvor gegenüber dem englischen Botschafter in Paris in ähnlicher Weise geäussert, so dass jener nach London schreiben konnte:

»[…] spoke to Cambon a few days ago of the great delays at the Quai d'Orsay in giving answers to applications and notes. He said that he suffered from them also and that Bapst had not yet mastered the details of the Ministry which had been reorganised but not very successfully.«[359]

Waren das allzu persönliche Meinungen von zwei arrivierten Botschaftern, die mit der neuesten Entwicklung nicht Schritt halten konnten? Henri-Jacques-André Des Portes, ein Diplomat mittleren Alters, 1. Botschaftssekretär in Washington, schrieb am 4. April 1908 von Paris aus seinem Missionschef, Botschafter Jusserand:

»J'ai été deux fois au Ministère; tout y est boulversé; les 4 Sous-directeurs y règnent en maîtres absolus. M. Louis n'ayant conservé de sa grandeur que les insignes, mais plus du tout d'influence. Tout se passe par dessus lui directement entre ces 4 messieurs et le cabinet. On ne peut s'imaginer quand on est loin le peu qu'ils comprennent à ce qu'on leur écrit et le peu d'intérêt qu'ils y portent!«[360]

Schon 1909 klagte Paul Deschanel, der 1906–1912 sechs Mal hintereinander den Budgetbericht für die Kammer verfasste:

»que les réformes préconisées depuis quatre ans dans nos rapports, au nom de la commission du budget, se realisent bien lentement.«

Senator Gervais, vormals selbst Budgetberichterstatter der Kammer, verschärfte dieses Urteil, indem er in der *Aurore* vom 7. November 1909 von Deschanels Bedauern sprach:

»que les réformes demandées ne se fassent pas, ou se fassent peu, ou se fassent mal.«

1909 und in den folgenden Jahren erhoben sich neue Reformforderungen. 1909 beanstandete Deschanel insbesondere die regelwidrigen Nominationen unqualifizierter Leute und die Beibehaltung überflüssiger Konsulate. Und 1911 kritisierte er die Durchführung der Reform von 1907, weil sie das Prinzip der Einheitlichkeit in der Bearbeitung der Geschäfte übertrieben habe.[361]

---

[358] Fonds Louis Cambon, Reform vom 23. Juni 1912, vgl. KEIGER, Poincaré, S. 133.

[359] Bericht vom 12. Januar 1910, PRO, Privatpapiere Bertie.

[360] Papiers Jusserand, Bd. 26.

[361] Nr. 1237, S. 19.

Als Jean Cruppi 1911 Aussenminister war, sprach er nach anderthalb Monaten Amtszeit (und zwei Monate vor seiner Demission) abermals von einer Reorganisation des Ministeriums, die auf gutem Weg sei:

> »La réorganisation des services du Ministère est en bonne voie. Je suis maintenant fort bien entouré au point de vue comptabilité et contrôle. Ce n'est pas trop tôt!«[362]

Das Jahr 1912 brachte eine neue Reformschrift grösseren Umfangs, die insbesondere die schwache Position des Direktors »materiell und moralisch« gestärkt haben wollte.[363] 1913 wurde, wie schon dargelegt, der 1907 letztmals geregelte Zuständigkeitsbereich der Unterdirektion Europa wieder anders zusammengesetzt und eine Lösung getroffen, die bereits 1914 erneut geändert wurde. 1914 wurde tatsächlich weiter reorganisiert, Paul Cambon schrieb am 3. Februar 1914 seinem Bruder:

> »Au Quai d'Orsay, me dit on, le désordre est à son comble – Berthelot rêve de réorganisation de toutes sortes et de changement de personnes […].«[364]

Sogar der radikale Paul Doumer, ehemaliger Minister und Kammerpräsident, urteilte 1912 im Senatsbericht für das Budget 1913:

> »Peut-on dire que tous les changements, qui viennent d'être analysés constituent des réformes? Assurément, non. Pour quelques-uns d'entre eux que des événements ou des modifications dans les besoins justifient, combien sont inutiles, hasardes et parfois inexplicables! C'est, depuis trente ans, une instabilité dans le fonctionnement de l'Administration centrale des Affaires étrangères, qui n'a pas été sans de sérieux inconvénients. […] l'ensemble des affaires politiques et commerciales, représentant la moitié de l'activité du Ministère, devait accabler un seul directeur.«[365]

Reformen bedeuten in der Regel eine Belastung für die transformierten Institutionen; solche Belastungen sollten indessen nur temporär sein und zu einer effektiven Verbesserung führen. Die Qualität der republikanischen Reformen darf nicht an den momentanen Störungen gemessen werden. Allein: Die Reformen erwiesen sich schon nach kurzer Zeit entweder als tatsächlich ungenügend und darum als bald wieder reformbedürftig, oder der republikanische Veränderungswille betrieb schematisch sein Geschäft und orientierte sich gar nicht an der Frage, ob das Bestehende überhaupt der Veränderung bedürfe.

In dieser Wechselhaftigkeit kann man eine spezifische Eigenschaft der republikanischen Herrschaft sehen. Entweder wollte der republikanische Veränderungswille ungeachtet der Bedarfsfrage Bestehendes verändern, oder das Veränderte wurde wieder verändert, weil es Stückwerk geblieben war, da die Zeit zur Durchführung der Reform gefehlt oder das Kabinett bloss halbe Reformen gewagt hatte, weil es seine Regierungsbasis nicht gefährden wollte, oder weil das Parlament nicht mitmachte. Schon 1899 war ein Reformprojekt bereits in der

---

[362] Cruppi an Jules Cambon, 20. April 1911, Papiers Jules Cambon, Bd. 14.

[363] Undatiertes Reformprojekt (MAE, Série C, Adm. 23, Bd. 28).

[364] Fonds Louis Cambon.

[365] Nr. 148, S. 43 f.

Vorberatung durch die Budgetkommission zurückgewiesen worden, weil es mit 10 000 Francs Mehrkosten verbunden war. Die einschränkende Wirkung des Parlamentes schimmert in Paul Cambons Brief an seinen Sohn Henri vom 20. Dezember 1911 durch:

> »Il ne s'agit pas de réorganisation sur le papier, ce qui ne signifie rien, il s'agit de remettre chacun à sa place et de confier les services à des gens compétents et consciencieux. II y en a mais ce sera un hourvari quand on les mettra là où ils doivent être et le ministre des affaires étrangères quel qu'il soit ne sera pas soutenu par son Président du conseil contre les réclamations dont on l'accablera. Avec du temps on pourrait réformer sans couper dans le vif mais on n'a plus le temps maintenant.«[366]

Von parlamentarischer Seite wurden die Halbheiten der Reformen nicht als Folge von Rücksichten auf die parlamentarischen Verhältnisse interpretiert, sondern als Frucht des bürokratischen Widerstandes.[367]

## Verbesserungen und Verschlechterungen

Die Eigenentwicklung der stets komplizierter und differenzierter werdenden Administration hin zu einem unpolitisch sein wollenden Instrumentarium wurde durch die republikanischen Bemühungen um eine fortschrittliche, das heisst solide und kompetente Verwaltung gefördert; sie wurde zugleich aber in ihrem Effekt durch den sich verstärkenden Einfluss der Politik auf die Verwaltung teilweise wieder neutralisiert. Einerseits stellen wir nämlich fest, dass die Spitzenpositionen der Diplomatie mehr und mehr mit Berufsdiplomaten und nicht mit aufgepfropften Parteileuten besetzt, dass die Amtszeiten der führenden Diplomaten immer länger und dass die Verhältnisse im auswärtigen Dienst scheinbar stabiler wurden. Anderseits aber sah sich die Verwaltung des Aussenministeriums mehr und mehr dem Einfluss der Regierungen ausgesetzt. Die persönlichen Kabinette wurden starke Gegengewichte zu der Politischen Direktion, die einen Teil ihrer Kompetenzen an die ad hoc zusammengestellten Mitarbeiterstäbe der Minister abgeben musste. Prägend wirkte sich auf die Verwaltung nicht nur der Einfluss der Kabinette, sondern die Kurzlebigkeit der verschiedenen Einflüsse aus. Es wäre indessen nicht richtig, diese Einflüsse einfach als Fremdeinwirkungen von berufsfernen, nicht diplomatisch geschulten Kräften zu verstehen. Denn auch in den Kabinetten dominierten die Berufsdiplomaten. Das Besondere dieses Einflusses bestand darin, dass er von zumeist jüngeren Diplomaten ausging, die dank ihrer besonderen Stellung und dem lauen Interesse der vor allem mit innenpolitischen Problemen und den parlamentarischen Auseinandersetzungen beschäftigten Ministern auch nach eigenem Gutdünken agieren konnten.

Dass das französische Aussenministerium auf die Herausforderung der Zeit eine adäquate Antwort gegeben und die den Bürokratien immanente Trägheit überwunden hat, mag man wie der amerikanische Historiker Lauren als beeindruckend bezeichnen.[368] Doch können wir darin auch eine spezifisch republikani-

---

[366] Dieser Brief figuriert in der Briefedition, ist aber um diese Passage gekürzt worden.

[367] Vgl. Senator Gervais in der *Aurore* vom 7. November 1909.

[368] LAUREN, Diplomats, S. 117.

sche Leistung erblicken? Vielleicht: Denn der republikanische Veränderungswille konnte den Anpassungsprozess zum mindesten erleichtern. Immerhin muss man sich fragen: Wäre ein konservatives, monarchisches Regime nicht ebenso sehr in der Lage gewesen, eine Verwaltung zu entwickeln, die auf der Höhe der Zeit ist? Lauren geht dieser Frage zwar nicht nach, gibt aber in seiner vergleichenden Studie trotzdem eine Antwort darauf, indem er sagt, dass die Wilhelmstrasse, das Auswärtige Amt des deutschen Kaiserreiches, wie der Quai d'Orsay in der Lage gewesen sei, sich den neuen Verhältnissen anzupassen.[369] Technokratische Modernisierung und aristokratische Politik lassen sich durchaus kombinieren.

## 2. Das Parlament

### Der politische Status des Parlaments

Man gebe heutzutage die Ehrenplätze den Deputierten, klagte 1893 der ehemalige Offizier und Diplomat Albert de Maugny; denn der letzte der Unterveterinäre würde oft vor den bedeutendsten Persönlichkeiten eingestuft werden unter dem Vorwand, dass die Deputierten ein Stück des Souveräns verkörperten. De Maugny sprach von den »fumistes«,

> »qui donnent toujours les places d'honneur aux députés, sous le plaisant prétexte qu'ils sont une fraction de souverain. De telle sorte que le dernier des sous-vétérinaires passe fréquement avant un personnage des plus considérables.«[370]

Das Parlament war 1871 in der Tat das oberste Organ der Republik geworden. Im Namen des Souveräns hatte es die Ausübung der an die Regierung delegierten öffentlichen Gewalt zu kontrollieren. Die Mitglieder dieses obersten Organs genossen als Repräsentanten des Souveräns ein Ansehen, das manchem Angehörigen der alten Elite unverständlich blieb. Dass anlässlich des Besuches des italienischen Königs 1903 für den Galaabend in der Opera von den 2 000 Fauteuils 800 im Parkett und auf dem Balkon für das Parlament reserviert wurden, während man nur 20 Plätze in vierten Logen den Pariser Militärkommandanten einräumte, war Emile Dubois, dem militärischen Kommandant des Elysées, ein Ärgernis und eine Sorge, denn er befürchtete, dass die Grosszahl der nur in schwarzen Anzügen gekleideten Parlamentarier ein wenig buntes Bild abgeben würde. Allein, so sagte er sich, wie hätte man den Parlamentariern die besten Plätze vorenthalten können, waren es doch sie, die das Geld für die Gala bewilligt hatten und den Kredit für den nächsten Abend werden bewilligen müssen:

> »Le Parlement, de plus en plus exigeant, réclame pour lui seul huit cents fauteuils au gala de l'Opéra qui n'a que deux mille places disponibles. Les officiers généraux du gouvernement militaire de Paris disposeront de vingt-deux fauteuils seulement. Des quatrièmes loges et même d'autres places plus élevées sont offertes à des généraux et à des amiraux pendant que les membres du Parlement se prélassant aux fauteuils d'orchestre et de balcon. Rien ne dénote mieux la prédo-

---

[369] LAUREN, Diplomats, S. 208.

[370] Albert de MAUGNY, Nouvelles couches. Journal d'un philosophe, Paris 1893, S. 17.

minance de l'élément civil, l'omnipotence parlementaire; mais n'est-il pas à craindre que tant d'habits noirs fassent bien mauvais effet, et que le gala de l'Opéra
reste loin en arrière de celui de Covent-Garden, comme brillant coup d'oeil et élé-
gance? [...] mais comment lui refuser les meilleures places, à lui qui a voté les
crédits du gala de ce soir et qui sera appelé à voter ceux du gala de demain? [...]
Pauvre gala, tout de noir habillé! Où sont les superbes uniformes rouge et or de
Covent-Garden et de Tsarskoié-Sélo?«[371]

1903 war die parlamentarische Missfallenskundgebung vom Vorjahr gewiss noch
in lebhafter Erinnerung: Verärgert über die offenbar wenig zuvorkommende Behandlung der parlamentarischen Repräsentanten während des Zarenbesuchs im
September 1901, hatte der Deputierte Lagasse in der Budgetsitzung vom 21.
Januar 1902 im Namen einiger Kollegen beantragt, die für den protokollarischen
Dienst bestimmten 21 500 Francs zu streichen, weil er vermutete, das Protokoll
sei für die erfahrene Geringschätzung verantwortlich. Nach ein paar klärenden
Worten des Budgetberichterstatters zog Lagasse seinen Antrag dann allerdings
wieder zurück.[372]

## Das Verhältnis der beiden Kammern

An sich waren Deputiertenkammer und Senat einander gleichgestellt. Im April
1896 kam allerdings eine Kontroverse auf, ob eine vom Senat in die Minderheit
versetzte Regierung demissionieren müsse. Obwohl der Senat oft eine zweitrangige Rolle spielte, waren die Senatorenmandate begehrt, weil sich die Verhandlungen in einer ruhigeren Atmosphäre abspielten und man sich nicht alle
vier, sondern nur alle neun Jahre um die Wiederwahl bewerben musste.[373]
Tonangebend und für das Schicksal eines Kabinetts ausschlaggebend war indessen die politisch lebendigere Deputiertenkammer. Dies galt auch für die aussenpolitischen Fragen, obwohl der Anteil ehemaliger Diplomaten und Aussenminister im Senat höher war und allenthalben sogar die Meinung vertreten wurde, die
Aussenpolitik sei vor allem eine Angelegenheit des Senats, während die Innenpolitik eher eine Angelegenheit der Deputiertenkammer sei. Senator Guillaume
Chastenet unterstrich in der Debatte um die Schaffung einer permanenten aussenpolitischen Kommission vom 18. Dezember 1913 zwar, dass beide Kammern
grundsätzlich die gleichen Rechte hätten, er unterschied dann aber doch:

»[...] s'il y avait lieu de distinguer entre les préoccupations des deux Chambres, ne
semble-t-il pas que les questions de politique intérieure, aient une répercussion
plus immédiate dans l'assemblée qui émane du suffrage universel, alors que la politique étrangère, d'un intérêt national tout aussi considérable, peut, avec plus de
calme, être suivie par une assemblée moins mêlée à la lutte des partis, et qui

---

[371] DUBOIS, Souvenirs, 2.–10. Oktober 1903, S. 87, S. 89; vgl. auch COMBARIEU, Sept ans,
S. 264.

[372] JO, S. 104.

[373] Vgl. Pierre GUIRAL/Guy THUILLIER, La vie quotidienne des députés en France de 1871
à 1914, Paris 1980, S. 78.

compte dans son sein tant d'hommes d'expérience, dont beaucoup d'anciens ambassadeurs et presque tous nos anciens ministres des affaires étrangères?«[374]

Wurde der Senat allzu offensichtlich als zweitrangige Instanz behandelt, kam es zu Reklamationen. Im Februar 1906 beispielsweise sollte der Senat, nachdem sich die Kammer dreieinhalb Monate Zeit gelassen hatte, eine französisch-russische Handelskonvention von einer Stunde auf die andere gutheissen, damit, wie Ministerpräsident und Aussenminister Rouvier ausführte, die am folgenden Tag ablaufende Ratifizierungsfrist eingehalten werden konnte. Senator Monis wollte dagegen am normalen Prozedere festhalten und die Konvention erst beraten, nachdem man Zeit gehabt habe, den dazugehörigen Bericht zu lesen. Monis verwahrte sich insbesondere gegen Rouviers Argument, man könne auf eine regelkonform angekündigte Diskussion verzichten, da die Konvention in der anderen Kammer bereits ausführlich diskutiert und mit 400 gegen 50 Stimmen schliesslich gutgeheissen worden sei. Monis war aber der Meinung, gerade weil sich die Kammer mit der Konvention eingehend beschäftigt habe, müsse auch der Senat ihr die nötige Beachtung schenken:

> »C'est précisément parce que la discussion a été très longue à la Chambre des députés qu'elle mérite aussi de retenir notre attention pendant quelque temps. Je maintiens donc ma proposition et je demande la fixation de la discussion à demain.«[375]

Der Senat entsprach nach bloss kurzer Debatte jedoch dem Antrag der Regierung. Im folgenden Jahr, 1907, wollte Aussenminister Pichon mit einer Interpellationsbeantwortung zuwarten, bis das angekündigte Gelbbuch vorliege. Senator Gaudin de Villaine dagegen wollte schon in der nächsten Sitzung seine Interpellation über Frankreichs Marokkopolitik beantwortet haben, weil in der Kammer ähnliche Interpellationen vorlagen und die Gefahr bestand, dass der Senat einmal mehr eine parlamentarische Premiere der niederen Kammer überlassen musste:

> »Si nous attendons les vacances de la Toussaint, la discussion viendra d'abord à la Chambre et une fois encore nous aurons été devancés, j'allais dire ›brûlés‹. «

Abermals unterstützte die Ratsmehrheit den Regierungsantrag und nicht den Antrag des Interpellanten.[376] Während man im ersten Fall offenbar die Interessen der Nation nicht einer Prestigefrage opfern wollte, fügte sich der Senat im anderen Fall wahrscheinlich aus parteipolitischen Überlegungen und gab sich mit dem zweiten Rang zufrieden. Der gleiche Senator beklagte sich am 16. Dezember 1913 wieder, die verantwortlichen Minister würden sich in der Kammer aufhalten, statt vor dem Senat Rede und Antwort zu stehen.[377] Und als der Senat am 18. Dezember 1913 die Frage behandelte, ob er ebenfalls eine permanente aussenpolitische Kommission einführen wolle, war die Regierungsbank einmal mehr leer, so dass Senator Jénouvrier sich veranlasst sah, in den Saal zu rufen:

[374] JO, S. 1555.
[375] Debatte vom 16. Februar 1906, JO, S. 131.
[376] Debatte vom 29. Oktober 1907, JO, S. 958.
[377] JO, S. 1528.

»Le Sénat est traîté avec une certaine désinvolture.«

## Kompetenzen

Das Parlament konnte seinen Einfluss auf die eigentliche Aussenpolitik dann geltend machen, wenn ihm die Regierung internationale Verträge zur Billigung vorlegte, wenn es das jährliche Budget oder ausserordentliche Kredite zu bewilligen und wenn es zu den Regierungserklärungen der neu gebildeten Kabinette Stellung zu nehmen hatte. Über die von der Exekutiven gebotenen Anlässe hinaus konnten einzelne Parlamentarier mit Interpellationen aussenpolitische Fragen aufgreifen und in der Form ausformulierter Tagesordnungen auch in aussenpolitischen Fragen Misstrauensanträge stellen. Eine besondere, aber selten auftretende Form der Meinungsäusserung war die eigentliche Resolution, die von den Parlamentariern eingebracht und über die im Plenum abgestimmt wurde.[378] Eine andere, massivere Form des Nachfragens war die parlamentarische Untersuchung, wie sie beispielsweise 1885 von Ferrys Gegnern gefordert, am 4. Juni 1885 aber mit 305 gegen 152 Stimmen abgelehnt wurde. Den wichtigen Vertragsratifikationen und den Interpellationen sind unten spezielle Abschnitte gewidmet.

## Der Stellenwert der Aussenpolitik

Seine Kompetenzen als richtungsbestimmende und kontrollierende Behörde nahm das Parlament vor allem in Fragen wahr, die im unmittelbaren Erfahrungsbereich der Parlamentarier und ihrer Wählerschaft im Bereich des eigenen Arrondissements im Umkreis der Dorfkirche lagen. Dazu gehörte die grosse Weltpolitik nicht. Eine interessierte Minderheit beklagte sich immer wieder über das mangelnde Interesse, über die mangelnden Auslandskenntnisse ihrer Landsleute und über die noch dürftigeren Auslandserfahrungen. Die Klagen über die Priorität des Lokalen und das Desinteresse gegenüber dem Ausländischen zogen wie ein Leitmotiv durch die aussenpolitischen Kommentare der wenigen Interessierten. Gabriel Charmes schrieb dazu im Oktober 1883:

> »Les Français, comme on le sait, voyagent peu; ils sont très sédentaires; et, chose triste à dire; ils le deviennent d'autant plus qu'ils touchent de plus près aux affaires publiques. Une fois qu'un homme s'est consacré a la vie parlementaire, c'est fini: son horizon est circonscrit aux couloirs des Chambres et aux étroites limites des collèges électoraux.«[379]

Joseph Reinach urteilte 1884 im Rückblick auf die Tunesien-Debatte, dass die Verständnislosigkeit gegenüber der französischen Tunesien-Politik Frankreich schaden würde, und fuhr fort:

> »Mais à côté de la patrie, il y a l'arrondissement. Mais il n'y a pas seulement le drapeau national: il y a le clocher. [...] Les deputés cherchèrent pendant deux heures

---

[378] Vgl. zum Beispiel Rouanets Resolution von 21. Januar 1909, die von der Regierung verlangte, dass sie bei der Kotierung ausländischer Titel an der Pariser Börse die französischen Interessen wahre.

[379] CHARMES, Politique extérieure, S. 120.

> à concilier dans une même formule ce qui était inconciliable: l'honneur du pays et
> les prétentions de quelques comités [...].«[380]

1896 stellte Jaurès in der *Dépêche de Toulouse* fest, das Parlamant habe in den letzten zwanzig Jahren in aussenpolitischen Angelegenheiten »un silence presque
complet« beobachtet.[381] Allerdings erfüllte sich auch Jaurès' Voraussage nicht,
dass sich dies nun ändern werde: Francis de Pressensé eröffnete 1903 seinen
Budgetbericht zu Handen der Kammer mit der Feststellung:

> »Il y a longtemps que l'on a constaté l'espèce de l'indifférence avec laquelle le Par-
> lement français envisage les questions de politique extérieure et abandonne ce
> contrôle régulier et minutieux sans lequel la responsabilité ministérielle n'est
> qu'une fiction. Dans cette attitude il ne reflète que trop exactement l'état d'âme
> d'un pays à qui de cruelles et trop nombreuses leçons n'ont pas réussi à apprendre
> l'intérêt capital de ces problèmes, leur répercussion sur la prospérité, la sécurité
> même de la nation et qui ne demande pas, en cette matière, à sa presse
> l'abondance des informations, la rigueur de la critique, la liaison même des i-
> dées.«[382]

Und wenn sich die Volksvertreter doch für die französische Aussenpolitik interessierten, dann in erster Linie für die Personalpolitik des Quai d'Orsay und
dessen Verwaltungsorganisation. Dieses Interesse führte immer wieder zu Demarchen auch ausserhalb des regulären Ratsbetriebes. So bewirkte beispielsweise
die Absetzung des 60jährigen Vizekonsuls Charles Numa Autigeon von Alicante
die Vorsprache von sieben Senatoren oder Deputierten und von zwei Ministern.
Und diese Intervention bewirkte, dass der Vizekonsul nicht sogleich entlassen
wurde, sondern auf Jahresende selbst zurücktreten konnte.[383]

Wie man aus der Präsenz der Deputierten in Debatten zur Aussenpolitik
schliessen kann, genoss dieser Bereich der Politik ein eher bescheidenes Interesse
(vgl. auch die Ausführungen zur Budgetberatung). Richard Waddington, der
Bruder des vormaligen Aussenministers, sprach am 5. Dezember 1904 im Senat
den Wunsch aus, es möge doch jemand für die zur Diskussion stehende Westaf-
rika-Konvention eintreten.

> »Sa parole autorisée nous vaudrait peut-être la présence d'un plus grand nombre
> de nos collègues dans la salle – car on parle, en ce moment, devant des banquettes
> vides. Il serait fâcheux que le débat se continuât dans ces conditions.«[384]

### Direkte Beteiligung an der Aussenpolitik

Vom verfassungsrechtlichen Standpunkt aus war es dem Parlament nicht gestattet, die dem Staatschef vorbehaltenen Kontakte mit dem Ausland selbst wahr-

---

[380] REINACH, Gambetta, S. 2.

[381] Jean JAURES, Oeuvres de Jean Jaurès (1887–1914), Bde. 1-9, Paris 1931–1939, hier:
Bd. 1, S. 135.

[382] Budgetbericht für 1903, Nr. 1196.

[383] Berthelot an Jules Cambon, 17. September 1906, Papiers Jules Cambon, Bd. 11.

[384] JO, S. 1013.

zunehmen.[385] Dann und wann traten die beiden Kammern dennoch als direkte Akteure der Aussenpolitik auf. So wurden beispielsweise die Senatoren auf den 5. November 1894 zu einer Sondersitzung zusammengerufen, um in einer gemeinsamen Resolution der Trauer über den Tod des russischen Zaren Alexander III. Ausdruck zu geben. Die Nationalversammlung hatte mit der Tradition der direkten Manifestation begonnen, als sie am 3. März 1871 der Schweiz ihren Dank für die Aufnahme der Bourbaki-Soldaten bekundete. Während es sich bei den beiden genannten Beispielen eher um protokollarische Kundgebungen handelte, war die Resolution, die Ende November 1900 verabschiedet wurde, eine hochpolitische Angelegenheit. Damals drückten beide Kammern durch die Begrüssung des Präsidenten der Buren-Republik, Paulus Krüger, ihre Sympathie für den Unabhängigkeitskampf der Buren und ihre Antipathie gegen das englische Engagement in Südafrika aus:

> »La Chambre (Le Sénat), à l'occasion de la venue en France de M. le président de la République du Transvaal, est heureuse de lui adresser l'expression sincère de sa respectueuse sympathie.«[386]

Eine neue Form der direkten Aktion trat 1903 in Erscheinung: die Verständigungsvisiten der interparlamentarischen Bewegung. Im Gegensatz zu den Resolutionen, die aufgrund einstimmiger Beschlüsse zustande kamen, wurden diese Aktionen nur von einem Teil des Parlamentes getragen. 1903 gehörten immerhin 140 und 1904 sogar 240 Parlamentarier der Bewegung an. Angeführt von Baron d'Estournelles de Constant, reisten am 21. Juli 1903 etwa 100 Abgeordnete auf eigene Kosten nach London, und im November des gleichen Jahres fand ein Gegenbesuch in Paris statt.[387]

Dieses Novum stiess bei den »Inhabern« der traditionellen Diplomatie nicht auf Begeisterung: Sowohl Aussenminister Delcassé als auch Botschafter Paul Cambon in London äusserten sich abschätzig über diese Art grenzüberschreitender Kontakte. Paul Cambon schrieb am 2. September 1903 seinem Sohn Henri:

> »Delcassé veut me faire déjeuner avec Bourgeois qui demande comment il doit reçevoir les parlementaires anglais que d'Estournelles va amener en troupe au mois de novembre.«[388]

War man im Aussenministerium noch eher bereit, solche Aktionen hinzunehmen, wenn sie sich im Bereich der französisch-englischen Beziehungen abspielten und sich auf dem bereits vorgepfadeten Weg der Entente cordiale bewegten, so reagierte man entschieden negativer, wenn die gleiche Methode zur Verbesse-

---

[385] S. R. CHOW, Le contrôle parlementaire de la politique étrangère en France, en Angleterre et aux Etats-Unis, Paris 1920, S. 132.

[386] Kammerdebatte vom 29. November 1900, JO, S. 2359 f./Senatsdebatte vom 30. November 1900, JO, S. 805.

[387] Adolf WILD, Baron d'Estournelles de Constant. Das Wirken eines Friedenspreisträgers für die deutsch-französische Verständigung und europäische Einigung, Hamburg 1973, S. 153 f. und Gabriel LEPOINTE, L'action de Paul d'Estournelles de Constant en faveur de la paix internationale, in: Revue generale de droit international public 3 (1960), S. 735 f.

[388] Fonds Louis Cambon. Delcassés abschätzige Haltung ist durch einen Bericht des englischen Botschafters Monson überliefert, vgl. BD, Bd. 2, Nr. 354.

rung der französisch-deutschen Beziehungen eingesetzt wurde. Zum Plan, mit Bülow zu reden, äusserte sich Cambon:

> »Je crois d'Estournelles absolument toqué.«[389] Und als d'Estournelles 1909 eine Rede in Berlin hielt, sprach er von jemandem »qui n'était que fou mais qui devient dangereux.«[390]

Allerdings wurde auch dieses Unternehmen von einer breiten Trägerschaft getragen: Am französisch-deutschen Parlamentarier-Treffen, das im Mai 1913 in Bern stattfand, beteiligten sich 161 Deputierte und 24 Senatoren.[391]

Direkte Aktionen wurden ferner von einzelnen Abgeordneten unternommen und führten die selbst ernannten Diplomaten vor allem nach Deutschland. Gambetta war bekanntlich zweimal, 1878 und 1881 nach Deutschland gereist. D'Estournelles de Constant begab sich 1904, 1906 und 1909 dorthin. Auch Jaurès wäre 1905 gerne hingegangen, um mit den deutschen Sozialisten in Kontakt zu treten, und im Juli 1907 traf Etienne in einer viel erörterten Begegnung den deutschen Kaiser in Kiel. Dazu bemerkte Paul Cambon bitter:

> »L'idée de tous ces gens-là c'est que les diplomates ne savent pas s'y prendre et qu'avec un peu de rondeur on arrangerait tout.«[392]

Alle diese Demarchen sind formal als direkte Aktionen in der französischen Aussenpolitik einzustufen – ausser der Verärgerung bei den eigenen Berufsdiplomaten erreichten sie aber nichts.[393]

## Diplomaten als Parlamentarier

Welche Rolle spielten die ehemaligen oder noch im aktiven Dienst stehenden Diplomaten? Angehörige der niederen Kammer konnten, wie bereits ausgeführt worden ist, einen Posten in der Diplomatie erst übernehmen, nachdem sie sich als Deputierte hatten beurlauben lassen. Hingegen konnte man, wie wir gesehen haben, zugleich aktiver Diplomat und aktives Mitglied des Senates sein.

*Verbindungen zum Senat:* Keiner der Senatoren spielte jedoch, wenn sie über längere Zeit zugleich Botschafter waren, eine wichtige Rolle in der hohen Kammer.[394] Waddington hat sich während seines zehnjährigen Aufenthaltes in London so sehr seinem Wahlkreis entfremdet, dass er 1894 nicht mehr gewählt wur-

---

[389] Brief vom 27. Januar 1906, Fonds Louis Cambon.

[390] Brief vom 3. Mai 1909, ebenda.

[391] Albert GOBAT, La conférence interparlementaire franco-allemande de Berne, Bern 1913. Ferner: WILD, Estournelles, S. 399 f.

[392] Paul Cambon an Sohn Henri, Correspondance 1870–1924, Bd. 2, S. 32.

[393] Die direkten Einzelaktionen erfolgten zum Teil auch in Briefform. So richtete d'Estournelles am 22. April 1907 einen längeren Brief an den amerikanischen Präsidenten Roosevelt. Vgl. Kopie in Papiers Jules Cambon, Bd. 14.

[394] Die folgenden Personen befanden sich nur kurze Zeit (maximal drei Jahre und alle in den Jahren 1876–1882) in dieser Doppelfunktion und werden deshalb oben nicht ausführlich vorgestellt: Challemel-Lacour, Chanzy, Foucher de Careil, de Gontaut-Biron, Jaurès, Pothuau, Say, Teisserenc de Bort. Von den ehemaligen Diplomaten des Senats werden nicht vorgestellt: Fournier und Lavertujon.

de. Der zwei Jahre zuvor ausgesprochene Wunsch, seine Tätigkeit im Senat wiederaufnehmen zu können, erfüllte sich nicht.[395] Auch de Courcel trat während seiner Londoner Zeit im Senat nicht gross in Erscheinung; seine Demission begründete er unter anderem mit der Absicht, sich vermehrt der Aufgabe widmen zu können, die er als Senator hatte.[396]

Während es Waddington und de Courcel als Inhaber eines vergleichsweise nahegelegenen Postens leichter möglich war, an Frankreichs Innenpolitik aktiv teilzuhaben, musste sich Senator Constans in Konstantinopel weitgehend damit begnügen, die Vorgänge in Paris von Ferne zu verfolgen; er bewarb sich denn auch 1906 nicht mehr um eine Erneuerung seines Mandates. Das Kabinett Dupuy hätte ihn 1899 sogar gerne als Nachfolger Loubets zum Senatspräsidenten portiert, es konnte dieses Projekt aber nicht verwirklichen, weil der Botschafter damals nicht in Paris weilte.[397] Einem deutschen Bericht zufolge soll Constans 1909 als Botschafter seine Demission eingereicht haben, weil er wieder für den Senat kandidieren wollte; und Aussenminister Pichon soll in der Absicht, diese Wahl zu verhindern, mit der Beantwortung des Gesuches zugewartet haben, bis die Wahlen vorüber waren, um dann Constans' Demission anzunehmen.[398]

François Arago, Senator der Pyrénées-Orientales und Botschafter in Bern, nahm zwar – und dies war ihm vom nahen Bern aus leicht möglich – an den Verhandlungen des Senates teil, er trat aber in den aussenpolitischen Debatten nicht gross in Erscheinung. Es wäre übrigens verfehlt anzunehmen, dass ein Politiker wie Arago sich speziell für Aussenpolitik hätte interessieren sollen, bloss weil er die Leitung einer Botschaft erhalten hatte. Bei Senator d'Aunay war das anders, er war ehemaliger Berufsdiplomat, doch auch er, der zuvor regelmässig zum Budget des Aussenministeriums votiert und dies zuletzt noch am 15. Januar 1907 getan hatte, blieb, nachdem er am 23. Januar 1907 zum Botschafter in Bern ernannt worden war, während er diesen Posten leitete, stumm und beteiligte sich bis 1911 nicht mehr an den aussenpolitischen Debatten des Senates.

Die Kombination von Senatorenmandat und Botschafteramt blieb ohne besondere Auswirkung auf die Verhandlungen des Senats. Umgekehrt aber konnte sie die Position des Botschafters gegenüber dem ihm vorgesetzten Aussenminis-

---

[395] Waddington gab am 12. November 1892 in einem Schreiben an Ribot seiner Freude darüber Ausdruck, »de reprendre place sur les bancs du Sénat«, Papiers Waddington, rapport IV.

[396] De Courcel trat als Senator immerhin auch in den Erneuerungswahlen der Kammer von 1898 auf, teilte er doch Aussenminister Hanotaux am 27. Februar 1898 mit, er müsse während dieser Zeit in »seinem« Departement sein, Papiers Hanotaux, Bd. 20.

[397] Maurice Borel (Delcassés stellvertretender Kabinettschef) an Marcel, 11. März 1899, Papiers Marcel. Münster berichtete am 22. Februar 1899, Loubet und die Senatsmehrheit hätten Constans sogar telegraphisch aufgeboten und ihm kundgetan, dass sie ihn zum Senatspräsidenten wählen wollten, PAAA Bonn, F 108, Bd. 10.

[398] Bericht des deutschen Botschafters in Konstantinopel Adolf Marschall vom 15. Mai 1909, PAAA Bonn, F 108, Bd. 18. Dass es nicht grundsätzlich unmöglich war, sich vom fernen Konstantinopel aus zum Senator wählen zu lassen, zeigt uns der Wahlerfolg Fourniers. Nachdem dieser 1876 (noch in Frankreich!) erfolglos für den Senat kandidiert hatte, wurde er im Januar 1879 während seines Mandates als französischer Botschafter in Konstantinopel im gleichen Departement zum Senator gewählt.

ter stärken. So habe beispielsweise Botschafter Constans im Oktober 1901 mit der Drohung, er würde im Senat seinen Standpunkt darlegen, Aussenminister Delcassé zu einem entschiedenen Vorgehen in der Frage der französischen Guthaben in der Türkei bewegen können. Zum mindesten muss sich Constans dessen in Konstantinopel gerühmt haben. Der deutsche Botschafter in Konstantinopel weiss am 5. März 1902 das folgende Diktum zu berichten:

> »Faites ce que vous voulez, mais si vous ne faites rien, je ne rentrerai pas à Constantinople et je défendrai mon attitude au Sénat.«[399]

Constans hatte, um den französischen Forderungen Nachdruck zu verleihen, Konstantinopel am 26. August 1901 verlassen. Zwei Monate später, am 26. Oktober 1901, beschloss die Regierung den von Constans gewünschten Druck mit einer Flottendemonstration von Mytilene. Aus der ausführlichsten Darstellung der Affäre geht allerdings nicht hervor, dass Delcassé nach Constans' Rückkehr nach Paris gezögert hätte, Massnahmen gegen die Türkei zu ergreifen.[400] Der Royalist Denys Cochin und der Sozialist Marcel Sembat reichten in der Kammer Interpellationen gegen diese Demonstration ein, die am 4. November 1901 diskutiert wurden und Delcassé zum Schluss eine komfortable Mehrheit brachten.

Zwischen Delcassé und Constans muss es vor allem in der Bagdad-Frage zu Spannungen gekommen sein, doch Constans verfügte als Senator und ehemaliger Minister über so viel Protektion, dass er nicht ohne weiteres hätte abberufen werden können. Delcassé war offenbar aus einem weiteren Grund nicht frei: Er war Constans zu Dank verpflichtet, weil dieser ihm in den 1880er Jahren eine Journalistenstelle vermittelt hatte.[401]

Paul Cambon meinte schon um 1884, dass ein parlamentarisches Mandat ihm die Aufgabe als Generalresident in Tunesien wesentlich erleichtern würde. Deswegen und aus anderen, schlicht die allgemeine Karriere betreffenden Gründen wollte er Senator werden, und zwar im Département du Nord, wo sein Bruder Präfekt war und die Wahl hätte herbeiführen können:

> »Si nous réussissons, nous serons maîtres de la situation à Tunis, car le gouvernement n'osera rien me refuser. Et je sortirai de là comme je voudrai, quand je voudrai, quel que soit le cabinet qui gouverne en France.«[402]

Wie wichtig die Parlamentsmitgliedschaft eingestuft wurde, geht auch aus einem von Georges Louis überlieferten Diktum von Gabriel Hanotaux wohl aus dem Jahr 1898 hervor:

> »Si j'entre dans les ambassades, je me ferai auparavant nommer député. Ce sera facile. On m'offre vingt mandats. Etre ambassadeur sans être membre du Parlement, c'est comme si autrefois on avait été ambassadeur sans être de la Cour.«[403]

---

[399] PAAA Bonn, F 108, Bd. 12.

[400] Vgl. THOBIE, Intérêts économiques, S. 1208 f.

[401] Ebenfalls laut Marschalls Bericht vom 5. März 1902, PAAA Bonn, F 108, Bd. 12.

[402] Paul Cambon an seine Frau Anna, 23. August 1884, Papiers privés Paul Cambon.

[403] Ernest JUDET (Hrsg.), Les Carnets de Georges Louis, 13. November 1913, Bd. 2, S. 76.

Die Kombination der beiden Funktionen war aber eher eine Ausnahme. Delcassé, der als Louis' Nachfolger in St. Petersburg amtierte, vereinigte damals als einzige Ausnahme diese Kombination, die, wie gesagt worden ist, die interne Position des Diplomaten gestärkt haben mag, auf dem Aussenposten aber wohl kaum eine Verstärkung der externen Position mit sich brachte.

Im Senat sassen auch *ehemalige* Diplomaten: De Saint-Vallier hatte schon während seiner Amtszeit als Botschafter in Berlin, aber vor allem in innenpolitischen Angelegenheiten sein Senatsmandat ausgeübt (s. oben, S. 256). Nach seiner Rückkehr aus Berlin beschäftigte er sich dagegen vorwiegend mit aussenpolitischen Fragen: Im März 1883 interpellierte er die Regierung in der Tonkin-Angelegenheit, im Mai 1883 wurde er Vize-Präsident der Kommission, die den Konsulardienst reorganisieren sollte, und immer wieder ergriff er auch das Wort, wenn im Senat über das Budget des Aussenministeriums abgestimmt wurde.

Viele Worte, aber wenig Wirkung produzierte Senator Paul d'Estournelles de Constant, der 1895 mit Ministerrang aus dem diplomatischen Dienst ausgeschieden, bis 1904 Mitglied der Deputiertenkammer und von 1904 an Mitglied des Senats war. In der Deputiertenkammer trat er als Antikolonialist in Erscheinung und war er Mitglied der 1902 geschaffenen aussenpolitischen Kommission. Der englische Botschafter Monson schrieb am 22. Mai 1903 über d'Estournelles:

> »He devotes himself in the Chamber to questions of foreign policy, and has well-known ambitions in regard to the Ministry of Foreign Affaires.«[404]

So bekannt waren diese Ambitionen allerdings nicht, dass weitere Belege dafür zu finden gewesen wären.

Während seines Senatsmandates hielt er nicht nur lange Reden; er, der 1909 mit dem Friedensnobelpreis bedacht wurde, setzte sich, wie bereits weiter oben dargelegt wurde, auch mit direkten Aktionen für die Völkerverständigung ein. (s. oben, S. 165)

Senator de Courcel blieb als ehemaliger Diplomat ebenfalls der Aussenpolitik verbunden. Er hielt sich in den Plenarversammlungen der hohen Kammer eher zurück und wirkte vielmehr hinter den Kulissen. Im Aussenministerium gewährte man ihm Einblick in Geheimdossiers. Es war naheliegend, ihn, der in den Jahren 1894–1898 Frankreich in London vertreten hatte, 1904 als Berichterstatter zum Vertragswerk einzusetzen, das die Entente cordiale neu besiegelte. Baron de Courcel spielte bei diesem Auftritt auf seine Vergangenheit als Diplomat an, er betonte jedoch zugleich, dass diese vormalige Zugehörigkeit sein Urteil nicht beeinflusse:

> »[...] je crois pouvoir dire d'une façon bien désintéressée, puisque je n'en fais plus partie aujourd'hui, que notre corps diplomatique est recruté de telle façon qu'il doit avoir notre pleine et entière confiance.«[405]

Im Februar 1906 vertrat er Frankreich an der Beisetzung König Christians IX. von Dänemark. Seine Rückreise führte ihn damals über Berlin, wo er, der 1882–1886 Botschafter in der deutschen Reichshauptstadt gewesen war, an der Wil-

---

[404] BD, Bd. 2, Nr. 353.

[405] Courcel im Senat am 5. Dezember 1904, JO, S. 1020.

helmstrasse in offizieller, aber geheimer Mission Separatgespräche zur Algéciras-Konferenz führte.[406]

Albert Decrais, der zuletzt Botschafter in London war, äusserte sich im Senat wie schon zuvor in der Deputiertenkammer ausschliesslich zu aussenpolitischen Fragen: Im März 1905 spielte er Delcassé eine Frage zu, worin er sich nach der Haltung Deutschlands gegenüber der französischen Marokkopolitik erkundigte.[407] 1906 war er Berichterstatter zum Budget des Aussenministeriums und zum Sonderkredit für die Algéciras-Konferenz und deren Vertragsergebnis. Decrais gab sich im Senat als ehemaliger Diplomat; so bemerkte er im Zusammenhang mit dem Sonderkredit für die Algéciras-Konferenz:

> »[...] j'ai cru pouvoir me permettre, en ma qualité d'ancien diplomate et peut-être aussi de rapporteur du budget des affaires étrangères, de les remercier et de les féliciter (les agents représentant la France à Algéciras).«[408]

1910 setzte er die diskussionslose Ratifizierung der Haager Konventionen von 1907 durch. Decrais blieb auch als Parlamentarier ein Angehöriger der Exekutive, er nahm, wie schon aus seiner Haltung in der Allianz-Debatte von 1898 ersichtlich geworden ist, eine streng gouvernementale Haltung ein und wirkte nicht als Gegengewicht zur Exekutive. Darum bekämpfte er auch 1913 als Vertreter der schliesslich siegreichen Minderheit das Projekt, auch im Senat eine ständige aussenpolitsche Kommission zu schaffen.[409]

Versteht man den Aussenminister als den »ersten Diplomaten« des Quai d'Orsay, muss man weitere Namen nennen, denn besonders im Senat wirkte eine grössere Zahl ehemaliger Aussenminister als Experten weiter: de Broglie, de Freycinet, Ribot, Rouvier, Bourgeois und Pichon, um nur die wichtigsten zu nennen (vgl. Kap. 2.2). Sogar Justin de Selves, der nach kurzer Amtszeit als Versager Ende 1911 aus dem Amt geschieden war, trat im März 1913 als Berichterstatter zum französisch-spanischen Vertrag vom 27. November 1912 auf.

*Verbindungen in die Deputiertenkammer:* Hier stellte sich die Frage nach der Auswirkung allfälliger Doppelfunktionen nicht. Man kann vielmehr eine andere Erscheinung beobachten: Deputierte machten sich zu Fürsprechern bestimmter Diplomaten – Jules Delafosse etwa für de Ring, Deloncle etwa für Beau. Aus-

---

[406] Paléologue notierte sich am 5. April 1904 (mithin drei Tage vor Abschluss des englisch-französischen Vertrages), de Courcel sei im Aussenministerium erschienen, »pour y prendre connaissance de quelques dossiers secrets.« PALÉOLOGUE, Tournant, S. 49. DDF, Série II, Bd. 9, Nr. 225 und 291; GP, Bd. 21, Nr. 7034–7036 und 7047. Ferner: André TARDIEU, La conférence d'Algésiras: histoire diplomatique de la crise marocaine (15 janvier–7 avril 1906), Paris 1907, S. 241 f.

[407] Dass die Anfrage vom 31. März 1905 mit Delcassé abgespochen war, bestätigt Paléologues Tagebuch, PALÉOLOGUE, Tournant, S. 278.

[408] Senat vom 12. April 1906, JO nach S. 544.

[409] Der Senat lehnte das Projekt am 13. Dezember 1913 mit 210 gegen 68 Stimmen ab. Zu Decrais' gouvernementaler Haltung passte es, dass diesem ehemaligen Diplomaten 1886 das Aussenministerium angeboten worden war und er 1898 wieder als Nachfolger von Aussenminister Hanotaux im Gespräch war, Paul an Jules Cambon, 17. Februar 1898, Fonds Louis Cambon.

senminister Barthélemy-Saint-Hilaire entgegnete am 5. Juli 1881 auf Delafosses Beanstandung:

> »Y a-t-il une administration possible, y a-t-il une hiérarchie qui puisse fonctionner régulièrement, si, lorsqu'un subordonné croit avoir à se plaindre de ses chefs, c'est à la tribune que ses griefs sont apportés?«[410]

Dabei ging es fast ausschliesslich um persönliche und nicht um allgemeine Fragen der Aussenpolitik. Ärger gab es, als Aussenminister Hanotaux den Deputierten und ehemaligen Diplomaten Le Myre de Vilers 1894 in der Madagaskar-Affäre vorübergehend wieder einsetzte und dieser sich erlaubte, in der Kammer eine Auffassung zu vertreten, die sich mit derjenigen des Aussenministers nicht deckte. Le Myre aber pochte auf seine Meinungsäusserungsfreiheit und zog es vor, den aktiven Dienst der Diplomatie wieder zu verlassen. Le Myre de Vilers am 23. Oktober 1895:

> »J'ai mûrement réfléchi à notre conversation d'hier soir. Vous avez trouvé quelque chose d'incorrect à ce qu'un agent, membre du parlement, manifestât les divergences de vues avec le Ministère des affaires étrangères sur une question de politique extérieure. Peut-être avez-vous raison. Aussi, tenant à conserver ma liberté de parole à remplir mon mandat législatif avec une entière indépendance, je vous prie de m'admettre à faire valoir mes droits à la retraite. En quittant le département, je tiens à vous exprimer toutes mes sympathies, ma sincère estime et mon admiration pour vos rares talents.«[411]

Auch die Kammer zählte ein paar ehemalige Diplomaten und Konsule – etwa Albin Rozet, den Präsidenten der aussenpolitischen Kommission –, sie setzten aber ihr Mitspracherecht vor allem in Verwaltungsfragen des Quai d'Orsay ein und traten, wenigstens im Plenum, in den allgemeinen Fragen der französischen Aussenpolitik nicht als Meinungsmacher auf.[412]

## Ratifikation von Verträgen

Das Mitspracherecht des Parlaments bestand zu einem wichtigen Teil aus der Kompetenz, ausgehandelte Verträge zu ratifizieren, zur Ratifikation freizugeben oder sie zurückzuweisen. Das Verfassungsgesetz vom 18. Juli 1875 bestimmte in Art. 8, dass Verträge, welche Frankreichs Territorium, Handel und Finanzen sowie die Rechte seiner Bürger im Ausland betreffen, nur mit der Zustimmung der beiden Kammern Rechtskraft erlangten. Der gleiche Verfassungsartikel

---

[410] Zit. nach Jules BARTHÉLEMY-SAINT-HILAIRE, Fragments, S. 284. – Zu den Verbindungen zwischen Deloncle, dem Deputierten von Cochinchina, und Beau, dem Generalgouverneur von Indochina, siehe Beau, Papiers nominatifs, Bd. 12.

[411] Papiers Hanotaux, Bd. 24.

[412] Laut Dictionnaire des parlementaires français ist Rozet auch Sekretär des »Groupe diplomatiqe et colonial« gewesen, Adolphe ROBERT/Gaston COUGNY, Dictionnaire des parlementaires français 1789–1889, Paris 1889, S. 2929. Zusammensetzung und Aktivität des »Groupe Colonial« sind bereits ausführlich analysiert worden, s. Christopher ANDREW/Peter GRUPP/A. S. KANYA-FORSTNER, Le Mouvement colonial français et ses principales personalités. 1890–1914, in: Revue française d' histoire d'outre mer 229 (1975), S. 640–673, hier: S. 671, siehe dort über Rozet. Ein »Groupe diplomatique« ist dagegen nicht nachgewiesen. S. GUIRAL/THUILLIER, Vie quotidienne, S. 253.

räumte jedoch ein, dass der Präsident der Republik (vgl. Kap. 2.1) die ausgehandelten Verträge nicht unverzüglich dem Parlament vorlegen musste,
sondern »sobald Interessen und Sicherheit des Staates« dies zuliessen:

> »Le président de la République négocie et ratifie les traités. Il en donne connais-
> sance aux Chambres aussitôt que l'intérêt et la sûreté de l'Etat le permettent. Les
> traités de paix, de commerce, les traités qui engagent les finances de l'Etat, ceux
> qui sont relatifs à l'état des personnes et au droit de propriété des Français à
> l'étranger, ne sont définitifs qu'après avoir été votés par les deux Chambres. Nulle
> cession, nul échange, nulle adjonction de territoire ne peut avoir lieu qu'en vertu
> d'une loi.«

Obgleich selbst längere Vorenthaltungen nicht rechtswidrig waren, entsprachen
sie, wenn man sie nicht als zeitlich befristete Ausnahmen verstand, nicht dem
Geist der in Art. 8 getroffenen Regelung.

Kontroversen um einige wenige dem Parlament vorenthaltene Verträge liessen
die unzutreffende Meinung aufkommen, die Exekutive hätte sich in den wenigsten Fällen an den Art. 8 gebunden gefühlt. Das Parlament hat indessen in den
meisten Fällen (total sind es 1875–1914 etwa 200) die Verträge vorschriftsgemäss
vorgelegt erhalten. Dies gilt insbesondere für die zahlreichen Handels- und
Schifffahrtsverträge, aber auch für die grossen Protektoratsverträge.[413] Einer anderen Darstellung zufolge wurden 190 Verträge unterbreitet und zwei davon zurück gewiesen, nämlich zwei Handelsverträge, einer 1877 mit Italien und einer
1899 mit den Vereinigten Staaten.[414]

Waren die Verhandlungsergebnisse einmal bekanntgegeben, setzten sie sich in
der Regel gegen die allenfalls vorhandenen Absichten durch, den Vertrag zurückzuweisen.[415] Einzelne Paragraphen konnte das Parlament ohnehin nicht abän-
dern, es konnte jeweils nur mit einem Ja oder Nein über das gesamte Vertragswerk befinden. Es kam immerhin vor, dass sich das Parlament der Macht des
Faktischen nicht beugte und Verträge zurückwies. Am 7. Juli 1877 forderte die
Deputiertenkammer mit 225 gegen 220 Stimmen die Regierung auf, mit Italien
erneut in Verhandlung zu treten, obwohl der zur Debatte stehende Handelsver-

---

[413] Louis MICHON, Les traités internationaux devant les Chambres, Paris 1901 stellt fest,
dass 1875–1901 alle Handels- und Schifffahrtsverträge dem Parlament vorgelegt worden seien.
Und CHOW, Contrôle parlementaire fügt 1920 bei: »Il paraît en être ainsi depuis lors.« (S. 156).
Die meisten Protektoratsverträge wurden dem Parlament vorgelegt und gutgeheissen. Pierre
Barisien nennt 43 Verträge zu »Pseudo-Protektoraten« mit afrikanischen Stämmen in den Jahren 1880–1884, die dem Parlament nicht vorgelegt worden sind, Pierre BARISIEN, Le parlement
et les traités. Etude sur le fonctionnement pratique de la loi du 16 juillet 1875, Paris 1913,
S. 152, s. auch CHOW, Contrôle parlementaire, S. 163. BARISIEN, Traités, S. 146 f. gibt in seinem Anhang eine umfangreiche Zusammenstellung von internationalen Verträgen vor 1911. –
Das Ergebnis der Berliner Konferenz vom 1878 wurde nur durch den Präsidenten ratifiziert,
weil Frankreich am russisch-türkischen Konflikt nicht direkt beteiligt war, JO, 6. September
1878. Die Haager Konvention von 1899 zur friedlichen Konfliktbeilegung wurde auch nicht
dem Parlament vorgelegt, was CHOW, Contrôle parlementaire, S. 160 als verfassungswidrig bezeichnet, weil mit der Zustimmung finanzielle Verpflichtungen zum Unterhalt des Büros im
Haag verbunden waren.

[414] SCHUMAN, War and Diplomacy, S. 322.

[415] Frederick Schuman ist ebenfalls der Meinung, das Ratifizierungsrecht der Legislative sei
bloss ein theoretisches Recht gewesen, ebenda, S. 318 f.

trag ein paar Wochen zuvor von den italienischen Kammern bereits ratifiziert worden war.[416] Acht Jahre später wiederholte sich Ähnliches: 1886 wies die Deputiertenkammer völlig unerwartet, diesmal mit einem Mehr von elf Stimmen, erneut einen vom italienischen Parlament bereits gutgeheissenen Handelsvertrag zurück und versetzte die französische Diplomatie in die schwierige Lage, mit einem verärgerten Partner neue Verhandlungen aufnehmen zu müssen. Botschafter de Moüy, der diese Verhandlungen neu aufnehmen musste, schrieb in seinen Memoiren:

> »Les deux gouvernements n'étaient parvenus à conclure qu'avec beaucoup de peine et de longues discussions, et il fallait reprendre le travail sur de nouveaux frais dans des conditions défavorables. Notre Parlement avait, en réalité, commis une faute politique; il nous imposait une négociation épineuse.«[417]

Das Parlament konnte also durchaus Verträge zurückweisen, es konnte aber auch alte Verträge als überholt erklären und die Regierung mit Revisionsverhandlungen beauftragen. Ein solcher Auftrag provozierte 1890 sogar eine Regierungskrise: Der Senator Foucher de Careil, der bis 1886 Botschafter in Wien gewesen war, brachte im Senat den Antrag durch, die Regierung solle den französisch-türkischen Handelsvertrag von 1861 revidieren. Dieser Vorstoss führte schliesslich zum Rücktritt des Kabinetts, weil sich die ohnehin angeschlagene Regierung dem Revisionsauftrag nicht unterziehen wollte. Schon am 1. März 1890 war der Innenminister und nachmalige Botschafter Constans abgesprungen, nachdem er sich mit Ministerpräsident Tirard überworfen hatte. In der Sitzung vom 13. März 1890 sprach sich der Senat mit 129 gegen 117 Stimmen gegen den von der Regierung beantragten »ordre du jour pur et simple« und mit 137 gegen 90 Stimmen für die folgende Tagesordnung aus:

> »Le sénat invite le gouvernement à négocier avec la Turquie un modus vivendi destiné à prendre fin avec les traités de commerce actuellement en vigueur.«[418]

Abgesehen von diesem Fall und den genannten Handelsverträgen könnte die Ratifikationspraxis so gehandhabt worden sein, dass die politisch unproblematischen Verträge unterbreitet, die problematischen und deshalb politisch wirklich relevanten dagegen dem Parlament vorenthalten wurden.

Ob Verträge dem Parlament unterbreitet wurden, hing, wie gesagt, vom Gutdünken des Präsidenten der Republik und von der Regierung ab. So durfte sich das Parlament, nachdem der erste Protektoratsvertrag mit der Königin von Madagaskar am 6. März 1886 vorgelegt und gutgeheissen worden war, zehn Jahre später zum neuen Protektoratsvertrag nicht äussern, und zwar paradoxerweise aus Rücksicht auf die grossen Anstrengungen der vorangegangenen Expedition. Ministerpräsident Ribot schrieb am 5. September 1896 an Aussenminister Hanotaux:

[416] Siehe DDF, Série II, Bd. 2, Nr. 314, S. 326.
[417] MOUY, Souvenirs, S. 223.
[418] Vgl. BLOCH, Régime parlementaire, S. 44.

> »Après l'effort considérable que nous avons été obligés de faire, l'opinion est de-
> venue exigeante et je ne suis pas sûr que la discussion dans les Chambres du traité
> à conclure ne présente pas de sérieuses difficultés.«[419]

Das Kabinett Bourgeois traf dann die Lösung, dass Madagaskar am 18. Januar
1896 einseitig die »prise de possession« der Insel durch Frankreich anerkannte.

Die Regierung Ribot hatte es unterlassen, das französisch-englische Abkommen vom 10. August 1889 über die afrikanische Westküste dem Parlament vor-
zulegen. Fünfzehn Monate später, im November 1890 nahm der konservative
Deputierte Marquis de La Ferronays die allgemeine Aussprache im Rahmen der
jährlichen Budgetdebatte zum Anlass, um der Regierung den Art. 8 von 1875 in
Erinnerung zu rufen; da Frankreich im Vertrag vom August 1889 Gebiete an
England abgetreten habe, bedeute die Promulgation des Präsidenten der Republik ohne Zustimmung des Parlamentes eindeutig eine Verletzung der Verfassungsbestimmungen. Leider müsse man sich aus patriotischen Rücksichten diesem »fait accompli« fügen, doch sei zu hoffen, dass sich die Regierung künftig,
wie dies in den zwanzig Jahren zuvor der Fall gewesen sei, wieder an die Verfassung halten werde:

> »[...] nous sommes en présence d'un fait accompli, que nous ne devons plus au-
> jourd'hui contester. Nous devons accepter, subir, respecter, au nom de l'honneur
> français, les conventions qui ont été conclues. Mais j'attends de M. le ministre des
> affaires étrangères, et j'espère qu'il voudra bien nous en donner l'assurance à la
> tribune, que cet errement exceptionnel, que je relève pour la première fois dans
> l'histoire de ces vingt dernières années, restera un acte aussi regrettabe qu'isolé
> [...].«[420]

Aussenminister Ribot versuchte die Unterlassung seines Vorgängers damit zu
erklären, dass der Vertrag im Grunde keinen Gebietsabtausch enthalte, da die
fraglichen Zonen gar nicht als Gebiete genau abgrenzbar und lediglich als Inte-
ressenzonen zu verstehen seien. Zugleich gab aber der Aussenminister, der in
den folgenden Jahren immer wieder für die Geheimhaltung der französisch-russischen Vereinbarungen eintreten sollte, zu verstehen, dass er selbst im Zweifelsfall
die Prärogative des Parlamentes beachten würde:

> »On a examiné de très bonne foi et avec beaucoup d'attention s'il fallait voir dans
> la convention dont il s'agit un échange de territoires, ou s'il ne fallait pas plutôt y
> voir une de ces opérations fréquentes en Afrique où il y a des territoires tout à fait
> mal définis, qui n'ont jamais eu de frontières – opérations qui écartent par leur na-
> ture même toute idée de cession. [...] Qu'il faille se montrer respectueux des
> prérogatives de la Chambre, et, quand il y a un doute, pencher en faveur des
> droits du pouvoir législatif, ce n'est pas moi qui y contredirai.«[421]

Besonders wichtige Verträge – allen voran das Abkommen mit Russland, aber
auch das Abkommen mit England – wurden tatsächlich nie vorgelegt. Wohl waren die meisten als allgemeine Tatsache bekannt, nicht aber – was bei Verträgen
essentiell ist – die einzelnen Bestimmungen. Aussenminister Delcassé verwies in

---

[419] Papiers Hanotaux.

[420] Debatte vom 4. November 1889, Annales, S. 210.

[421] Ebenda.

seiner Stellungnahme vom 7. April 1905 auf die allgemein bekannten Marokko-Vereinbarungen – »les accords que vous connaissez« und löste mit diesem Hinweis Lärm in der linken Ratshälfte und den Zwischenruf von Charles Benoist aus: »Nous les connaissons pas!«[422]

Die Abhängigkeit vom Ermessen der Exekutive drückt sich auch im folgenden Fall aus: Als Aussenminister Poincaré im März 1912 den Deputierten versprach, er werde ihnen jeweils die Vertragsabschlüsse der Regierung so bald als möglich bekanntgeben, rief der sozialistische Abgeordnete Louis Ringuier in den Saal:

> »Nous sommes une Chambre d'enregistrement, alors?«[423]

Dem bedeutendsten Fall eines nicht vorgelegten Vertrags ist der folgende Abschnitt gewidmet.

### Die französisch-russischen Abkommen

Der Paradefall eines dem Parlament vorenthaltenen Vertrags war die französisch-russische Allianz, ein Vertragswerk aus zwei Militärkonventionen vom August 1891 und August 1892 und einer bestätigenden Akte vom Dezember 1893.[424] Dieses Vertragswerk bedurfte allerdings nicht zwingend einer Billigung durch das Parlament, da Frankreich daraus keine direkten und konkreten Verpflichtungen erwuchsen. Aus diesem Grund war beispielsweise Jahre zuvor auch der Vertrag von Berlin von 1878 nicht vorgelegt worden. Obwohl oder gerade weil der Inhalt des französisch-russischen Abkommens nicht bekannt und die Tatsache der Annäherung zwischen den beiden Mächten nur mit den gegenseitigen Flottenbesuchen in Kronstadt und Toulon der politischen Welt gewissermassen bekannt gegeben worden war, nahm »die Allianz« im politischen Denken der Franzosen eine wichtige Stellung ein. E. M. Carroll (1931) sagt völlig richtig:

> »Without precise knowlegde of its terms, the alliance became an article of faith among almost all groups.«[425]

Es war vor allem Russland, das – zum Teil, weil es auf Deutschland Rücksicht nehmen wollte, zum Teil, weil die Geheimdiplomatie seinem autokratischen Regierungsstil entsprach – die Geheimhaltung der Verträge wünschte und die Abkommen im Falle ihres Bekanntwerdens sogar als hinfällig betrachten wollte. Art. 7 des Konventionsentwurfes vom August 1891 hätte, so wünschten es die Russen, die Partner zu strengster Geheimhaltung verpflichten sollen. Der russische Vorschlag lautete:

> »Toutes les clauses énumérées ci-dessus seront tenues rigoureusement secrètes.«

Da die französischen Verfassungsbestimmungen aber keine Geheimverträge und eben nur befristet geheimgehaltene Verträge zuliessen, schlug die französische Regierung eine andere Formulierung vor:

---

[422] JO, S. 1251.

[423] 1. März 1912, JO, S. 556.

[424] Die beste Übersicht gibt RENOUVIN, Histoire, Bd. 6, S. 121–127.

[425] Eber CARROL, French Public Opinion, S. 160.

> »Les clauses énumérées ci-dessus ne pourront être divulguées qu'avec le consentement des deux parties.«[426]

Die Vereinbarungen sollten nur mit der Zustimmung der beiden Vertragspartner bekanntgegeben werden dürfen.

1895 kam in einer aussenpolitischen Debatte der Kammer erstmals das französisch-russische Bündnis zur Sprache; doch nicht etwa weil die Regierung der Legislative die Verträge zur Genehmigung vorgelegt hätte, sondern weil die sozialistische Opposition die Angelegenheit aufgriff. Zunächst wies der sozialistische Deputierte Alexandre Millerand auf den Vertrag von 1891 hin und bemerkte, ohne allerdings dessen Bekanntgabe zu fordern, dass das Parlament ihn noch nicht habe offiziell zur Kenntnis nehmen können. Millerand kritisierte in erster Linie die Führung der französischen Aussenpolitik und warf ihr vor, sie würde sich zu sehr von russischen Interessen leiten lassen.

> »Depuis 1891, il existe entre la France et la Russie un accord, une entente, sur les conditions et la portée de laquelle le Parlement n'a pas encore été officiellement renseigné. Nous en savons comme tout le monde ce qu'on a pu apprendre par les événements qui se sont publiquement déroulés. J'en citerai impartialement deux qui ont été les résultats les plus visibles, au point de vue de chacune des deux parties de cette entente: d'une part, le relèvement de la France, attesté Cronstadt; d'autre part, les milliards de l'épargne français […].«[427]

Nach längeren Ausführungen des Aussenministers Hanotaux über diverse Fragen der französischen Aussenpolitik griff der radikal-sozialistische René Goblet, ehemaliger Aussenminister der Jahre 1888/89, hellhörig eine Formulierung auf, die Hanotaux, eine eigene Depesche zitierend, in seiner Antwort verwendet hatte. Ausssenminister Hanotaux verwendete dort, wo er explizit die französisch-russischen Beziehungen definierte, aber nur die Formulierung:

> »Deux grandes puissances, portées l'une vers l'autre par l'attraction de leurs sentiments et de leurs intérêts respectifs, se sont donné la main.« Zuvor aber hatte er aus einer eigenen Instruktion an seinen Botschafter in St. Petersburg zitiert: »La France met au premier rang de ses préoccupations la considération de ses alliances [...].« [428]

Goblet hielt fest, dass zum ersten Mal nicht von französisch-russischer »Entente«, sondern von »Allianz« die Rede gewesen sei:

> »Pour la première fois depuis cinq ou six ans, on a parlé aujourd'hui non pas simplement d'une entente, mais on a prononcé le mot ›alliance‹. S'il y a alliance, dites-le! Nous sommes assez forts, au moins je le suppose, à cette heure, pour connaître et pour dire la vérité. Si vous avez une alliance, publiez-la! […] S'il y a une alliance,

---

[426] Zit. nach Georges MICHON, L'alliance franco-russe 1891–1917, Paris 1927, S. 40 f. Michon schrieb dieses Buch im Sinne einer Kritik gerade an den Verschleierungsmethoden der französischen Regierung und der herrschenden Klasse, damit sich die Zeitgenossen bewusst würden, wie die Interessen des Volkes verwaltet worden seien – »d'un grand peuple qui, après avoir fait trois révolutions pour se diriger lui-même, s'est cru enfin le maître de son destin.« (S. VIII).

[427] JO, 10. Juni 1895, S. 310

[428] JO, S. 316 f.

je demande qu'on nous le dise et je demande à dire, de plus, ce que, suivant moi, l'on doit en faire.«[429]

Goblet begründete seine Forderung, die Regierung solle den französisch-russischen Allianzvertrag publizieren, mit dem Hinweis, Deutschland habe auch den Vertrag der Tripel-Allianz publiziert. Goblet wurde hierauf vom Ratspräsidenten belehrt, er befinde sich im Irrtum. Doch am folgenden Tag konnte Goblet präzisieren, dass der deutsch-österreichische Vertrag vom 7. Oktober 1879 im Februar 1888 in verschiedenen Zeitungen veröffentlicht worden sei.[430] Der ehemalige Aussenminister forderte die Publikation des Allianzvertrages, worauf Alexandre Ribot, der Premier- und Finanzminister, der zur Zeit der Konventionsabschlüsse Aussenminister gewesen war, in gewundenen Formulierungen erstmals – was auch die deutschen Beobachter registrierten[431] – vor dem Parlament die Existenz der französisch-russischen Allianz bekräftigte:

> »Oui, nous avons allié aux intérêts d'une grande nation les intérêts de la France; nous l'avons fait pour la sauvegarde de la paix et le maintien de l'équilibre de l'Europe. Et s'il n'y a rien de changé dans les aspirations […], il y a pourtant quelque chose de changé en Europe depuis 1891. […] Mes prédécesseurs ont tous été des patriotes sincères, ils ont fait ce qu'ils ont pu, mais vous étiez dans une période difficile et vous n'aviez pas la sécurité que nous avons puisée dans cette alliance qui est et doit rester la garantie de la paix du monde.«[432]

1896 gewährte Präsident Félix Faure ausnahmsweise dem Senatspräsidenten Loubet (und nachmaligen Präsidenten der Republik) Einblick in die französisch-russischen Abkommen, damit dieser seinen mässigenden Einfluss auf eine bevorstehende Senatsdebatte ausübe:

> »Ne laissez donc pas prononcer des paroles qui seraient de nature à nous causer plus tard de gros ennuis […].«[433]

Nachdem am 27. August 1897 im berühmten Abschiedstoast von Kronstadt zwischen dem französischen Präsidenten Félix Faure und dem russischen Zaren Nikolaus II. die vielbeachtete Formel der »nations amies et alliées« verwendet worden war, kam das Bündnis in der Budgetdebatte vom Februar 1898 erneut zur Sprache; allerdings wieder in einem aktuellen Zusammenhang, nämlich dem Kreta-Konflikt, und wiederum in Verbindung mit dem Vorwurf, Frankreich lasse sich von seinem Bündnispartner ausnützen. Albert Decrais, der ehemalige Botschafter, der 1880 zu den »nouvelles couches« gehört hatte, inzwischen aber als Deputierter des Zentrums auf den rechten Flügel gerutscht war, pries in einer gouvernementalen Rede das französisch-russische Bündnis, das ja jedermann bekannt sei:

> »Une garantie nouvelle est venue tout récemment s'ajouter à toutes les autres: je veux dire l'alliance solennellement annoncée au monde de la France et de la Rus-

---

[429] JO, S. 320.

[430] Sitzung vom 11. Juni 1895, Mitteilung nach Eröffnung der Sitzung.

[431] Bericht Münster 119/11. Juni 1895, GP, Bd. 9, Nr. 2358.

[432] JO, S. 322.

[433] Papiers Faure, S. 133.

sie. […] Je la mentionne donc, mais sans m'y arrêter longuement. Tout a été dit sur cet événement considérable qui a été accueilli par la France entière avec une satisfaction si vive et si justifiée.« Zwischenruf René Goblet: »Rien n'a été dit ici!« Albert Decrais: »Tout a été dit sur sa portée, sur les garanties honorables dans lesquelles il a été accompli, sur les garanties qu'il offre pour la paix générale […].« Zwischenruf Alexandre Millerand: »Alors renseignez-nous!«[434]

René Goblet und Alexandre Millerand widersprachen ihm sogleich, und Goblet verlangte, durch Decrais' Ausführungen dazu veranlasst, dass die Regierung das Parlament über die Tragweite der Allianz informiere:

> »J'espère […] qu'à ce propos M. le ministre voudra bien ajouter quelques lumières aux éclaircissements un peu vagues que M. Decrais nous a donnés sur l'alliance franco-russe […] nous ne savons rien des conditions et de la portée de cette alliance.«[435]

Aussenminister Hanotaux konnte jedoch, applaudiert von der Mehrheit des Rates, Goblets Forderung mit der Bemerkung parieren, die Öffentlichkeit der Verhandlungen verbiete es ihm, ein volles Licht auf die Vereinbarungen zu werfen und dem etwas beizufügen, was in den Toasts der Welt verkündet und vom Volk gutgeheissen worden sei:

> »L'honorable M. Goblet sait parfaitement qu'il est dans les affaires d'un grand pays des points sur lesquels il est impossible de projeter une lumière complète. Il sait bien que ce qui se dit à cette tribune est entendu non seulement dans cette enceinte mais au dehors […]. C'est assurément un grand événement que l'alliance ait été proclamée à la face du monde par les parties contractantes et acclamée par le pays tout entier. Mais il nous est interdit de rien ajouter à cette proclamation solennelle. Les faits parlent assez haut et nous dispensent d'en dire davantage.«[436]

Der Sozialist Millerand, der sich bereits unmittelbar nach Faures Reise nach Kronstadt in der Presse über die aussenpolitischen »faits accomplis« beklagt hatte[437], gab sich mit Hanotaux' Antwort nicht zufrieden. Er wollte zwar nicht Einzelheiten und nicht den Wortlaut des Allianzvertrages kennen, doch er insistierte, dass Frankreich ein Anrecht habe zu erfahren, was der Sinn und die Tragweite des Vertrages mit Russland sei:

> »Oui ou non, les toasts qui ont été échangés sur le Pothuau ont-ils consacré une situation nouvelle, ou au contraire, le mot qui pour la première fois, a paru dans ces toasts n'a-t-il été qu'une étiquette nouvelle apposée sur des conventions anciennes, auxquelles rien n'a été ajouté? Y a-t-il nouveau, ou n'y a-t-il, au contraire, qu'un mot nouveau, sans convention nouvelle? […] Non pas, vous l'entendez bien, quels sont les détails et les phrases de ce traité; je n'ignore pas que votre allié peut vous en avoir fait un devoir; mais il y a quelque chose que vous n'avez pas le droit de taire, de dissimuler à ce pays: quel est le sens, quelle est la portée et la valeur de ce contrat?«[438]

---

[434] Debatte vom 5. Februar 1898, JO, S. 449 f.

[435] Debatte vom 7. Februar 1898, JO, S. 459.

[436] JO, S. 462.

[437] Lanterne vom 22. September 1897, zit. bei MICHON, Alliance, S. 81.

[438] JO, S. 464.

Allein, Millerand und – aus dem protokollierten Applaus zu schliessen – die äussere Linke sowie »einige Bänke« der Linken mussten sich erneut mit einer allgemeinen, diesmal von Premier- und Landwirtschaftsminister Méline abgegebenen Erklärung abfinden: Es bestehe zwischen Frankreich und Russland eine Einheit der Ansichten und Aktionen. Man müsse sich aber gedulden, denn die Allianz werde erst mit der Zeit Früchte bringen:

> »Je le répète, c'est cette communauté de vues et d'action qui seule a permis d'arriver à ce résultat si satisfaisant pour la France […].« Méline zitierte ferner Decrais' Worte: »L'union de la France et de la Russie est une œuvre de longue haleine, c'est avec le temps seulement qu'on pourra la juger à ses fruits.«[439]

Sowohl 1895 als auch 1898 hätten die Deputierten, wenn sie tatsächlich gewollt hätten, von ihren Regierungen präzisere Auskünfte verlangen können. Beidemal hatten die Exekutiven jedoch nichts zu befürchten; sie merkten sogleich: Die Ratsmehrheit wollte keine weitergehenden Auskünfte. Das Parlament gab sich mit allgemeinen Umschreibungen und mit den dürftigen Erklärungen zufrieden, welche die Opposition der Regierung durch provozierende Behauptungen von Zeit zu Zeit abrang. So behauptete 1908 der Sozialist Francis de Pressensé, 1891 habe Frankreich die russische Partnerschaft mit der Anerkennung des Frankfurter Friedens von 1871 erkaufen müssen, das heisst mit dem Verzicht auf die Revanche:

> »[…] ne savez-vous pas dans quelles conditions a été conclue l'alliance franco-russe? […] La condition première mise par la diplomatie russe à l'entente qui allait être conclue, était la reconnaissance définitive du statu quo teritorial en Europe […].«

Der alte Ribot, der neunzehn Jahre zuvor als Premier- und Aussenminister an den Verhandlungen mit Russland beteiligt gewesen war, dementierte hierauf die Behauptung; vom Rat applaudiert, konterte er de Pressensés Berufung auf einen ministeriellen Gewährsmann mit der Bemerkung, seine Behauptung beweise lediglich, wie gut das Aussenministerium die Geheimnisse zu hüten gewusst habe:

> »[…] cela ne prouvera qu'une chose, c'est que ce ministre ne savait rien, qu'il n'avait pas été mis au courant de nos secrets et que le ministre des affaires étrangères avait su les bien garder.«[440]

Und als die Allianz 1911 nach dem österreichisch-russischen Zusammengehen in der Herzegovina-Bosnien-Frage erneut parlamentarischer Kritik ausgesetzt war, konnte sich Pichon damit begnügen, wiederum unter grossem Applaus zu erklären, dass die Allianz den gleichen Sinn behalten habe, ohne dass dem Parlament der Inhalt dessen bekannt war, was offenbar unverändert fortbestehen sollte:

> »Après comme avant, La France comme La Russie font de leur alliance une des bases fondamentales et invariables de leur politique et cette alliance conserve le

---

[439] JO, S. 466.

[440] Kammerdebatte vom 26. November 1908, JO, S. 2671 und 2680. Sechs Jahre zuvor war es am 23. Januar 1903 zu einem ähnlichen Disput zwischen Jaurès und Ribot gekommen.

caractère qu'elle n'a cessé d'avoir jusqu'à présent. (Applaudissements sur un grand nombre de bancs).«[441]

Bei Kriegsausbruch, am 4. August 1914, soll Premier- und Aussenminister Viviani die wohlgehüteten Verträge des französischen Bündnisses ins Parlament mitgebracht haben, doch von niemandem danach gefragt worden sein, auch nicht von der sozialistischen Opposition, die vorher immer die Veröffentlichung gefordert hatte.[442]

## Aussenpolitische Kommissionen

Ausgewählte Parlamentarier konnten auf zwei Arten in privilegierter Weise in aussenpolitischen Geschäften mitwirken: durch eine Mitsprache bereits während der Verhandlungen und durch die Vorberatung von abgeschlossenen Geschäften.

Um nicht erst dann mitzureden, wenn es kaum mehr etwas zu ändern gab, wurden von Seiten des Parlaments immer wieder Versuche unternommen, bereits während der Verhandlungen das parlamentarische Mitspracherecht geltend zu machen. Umgekehrt versuchte die Regierung, sich mit informellen Rücksprachen bei Parlamentariern noch vor Vertragsabschluß abzusichern. Wenn Aussenminister de Selves 1911 den deutschen Verhandlungspartnern gegenüber erklärte, vorsichtige Sondierungen bei massgebenden Parlamentariern hätten ergeben, dass das Parlament einer vollständigen Abtretung des Kongos nie zustimmen würde, wollte der Aussenminister mit dieser Information allerdings auch seine eigene Position gegenüber den Verhandlungspartnern festigen.[443]

Für die Wirtschaftsverhandlungen mit Spanien von 1906 gab der Ministerrat den diplomatischen Unterhändlern eine Verhandlungskommission mit, sehr zum Ärger Jules Cambons, der in Madrid die reguläre Vertretung innehatte. Der Handelsdirektor versuchte den verärgerten Botschafter zu trösten, indem er ihm die Vorteile vor Augen führte, die ein solches Vorgehen habe: Wenn man einflussreiche Parlamentarier jetzt schon mitreden lasse, werden sich diese einsetzen, wenn der Vertrag dem Parlament vorgelegt werde. Arsène Henry an Jules Cambon:

> »Je reconnais avec vous que cette procédure est fort critiquable, mais elle nous est imposée. Elle n'est pas d'ailleurs sans présenter quelques avantages appréciables. Lorsque vient le moment de la présentation aux Chambres d'un traité de commerce, il n'est pas inutile d'avoir comme auxiliaires des membres influents au Sénat et à la Chambre de Députés qui demandent la parole par un fait personnel lorsque l'on critique l'œuvre à laquelle ils ont participé. Ce sont des témoins, ou si vous voulez des complices, dont nous avons senti toute l'utilité lors de notre dernier traité avec la Russie. Sans les Parlementaires de la commission le traité qui n'était vraiment pas désavantageux, aurait été repoussé et le Ministère renversé.«

---

[441] Kammerdebatte vom 12. Januar 1911, JO, S. 22.

[442] SCHUMAN, War and Diplomacy, S. 249 f. – Einen Monat zuvor, am 7. Juli 1914, begründete Jaurès den sozialistischen Antrag, den Reisekredit für die präsidiale Russlandreise nicht zu genehmigen, unter anderem mit der grundsätzlichen Ablehnung jeglicher Geheimverträge, mithin auch des französisch-russischen Allianz-Vertrages.

[443] GP, Bd. 29, Nr. 10679.

Die parlamentarischen Mitglieder der Verhandlungskommission wurden durch die Handels-, Landwirtschafts- und Finanzminister ernannt. Das Aussenministerium delegierte lediglich zwei zusätzliche Beamte. Cambon wurde immerhin zugesichert:

> »Vous êtes, cela va sans dire, le président et vous serez l'unique plénipotentiaire lorsqu'on sera arrivé à un accord.«[444]

Jules Cambons Meinung über dieses Vorgehen erfahren wir aus einem Brief, den der Botschafter am 10. August 1906 dem Handelsdirektor schrieb:

> »Il y a […] un ordre de conversations dans lequel il faut avoir soin de ne pas faire entrer la commission qui, comme toutes les commissions, sera bavarde, puérile, vaniteuse et naïve. Dites-moi, si parmi ses membres, il en est un avec qui on puisse causer à fond. Je ne connais point ces messieurs et je serais heureux de savoir s'il y en a parmi eux qui peuvent agir avec discrétion et activité.«[445]

Eine ähnliche Funktion war der ersten ad hoc gebildeten Kommission zugedacht. Aussenminister Jules Favre begründete am 19. Februar 1871 vor der Nationalversammlung in Bordeaux den Vorschlag, fünfzehn Deputierte sollten Thiers und ihn zu den Verhandlungen nach Paris begleiten, weil sie auf diese Weise als Unterhändler die nötige moralische Autorität vor dem Feind erhielten.

> »Ce n'est pas pour engager d'avance la responsabilité de cette Assemblée par une immixtion qui pourrait constituer un confusion de pouvoirs, mais pour donner à vos négociateurs, vis-à-vis de l'ennemi, l'autorité morale dont ils ont avant tout besoin.«[446]

Obwohl Favre von Anfang an betonte, man wolle mit diesem Prozedere den Entscheid der Nationalversammlung nicht vorwegnehmen, stiess der Vorschlag bei einigen Ratsmitgliedern zunächst auf Bedenken. Gambetta wollte die Rolle der begleitenden Kommission genauer definiert haben und insbesondere wissen, ob sie bloss beobachtende Funktion habe oder sich an den Verhandlungen direkt beteiligen solle:

> »[…] il n'est pas indifférent de savoir si leur participation est purement et simplement d'observation, ou si, au contraire, elle peut arriver […] à engager d'une façon peut-être irrémédiable le droit de discussion de l'Assemblée qui doit rester souveraine.«[447]

Dasselbe Misstrauen hegte die Opposition der Rechten. Comte de Meaux, Berichterstatter zum Friedensvertrag, schreibt in seinen Erinnerungen etwas maliziös:

> »Thiers […] voulant partager avec eux non la conduite, mais la responsabilité des négociations […].«[448]

---

[444] Brief vom 25. Juli 1906, Papiers Jules Cambon, Bd. 11.

[445] Ebenda.

[446] Jules Favre in der Debatte vom 19. Februar 1871, Annales, S. 75.

[447] Ebenda, S. 79.

[448] Ebenda S. 39.

Der Regierung gelang es schliesslich, mit einer präzisierenden Erklärung die Befürchtung zu zerstreuen, dass die Legislative durch die Entsendung einer Kommission die Verantwortung für das Verhandlungsergebnis mit der Exekutive werde teilen müssen und die Freiheit verlieren werde, den ausgehandelten Friedensvertrag allenfalls abzulehnen. Jules Simon erklärte namens der Regierung:

> »C'est une commission de surveillance demandée par le Gouvernement pour lui-même, mais elle ne partage ni ne diminue la responsabilité du Gouvernement.«[449]

Die Schaffung eines *vorberatenden Gremiums* wirkte sich in diesem Fall nicht als Kompetenzverlagerung auf Kosten der Plenarberatung aus. Die Friedens-präliminarien vom 26. Februar 1871 wurden am 28. Februar 1871 in den geschlossen beratenden Büros der Nationalversammlung und am 1. März 1871 ausführlich in der Öffentlichkeit des Ratsplenums diskutiert und zum Schluss mit 546 gegen die bekannten 107 Proteststimmen gutgeheissen. In den folgenden Jahren wurden immer wieder ad hoc parlamentarische Kommissionen gebildet. Im November 1883 befasste sich eine 11köpfige Kommission unter dem Präsidium des künftigen Aussenministers Ribot mit Ferrys Tonkin-Politik, aber auch mit derjenigen seiner Vorgänger und insbesondere mit de Freycinets und Jauréguiberrys Entscheidungen vom April 1882. Die Kommission nahm Einblick in die gesamte diplomatische Korrespondenz und lud verschiedene Politiker und Beamte zur Berichterstattung vor. Mit einem Bericht äusserte sie sich schliesslich zu Handen der Ratskollegen über die Kreditanträge der Regierung.[450]

Im November 1885 wurde eine 33köpfige Kommission gebildet, die sich wieder mit der Tonkin-Frage befasste und insbesondere die Frage prüfte, ob Frankreich dieses Gebiet wieder evakuieren sollte.[451] Etwa zur gleichen Zeit schuf de Freycinet, um die Verantwortung für die Tunesien-Politik nicht alleine tragen zu müssen, eine Dreierkommission, welcher der Senator und ehemalige Botschafter de Saint-Vallier und der Deputierte und künftige Aussenminister Flourens angehörten.[452]

Die dem Parlament vorgelegten Staatsverträge wurden jeweils ebenfalls in Spezialkommissionen vorberaten. Und solange es, abgesehen von den Budgetkommissionen, keine permanenten Kommissionen gab, fand ein Teil der Vorberatung in den 11 durch Los gebildeten Büros der Deputiertenkammer statt.

Da man damit rechnen musste, dass die übrigen Ratsmitglieder an Einfluss verloren, was die Mitglieder von Spezialkommissionen an Einfluss gewannen, war das Bestreben, ständige Kommissionen zu schaffen, eher lau. 1902 wurden in der Kammer schliesslich doch 16 permanente Kommissionen zu je 44 Mitgliedern geschaffen, worunter auch eine Kommission für auswärtige Angelegenheiten und Kolonialfragen war.[453] In den Jahren vor dem Ersten Weltkrieg war diese Kommission nicht sehr einflussreich. Sie hatte wie die zuvor ad hoc gebildeten Kom-

---

[449] Ebenda, S. 80.

[450] Lavergne, Grévy, S. 180–204.

[451] Ebenda, S. 328 und 336.

[452] Brief Paul Cambons an seine Mutter, 25. November 1885, Correspondance 1870—1924, Bd. 1, S. 265 f.

[453] Chow, Contrôle parlementaire, S. 191, 196.

missionen die zu ratifizierenden Verträge vorzuberaten und konnte den Aussenminister zur vertraulichen Berichterstattung vorladen. Von 1910 an wurde die
Kommission proportionell nach Parteistärken zusammengesetzt. 1920 trat an
Stelle der vierjährigen eine einjährige Amtszeit und wurde für Kolonialfragen eine
besondere Kommission geschaffen.

Bemerkenswerterweise wollte der bereits erwähnte Jacques Piou 1912 in seinem Vorstoss die strengere Überwachung der Regierung während der Vertragsverhandlungen nicht dieser Institution, sondern einem neuen Gremium überbin-
den.

Während 1908 das Projekt, Handelsattachés einzuführen, in der Deputiertenkammer von der aussenpolitischen Kommission vorberaten wurde, beschäftigte
sich im Senat die Finanzkommission mit der gleichen Frage. Die Senatskommission, deren Verhandlungen vom Dezember 1911 zum Sturze Caillaux' führten,
war ad hoc zur Beratung des deutsch-französischen Vertrags vom November
1911 zusammengestellt worden, während in der Deputiertenkammer regulär
wiederum die aussenpolitische Kommission die Vorberatung übernahm. Im Senat kam es erst im Februar 1915 zu einer entsprechenden Einrichtung.

Im Dezember 1913 musste der Senat zur Frage Stellung nehmen, ob er ebenfalls eine Kommission für aussenpolitische Fragen einführen wolle. Albert Decrais, der als ehemaliger Diplomat die Vorberatungen zu diesem Projekt präsidiert
hatte, plädierte gegen die Meinung der Kommissionsmehrheit für eine Ablehnung des Projektes. Decrais befürchtete, eine solche Kommission würde sich
Regierungsbefugnisse anmassen, zumal sie an sich unterbeschäftigt wäre und sich
darum um Dinge kümmern würde, die sie nichts angingen. Die Schaffung einer
solchen Kommission bedeute die Abdankung des Senats und würde dazu führen,
dass es zweierlei Kategorien von Senatoren gebe; zudem entsprächen die ad hoc
gebildeten Kommissionen eher dem momentanen Willen des Senats als ein auf
vier Jahre gewähltes Gremium. Guillaume Chastenet konnte sich als be-
fürwortender Kommissionsberichterstatter nicht durchsetzen, obwohl es nicht
einmal darum ging, etwas grundsätzlich Neues einzurichten, führte doch der
Senat bereits sechs permanente Kommissionen, davon je eine für Armee und
Marine. Es wäre nicht richtig, würde man diese Ablehnung als Desinteresse gegenüber der Aussenpolitik verstehen. Aus diesem Entscheid spricht vielmehr die
Auffassung, dass die Aussenpolitik ohne die Spezialisierung auskomme, die beispielsweise die Finanz- oder Eisenbahnfragen erforderten. Nicht Geringschätzung also, sondern eher Unterschätzung der Fachaspekte der Aussenpolitik.[454]
Nachdem die 1915 gebildete aussenpolitische Kommission des Senates bei
Kriegsende wieder aufgelöst worden war, wurde 1920 definitiv auch im Senat
eine aussenpolitische Kommission mit 36 Mitgliedern geschaffen.[455]

---

[454] Das Projekt scheiterte bereits an der Eintretensabstimmung, die mit 213 gegen 78 Stimmen die Diskussion ablehnte, Senatsprotokoll für den 18. Dezember 1913, JO, S. 1554–1560.

[455] Siehe auch Robert Kent GOOCH, The French Parliamentary Committee System, New
York 1935, bes. S. 241 f. Die Tätigkeit dieser Kommission ist schlecht dokumentiert. Von der
8. Legislaturperiode (1902–1906) existiert nur ein Dossier (Archives Nationales, Série C, 7295,
Dossier 652); desgleichen in der 10. Legislaturperiode (1910–1914), aus der bloss das Protokoll

Die Reformvorschläge von 1912

1912 standen zwei Vorschläge zur Diskussion, die sich nicht nur deklamatorisch gegen die Geheimdiplomatie der Regierung wenden, sondern mit einer Verfassungsrevision konkrete Abhilfe schaffen und, gestützt auf die innere »Logik der politischen Institution«, das parlamentarische Kontrollrecht auch auf die Phase der in der Regel geheimen Vertragsverhandlungen ausdehnen wollten. Die ausländischen Vertragspartner sollten nicht besser informiert sein als die Vertreter des französischen Volkes.

Die Revisionsvorschläge gingen aus einer alten Abneigung gegenüber der Geheimdiplomatie hervor, aus einem grundsätzlichen Misstrauen, das nach dem Abschluss des französisch-deutschen Vertrags vom 4. November 1911 über Gebietsabtretungen im französischen Kongo neuen Auftrieb erhalten hatte. Damals wurde bekannt, dass Joseph Caillaux im Sommer 1911 als Premierminister ohne Wissen seines Aussenministers parallele Geheimverhandlungen mit Deutschland geführt hatte.

Im November 1911 fragte der Deputierte Louis Andrieux, für kurze Zeit selbst im diplomatischen Dienst und Mitglied der aussenpolitischen Kommission, in der Sitzung, in welcher der französisch-deutsche Vertrag vom 4. November 1911 vorberaten wurde, den Aussenminister de Selves, ob der französisch-spanische Marokko-Vertrag von 1904 die Unterschrift des Präsidenten der Republik trage. Da de Selves die Antwort verweigerte und sich auf die Staatsräson berief, durfte man annehmen, dass die Unterschrift fehlte.[456] Und im Dezember 1911 musste die vorberatende Senatskommission plötzlich feststellen, dass der ehemalige Aussenminister Delcassé 1904 mit Spanien einen Geheimvertrag abgeschlossen hatte, von dessen Existenz nicht einmal der Präsident der Republik etwas wusste. Die Existenz des französisch-spanischen Vertrages vom 7. Oktober 1904 war dem Parlament allerdings schon kurz nach Unterzeichnung des Vertrages bekannt geworden. Der Deputierte Charles Benoist warf in der Kammersitzung vom 12. November 1904 der Regierung vor, sie verstosse, wenn sie diesen Vertrag dem Parlament vorenthalte, gegen die Verfassung, und wies auf Pressemeldungen hin, wonach die spanischen Vertragspartner sogar die Oppositionsführer des Cortes über den Inhalt des Vertrages informiert hätten. Damals sprang François Deloncle, der Berichterstatter zum französisch-englischen Vertrag vom 8. April 1904, der Regierung bei:

> »La convention du 7 octobre entre la France et l'Espagne n'a pas été, en effet, communiquée au Parlement. Jusqu'à être plus ample informé le Parlement l'ignore et il en laisse la responsabilité au Gouvernement.«[457]

In der Folge verurteilte die Senatskommission in einer feierlichen und einstimmig gefassten Erklärung die missbräuchlichen Praktiken der Geheimverträge. Der Be-

---

der konstituierenden Sitzung vom 12. Juli 1910 vorhanden ist (ebenda, S. 7435 f.). Von 1928 an gibt ein gedrucktes Bulletin Auskunft über die Tätigkeit der Kommission.

[456] Vgl. Anm. 465: JÈZE, Pouvoir, S. 316.

[457] JO, S. 2428.

richt des Senators Baudin vom 26. Januar 1912 verzeichnete die folgende einstimmig gefasste Resolution der vorberatenden Senatskommission:

> »La commission estime qu'il a été fait, pendant les dernières années, un abus des
> traités secrets.«[458]

Auch in der Kammer erhoben sich nochmals Stimmen gegen die Diplomatie der
Geheimverträge. Am 1. März 1912 mussten die Deputierten zunächst über einen
Resolutionsentwurf des gemässigt katholisch-konservativen Abgeordneten Jacques Piou und fünfzig Mitunterzeichner befinden. Jacques Piou wies einleitend
auf die hohe Zahl von Geheimabkommen hin: Fünf Mal habe die Regierung in
den Jahren 1902–1909 Geheimverträge mit anderen Staaten abgeschlossen und
dabei fünf Mal das Parlament umgangen: zunächst durch Geheimverträge mit
Italien und Spanien, dann mit geheimen Zusatzklauseln zum französisch-englischen Vertrag vom 8. April 1904 und 1909 abermals mit einem Geheimzusatz in
einem Vertrag mit Spanien. Konkret beanstandete Piou, dass die Regierung ohne
parlamentarische Kontrolle einen Weg habe einschlagen können, der zum Verlust eines Teils der Kongokolonie geführt habe. Weiter führte er aus:

> »[...] il a été permis au Gouvernement, sans qu'il rencontrât sur sa route ni frein, ni
> obstacle, d'engager, sur une telle base, des tractations mystérieuses, et ensuite ces
> négociations officielles que, pendant trois mois, le pays a suivies, comprimant une
> sourde colère, stupéfait de n'en rien savoir, sinon qu'elles aboutissaient fatalement
> à la guerre ou au morcellement d'une colonie. Je ne relève pas ces erreurs dans un
> esprit de récrimination; je les impute moins aux hommes qui les commettent
> qu'aux institutions qui les rendent possibles. Ce sont elles les vraies coupables; ce
> sont elles qui permettent aux ministres de tout entreprendre et de tout cacher; ce
> sont elles qui, dès le jour de leur avènement au pouvoir, les placent entre la grise-
> rie de l'omnipotence et la terreur des responsabilités. [...] mieux vaut encore met-
> tre en mouvement la souveraineté nationale. [...] Ma proposition s'inspire de
> l'exemple de beaucoup de pays où, à côté du souverain, se trouve un conseil privé,
> dans lequel sont groupés les principaux personnages de l'Etat, et qui sert au pou-
> voir royal de guide et de frein. [...] Pouvoir personnel nominal du Président de la
> République; pouvoir personnel effectif du président du conseil; plus de solidarité
> dans le cabinet; l'omnipotence partout et la responsabilité nulle part! Voilà à quoi
> aboutit l'amalgame des prérogatives monarchiques et de la souveraineté nationa-
> le.«[459]

Seines Erachtens waren also weniger die Menschen als das System Schuld, das
solches erlaube. Darum müsse der Art. 8 des Verfassungsgesetzes von 1875 revidiert werden. Pious Kritik am »monarchistischen« Art. 8 entsprang aber nicht ra-
dikal-republikanischem Denken. Piou störte sich vielmehr daran, dass Vertragsverhandlungen nicht, wie es die Verfassung vorsah, in den Händen des Präsidenten lagen, sondern von der Regierung geführt wurden. Der konservative
Deputierte strebte letztlich auf Kosten der Regierung eine Restauration der präsidialen Kompetenzen an, doch wollte er dem gestärkten Präsidenten eine nach
dem Parteienproporz zusammengesetzte Kommission aus sechs Deputierten und

---

[458] Zit. nach Jèze, Pouvoir, S. 322; Jacques Piou zitiert in der Kammerdebatte vom 1. März
1912 einen ähnlichen Text, JO, S. 554.

[459] Debatte vom 1. März 1912, Reihenfolge der Aussagen leicht umgestellt, JO, S. 553 f.

drei Senatoren beigeben, die wie die monarchischen Konsultativräte dem Staatsoberhaupt hätten beratend zur Seite stehen sollen.

Der Vorschlag fand trotz seines restaurativen und nationalistischen Charakters (Piou befürchtete eine französisch-deutsche Annäherung auf Kosten der Beziehungen zu Russland und England) die Unterstützung der Sozialisten; allein, er vereinigte in der Abstimmung nicht mehr als 147 gegen eine Mehrheit von 372 Stimmen. Die Ratsmehrheit war dem Antrag der Regierung Poincaré gefolgt, die vor Verfassungsexperimenten warnte und zugleich aber das formelle Versprechen abgab, die Leitung der Aussenpolitik »so umfassend wie möglich« der parlamentarischen Kontrolle zu unterstellen und seine diplomatischen Aktionen in »vollem Einklang« mit den Wünschen des Landes zu halten.

Es lag aber noch ein zweiter Vorstoss für eine Revision von Art. 8 vor: Der sozialistische Deputierte Ernest Roche begründete am 8. März 1912 seine schon im Dezember 1911 eingereichte Interpellation damit, dass das Volk nicht begreife, warum die Republikaner die Verfassung von 1875 ständig als reaktionäres Produkt bezeichneten und sich dennoch weigerten, es zu ändern.

> »[…] cette leçon de l'histoire, cette terrible leçon de l'histoire que nous venons de recevoir, n'aura pas de résultats, ne servira de rien et […] nous retomberons demain dans les mêmes conditions d'insécurité où nous étions hier […].« Der Deputierte wollte die folgende Tagesordnung durchsetzen: »La Chambre, convaincue que la meilleure garantie de la paix consiste dans une politique extérieure de lumière et de loyauté, désireuse de voir le Gouvernement s'associer à ses efforts pour obtenir la révision de la Constitution, passe à l'ordre du jour.«[460]

Als die Kammer am 22. März 1912 über die von Ernest Roche vorgeschlagene Tagesordnung mit dem Revisionspostulat abstimmte, konnte der Interpellant trotz seines beschwörenden Aufrufes, man solle die Konsequenzen aus der schrecklichen Lektion (d. h. dem als Demütigung empfundenen Kongo-Vertrag vom 4. November 1911) ziehen, von 539 Stimmen bloss 139 für seinen Vorschlag gewinnen. Die Ratsmehrheit schloss sich Premier- und Aussenminister Poincaré an, der in seinem und im Namen seiner Vorgänger Cruppi und Caillaux die Auffassung vertrat, dass während und sogar nach Abschluss der Verhandlungen über deren Verlauf nichts mitgeteilt werden und bloss deren Ergebnisse zur Diskussion stehen sollten. Auf die laufenden Verhandlungen zwischen Frankreich und Spanien bezogen erklärte Poincaré am 22. März 1912 vor der Kammer:

> »La Chambre comprendra que je ne puisse et ne doive m'expliquer sur ces négociations que quand elles seront terminées.«

In der gleichen Debatte verfocht er aber auch die Meinung, dass man sich über die abgeschlossenen deutsch-französischen Verhandlungen von 1911 nicht mehr verbreiten solle:

> »Le Gouvernement a prié ses prédécesseurs [...] de ne pas réveiller des querelles rétrospectives.«[461]

---

[460] Debatte vom 22. März 1912, JO, S. 909.
[461] JO, S. 906 und 910.

Die Vorgänger kamen diesem Wunsch nach. Zuvor hatte Poincaré aber auch versichert:

> »Le Gouvernement renouvelle très volontiers l'engagement de soumettre le plus largement possible la direction de la politique extérieure au contrôle des Chambres et au jugement de l'opinion publique. Nous savons que ce qui fait la véritable force, l'efficacité réelle et durable des conventions diplomatiques, c'est la consécration qu'elles trouvent dans les sentiments profonds des peuples.«[462]

Wie der Ausgang dieses wie anderer Vorstösse zeigt, gab sich das Parlament mit der schwachen Stellung zufrieden, die das Verfassungsgesetz von 1875 vorsah, und begnügte sich, wie die Debatten um die französisch-russische Allianz bereits gezeigt haben, darüber hinaus mit einer restriktiven Auslegung der an sich schon bescheidenen Rolle.

## Wandel der staatsrechtlichen Auffassung

Wie die Ansicht, dass die Geheimdiplomatie durch das Parlament stärker kontrolliert werden sollte, in den Jahren vor dem Ersten Weltkrieg an Boden gewann, kann man am Wandel der staatsrechtlichen Auffassungen ablesen. 1901 noch vertrat Louis Michon, zum Teil gestützt auf ein Lehrbuch von Adhémar Esmein aus dem Jahr 1896, in seinem nicht aus einem besonderen staatspolitischen Anlass verfassten Werk *Les traités internationaux devant les Chambres* die Auffassung, dass »rein politische« Verträge, welche keine direkt finanziellen, territorialen und anderen in Art. 8 erwähnten Folgen enthielten und darum der Legislative nicht vorgelegt werden müssen und sogar besser nicht vorgelegt würden.

> »D'abord, les traités d'alliance sont des actes de pure politique, ne pouvant en aucune façon faire l'objet d'un rapprochement avec les lois, et être justiciables à ce titre du pouvoir législatif. Ensuite, sur un pareil terrain, l'intervention du pouvoir législatif est, on le conçoit, particulièrement difficile en pratique; il semble impossible de la maintenir dans une juste mesure, ou plutôt il ne peut y avoir pour elle de juste mesure: les députés seraient dans l'alternative d'approuver sans avoir approfondi, ou de faire, sur les desseins et les moyens d'action des futurs alliés, des investigations qui compromettraient presqu'à coup sûr le fruit des négociations. D'ailleurs le secret est presque toujours, en pareil cas, une condition indispensable: la France a attendu longtemps avant de savoir si réellement une convention la liait à la Russie, et aujourd'hui encore elle n'en connaît pas les conditions.«[463]

S. R. Chow hingegen ging in seiner 1920 in Paris vorgelegten Dissertation über die parlamentarische Kontrolle der Aussenpolitik von der Erfahrung des Ersten Weltkrieges und von der Auffassung aus, dass die vom Parlament zu wenig kontrollierte Geheimdiplomatie für den Ausbruch dieses Krieges zum mindesten mitverantwortlich gewesen sei. Chow stellte fest, dass die Aussenpolitik der parlamentarischen Kontrolle entgehe und dass die Kontrollmöglichkeiten ausgebaut werden müssten, damit das Parlament seiner Pflicht nachkommen könne:

---

[462] Debatte vom 1. März 1912, JO, S. 556.

[463] MICHON, Traités, S. 305. Louis Michons Buch wurde mit dem nach dem ehemaligen Aussenminister Drouyn de Lhuys bezeichneten Preis ausgezeichnet.

>Le monde a assez souffert des misères de la Guerre pour que chacun arrive à s'intéresser aus affaires extérieures de son propre pays. Partout le peuple commence à s'inquiéter des conséquences dangereuses de la diplomatie secrète et se demande s'il ne serait pas plus sage et plus prudent de limiter le pouvoir du gouvernement en ce qui regarde la politique étrangère. [...] le seul moyen pratique qu'on puisse envisager pour assurer une direction démocratique de la politique étrangère du pays est la reconstruction ou le renforcement du contrôle du Parlement.«[464]

Dazwischen liegen die Äusserungen von Gaston Jèze, der sich 1912 in der *Revue du droit public* zu Wort gemeldet hat, um nach der Debatte um die Revisionsanträge vom März 1912 in Erinnerung zu rufen, dass das Volk der Souverän sei, dass aber nicht die Bestimmungen von Art. 8, sondern die politischen Gewohnheiten revidiert werden und im Sinne der parlamentarischen Suprematie angewandt werden müssten:

>Le Cabinet a fait la promesse ferme et précise d'appliquer démocratiquement, républicainement, la Constitution de 1875. Il suffira au Parlement de tenir la main à ce que cette promesse soit tenue. Il a pour lui le droit; il a aussi la force. Il lui suffira donc de vouloir.«[465]

Die im folgenden Jahr eingereichte Dissertation von Pierre Barisien nahm wiederum eine leichte Akzentverschiebung vor und betonte, was der autoritären Aera Poincaré durchaus entsprach, erneut die Kompetenzen der Exekutiven, wenn er dem Präsidenten der Republik und dessen Regierung das Recht zubilligte, Geheimverträge abzuschliessen.[466] Und für den Hochschuldozenten Joseph Barthélemy war es zumal in den Jahren des Kriegs und der Machtkonzentration bei der Exekutiven selbstverständlich, dass die Regierung für die hohe Aussenpolitik alleine zuständig sei und Allianzverträge im Prinzip nicht dem Parlament vorgelegt werden müssten:

>C'est le gouvernement seul qui fait la grande politique internationale.«[467]

Jean Sapira wies in seiner 1920 erschienenen Dissertation auf die nach 1918 stärker gewordene Abneigung gegenüber der Geheimdiplomatie hin, er schloss sich aber Joseph Barthélemy an und betonte, dass Frankreich, solange der Völkerbund seine Funktionstüchtigkeit nicht bewiesen habe, seine Position auch mit dem Mittel der Geheimdiplomatie verteidigen müsse. Er nahm eine völlig andere Haltung ein als der zur gleichen Zeit sich äussernde Chow, indem er sich auf den Standpunkt stellte, sowohl die Verfassung als auch deren Handhabung in der Praxis räume dem Parlament genügend Kontrollmöglichkeiten ein:

[464] CHOW, Contrôle parlementaire, S. 7 und 313. Der Verfasser befand sich in vollkommener Übereinstimmung mit dem Deputierten Barthou, der am 3. Februar 1920 als Präsident der aussenpolitischen Kommission erklärte: »Le premier devoir de la Commission sera de rechercher impartialment la vérité et de la dire au pays, trop longtemps tenu en dehors du ses affaires.« Diese Äusserung wird natürlich auch von Chow zitiert, ebenda, S. 191.

[465] JÈZE, Pouvoir, S. 313–329.

[466] BARISIEN, Traités, insbesondere S. 88 f.

[467] BARTHÉLEMY, Démocratie, S. 109–115; publizierte Vorlesungen der Jahre 1915/16 in der Ecole des Hautes Etudes Sociales.

»Il n'est pas douteux que le contrôle parlementaire constitue un sérieux contre-
poids à ce qui pourrait paraître excessif dans le droit reconnu au gouvernement au
point de vue diplomatique.«[468]

## Die Budgetkommission

Wichtiger als die Kommission für Auswärtige Angelegenheiten war die Budgetkommission. Eine Schlüsselstellung nahmen die Budgetberichterstatter ein. Sie
wirkten hinter den Kulissen, wo sie in enger Zusammenarbeit mit dem Ministerium den Budgetbericht zusammenstellten. Der Budgetberichterstatter konnte,
wenn ihm die zur Verfügung gestellten Unterlagen nicht genügten, zusätzliche
Berichte anfordern. So wurde das Generalkonsulat in Kairo am 17. September
1907 beispielsweise aufgefordert, zu Handen des Budgetberichterstatters einen
detaillierten Bericht über das Collège Esnault zu liefern.[469] Was Eugène Spuller
als Budgetberichterstatter am 1. August 1879 in der Kammer schilderte, traf allgemein zu:

> »[...] dans les relations de la commission du budget avec le département des affai-
> res étrangères les rapports mutuels de courtoisie, de confiance, de déférence réci-
> proque, ne laissent rien à désirer. Nous n'avons qu'à nous féliciter de la façon
> dont on met à notre disposition tous les renseignements que nous pouvons de-
> mander, et surtout du bon vouloir, de l'empressement avec lequel on entre dans la
> voie que nous avons indiquée pour l'avenir.«[470]

Im Plenum äusserten sich die meisten Budgetberichterstatter in ausführlichen Re-
feraten zur allgemeinen Aussenpolitik und nicht nur zu den Finanzfragen. Wenn
Raymond Poincaré 1911 erklärte, er folge dem ausdrücklichen Wunsch seiner
Budgetkommission und beschränke sich darum auf die finanziellen Fragen, war
dies eine Ausnahme. Eher der Regel entsprach Fernand Dubiefs Äusserung im
Bericht zu Handen der Kammer für das Budget 1901, er möchte, ohne den
Rahmen seiner Aufgabe zu sprengen, auch die Frage prüfen, ob der Inhalt der
französischen Aussenpolitik den Zielsetzungen der republikanischen Doktrin
entspreche. 1904 kritisierte Jules Delafosse zwar die Stellungnahmen des Bericht-
erstatters Fernand Dubief, kritisierte aber nicht die Tatsache, dass er überhaupt
Stellung genommen hatte:

> »Bien que ces questions ne se rattachent qu'indirectement à notre budget, je ne
> reprocherais pas à M. le rapporteur de s'y être arrêté si l'intérêt français y trouvait
> son compte.«[471]

Der schriftliche Budgetbericht, der in der Regel 200–300 Druckseiten umfasste,
gab in einem allgemeinen Teil ebenfalls einen aussenpolitischen Tour d'horizon
und kommentierte anschliessend kapitelweise die einzelnen Budgetposten; er
würdigte die Leistungen der einzelnen Dienstzweige, brachte aber auch Reform-

---

[468] Jean SAPIRA, Le rôle des Chambres au point de vue diplomatique dans un régime parlementaire, Paris 1920, S. 83.

[469] MAE, Série C, adm. 23, Dossier 2.

[470] JO, S. 7897.

[471] Kammerdebatte vom 25. November 1904, JO, S. 2663.

vorschläge an. Dekrete, Verträge, Lohntabellen, Spezialberichte und anderes wurden in einem umfangreichen Anhang beigefügt. Die Budgetberichte wirken wie offizielle Stellungnahmen. Der bonapartistische Abgeordnete Jules Delafosse hielt sich in der Budgetdebatte vom 25./26. November 1904 über polemische Bemerkungen auf, die sich der Radikale Fernand Dubief in seinem Bericht habe zuschulden kommen lassen:

> »C'est une oeuvre de polémique antireligieuse au premier chef. [...] Il ne parle pas en son nom personnel; il est l'interprète d'une délégation de la Chambre et j'ai le droit de m'étonner qu'il traduise ses impressions et ses prévisions, sinon ses vœux, sous une forme certainement désobligeante pour une puissance qui est encore et qui restera longtemps, je l'espère, l'alliée et l'amie de notre pays.«[472]

Paul Doumer, der Präsident der Budgetkommission, erwiderte darauf, dass die Stellungnahmen der Budgetberichterstatter, sofern sie nicht die finanziellen Angelegenheiten beträfen, rein persönlicher Natur seien und in keiner Weise die Meinung der Kommission wiedergäben:

> »[...] les arguments donnés par les rapporteurs – je l'ai fait observer à différentes reprises – n'engagent en aucune manière la commission du budget, qui ne discute que les conclusions budgétaires contenues dans les rapports.«

Dubief selbst bekräftigte in der gleichen Debatte, seine Ausführungen seien als persönliche Stellungnahme zu verstehen. Trotz diesen Beteuerungen kam den Äusserungen in den Budgetberichten natürlich mehr als nur private Bedeutung zu.[473]

Unter den aussenpolitischen Budgetberichterstattern findet man manchen Namen künftiger Aussenminister und ehemaliger Diplomaten. Decazes war, bevor er 1873 Aussenminister wurde, Berichterstatter für das Budget von 1871 und 1873. Bevor Spuller 1889 die Leitung des Quai d'Orsay übernahm, präsentierte er der Kammer die Budgets der Jahre 1878, 1879, 1880 und 1884. Ihm folgte 1884 Horace de Choiseul, der ehemalige Gesandte in Florenz und Unterstaatssekretär im Aussenministerium. Der künftige Aussenminister Hanotaux übernahm die Präsentation des Budgets für das Jahr 1890. Francis Charmes, Budgetberichterstatter für 1891, war Politischer Direktor des Quai d'Orsay gewesen; Stephen Pichon, Berichterstatter für das Budget 1892, wurde 1894 Berufsdiplomat und wurde später, in den Jahren 1911 und 1913 Aussenminister und dazwischen verfasste er als Senator den Bericht zum Budget für 1912; ein Budget, das Poincairé als Aussenminister verbrauchte, nachdem er im Vorjahr ebenfalls als Senator das Budget des Aussenministers Pichon begutachtet hatte. 1906 wurde im Senat das Budget des Aussenministeriums durch den ehemaligen Botschafter Albert Decrais vorgestellt. Paul Doumer, Berichterstatter im Senat für das Jahr 1913, war 1896 bis 1902 Generalgouverneur in Indochina, nachdem er sich schon 1895 als Berichterstatter zum Kolonialbudget für dieses Amt qualifiziert hatte; 1902 bis 1904 war er Präsident der Budgetkommission der Kammer, und während seiner

---

[472] Beratung vom 23./24. November 1904, JO, S. 2662 f.

[473] »[...] les opinions qui ont été émises dans mon rapport sont le fait personnel du rapporteur et n'engagent – c'est entendu – que sa seule responsabilité.« JO, S. 2663 und 2698.

Amtszeit als Präsident der Kammer hat er (um seine Chancen, Nachfolger von Präsident Loubet zu werden) 1905 den englischen König besucht und 1906 sich in Berlin um eine Audienz beim Kaiser bemüht.

Die Budgetberichterstattung lag zum Teil also in den Händen von Politikern, die einerseits bereits Spitzenpositionen einnahmen, anderseits die Aussenpolitik gerne benutzten, um ihre persönliche Position weiter auszubauen. Es wäre denkbar, dass Doumer 1912 die Budgetberichterstattung übernahm, um wie 1906 die Ausgangslage für die bevorstehenden Präsidentenwahlen zu verbessern.[474] 1913, als Fallières' Nachfolger gewählt wurde, war, wenigstens im ersten Wahlgang, ein anderer »Aussenpolitiker« im Rennen: Paul Deschanel, der aber erst 1920 zum Präsidenten der Republik aufsteigen konnte.[475] Deschanel war aussenpolitischer Budgetberichterstatter der Kammer in den Jahren 1907–1913. Er war 1899 bis 1902 Kammerpräsident gewesen und hatte vom Mai 1912 an erneut dieses Amt inne, so dass er nicht länger als Budgetberichterstatter tätig sein konnte. Doch in den Jahren seines Wirkens als Budgetberichterstatter war er 1905 bis 1912 gleichzeitig Präsident der aussenpolitischen Kommission, und 1911 trat er als Berichterstatter über den deutsch-französischen Kongo-Vertrag auf. In den Jahren vor dem Ausbruch des Ersten Weltkrieges waren die auswärtigen Angelegenheiten in der Deputiertenkammer insofern gut aufgehoben, als sie in den Händen eines angesehenen Parlamentariers lagen, der sich kontinuierlich über mehrere Jahre mit aussenpolitischen Fragen befasste.

## Die Budgetdebatten

Die jährlichen Budgetberatungen waren die seltenen Momente, in denen sich das Parlament mit der Aussenpolitik beschäftigte. Einzelfragen zur Aussenpolitik wurden zwar auch unter dem Jahr aufgegriffen, die Gesamtheit der Aussenpolitik stand jedoch bloss in den Budgetdebatten zur Diskussion. Der Marquis de Breteuil führte beispielsweise aus:

> »Messieurs, la discussion générale du budget des affaires étrangères nous offre une occasion de regarder chaque année ce qui s'est passé et ce qui se passe autour de nous en Europe [...].« Oder der Marquis de La Ferronnays: »Messieurs, les usages parlementaires me permettraient de prendre prétexte de la discussion qui s'ouvre aujourd'hui pour examiner toute notre acton diplomatique pendant l'année écoulée [...].«[476] Francis de Pressensé: »Il y a donc un jour dans l'année où nous pou-

---

[474] Am 18. Januar 1906 hat Doumer in den Präsidentschaftswahlen gegenüber Fallières, der 449 Stimmen erhielt, immerhin 371 Stimmen auf sich vereinigen können. Der englische Botschafter Bertie stellte in seinem Brief an Grey vom 29. Dezember 1905 fest, Doumer habe seine Wahlchancen als Nachfolger Loubets erhöht, indem er England besucht habe und vom König empfangen worden sei, PRO, Privatpapiere Grey. Zu Doumers Reise nach Berlin vom Dezember 1906, vgl. Radolins Bericht vom 17. November 1906, PAAA Bonn, F 105/1, Bd. 24.

[475] Deschanel erzielte bei der Wahl am 17. Januar 1913, die Poincaré zum Präsidenten der Republik machte, lediglich 18 Stimmen und blieb auf dem vierten Platz. Hingegen wurde er am 17. Januar 1920 als Nachfolger Poincarés mit 734 Stimmen gewählt, musste aber wegen eines Unfalls schon bald wieder sein Amt abgeben.

[476] Beide in der Budgetdebatte der Kammer vom 29. Februar 1888, Annales, S. 184 und 188.

vons traiter ici des questions de politique extérieure, un jour où on ne renvoie pas
indéfiniment nos interpellations en nous demandant d'attendre la publication de
livres jaunes […]. Il y a donc un jour où nous pouvons envisager, non pas seulement telle ou telle question particulière, mais l'ensemble de nos relations extérieures, mais les principes qui y président, mais la politique qui est pratiquée au quai
d'Orsay.«[477] Jean Jaurès: »[…] voilà un an que les problèmes de politique extérieure n'ont pas été portés devant cette assemblée et, dans cet intervalle, se sont
produits les événements les plus variés et les plus importants.«[478]

Das Parlament hätte, wenn es interessierter gewesen wäre, dies ändern und den
wenigen Parlamentariern folgen können, die diesen Zustand als Missstand beklagten. Aus gewissen Bemerkungen zu schliessen, war zudem die Präsenz
während der seltenen Debatten eher mager. In der Budgetdebatte vom 1. August
1879 waren von 526 Deputierten bloss 371 anwesend. Am 3. August 1885 beanstandete Georges Perin, dass der Berliner Kongo-Vertrag, dem eine dreieinhalb
Monate dauernde Beratung unter 14 Nationen vorausgegangen sei, noch schnell
vor Sessionsschluss behandelt werde:

> »[...] c'est quand il y a à peu près 100 à 120 députés dans cette salle, c'est à la veille
> de notre séparation, quand les orateurs ne sont plus écoutés [...].«

Bei der dennoch durchgeführten Abstimmung waren von 545 Deputierten
schliesslich doch 347 anwesend und stimmten mit 250 gegen 96 Stimmen für den
Vertrag. In der Budgetdebatte vom 19. Januar 1893 waren anfänglich weder der
Aussenminister noch die eingeschriebenen Redner anwesend, weil das Budget
des Aussenministeriums unerwartet früh zur Diskussion stand. Dass der Rat entschied, mit der Beratung trotzdem fortzufahren, spricht nicht gerade für ein
ernsthaftes Interesse gegenüber der zu erwartenden Debatte. In der Budgetdebatte vom 20. November 1900 machte André Berthelot den Kammerpräsidenten
darauf aufmerksam, dass er über einen bestimmten Budgetposten nicht abstim-
men lassen könne, weil nicht genügend Parlamentarier anwesend seien. Der
Präsident verschob hierauf die Abstimmung und ging zur Beratung des nächsten
Kapitels über.[479] Als in der Budgetberatung vom 25. November 1904 wiederum
beanstandet wurde, es seien zu wenig Deputierte anwesend, gab man zur Antwort:

> »Ceux qui s'intéressent aux questions à l'ordre du jour sont présents.«

Savary de Beauregard stellte hierauf fest:

> »Il est triste, alors, de constater qu'il n'y a que vingt-sept députés dans ce cas.«[480]

Das Budget wurde jeweils zuerst von der Kammer beraten, meistens zu Beginn
des Budgetjahres, während die nachfolgende Beratung im Senat in der Regel in
das schon laufende Budgetjahr fiel, so dass die Ministerien (nicht nur der Quai
d'Orsay) mit provisorischen Monatsbudgets – den »douzièmes provisoires« –

---

[477] Budgetdebatte der Kammer vom 26. November 1908, JO, S. 2670.
[478] Budgetdebatte der Kammer vom 13. Januar 1911, JO, S. 32.
[479] JO, S. 2181
[480] JO, S. 2663.

haushalten mussten. 1911 musste man besonders lange auf die Verabschiedung des Budgets warten und zuvor sieben provisorische Monatsbudgets bewilligen.[481]

Der Detailberatung ging jeweils eine allgemeine Debatte voraus, in der sowohl grundsätzliche Fragen der hohen Politik als auch Einzelfragen zu Sachgeschäften wie Exportschwierigkeiten in einem bestimmten Wirtschaftszweig aufgegriffen wurden; eine Debatte, in der man sich Luft machen und Reklamationen zu Protokoll geben konnte, wobei die kleinere Zahl der Fragen der gesamtfranzösischen Aussenpolitik galt und die grössere Zahl aus regionalen Interessen des eigenen Wahlkreises hervorging. Diese Voten waren allenfalls mit einem Resolutionsvorschlag (ohne konkreten Budgetantrag, zuweilen aber mit einer Anregung für das nächstjährige Budget) verknüpft und wurden in der Regel vom Minister mit einer allgemeinen und wenig verbindlichen Antwort quittiert. In der Beratung der einzelnen Budgetposten folgten meistens nochmals eher allgemeine Äusserungen zu irgendwelchen Fragen, die gerade so gut in der allgemeinen Debatte oder bei der Beratung eines anderen Budgetpostens hätten vorgebracht werden können. Der Deputierte Georges Berry etwa hatte sich als Erster eingetragen, um am 26. November 1904 zum ersten Budgetposten (Zentralverwaltung) das Wort zu ergreifen. Als er bei Beginn der Detailberatung nicht im Saal war, erklärte der Präsident der Budgetkommission bezeichnenderweise:

»M. Berry pourra, sans inconvénient, présenter ses observations sur un autre chapitre. Il suffit de réserver son droit.«

Seine Vorwürfe der mangelnden Protektion im Falle eines auf Haiti gefangen gehaltenen Franzosen hätte Berry tatsächlich bei irgendeinem Traktandum anbringen können. Berry konnte dann allerdings doch noch in der Beratung des ersten Budgetpostens das Wort ergreifen und seine Klagen vorbringen – und dies, ohne zum Budget selbst ein Wort zu sagen.[482]

Drei Budgetposten dienten immer wieder als Ausgangspunkt für Beanstandungen und Reformvorschläge. Das erste Kapitel mit den Salären der Zentralverwaltung bot Anlass, Personalfragen zu erörtern, etwa die Besserstellung des gesamten Hilfspersonals oder die Beförderung oder Nicht-Beförderung einzelner Beamter. Im Kapitel mit den Löhnen des Aussendienstes sodann wurden immer wieder die Verbesserung der Exportförderung, die Schaffung neuer oder Auflösung alter Konsulate und (bis 1904) insbesondere die Aufhebung oder Einschränkung der Vertretung beim Vatikan gefordert. Der Bruch mit dem Vatikan wurde schliesslich aber nicht im Parlament beschlossen, sondern von der Regierung. Das Parlament liess sich darauf bloss die Versicherung geben, dass die

[481] Auf Grund der vorliegenden Unterlagen ist der Grund für diese Verzögerung schwer zu erklären. Das Budget war am 16. Januar 1911 in der Kammer verabschiedet worden. Zwischen diesem Akt und der Verabschiedung im Senat vom 14. Juni 1911 vergingen mithin etwa fünf Monate. Am 2. März 1911 wurde die Regierung Monis gebildet, am 21. Mai 1911 wurde der Premier bei einem Flugunfall schwer verletzt und der Kriegsminister getötet; das Budget wurde dann noch vor der Bildung der nächsten Regierung (das Kabinett Caillaux vom 26. Juni 1911) verabschiedet. Auch in anderen Fällen verstrichen mehrere Monate, bis der Senat das Budget definitiv billigte. 1905 verstrichen 4 Monate zwischen den beiden Beratungen, und 1912/13 beinahe 12 Monate.

[482] JO, S. 2705.

Beziehungen nicht ohne seine Zustimmung wieder aufgenommen würden (vgl. auch oben, S. 321 ff.).[483]

In den Beratungen dieser beiden Kapitel kam es regelmässig zu Vorstössen einzelner Deputierter, die aus irgendwelchen Prinzipien oder Ressentiments kleinere Reduktionen forderten, sei es, dass sie bestimmte Auslandsvertretungen für überflüssig, sei es, dass sie bestimmte Saläre für zu hoch hielten. Ebenso regelmässig wurden diese Vorstösse jeweils mit grossem Mehr abgelehnt.

Der dritte und der am meisten Zeit beanspruchende Diskussionspunkt war der Budgetposten zur Subventionierung französischer Schulen im Vorderen Orient und im Fernen Osten. Während die antiklerikalen Deputierten die Förderung ausschliesslich von Laienschulen forderten, billigten die gemässigten Republikaner die katholischen Missionsschulen und -spitäler als nützliche Mittel zur Verbreitung der französischen Zivilisation. Der Deputierte Allemane empfand es wie viele seiner Kollegen als Widerspruch, wenn eine radikale Regierung im Ausland kirchliche Schulen subventioniere:

> »On est quelque peu étonné quand on a mangé du prêtre si longtemps en cette Chambre et ailleurs [...].«[484]

Die seltenen Anträge auf Abänderung der Budgetvorlagen betrafen eher innen- als aussenpolitische Fragen.[485] Immer wieder wurde versucht, das Salär des Vatikan-Botschafters zu streichen, um auf diese Weise die für überflüssig erklärte Botschaft aufzuheben. Bei den katholischen Auslandsschulen wurden Subventionskürzungen, bei den Laienschulen hingegen Subventionserhöhungen verlangt. Doch selbst in diesen Punkten brachten die Budgetberatungen nur geringfügige Änderungen, selten Reduktionen, meistens Mehrbewilligungen.

## Das ordentliche Budget

1871 machte das Budget des Aussenministeriums 0,77 Prozent aus. Im Laufe der Jahre ging dieser Anteil laufend zurück: 1880 auf 0,48 Prozent, 1890 auf 0,46 Prozent und 1913 auf 0,4 Prozent. In absoluten Zahlen stiegen die Beträge von 12,84 Mio. Francs im Jahr 1871 auf 20,6 Mio. Francs im Jahr 1914. Der Anstieg im Gesamtbudget war jedoch wesentlich grösser, da hatte man eine Zunahme um 204 Prozent, während sich das Aussenministerium mit einer Zunahme von 66,44 Prozent begnügen musste. Wachstumsjahre waren 1876–1884 mit dem Ende des »recueillement« und der kolonialen Expansion sowie die 15 Jahre vor 1914 unter dem Regime der Radikalen. Sowohl die Rechte wie anfänglich die Linke wollten für die Aussenpolitik möglichst wenig Geld ausgeben, die Rechte hatte etwas gegen Staatsausgaben und die Linke etwas gegen ein Ministerium, das man fälschlicherweise und weitgehend in den Händen der Rechten vermutete. So kam es regelmässig zu Budgetkürzungen, ebenso regelmässig wurden Nachtragskredite nötig. 1880 erhielt das Aussenministerium erstmals den gewünschten Betrag. Eine Bemerkung des Budgetberichts vermittelt den Ein-

---

[483] Budgetdebatte der Kammer vom 26. November 1904, JO, nach S. 2674.

[484] Budgetdebatte der Kammer vom 28. Dezember 1909, JO, S. 3813.

[485] Etwa die erfolglosen Anträge auf Gehaltskürzungen 1879.

druck, dass dies eine Anerkennung oder Belohnung für die Aufnahme von Funktionären aus den »nouvelles couches« gewesen sei:

> »La commission sait gré au M. le ministre des Affaires étrangères d'avoir, pour rendre vie aux services qui relèvent de lui, fait appel à un certain nombre d'hommes dévoués à l'opinion républicaine.«[486]

Eine typische Kritik an den Budgetforderungen lautete, dass die Mittel schlecht eingesetzt seien:

> »[...] le mal vient de la mauvaise distribution des ressources que le Parlement met à sa disposition. On y vit au jour le jour, sans règle et sans mesure, avec un personnel aussi éxagéré en nombre qu'irrégulièrement et insuffisament rétribué.«[487]

Die Gegenkritik verglich die für die Diplomatie zur Verfügung gestellten Mittel gerne mit denjenigen für die Armee. Beide hätten Sicherheitsaufgaben, man würde aber vor allem nach der militärischen Seite ausgeben und die diplomatische Seite vernachlässigen.[488]

Die regulären Ausgaben lassen sich in drei Kategorien einteilen: 1. zentrale Dienste, 2. Aussendienste und 3. Aktionen im Ausland. 1875–1913 gab es in der Mittelbeanspruchung leichte Verschiebungen. Die 1. Kategorie ging von 9,6 Prozent auf 8,15 Prozent zurück, die 2. Kategorie von 77,6 Prozent auf 76,35 Prozent, während die 3. Kategorie einen Zuwachs von 12,8 Prozent auf 15,5 Prozent verzeichnete. Neben kleinen Ausgaben für Geschenke und Empfänge und Mitwirkung an internationalen Organisationen fielen zwei grössere Posten in diese Kategorie: die Geheimkredite und die Kredite für die »oeuvres françaises«. Die Geheimkredite werden weiter unten erörtert, die anderen Kredite dienten der Unterstützung kirchlicher Werke im Ausland, vor allem im Vorderen Orient (Schulen, Universitätsinstitute, Spitäler, Waisenhäuser etc.), die sicher auch von aussenpolitischem Interesse, innenpolitisch aber stets umstritten waren.[489]

## Die Sonderkredite

Während die aussenpolitische Substanz der Budgetdebatten ganz von dem abhing, was die Deputierten in diese Beratungen hineintragen wollten, war das Parlament bei der Beratung der Sonderkredite aufgefordert, zu bestimmten Aktionen der Regierung Stellung zu beziehen. Bei der engen Zweckgebundenheit der Sonderkredite wären konkrete Einflussnahmen durchaus möglich gewesen. Über Sonderkredite finanzierte das Aussenministerium vor allem seine Besuchs- und Reisediplomatie. Allein, die Legislative genehmigte, obwohl sie hier direkt in die hohe Aussenpolitik hätte eingreifen können, sämtliche Anträge der Exekutive. Der erste dieser Reisekredite betraf Felix Faures Reise nach St. Petersburg. Am 6. Juli 1897 hatte die Kammer über den am Vortag deponierten Regierungsantrag eines ausserordentlichen Reisekredites von 500 000 Francs zu entscheiden.

---

[486] 1880, JO, S. 7600.

[487] Für 1899, zit. nach BAILLOU, Affaires étrangères, S. 195.

[488] Ausserordentl. Sitzung 1913, S. 507.

[489] Vgl. BAILLOU, Affaires étrangères, 204 f.

Camille Krantz, der Sprecher der Budgetkommission, erklärte, diese Abstimmung sei eine nationale Manifestation. Unterstützt von fünf Ratskollegen forderte der Sozialist Déjeaude, dieser Betrag sei der Arbeitslosenunterstützung zur Verfügung zu stellen, man dürfe nicht republikanisches Geld für Ehrbezeugungen gegenüber der russischen Tyrannei verwenden. Während ein weiterer Votant der Opposition den Zaren einen »tueur de Russie« nannte, richtete ein anderer seine Angriffe gegen die Institution der französischen Präsidentschaft, gegen

> »la création et le maintien de la Présidence de la République, qui n'est que le pastiche de la royauté constitutionnelle.«[490]

Der Kredit wurde nach kurzer Diskussion mit 447 gegen 29 Stimmen angenommen. Die gleiche Summe wurde mit einem ähnlichen Stimmenverhältnis (490:32) im Frühjahr 1902 für Loubets Russlandreise bewilligt.[491] Während 1903 der Kredit für Loubets Reise nach London einstimmig gutgeheissen wurde, erhob sich im März 1904 wiederum ein schwacher Widerspruch (12:502) gegen Loubets Reise nach Rom. In den am 30. Juni 1903 mit 486:0 Stimmen gutgeheissenen Kredit von 600 000 Francs waren nebst den Reisekosten für den Besuch in London die Kosten für den Empfang des italienischen Königs in Paris einbezogen. Aussenminister Delcassé wertete die Zustimmung ausdrücklich als Beitrag und damit auch als Zustimmung

> »au reprochement de deux grands pays qui ont tant d'intérêts communs.«[492]

Die 450 000 Francs für die Reise nach Rom wurden von der Deputiertenkammer am 25. März 1904 bewilligt.[493] Die Reise, die Präsident Fallières 1908 nach London machte, wurde in der Kammersitzung vom 3. April diskussionslos mit 501 gegen 27 Stimmen gutgeheissen. Der Antrag wies ausdrücklich darauf hin, dass die Bewilligung dieses Sonderkredites einer Gutheissung des Reisezieles gleichkomme:

> »La Chambre aura sans doute à coeur de s'associer par son vote à un acte qui est de nature à resserrer les liens d'amitié entre les deux nations.«[494]

Gegen die Russlandreisen stimmte die äusserste Linke, weil, wie wir bereits gesehen haben, sie die freundschaftlichen Kontakte mit dem autokratischen Zarenregime missbilligte; gegen die Romreise stimmte hingegen die äussere klerikale Rechte, für die der Besuch im Quirinal eine Respektlosigkeit gegenüber dem Vatikan bedeutete. Als die Kammer im Sommer 1908 400 000 Francs für die Reise des Präsidenten an die nordischen Höfe Dänemarks, Norwegens und Schwedens sowie nach St. Petersburg zu bewilligen hatte, beantragte die äusserste Linke, dass der Präsident seine Reise nicht bis zum Zarenhof fortsetze und die Kammer den Kredit aus diesem Grund um 50 000 Francs kürze. Ihr Antrag unterlag mit 65 gegen 479 Stimmen. Vier Jahre später stellten die Sozialisten in der

---

[490] JO, S. 1830 f.

[491] Kammerdebatte vom 30. März 1902. Der Senat bewilligte den Kredit einstimmig.

[492] Annales, S. 662 f.

[493] Annales, S. 1149 f.

[494] JO, S. 857.

gleichen Sache wieder einen pauschalen Rückweisungsantrag und unterlagen wieder mit 106 gegen 428 Stimmen.[495]

Die übrigen Sonderkredite zur Finanzierung aussenpolitischer Aktionen wurden nicht dem Aussenministerium zugesprochen, sondern zum grösseren Teil dem Kriegsministerium und zum kleineren Teil dem Marineministerium, zum Teil auch zur Förderung der französischen Kolonialpolitik.[496] Gewisse Aktionen wie die Expedition nach Faschoda, die »Lausbuberei«, wie Paul Cambon das Abenteuer bezeichnete, über dem es beinahe zu einem Krieg mit England gekommen wäre, wurden dem Parlament überhaupt nicht vorgelegt, weil man sie über das ordentliche Budget und, wie dargelegt, auch über den Geheimfonds, finanzierte.

> »Voilà cette stupide affaire de Faschoda que se termine mal pour nous. Il ne pouvait en être autrement. Nous sommes vraiment les cervelles à l'envers. Cette héroïque expédition Marchand n'était au point de vue politique qu'une gaminerie.«[497]

Auch die von Delcassé veranlasste Monteil-Expedition 1894 an die Elfenbeinküste war ohne Zustimmung durch das Parlament unternommen worden.[498] Hingegen wurden die Eroberungen Tunesiens, Tonkins, Madagaskars und Marokkos mit solchen Sonderkrediten finanziert.

Kann man sagen, dass die Legislative, indem sie über diese immerhin spezifizierten Sonderkredite befand, auch über die damit verbundene Aussenpolitik der Exekutive befinden konnte? Die Zustimmung zu diesen Krediten bedeutete gewiss eine grundsätzliche, wenn zum Teil auch nur widerwillig gewährte und allenthalben an bestimmte Auflagen geknüpfte Zustimmung. Eine Zustimmung, die darum schlecht verweigert werden konnte, weil die Aktionen, die es zu finanzieren galt, oft bereits angelaufen waren und die Regierung oder auch nur einzelne eigenmächtig vorgehende Haudegen vollendete Tatsachen geschaffen hatten. Wenn Frankreichs Fahne engagiert war, durfte sich niemand von diesem Engagement distanzieren. Zu dieser immer wiederkehrenden Formel griff beispielsweise Kriegsminster Capenon in der Tonkin-Debatte vom 31. Oktober 1883:

> »Quand le drapeau de la France, le drapeau de la République, flotte quelque part, sous peine de déchéance absolue, sous peine de ne plus compter pour rien dans le monde, il doit être, pour chacun de nous, depuis le premier jusqu'au dernier, quoi

---

[495] Kammerdebatte vom 29. Juni 1908, JO, S. 1412–1416; Kammerdebatte vom 7. Juli 1914, JO, S. 2717 f.

[496] Die Kredite gingen an diese beiden Ministerien und nicht an das Kolonialministerium, das erst 1894 geschaffen wurde und vorher als Unterstaatssekretariat beim Marineministerium untergebracht worden war. S. François Berges Darstellung der Emanzipation der Kolonialverwaltung: Le Sous-Secrétariat et les Sous-Secrétaires d'Etat aux Colonies. Histoire de l'émancipation de l'administration coloniale, in: Revue française d'histoire d'outre-mer 1960, S. 5-90.

[497] Paul Cambon an seine Mutter, 6. November 1898, Papiers privés Paul Cambon. Cambon wertete die Expedition als »stupidité« und hätte eine Politik bevorzugt, welche mit den Engländern eine Regelung der Einflusssphären vorgenommen hätte: Ägypten für England – Marokko und Syrien für Frankreich. Vgl. VILLATE, République, S. 232.

[498] ANDREW, Théophile Delcassé, S. 40.

> qu'il arrive et en toutes circonstances, soutenu, respecté, honoré quand même.«[499]

Ähnlich Bischof Freppel in der Kammerdebatte vom 18. Dezember 1883:

> »[...] c'est le drapeau de la France; cela suffit, il faut le suivre!«[500]

Schon mancherlei Antworten sind auf die Frage gegeben worden, warum die Kammermehrheit im Juli 1882 den folgenschweren Entschluss gefasst hat, den Sonderkredit von 8 Millionen Francs für die Ägypten-Expedition nicht zu genehmigen. Manches mag bei diesem Entscheid mitgewirkt haben – von grösster Bedeutung war indessen die bisher nicht entsprechend gewürdigte Tatsache, dass das Parlament eine noch nicht eingeleitete Intervention hätte beschliessen müssen. Wir dürfen annehmen, dass das Parlament wie in der Tunesien- oder der Tonkin-Frage die Gelder bewilligt hätte, wenn die Regierung Frankreichs Fahne bereits engagiert hätte, bevor sie vor das Parlament trat.[501]

Das Parlament musste bei der Beurteilung der einzelnen Kampagnen weitgehend auf das abstellen, was die Regierung an Informationen vorlegte. Es war nicht in der Lage (so wenig übrigens wie die Regierung selbst es war), Ausmass und Folgen der Aktionen abzuschätzen. Am 17. Juli 1882, als der Senat für die Tunesien-Expedition den sechsten Sonderkredit zu bewilligen hatte, erinnerte der Duc de Broglie seine Kollegen daran, dass dem Parlament genau vor einem Jahr formell versichert worden sei, mit den damals beantragten 14 Millionen könne die Kampagne längstens zu Ende geführt werden; inzwischen sei jedoch das Total der bewilligten Tunesien-Kredite auf über 100 Millionen angewachsen.[502] Solche Klagen ziehen sich wie ein Leitmotiv durch die Beratungen ausserordentlicher Kreditbegehren zur Finanzierung der militärischen Operationen.

Die Beanstandungen richteten sich gegen zweierlei: gegen das ständige Aufstocken weiterer Nachtragskredite und gegen die nachträglichen Kreditbegehren für bereits getätigte Ausgaben. Zum Beispiel Clemenceau in der Kammerdebatte vom 9. November 1881:

> »[...] vous avez fait des virements que vous avez appelés, par euphémisme, des ›imputations provisoires sur le budget ordinaire‹. [...] C'est ainsi que vous avez été amenés par la force des choses, par la logique même des événements, à faire tout ce que les républicains ont condamné avec très grande raison sous l'empire, ce qui est formellement interdit par la loi, à faire des virements.«[503]

Während die Regierungen beides als Folge von nicht voraussehbaren Sachzwängen zu rechtfertigen pflegten, sah die Opposition darin die Früchte entweder

---

[499] Zit. nach Albert BILLOT, L'Affaire du Tonkin (1882–1885), Paris 1888, S. 122.

[500] Ebenda, S. 137.

[501] John. W. Parsons erklärt den »Rückfall« des Parlamentes in die Mentalität des »recueillement« mit erneuter Furcht vor Deutschland und der Wirtschaftskrise, welche die Aufmerksamkeit auf innerfranzösische Fragen gelenkt habe, John PARSONS, France and the Egyptian Question 1876–1893. A Study in Finance, Foreign Policy and Public Opinion, masch. MS Cambridge 1973, S. 206 f. Soulier stellt fest, dies sei die erste Kreditvorlage gewesen, die einen Regierungswechsel provoziert habe, SOULIER, Instabilité ministérielle, S. 154.

[502] Senatsdebatte vom 17. Juli 1882, Annales, S. 936.

[503] Annales, S. 1973.

planlosen Vorgehens oder bewussten Hintergehens des Parlamentes. Für die
Regierungen bedeuteten solche Beanstandungen und allgemein die Bewilligungs-
pflicht der Sonderkredite keine ernsthafte Hemmung, konnten doch die Kabinette, wie noch ausführlicher darzulegen ist, normalerweise mit der automati-
schen Akklamation ihrer Regierungsmehrheiten rechnen. Eine Ausnahme dieser
Regel wurde im März 1885 Jules Ferry zum Verhängnis. Die Nachricht, die sich
später als unzutreffend oder zum mindesten als übertrieben herausstellte, über
das »Desaster von Langson« zertrümmerte innert Kürze die Regierungsmehrheit,
und Ferry wurde von einem Teil seiner ehemaligen Gefolgschaft als untragbar
empfunden. Der Radikale Georges Périn hatte Ferry in der Kammer-Debatte
vom 30. März 1885 zugerufen, er habe nun lange genug von der engagierten
Fahne Frankreichs gelebt.

> »[...] n'exploitez pas plus longtemps l'honneur du drapeau, il y trop longtemps que
> vous en vivez, de l'honneur du drapeau. C'est assez!« [504]

Der Sonderkredit, der von der gestürzten Regierung beantragt worden war,
wurde noch in den gleichen Tagen aus Rücksicht eben auf die engagierte Fahne
mit überwältigendem Mehr doch bewilligt. Ferry hatte 200 Millionen beantragt.
Sein Nachfolger erhielt von der Kammer am 6. April 1885 als erste Tranche
50 Millionen zugestanden.[505] Die Kreditfrage war eine willkommene Möglichkeit,
einen Regierungschef zu stürzen, den man *auch* aus anderen Gründen als der
Indochinapolitik nicht mochte. Jean-Marie Mayeur benennt diese Gründe: neben
den klaren Parteigegnerschaften auf der Linken und der Rechten sowie der
Ablehnung von Ferrys Schulpolitik spielten allgemeine Wirtschaftsschwierigkei-
ten und speziell die Brotteuerung eine Rolle.[506]

## Geheimausgaben

In jedem Jahresbudget figurierte ein besonderer Posten für Geheimausgaben, zunächst 550 000 Francs in den Jahren 1854–1885, dann 700 000 Francs in den
Jahren 1886 bis 1891, schliesslich auf Antrag der Budgetkommission und nicht
der Regierung 1 000 000 Francs von 1892 an; ein Betrag, der während des Krieges auf 25 Millionen Francs ansteigen und nach dem Krieg wieder auf 2 Millionen fallen wird. Zu diesem Betrag, der etwa demjenigen der Löhne für die
Zentralverwaltung entsprach und rund fünf Prozent des gesamten Budgets ausmachte, kamen dann und wann nachträglich bewilligte Extrakredite, die ebenfalls
dem Geheimfonds zugeschlagen wurden.[507] Der Aussenminister konnte über

---

[504] Zit. nach RECLUS, Ferry, S. 342.

[505] Ausführliche Darstellungen der letzten Tage des Kabinettes Ferry geben: BILLOT,
Tonkin, S. 382 f.; RECLUS, Ferry, S. 334 f.

[506] MAYEUR, Débuts, S. 131 f.

[507] Eine Zusammenstellung der ordentlichen und ausserordentlichen Kredite des Geheimfonds 1910–1913 gibt der Budgetbericht Nr. 3318 des Deputierten Louis Marin für das Jahr
1914, S. 57 f. Für die Zahlen 1914–1930, s. SCHUMAN, War and Diplomacy, S. 332. Schuman
nimmt den Geheimkrediten gegenüber eine entschieden ablehnende Haltung ein: »The whole
system is more suggestive of legalized corruption, graft, and racketeering than of the refine-
ments of diplomacy.« Ebenda, S. 332.

diese Gelder beinahe frei verfügen und musste dem Parlament über deren Verwendung keine Rechenschaft ablegen. Die Gelder des Geheimfonds wurden im Kabinett des Aussenministers verwaltet, obwohl dies in keinem Organigramm ausdrücklich vorgesehen war. In der Umschreibung des Aufgabenbereiches finden wir lediglich die Bezeichung »attributions spéciales« und »missions de confiance«. In der Regel wurde der Präsident der Republik über die Verwendung der Geheimkredite informiert.[508]

Diese Gelder wurden dem Minister gewissermassen »à fonds perdu« überlassen, denn am Schluss des Rechnungsjahres blieb bezeichnenderweise nie auch nur ein Franc übrig. Die kritischen Stimmen, die immer wieder gegen die Diplomatie der Geheimverhandlungen, Geheimverträge und Geheimklauseln protestierten, wandten sich, wenn auch weniger heftig, ebenfalls gegen die Geheimfonds; zunächst aber vor allem gegen denjenigen des Innenministeriums. Die Opposition befürchtete, die Regierung würde mit diesen Krediten die innerfranzösische Meinungsbildung manipulieren und einen Spitzeldienst im eigenen Land unterhalten.[509] Der Geheimfonds des Aussenministeriums wurde erst 1911 nach einer grösseren Veruntreuungsaffäre in die Forderung nach mehr Transparenz einbezogen.[510]

Dem alten Argument, die über diesen Fonds abgewickelten Operationen müssten strikt geheim bleiben, begegnete der Budgetberichterstatter Louis Marin 1913 mit dem Gegenargument, er sehe nicht ein, warum Subalternbeamte zu Geheimnisträgern gemacht würden, hingegen einer kleinen Zahl ausgewählter Volksvertreter die gleichen Geheimnisse nicht anvertraut werden könnten. Wenn die Mitglieder der parlamentarischen Budgetkommission Rüstungskredite des Kriegs- und Marineministeriums berieten, würden sie jedenfalls zu Mitwissern schwerer wiegender Geheimnisse. Marins Forderungen, die allerdings bis zum Kriegsausbruch keine Änderungen mehr herbeiführen konnten, wünschten keine Abschaffung der Geheimkredite, sie wünschten ein bescheidenes Kontrollrecht, um zu prüfen, ob die Gelder auch sinngemäss eingesetzt würden. Louis Marin:

---

[508] Vgl. ebenda S. 332; DANSETTE, Histoire, S. 44.

[509] Zum Beispiel Jules Delafosse in der Kammerdebatte vom 6. Juni 1898, Annales, S. 617. Oder das Amendement Fernand de Ramels in der Kammerdebatte vom 23. November 1891. Oder Paul Constans, der in der Kammerdebatte vom 24. November 1903 Delcassé die Zusicherung abringen wollte, dass nicht ein Teil seines Geheimkredites vom Innenministerium gebraucht würde. Delcassé verweigerte die Auskunft und wurde mit 490 gegen 47 Stimmen unterstützt. Es war vielmehr so, dass umgekehrt zuweilen Geheimkredite der Polizeipräfektur dem Aussenministerium zunutze kamen, wenn bei besonderen Aktionen im Ausland, insbesondere der Nachrichtenbeschaffung, das Aussenministerium vorsichtshalber aus dem Spiel gelassen wurde, ANDRIEUX, Mémoires, S. 275.

[510] Frantz-Théodore Hamon war 1906 vom Finanzministerium ins Aussenministerium übergetreten und wurde 1910 unter Aussenminister Pichon Direktor der Finanzabteilung. Im März 1911 zog Cruppi ins Aussenministerium ein und sein Kabinettschef, Maurice Herbette, entdeckte bei der Überprüfung der internen Abrechnungen, dass im Geheimfonds ein grösserer Betrag fehlte. Louis Marin betonte in seinem Budgetbericht für das Jahr 1914 mehrfach, die Affäre Hamon habe gezeigt, wie nötig die parlamentarische Kontrolle sei, Budgetbericht der Kammer Nr. 3318 für das Jahr 1914, S. 63.

> »Le Parlement qui, au nom des contribuables et dans l'intérêt du pays, met les
> fonds secrets à la disposition des Ministères, peut-il se désintéresser ultérieure-
> ment de leur emploi? […] on ne saurait invoquer en l'occurrence contre les
> membres du Parlement une discrétion pour laquelle des agents secondaires ne
> sont nullement écartés.«[511]

In der Vorberatung des Budgets für das Jahr 1874 muss der Budgetkommission
immerhin eine gewisse Einsicht gewährt worden sein, konnte sie doch im Bericht
schreiben:

> »Nous ne pouvons pas en discuter devant vous les détails; mais nous pouvons di-
> re après avoir recueilli les renseignements qui nous on été donnés, que ces fonds
> sont utilement employés.«

Der Budgetbericht für das Jahr 1877 hielt hingegen ausdrücklich fest:

> »La Commission du Budget n'a ni le droit, ni le moyen de contrôler l'emploi de ce
> dernier. Elle ne peut qu'exprimer le désir qu'il soit, comme tous les autres, exclu-
> sivement employé à sa destination.«[512]

In den Debatten zum Budget des Aussenministeriums wurde weder über die
Berechtigung des Geheimfonds noch über die fehlenden Kontrollmöglichkeiten,
sondern bloss, und dies nur von Zeit zu Zeit, über die Höhe und die Verwendung des Betrages diskutiert. Eine Reduktion stand allerdings nie ernsthaft zur
Diskussion; vielmehr wurde immer wieder vorgeschlagen, man solle die Geheimkredite erhöhen.[513] Nachdem in den vier vorangegangenen Jahren der
Betrag für den Geheimfonds diskussionslos genehmigt worden war, ergriff am
11. März 1914 der linksdemokratische Deputierte François Deloncle, ehemaliger
Diplomat in den Jahren 1880–1882 und Mitglied der aussenpolitischen Kommission, beim Kapitel »Dépenses secrètes« lediglich das Wort, um zu erklären, er sei
wie der Budgetberichterstatter der Meinung, Frankreichs Spezialfonds dürfe denjenigen Deutschlands und Englands nicht nachstehen; was Frankreich an geheimen Geldern zur Verfügung stelle, sei einer Grossmacht nicht würdig:

> »Le crédit affecté aux dépenses secrètes n'est pas suffisant; il n'est pas digne d'un
> grand pays comme le nôtre et il faut que nous nous habituions à faire, en France
> ce qu'on fait maintenant aussi bien en Allemagne qu'en Angleterre et dans tous les
> autres pays.«

Das Votum war durch den Zwischenruf unterbrochen worden: »Il faut les
supprimer, tout au contraire.«[514] Schon Louis Marin hatte in seinem Budgetbericht Vergleiche mit den Geheimfonds anderer Staaten angestellt. Während

---

[511] Budgetbericht der Kammer Nr. 3318 für das Jahr 1914, S. 62 f.

[512] Budgetbericht 1877, S. 36.

[513] Zuweilen fielen Zwischenrufe wie die in der folgenden Anmerkung verzeichnete Bemerkung. Oder ein Mitglied der Budgetkommission schlug in der internen Vorberatung, als 1884
die Erhöhung von 500 000 auf 700 000 Francs besprochen wurde, im Gegenteil eine Reduktion um 150 000 Francs vor. Vgl. Budgetbericht Nr. 3175 für 1885, S. 9 f.

[514] JO, S. 1484.

Frankreich eine Million bereitstelle, gebe Deutschland umgerechnet 1,6 Millionen Francs und England 1,2 Millionen Francs aus.[515]

Wie wurden diese Gelder eingesetzt? Die Votanten, die sich für eine Erhöhung des Geheimkredites einsetzten, begründeten ihre Anträge offen damit, dass Frankreich vermehrt ausländische Zeitungen subventionieren, das heisst in seinem Sinn beeinflussen, und dass die französische Diplomatie ihren geheimen Nachrichtendienst ausbauen sollte. Louis Marin schrieb beispielsweise in seinem Bericht Nr. 3318 für das Jahr 1914, der Zweck sei,

> »de renseigner le Ministre et d'organiser les mouvements destinés à seconder notre action. [...] Il est évident que certaines interventions ayant un caractère officieux ne peuvent utilement s'exercer qu'à condition de taire les noms des personnes intéressées.«[516]

Beides wurde als zweckentsprechender Einsatz dieser Gelder verstanden. Als Missbrauch verstand man hingegen die Finanzierung normaler Ausgaben, die über einen anderen Budgetposten hätten abgewickelt werden müssen, aber infolge der permanenten Geldknappheit nicht über die regulären Etats bezahlt werden konnten. Im Budgetbericht für das Jahr 1874 heisst es beispielsweise:

> »Ce crédit ne doit servir à couvrir le déficit d'aucun autre chapitre, puisque le virement est absolument interdit par la loi. Nous avons reçu l'assurance que l'emploi en était tout à fait régulier, et la dépense, comme il convient, absolument spécialisée.«

Die beiden einzigen Interventionen in den Abstimmungen über die Geheimkredite der Jahre 1905 bis 1913 galten dem Umstand, dass der offizielle französische Statthalter in Andorra nicht mit Geldern des Aussendienstes, sondern zusammen mit Geldern des Innenministeriums eben über den Geheimfonds bezahlt wurde.[517] Mit diesem Kredit wurden überzählige Diplomaten ausgehalten – und Überzählige gab es, wie weiter oben dargelegt worden ist, genug – und zuweilen wurden auch Mitarbeiter der immer grösser werdenden persönlichen Kabinette über diesen Fonds finanziert. Fernand Dubief als Budgetberichterstatter in der Kammerdebatte vom 21. Januar 1902:

---

[515] Bericht Nr. 3318 für das Jahr 1914, S. 56 f. – Joseph Barthélemys 1917 erschienene und als offiziös einzustufende Darstellung *Démocratie et politique étrangère* stellte sich auf den Standpunkt: »Le plus grand reproche que l'on puisse adresser aux fonds secrets votés par le Parlement français, c'est leur insuffisance: 1 million en temps de paix, 25 millions depuis la guerre.« BARTHÉLEMY, Démocratie, S. 187.

[516] S. 54. Ähnliche Bemerkungen finden wir schon in den Berichten Nr. 3854 für das Jahr 1886 (S. 5) und Nr. 1630 für das Jahr 1892 (S. 59). Doch auch im Parlament, gewissermassen auf offener Szene, wurde die Subventionierung fremder Zeitungen als Zweckbestimmung genannt. Vgl. etwa das Votum von Camille Dreyfus in der Kammerdebatte vom 6. Juni 1898, Annales, S. 616.

[517] Emmanuel Brousse in den Kammerdebatten vom 29. November 1908 und 30. November 1911. Im Budget für das Jahr 1913 wurde diesen Klagen Rechnung getragen und unter Kapitel 33 ein Posten von 6 000 Francs für den »Service français en Andorr« eingeführt.

»Ces autres abus consisteraient à faire vivre, sur certains crédits des missions notamment, ou sur celui des fonds secrets, dont nous n'avons pas du reste à exami-
ner l'emploi un certain nombre d'agents en marge des cadres [...].«[518]

Doch wurden nicht nur die Geheimkredite als Manövriermasse benützt, es gab
auch die andere Erscheinung: Gewisse Aktionen, die üblicherweise mit diesem
Kredit bezahlt wurden, finanzierte man, wenn der Geheimkredit nicht ausreichte,
über einen anderen, ordentlichen Kredit. Eine ungezeichnete Notiz für den
Politischen Direktor vom 21. Dezember 1896 führte, indem er von einer Kre-
ditreduktion sprach, Folgendes aus:

»Par suite de la réduction apportée par le Parlement au chapitre des Fonds secrets
du budget de mon département pour l'année 1897, le Ministre s'est vu dans
l'obligation de réduire le montant d'un certain nombre d'allocutions payées jusqu'ici sur ce chapitre, ou de décider qu'elles seraient à l'avenir supportées par
d'autres chapitres.«[519]

Der grösste Teil des Geheimkredites wurde den Aussenposten zur Verfügung gestellt und diente der Nachrichtenbeschaffung und der Pressemanipulation. Man
»begoss« die Presse und erwartete bestimmte Gegendienste: Die Bezüger solcher
Schmiergelder sollten bestimmte Meldungen in ihren Blättern lancieren, allenfalls
Gegendarstellungen verfassen oder auch nur darauf verzichten, unfreundliche
Artikel zu publizieren (vgl. auch unten Kap. 3.3). In die Presseaktionen geben die
folgenden zwei Beispiele einen vielsagenden Einblick: Mit einem Schreiben vom
20. März 1883 beantragte Albert Lefaivre 6000 Francs Pressegelder für das
Generalkonsulat New York. Das Gesuch, das abgelehnt wurde, begründete den
Antrag wie folgt:

»Actuellement, nous sommes dépourvus de tout moyen d'action sur la presse, aux
Etats-Unis et dans toute l'Amérique du Nord. [...] Dans un pays démocratique
comme les Etats-Unis, où la presse remplace véritablement les pouvoirs publics et
constitue le grand rouage de gouvernement nous ne pouvons nous passer d'orga-
ne attitré de porte-voix ›professionnel‹.«[520]

Im Schreiben vom 27. Februar 1912 gab Jules Cambon, der Botschafter in Berlin,
dem neu gebildeten Kabinett Auskunft, wofür er die 5000 Francs des Geheimfonds verwenden werde:

»[...] me procurer certains renseignements nécessaires particulièrement par
l'agence Wolff qui est l'agence de publicité de la Wilhelmstrasse. Ils me permet-
tent aussi de me messager des communications précieuses avec certains journaux
et d'empêcher des campagnes de presse excessives, et de faire insérer des rectifica-
tions utiles. Elles sont distribués avec la plus grande prudence.«[521]

Im Januar 1898 gingen, wie eine der wenigen erhaltenen Zusammenstellungen
festhält, 9 000 Francs nach Konstantinopel, 180 Francs nach Bern, 7 500 Francs

---

[518] JO, S. 91. Zur Finanzierung der Kabinette, vgl. THUILLIER, La vie quotidienne, S. 184.

[519] MAE, Série C, adm. 23, Bd. 28, Organisation du Ministère 1896–1907. Die erwähnte Reduktion konnte allerdings in offiziellen Unterlagen nicht festgestellt werden.

[520] Papiers Billot.

[521] Papiers Jules Cambon, Bd. 14.

nach Kairo, 1 500 Francs nach Madrid, 2 500 Francs nach St. Petersburg, 6 000 Francs nach Rom, 750 Francs nach Wien, 5 225 Francs nach Tanger, 1 125 Francs nach Athen. Diese »einmaligen« Zahlungen sagen aber nichts aus über die Höhe des Betrages, den die Botschaften jährlich oder monatlich zur Verfügung hatten. Aus einem Briefwechsel zwischen Paul Cambon und Aussenminister Ribot erfahren wir, dass Konstantinopel in den Jahren 1891/92 monatlich zwischen 2 500 und 3 000 Francs zur Verfügung standen. Am 19. Oktober 1891 (die Erhöhung des Geheimkredites von 700 000 auf 1 000 000 Francs war in Sicht oder bereits beschlossen) forderte Paul Cambon von Ribot:

> »Le rétablissement des 3 000 F par mois est indispensable. Je vous le demande pour le 1er Janvier.« Am 4. Februar 1892 schrieb Cambon wieder: »Me donnez-vous 2 500 en tout? Ce n'est vraiment pas suffisant. Je suis en train de fonder une société pour l'acquisition d'un journal. Je demande derechef mes 3 000 F par mois.«[522]

1913 waren für St. Petersburg ebenfalls 3 000 Francs monatlich reserviert. Dies geht aus einem Schreiben vom 31. Mai 1913 hervor, worin Delcassé als Botschafter den Aussenminister um zusätzliche 8–10 000 Francs bat.[523]

Gabriel Hanotaux' Aufstellung zufolge bezogen im März 1898 die Alliance française 10 000 Francs und der bekannte Agent Jules Hansen 1 500 Francs.[524] In den Monaten März und April 1898 erhielt die Société des Alsaciens-Lorrains, die sich als private Organisation leichter als der französische Staat für die Bürger der verlorenen Provinzen einsetzen konnte, 5 000 und 2 000 Francs. Der Präsident der Société des Alsaciens-Lorrains gelangte jedes Jahr mit Bittgesuchen an diverse Ministerien. Vom Aussenminsterium erhielt er jährlich 10 000 Francs. 1 000 Francs wurden im Mai 1898 für ein Bartholdi-Denkmal in der Schweiz beziehungsweise Basel ausgegeben.[525] Im gleichen Monat wurden 25 000 Francs zur Finanzierung der Mission Marchand (die nach Faschoda führen sollte!) verbucht. Der Abschluss der französisch-englischen Niger-Konvention vom 14. Juni 1898 brachte dem Geheimfonds Pressekosten in der Höhe von 3 100 Francs.

Nicht nur ausländische Journalisten, offenbar auch ausländische Diplomaten wurden mit Geldern aus dem Geheimfonds gespiesen: Jules Laroche weiss zu berichten, dass sich ein ausgedienter Diplomat einer fremden Macht 1889 dem neuen Politischen Direktor Nisard als regelmässiger Bezüger solcher Gelder vorgestellt habe.[526]

Eine besondere Kategorie bildeten die Subventionen, die in Hanotaux' Zusammenstellung als »Secours religieux« (immerhin 35 000 Francs in den Monaten April und Mai 1898) angeführt wurden. Die Geheimhaltung dieser Unterstützungen mochte neben den aussenpolitischen auch innenpolitische Gründe haben, konnte der Aussenminister auf diese Weise doch unliebsame Diskussionen mit

---

[522] Papiers Ribot, Bd. 1 und 2.

[523] Papiers Pichon, Institut.

[524] Papiers Hanotaux, Bd. 11.

[525] Wahrscheinlich ging es um die Mitfinanzierung des 1895 in Basel eingeweihten Strassburger-Denkmals von Bartholdi.

[526] LAROCHE, Quinze ans à Rome, S. 9.

den Antiklerikalen umgehen. Die innenpolitischen Implikationen dieser aussenpolitischen Subventionen sind beispielsweise aus einem Brief Paul Cambons an seinen Bruder Jules vom 17. November 1882 ersichtlich:

> »Je crains que Flourens ne soit bien compromis par la sotte indiscrétion qui a fait connaître qu'il avait donné un secours de 80 000 F au Cardinal Lavigerie pour ses œuvres Tunisiennes. Cette indiscrétion ne proviendrait-elle pas de Develle qui désire se débarasser de Flourens? Tâche donc de savoir cela.«[527]

Im August 1885 beschäftigte sich der Politische Direktor Ring mit der Frage, wie man die Reisen katholischer Missionare nah dem Fernen Osten finanziell unterstützen könne, nachdem die Marine den Transport auf ihren Kriegsschiffen abgelehnt hatte. Aussenminister de Freycinet stellte den Geheimfonds zur Verfügung und beschied dem Politischen Direktor, er solle sich an seinen Kabinettschef wenden:

> »[…] entendez-vous avec M. Herbette pour payer sur les fonds secrets.«[528]

In einem gewissen Sinn waren übrigens auch die offiziellen Unterstützungen der französischen Auslandswerke (Schulen und Spitäler) geheime Subventionen. Geheim war ihre Verteilung, und geheim waren sie in diesem Fall vor allem gegen aussen. Der Budgetberichterstatter und die Mitglieder der Budgetkommission wurden gebeten, keine Informationen über die konkrete Verwendung der Gelder an Dritte weiterzugeben, denn die Konkurrenten auf dem Balkan und dem Vorderen Orient – man dachte vor allem an Italien – sollten ihre Anstrengungen nicht dem französischen Dispositiv anpassen können.

> »Ce tableau est communiqué à titre confidentiel, pour l'information personnelle de M. le Rapporteur et des Membres de la Commission du Budget. Il serait, en effet, imprudent de tenir trop exactement nos concurrents en Orient au courant de la manière dont nous répartissons nos subventions, et de leur permettre ainsi de mieux proportionner leurs effets aux nôtres.«[529]

Am 25. April 1911 hielt der Direktor des Rechnungswesens fest:

> »[...] nous n'avons pas intérêt à mettre les pays étrangers exactement au courant de notre effort. En Orient notamment nos rivaux italiens pourraient se livrer auprès de nos clients à une véritable surenchère pour essayer de les détacher de nous.«[530]

Zudem hätte in den Ländern selbst, wohin die Gelder bestimmt waren, der Widerstand gegen die französischen Subventionierungen geweckt werden können. 1911 nannte der Direktor des Rechnungswesens als eines von vielen Beispielen die 5 000 Francs, die in dem mit 83 000 Francs dotierten Kapitel »Oeuvres françaises en Occident« verbucht wurden und zur Propagierung der französischen Sprache an eine flämische Gesellschaft in Belgien flossen.

> »Enfin certaines allocutions ont un caractère assez délicat, vis-à-vis des pays étrangers eux-mêmes: ainsi est-il bon de susciter des polémiques nouvelles en fai-

---

[527] Papiers Jules Cambon, Bd. 25.

[528] Papiers Ring, Bd. 14.

[529] MAE, Série C 23, Bd. 31, o. D., um 1903.

[530] Série C, carton 120, Nr. 668.

sant savoir dans un document officiel que nous donnons 5 000 à l'association flamande pour la propagation de la langue française: Et les exemples abordent [...].«[531]

## Fehlende Kriegserklärungen

Einflussnahmen auf einzelne Ausführungsfragen, kann man sagen, hätten nicht der Rolle der Legislative entsprochen, denn deren Hauptaufgabe sei es doch, die grundsätzlichen Fragen zu entscheiden und die allgemeinen Richtlinien festzulegen. Die Frage, ob man gegen einen anderen Staat Krieg führen soll, war eine dieser Grundsatzfragen. Das Verfassungsgesetz vom 16. Juli 1875 reservierte denn auch den beiden Kammern das Recht, über allfällige Kriegserklärungen zu befinden. Und komplementär dazu verfügten sie natürlich auch über die Kompetenz, über Friedensschlüsse zu entscheiden wie über Staatsverträge mit finanziellen und territorialen Implikationen.

Das Parlament hatte zwar das Recht, über die Kriegserklärungen zu befinden, doch fehlte ihm in der Praxis die Möglichkeit, über Kriegseröffnungen zu entscheiden. Und dies nicht nur in den Fällen, in denen der Kriegszustand durch eine formelle Erklärung des Gegners eröffnet wurde wie am 3. August 1914, als Deutschland Frankreich den Krieg erklärte. Auch in Fällen, in denen die Initiative eindeutig von Frankreich ausging, blieb dem Parlament jegliches Mitspracherecht versagt, weil die Regierung die kriegerische Aktion nicht als Krieg einstufte, sondern als Expedition, und den Gegner nicht als Staat, sondern lediglich als Wilde, als Banditen und Piraten.

Die Verfassungsbestimmungen vom Juli 1875 sahen die Möglichkeit, dass Kriege ohne Kriegserklärungen stattfinden können, nicht vor. Sinngemäss wollten sie freilich der Legislative das Recht vorbehalten zu entscheiden, ob Frankreich den Frieden kündigen und in Kriegszustand eintreten solle. Ein erstes Mal hätte sich die Frage stellen können, als das Kabinett de Freycinet 1880 Frankreich an der Flottendemonstration gegen die Türkei teilnehmen liess, mit England eine »Kriegskoalition« einging und seinen Schiffen die Instruktion gab, die in Berlin 1878 vereinbarte Abtretung Dulcigos an Montenegro allenfalls mit Waffengewalt zu erzwingen. Zunächst wurde im Parlament aber lediglich über Sinn oder Unsinn der Aktion an sich diskutiert, und erst im Februar 1881 wies Etienne Lamy, ein Deputierter, darauf hin, dass die »eigenmächtige« Flottendemonstration im Widerspruch zur Prärogativen des Parlamentes stehe. Lamy warf der Regierung vor, die Flotten-Aktion in dem Moment vorbereitet zu haben, als das Parlament gerade tagte:

> »[...] loin de l'avertir on le proroge, comme le témoin importun et l'adversaire possible de la politique qu'on prépare! [...] Je n'accuse pas le gouvernement d'avoir voulu une action militaire, mais je lui reproche de s'être engagé jusqu'à ce point qu'une action militaire ait été possible.«[532]

In der Kammerdebatte vom 12. April 1881 versuchte die konservative Opposition, unter Berufung auf das parlamentarische Prinzip der Regierung verbindlich

---

[531] Ebenda.
[532] Kammerdebatte vom 3. Februar 1881, Annales, S. 144.

in Erinnerung zu rufen, dass sie ohne Zustimmung des Parlamentes nicht »notre or et notre sang«, wie eine spätere Redewendung es auf den Punkt brachte, einsetzen dürfe.[533] Die militärischen Operationen, die der Schaffung des Protektorates Tunesien vorausgegangen waren und rund 30 000 Mann engagiert und über 100 Millionen Francs gekostet hatten, wurden aber von der Regierung eben als Polizeiaktionen gegen Aufständische eingestuft. Janvier de La Motte mahnte in seiner Interpellationsbegründung:

> »Il n'est pas possible qu'un pays comme la France [...] puisse être engagé dans une entreprise belliqueuse sans l'assentiment préalable de ses représentants.« Der Mitunterzeichner Lenglé doppelte nach: »Il se passe un fait étrange, et ce n'est pas la première fois que nous en sommes. Nous vivons dans un pays qui à la prétention d'être soumis au régime parlementaire; or toutes les fois qu'on interroge les ministres, les ministres qui doivent parler se taisent.«

André Duclaud von der regierungsnahen »Union républicaine« schlug die folgende Tagesordnung vor, die er allerdings später wieder zurückzog:

> »La Chambre, convaincue que le Gouvernement saura prendre, dans les limites fixées par la Constitution, toutes les mesures nécessaires pour sauvegarder l'honneur, la dignité et les intérêts de la France à l'occasion des événements de Tunisie, passe à l'ordre du jour.«

Paul Berts Vorschlag vereinigte schliesslich 322 gegen 124 Stimmen und hatte folgenden Wortlaut:

> »La Chambre, approuvant la conduite du Gouvernement et pleine de confiance dans sa prudence et dans son énergie, passe à l'ordre du jour.«[534]

Die Kammer sprach also ihr »uneingeschränktes Vertrauen« aus und war nicht einmal bereit, länger als vorgesehen in Paris versammelt zu bleiben, um einer allenfalls nötig werdenden Kriegserklärung zustimmen zu können. So konnte Aussenminister Barthélemy-Saint-Hilaire in der Budgetsitzung des Senats vom 25. Juli 1881 Duc de Broglies Vorwurf, die Regierung führe eine illegale Kampagne, gelassen hinnehmen und sich abermals auf den Standpunkt stellen, Frankreich habe im Grenzbereich Algeriens bloss ein paar Aufständische bekämpft und dabei so wenig Verluste erlitten, dass man nicht von einem Krieg reden könne. Barthélemy-Saint-Hilaire im Senat am 25. Juli 1881:

> »Nous n'avons jamais été en guerre avec le bey de Tunis jamais, nous n'avons eu à réprimer l'insurrection des Khroumirs sur notre frontière. Il y a eu à peine une lutte [...], les pertes qu'a faites l'armée française [...] n'ont pas été bien considérables. En d'autres termes, il n'y a pas eu de guerre.«

Im Herbst 1881 erhoben sich in der Kammer nochmals Proteste gegen die versteckte Kriegführung in Tunesien und gegen die Missachtung der parlamentarischen Budgethoheit. Zur Problematik der Kriegsdefinition bemerkte auf der

---

[533] Formulierung des Radikalen Clemenceau in der Tonkin-Debatte vom 27. November 1884. Auf der Rechten im Kontext einer Tunesien-Debatte: »prodiguer le sang et les ressources de la France«, Kammerdebatte vom 7. Dezember 1883.

[534] Kammerdebatte vom 12. April 1881, JO, S. 841–852.

linken Seite Georges Clemenceau, der erfolglos eine Untersuchung gegen die Regierung beantragt hatte:

> »La guerre ne consiste pas nécessairement dans l'action de tirer des coups de fusil, mais bien dans le fait d'employer la violence. Or, vous avez employé la violence et par conséquent vous avez fait la guerre, vous avez violé la Constitution. Et M. le président du conseil croit se tirer d'affaire en disant: Nous n'avons pas déclaré la guerre. Je le crois bien. Mais c'est précisément là notre grief. Vous n'avez pas déclaré la guerre, mais vous l'avez faite.«[535]

Auch dieser Tadelsantrag fand keine Mehrheit. Die zwischen verschiedenen teils sich überschneidenden, teils sich widersprechenden Anträgen festgefahrene Situation bot indessen Gambetta endlich die Gelegenheit, die Regierung zu übernehmen.

Die Kriege von 1884 gegen China und gegen die madegassischen Hovas, von 1892 in Dahomey, von 1895 erneut in Madagaskar, von 1900 in Peking gegen die Boxer und von 1907 an in Marokko – sie wurden alle ebenfalls ohne formelle Kriegserklärung und ohne direkte Zustimmung des Parlamentes durchgeführt und lösten in den meisten Fällen neue Proteste bei der rechten wie linken Opposition aus. Als die Kammer im Sommer 1900 einen Sonderkredit für militärische Operationen in Südalgerien, das heisst im algerisch-marokkanischen Grenzraum zu bewilligen hatte, versuchte André Berthelot den folgenden Tadelsantrag durchzusetzen:

> »La Chambre, considérant que l'expédition d'Igli a été engagée pendant la session des Chambres et sans qu'elles aient été préalablement consultées, regrette l'illégalité commise et passe à l'ordre du jour.«

Die Kammer stimmte jedoch mit 458 gegen 60 Stimmen für den vom Ministerpräsidenten akzeptierten »ordre du jour pur et simple«.[536]

Einzelne Kreditbewilligungen kamen indessen einem Einverständnis mit bestimmten kriegerischen Aktionen gleich. So konnte das Kabinett Ferry beispielsweise die Bewilligung des 38 Millionen-Kredites vom August 1884 als Einverständnis des Parlamentes interpretieren mit den bereits durchgeführten »Repressionsmassnahmen« – der Bombardierung von Foutchéou – und mit weiteren Aktionen, die im Kampfe um Tonkin nötig werden sollten. Auch der im November 1895 bewilligte 65 Millionen-Kredit war eine eindeutige Zustimmung zu dem geplanten Krieg gegen Madagaskar.

Zum Tonkin-Krieg: Nachdem Albert Billot, der damalige Politische Direktor, in einer anonym erschienenen Rechtfertigungsschrift auf die Verfassungsbestimmungen hingewiesen hatte, stellte er sich auf den Standpunkt:

> »Mais le bombardement de Foutchéou n'était pas un acte de guerre et ne pouvait être assimilé à une déclaration de guerre: c'était un acte de représsailles, qui n'impliquait pas la rupture de l'état de paix et rentrait par conséquent dans la catégorie

---

[535] 9. November 1881, Annales, S. 1972.

[536] Kammerdebatte vom 2. Juli 1900. – Französische Völkerrechtsstudien kritisieren diese Unterscheidung zwischen Expeditionen und eigentlichen Kriegen; Frantz DESPAGNET, Cours du droit international public, S. 812, zit. nach CHOW, Contrôle parlementaire, S. 141, der sich dieser Meinung anschliesst.

des mesures permises à tout gouvernement pour faire respecter les droits de son pays.«[537]

Ferry ging in der Kammer-Debatte vom 14. August 1884 sogar so weit zu betonen, er habe nach der Bombardierung den Friedenszustand erhalten und würde den Frieden nicht ohne Zustimmung der Kammer preisgegeben haben.[538] Ein Jahr zuvor hatte schon Aussenminister Challemel-Lacour die paradoxe Erklärung abgegeben, Frankreich habe Annam nicht den Krieg erklärt, aber:

> »Nous sommes pour venger une cruelle injure faite à nos armes, nous y sommes pour châtier des bandes qui, après avoir tué nos soldats, ont mutilé et outragé leurs cadavres. Qu'importe aujourd'hui, en présence d'une pareille tâche, que nous soyons en guerre avec des bandes d'aventuriers sans aveu et des gens perdus, ou avec un gouvernement qui soudoie ces bandes et s'en sert en se cachant?«[539]

## Parlamentarische Vorstösse

Im Prinzip hatten die Mitglieder der Legislative zu jeder Zeit die Möglichkeit, eine Debatte über eine sie interessierende Frage auszulösen. Darauf konnte Aussenminister Barthélemy-Saint-Hilaire verweisen, als sich Gontaut-Biron im Dezember 1880 zu Beginn der Budgetdiskussion beklagte, im Senat habe seit zwei Jahren keine aussenpolitische Debatte mehr stattgefunden. Der Aussenminister erwiderte zu Recht, dass der Senat, wenn der Wunsch ernsthaft bestanden hätte, solche Debatten selbst hätte herbeiführen können. Gontaut-Birons Einwurf, ohne die nötige Information (etwa durch ein Gelbbuch) sei eben keine Diskussion möglich, begegnete Barthélemy-Saint-Hilaire mit dem Hinweis, dass die Deputiertenkammer nicht besser informiert sei und dort dennoch Debatten zur Aussenpolitik stattfänden.[540]

Wenn ein Parlamentarier ausserhalb der Debatten um das ordentliche Budget und die ausserordentlichen Sonderkredite eine bestimmte Angelegenheit zur Sprache bringen wollte, konnte er mit den so genannten Fragen eine Auskunft verlangen und mit Interpellationen eine allgemeine Debatte zu einem bestimmten Fragenkomplex provozieren. Die Vorstösse in einfacher Frageform fielen politisch weniger ins Gewicht und wurden selten unternommen. Der angefragte Minister hatte die Möglichkeit, die Frage abzulehnen. Nahm er sie an, hatte es – wenn man von den Zwischenrufen absieht – mit dem einfachen Dialog zwischen Fragendem und Antwortendem sein Bewenden. Zur Entlastung des parlamentarischen Betriebes schuf man für die Kammer 1909 und für den Senat 1911 die Möglichkeit, Fragen und Antworten auf schriftlichem Weg und ausserhalb des Parlaments im *Journal officiel* abzuwickeln.[541]

Während in der Kammer 1903–1912 zu sämtlichen Bereichen der Politik durchschnittlich 132 Interpellationen eingereicht wurden (wovon 15 zur Aussen-

---

[537] BILLOT, Tonkin, S. 224. Discours, S. 331.

[538] Ebenda, S. 229.

[539] Rede im Senat, 21. Juli 1883, zit. nach. CHALLEMEL-LACOUR, Discours, S. 331.

[540] JO, S. 11743 und 11749. Dieselbe Klage erhoben am 23. März 1903 die Senatoren Comte d'Aunay und Admiral de Cuvreville.

[541] Vgl. auch CHOW, Contrôle parlementaire, S. 192–197.

politik), bildeten im gleichen Zeitraum die formellen Fragen nur einen Jahres-
durchschnitt von 23 (wovon 2 zur Aussenpolitik). Die Zahl der im Senat eingereichten Interpellationen war mit durchschnittlich 13 pro Jahr (wovon nicht jedes
Jahr eine zur Aussenpolitik) und mit ebenso vielen Fragen beträchtlich tiefer.

Mit den Interpellationen waren wirksamere Eingriffe in das politische Geschehen möglich als mit den formellen Fragen. Die Interpellationen waren vor allem
ein Mittel der politischen Aggression. Dies indirekt bestätigend, sagte Joseph
Chailley 1908 von der Interpellation, sie habe aber »un caractère légèrement
comminatoire«, weshalb er lieber eine Frage im Rahmen der Debatte um das
Kolonialbudget stelle.[542] Die Interpellationen wurden, oft von mehreren unterzeichnet, schriftlich deponiert; ihre Begründung und Behandlung wurde zumeist
nach den Wünschen des interpellierten Ministers durch das Parlament und oft
zusammen mit anderen Interpellationen zum gleichen Thema auf einen bestimmten Termin angesetzt. Am 12. November 1907 beispielsweise standen gleich
sechs Interpellationen zum gleichen Thema auf der Tagesordnung: 1. sur les
événements du Maroc, 2. sur les affaires marocaines, 3. sur la politique française
au Maroc, 4. sur l'expédition marocaine, 5. sur l'action politique et militaire du
Gouvernement au Maroc, 6. sur la politique du Gouvernement vis-à-vis du Maroc. Die Debatte, die grundsätzlich allen offen stand, schloss jeweils mit einem
»ordre du jour«, mit dem das Parlament sein Vertrauen oder Misstrauen aussprach.

Der interpellierte Minister konnte – gerade wenn es um aussenpolitische Fragen ging – mit dem Hinweis auf die höheren Staatsinteressen unerwünschte und
unbequeme Vorstösse abbiegen oder durch ständiges Aufschieben gegenstands-
los machen. Emile Constant beklagte sich am 23. Dezember 1908, Aussenminister Pichon schiebe die Marokko-Interpellationen nun schon seit drei Monaten
vor sich her:

> »[...] M. le ministre des affaires étrangères, qui, depuis trois mois, promène le Par-
> lement d'ajournement en ajournement, recourt à son procédé favori, qui est de
> demander un ajournement nouveau.«

Dennoch folgte die Parlamentsmehrheit Pichons Antrag, die Interpellationen
erneut aufzuschieben und erst im Januar des neuen Jahres zusammen mit dem
Budget des Aussenministeriums zu behandeln. Der neue Aufschub wurde
allerdings mit nur 296 gegen 250 Stimmen gewährt. Dem *Petit journal* vom 6. Juni
1901 zufolge versuchte Georges Berry den Art. 40 des Geschäftsreglementes
dahin abzuändern, dass solche Aufschübe nicht mehr möglich wären:

> »Les interpellations sur la politique extérieure devront être discutées dans le délai
> maximum d'un mois.«

Die Interpellationen konnten indessen weiterhin sogar auf die nächste Session
verschoben werden. Es war nur nicht möglich, die Tagesordnung der
kommenden Session bereits mit einem festen Terminversprechen zu belasten. In
den meisten Fällen bestanden die Interpellanten auf unverzüglicher Behandlung
ihres Vorstosses. Dann und wann gelang es dem Aussenminister, die Interpellan-

---

[542] Kammerdebatte vom 16. November 1908.

ten zu einem freiwilligen Rückzug zu bewegen.[543] Am 4. November 1898 beantragte Aussenminister Delcassé die Rückstellung zweier Interpellationen zur Faschoda-Expedition ohne Terminangabe – »sine die«:

> »Je prie la Chambre de croire que je suis désireux autant que personne, – car j'ai besoin d'être soutenu par la représentation nationale, que j'ai hâte de m'expliquer devant elle; mais je ne peux pas en ce moment, sans compromettre les intérêts dont j'ai la garde, fixer le jour de la discussion.«

Wenige Tage später zogen die beiden Interpellanten ihre Anfragen zurück, der eine kommentarlos, der andere »aus patriotischen Motiven« und mit dem Vorbehalt, dass der Rückzug nur provisorisch sei. Albert de Mun am 7. November 1898:

> »[…] dans une pensée patriotique que tout le monde comprendra, j'en suis convaincu, je retire provisoirement ma demande d'interpellation sur l'affaire de Faschoda.« Brunet am 8. November 1898: »Je retire purement et simplement mon interpellation.«

Am gleichen Tag gratuliert Baron de Courcel dem Aussenminister zu diesem Erfolg:

> »Les interpellations eussent été bien dangereuses dans l'état de crise qui continue.«[544]

Im Falle einer Interpellation Boni de Castellanes war Delcassé nur halbwegs erfolgreich. Es gelang ihm zwar, den Vorstoss zur Frage, warum sich Frankreich und Russland bei den deutschen Lothringer-Manövern vertreten liessen, zu verhindern, doch veröffentlichte der Interpellant hierauf seinen Text am 2. Juni 1901 im *Echo de Paris*.

Zuweilen gelang es, Interpellationen abzufangen, bevor sie auf den Tisch des Hauses kamen. Im Sommer 1890, nachdem England, ohne Frankreich zu informieren, durch den englisch-deutschen Helgoland-Vertrag Sansibar zum Protektorat gemacht hatte, bemühte sich Aussenminister Ribot mit Erfolg, Brisson zum Rückzug einer Interpellation zu diesen Vorgängen zu bewegen. Ribot wollte eine Debatte vermeiden, die sich auf die französisch-englischen Beziehungen nachteilig ausgewirkt hätte. Aussenminister Ribot schrieb am 25. Juni 1890 Botschafter Waddington nach London:

> »J'ai empêché la Chambre de faire une imprudence en ouvrant un débat dans lequel des paroles malheureuses auraient été certainement prononcées. M. Brisson s'est prêté d'assez mauvaise grâce au retrait de son interpellation. Il avait un grand discours où il devait passer en revue toutes les puissances de l'Europe, montrer notre isolement et adresser à l'Angleterre les plus amers reproches.«[545]

Es ist durchaus denkbar, dass diesen Rückzügen direkte Gespräche in den Gängen des Palais Bourbon oder im Quai d'Orsay vorausgegangen waren. In

---

[543] Vgl. auch BAILLOU, Affaires étrangères, S. 43 am Beispiel Poincarés und Pious am 1. März 1912.

[544] Papiers Delcassé, Diplomates, Bd. 4.

[545] Papiers Waddington und Papiers Ribot, Bd. 3.

einigen Fällen wiesen die Parlamentarier sogar ausdrücklich darauf hin, dass sie sich in bestimmten delikaten Angelegenheiten eine persönliche Unterredung mit dem Minister vorbehielten. Während der Beratung des Verteidigungsbudgets erklärte Comte Ferri de Ludre am 8. Februar 1910 bezüglich der Verteidigung der Ostregion und insbesondere Nancys:

> »Je sais que de semblables questions doivent plutôt être traités dans le cabinet du ministère de la guerre qu'à la tribune de la Chambre et j'aurai l'honneur d'aller l'en entretenir personnellement.«

In der Budgetdebatte vom 30. November 1911 bezeichnete Aussenminister Pichon die Beantwortung einer Frage nach den Gründen der plötzlichen Abberufung eines Konsuls aus Marokko als zu heikel und erklärte unter allgemeinem Applaus:

> »Je me mets à son entière disposition pour lui donner dans mon cabinet toutes les justifications et tous les éclaircissements qu'il désirera.«[546]

Die wenigsten der direkten Kontakte zwischen Legislative und Exekutive sind belegbar. Doch dürfen wir annehmen, dass sie, wenigstens zwischen Regierung und Regierungsmehrheit, alltägliche Erscheinungen waren. In der Casablanca-Krise vom März 1906 soll sich Jean Dupuy mit anderen Deputierten zu Aussenminister Bourgeois und Kriegsminister Etienne begeben haben, um sich zu erkundigen, ob England tatsächlich, wie Gerüchte behaupten, Frankreich im Stich lassen werde.[547] Direkte Kontakte zwischen Parlamentariern und Diplomaten des Aussendienstes wären nicht statthaft gewesen, kamen aber vor. Im Herbst 1896 lehnte es der in Konstantinopel eingesetzte Pierre de Margerie ab, Comte de Mun Auskünfte zu erteilen, die er für die beabsichtigte Interpellation zur Armenierfrage hätte benützen können; und dies, obwohl er gerne Aussenminister Hanotaux in dieser Sache unter Druck gesetzt hätte, nachdem die französische Botschaft auf dem normalen Weg mit ihren Depeschen nichts ausgerichtet hatte.[548] Eine Art halbdirekter Kontakt bestand von 1902 an mit der Möglichkeit, besonders heikle Fragen in der Kommission für auswärtige Angelegenheiten zu besprechen.

In der Arena des Parlamentes trat vor allem die Opposition auf. Von Zeit zu Zeit benützten freilich auch Interpellanten der Regierungsmehrheit die Rednertribüne, um mit bestellten Fragen dem Minister eine Gelegenheit zu verschaffen, seine Politik darzustellen. Eine bestellte Interpellation Devès' vom 21. Februar 1881 gab dem Kammerpräsidenten Gambetta die Gelegenheit, seine Rolle in Frankreichs Griechenland-Politik darzulegen. Und als die Abberufung Roustans von der Botschaft in Madrid zu allerlei Gerüchten und für Roustan zu nachteiligen Spekulationen Anlass gab, da schlug Jules-Albert Defrance, 2. Sekretär in Madrid, in einem Schreiben vom 5. Mai 1894 dem damals als Handelsdirektor des Aussenministeriums fungierenden Hanotaux vor,

---

[546] JO, S. 3467.

[547] Paul Cambon an seinen Bruder Jules Cambon, 19. März 1906, Papiers Jules Cambon, Bd. 25.

[548] AUFFRAY, Pierre de Margerie, S. 106.

»de charger un Député d'adresser au Président du Conseil une question à ce sujet, ce qui permettrait au Ministre d'exposer l'état véritable de la question.«[549]

Vermutlich war auch die Interpellation, die Delcassé im Juli 1898 von seinem Freund Denys Cochin zur Frage des religiösen Protektorates erhielt, bestellt worden.

Was bewirkten die Interpellationen? Mit diesen Vorstössen liessen sich kaum direkte Veränderungen herbeiführen oder irgendwelche neue Informationen gewinnen. So erklärte der Deputierte und ehemalige Aussenminister Goblet in der Kammerdebatte vom 26. März 1898:

»Sans doute, il y a eu une certaine quantité d'interpellations sur la politique étrangère; mais nous disions tous, de nos bancs, à M. le Ministre: Vous ne nous avez jamais répondu de manière à nous fixer vraiment ni sur vos intentions, ni sur les résultats obtenus.«

Ihr praktischer Wert bestand darin, dass sie der Opposition Gelegenheit gaben, ihre Auffassungen zu verkünden. Die Voten etwa gegen die Kredite für die Russlandreisen hinderten keinen Präsidenten an der Durchführung der geplanten Reise, sie waren als Protestkundgebungen gegen die zaristische Autokratie zu verstehen. Die »Fragenden« wollten ja in den seltensten Fällen etwas wissen, sondern ihre eigene Meinung zum anvisierten Gegenstand entwickeln und in der Schlussabstimmung möglichst viele Stimmen um diese Meinung scharen.

Selbst wenn die Interpellationen zurückgestellt und später ganz abgeschrieben wurden, konnte der Interpellant einen grossen Teil seines Anliegens bereits im Streit um den Termin anbringen. Es erwies sich regelmässig als äusserst schwierig, die Dringlichkeit einer Interpellation zu begründen, ohne auf den Inhalt des Vorstosses einzugehen. Dazu gab es 1912 beispielsweise in der Kammer die folgende Szene. Dominique Delahaye erklärte:

»Le moyen de justifier de l'utilité d'une interpellation sans dire pourquoi elle est utile immédiatement? Voilà que vraiment M. le président me réduit au jeu de la difficulté!« M. le président: »Je vous réduis, monsieur Delahaye, au jeu du règlement.« M. Delahaye: »Il faudra tâcher de le modifier!«[550]

Von der Möglichkeit, dass Parlamentarier zu dieser oder jener Frage Interpellationen einreichen könnten, wird eine gewisse präventive Wirkung ausgegangen sein. Besonders stark kann sie aber nicht gewesen sein. Die Interpellationen zu aussenpolitischen Fragen waren mehr ärgerlich als gefährlich. Sie konnten im diplomatischen Getriebe kleinere Störungen verursachen. Sie konnten nicht mit Wohlverhalten verhindert, aber mit dem Appell an den Patriotismus leicht entschärft werden. Auf Sembats Interpellation zur Flottenexpedition nach der Aegäis reagierte Ribot am 4. November 1901 mit dem Mahnruf:

---

[549] Papiers Hanotaux, Bd. 21.
[550] Kammerdebatte vom 19. Januar 1912, S. 24.

> »En ce moment, nos vaisseaux sont en route, vous ne devez pas l'oublier. Vous
> ne devez pas, à cette heure, voter une motion qui serait le désaveu de l'action de
> M. le Ministre des affaires étrangères!«[551]

Die Kammer stimmte dann mit 302 gegen 241 Stimmen für die folgende Tagesordnung:

> »La Chambre, confiante dans le gouvernement pour faire respecter les intérêts et
> l'honneur de la France, passe à l'ordre du jour.«

### Das Vertrauensvotum und die Abwahl von Regierungen

Ob ein Votum ein Vertrauensvotum war, hing zu einem grossen Teil von der Bedeutung ab, welche die Regierung dem Abstimmungsgang vorweg gab. Gingen
bestimmte Sachabstimmungen (Vertragsvorlagen, Kreditgesuche und Gesetzes-
entwürfe) negativ aus, musste die Regierung abdanken. Über die Regierungserklärungen, welche die Kabinette bei Amtsantritt jeweils abgaben, wurde nicht
direkt abgestimmt, sondern nur über die anschliessend diskutierten Interpellationen. In den Interpellationsdebatten hatte es die Regierung in der Hand zu erklären, welchen Resolutions-Vorschlag sie zum ihrigen machen wollte. Fand die von
ihr akzeptierte Variante keine Mehrheit im Rat, musste sie abtreten. Im November 1911 ging Ministerpräsident Caillaux bei der Festlegung eines Interpellations-
termins so weit, sogar die Terminfrage zur Vertrauensfrage zu machen:

> »Nous avons des responsabilités en politique extérieure, et des responsabilités sé-
> rieuses. Je demande donc à Chambre, de la façon la plus formelle, et — bien que
> ce ne soit guère l'usage en pareille matière — en attachant à ce vote la signification
> de la confiance [...].«[552]

In den selteneren Fällen wurden die Debatten mit dem »ordre du jour pur et
simple« geschlossen; meistens standen sich zustimmende und ablehnende »ordres
du jour motivés« gegenüber. Gewisse Formulierungen waren, damit sie möglichst
viele Stimmen auf sich vereinigten, so temperiert gehalten, dass die Deputierten
zusätzliche Erklärungen verlangen mussten, ob der Text der Regierung gegenüber positiv oder negativ eingestellt sei. Als in der Tunesien-Debatte vom 9. November 1881 ein »ordre du jour pur et simple« vorgeschlagen wurde, wollte Delafosse wissen:

> »Est-ce une approbation de la politique du Gouvernement en Tunisie? Si c'est ce-
> la, qu'on nous le dise. Est-ce un déni de responsabilité? Qu'on nous le dise.«[553]

Im »ordre du jour«, der zum Abgang Ferrys im November 1881 führte, kamen
verschiedene Unzufriedenheiten zusammen, diejenigen wegen angeblicher Ver-
fassungsverletzung und Missachtung des Parlaments, wegen Kreditüber-
schreitung, wegen später oder ungenügender Information wie schliesslich die

---

[551] Alexandre RIBOT, Quatre années d'opposition. Discours-politiques 1901–1905, Bd. 1,
Paris 1905, S. 148.

[552] Kammerdebatte vom 20. November 1911, JO, S. 3164.

[553] Annales der Kammer, S. 181. Am 17. Februar 1910 erklärte Messimy, der »ordre du jour
pur et simple«, über den die Kammer abzustimmen hatte, sei als Vertrauensbeweis zu verstehen, JO, S. 916.

Gegnerschaft gegen das Engagement in Tunesien wie schliesslich einfach die Bereitschaft, Gambetta die grundsätzliche Gelegenheit zu geben, eine Regierung zu bilden.

Wichtiger als die Formulierung war die Bedeutung des Formulierten. Wollte eine Mehrheit des Parlamentes ein Kabinett stürzen, so stimmte sie selbst dann gegen den von der Regierung angenommenen Text, wenn die Formulierung an sich annehmbar gewesen wäre. Ministerpräsident Poincaré erklärte im März 1912, in aussenpolitischen Fragen genüge ein »ordre du jour pur et simple« nicht, er wolle einen qualifizierteren Vertrauensbeweis:

> »Dans une question de politique extérieure, le Gouvernement a le droit et le devoir de ne pas accepter l'ordre du jour pur et simple.«

Einer seiner Gegner rief ihm darauf zu, er werde in diesem Fall für die einfache Tagesordnung stimmen; die Mehrheit hingegen lieferte mit 413 gegen 81 Stimmen die gewünschte Erklärung, die der Regierung das Vertrauen aussprach.[554]

Was Poincaré 1912 erhielt, war Ferry 1885 verweigert worden. Die grosse Zeit des grossen Kolonialisten ging äusserlich über einer Verfahrensfrage zu Ende. Ferry wünschte, dass man ihm zuerst die neuen Tonkin-Kredite bewillige und verzichtete darauf, in der Kreditgewährung mit einer formellen Erklärung einen Vertrauensbeweis zu sehen. Anschliessend hätte er getrennt die Vertrauensfrage stellen wollen. Weil er es so wollte, wollte die Mehrheit, die Ferrys Sturz wünschte, das Gegenteil: Indem sie für die andere Reihenfolge votierte, sprach sie Ferry ihr Misstrauen aus und konnte in einem zweiten Votum Ferrys Nachfolger dann den von Ferry geforderten Tonkin-Kredit bewilligen.

In anderen Fällen wurden aussenpolitische Angelegenheiten in innenpolitische Auseinandersetzungen hineingezogen, waren aber für den Ausgang der Kontroversen nicht von Bedeutung. Jules Ferrys Abgang nach der Tunesien-Debatte vom November 1881 wird übereinstimmend als innenpolitische Konsequenz nach den Wahlen vom August 1881 und als freiwilliges Abtreten der Macht an Gambetta und nicht als kolonialpolitische Niederlage interpretiert.[555]

Und als der Senat im April 1896 dem Kabinett Bourgeois die Kredite zur Heimschaffung des Madagaskar-Korps verweigerte, bestand über den eigentlichen Streitpunkt kein Zweifel: Der Senat hatte schon im Februar 1896 über der südfranzösischen Eisenbahnfrage ein Misstrauensvotum ausgesprochen, doch das Kabinett hatte sich deswegen nicht veranlasst gesehen zurückzutreten. Der Senat wollte hierauf mit seiner Kreditsperre durchsetzen, dass auch seine Voten – nicht nur diejenigen der Kammer – über die Lebensdauer eines Kabinettes sollten entscheiden können. Die drei republikanischen Gruppen des Senats erklärten am 21. April 1896:

> »Certes, il ne saurait entrer dans la pensée d'aucun de nous de marchander ces crédits nécessaires aux soldats de la France, à ceux qui défendent, dans nos pos-

---

[554] Kammerdebatte, 22. März 1912, JO, S. 910.

[555] PFEIFFER, Grand Ministère, S. 60 und 121; Thomas Francis POWER, Jules Ferry and the Renaissance of French Imperialism, New York 1944, S. 60; GANIAGE, Protectorat, S. 679; SOULIER, Instabilité ministérielle, S. 91.

sessions lointaines, son honneur et son drapeau. Le Sénat salue en eux les plus chers enfants de la patrie. […] Nous ne refusons donc pas les crédits; nous sommes prêts à les voter; mais nous ne pouvons pas les accorder au ministère actuel.«[556]

Welchen Anteil hatte die Aussenpolitik am Sturz Clemenceaus vom Juli 1909? Wegen Delcassés Kritik an der Flottenpolitik des Kabinettes wäre Clemenceau nicht gestürzt worden. Was zum Sturz führte, war Clemenceaus grobe Antwort an seinen persönlichen Widersacher in der Kammerdebatte vom 20. Juli 1909:

»[…] vous étiez ministre, et vous nous conduisiez aux portes de la guerre, et vous n'aviez fait aucune préparation militaire. Vous savez bien, tout le monde sait, toute l'Europe sait, que les ministres de la Guerre et de la Marine, interrogés à ce moment-là, ont répondu que nous n'étions pas prêts.«

Nur 196 Deputierte sprachen sich für und 212 gegen die Regierung aus. 176 Deputierte, worunter 76 Radikale und Radikal-Sozialisten und 23 Linksrepublikaner, waren abwesend; unter den Delegierten, die zum Friedenskongress nach Stockholm gefahren waren, befanden sich zahlreiche Deputierte, die für Clemenceau gestimmt hätten. Der Sturz kam für viele, auch für Clemenceau, überraschend.[557] Schon am 10. Mai 1909 vermutete Paul Cambon, dass Delcassé es auf das Marineministerium abgesehen habe.[558] Delcassé hatte sich schon seit längerer Zeit mit der Marine beschäftigt. Er führte schon im Januar 1909 mit dem englischen Botschafter ein Gespräch in dieser Sache.[559] Delcassé wurde schliesslich Marineminister, aber erst zwei Jahre später vom Februar 1911 bis Februar 1913 in den Kabinetten Monis, Caillaux und Poincaré. Die Feindschaft zwischen Delcassé und Clemenceau war kein Geheimnis. Schon aus der Zeit, da Delcassé noch Aussenminister war, wusste der britische Botschafter Bertie zu berichten:

»If Clemenceau comes in, Delcassé will go out, they are enemies.«[560]

Aussenpolitik? Jedenfalls lagen keine aussenpolitischen Meinungsverschiedenheiten vor — beide Kontrahenten waren sich in der Beurteilung der internationalen Lage und den sich für Frankreich ergebenden Notwendigkeiten einig. Delcassé indessen wollte sich mit seiner Kritik als künftigen Marineminister empfehlen, und Clemenceau vergriff sich in der persönlich gemeinten Antwort, indem er in

[556] Zit. nach BLOCH, Régime parlementaire, S. 53. Der Senat wird auch Briand im März 1913 über eine Frage der Wahlrechtsreform stürzen. Zu den Kompetenzen des Senates, s. Darstellung von Jacques CHASTENET, Le Senat de la IIIᵉ République, in: Revue des travaux de l'Académie 4 (1963), S. 105–121. Ferner: SOULIER, Instabilité ministeielle, S. 178.

[557] Georges BONNEFOUS, Histoire politique de la Troisième République, Paris 1956, Bd. 1, S. 134 f.; David WATSON, Georges Clemenceau. A political biography, London 1974, S. 213.

[558] Papiers privés Paul Cambon.

[559] Botschafter Bertie an Aussenminister Grey, 29. Januar 1909, PRO, Privatpapiere Bertie. Und am 4. April 1909 berichtete Bertie wieder: »What Delcassé says about the French Navy is that it ougth to be strong enough with the British fleet to meet and beat the German fleet and the Naval Forces of any other Powers likely to be acting in support of Germany.« Ebenda.

[560] 20. Januar 1905 an Lansdowne, PRO, Privatpapiere Lansdowne.

Erinnerung rief, dass der ehemalige Aussenminister 1905 unter dem Druck der deutschen Machtpolitik die Szene verlassen habe.

## Der Fall Delcassé

Der Sturz Delcassés im Juni 1905 stand in keinem direkten Zusammenhang mit parlamentarischen Aktivitäten. Delcassés Gegner hätten aber jederzeit die Parlamentsmaschinerie in Bewegung versetzen können, wenn dies zur Erlangung des gewünschten Ziels nötig gewesen wäre. Delcassé war bereits in vier Kabinetten Aussenminister gewesen, als er im Januar 1905 auch in Maurice Rouviers Kabinett Aussenminister wurde. In den vorangegangenen Equipen musste Delcassé bei der Führung der französischen Diplomatie weder auf die Ministerpräsidenten noch auf die Kabinettskollegen gross Rücksicht nehmen. Was Waldeck-Rousseaus Biograph Sorlin schreibt, gilt vor allem für die späteren Jahre:

> »Seul parmi les ministres, Delcassé manifeste une réelle indépendance.«[561]

Als Delcassé im Mai 1901 krank war, glaubte er sein Ministerium keinem Kollegen und auch nicht Ministerpräsident Waldeck-Rousseau vorübergehend anvertrauen zu können.[562] Umgekehrt kümmerte sich Delcassé auch nicht um die innenpolitischen Angelegenheiten und schlug es im Juni 1899 aus, als Regierungschef die Verantwortung für die gesamte Politik zu übernehmen.[563] Delcassé war mit seinem geringen Interesse an der allgemeinen Politik oder mit seinen geringen machtpolitischen Ambitionen wirklich eine Ausnahmeerscheinung unter den französischen Spitzenpolitikern. 1899 lehnte Delcassé erneut ab, im Sommer 1904 hingegen spielte er mit dem Gedanken, die ganze Regierungsverantwortung zu übernehmen (vgl. unten). Emile Combes' antiklerikale Kampagnen der Jahre 1902–1904 hat er sich — wenn auch mit diskretem Widerspruch — gefallen lassen, obwohl sie seiner Aussenpolitik zuwiderliefen und sogar den Abbruch der diplomatischen Beziehungen zum Vatikan nötig machten. Schon zu Waldeck-Rousseaus Zeiten hatte sich Delcassé vor allem mit Präsident Loubet ins Einvernehmen gesetzt. Auf Loubets Wunsch übernahm denn auch Combes den Aussenminister des vorgängigen Kabinettes.[564] Joseph Caillaux, Finanzminister des gleichen Kabinetts, überliefert, dass Combes in aussenpolitischen Angelegenheiten zu sagen pflegte:

> »Laissons cela, messieurs, c'est l'affaire de M. le président de la République et de M. le ministre des Affaires étrangères.«[565]

Combes dagegen betont in seinen Memoiren, dass er über alles, was die Aussenpolitik betroffen habe, im Bild gewesen sei, und Delcassé, mit dessen harter

---

[561] SORLIN, Waldeck-Rousseau, S. 454.

[562] Monson an Lansdowne, 17. Mai 1901, PRO, Privatpapiere Lansdowne.

[563] Delcassé an seine Frau, 18. Juni 1899; Delcassé an Loubet, 26. Juni 1899; zit. nach ANDREW, Théophile Delcassé, S. 63. Paul Cambon schrieb am 16. Juni 1899 in einem Brief an seinen Bruder ebenfalls von Loubets Angebot an Delcassé, Correspondance 1870–1924, Bd. 2, S. 25.

[564] COMBES, Mon ministère, S. 22.

[565] CAILLAUX, Mémoires, Bd. 1, S. 221.

Deutschland-Politik er sehr einverstanden gewesen sei, keinen wichtigen Entscheid ohne seine Zustimmung gefasst habe.[566] Über die Spannungen, die in Wirklickeit zwischen Combes und Delcassé in zunehmendem Mass bestanden haben, war man deutscherseits bestens informiert. Im April 1903 bemerkte ein deutscher Beobachter:

> »Dass danach der Ministerpräsident und der auswärtige Minister noch lange zusammen im Kabinett arbeiten werden, ist kaum anzunehmen; es bleibt abzuwarten, wer der Stärkere ist.«[567]

Und im März 1904 wurde Maurice Paléologue Zeuge von Delcassés Verärgerung über das Kabinett Combes:

> »M. Combes ne pense qu'à manger du prêtre et à fomenter la guerre religieuse; M. le général André nous prépare la réduction du service militaire à deux ans et, en attendant, il livre l'armée à toutes les fripouilles de la franc-maçonnerie; M. Pelletan désorganise notre marine et prêche la grève aux ouvriers de nos arsenaux. Tout cela, c'est la négation même de ma politique […]. Eh bien! j'en ai assez! je ne veux plus couvrir, au regard du pays. L'abominable besogne de ces gens-là. Qu'ils en portent seuls la responsabilité!«[568]

Meinungsverschiedenheiten entzündeten sich auch an anderen Fragen. So wollte Delcassé aus Rücksicht auf den russischen Bündnispartner zwei Anarchisten aus Frankreich ausweisen. Troz anfänglichem Einverständnis wich dann aber Combes zum Ärger Delcassés vor der Intervention sozialistischer Deputierter zurück und annullierte die Ausweisungen.[569]

Die Beziehungen zwischen Combes' Nachfolger Rouvier und dem im Quai d'Orsay verbliebenen Delcassé waren schon im Moment der Kabinettsbildung vom 23. Januar 1905 gespannt. Beide hatten von einander nicht die beste Meinung. Delcassé hielt den neuen Ministerpräsidenten, der im Kabinett Combes als Finanzminister sein Kollege gewesen war, für einen Börsenspekulanten, der auf Frankreichs wahre Interessen wenig Rücksicht nehme.[570] Paléologue überliefert, Delcassé habe am 29. April 1905 ausgerufen:

> »Cet homme vendrait la France pour un coup de Bourse!«[571]

Am 8. Mai 1905 schrieb Paul Cambon seinem Sohn:

> »Il a beaucoup d'adversaires dans le petit monde de la Bourse, qui est dominé par les Allemands […].«

Im gleichen Briefwechsel bemerkte Cambon am 13. Mai 1905, Rouvier lasse sich von diesen »intrigues boursicotières« beeinflussen.[572] Auf der anderen Seite be-

---

[566] COMBES, Mon ministère, S. 217.

[567] Vgl. von Holsteins Aufzeichnung vom April 1903 mit einem Exposé über die Differenzen um die Abberufung Révoils aus Algerien, GP, Bd. 18, Nr. 5888.

[568] PALÉOLOGUE, Tournant, S. 44.

[569] COMBARIEU, Sept ans, 29. Mai 1904, S. 282.

[570] Pierre MURET, La politique personnelle de Rouvier et la chute de Delcassé, in: Revue d'Histoire de la Guerre Mondiale 17 (1939), S. 209–231, hier: S. 221.

[571] PALÉOLOGUE, Tournant, S. 313.

hielt der Finanzminister Delcassé als Kollegen in Erinnerung, der ihm verschiedene Geschäfte durchkreuzt und zum Beispiel die von ihm entschieden befürwortete Beteiligung an der Bagdadbahn verhindert hatte.[573] Ein Verbindungsmann Rouviers hinterbrachte dem deutschen Botschafter auch diese Meinungsverschiedenheit. Botschafter von Radolin berichtet am 1. Mai 1905:

> »Unter die Vorwürfe, die Herr Rouvier Herrn Delcassé gemacht, gehöre auch jene Bagdadfrage. Herr Delcassé hätte dieselbe seinerzeit in für Deutschland wenig entgegenkommender Weise behandelt, um sich in Russland lieb Kind zu machen.«[574]

Der schweizerische Gesandte Lardy wusste schon am 24. April 1905 zu diesem Thema zu berichten:

> »M. Rouvier, qui, en sa qualité de Directeur d'une banque avant de redevenir Ministre des Finances il y a deux ans et demi, avait coopéré à l'unification de la dette ottomane et aux pourparlers franco-allemands au sujet du chemin de fer de Bagdad, a même insisté pour que ces pourparlers fussent repris, estimant qu'il y avait eu une erreur de la part de M. Delcassé dans son opposition d'il y a deux ans à cet accord franco-allemand pour la ligne de Bagdad.«

Denselben Ausführungen zufolge war es auch in jüngster Zeit über einer ähnlichen Frage zu Meinungsverschiedenheiten gekommen:

> »M. Rouvier avait dû fermement obliger M. Delcassé à ne pas contrecarrer les Allemands sur toute la ligne et à consentir à ce que la Banque ottomane de Paris fût autorisée à prendre une part de l'emprunt turc souscrit par les Allemands comme aussi à ce que les Allemands fussent admis à prendre une part de l'emprunt français de Constantinople.«[575]

Man muss sich fragen, warum Delcassé im Januar 1905 überhaupt bereit war, in Rouviers Kabinett mitzuwirken. Sollte er es in der Meinung getan haben, seine Politik weiterführen oder – wie es aus der Sicht der planenden Minister heisst – zu Ende führen zu können, so hätte sich Delcassé getäuscht. Denn Delcassé büsste schon bald seine vormalige Unabhängigkeit ein.

Nachdem sich Delcassé in der Marokko-Frage wohl mit England und mit Spanien, aber nicht mit Deutschland abgesprochen hatte, gab bekanntlich Kaiser Wilhelm II. am 31. März 1905 mit seinem plötzlichen Auftauchen in Tanger weltweit zu verstehen, dass Frankreich – das heisst Delcassé – in dieser Sache auch mit Deutschland verhandeln müsse.[576] In Frankreich reagierten die massgebenden Politiker auf diese entschiedene Willensäusserung mit der Beteuerung,

---

[572] P. CAMBON, Correspondance 1870–1924, Bd. 2, S. 192 und 194.

[573] MURET, Politique personnelle, S. 222, mit Hinweis auf die DDF, Série II, Bd. 4, Nr. 2, 15, 19, 34.

[574] GP, Bd. 20, Nr. 6645. Vgl. ferner HOMBERG, Coulisses, S. 42; ANDREW, Théophile Delcassé, S. 300.

[575] BA Bern, 2300 Paris, Nr. 58.

[576] Die deutsche Politik während der Tanger-Krise wurde ausführlich dargestellt von Heiner RAULFF, Zwischen Machtpolitik und Imperialismus. Die deutsche Frankreichpolitik 1904–05, Düsseldorf 1976, S. 80 f.

dass auch sie mit der Politik ihres Aussenministers nicht einverstanden seien. Delcassés Stellung war schon in den ersten April-Tagen ziemlich angeschlagen.

Am 7. April 1905 war es Delcassé zwar nochmals gelungen, in der Kammer seine Interpellanten mit der Erklärung zu beruhigen, dass er den Vertretern Deutschlands seine Marokko-Politik zu erläutern durchaus bereit sei, falls trotz den bereits abgegebenen Erklärungen noch Missverständnisse bestünden:

> »Et nous continuons ainsi notre tâche, avec la tranquilité de gens qui ne lèsent en rien et qui ne méditent aucunement de léser en rien les intérêts d'autrui, qui, l'ayant dit à plusieurs reprises, n'éprouvent aucun embarras à le répéter et qui sont prêts à dissiper tout malentendu si, en dépit de déclarations aussi formelles, il en pouvait subsister encore.«[577]

Der Aussenminister erklärte, im Moment nicht mehr sagen zu können, als er im Senat kürzlich dargelegt habe:

> »Je ne saurais aujourd'hui rien ajouter qui soit profitable à l'intérêt de ce pays.«

Die vier Interpellanten aus dem rechten und dem linken Lager erklärten sich in der Debatte um den Termin für die Behandlung ihrer Vorstösse bereit, dem von Delcassé beantragten Aufschub zuzustimmen, obwohl einer der Interpellanten (der konservative Guyot de Villeneuve) internationale Komplikationen befürchtete, »qui peuvent être des questions de paix ou de guerre«. Delcassé löste sein indirekt abgegebenes Versprechen, mit dem »voisin« über die französische Marokkopolitik zu reden, ein und gab schon am 9. April 1905 seinem Botschafter in Berlin die Instruktion, mit Deutschland über Marokko das Gespräch aufzunehmen.[578] Und am 13. April 1905 machte Delcassé dem deutschen Botschafter in Paris ebenfalls die Eröffnung:

> »Je tiens à vous déclarer formellement que s'il y a un malentendu quelconque malgré toutes les déclarations que j'ai faites à la chambre et que j'ai toujours faites, je suis prêt à le dissiper.«[579]

Und am 22. April 1905 schickte er Paléologue nach Berlin, um direkt auf Bihourd einzuwirken und die Einleitung wenigstens inoffizieller Gespräche voranzutreiben.[580] Delcassés Stellung galt schon vor jenem 7. April 1905 als angeschlagen: Der schweizerische Gesandte Lardy berichtete nämlich schon am 5. April 1905:

> »[...] les ennemis de M. Delcassé se demandent déjà si, après une reculade que la France devrait faire, ils ne pourront pas enfin se débarrasser de lui.«[581]

Doch schon am 14. April 1905 hielt der deutsche Botschafter fest, zur Zeit frage sich »ganz Paris«, ob Delcassé fallen werde, und »mächtige Kreise«, nämlich die Gruppen um Combes und Jaurès, würden an seinem Sturze arbeiten.[582] Ob Rouvier und Etienne tatsächlich »mit Hochdruck« auf Delcassé eingewirkt haben,

---

[577] 7. April 1905, JO, S. 1251.

[578] DDF, Série II, Bd. 6, Nr. 261.

[579] Bericht Radolin vom 14. April 1905, GP, Bd. 20, Nr. 6621.

[580] PALÉOLOGUE, Tournant, S. 300 f.

[581] BA Bern, 2300 Paris, Nr. 58.

[582] Bericht Radolin vom 14. April 1905, PAAA Bonn, F 105/1, Bd. 21.

ist nicht erwiesen. Doch bedeutete natürlich bereits die Tatsache, dass man französischerseits solche Mitteilungen machte, eine Distanzierung gegenüber dem Aussenminister. Paléologue schrieb in seinem Tagebuch am 14. April 1905 ebenfalls von »vives instances« von Seiten Rouviers.[583] Der schweizerische Gesandte Lardy wusste von diesen Spannungen und berichtete am 24. April 1905, Rouvier habe Delcassé durch eine Abstimmung im Conseil gezwungen, mit Deutschland das Gespräch aufzunehmen.[584] Botschafter von Radolin wusste im Weiteren aus gut unterrichteter Quelle zu berichten, dass Ministerpräsident Rouvier und Innenminister (und Kolonialpolitiker) Eugène Etienne um jeden Preis aus der Marokko-Verlegenheit herauskommen möchten und ihren Aussenminister sozusagen vor ein Ultimatum gestellt hätten: Sollte es ihm nicht gelingen, sich mit Deutschland zu arrangieren, müsste er sein Portefeuille als gefährdet betrachten.[585]

Am 19. April 1905 liefen in der Kammer die Gegner der französischen Marokko-Politik in der allgemeinen Budgetdebatte erneut gegen Delcassé Sturm. Der sozialistische Deputierte erhielt mit seinem Vorwurf, dass Delcassé es versäumt habe, mit Deutschland Verhandlungen aufzunehmen, weit über seine Fraktion hinaus Unterstützung.[586] Premierminister Rouvier stellte sich damals noch schützend vor seinen Aussenminister, um – wie das Schreiben eines Rouvier nahestehenden Mittelsmannes vom 28. April 1905 festhielt – Delcassé nicht als Märtyrer des Marokko-Engagementes stürzen zu lassen und zu verhindern, dass in Frankreich die antideutschen Ressentiments weiteren Auftrieb erhielten.

> »M. Rouvier a cependant défendu M. D. à la Tribune pour ne pas le laisser tomber comme un martyr de la question du Maroc, ce qui probablement aurait produit l'effet contraire dans le pays.«[587]

Indem aber Rouvier vor den Deputierten erklärte, er wolle nicht für eine Aussenpolitik verantwortlich gemacht werden, die vor seiner Amtszeit betrieben worden sei (was bereits einer Distanzierung von Delcassés Politik gleichkam), übernahm er vor dem Parlament die Verantwortung für die Aussenpolitik seines Kabinettes. Da es innenpolitisch nicht wünschenswert erschien, Rouvier zum Rücktritt zu zwingen, riskierte der Ministerpräsident mit seiner Solidaritätserklärung wenig und band anderseits Delcassé noch mehr zurück. Rouvier am 19. April 1905 vor der Kammer:

> »Alors il ne faut pas me dire qu'il fallait le faire avant. Je ne puis pas changer le passé; il n'est en la puissance de personne de faire que ce qui a été n'ait pas été [...]. Je dis hautement que le Gouvernement que j'ai l'honneur de présider est un

---

[583] Vgl. Anm. 580.

[584] BA Bern, 2300 Paris, Nr. 58.

[585] Bericht Radolin vom 14. April 1905, GP, Bd. 20, Nr. 6622.

[586] ANDREW, Théophile Delcassé, S. 276.

[587] Gemäss Wilhelm Betzold, einem in Paris lebenden deutschen Bankier, der sich am 28. April 1905 an seinen Kollegen Paul von Schwabach wandte, um im Auftrag Rouviers zwischen den beiden Ländern in der Marokko-Frage zu vermitteln. Der Premierminister sei mit Delcassés Politik nicht einverstanden. Integral zitierte Mitteilung in einer Aufzeichnung vom Oktober 1915 anlässlich Delcassés Demission, PAAA Bonn, F 105/1, Bd. 21.

> Gouvernement homogène et solidairement responsable. Si dans le détail des cho-
> ses de tous les jours, il peut s'élever certaines divergences d'appréciation au point
> de vue de la manière et du doigté, la politique extérieure comme la politique inté-
> rieure est déterminée et suivie par le Gouvernement tout entier. Elle est délibérée
> en conseil, j'en ai la responsabilité. J'exerce dans la détermination de cette politi-
> que la part d'action qui revient à ma fonction; je revendique cette responsabili-
> té.«[588]

Paul Cambon nannte diese Art, Delcassé zu decken, einen Dolchstoss in den
Rücken (vgl. unten). Paléologue notierte:

> »[...] après la séance, dans tous les groupes, on se répétait: ›Delcassé est condam-
> né‹.«[589]

Dem deutschen Botschafter erklärte Rouvier,

> »es hätte ihm Mühe genug gekostet, Herrn Delcassé [...] in der Kammer zu retten;
> er hätte es aber für klüger erachtet, es zu tun.«[590]

Delcassé reichte nach dieser zwiespältigen Fürsprache am 20. April 1905 seinen
Rücktritt ein, liess sich aber durch Präsident Loubets und Rouviers inständiges
Bitten am 22. April 1905 dazu bewegen, die Demission wieder zurückzuzie-
hen.[591] In der von Rouvier verbreiteten Verlautbarung spiegelt sich erneut der
Domestizierungsvorgang, den sich Delcassé hatte gefallen lassen müssen:

> »M. le ministre des Affaires étrangères a reconnu qu'en effet, la politique exposée
> devant la Chambre par le président du Conseil était en tous points conforme à
> celle qu'il avait suivie, d'accord avec le Gouvernement.«

Eine Woche später erklärte Rouvier in nicht sehr loyaler Weise dem deutschen
Botschafter, Delcassés Demission sei nicht ernst zu nehmen gewesen. Radolin
glaubte sich sogar zu erinnern, dass Rouvier das Wort Komödie gebraucht
habe.[592] Bereits vierzehn Tage später, am 7. Mai 1905, sprach eine Agentur erneut von Delcassés bevorstehendem Rücktritt. Als der Ministerrat am 6. Juni
1905 in einer formellen Abstimmung dem von England angebotenen und von
Delcassé befürworteten Militärbündnis zwischen den beiden Ententemächten aus
Rücksicht auf Deutschlands Kriegsdrohungen nicht zustimmte, reichte Théophile Delcassé definitiv seinen Rücktritt ein.[593]

---

[588] 19. April 1905, JO, S. 1549.

[589] PALÉOLOGUE, Tournant, S. 293.

[590] Äusserung vom 30. April 1905, GP, Bd. 20, Nr. 6647.

[591] Die offiziellen Pressemitteilungen zu diesem Zwischenfall zitiert COMBARIEU, Sept
ans, S. 304 f.

[592] GP, Bd. 20, Nr. 6647.

[593] Kabinettssitzungen werden offiziell nicht protokolliert. Der Verlauf dieser denkwürdigen Sitzung wurde indessen durch eine private Aufzeichnung des Justizministers Chaumié
festgehalten. Das Protokoll wurde im Mai 1935 der Editionskommission der DDF durch
Chaumiés Sohn überreicht und noch im gleichen Jahr publiziert. Siehe DDF, Série II, Bd. 6,
S. 601–604. Paléologue fertigte aufgrund von Delcassés Mitteilungen ebenfalls ein ausführliches Protokoll jener Sitzung an, PALÉOLOGUE, Tournant, S. 351 f. Vgl. ferner GP, Bd. 20,
S. 631 f.

Einzig der Präsident der Republik, Emile Loubet, neigte zu Delcassés unnachgiebiger Linie. Wenn er aber schliesslich doch nicht in den Konflikt eingriff, geschah dies weniger aus verfassungsrechtlichen Bedenken, sondern aus Rücksicht auf seine persönliche Stellung. Vielleicht stand Loubet unter dem frischen Eindruck einer Demarche, die Rouviers Freund, Jean Dupuy, bei ihm unternommen hatte. Radolin gegenüber erklärte Dupuy, er werde den befreundeten Loubet aufsuchen, da er ihn »nicht für vollständig unterrichtet hält.«[594] Noch wenige Wochen zuvor hielt Radolin den Sturz Delcassés für wenig wahrscheinlich, da er in Loubet eine »unbedingte Stütze« habe.[595]

Das französische Engagement in Marokko war für viele Deputierte weniger wegen seiner Auswirkungen auf die deutsch-französischen Beziehungen als aus allgemeiner kolonial-, militär- und sozialpolitischer Sicht zu einem Ärgernis geworden. Schon im Dezember 1904 sah sich Delcassé Drohungen von sozialistischer Seite ausgesetzt, doch meisterte er die Situation, indem er den Sozialisten vertraulich erklärte, wenn er stürze, würde die Clique Etiennes die Aussenpolitik übernehmen, was mit Sicherheit zu einer militärischen Eroberung Marokkos führen würde.[596]

Nach der Beurteilung des englischen Botschafters Bertie wäre Delcassé über kurz oder lang von der Kammer ohnehin desavouiert worden:

> »Delcassé would have fallen even if Germany had not been menacing; but he might not have fallen so soon. His elimination from the Cabinet was in great part due to his treatment of his Colleagues. He did not keep them fully informed of what he did and proposed to do. He had got to consider himself as indispensable. [...] It has the appearance of being a sacrifice to German honour, but it is not entirely so.«[597]

Rouvier und nicht Delcassé konnte für sich in Anspruch nehmen, die Haltung der Kammermehrheit zu verkörpern. Rouvier muss sich offenbar auch mit dem Gedanken getragen haben, Delcassé nicht über einer Kabinettssitzung, sondern doch noch über einem »ordre du jour« der Kammer stürzen zu lassen.[598] Drei Tage vor Delcassés Sturz wusste der deutsche Botschafter von »entscheidenden Interpellationen« zu berichten, die bevorstünden.[599] Während der langen Amtszeit als Aussenminister hatte sich Delcassé der Kammer, der er immerhin neun

---

[593] Die beiden Fragen, ob es England mit dem Bündnisangebot und Deutschland mit der Kriegsdrohung ernst war, würden weitere Ausführungen verdienen, müssen hier offen bleiben.

[594] Bericht Radolin vom 3. Juni 1905, GP, Bd. 20, Nr. 6678.

[595] Bericht Radolin vom 14. April 1905, GP, Bd. 20, Nr. 6622. Vgl auch Loubets Brief vom 12. Mai 1950, in: COMBARIEU, Sept ans, S. 307.

[596] PALÉOLOGUE, Tournant, S. 210.

[597] Bertie an Lansdowne, 15. Juni 1905; zit. nach ANDREW, Théophile Delcassé, S. 300.

[598] Botschafter von Radolins Bericht vom 13. Mai 1905 zufolge, soll Rouvier dem Mittelsmann Betzold vertraulich erklärt haben, er würde nicht selbst hervortreten und die Sache nicht persönlich zum Austrag bringen, sondern es durch die Kammer machen lassen, GP, Bd. 20, Nr. 6659.

[599] Am 3. Juni 1905 berichtete Botschafter von Radolin: »Entscheidende Interpellationen in der Kammer stehen angeblich nach Abreise des Königs bevor.« GP, Bd. 20, Nr. 6678.

Jahre lang angehört hatte, ziemlich entfremdet. Paul Cambon schrieb am 13. Mai 1905 seinem Sohn Henri:

> »Rouvier est incontestablement le chef de la majorité. Delcassé qui depuis deux ans a perdu tout contact avec le Parlement n'est plus soutenu par personne, et si Rouvier veut le laisser tomber il n'aura qu'un signe à faire. Delcassé est à plaindre; comment négocier, comment obtenir crédit de l'Europe avec un chef qui le poignarde dans le dos. [...] Il se croyait très populaire dans les chambres alors que depuis longtemps on commençait à trouver un peu long son séjour au Quai d'Orsay et que les appétits s'aiguisaient de tous côtés contre son porte-feuille.«[600]

Schon im November 1904 hatte der englische Botschafter Monson nach London berichtet:

> »[...] it is notorious that he avoids as much as possible attendance to the ordinary duties of a deputy. He will never go near the Chamber if he can help it. [...] he is not much in touch with the Chamber.«[601]

Der schweizerische Gesandte Lardy äusserte sich im gleichen Sinne:

> »La campagne a continué contre le Ministre des Affaires Etrangères qui avait prêté le flanc à des critiques dans le monde spécial du Parlement par son peu de goût pour les séances de la Chambre, où il se rend très rarement, par son peu de zèle à paraître à la Tribune où il n'est pas très sûr de lui, et par certains propos qui témoignent d'un respect insuffisant pour les aptitudes et les connaissances de la ›ménagerie du Palais Bourbon‹ en matières de relations extérieures.«[602]

Delcassé nahm dem Parlament gegenüber eine zunehmend negative Haltung ein und ging so weit (was der Militärkommandant des Elysées, Abel Combarieu gerne registrierte), das Parlament sogar als Institution infrage zu stellen. Bereits am 4. Oktober 1900 notierte sich Combarieu:

> »Pour Delcassé, aussi bien que pour ceux qui, comme Gambetta, aiment et désirent le pouvoir, les parlementaires, in globo et sauf exception, sont l'obstacle quotidien à une politique nationale [...]. Delcassé voudrait les ramener et les réduire à leurs fonctions de contrôle, réserver au Gouvernement toute initiative financière et même législative.«[603]

Im Februar 1903 entwarf Delcassé Combarieu gegenüber sogar die Idee, die »parlotes« im Palais Bourbon und Palais Luxembourg zu schliessen und die Regierung einzig dem Präsidenten zu unterstellen. Combarieus treffender Kommentar:

> »C'était le programme de Déroulède sans Déroulède.«[604]

Im Juli 1904 manifestierte Delcassé abermals seine Abscheu und trug sich mit dem Gedanken, mit seinem Rücktritt Combes' Sturz zu provozieren und anschliessend selbst ein neues Kabinett zu bilden.[605]

---

[600] P. CAMBON, Correspondance 1870—1924, Bd. 2, S. 194.

[601] BD, Bd. 3, Nr. 11.

[602] Bericht vom 24. April 1905, BA Bern, 2300 Paris, Nr. 58.

[603] COMBARIEU, Sept ans, S. 93.

[604] Ebenda, S. 228.

Es wäre nicht richtig, Delcassés Rücktritt als plötzlichen Zusammenbruch einer nur erfolgreichen und nur beklatschten Laufbahn zu sehen. Delcassé hatte stets Widersacher, und Ende 1902 hatten einerseits die harte Kritik der französischen Kolonialisten an seiner »Verzichtpolitik« in Siam und andererseits familiäre und gesundheitliche Schwierigkeiten bei ihm den Wunsch aufkommen lassen zu demissionieren.[606] Zu den gesundheitlichen Schwierigkeiten: Schon am 17. Mai 1901 berichtete Monson nach London, Delcassé sei krank (oben, Anm. 562). Ins gleiche Jahr fällt Paul Cambons freundschaftliche Ermahnung, er arbeite zuviel, nach dreieinhalb Jahren Ministerium könne er sich aufs Studium der grossen Fragen beschränken und sich von allem Kleinkram befreien.[607] Noch 1903 bemerkte Cambon zu Delcassé:

> »Notre ami Jezierski me dit, ce qui me chagrine beaucoup, que vous êtes triste, malade, et que vous parlez de vous retirer.«[608]

Auch die politischen Probleme bestanden offenbar schon zu Beginn des Jahres 1902, Waldeck hätte aber eine Demission als Belastung der bevorstehenden Wahlen vom Frühjahr 1902 empfunden.[609] Damals erklärte der ihm freundschaftlich verbundene Camille Barrère, man könne nicht vier Jahre an der Macht sein, ohne Neid und Groll zu erzeugen:

> »Vous savez, mieux que personne, qu'un homme n'occupe pas pendant quatre ans le pouvoir sans exciter bien des envies et des rancunes.«[610]

Paul Cambon schrieb damals seinem Sohn von zahlreichen Anwartschaften auf Delcassés Ministerium und insbesondere von der Verärgerung seiner ehemaligen Kabinettskollegen, die es Delcassé übelnahmen, dass er im Juni 1902 nach dem Sturze Waldeck-Rousseaus dem neuen Kabinett von Combes seine Unterstützung geliehen habe. Im November 1902 registrierte Paul Cambon einen Angriff auf Delcassé,

> »qui réunit tous les candidats au porte-feuille des Affaires étrangères et tous ceux qui, dans la presse, la politique ou la carrière ont eu à se plaindre de Delcassé. [...] Outre ses adversaires naturels il a à compter, assure-t-on, avec ses anciens collè-

---

[605] Ebenda, S. 286.

[606] Zur Reaktion der französischen Kolonialisten auf den französisch-siamesischen Grenzvertrag vom 7. Oktober 1902, siehe ANDREW, Théophile Delcassé, S. 198 f. und 257 f.; Christopher ANDREW/A. S. KANYA-FORSTNER, The French »Colonial Party«: Its Composition, Aims and Influence, 1885–1914, in: Historical Journal 14 (1971), S. 99–128, hier: S. 118 f.; Paul Cambons Brief an seinen Sohn vom 1. November 1902, Correspondance 1870–1924, Bd. 2, S. 80.

[607] Brief vom 11. Dezember 1901, Papiers Delcassé, Bd. 3.

[608] Revue de Paris 1937, S. 752.

[609] Aussenminister Lansdowne, der solche Informationen von Paul Cambon in London erhält, an den englischen Botschafter Monson in Paris, 10. Januar 1902, PRO, Privatpapiere Lansdowne.

[610] Barrère an Delcassé, 30. November 1902, Revue de Paris, 1937, S. 751.

gues du Cabinet Waldeck-Rousseau qui sont ennuyés de n'être plus ministres alors qu'il détient encore son portefeuille.«[611]

Im April 1905 stand sowohl für Paul Cambon, den französischen Botschafter in London, wie für Francis Bertie, den englischen Botschafter in Paris, fest, dass Eifersucht und persönliche Ambitionen viel dazu beigetragen hätten, Delcassés Stellung zu erschüttern:

> »Ses adversaires français (Jaurès, Clemenceau, ses collègues du Ministère, ses compétiteurs pour les Affaires étrangères, les jaloux, les niais, etc...) font une campagne contre lui [...].«[612] Am 26. April 1905 fügte er bei: »Delcassé n'avait pas conscience de la guerre sourde qui lui était faite depuis longtemps dans le cabinet et dans les couloirs, a été surpis et s'est mal défendu.«[613]

Auch der englische Botschafter war informiert über die Spannungen:

> »This morning I hear that Delcassé is on very bad terms with several of his colleagues and that he is not likely to remain in office. He was urged by his collegues to send a comminatoire communication to Petersburg in regard to the use of Kamrau Bay by the Russian Fleet. He did not do so and Rouvier had to draft and insist on its being sent. Rouvier sent instructions to the French Admiral to warn the Russian Admiral to clear out of Kamrau bay. [...] This information comes from a member of the Cabinet who cordially dislikes Delcassé.«[614]

Vier Wochen später finden wir in der gleichen Korrespondenz eine noch schärfere Formulierung:

> »Several of his chers collègues were jealous of him and disliked him and it ended by his being set aside.«[615]

Delcassés stärkste Widersacher waren zu jenem Zeitpunkt, abgesehen von Rouvier: der Kolonialist Eugène Etienne, seit kurzem als Chef des Inneren Delcassés Ministerkollege, und der ehemalige Ministerkollege Jean Dupuy, Senator, Zeitungsverleger und im Mai 1905 offiziöser Mittelsmann zwischen Rouvier und Radolin.[616] In Dupuy sah der deutsche Botschafter am 14. Mai 1905 sogar einen allfälligen Nachfolger Delcassés.[617]

Trotz diesen Rankünen und den persönlichen Unstimmigkeiten zwischen dem Premier- und dem Aussenminister war Delcassés Rücktritt vor allem die Folge von Entscheiden grundsätzlicher und sachlicher Natur. Das französisch-

---

[611] Paul Cambon, 1. November 1902, P. CAMBON, Correspondance 1870–1924, Bd. 2, S. 80 f. Cambon nannte als Anwärter Etienne und Leygues und als Gegner Doumer, Hanotaux, Millet, Clemenceau, d'Aunay und le Myre de Villers.

[612] Paul Cambon, 15. April 1905 an seinen Sohn, ebenda, S. 185.

[613] Fonds Louis Cambon.

[614] Bertie an Lansdowne, 18. Mai 1905, PRO, Privatpapiere Lansdowne, Bd. 11.

[615] Bertie an Lansdowne, 15. Juni 1905; zit. nach ANDREW, Théophile Delcassé, S. 300.

[616] Auf Etiennes schillernde Beziehungen zu Deutschland wird später einzugehen sein.

[617] PAAA Bonn, F 105/I, Bd. 21. Über Dupuys Rolle im Zusammenhang mit Delcassés Demission, s. auch Radolins Bericht vom 3. Juni 1905 (GP, Bd. 20, Nr. 6678) sowie die Aufzeichungen in COMBARIEU, Sept ans, S. 306 und 316, insbesondere der Bericht von Dupuys Intervention bei Loubet. Ferner Dupuys Aufzeichnung im Anhang der DDF, Série II, Bd. 8, S. 555–564.

englische Militärbündnis wurde abgelehnt, nicht weil, sondern obwohl es Delcassés Demission zur Folge hatte. Rouvier wie Delcassé hatten sich bestimmten aussenpolitischen Konzeptionen verschrieben und ihr persönliches Schicksal als Politiker mit den von ihnen vertretenen Lösungen verknüpft. Während Delcassé, gestützt auf England, gegenüber Deutschland eine Konfrontationspolitik betrieb, wollte Rouvier Deutschland gegenüber eine Ausgleichspolitik betreiben und das Bündnis mit England nicht ausbauen. Laut Paléologue soll Rouvier am 5. Juni 1905 gesagt haben:

> »Demain, j'obligerai le Conseil des ministres à choisir entre sa politique et la mienne; demain, l'un de nous deux aura quitté le pouvoir.«

Delcassé soll sich hierauf Präsident Loubet gegenüber in gleicher Weise geäussert haben.[618] Rouvier liess den deutschen Botschafter schon am 3. Juni 1905 wissen, dass er am 6. Juni 1905 Loubet vor diese Alternative stellen werde. Da Rouvier wusste, dass das Kabinett seine Partei ergreifen wird, blieb für ihn lediglich die Frage, ob auch Delcassé es auf einen Bruch ankommen lassen wollte. Wäre Delcassé nicht zurückgetreten, wäre Rouvier an die Kammer gelangt, von der er sich den Auftrag für eine neue Kabinettsbildung hätte geben lassen.[619]

Welches war aber Deutschlands Rolle im Konflikt zwischen Rouvier und Delcassé? Delcassé war natürlich daran interessiert, als Opfer des Erbfeindes Deutschland zu erscheinen, weil er auf diese Weise die Frage umgehen konnte, ob seine Politik die richtige, das heisst dem Rüstungsstand der französischen Armee angemessene gewesen sei. Schon drei Wochen vor Delcassés Demission war in der Presse davon die Rede, dass Deutschland den Kopf des Aussenministers fordere. Radolin berichtete am 15. Mai 1905 nach Berlin, ein näherer Bekannter Rouviers sei der Meinung, Delcassé habe dies selbst in der Presse verbreiten lassen:

> »Il a joué sur cette corde.«[620]

Umgekehrt hatte Rouvier ein grosses Interesse den Eindruck zu verhindern, dass Delcassé dem Erbfeind geopfert worden sei und er selbst im Dienste Deutschlands stehe. Botschafter von Radolin am 13. Mai 1905:

> »Die gegen Herrn Delcassé aufgebrachte Stimmung in der öffentlichen Meinung könnte nach Ansicht Rouviers leicht zu seinen Gunsten umschlagen, wenn es hiesse, er wäre der deutschen Politik zum Opfer gefallen.«[621]

Nach Delcassés erstem Rücktritt soll Rouvier zu seinem Aussenminister gesagt haben:

> »Si vous partez, que deviendrons-nous? Avant trois mois, l'on nous appellera le Ministère de l'Allemagne et nous serons renversés.«[622]

---

[618] PALÉOLOGUE, Tournant, S. 348.

[619] GP, Bd. 20, Nr. 6680.

[620] GP, Bd. 20, Nr. 6660.

[621] GP, Bd. 20, Nr. 6659.

[622] PALÉOLOGUE, Tournant, S. 160.

Deutschlands Anteil an Delcassés Abgang ist in Frankreich bisher eher über-bewertet worden. Aus der vorliegenden Dokumentation geht eindeutig hervor, dass deutscherseits die Erklärung, man begrüsse, ja man wünsche sogar den Ab-gang des Aussenministers, erst abgegeben wurde, nachdem Rouvier von sich aus die Bereitschaft bekanntgegeben hatte, Delcassé fallen zu lassen, falls dadurch die deutsch-französischen Beziehungen eine Verbesserung erfahren würden.[623]

Als Rouvier und Delcassé am 13. April 1905 beim deutschen Botschafter zum Diner geladen waren, muss sich der Ministerpräsident gegenüber seinem Aus-senminister noch einigermassen loyal verhalten haben. Zu jenem Zeitpunkt war deutscherseits noch nicht festgelegt, wie man sich zu der in der Presse bereits diskutierten Frage von Delcassés möglichem Rücktritt verhalten solle. Hingegen waren, was die Marokko-Politik betraf, die Haltungen bereits fixiert: Deutschland erwartete von Frankreich eine offizielle Gesprächseröffnung und Rouvier wollte schon damals den deutschen Erwartungen so weit wie möglich entgegenkom-men, um die konfliktgeladene Situation zu entschärfen. Schon vor jenem Diner hatte Rouvier seinen Aussenminister unter Druck gesetzt und von ihm verlangt, er solle sich bemühen, mit den Deutschen ins Gespräch zu kommen. Paléologue notierte sich:

> »Delcassé a dîné hier à l'ambassade d'Allemagne. Cédant aux vives instances du président du Conseil, il s'est décidé à parler du Maroc avec Radolin.«[624]

Erst nach der indirekten Niederlage, die Delcassé in der Kammerdebatte vom 19. April 1905 hatte einstecken müssen, unternahm Rouvier einen ersten Schritt, den man als Illoyalität gegenüber Delcassé interpretieren kann: Am 26. April 1905 verbrachte er – diesmal ohne Aussenminister – wieder einen Abend auf der deut-schen Botschaft. Rouvier distanzierte sich an diesem Abend entschieden von Delcassés Politik, indem er Zweifel an der Tragfähigkeit der französisch-engli-schen Entente äusserte, sich dagegen für ein französisch-deutsches Zusam-mengehen aussprach und dem deutschen Botschafter gegenüber diejenigen als alberne Schwätzer abtat, die für die Wiedererlangung der verlorenen Provinzen eintraten.[625] Paul Cambon, der von Rouviers Äusserungen auf der deutschen Botschaft erfahren hatte, bezeichnete in einem nicht in die Briefedition der 1940er Jahre aufgenommenen Satz die Haltung des Ministerpräsidenten als Hochverrat:

---

[623] RAULFF, Machtpolitik, geht auf die Fragestellung, die uns hier besonders interessiert, nicht ein. Er beanstandet immerhin, dass in der deutschen Literatur die Beseitigung Delcassés als Zielsetzung überbewertet worden sei. Der Vorschlag, die Marokko-Frage zu personalisie-ren, sei schon am 30. März 1905 vom deutschen Geschäftsträger ausgegangen (GP, Bd. 20, Nr. 6590) und in Berlin aufgenommen worden, doch die Beseitigung Delcassés sei nur ein »Nebenziel« gewesen (S. 100 f.). An anderer Stelle sagt dann der Vf. allerdings ohne Zeitanga-be, Delcassé sei von seinem eigenen Premier längst desavouiert und durch viel weitergehende Offerten an die deutsche Adresse ausgespielt worden (S. 110).

[624] PALÉOLOGUE, Tournant, 14. April 1905, S. 290. Über das Diner liegen von Radolin zwei Berichte vor, vgl. GP, Bd. 20, Nr. 6621 und 6622. Sowie Paul Cambons Brief vom 15. April 1905 an seinen Sohn, P. CAMBON, Correspondance 1870–1924, Bd. 2, S. 185.

[625] Radolins Berichte vom 27. und 28. April 1905, GP, Bd. 20, Nr. 6635 und 6640.

»C'est de la haute trahison et l'on a fusillé bien des gens pour moins que ça [...].«[626]

Rouvier war zwar nicht ohne Wissen Delcassés zu Radolin gegangen; im Gegenteil, zuvor fragte er seinen Aussenminister noch, ob er dem deutschen Botschafter eine Neuigkeit übermitteln könne. Delcassé sah in dieser Anfrage fälschlicherweise ein Zeichen der Übereinstimmung. Zu Paléologue sagte er:

»Nous marchons maintenant tout à fait d'accord, M. Rouvier et moi. Vous le voyez par ce détail.«[627]

Als Rouvier am 30. April 1905 abermals mit dem deutschen Botschafter von Radolin über die Marokko-Frage sprach, machte er aus seiner Abneigung gegenüber Delcassé keinen Hehl, ging aber noch nicht so weit, persönlich zu erklären, dass er bereit sei, Delcassé fallen zu lassen. Im Gegenteil: Der Ministerpräsident betonte, Delcassé sei nun so sehr in seiner Aktionsfreiheit eingeschränkt worden, dass dessen Verbleiben in der Regierung unproblematisch sei. Radolins Bericht vom 30. April 1905 hielt fest:

»Darauf kam Herr Rouvier auf Herrn Delcassé zu sprechen und sagte mir, er missbillige vieles, was geschehen sei. Der Auswärtige Minister habe zur Aufgabe, nur das auszuführen, was im Ministerkonseil beschlossen sei, er hätte sich aber eine gewisse Unabhängigkeit angeeignet und ginge über seine Befugnisse hinaus. Nachdem er (Rouvier) sich hiervon überzeugt habe, hätte er ihm die Flügel dadurch beschnitten, dass er sich selbst um die auswärtige Politik kümmert und sich alles vorlegen lässt, um Herrn Delcassé zu kontrollieren.«[628]

Dem deutschen Botschafter gegenüber distanzierte sich Rouvier einstweilen lediglich von der Politik Delcassés und nicht von der Person Delcassés. Gegenüber dem in Paris domizilierten deutschen Bankier Wilhelm Betzold, den Rouvier in jenen Tagen als Verbindungsmann nach Berlin schickte, ging der Ministerpräsident jedoch einen Schritt weiter. Schriftlich äusserte sich zwar auch Rouviers Emissär, der später für seine Vermittlertätigkeit den kaiserlichen Kronenorden II. Klasse erhalten sollte, nur über Rouviers allgemeine Haltung Deutschland gegenüber. Paul von Schwabach, ein Kollege der Bankenbranche, sollte Betzold Zugang zum Auswärtigen Amt verschaffen, er erfuhr am 1. Mai 1905, wie aus einer unbeachtet gebliebenen Aufzeichnung hervorgeht, persönlich von dem nach Berlin gereisten Betzold,

»dass M. Rouvier offenbar geneigt wäre, seinen auswärtigen Minister auszuschiffen, dass er aber dazu nur bereit sein könnte, wenn Hoffnung vorhanden wäre, nachher mit der Deutschen Regierung in Aussicht versprechender Weise zu verhandeln.«[629]

---

[626] P. Cambon, Brief an seinen Sohn, 13. Mai 1905, Fonds Louis Cambon.

[627] PALÉOLOGUE, Tournant, S. 309.

[628] GP, Bd. 20, Nr. 6647.

[629] Aufzeichnung einer Mitteilung Paul von Schwabachs vom Oktober 1915 anlässlich des damaligen Rücktritts von Delcassé; die Aufzeichnung enthält, in extenso zitiert, Betzolds Schreiben vom 28. April 1905 mit dem Einleitungspassus: »Le Président du Conseil des Ministres, M. Rouvier, que je connais de longue date, m'a fait inviter à aller le voir par un de nos

Die gleiche Bereitschaft hatte er einem nicht identifizierbaren, möglicherweise aber mit Betzold identischen Vertrauensmann gegenüber durchblicken lassen, der Radolin noch vor dem zweiten Diner mit Rouvier, also schon am 26. April 1905, in diesem Sinne informierte. Botschafter von Radolin berichtete diese Neuigkeit am 27. April 1905 nach Berlin – und da das Dechiffrierbüro des Quai d'Orsay den deutschen Code aufschlüsseln konnte, wusste Delcassé noch am selben Tag von Rouviers Angebot. Radolin berichtete am 27. April 1905 an das Auswärtige Amt:

> »Kurz vor dem Diner erfuhr ich durch einen Vertrauensmann Rouviers, dass der Ministerpräsident sich dahin ausgesprochen hat, er identifiziere sich keineswegs mit Delcassé, denn er wisse, dass die englischen Schiffe keine Räder hätten. Nach allem Gesagten hatte mein Gewährsmann den Eindruck, als würde Rouvier im gegebenen Moment Delcassé nicht ungern fallen lassen.«[630]

Im Auswärtigen Amt wollte man Betzold vorerst nicht empfangen, doch konnte Rouviers Verbindungsmann schliesslich mit dem Bescheid nach Paris zurückfahren, dass mit der Beseitigung Delcassés auch ein Hindernis für eine deutsch-französische Verständigung aus dem Weg geräumt wäre. Den Inhalt der Unterredung mit Betzold am 2. Mai 1905 im Auswärtigen Amt protokollierte der Vortragende Rat Friedrich von Holstein. Dieser Aufzeichnung zufolge bekundete man deutscherseits »absolutes Misstrauen« gegenüber Delcassés Politik und sah man in Delcassés Beseitigung eine Voraussetzung für eine bessere Verständigung.[631]

In den gleichen Tagen, da Rouviers Angebot bekannt wurde, Delcassé nötigenfalls fallen zu lassen, traf in Berlin eine Demarche aus London ein, die von Deutschland erwartete, dass es sich schützend vor den intern gefährdeten Delcassé stelle. Von Holstein erklärte jedoch, man werde grundsätzlich keine fremden Aussenminister mehr protegieren. Delcassé könnte, wie dies im Falle von Aussenminister Decazes 30 Jahre zuvor geschehen sei, nach einer allfälligen Fürsprache Deutschlands in die Zwangslage kommen, gegenüber Deutschland die schroffe Seite hervorkehren zu müssen, nur um bei den eigenen Leuten nicht den Verdacht aufkommen zu lassen, dass er sich Deutschland verpflichtet fühle.[632]

Deutschland war im Allgemeinen Delcassé gegenüber weniger negativ eingestellt, als die verschiedenen Stellungnahmen nur gerade vom Mai 1905 vermuten lassen. Als Ende 1902 von Delcassés Rücktritt die Rede war, hielt der gleiche Botschafter von Radolin noch fest, man müsste deutscherseits den Rücktritt

---

amis communs [...].« PAAA Bonn, F 105/I, Bd. 21. Eine vor allem den Ursprung von Betzolds Mission nicht referierende, aber grundsätzlich übereinstimmende Mitteilung machte Paul von Schwabach im März 1922 dem Berliner Tageblatt. Vgl. Anm. in GP, Bd. 20, S. 357. Betzolds Brief vom 28. April 1905 befindet sich im PAAA Bonn, Bestand Marokko 4, Bd. 62.

[630] GP, Bd. 20, Nr. 6635. Zur Entschlüsselung des deutschen Telegramms und Delcassés Reaktion, s. PALÉOLOGUE, Tournant, S. 310 f. Auch Paul Cambon wusste, wie aus einem Brief vom 13. Mai 1905 hervorgeht, Bescheid über den Inhalt von Radolins Telegram, P. CAMBON, Correspondance 1870–1924, Bd. 2, S. 194.

[631] GP, Bd. 20, Nr. 6646.

[632] Auf Rothschilds Intervention ist bisher lediglich in einer Anmerkung der deutschen Aktenedition hingewiesen worden, GP, Bd. 20, S. 377. Friedrich von Holsteins Brief vom 5. Mai 1905 ist in der Forschung bisher nicht ausgewertet worden, PAAA Bonn, F 105/I, Bd. 21.

dieses »besonnenen« Politikers bedauern; Delcassé sei der Mann, der Faschoda habe hinnehmen müssen und seine »zuweilen vorlauten Landsleute« vor Unvorsichtigkeiten zu bewahren wüsste.[633] Von Holsteins Urteil vom Mai 1905 lautete alles in allem auch positiv:

> »Wir haben M. Delcassé während seiner siebenjährigen Amtsdauer nicht gerade freundlich, aber niemals aggressiv gefunden. Sein Verhalten in der Marokkofrage zeigte anfangs ein Verkennen unserer Stellung als Vertragsstaat; er hat aber neuerdings den Wunsch gezeigt, uns entgegenzukommen. Mancher andere Politiker wäre denkbar, welcher in Delcassés Stellung die Lage wesentlich verschärfen würde.«[634]

In den ersten Tagen der Krise äusserte sich der deutsche Botschafter Radolin dem schweizerischen Gesandten Lardy gegenüber sehr positiv über den französischen Aussenminister, so dass Lardy am 5. April 1905 nach Bern berichten konnte:

> »L'Ambassadeur d'Allemagne regretterait vivement que ce voyage à Tanger pût aboutir à une campagne contre M. Delcassé dont il apprécie la prudence et la modération; son successeur serait beaucoup moins que le Ministre actuel des Affaires Etrangères en situation de trouver une solution acceptable.«[635]

Und zwei Jahre später, 1. April 1907, bekräftigte Reichskanzler von Bülow in einer internen Weisung, die keinen Vertuschungsabsichten gedient haben konnte, man werde sich nicht gegen Delcassés Rückkehr in die Regierung als Marineminister aussprechen:

> »Wen man dort zum Minister machen wolle, sei eine innere französische Angelegenheit, in die es uns nicht einfallen könne, uns irgendwie einzumischen. Bekanntlich hätten wir ja auch 1905 uns gehütet, die Entfernung Delcassés zu verlangen.«[636]

Als Delcassé im März 1911 tatsächlich das Marineministerium übernahm, liess der deutsche Aussenminister Kiderlen-Wächter ausdrücklich ausrichten, dass in Deutschland die vernünftigen Leute keine Delcassé-Hasser seien:

> »Si vous en avez l'occasion, dites un mot aimable de ma part à Monsieur Cruppi et tâchez d'effacer là-bas l'ideée que nous sommes ici — je parle des gens raisonnables – Delcassé-phobes!«[637]

Und als im Juni 1911 Caillaux ein neues Kabinett bildete, hätte der deutsche Kaiser nichts gegen eine Nomination Delcassés zum Aussenminister gehabt. Der neue Ministerpräsident erfuhr dies zu spät, beliess Delcassé darum im Marineministerium und machte den unglücklichen de Selves zum Aussenminister. Wie dann kurz darauf die Agadir-Krise ausbrach, war man jedoch allgemein froh über

---

[633] Bericht Radolins vom 14. November 1902, PAAA Bonn, F 105/I, Bd. 18.

[634] Stellungnahme von Holsteins, vgl. oben, Anm. 631.

[635] BA Bern, 2300 Paris, Nr. 58.

[636] An Radolin, PAAA Bonn, F 105/I, Bd. 24. Die Vermutung, dass Delcassé das Marineministerium übernehmen werde, erfüllte sich erst vier Jahre später.

[637] Kiderlen-Wächter an Jules Cambon, 20. März 1911, Papiers Jules Cambon, Bd. 15.

diese Ressortverteilung; denn die Krise wäre gewiss mit der Tatsache in Verbindung gebracht worden, dass Delcassé den Quai d'Orsay leite. Die Meinung Wilhelms II. war durch den Marineattaché Faramond übermittelt worden. Jules Cambon notierte sich während seines Aufenthaltes in Paris:

> »M. Caillaux exprime le regret que cette lettre lui parvienne 48 heures trop tard.«[638]

Caillaux versuchte dann im Januar 1912, Delcassé für das Aussenministerium zu gewinnen. Der deutsche Botschafter sah in diesem Versuch Caillaux' Absicht, sich mit dem Mann der »Entente cordiale« gegen den Vorwurf zu schützen, er betreibe eine Annäherung an Deutschland.[639] Wenn Deutschland im Mai 1905 im Ringen um eine Marokko-Konferenz auch Delcassés Beseitigung gewünscht hat, so geschah dies in erster Linie, um grundsätzlich von Frankreich Konzessionen zu erhalten – und sei es auch den Rücktritt seines Aussenministers.

Nach den verschiedenen Erklärungen der letzten April-Tage trat auf französischer Seite sichtlich eine Beruhigung ein. Delcassé gab sich nach den Worten Rouviers »gefügiger«, er könne deshalb auch nicht so schnell beseitigt werden. Rouvier bat seine deutschen Partner mehrfach, sich zu gedulden, bis sich eine günstige Gelegenheit für einen Wechsel zeige. Bericht Radolin vom 7. Mai 1905:

> »Rouvier sagte mir, Delcassé zeige sich gefügiger und glaube, alle Unklarheiten beseitigen zu können.«[640]

Und tags darauf:

> Rouvier habe Betzold die Versicherung gegeben, »dass Delcassé sich hüten werde, auf eigene Faust zu handeln, wie er es bisher getan. Er hätte sich emanzipiert; die Politik mache nicht Delcassé, sondern das Gesamtministerium, welches ihm genau vorschreibe, was er auszuführen habe.«[641]

Radolin wusste am 13. Mai 1905 zu berichten: Rouvier sei ihm,

> »nachdem er Herrn Delcassé gesprochen und sich dieser ihm völlig unterworfen hatte, weniger gereizt gegen den Minister der Auswärtigen Angelegenheiten [...].«[642]

Radolins Bericht vom 25. Mai 1905 zufolge soll Clemenceau in der *Aurore* geschrieben haben:

> »Depuis que M. Rouvier a pris en main la direction de notre politique étrangère, Monsieur Delcassé n'est plus qu'une sorte de sous-secrétaire d'Etat.«[643]

---

[638] Während eines Aufenthalts vom 22. Juni bis zum 8. Juli 1911, Papiers Jules Cambon, Bd. 13.

[639] Bericht vom 10. Januar 1912, PAAA Bonn, F 105/I, Bd. 29.

[640] GP, Bd. 20, Nr. 6655.

[641] GP, Bd. 20, Nr. 6657.

[642] GP, Bd. 20, Nr. 6658.

[643] PAAA Bonn, F 105/I, Bd. 21. Vgl. ferner die deutschen Berichte vom 22. und 30. Mai 1905, GP, Bd. 20, Nr. 6666 und 6675.

Nun hielt man jedoch deutscherseits an der einmal erhaltenen Konzession fest und bestand auf dem baldigen Wechsel in der Leitung der französischen Aussenpolitik. Am 13. Mai 1905 berichtete Radolin, er verstehe es als seine Aufgabe zu verhindern, dass bei dem leicht beeinflussbaren Rouvier »eine mildere Auffassung dauernd Platz greife.« Zudem habe er nochmals andeuten lassen,

> »dass, wenn ihm wirklich daran gelegen sei, unter allen Umständen bessere Beziehungen nachhaltig zwischen Deutschland und Frankreich zu schaffen, dies nur möglich sei, wenn an der Spitze des Auswärtigen Ministeriums eine Persönlichkeit wäre, in die die Kaiserliche Regierung volles Vertrauen habe. Dies sei gegenwärtig nicht der Fall.«[644]

Am 30. Mai 1905 gab Reichskanzler von Bülow seinem Botschafter in Paris die Instruktion:

> »Ich halte es für nötig, den Ministerpräsidenten Rouvier nochmals auf die ernsten Bedenken hinweisen zu lassen, welche das Verbleiben des Herrn Delcassé für die deutsch-französischen Beziehungen mit sich bringt.«[645]

Jetzt wollte Deutschland Delcassés Kopf. Gegenüber Aussenstehenden hingegen erklärte von Bülow, Deutschland sei es im Grunde gleichgültig, wer in Frankreich Aussenminister sei und Delcassé sei vom deutschen Standpunkt aus der bequemste, weil er ungeschickt sei.[646] Der Aussenminister war aber in jenen Wochen schwer auswechselbar, denn er hatte wichtige Vermittlungsaufgaben im russisch-japanischen Konflikt übernommen und musste als Gastgeber zunächst den englischen und etwas später den spanischen König in Paris empfangen. In den ersten Juni-Tagen spitzte sich infolge Delcassés Unnachgiebigkeit der Streit um Frankreichs Bündnis mit England wieder zu und führte schliesslich auch zur Lösung der personellen Frage.

Rouvier hatte Delcassés Entlassung als französische Vorschussleistung zur Verbesserung der französisch-deutschen Beziehungen verstanden und erwartet, dass Deutschland seine Geste honorieren werde, indem es nun seinerseits eine freundschaftlichere Politik einleite. Auf das Wohlwollen Deutschlands sah sich Rouvier besonders angewiesen, weil ohne diese Aussicht niemand die »schwierige Nachfolgeschaft von Delcassé« antreten würde. Rouvier hatte bereits Ende April durch Betzold erklären lassen, dass die Entlassung Delcassés in der Hoffnung geschehe,

> »nachher mit der Deutschen Regierung in Aussicht versprechender Weise zu verhandeln.«[647]

Schon bald zeigte sich, dass sowohl auf Rouviers Seite wie auf Seiten seiner deutschen Partner falsche Erwartungen bestanden. Rouvier muss die Erwartung gehegt haben, dass mit Delcassés Abgang die Schwierigkeiten mit Deutschland weitgehend beseitigt seien und er, sobald die Beziehungen entspannt seien, nach

---

[644] GP, Bd. 20, Nr. 6659 und ähnlich in Nr. 6661.

[645] GP, Bd. 20, Nr. 6669.

[646] GP, Bd. 20, Nr. 6653.

[647] Laut einem Bericht Radolins vom 3. Juni 1905 wünschte Rouvier sogar eine ausdrückliche Erklärung durch einen inoffiziellen Vertrauensmann, GP, Bd. 20, Nr. 6680.

einem kurzen Interim von zwei bis drei Wochen zu seinen Finanzen zurückkehren könne. Paléologue zufolge äusserte sich Rouvier am 7. Juni 1905 in dieser
Weise:

> »Dès que j'aurai détendu nos rapports avec l'Allemagne, je retournerai au mi-
> nistère des Finances; je ne fais ici qu'un intérim; je ne suis pas un diplomate, moi,
> je suis un argentier [...].«[648]

Noch kein Monat war verstrichen, da stellte der deutsche Reichskanzler von
Bülow fest, dass Frankreich — wenigstens in Marokko — »die Politik von Delcassé
ohne Delcassé« fortsetzen wolle. Reichskanzler von Bülow stellte fest:

> »Rouvier, von dem wir wissen, dass er keinen Konflikt mit uns haben will, hat
> sich offenbar von dem Clan Delcassé überreden lassen [...].«[649]

Auch Delcassé äusserte im Dezember 1905 die Meinung, Rouvier habe schliesslich wieder auf seinen Kurs einschwenken müssen. Man habe ihn fortgejagt, doch
wozu?

> »Pour en revenir exactement à ma politique, pour constater que nulle entente n'est
> possible avec l'Allemagne et que notre unique chance de salut est de renforcer nos
> alliances.«[650]

Delcassés Abgang brachte nicht die erwarteten Veränderungen. Muss man — wie
dies deutscherseits getan wurde — das Ausbleiben eines Kurswechsels dem Einfluss von Rouviers Beratern zuschreiben, die Delcassés Programm weiterverfolg-
ten? Radolin schrieb in einem nicht in die offizielle Aktenpublikation aufgenommenen Bericht vom 18. Juli 1905 über Rouvier:

> »Leider hat er in der auswärtigen Politik noch nicht das Selbstbewusstsein erlangt,
> das er in der Leitung der Finanzen in hohem Masse besass. [...] Er wird von sei-
> nen offiziellen Ratgebern, die er zu schwach ist, mit einem Machtwort zu beseiti-
> gen, terrorisiert. Hoffentlich wird es durch vorsichtige und anhaltende Einwir-
> kung seiner ausserhalb des Ministeriums stehenden Freunde gelingen, ihn zu ü-
> berzeugen, dass er von Beratern umgeben ist, die ihn, ohne dass er es merkt, in
> eine andere Bahn lenken wollen, als die, welche er, wie er sich wiederholt äusserte,
> entschlossen ist zu befolgen.«[651]

Den aussenstehenden Freunden war es zum mindesten gelungen, bei Rouvier
diesen Eindruck zu erzeugen, beklagte sich doch der Ministerpräsident dem
schweizerischen Gesandten gegenüber:

> »M. Rouvier se plaint d'être un peu en butte à l'intimidation des professionnels du
> Ministère des Affaires Etrangères, tous dévoués à M. Delcassé et qui veulent es-
> sayer de le ligoter dans de prétendues formules diplomatico-traditionnelles.«[652]

---

[648] PALÉOLOGUE, Tournant, S. 355. Bericht Radolin vom 14. Juni 1905, GP, Bd. 20,
Nr. 6710.

[649] Von Bülow an Kaiser Wilhelm II., 22. Juni 1905, GP, Bd. 20, Nr. 7623.

[650] PALÉOLOGUE, Tournant, S. 414.

[651] PAAA Bonn, F 105/I, Bd. 3.

[652] Bericht Lardy vom 29. Juni 1905, PAAA Bern, 2300 Paris, Bd. 58.

Der Fall »Rouvier/Delcassé« zeigt, dass diesem bekanntesten Konflikt in der Personalgeschichte der französischen Aussenpolitik der Jahre 1871–1914 nicht ein Streit um die grossen Optionen zu Grunde lag, sondern, wie oft, eine Auseinandersetzung um die Methode, die Vorgehensweise, den Stil. Den Abgang Delcassés kann man insofern nicht der »instabilité ministerielle« zuschreiben, als Delcassé nicht vom Parlament gestürzt wurde und von dieser Seite auch keine akute Gefahr drohte. Die Legislative blieb als letzte Waffe im Hintergrund. Der Konflikt spielte sich weitgehend auf der Seite der Exekutive ab. Ähnliches kann man vom anderen prominenten Fall sagen.

## Der Fall Caillaux

Wie in primär innenpolitisch begründeten Regierungswechseln aussenpolitische Fragen hineinspielten, waren Abgänge, die über einer aussenpolitischen Frage zustandekamen, nicht frei von innenpolitischen Interessen. Für Caillaux' Sturz im Januar 1912 wird gemeinhin eine aussenpolitische Erklärung gegeben. Seine Regierung hatte in der Agadir-Krise einen von vielen Franzosen als Demütigung empfundenen Tausch eingehandelt: die deutsche Anerkennung des französischen Protektorates in Marokko gegen die Abtretung französischer Kongogebiete. Der Kongovertrag vom 4. November 1911 war aber am 20. Dezember 1911 in der Kammer mit 393 gegen nur 36 Stimmen bei 141 Enthaltungen genehmigt worden. Wie bemerkt wurde, stimmte jedoch kein Lothringer für das Abkommen.[653]

Damit war das Geschäft noch nicht durchgestanden. Im Senat wartete Clemenceau auf seine Chance, zu einem Schlag auszuholen, mit dem er sowohl Caillaux treffen als auch seine Gegnerschaft zu einer Normalisierung der Beziehungen zu Deutschland markieren konnte. Der eigentliche Kritikpunkt bestand aber darin, dass das Verhandlungsergebnis zum Teil über direkte Kontakte zustande gekommen war, die Regierungschef Caillaux unter Umgehung seines Aussenministers de Selves mit Vertretern Deutschlands gepflegt hatte. Die Unzufriedenheit mit dem Vertragswerk war zugleich natürlich auch eine Unzufriedenheit mit demjenigen, der die formelle Verantwortung für das Ausgehandelte trug. Das Bekanntwerden der Kontakte, die er während der Krise mit Deutschland gepflogen hatte, bedeutete eine zusätzliche Belastung für den im Geruche der Deutschfreundlichkeit stehenden Ministerpräsidenten. Eine zusätzliche Belastung, aber nicht mehr. Über die Auffassung, dass die Geheimkontakte Caillaux zum Verhängnis geworden seien, schreibt Jean-Claude Allain,

> »tout cela n'est pas sérieux et aurait dû être balayé depuis longtemps par l'histoire.«[654]

Caillaux verstieg sich in der Senatskommission, die am 9. Januar 1912 den Kongovertrag vorberiet, dann aber zur Behauptung, dass er keine separaten Kontakte zu Deutschland unterhalten habe.[655] Clemenceau wusste, dass dies nicht der

---

[653] KEIGER, Poincaré, S. 125.

[654] ALLAIN, Caillaux, S. 2172 f.

[655] Ausführliche Darstellung auch in WATSON, Clemenceau, S. 240–242. Ferner: Georges BONNEFOUS, Histoire politique de la Troisième République, Bd. 1, Paris 1956, S. 270 f.

Wahrheit entsprach und forderte den ebenfalls anwesenden Aussenminister de Selves auf, dazu Stellung zu nehmen. Der von Caillaux hintergangene und weiterhin Clemenceau verbundene de Selves gab darauf indirekt zu, dass der Regierungschef Parallelverhandlungen geführt hatte:

> »Je ne saurais assumer plus longtemps la responsabilité d'une politique extérieure, à laquelle font défaut l'unité de vues et l'unité d'action sodidaire.«

Der Kommissionspräsident unterbrach darauf die Beratung. In einem Nebenraum trugen Caillaux, Clemenceau und de Selves einen längeren Disput aus, an dessen Ende de Selves seine Demission aussprach. Caillaux wurde mithin nicht über einem Misstrauensvotum gestürzt. Sein Rücktritt wurde aber unvermeidlich, weil es ihm nicht gelang, einen neuen Aussenminister zu finden. Der angefragte Poincaré wollte sich nicht in das gefährliche Abenteuer einlassen, in einem angeschlagenen Kabinett das vakante Aussenministerium zu übernehmen.[656] Delcassé dagegen wäre allenfalls auf das auch ihm unterbreitete Angebot eingegangen. Die Rückkehr Delcassés an die Spitze des Quai d'Orsay scheiterte aber an der Unmöglichkeit, für das von Delcassé geleitete Marineministerium einen geeigneten Nachfolger zu finden. Charles Benoist zufolge soll Delcassé sich wieder zurückgezogen haben, weil er ihm wegen dessen Absicht, die Politik von 1905 weiterzuverfolgen, eine Interpellation angedroht habe.[657] Paul Cambon stellte damals bitter fest, dass es zuallerletzt um den Kongovertrag gegangen sei; die erste Sorge sei es gewesen, Caillaux' Kopf zu bekommen, um sich nachher im Hinblick auf eigene Ambitionen gegenseitig zu zerfleischen:

> »Il faut bien s'imaginer, en effet, que l'accord franco-allemand était le cadet des soucis de tous ces messieurs; ils n'étaient préoccupés que d'obtenir la tête de Caillaux d'abord et, ensuite, de se démolir les uns les autres en vue de préparer leurs candidatures, soit à la Présidence du Conseil, soit à la Présidence de la République.«[658]

Caillaux selbst ging in seinen Memoiren auf diese Episode bloss am Rande ein, er machte aber die wichtige Feststellung, dass man allgemein mit der Bildung einer neuen Regierung gerechnet habe.

> »Ceux qui espèrent y avoir part se démènent comme des possédés, s'appliquent à faire le vide autour de moi. Ils y réussissent.«[659]

Aussenminister de Selves war offenbar auf Clemenceaus Empfehlung im Juni 1911 in Caillaux' Kabinett aufgenommen worden[660] und wiederum mit Clemen-

---

[656] POINCARÉ, Au service, Bd. 1, S. 9 f.; LEYGUES, Delcassé, S. 206; Georges SUAREZ, Briand: sa vie, son oeuvre avec son journal et de nombreux documents inédits, Bd. 2, Paris 1938, S. 381.

[657] Charles BENOIST, Souvenirs 1883–1933, Bd. 3, Paris 1934, S. 175.

[658] P. Cambon, Brief an Meunier, 16. Januar 1912, P. CAMBON, Correspondance 1870–1924, Bd. 3, S. 9.

[659] CAILLAUX, Mémoires, Bd. 2, S. 207.

[660] Joseph CAILLAUX, Agadir: Ma politique extérieure, Paris 1919, S. 241 f.

ceaus Zutun aus dem Kabinett ausgeschieden.[661] De Selves war den Anforderungen, welche die Agadir-Krise an den Leiter der französischen Aussenpolitik stellte, nicht gewachsen (vgl. Urteile oben in Kap. 3.2). Schon Monate zuvor zirkulierten Gerüchte über de Selves' bevorstehenden Rücktritt. Und am 20. November 1911 bot de Selves der Kammer halbwegs seinen Rücktritt an. Nachdem ihm ein Abgeordneter zugerufen hatte, man werde mit ihm über die französische Aussenpolitik nicht diskutieren können, weil er sie nicht kenne, bat de Selves um etwas Geduld, bis er über die deutsch-französischen Verhandlungen Rechenschaft ablegen könne.

> »Et alors, si vous avez le sentiment que nos affaires extérieures sont en des mains débiles, si vous estimez que l'homme qui est au quai d'Orsay n'est pas digne de représenter la politique de la France, vous le direz. Je vous jure, que, si telle est votre décision, je rentrerai dans le rang, fidèle serviteur du pays, comme je l'ai toujours été.«[662]

Poincaré war am 28. Dezember 1911 zum Berichterstatter des Senats für den Vertrag vom November 1911 ernannt worden. Es war sein erster aussenpolitischer Einsatz. Poincaré sprach sich trotz der Opposition der Repräsentanten aus dem Nordosten Frankreichs für die Ratifizierung aus. Am 11. Januar 1912 reichte Caillaux seine Demission ein, am 13. Januar 1912 erhielt Poincaré von Staatspräsident Fallières den Auftrag zur Regierungsbildung, und innert 12 Stunden hatte dieser das Kabinett beisammen. In seiner Regierungserklärung vom 16. Januar 1912 sprach er sich erneut für den französisch-deutschen Vertrag aus. Dieser wurde vom Senat am 10. Februar 1912 mit 212 gegen 42 Stimmen bei 39 Enthaltungen genehmigt. Clemenceau hielt damals eine vielbeachtete Rede auch an die Adresse Deutschlands, doch den Vertrag unterstützte er auch in der Schlussabstimmung nicht.

Georges Clemenceau, der »tombeur de ministeres« blieb auch in diesem Fall seinem Ruf treu. Seiner aktiven und erfolgreichen Gegnerschaft muss man in der Analyse der komplexen Vorgänge um Caillaux' Demission erstrangige Bedeutung beimessen. Clemenceau bekämpfte in Caillaux vor allem den Finanzmann, von dem er annahm, dass ihm die Privatgeschäfte deutsch-französischer Konzerne wichtiger waren als Frankreichs nationale Interessen. Er bekämpfte einen internationalen Kapitalisten, der im innenpolitischen Bereich als Vorkämpfer für die Einkommenssteuer und für Sozialreformen eher die Linke für sich und die Rechte gegen sich hatte. Ironie des Schicksals: Er erlaubte damit Poincaré, den er wegen seiner markant nationalen Haltung eigentlich nicht mochte, eine weitere und entscheidende Stufe zur Spitze der Macht zu erklimmen.

---

[661] WATSON, Clemenceau, S. 241 f. Paul Cambon erkannte schon früh das Zusammenspiel zwischen de Selves und Clemenceau. Vgl. Brief an Meunier vom 16. Januar 1911, P. CAMBON, Correspondance 1870—1924, Bd. 3, S. 9.

[662] JO, S. 3163. – Bereits an jenem Tag, 20. November 1911, schrieb der englische Botschafter: »I think that for some reasons M. Caillaux would like to get rid of M. de Selves but he is rather afraid of him and feels that it would not in the end be wise.« PRO, Privatpapiere Grey. Botschafter Schön berichtet am 22. November 1911, die Kammer habe ihre Geringschätzung gegenüber de Selves zum Ausdruck gebracht, beinahe wäre es zu einer Demission gekommen, GP, Bd. 29, Nr. 10786.

Das Parlament verfügte über ein enormes Quantum an Entzugsmacht, es konnte zu jeder Zeit eine Regierung stürzen. Dies förderte bei der Exekutive die Tendenz zu opportunistischem Verhalten, das darin bestand, der vermuteten Parlamentsmehrheit nach dem Munde zu reden. Der Kolonialist Gabriel Charmes warf diese Eigenheit dem Ministerpräsidenten de Freycinet – vielleicht mit einer gewissen Berechtigung – als persönliche Untugend vor. Das Verhalten war aber auch strukturell bedingt.

> »M. de Freycinet était un modèle et le type du ministre suivant le coeur des doc-
> trinaires démocratiques. Il ne se piquait point d'opinions personnelles. [...] L'oeil
> fixé sur les vents parlementaires, il tournait sa voile vers tous ceux qui soufflaient,
> de quelque côté qu'ils vinnsent. Nord, sud, est et ouest, peu lui importait, pourvu
> qu'il flottât. Grâce à cette manoeuvre, il s'est longtemps maintenu au milieu des
> tempêtes.«[663]

Doch das Parlament als solches gab es nicht, es gab die einzelnen Fraktionen und ihre politischen Führer. Vor allem im letzten Jahrzehnt wird deutlich, dass die Instabilität und die permanente Infragestellung nicht vom Parlament ausging, sondern von den rivalisierenden Kräften, und dass es Störpotential durchaus auch auf der Seite der Exekutive gab. Und was die wichtige Frage des Ratifizierungsrechts betraf: Das Parlament hätte die Mittel zu einer stärkeren Kontrolle gehabt, es fand sich aber nie eine Mehrheit, die davon Gebrauch machen wollte.


### 3. Nichtstaatliche Kräfte: Presse und Wirtschaft

Aus der Sicht der Diplomatie bildete bereits das Parlament, das immerhin zum institutionellen Gebäude gehörte, eine externe Kraft, gegen die man sich allenfalls schützen musste, weil von ihr unliebsame Einwirkungen ausgingen. In noch stärkerem Mass traf dies für die Presse und Wirtschaft zu. Anderseits waren diese Kräfte, wie übrigens auch die parlamentarischen, Elemente, die man für die eigene Politik einspannen konnte. Unter dem für diese Frage wichtigen Hauptgesichtspunkt muss man sich fragen, ob diese Kräfte im republikanischen System eine grundlegend neue Rolle spielten. Die Kompetenzen, mit denen die beiden Kammern bei der Schaffung der Dritten Republik ausgestattet worden sind, machten das Parlament unzweifelhaft zu einer neuen Kraft in der französischen Politik. Hingegen wäre es nicht unproblematisch, von der französischen Presse zu sagen, auch sie sei nach 1870 eine neue Kraft gewesen, denn sie war gerade in den letzten Jahren des Zweiten Kaiserreiches nicht ohne Einfluss auf das Geschehen in Frankreich geblieben. Dieser Einfluss war aber durch Zensur und Kautionszwang stark eingeschränkt, zudem war die Zahl der Drucker limitiert.[664] Gemildert wurde die Zensur dadurch, dass die oppositionellen Reden, die im

---

[663] CHARMES, Politique extérieure, S. 66.

[664] Théodore ZELDIN, France 1848–1945, Bd. 2, Oxford 1977, S. 547 f. und 567. Ferner: Irene COLLINS, Governement and Newspaper Press in France 1814–1881, Oxford 1959. – Roger BELLET, Presse et journalisme sous le Second Empire, Paris 1967.

Parlament gehalten wurden, in extenso abgedruckt werden durften.[665] Auch bezüglich der Wirtschaft dürfte der Unterschied zwischen dem alten und dem neuen Regime bloss graduell gewesen sein. Die Bedeutung der Wirtschaft könnte insofern allerdings gewachsen sein, als diese, sozusagen im Zuge der Globalisierung »avant la lettre«, vermehrt im Ausland engagiert und darum auch an aussenpolitischen Fragen interessiert war.

## 3.1. Die Presse

In der Dritten Republik konnte sich die Presse von der staatlichen Bevormundung befreien und als politische Kraft entfalten: Das liberale Pressegesetz von 1881 wurde von den Republikanern als definitive Herstellung der Republik begrüsst und von den Konservativen als Gesetz verstanden, das ihnen den gewünschten Spielraum für ihre oppositionelle Politik gab.[666] Der Staat trat freilich weiterhin als Finanzier von Zeitungen und von einzelnen Artikeln auf. Er war aber nur einer von vielen Geldgebern, und die Blätter, die gegen die gerade regierende Equipe schrieben, waren stets in der Mehrzahl. Die Presse war vornehmlich das Instrument der Opposition, ein gefährliches und ein gefürchtetes Instrument. Und so gefürchtet die Presse war, so gehätschelt wurden die Leute, die den Inhalt der Zeitungen fabrizierten. Während der Journalist im Zweiten Kaiserreich in geringem Ansehen stand, wurde er in der Dritten Republik zu einer umworbenen Person — als neue Kraft. Zeldin vergleicht beispielsweise das Berufsbild des Journalisten, wie die *Grande Encyclopédie Larousse* von 1875 es zeichnet, mit der Darstellung der 1910 erschienenen Schrift von Alexandre Guérin *Comment on devient journaliste*.[667] Im Corps législatif des Zweiten Kaiserreiches waren sozusagen keine Journalisten vertreten[668], die zunehmende Bedeutung der Presse wurde auch auf Seiten der Journalisten erkannt. Dazu eine Stimme aus den 1880er Jahren:

> »Il y a déjà longtemps que l'on a dit que la presse est le quatrième pouvoir de l'Etat. [...] Ce qui est certain, c'est qu'elle a acquis, de nos jours, une importance considérable, et qu'elle joue un rôle prépondérant sur l'opinion publique.«[669]

### Das Prinzip der Öffentlichkeit

Die Presse könnte sich, zumal in einer Republik, als vierte Gewalt verstehen, als Gewalt, die der überwachenden Legislativen am nächsten stand, aber auch judikative und in einem gewissen Sinn auch exekutive Funktionen ausübte und zugleich zu allen Dreien ein Gegengewicht bildete. Das Mandat dazu gab sie sich einesteils selbst und liess sie sich anderenteils durch die Käufer täglich nochmals geben. Ihre Existenzberechtigung leitete sie vom republikanischen Prinzip der Öffentlichkeit ab: Mit dem Parlament, dessen Verhandlungen ja öffentlich waren

---

[665] Vgl. CARROLL, French Public Opinion, S. 7.

[666] Claude BELLANGER/Jacques GODECHOT/Pierre GUIRAL/Fernand TERROU (Hrsg.), Histoire générale de la presse française, Paris 1973, Bd. 3, S. 240 f.

[667] Ebenda, Bd. 2, S. 505 f.

[668] Alain PLESSIS, De la fête impériale au mur des fédérés, Paris 1973, S. 51.

[669] Arsène THEVENOT, Souvenirs d'un journaliste. 1883–1889, Arcis-sur-Aube 1901, S. 20.

und von der Presse in die Öffentlichkeit hinausgetragen wurden, informierte sie die Bürger, was sich in ihrem Staate tat und was Mitbürger von diesem Tun hielten.

Dem Öffentlichkeitsprinzip sollte sich auch die Tätigkeit des Aussenministeriums nicht entziehen, wenigstens grundsätzlich nicht. Im *administrativen Teil der Aussenpolitik* behielt dieses Prinzip seine volle Gültigkeit. Weder Parlamentarier noch Journalisten mussten sich hier Zurückhaltung auferlegen. Auguste Gervais, der offizielle Budgetberichterstatter für das Jahr 1906, berichtete sogar in der Presse über die Ergebnisse seiner Inspektion des Quai d'Orsay, tadelte Missbräuche und richtete im Rahmen dieses Artikels einen ernsten Appell an den Aussenminister.[670] Von 1879 an wurde ein ausführliches *Annuaire diplomatique* veröffentlicht. Es sollte der spezifisch republikanischen Forderung nach Durchschaubarkeit der Verhältnisse, nach Transparenz insbesondere der personellen Angelegenheiten, Genüge tun, indem es die Beförderungskriterien sowie Rang und Alter aller Funktionäre des Aussenministeriums und später auch die Ergebnisse der Aufnahmeprüfungen publizierte und damit der öffentlichen Kontrolle aussetzte.

> »Messieurs, il y a autre chose, dans ce ministère des affaires étrangères si longtemps fermé et qui l'est peut-être encore trop, il y a autre chose qui a peut-être encore plus d'importance au point de vue du service. Nous avons demandé, et nous avons obtenu pour la première fois cette année, la publication de l'état du personnel. Un annuaire du corps diplomatique et consulaire de la République nous ayant été souvent réclamé par les commissions du budget antérieures, a été livré au public, qui peut maintenant suivre les mouvements du personnel. Il a été décidé que ce document précieux, qui comporte encore de nombreuses améliorations, serait tenu au courant et publié d'année en année.«[671]

Aus dem gleichen Grund sollten die Ernennungen im Prinzip auch im *Journal Officiel* veröffentlicht werden. Das Prinzip war aber, als die Republik in die gesetzteren Jahre kam, immer wieder gefährdet. Der Budgetberichterstatter für das Jahr 1907 musste beanstanden, dass seit acht Jahren keine einzige Nomination und Beförderung im *Journal Officiel* publiziert worden sei und das *Annuaire* neuerdings nur noch alle zwei Jahre erscheine. Paul Deschanel sagte vom *Annuaire* im Weiteren:

> »Il est, d'ailleurs, mal fait; il contient des choses inutiles et n'en contient pas d'autres indispensables; il fourmille d'erreurs, notamment en ce qui concerne les traitements et les indemnités.«[672]

Gegenüber dem *Inhalt der Aussenpolitik* bestand nicht in gleichem Masse Anspruch auf Durchschaubarkeit. Während die Presse naturgemäss weniger Zurückhaltung

---

[670] Auguste GERVAIS, Le Voyage d'étude au Quai d'Orsay, in: Le Matin vom 1. November 1905.

[671] Eugène Spuller als Budgetberichterstatter in der Kammersitzung vom 31. Juli 1879, Annales, S. 7897.

[672] Kammerdebatte vom 11. Dezember 1906, JO, S. 3139. Was die Fehlerhaftigkeit betrifft, kann der Verfasser das Urteil bestätigen. Als Doppelbände sind erschienen: die Annuaires von 1904/05, 1907/08 und von 1909/10.

im Umgang mit aussenpolitischen Fragen übte (soweit sie ihnen überhaupt Beachtung schenkte), trug das Parlament dem Umstand Rechnung, dass Öffentlichkeit immer auch Mitwissen des Auslandes bedeutete. Es akzeptierte, wie bereits dargelegt worden ist, die Geheimhaltung gewisser Verträge und Budgetposten. Besorgte Parlamentarier forderten aus dem gleichen Grund in aussenpolitischen Debatten von Zeit zu Zeit ihre Ratskollegen auf, ihre Äusserungen zu bedenken und dem aufmerksam zuhörenden Ausland nicht das Schauspiel einer zerstrittenen Nation zu geben. Ribot warnte Jaurès in der Kammerdebatte vom 23. Januar 1903:

> »Nous sommes surveillés en Europe; toutes les paroles qui se prononcent ici ont leur écho au-dehors.«[673] Und am 16. Dezember 1905 abermals Ribot im Rededuell gegen Jaurès: »Nous avons le droit de tout dire dans cette Chambre; nous n'avons peur d'aucune discussion. Mais nous ne voulons discuter que quand nous croyons que de la discussion peut résulter un effet utile pour les intérêts de la France.«[674]

Schon Gambetta vertagte am 11. Juni 1878 die Sitzungen der Kammer bis zur Schliessung der Weltausstellung mit der Begründung:

> »Il ne faut pas que les étrangers assistent au spectacle de nos querelles.«[675]

Und Clemenceau begründete am 9. November 1881 seinen Antrag, in der Tunesien-Angelegenheit eine Untersuchungskommission einzusetzen, mit dem Argument, dass man im Parlament nicht alles sagen könne.

### Die Gelbbücher

Trotz dieser Zurückhaltung forderte gerade das Parlament von der Regierung immer mehr Informationen, als diese zu geben bereit war, und was es für sich forderte, kam indirekt einer breiteren Öffentlichkeit zugute. Die offiziellen Aktenpublikationen – nach der Umschlagfarbe im französischen Fall »Gelbbücher« genannt – waren indessen keine Errungenschaft der Republik. Das Zweite Kaiserreich hatte mit deren Publikation begonnen und jährlich mindestens eine, oft sogar mehrere publiziert. 1875 bis 1877, in der Ära des »Ordre Moral«, wurden überhaupt keine Farbbücher produziert. Die Dokumentation über die Berliner Konferenz von 1878 eröffnete wieder eine lockere Folge von Gelbbüchern, deren Themen fast ausschliesslich der Kolonialpolitik gewidmet waren.[676] In der Kammerdebatte vom Juli 1879 rief Eugene Spuller als Budgetberichterstatter die positiven Reaktionen in Erinnerung, die das Wiedererscheinen der Gelbbücher ausgelöst hatte; er sprach jedoch zugleich die Erwartung aus, dass die Regierung häufiger solche natürlich auch in der Presse kommentierten Do-

---

[673] RIBOT, Discours, Bd. 2, S. 105.

[674] JO, S. 4036.

[675] FREYCINET, Souvenirs, Bd. 2, S. 21.

[676] Eine vollständige Liste der 1893–1912 erschienenen Gelbbücher gibt Louis Marin in seinem Budgetbericht Nr. 3318 für 1914, S. 50 f. Zuvor sind erschienen: 1879, 1880, 1881, 1882, 1883 über Ägypten, 1885 über die Suezkanal-Konferenz, 1881 über Tunesien, 1883 und 1885 über Tonkin, 1883, 1884 und 1886 über Madagaskar, 1884 und 1885 über den Kongo und Westafrika, 1887 über die Nouvelles Hébrides und die Iles-sous-le-Vent.

kumentationen veröffentliche und nicht nur, wenn ein besonderer Konfliktfall dies nötig mache. Die diplomatischen Depeschen aus allen Teilen der Welt sollten, mit Ausnahme derjenigen der laufenden Verhandlungen, regelmässig veröffentlicht werden. Frankreich solle sich die amerikanische Republik zum Vorbild nehmen, welche die diplomatischen Dokumente nicht nur zu Händen des Parlamentes, sondern für die gesamte interessierte Öffentlichkeit publiziere und auf diese Weise zum Vorteil von jedermann den Sinn für aussenpolitische Angelegenheiten fördere.

> »Nous voudrions que l'on arrivât à publier tout un ensemble de dépêches envoyées par nos agents sur tous les points du globe, sans nuire bien entendu, au secret qu'on est obligé de garder sur les négociations en cours. Sous ce rapport, nous avons beaucoup à emprunter à la République américaine.«[677]

Im Budgetbericht Nr. 1509 für das Jahr 1880 führte Spuller dazu aus:

> »La publication du receuil intitulé Livre jaune est devenue tout à fait intermittente. Il serait vivement à désirer qu'elle redevînt périodique comme elle l'a été sous l'Empire [...] une sorte de revue d'ensemble de notre situation extérieure, faite avec documents et rapports à l'appui, afin de tenir la pensée du pays en éveil [...].«[678]

Zehn Jahre später führte Spuller während eines Jahres das Aussenministerium, jedoch ohne an der von ihm zuvor beklagten Informationspolitik des Quai d'Orsay etwas zu ändern. Nicht nur dass den wiederholten Rufen nach Gelbbüchern keine Folge gegeben wurde – 1914 musste der Budgetbericht für die Kammer feststellen, in den letzten Jahren seien die Farbbücher sogar seltener geworden. Schon der Budgetbericht der Kammer für das Jahr 1881 hatte ein häufigeres Erscheinen von Gelbbüchern gefordert.[679] Der Budgetbericht für das Jahr 1883 wiederholte, ohne etwas zu erreichen, diese Forderung. Louis Marin musste im Budgetbericht für das Jahr 1914 feststellen:

> »[...] les Livres jaunes parus ces dernières années sont de moins en moins nombreux.«[680]

Und das letzte Gelbbuch dieser Ära verstand sich bereits als vorgezogener Beitrag zur Diskussion um die sicher einmal zu stellende Kriegsschuldfrage und war eher darauf aus, die Öffentlichkeit irrezuführen als wirklich aufzuklären.[681] Dass die Gelbbücher zuweilen auch nichtssagende Aktenstücke enthielten, führte in einer zeitgenössischen Satire zu folgender Darstellung:

---

[677] Spuller in der Kammerdebatte vom 31. Juli 1879, Annales, S. 7898.

[678] HANOTAUX, Mon temps, Bd. 1, S. 323 f.; Bd. 2, S. 8 f.

[679] Budgetbericht für das Jahr 1881, S. 7.

[680] Budgetbericht für das Jahr 1914, S. 15

[681] Zur Beurteilung des Gelbbuches zum Juli 1914 vgl. SCHUMAN, War and Diplomacy, S. 250. Zur Fälschung des Dokumentes Nr. 118, vgl. Gustave DUPIN, M. Poincaré et la guerre de 1914, Paris 1935, S. 130 f.

> »Lorsqu'une pièce ne paraît pas présenter un intérêt suffisant pour figurer aux archives, les chefs de direction disent à leurs commis: ›Mettez cela de côté pour le Livre jaune‹, comme ils diraient: »Mettez cela au panier.«[682]

Die Rarheit der Dokumente war nur einer der Klagepunkte. Der andere betraf die Verspätung, mit der gewisse Farbbücher vorgelegt wurden – wenn sich niemand mehr dafür interessierte, wie Paul Cambon 1912 bitter festgestellt hat.[683] Auch Louis Marin beanstandete als Berichterstatter für das Budget 1914 diese Verzögerungen: Bis zu einem gewissen Punkt seien sie verständlich, weil das Aussenministerium vor der Publikation das Einverständnis der ausländischen Verhandlungspartner einholen musste; anderseits sei es völlig unannehmbar, wenn sich die Regierung auf den Standpunkt stelle, sie lege erst dann eine Dokumentation vor, wenn sie vom Parlament dazu aufgefordert werde.

> »Il existe depuis quelque temps, au Ministère, une tendance à ne publier de Livres jaunes que sur les réclamations du Parlement. Cette théorie est inacceptable.«[684]

Im Falle des deutsch-französischen Kongovertrages vom 4. November 1911 war die Regierung schon am 5. Dezember 1911 in der Kammer dazu aufgefordert worden. Obwohl diese Resolution von einer starken Mehrheit gutgeheissen worden war und der Aussenminister noch in der gleichen Sitzung das baldige Erscheinen eines Gelbbuches in Aussicht gestellt hatte, musste das Parlament ein Jahr lang auf die gewünschte Publikation warten.[685] Louis Marin weist in seinem Budgetbericht ausdrücklich auf diesen Fall hin und stellt fest:

> »[…] pendant 20 mois, aucun Livre jaune n'a paru, aucune question ne semblant sans doute au Gouvernement digne d'être communiquée au Parlement. Et pourtant les événements diplomatiques les plus graves se développaient et leur nombre valait leur importance.«[686]

Dreissig Jahre zuvor waren bereits die gleichen Klagen erhoben worden: Der Budgetbericht für das Jahr 1883 beanstandete, dass beim Erscheinen des letzten Gelbbuches zur Ägypten-Frage die verantwortliche Regierung längst nicht mehr im Amt gewesen sei und fremde Staaten ihre Farbbücher schneller publizierten, so dass die französischen Bürger – was eines republikanischen Regimes wenig würdig sei – die Informationen über Frankreichs Aussenpolitik aus dem Ausland beziehen müssten.

> »Pour les communications de dépêches, nous sommes généralement en retard sur le dehors, et pourtant, d'après l'usage, les autres gouvernements ne publient rien qu'après nous en avoir référé. (Pourquoi ne pas faire directement aux Français les

---

[682] HERVIEU, Aux affaires étrangères, S. 167.

[683] Paul Cambon an seinen Bruder Jules, 20. November 1912, Papiers Jules Cambon, Bd. 25. Die Bemerkung bezieht sich auf das Gelbbuch zum deutsch-französischen Vertrag vom 4. November 1911.

[684] Budgetbericht Nr. 3318 für das Jahr 1914, S. 52.

[685] Resolution Damour »invitant le gouvernement à hâter la publication des Livres jaunes concernant l'accord franco-allemand« vom 5. Dezember 1911.

[686] Budgetbericht Nr. 3318 für das Jahr 1914, S. 52 f.

confidences que nous autorisons chez nos voisins?). Cette situation est peu digne du Parlement républicain qu'il importe de familiariser, en l'y mêlant davantage, avec les questions de politique extérieure.«[687]

## Die Zugänglichkeit der Archive

Von einem republikanischen Regime hätte man erwarten können, dass es — gemäss dem Öffentlichkeitsprinzip — seine Archive besonders freizügig der historischen Forschung öffnen würde. Sogar der im Allgemeinen sehr gouvernemental denkende Staatsrechtler Joseph Barthélemy vertrat 1917 diese Auffassung: Eine Demokratie habe ein Anrecht darauf, ihre Archive zu kennen; die Geschichte sei das Gericht, vor dem sich die Regierungen zu verantworten hätten.

> »Une démocratie a le droit de connaître ses propres archives. L'histoire est le tribunal de la conscience nationale devant lequel sont appelés à comparaitre les gouvernements.«[688]

Die ersten Jahre der Dritten Republik brachten allerdings noch keine Liberalisierung. Ein in der Amtszeit des Aussenministers Decazes unternommener zaghafter Versuch, die Zulassungsbestimmungen etwas freizügiger zu gestalten, scheiterte. 1878 ist es dem jungen Gabriel Hanotaux nur dank der Unterstützung von Henri Martin, der den zugeknöpften Archivdirektor Faugère umgangen und sich direkt an Aussenminister Waddington gewandt hatte, gelungen, die Dokumente aus der Zeit Richelieus einzusehen! Gabriel Hanotaux schildert das Archiv des Quai d'Orsay als schwer zugängliche Festung:

> »Par quel moyen pénétrer dans cette forteresse qui développe, sur la rue de l'Université, son mur sans porte et sans fenêtre« Von den Archivdirektoren, die in dieser Festung herrschten, sagte er: »[...] ces hommes de poids si léger s'étaient appesantis sur la vie active de la France et s'étaient institués les vigilants gardiens du silence tumulaire. Ils prenaient à témoin l'intérêt public pour autoriser et prolonger leur privilège mesquin.«[689]

Hanotaux erlebte, wie ein englischer Historiker, der wohl das Recht hatte, Dokumente aus der Zeit der Stuart einzusehen, sich dabei aber kein Wort notieren durfte, die Dokumente abschnittweise auswendig lernte und sie von Zeit zu Zeit bei einem nahegelegenen Weinhändler aufzeichnete.

Die Republikaner, die sich mit den vorangegangenen Regimes keineswegs identifizierten, hätten eigentlich die Zeit vor 1870 freigeben können. Allein, als 1880 endlich eine entschieden republikanische Regierung an die Macht kam, stellte de Freycinet lediglich die Dokumente aus der Zeit vor dem 14. September 1791 uneingeschränkt der Forschung zur Verfügung und bestimmte, dass Abschriften von Dokumenten aus dem Zeitraum von 1791 bis zum 30. Mai 1814 dem Archivdirektor vorgelegt werden müssten; was jünger war als 1814, blieb im Prinzip gesperrt.[690] Noch im Budgetbericht der Kammer für das Jahr 1904 wurde auf die

---

[687] Budgetbericht Nr. 992 der Kammer für das Jahr 1883, S. 4 f.

[688] BARTHELEMY, Démocratie, S. 187.

[689] HANOTAUX, Mon temps, Bd. 1, S. 323 f.; Bd. 2, S. 8 f.

[690] Dekret vom 6. April 1880, vgl. Annuaire diplomatique 1881.

paradoxe Situation hingewiesen, dass das kaiserliche Deutschland eine liberalere Archivpolitik pflege als das republikanische Frankreich. Die Regierung solle doch bedenken, die diplomatische Lava erkalte schnell, allfällige Nachteile einer zu largen Regelung seien verschwindend klein verglichen mit den Nachteilen einer zu ängstlichen Zurückhaltung.

> »Chez toutes les nations civilisées, — y compris celles qui ne se piquent pas de posséder un gouvernement d'opinion, — le secret d'Etat a fini par faire sa part à la curiosité légitime d'une postérité qui cherche dans la connaissance exacte du passé le meilleur moyen d'assurer le présent et de préparer l'avenir.«[691]

Ein Dekret vom 2. Juni 1909 brachte schliesslich eine gewisse Lockerung, indem es die mittlere Kategorie der zensurpflichtigen Abschriften weiter fasste und bis zum Jahr 1848 ausdehnte.

### Ehemalige Journalisten in Regierungspositionen

Die Presse verdankte ihren Einfluss zum Teil gewiss den Pressegesetzen, dem republikanischen Öffentlichkeitsprinzip und der Entwicklung der technischen Möglichkeiten — ein grosser Teil ihres Einflusses beruhte jedoch auf dem Umstand, dass Inhaber selbst wichtigster Regierungsämter vormals im Journalismus tätig gewesen waren. Die »couches nouvelles«, die gegen Ende der 1870er Jahre die alten Notabeln ablösen sollten, machten ihren Weg zur Macht teilweise über die Presse. Der Journalismus war ein idealer Aufstiegskanal sowohl in Bezug auf den Wechsel von der Redaktionsstube in die Deputiertenkammer oder auf den Chefsessel in der Verwaltung wie in Bezug auf den Wechsel von der privaten Existenz in eine öffentliche Funktion. Die Ausübung des Journalistenberufes erforderte und erfordert bekanntlich keine besonderen Voraussetzungen.

Weiter oben ist bereits gezeigt worden, wie die junge republikanische Regierung um 1880 mehrere Journalisten (z. B. Barrère, Coutouly, Gérard) in den diplomatischen Dienst holte. Die Presse blieb ein Rekrutierungsfeld und war, umgekehrt betrachtet, auch später noch Sprungbrett für den Aufstieg in führende Verwaltungspositionen. De Freycinet, ehemaliges Mitglied von Gambettas Redaktionsequipe, schreibt in seinen Erinnerungen:

> »M. Gambetta nous recommanda de nous considérer chacun, non comme un journaliste, mais comme un futur membre du gouvernement; nous devions exposer nos idées avec le sérieux, la gravité, la maturité qui conviennent à des hommes prêts à les appliquer. En fait, la plupart de ces rédacteurs sont devenus ministres; si Ranc ne l'a pas été, c'est qu'il ne l'a pas voulu. Le journal a donc bien été ce que souhaitait son fondateur.«[692]

Als der Journalist Alicide Ebray, der sich durch seine Publizistik im *Journal des Débats* eine gute Ausgangsposition geschaffen hatte, 1905 zum Generalkonsul ernannt wurde, reagierte *Le Figaro* mit dem Kommentar, diese Ernennung werde alle Konsuln ermuntern, Journalisten zu werden und den Minister täglich zu loben, um dann die Belohnung dafür entgegenzunehmen.[693] Alicide Ebray ver-

---

[691] François de Pressensé, Budgetbericht für 1904, Nr. 1196, S. 48.

[692] FREYCINET, Souvenirs, Bd. 1, S. 28 f.

[693] Le Figaro vom 20. Mai 1905.

liess aber bald wieder die Diplomatie und kritisierte als Journalist Aussenminister Pichons Personalpolitik.[694] Am 11. Dezember 1906 erntete der Budgetberichterstatter Paul Deschanel »vifs applaudissement sur de nombreux bancs«, als er allgemein die Aufnahme aussenstehender Personen in den konsularischen Dienst beanstandete und von diesen Ernennungen sagte, sie geschähen

> »pour payer des services de presse ou je ne sais quels trafics électoraux.«[695]

In den eigentlichen Regierungskreisen war der Anteil der ehemaligen Journalisten oder regelmässigen Pressemitarbeiter noch grösser als in der Verwaltung. Von den 631 Ministern der Dritten Republik sind zwar nur 47 direkt dem Journalismus entstiegen. Die erste Position nehmen die 241 »avocats et hommes de loi« ein; ihnen folgen die 73 Offiziere, 70 Lehrer und Professoren, 50 leitenden Angestellten. Die Journalisten nehmen mithin erst den fünften Platz ein. Auch der Anteil der Berufsjournalisten in der Deputiertenkammer (mit rund 570 Sitzen) ist mit einem Durchschnitt von rund 35 Journalisten eher bescheiden und entspricht ungefähr demjenigen der Bauern und der Offiziere.[696]

Würde man jedoch auch die festen Bindungen nachweisen, welche die Minister im Laufe ihrer Karriere mit bestimmten Blättern eingegangen sind, käme man auf eine beträchtlich höhere Zahl. Von den rund 2 700 Deputierten der Jahre 1898–1940 wird gesagt, dass mindestens ein Drittel seinen politischen Aufstieg mit Hilfe der Presse gemacht habe.[697]

### Konservative Zurückhaltung

Die konservativen Politiker sahen in der Presse mehr eine Bedroherin denn eine Helferin. Entsprechend zurückhaltend waren sie im Umgang mit den Journalisten. Zwar musste sich bereits der konservative Aussenminister Decazes den Vorwurf gefallen lassen, er habe 1873 unsaubere Beziehungen zur Presse unterhalten. Bezeichnenderweise kam dieser Vorwurf aber aus dem rechten Lager der Konservativen, nämlich von Duc Albert de Broglie, und richtete sich gegen einen Konservativen des linken Flügels.

> »Il est certain que les compliments qu'il recevait des journaux de gauche, et que les confidences que ces journaux reçurent à plusieurs reprises et qui ne pouvaient partir que du Quai d'Orsay […].«[698]

Waddington, der letzte Aussenminister der konservativen Ära, soll eine ausgesprochen schlechte Meinung von den Journalisten gehabt haben. Am 12. November 1892 schrieb Waddington an Ribot:

---

[694] Vgl. Journal des Débats, 30. April 1907.

[695] JO, S. 3139.

[696] Vgl. DOGAN, Filières, S. 468 f.

[697] Ebenda, S. 483. Vgl. auch André TARDIEU, La profession parlementaire, Paris 1937, S. 113 f. Pierre Albert stellt in seiner Pressegeschichte fest: »Pour beaucoup d'entre eux, la carrière parlementaire fut comme la suite normale de leur carrière de journalisme.« Pierre ALBERT, La presse française, Paris 2004, Bd. 3, S. 255.

[698] BROGLIE, Mémoires, Bd. 2, S. 275.

»[…] je sens que les attaques de la presse contre moi sont un ennui pour le gouvernement.«

Und am 21. November 1892 klagte Waddington in einem Brief an seine Frau, nur wenige würden ihn gegen die Presseangriffe verteidigen.[699] Die Pressekampagne, die später – 1892/93 – gegen ihn und seine Tätigkeit als Botschafter in London lief, wird ihn in dieser Haltung noch bestärkt haben.[700] Mit anderen empörte sich Waddington 1881 darüber, dass Roustan, der französische Minister in Tunis, ohne richterlichen Schutz blieb, nachdem ihn Rochefort im *Intransigeant* mit ehrenrührigen Beschuldigungen angegriffen hatte. Für die konservative Beamtenschaft war diese Affäre ein Beweis dafür, dass sie mehr und mehr der Gosse ausgesetzt sei.[701] Für die konservative Beamtenschaft spricht E. M. de Vogüé:

> »Fait déplorable, qui abat un homme de mérite et casse les bras à tous nos agents pour l'avenir. Où allons-nous?«[702]

Die Haltung der Beamtenschaft, die sich naturgemäss ungern fremden Einflüssen ausgesetzt sah, entsprach weitgehend – nicht in den Motiven, aber im Ergebnis – der Haltung der Konservativen, die, ihrem eigenen politischen Verständnis gemäss, die Verwaltung von der »Politik«, das heisst dem Einfluss der Strasse, abschirmen wollte.

### Republikanische Verbundenheit

Wie ganz anders war dagegen die Haltung der republikanischen Politiker, die nach 1880 das Aussenministerium leiteten! Die meisten waren aus der Presse hervorgegangen, verfügten noch über ihre alten Beziehungen zu bestimmten Blättern und standen dem Journalismus auch innerlich nahe. Aussenminister de Freycinet richtete kurz nach Amtsübernahme im März 1880 ein Pressebüro ein und besetzte es mit dem ehemaligen Journalisten und künftigen Diplomaten Auguste Gérard. In diesen Jahren tauchten die ersten Klagen auf, die Journalisten seien besser informiert als die Diplomaten. Gaston Raindre, damals Leiter des Generalkonsulates in Ägypten, sprach, als Albert Billot im Dezember 1882 die Politische Direktion übernahm, die Hoffnung aus, dass sich dies nun ändern werde.

> »Il s'échange tous les jours à Paris des pourparlers […] dont je n'ai aucune connaissance.«

---

[699] Papiers Waddington, Rapport 4.

[700] WADDINGTON, Italian letters, S. 6. Waddington wurde in der Presse mehrfach vorgeworfen, er sei ein Gegner der französisch-russischen Allianz, zum Beispiel im *Le Matin* vom 5. November 1888, wie aus einem Brief Waddingtons an Goblet vom 7. November 1888 hervorgeht (Papiers Goblet); oder im *Petit Journal*, wie aus einem Brief Waddingtons an Ribot vom 21. Oktober 1892 hervorgeht, Papiers Ribot, Bd. 3.

[701] Zu Waddingtons Haltung in der Affäre, vgl. REINACH, Gambetta, S. 438.

[702] VOGÜÉ, Journal, S. 285.

Raindre sprach im Weiteren von »journalistes mieux informés que les agents« und hoffte auf die »reconstitution de la Direction Politique telle que je l'ai connue autrefois.«[703]

Ob die Beziehungen zwischen den Leitern der Aussenpolitik und den Journalisten gut oder schlecht waren, oft waren es Beziehungen zwischen annähernd Gleichgestellten. Die Selbstherrlichkeit gewisser Journalisten und die Herablassung der Regierungsverantwortlichen trafen sich auf einer mittleren Ebene. Der kollegiale Umgang mit den Herren der Presse dürfte zumal den Ministern mit journalistischer Vergangenheit nicht sonderlich schwer gefallen sein. Die Aussenminister Challemel-Lacour, Spuller und de Freycinet hatten zum Redaktionsstab von Gambettas *Republique Française* gehört; de Freycinet verfügte zudem über den *Télégraphe*, in dem auch einer seiner engsten Mitarbeiter 1882–1885 als Auslandsredaktor tätig gewesen war: Jules Herbette, der ebenfalls für die *République Française* gearbeitet hatte und nach einer internen diplomatischen Karriere 1886 Botschafter in Berlin wurde.[704] Jules Ferry war wie seine Kollegen, bevor er Deputierter wurde, hauptberuflich im Journalismus tätig.[705] Gabriel Hanotaux schrieb schon in den frühen achtziger Jahren regelmässig Beiträge für Gambettas Blatt; von grösserem Gewicht war indessen die publizistische Tätigkeit, die er nach seinem Ausscheiden aus der Regierung, also nach 1898, entfaltete.[706] Hanotaux' Nachfolger, Théophile Delcassé, begann seine politische Karriere ebenfalls im Journalismus, er schrieb zunächst für die *Petite République*, dann für die *République Française*, wo er, nachdem Camille Barrère im Februar 1880 in den Quai d'Orsay gewechselt hatte, dessen Ressort der Aussen- und Kolonialpolitik übernahm. Wenig später versuchte auch Delcassé, vom Journalismus in den diplomatischen Dienst zu wechseln. Der Versuch misslang, und so musste Delcassé zehn weitere Jahre Journalist bleiben, bevor er 1893 Deputierter und Unterstaatssekretär der Kolonien wurde. In diesen Jahren gelang es ihm, als aussenpolitischer Redaktor des *Le Paris* Ansehen und Einfluss zu erwerben. Aussenminister de Freycinet, dessen Politik er kritisch beurteilte, buhlte um seine Gunst, und Aussenminister Flourens zeigte sich für wohlwollende Artikel erkenntlich, indem er ihn mit der »Legion d'honneur« auszeichnete.[707]

---

[703] Brief an Billot, 18. Dezember 1882, Papiers Billot.

[704] BELLANGER/GODECHOT/GUIRAL/TERROU, Presse française, Bd. 3, S. 360. Jean Herbette, der 1924 zum Botschafter in Moskau ernannt wurde, war zuvor auch in der Presse, nämlich im *Le Temps* tätig gewesen, ebenda, Bd. 3, S. 504.

[705] Ferry schrieb zunächst für die *Gazette des Tribunaux*, dann für den *Courrier de Paris*. 1865 trat er in den *Le Temps* ein, für den er bis zu seiner Wahl hauptberuflich tätig war, RECLUS, Ferry, S. 21, 30, 41.

[706] HANOTAUX, Mon temps, Bd. 2, S. 127 f. Nach seinem Rücktritt von 1898 übernahm er die politische Leitung von *Le Journal*, BELLANGER/GODECHOT/GUIRAL/TERROU, Presse française, Bd. 3, S. 315.

[707] ANDREW, Théophile Delcassé, S. 6 f. Die Liste liesse sich fortführen und auch auf die anderen Verwaltungsbereiche ausdehnen. So ist beispielsweise der Deputierte und nachmalige Polizeipräfekt und vorübergehend zum Botschafter in Madrid gemachte Louis Andrieux 1876 Mitbegründer des *Petit Parisien* gewesen.

Im Sommer 1900 rief Marcel Sembat während einer Debatte zum Boxer-Aufstand Delcassé zu, er wolle nicht nur hören, was man tags darauf in der Presse lesen könne,

> »car vous avez, monsieur le ministre, l'excellente et très louable habitude de communiquer à la presse toutes les nouvelles qui vous parviennent.«[708]

1904 sagte der englische Botschafter Monson von Aussenminister Delcassé, er sei den Journalisten gegenüber offener als den Diplomaten.[709] Fremden Diplomaten gegenüber wäre Zurückhaltung zwar zu rechtfertigen gewesen. Doch im November 1908 klagte auch ein Paul Cambon, Aussenminister Pichon würde den Journalisten mehr anvertrauen als den Beamten seiner Umgebung. Wir werden von Journalisten regiert! rief Paul Cambon damals aus; Clemenceau sei einer, Pichon sei ein anderer, sie seien unfähig, ihren ehemaligen Kollegen gegenüber den Mund zu halten. Man könne sich eben nicht mehr ändern, wenn man einmal Fünfzig gewesen sei:

> »Quant aux indiscrétions du Gouvernement − c'est la loi du jour, on dit tout, on montre tout, nous sommes gouvernés par des journalistes, Clemenceau en est un, Pichon en est un autre, et ils ne peuvent se taire avec des confrères, ils ont même plus de propension à causer avec eux qu'avec leurs propres agents. Pichon dit certainement à Tardieu ou à Lautier beaucoup plus qu'aux fonctionnaires qui l'entourent. On ne change pas de nature quand on est passé 50 ans.«[710]

Am 10. November 1908 äussert sich Paul Cambon seinem Sohn Henri gegenüber in ähnlicher Weise:

> »Nous sommes gouvernés par des journalistes comme Clemenceau ou Pichon qui font des mystères à leurs agents, mais qui n'ont rien de caché pour leurs anciens confrères.«[711]

So zutreffend Cambons Beobachtung gewesen sein mag, sie galt einem Phänomen, das im Kabinett Clemenceau vielleicht besonders deutlich zutage trat, sich aber keineswegs auf diese Regierung beschränkte. Auch in der Ära Poincaré beklagte sich Paul Cambon über die »pénétration croissanante« der Journalisten im Aussenministerium. Cambon setzte seine alterspessimistische Betrachtung fort, indem er, auf Tardieu gemünzt, schrieb:

> »Impossible de changer ces gens là et de plus en plus ils sont maîtres du Quai d'Orsay.«[712]

Dass Cambons Eindruck auch von anderen geteilt wurde, zeigt der folgende Bericht der schweizerischen Gesandten in Paris:

> »Un grand personnage français, à maintes reprises président du Conseil, ministre des Affaires Etrangères etc., m'a dit ce matin que dans les cercles parlementaires,

---

[708] Kammerdebatte vom 3. Juli 1900, Annales, S. 339 f.

[709] Monson an Lansdowne am 7. Oktober 1904 über Delcassé: »He is undoubtedly more open to journalists than to diplomatists.« Zit. nach ANDREW, Delcassé, S. 68.

[710] Paul Cambon an seinen Bruder Jules, 9. November 1908, Papiers Jules Cambon, Bd. 25.

[711] Fonds Louis Cambon.

[712] Brief an seinen Bruder Jules, 16. Dezember 1912, Fonds Louis Cambon.

> on trouvait que M. Poincaré avait été parfois imprudent, s'était trop avancé et sur-
> tout ne savait pas éloigner la bande de 15 ou 20 journalistes qui le guettent chaque
> soir à 8 heures; certes, un ministre des Affaires Etrangères doit demeurer en
> contact avec l'opinion publique, mais s'il raconte tous les soirs aux journalistes les
> suggestions qui s'entrecroisent entre Cabinets, il s'expose à ce qu'on ne lui parle
> plus et, surtout, certaines suggestions nécessaires risquent d'échouer devant la pu-
> blicité.«[713]

In einer Auseinandersetzung mit dem bekannten Journalisten André Tardieu gab
sich Aussenminister Pichon im Februar 1911 vor dem Senat ziemlich autoritär; er
stellte die Auffassung der Regierung über die der Journalisten und fragte indig-
niert, ob man denn meine, dass die Diplomatie auf der Strasse gemacht werde.

> »Est-ce que vous croyez que la diplomatie se fait sur la place publique? […] il y a
> quelque chose de supérieur à l'opinion des journalistes en ces matières: c'est
> l'opinion des gouvernements.«[714]

Zum Teil wurde sie eben auf der Strasse gemacht. Stephen Pichon, der ehemalige
Mitarbeiter der *Revolution Française* und Redaktor von Clemenceaus *Justice*, wusste
das genau. Buchstäblich auf der Strasse, nämlich während einer Fahrt vom Quai
d'Orsay zum Innenministerium, Place Beauvaud, gab Pichon als soeben
ernannter Aussenminister einem Journalisten des *Petit Parisien* die Grundzüge
seiner Aussenpolitik bekannt, noch bevor sie dem Parlament in der formellen Regierungserklärung vorgelegt wurden.[715] Der Journalist berichtete:

> »Je montai près du ministre, et je lui exposai très simplement les ambitions extra-
> ordinaires que j'avais formées: avoir une déclaration ministérielle avant la déclara-
> tion.«

1908 musste sich Pichon von Francis de Pressensé, der früher eine leitende Stelle
im *Le Temps* eingenommen hatte und sich nun als sozialistischer Deputierter
engagierte, den Vorwurf gefallen lassen, er zeige sich den Journalisten gegenüber
offener als gegenüber den gewählten Vertretern des Volkes, dies in Kombination
mit der Frage:

> »Comment, est-ce à cette presse que vous réservez la primeur de vos confiden-
> ces?«[716]

1914 übernahm Pichon wenige Wochen nach seinem Ausscheiden aus der Regie-
rung die Leitung des in 580 000 Exemplaren verbreiteten Massenblattes *Petit
Journal*.[717] Der englische Botschafter wies darauf hin, dass Pichon damit seine
Einkommenssituation gewaltig verbesserte:

---

[713] Lardy an Bundespräsident Forrer, 2. Dezember 1912, BA Bern, B 2001 (A), 665.

[714] Pichon im Senat am 2. Februar 1911, JO, S. 111.

[715] »Z.« im *Petit Parisien* vom 28. Oktober 1906 »Notre politique extérieure. Une déclaration
de M. S. Pichon.«

[716] Kammerdebatte vom 26. November 1908, S. 2681.

[717] Nach der einen Version wurde Pichon politischer Direktor, nach der anderen Verwaltungsratspräsident des *Petit Journal*; vielleicht war er auch beides.

»Pichon is now in Journalism and Directorships which are more profitable than being a Minister at 2 400 a year.«[718]

## Das Interview

Pichon war demnach vor seinem Amtsantritt und zwischen zwei Amtszeiten (denn 1917 wurde er wieder Aussenminister) im Journalismus tätig. Wie hätten seine Beziehungen zur Presse während seiner Amtszeit keine Rolle spielen sollen?

Pichon unterhielt denn auch während seiner Amtszeit als Aussenminister rege Beziehungen zur Presse – offizielle und inoffizielle. Zu den ersteren gehörten die Interviews, die Pichon offenbar gerne und bedenkenlos gewährte. Wilhelm II. pflegte damals auch schon Interviews zu geben, im Oktober 1908 beispielsweise dem *Daily Telegraph* über seine Haltung zum Burenkrieg. Im Juni 1913 wollte die *Daily Mail* Pichon vor dessen Staatsvisite in London interviewen und von ihm auch einige Äusserungen über den englischen Amtskollegen Sir Edward Grey erhalten. Für Pichon hätte eine solche Meinungsäusserung nichts Ungebührliches bedeutet. Trotzdem fragte er den erfahrenen Paul Cambon in London:

> »Dites-mois ce que vous en pensez. Et si vous avez à m'indiquer une note spéciale sur ce qu'il conviendrait de dire, je vous en serai reconnaissant.«[719]

Der Aussenminister musste sich von seinem Botschafter belehren lassen, der Aussenminister eines grossen Landes sei eine zu hochgestellte Person, als dass er seine Auffassung Zeitungen gegenüber ausdrücken dürfe. Hingegen habe er durchaus die Möglichkeit, seine Auffassungen in einer Rede darzulegen, über die dann auch die Presse berichten könne.

> »Le ministre des affaires étrangères d'un grand pays est un personnage trop haut placé pour exprimer ses sentiments dans des lettres aux journaux.«[720]

Für sich selbst hielt es Cambon übrigens nicht anders. 1885, damals noch Generalresident in Tunis, bezeichnete er es als ungehörig, wenn sich ein Beamter von einem Journalisten interviewen liess und diesem gegenüber gewissermassen seine Tätigkeit rechtfertigte. Dass dieses Prinzip aber schon damals nicht von allen befolgt wurde, geht aus der gleichen Stellungnahme hervor, schrieb doch Cambon, seine strikte Weigerung, dem *Matin* ein Interview zu gewähren, sei eine gute Lektion für seinen Gegenspieler, den General Boulanger, der damals militärischer Kommandant von Tunesien war und offenbar keine Gelegenheit versäumte, mit Journalisten zu schwatzen:

> »A cinq heures je reçois un journaliste du »Matin« qui veut m'interviewer. Je ne le reçois qu'à condition de lui répondre que je ne veux pas être interviewé et qu'un fonctionnaire n'a pas à s'expliquer sur la politique avec des journalistes. Ce sera

---

[718] 9. März 1914, PRO, Privatpapiere Bertie.

[719] Pichon am 16. Juni 1913, Papiers Louis Cambon.

[720] Cambon antwortete am 17. Juni 1913: Papiers Pichon, Institut. Zu einem Interview, das Pichon im Juni 1907 dem Korrespondenten der *Frankfurter Zeitung* gewährt hat, vgl. GP, Bd. 21, Nr. 7264.

> une bonne leçon pour Pontois et pour le Général Boulanger qui ne manquent ja-
> mais de causer avec les journalistes.«[721]

Stephen Pichon war allerdings nicht der erste Aussenminister, der Interviews gewährte. Gabriel Hanotaux, der früher ebenfalls regelmässig für die Presse geschrieben hatte, erregte im März 1898 den Zorn gewisser Deputierter, weil er in
Interviews mit dem *Figaro* und insbesondere mit der *Times* seine China-Politik
erläuterte, bevor er sie dem Parlament darlegte. Der sozialistische Deputierte
Pascal Grousset, unterstützt von seinem Parteikollegen Gabriel Baron, stellte am
26. März 1898 fest:

> »Voilà où nous en sommes! Le Parlement français est informé des affaires les plus
> essentielles de M. le ministre des affaires étrangères avec le correspondant du Ti-
> mes.«[722]

Presselenkung

Die französische Diplomatie betonte gerne, wenn sie Klagen fremder Staaten
entgegennehmen musste, dass die französische Presse frei sei und das Ministerium darum keinen Einfluss auf die Zeitungen habe.[723] Wenn es der Regierung
jedoch passte, scheute sie sich gar nicht, ihren Einfluss geltend zu machen. Sie
versuchte dann, bestimmte Äusserungen zu verhindern, oder sie veranlasste
umgekehrt die Publikation bestimmter Auffassungen.

Den Botschaftern war es offenbar möglich, Instruktionen zu Handen der Presse abzugeben. Im Juni 1907 machte Maurice Herbette, der sich in Pichons Kabinett um Pressefragen kümmerte, Jules Cambon darauf aufmerksam, dass dessen
Instruktion, über eine Reise nach Dresden nichts zu berichten, von allen Blättern
befolgt worden sei.

> »Vous avez pu remarquer que, selon vos instructions aucune feuille française n'a
> parlé de votre voyage à Dresde qui a passé complètement inaperçu.«[724]

Im März 1909 konnte der gleiche Herbette dem englischen Botschafter versprechen, er werde die französische Presse wunschgemäss anweisen, eine Reise des
englischen Königs nicht politisch zu deuten.[725] Im Januar 1911 mahnte Jules
Cambon von Berlin aus, die Presse möge aus Rücksicht auf die Bevölkerung der
verlorenen Provinzen zurückhaltend sein, und Aussenminister Pichon leitete

---

[721] Paul Cambon in Paris an seine Frau, 29. Juli 1885, Papiers Jules Cambon, Bd. 26.

[722] Annales, S. 1745 f.

[723] Antwort, die Graf von Radowitz von Jules Cambon auf die Klage über Tardieus Artikel
»A Algéciras. La Crise Décisive« (RDM, 1. März 1907, S. 81–112) erhielt. S. Jules Cambons
Brief an Pichon, 9. März 1907, Papiers Pichon, Institut. Aussenminister Bourgeois reagierte
gleich, als der russische Botschafter sich über denselben Artikel beklagte. Aus St. Petersburg
wusste der deutsche Botschafter von Schoen darüber zu berichten: »Herr Bourgois habe auf-
richtige Entrüstung über Sprache des ›Temps‹, zugleich aber sein Bedauern geäussert, nach
wiederholtem Versuch machtlos zu sein, vielleicht könne er, der russische Botschafter, direkt
einen besseren Erfolg bei der Presse erzielen.« Bericht vom 23. März 1906, GP, Bd. 21,
Nr. 7123.

[724] Im gleichen Brief vom 20. Juni 1907 schrieb Herbette, er habe die Beanstandung an den
*Journal des Débats* weitergeleitet, Papiers Jules Cambon, Bd. 15.

[725] Bertie an Grey, 4. März 1909, PRO, Privatpapiere Bertie 800/165.

diese Bitte wünschgemäss an Ministerpräsident Clemenceau weiter.[726] Wenige Wochen später berichtete Cambon aus Berlin, er habe versucht, die französischen Auslandskorrespondenten, die allerdings mit der Botschaft kaum Kontakt aufnehmen würden, an ihre »patriotische Pflicht« zu erinnern.

> »J'ai fait ce que j'ai pu pour rappeler aux correspondants français des journaux de Paris les devoirs que le patriotisme leur impose dans le moment présent. Il en est que nous ne connaissons pas et qui (en cela bien différents des correspondants allemands à Paris) ne mettent jamais le pied à l'Ambassade parce qu'ils sont rebelles à toute discipline et qu'ils ne veulent pas être placés entre un devoir et le plaisir de donner une nouvelle.«[727]

Im November 1911 wurde die Presse angewiesen, den Abzug des Kriegsschiffes, das die Deutschen nach Agadir gesandt hatten, nicht als diplomatischen Sieg zu feiern. Im November 1913 telefonierte Pichon persönlich den Direktoren der grossen Zeitungen und empfahl ihnen eine zurückhaltende Kommentierung der Nachricht, dass dem deutschen General Liman von Sanders das General-inspektorat über die türkische Armee übertragen worden sei.[728]

Ausser solchen Belegen direkter Aktionen gibt es grundsätzliche Stellungnahmen, Äusserungen von Diplomaten, für die eine aktive Pressepolitik eine Selbstverständlichkeit war – oder gewesen wäre. Daeschner, der jahrelang in den verschiedensten Kabinetten mitgewirkt hatte, vertrat die Auffassung, die Presse könne nur ernsthaft aussenpolitische Fragen behandeln, wenn man sie ihr diktiere, doch würde dies leider niemand tun.

> »Notre presse n'est pas capable de traiter sérieusement des questions de politique extérieure si on ne les lui dicte pas. C'est malheureusement ce que personne ne fait.«[729]

Paul Cambon kam 1908 anlässlich der Affäre um die Casablanca-Deserteure zum gleichen Schluss: Niemand führe die Presse, man lasse sich vielmehr durch sie führen; die Pariser Zeitungen seien allen Einflüssen ausgesetzt ausser denjenigen der Regierung.

> »Tu te plains des journaux; c'est comme si tu te plaignais des intempéries de l'hiver. Personne ne les mène, on se laisse mener par eux. J'ai dit là-dessus à Clemenceau, l'autre jour, des choses qu'il a trouvé justes, mais toutes les paroles sont vaines, l'organisation de la presse parisienne la met à la merci de toutes les influences, excepté de celle du Gouvernement.«

Im gleichen Schreiben gab Cambon allerdings zu, dass auch mit Erfolg Lenkungsversuche unternommen wurden:

> »C'est déjà surprenant qu'on ait pu obtenir une certaine tenue, au cours du récent incident de Casablanca.«[730]

[726] Jules Cambon an das Aussenministerium, Nr. 33/26. Januar 1911, MAE, Alsace, Corr. générale, Bd. 10, Nouvelle Série.

[727] Jules Cambon an Cruppi, 12. April 1911, Papiers Jules Cambon, Bd. 14.

[728] PALÉOLOGUE, Quai d'Orsay, S. 237, 21. November 1913.

[729] Daeschner an Robert Billy, 28. Mai 1896, Papiers Billy, Bd. 27.

Gemessen am Führungswillen, den eine Regierung nach Cambons Auffassung hätte haben sollen, und gemessen an der immer wieder bewunderten Disziplin der deutschen Zeitungen könnte man die französische Presse als führungslos empfinden. Dass die Zeitungen dem gouvernementalen Einfluss entzogen gewesen seien, kann man, wie die bereits vorgestellten Beispiele zeigen, jedoch nicht behaupten. Eine straffere Lenkung der Presse hätte übrigens eine klare und einheitliche Führung der Außenpolitik vorausgesetzt. Nun waren sich aber die verschiedenen Kräfte, die sich am aussenpolitischen Entscheidungsprozess beteiligten, oft gar nicht einig. Im September 1911 kam es zu einer offenen Fehde zwischen dem Ministerpräsidenten Caillaux, dem *Le Temps* zur Verfügung stand, und dem Aussenministerium, das sich des *Echo de Paris* bediente.[731]

Einige scharfe Formulierungen wurden in die Ausgabe von 1940 nicht aufgenommen. Paul Cambon schrieb seinem Bruder:

> »Tu liras dans le Temps d'hier [...] excellent article de Tardieu inspiré par Caillaux sur la note perfide donnée à la presse par le Ministère des affaires étrangères. Herbette piqué au vif répond ce matin par un article de Mévil d'une inconvenance rare. Cet Herbette est un taureau qui fonce sur l'adversaire sans se soucier de rien; c'est une qualité mais qui n'est pas à sa place au Quai d'Orsay.«[732]

Im Mai 1912 registrierte Paul Cambon, wie die Meinungsverschiedenheiten, die zwischen dem Kabinett des Aussenministers und der Politischen Direktion bestanden, ebenfalls mit Hilfe von Journalisten ausgefochten wurden. Paul Cambon berichtete am 20. Mai 1912 seinem Sohn Henri, was er von einem Mitarbeiter aus Paris erfahren hatte:

> »Fleuriau me dit que la division est pire que jamais au Quai d'Orsay. Le cabinet et la direction politique ne s'entendent pas et même se combattent. Chacun a ses journaux et daube sur le voisin. Je ne crois pas que ni Daeschner ni Paléologue trempent dans les malices, mais il y a toujours là Herbette, Conty et tous ces minuscules qui s'agitent et font beaucoup de mal.«[733]

### Käufliche Presse

Als massives, aber nur beschränkt einsetzbares Lenkungsinstrument standen dem Aussenministerium die Geheimkredite zur Verfügung, von denen bereits die Rede gewesen ist. (Vgl. oben, S. 395, 399 ff.). Louis Marin vertrat in seinem Budgetbericht für das Jahr 1914 die Auffassung, die Subventionierungen hätten sich auf die ausländischen Blätter zu beschränken; von der eigenen Presse könne man, wenn das Landesinteresse es fordere, ohne finanzielle Gegenleistungen eine Zusammenarbeit erwarten.

> »On doit faire remarquer à ce sujet, que s'il peut être nécessaire de subventionner la presse étrangère, le patriotisme de notre presse est certainement suffisant, quel que soit le parti du journal intéressé, pour obtenir sans rétribution spéciale, une

---

[730] Paul Cambon an seinen Bruder Jules, 21. November 1908, Correspondance 1870–1924, Bd. 2, S. 256 f.

[731] Vgl. Paul Cambon an seinen Bruder Jules, 30. September 1911, ebenda, S. 348.

[732] Fonds Louis Cambon.

[733] Fonds Louis Cambon.

collaboration utile pour tous les cas supérieurs d'intérêt national. L'histoire a montré dans cet ordre d'idée que les encouragements accordés à une certaine presse avaient eu plutôt pour objet non de garantir les intérêts généraux du pays, mais, à des époques de crises graves, de tromper celui-ci en faisant l'apologie personnelle de quelques hommes politiques.«[734]

In der Tat wurden die Pressekredite zu einem grossen Teil den Botschaften zur Verfügung gestellt, damit sie im Ausland die lokale Presse beeinflussen konnten. Da das Ausland im Prinzip gleich vorging, wurde die französische Presse umgekehrt mit ausländischen Geldern bearbeitet. Berühmt sind die russischen Gelder, mit denen Raffalovitch günstige Voraussetzungen für die russischen Anleihen herstellte.[735]

Die französischen Blätter wurden aber auch von anderer Seite bearbeitet. So können beispielsweise türkische Einflüsse und Einflüsse von französischen Kreisen, die an der Türkei finanzielle Interessen hatten, nachgewiesen werden. 1895 wurde die französische Presse bestochen, damit sie nichts über die Armenier-Massaker schreibe.[736] Anlässlich der türkischen Anleihe von 1914 wurden über zwei Millionen Francs an die französische Presse verteilt, davon erhielt der Vermittler Léon Rénier etwa eine halbe Million.[737] Die Zurückhaltung der französischen Presse erklärt sich zum Teil auch aus der Tatsache, dass französische Unternehmer, die sich in der Türkei engagiert haben, zugleich Aktionäre französischer Zeitungen waren; der Direktor der Société des Phares war beispielsweise einer der Hauptaktionäre des *Journal des Débats*.

1884 versuchte Des Michels, der französische Botschafter in Madrid, sich mit dem Hinweis, Spanien gebe in Paris 200 000 Francs aus, zusätzliche Schmiergelder für die spanischen Leitungen zu erbetteln. Am 19. Juli 1884 klagte Des Michels in einem Brief an Ferrys Kabinettschef Marcel:

> »Si j'ai un sentiment de tristesse, c'est en voyant combien avec ses 200 000 F de fonds secrets et ses décorations l'ambassade d'Espagne trouve de journaux à acheter chez nous! Même ›Le Temps‹ que je croyais une feuille respectable et qui se met sur le pied des feuilles de choux.«

Am 28. Juli 1884 bettelte er dann um Geld mit der Begründung:

> »Je suis harcelé par quelques gratteurs de papier dont les feuilles ont été assez convenables dans les circonstances récentes. […] si vous avez encore un billet disponible, envoyez-le moi pour calmer quelques appétits.«

Eigentlich hätte er 25 000 Francs nötig, fügte er bei und wies auf die 200 000 Francs der Spanier hin, um dann allerdings auch einzusehen: »Mais leur intérêt est bien plus grand.«

---

[734] Budgetbericht Louis Marin Nr. 3318 für 1914, Bd. 2, S. 61.

[735] Artour Guermanovitch RAFFALOVICH, L'abominable vénalité de la presse, Paris 1931. Siehe auch im Register von René GIRAULT, Emprunts. Oder beispielsweise Paléologues Eintragung vom 28. März 1905, PALÉOLOGUE, Tournant, S. 275.

[736] AUFFRAY, Pierre de Margerie, S. 95.

[737] BELLANGER/GODECHOT/GUIRAL/TERROU, Presse française, Bd. 3, S. 274; THOBIE, Intérêts économiques, Bd. 1, S. 531.

Wenn hier auch noch auf einen der vielen Presseprozesse der Dritten Republik hingewiesen wird, so geschieht das nicht, um auf den Streit einzutreten, der zwischen dem Kläger Calmette und dem Angeklagten Tardieu zu entscheiden war, nachdem Tardieu dem Chefredaktor des *Figaro* vorgeworfen hatte, er lasse sich seine Artikel von der türkischen Botschaft bezahlen. Wichtiger ist ein Brief, der in diesem Prozess als Beweismittel vorgelegt wurde: Delcassé machte nämlich in diesem Schriftstück Tardieu gegenüber die Äusserung, *Le Figaro* gehöre immer demjenigen, der bezahlt. Der ehemalige Aussenminister sprach sicher aus Erfahrung und diese Erfahrung galt gewiss nicht nur für das eine Blatt. Zur Rolle Tardieus machte Paul Cambon in diesem Zusammenhang eine Bemerkung, zu der unten noch weitere folgen werden:

> »Tardieu quand on l'a pour ami est terriblement dangereux.«[738]

Der Regierung konnte es nicht gleichgültig sein, wenn Frankreichs Presse unter dem Einfluss ausländischer Geldgeber stand. Sie konnte aber mit ihren vergleichsweise bescheidenen Mitteln dem ausländischen Einfluss, wenn sie gewollt hätte, kaum entgegentreten. Der Regierung stand ausser den bescheidenen Geldmitteln allerdings als weitere Möglichkeit die Bevorzugung bei der Belieferung mit Informationen zur Verfügung.

In der Bosnien-Krise von 1908 liess der nicht direkt interessierte deutsche Reichskanzler von Bülow über 100 000 Mark an die französische Presse verteilen.[739] Wie viel muss erst das unmittelbar interessierte Österreich eingesetzt haben! Iswolsky forderte am 19. August 1911 unter anderem mit folgendem Argument Geld aus Petersburg an:

> »Il suffit de se rappeler le rôle considérable que joua, au moment de la crise bosniaque, l'habile distribution faite par le comte Khevenhüller d'argent autrichien à la presse française.«[740]

An Geheimkrediten stand dem Aussenministerium jährlich nur 1 Million Francs zur Verfügung, und davon ging lediglich ein ganz kleiner Betrag an die eigenen Zeitungen. Die russischen Pressegelder dagegen erreichten 1904 die gleiche Höhe wie der gesamte Geheimkredit des Aussenministeriums, und 1905 machte er sogar das Doppelte aus. Hinzu kamen im Falle der russischen Anleihen jährlich rund 150–200 000 Francs, die von den interessierten Banken eingesetzt wurden.[741] Beträchtliche Summen flossen zudem aus der französischen Wirtschaft für aussen- wie innenpolitische Zwecke regelmässig der Presse zu.[742] Die Regierung wollte diesen wie den ausländischen Zufluss wenigstens kontrollieren und nach Möglichkeit sogar dirigieren. Indem sie bei der Verteilung dieser Gelder

---

[738] Brief vom 3. März 1911 an seinen Sohn Henri, Fonds Louis Cambon.

[739] Bernhard von Bülow, Denkwürdigkeiten, Bd. 1, zit. nach BELLANGER/GODECHOT/GUIRAL/TERROU, Presse française, Bd. 3, S. 273.

[740] Livre noir, Bd. 1, S. 130.

[741] BELLANGER/GODECHOT/GUIRAL/TERROU, Presse française, Bd. 3, S. 270 f.

[742] ZELDIN, France, Bd. 2, S. 522.

mitwirkte, konnte sie die Dürftigkeit ihrer eigenen Pressebudgets etwas kompensieren.[743]

Die Presse wurde nicht nur von der Behörde, sondern auch von der Wirtschaft beeinflusst. Pierre Albert weist in seiner umfassenden Pressegeschichte jedoch darauf hin, wie schwierig es ist, die schwer einsehbaren Beziehungen zwischen der Finanzwelt und der Presse zu erfassen. Er stellt fest, dass sich die Finanz bis zur Jahrhundertwende wenig um die Presse gekümmert und ihre Hand erst im Jahrzehnt vor 1914 auf die Presse gelegt habe, um einerseits dem Vormarsch der Linken entgegenzutreten und anderseits die Auslandsanleihen publizistisch zu stützen.[744] Die Presse lebte allerdings in keinem verbindlichen Abhängigkeitsverhältnis, sondern liess sich von Fall zu Fall ihre Dienste honorieren. Die indirekte Abhängigkeit bestand darin, dass sie auf diese Zuwendungen angewiesen war oder mindestens auf sie ansprach.

Die Abhängigkeit war jedoch gegenseitig – auch die Geldgeber wurden zuweilen zu Ausgebeuteten. So stellt Anatole Leroy-Beaulieu in der *Revue bleue* vom 8. Dezember 1897 fest:

> »Les ›plutocrates‹ n'en sont pas les seuls coupables: ils en sont même parfois les victimes. [...] S'ils exploitent le public, les financiers sont eux-mêmes exploités par la presse.«[745]

## Gegenseitige Gefälligkeiten

Die subtileren Einwirkungen beruhten auf dem Mechanismus der gegenseitigen Gefälligkeiten: Das Aussenministerium konnte bestimmte Artikel unterbringen oder schreiben lassen, und seine Gegenleistung bestand darin, dass es die Redaktoren mit nicht allgemein zugänglichen Informationen belieferte. Aussenminister Delcassé war, wahrscheinlich in weit höherem Mass als seine Vorgänger und Nachfolger, nicht nur der Gebende, sondern auch der Profitierende. Jeden Abend diktierte er Robert de Billy, dem Chef seines Pressebüros, den Stil dem jeweiligen Blatt anpassend, Artikel für diverse Tageszeitungen: für *Le Temps* und *Le Journal des Débats* und bis 1903 für *Le Figaro*; zur weniger offiziösen Presse sollen seine Kontakte sogar noch wichtiger gewesen sein, insbesondere zu *Le Matin* und *La Dépêche de Toulouse*.[746] Auch andere Zeitungen wurden bedient. Delcassés Privatsekretär, Albéric Neton, bedankte sich beispielsweise am 10. Juli 1903 bei Beau, dem ehemaligen Kabinettchef Delcassés, der nun Generalgouverneur in Indochina war:

> »Je vous remercie de m'avoir fait envoyer le compte rendu de votre voyage. J'en ai fait un copieux article que ›Le Gaulois‹ a pris.«[747]

---

[743] Pierre Albert: » [...] il apparaît certain qu'une partie de ces fonds servit à compenser la faiblesse des fonds secrets.« BELLANGER/GODECHOT/GUIRAL/TERROU, Presse française, Bd. 3, S. 251.

[744] Ebenda, S. 259.

[745] Zit. nach Pierre ALBERT, ebenda, S. 260.

[746] ANDREW, Théophile Delcassé, S. 67.

[747] Papiers Beau, Bd. 12.

Auch in der Auslandsberichterstattung, die verglichen mit England eher bescheiden war, konnte der Mechanismus der gegenseitigen Gefälligkeiten spielen: Der Quai d'Orsay beteiligte sich unter Umständen an der Finanzierung eines Auslandskorrespondenten und durfte damit rechnen, dass ihm dieser Kanal nötigenfalls selbst zur Verfügung stand.

Die französischen Blätter hatten kaum eigene Auslandskorrespondenten, sie übernahmen zum Teil Artikel aus der englischen Presse oder liessen sich vom Quai d'Orsay beliefern.[748] Aussenminister Ribot war einverstanden mit Paul Cambons Wunsch, in Konstantinopel einen Havas-Korrespondenten mitzufinanzieren; am 16. August 1892 schrieb er dem Botschafter am Bosporus:

> »Il ne serait pas difficile d'avoir à Constantinople un correspondant de l'Agence Havas, dût-il se borner à transmettre, dans les cas graves, vos communications officieuses pour redresser les faux récits des autres agences: ce serait très important et cela vaudrait quelques sacrifices pécuniaires.«[749]

Botschafter Bompard ging um 1903 dazu über, von St. Petersburg aus die französische Presse direkt mit Artikeln zu beliefern. Er wollte, durchaus als Freund der Allianz, mit einer ungetrübten Berichterstattung das französische Publikum aufklären und allzu unkritische Vorstellungen korrigieren. Sein Mitarbeiter François Charles-Roux schrieb:

> »Je suivais les incidents de la vie politique russe pour alimenter non seulement la correspondance du poste, mais encore des chroniques anonymes que M. Bompard adressait au Journal des Débats. Il m'avait chargé de rédiger celles-ci, lui-même se réservant celles qu'il envoyait à André Tardieu pour le Temps.«[750]

Am 13. Juli 1907 wandte sich Bompard an Aussenminister Pichon und wünschte, dass der Quai d'Orsay auf die Besetzung des Havas-Postens in St. Petersburg Einfluss nehme.[751]

## Le Temps

Das seit 1901 täglich erscheinende »Bulletin de l'Étranger« des *Le Temps* galt als offiziös. Inland und Ausland nahmen an, das Blatt bringe Nachrichten, die aus dem Aussenministerium stammen, und veröffentliche Kommentare, welche die Meinung des Aussenministeriums wiedergeben. Diese Annahmen waren im Grossen und Ganzen richtig. Das zwar mit einer bescheidenen Auflage von nur 45 000 Exemplaren erscheinende, aber in der führenden Schicht stark verbreitete Blatt und der Quai d'Orsay unterhielten besonders gute Beziehungen, ausgeglichene Beziehungen, die eben auf Geben und Nehmen beruhten. Für beides gibt es Belege: Im Mai 1904 holte *Le Temps*, bevor er sich zum jüngsten Stand der französischen Beziehungen zum Vatikan äusserte, die Meinung des Quai d'Orsay ein. Paléologue notierte sich am 19. Mai 1904:

---

[748] BELLANGER/GODECHOT/GUIRAL/TERROU, Presse française, Bd. 3, S. 289 und 297.

[749] Papiers Ribot, Bd. 1.

[750] CHARLES-ROUX, Souvenirs, Bd. 1, S. 80–82.

[751] Papiers Pichon, Institut. Zur Geschichte der Agentur: Pierre FREDERIX, Un siècle de chasse aux nouvelles: de l'Agence d'information Havas à l'Agence France-Presse, Paris 1959. Ferner: BELLANGER/GODECHOT/GUIRAL/TERROU, Presse française, Bd. 3, S. 292 f.

> »Après avoir pris le mot d'ordre au Quai d'Orsay, le Temps s'exprime ainsi [...].«[752]

Damals wurde die Presse auch angewiesen, auf die Karlsruher Rede von Kaiser Wilhelm II. nicht einzugehen. Der schweizerische Gesandte Lardy berichtete am 11. Mai 1905, er sei im Aussenministerium gewesen,

> »où l'on reconnaît avoir donné à la presse pour mot d'ordre de faire le silence autour de ce discours.«[753]

Im August 1906 traf Aussenminister Bourgeois mit einer bemerkenswerten Selbstverständlichkeit die Anordnung, *Le Temps* solle eine Gegendarstellung zu dem bringen, was *Le Figaro* veröffentlicht hat. Aussenminister Bourgeois telegrafierte aus den Ferien (Evian les Bains) am 3. August 1906:

> »Vue ce matin le Figaro. Il suffit de faire dire par le Temps d'aujourd'hui que les renseignements divers publiés sur le mouvement diplomatique en préparation sont tout à fait prématurés.«[754]

## Tardieus Diplomatie-Journalismus

Von 1904 an lag die aussenpolitische Publizistik des *Le Temps* in den Händen von André Tardieu, dem Nachfolger von Francis de Pressensé. Tardieu hat seine Karriere als Diplomat und nicht als Pressemann begonnen. 1898 war er, nachdem er schon in der École Normale als Primus abgeschnitten hatte, als 22jähriger mit der besten Aufnahmeprüfung in den diplomatischen Dienst getreten.[755] Obwohl er in Delcassés Kabinett mitarbeiten konnte, langweilte ihn die konventionelle Diplomatie schon bald, er wechselte in Waldeck-Rousseaus Umgebung, wo er 1899–1902 das Sekretariat des Ministerpräsidenten führte. Nach einem weiteren Intermezzo im Innenministerium wandte sich Tardieu dem Journalismus zu. Zunächst schrieb er (vorerst unter dem Pseudonym Georges Villiers) für *Le Figaro*, dann für *Le Temps* und schuf sich schnell einen ausgezeichneten Ruf als aussenpolitischer Kommentator.

Die Artikel, die er 1906 während der Konferenz von Algéciras im *Le Temps* publizierte, waren tonangebend für die französische Haltung. Paul Cambon, dessen Skepsis gegenüber dem Journalismus wir kennengelernt haben, zollte Tardieu für die Artikel, mit denen er die Verhandlungen um Marokko begleitet hatte, höchste Anerkennung, denn sie hätten Frankreich vor einem vorschnellen Nachgeben gegenüber den deutschen Forderungen gewarnt.

> »On est vraiment trop impressionable chez nous, on fait de la politique avec les nerfs et l'on s'étonne de perdre la partie avec toutes les belles cartes en main. On nous en a quelquefois voulu de n'avoir pas perdu la tête; où en serions-nous sans les articles du Temps? Je vous garde quant à moi une vive reconnaissance de nous avoir contraints à garder un peu de dignité. La conférence d'Algéciras était une er-

---

[752] PALÉOLOGUE, Tournant, S. 90.

[753] BA Bern, 2300 Paris, Bd. 57.

[754] MAE, Série C, adm. 23, Bd. 28.

[755] Eine gute Schilderung von Tardieus ersten Monaten im Quai d'Orsay gibt sein Alterskollege Octave Homberg in: HOMBERG, Coulisses, S. 15.

reur, ses conséquences sont à peu près irréparables mais grâce à vous elle n'a pas
été un désastre et nous en sommes sortis avec des apparences de satisfaction.«[756]

Revoil, der Leiter der französischen Delegation, sprach in einem Brief an Tardieu
vom 24. März 1907 ebenfalls seine Anerkennung für dessen publizistische Beiträge aus.[757] Schon während der Konferenz äusserte sich Cambon positiv über
Tardieus Kampagne.[758] Von seiner persönlichen Einstellung her hätte der
konservative Pierre de Margerie 1906 in Algéciras die ihn umschwärmenden
Journalisten gerne verscheucht; indessen:

> »Les journalistes sont une nuée et vous prennent un temps précieux, mais on ne
> peut les négliger.«[759]

Etwas später dominierte bei de Margerie wieder völlig der negative Eindruck; anlässlich eines Artikelchens des *Le Temps* schrieb er:

> »Nous avons une peine incroyable à empêcher les journalistes de mettre leur cru
> sur les questions qu'ils ignorent emplètement, dans les indications précises que
> nous leur donnons. Ils ont de leur rôle une conception à la ›Franc-Tireur‹ qui
> contraste singulièrement avec la froide discipline des correspondants alle-
> mands.«[760]

Auf der Gegenseite, im deutschen Lager, erfuhren Tardieus Artikel die entsprechende Würdigung: Für Botschafter Radolin war Tardieu ein grössenwahnsinni-
ger Journalist, der Frankreich in seine chauvinistische Bahn zwingen wolle.[761]
Tardieu gestand später, er habe vor allem aus persönlichen Motiven Deutschland
gegenüber eine harte Haltung eingenommen; denn er habe sich am deutschen
Kanzler rächen wollen, weil dieser ihn bei einem Besuch in Berlin zu wenig ernst
genommen habe. Paul Cambon erhielt am 3. Juni 1908 von seinem Sohn einen
Bericht, wonach Tardieu auf Laroches Gratulation für die Pressekampagne gesagt
habe:

> »Ah, je le lui ai fait payer à Bülow de s'être moqué de moi quand j'ai été le voir à
> Berlin. Je me suis bien vengé.«[762]

Tardieu verstand es ausgezeichnet, als Stimme der Nation aufzutreten und
zugleich ureigene Ziele zu verfolgen. Halb Diplomat, halb Journalist, spielte er in
den Gesprächen, die zum deutsch-französischen Marokko-Abkommen von 1909
führten, eine wichtige Rolle und wurde damals zu jeder Zeit von Clemenceau
empfangen. Oft übernahm Tardieu die Funktion eines inoffiziellen Verbin-
dungsmannes zwischen den in Paris akkreditierten Botschaftern und der

---

[756] Paul Cambon an Tardieu, 22. März 1907, Papiers Tardieu, AN, 324 AP, Bd. 6.

[757] Ebenda. Diese Äusserungen stehen wahrscheinlich im Zusammenhang mit Tardieus
Publikation seines Buches *La conférence d'Algéciras* von 1907.

[758] Vgl. Brief an seinen Sohn Henri vom 14. Februar 1906, Correspondance 1870—1924,
Bd. 2, S. 208.

[759] De Margerie an Jules Cambon, 17. Januar 1906, Papiers Jules Cambon, Bd. 11.

[760] Brief vom 5. März 1906, ebenda.

[761] Bericht vom 25. März 1906, GP, Bd. 21, Nr. 7124.

[762] Papiers Louis Cambon. Vielleicht hat sich Tardieu über Bülows Formulierung geärgert:
»Les six grandes Puissances et M. André Tardieu.«

Regierung oder unter den ausländischen Vertretungen. Am 21. Oktober 1912 sagte Aussenminister Poincaré gegenüber dem englischen Botschafter von Tardieu,

> »that he had the run of all Embassies or almost all except the British Embassy and that he was constantly at the Russian and Italien Embassies.«[763]

Seine publizistischen Dienste waren begehrt, seine Feder war aber auch gefürchtet. Vor allem die englischen Beobachter insistierten auf diesem Punkt. Eine undatierte Aufzeichnung der englischen Botschaft vom März 1911 äussert sich zur Frage, welche Stellung Tardieu bei der neuen Regierung haben werde:

> »Will M. Cruppi try to keep Tardieu under? Herbette, his Chef de Cabinet, does not like him, but, au fond, they are all rather afraid of Tardieu.«[764]

In den Grey-Papers befindet sich eine Korrespondenz zwischen George Graham und Willie Tyrrell vom 5. Dezember 1912, worin von Tardieu gesagt wird:

> »[…] his immense ability and knowledge rends him extremely powerfull. He said to someone once, that Ministers were always afraid of him, first of all, he know more about foreign affairs than the Department of F. A. (not quite untrue), and secondly he had ›des fiches‹ about all of them. He added ›et les tiens tous‹. Few French Foreign Ministers can stand very abused daily in the leading article of the ›Temps‹ and intrigued against in every way.«

Auch in den positiven Reaktionen spiegelt sich Tardieus Schlüsselstellung. Der bereits pensionierte Botschafter Marquis de Reverseaux, der allerdings noch als Vizepräsident der Banque de l'Union Parisienne tätig war, dankte auf einer undatierten Karte:

> »Merci, mon cher Collègue, de votre aimable article concernant ma modeste personne et le rôle que j'ai joué dans les relations avec l'Autriche-Hongrie si méconnu par nos gouvernants.«[765]

Eines von Tardieus Opfern war beispielsweise Maurice Bompard, gegen dessen Tätigkeit sowohl in St. Petersburg wie in Konstantinopel er öffentlich polemisierte. Beunruhigt erkundigte dieser sich am 27. Juli 1907 bei Aussenminister Pichon:

> »Quelle mouche a piqué Tardieu?«[766]

Am 18. Januar 1911 fordert Revoil, der damals die Banque Ottomane leitete, Pichon auf, Tardieus Polemik gegen Bompard nicht zu dulden.[767] Zuweilen stand er der Regierung zu Diensten, zuweilen sollte die Regierung ihm zu Diensten sein. 1909 versuchte Aussenminister Pichon beim englischen Botschafter

---

[763] Bertie an Nicolson, 21. Oktober 1912, PRO, Privatpapiere Bertie. Tardieu schilderte seine damalige Tätigkeit in einem Brief an Caillaux vom 23. Februar 1912, der in extenso veröffentlicht ist in: CAILLAUX, Mémoires, Bd. 1, S. 274.

[764] PRO, Privatpapiere Bertie, Nr. 165.

[765] Papiers Tardieu, AN, 324 AP, Bd. 14.

[766] Papiers Pichon, Institut.

[767] Papiers Pichon, Institut.

vergeblich, für Tardieu ein Interview zu erhalten.[768] Im gleichen Jahr stellte Paul Cambon fest, Tardieu absolviere seine diplomatische Karriere im Journalismus, er werde sicher eines Tages Minister.

> »[…] il fait sa carrière diplomatique dans le journalisme. D'attaché qu'il était à sa sortie du ministère il est devenu 1er secrétaire et nous le verrons ministre.«[769]

1909 war Tardieu in der Tat in beiden Bereichen gleichzeitig tätig: Er war 1. Gesandtschaftssekretär und Leitartikler für *Le Temps*. Wenn Cambon von Minister sprach, dachte er an den diplomatischen Grad des bevollmächtigten Ministers. Das wurde Tardieu nie, indessen wurde er im November 1919 erstmals Minister als Mitglied der Regierung und 1932 Aussenminister und zugleich Ministerpräsident.

Mit Aussenminister Pichon stand Tardieu zunächst gut. Im Zusammenhang mit der Messidor-Affäre schrieb Paul Cambon seinem Bruder Jules:

> »Je trouve que Pichon s'est beaucoup hâté de causer avec Tardieu.«[770]

Am 10. November 1908 schreibt Paul Cambon seinem Sohn Henri, Pichon lese Tardieu die diplomatischen Depeschen vor, und fügte bei:

> »C'est à ne plus rien écrire.«[771]

Und noch 1909 erhielt Tardieu Informationen über geheimste Vorhaben, die dann nicht verwirklicht werden konnten, weil Tardieu sie vorher im *Le Temps* ausplauderte.[772] Doch 1910/11 entzweiten sich die beiden über der Bagdadbahn-Frage und in der N'Goko Sangha-Affäre, nachdem Tardieu vergeblich versucht hatte, für diese Kongo-Gesellschaft eine Abfindung von 2 Millionen Francs herauszuschinden.

> »He was very thick with Pichon at one time, but they fell out, and he was a thorn in Pichon's side all the last few months the final ›brouille‹ between them took place over the N'Goko Sangha Co's affairs.«[773]

Im Februar 1911 kam es zwischen Pichon und Tardieu zu einer öffentlichen Kontroverse: Tardieu griff im *Le Temps* Pichons Marokko-Politik an, so dass Pichon im Senat replizieren musste, worauf Tardieu wiederum im *Le Temps* eine Duplik veröffentlichte. Pichon führte am 2. Februar 1911 vor dem Senat aus:

> »M. de Lamarzelle s'est emparé d'un article du journal le Temps. Il y a huit jours, l'auteur de cet article trouvait la politique étrangère parfaite; il faisait le plus vif éloge du Gouvernement et des résultats qu'il a acquis dans son oeuvre diplomati-

---

[768] Bertie an Grey, 21. Februar 1909, PRO, Privatpapiere Grey.

[769] Paul Cambon an seinen Bruder Jules, 28. Januar 1909, Papiers Jules Cambon, Bd. 25.

[770] Brief vom 17. Juni 1907, Papiers Jules Cambon, Bd. 25.

[771] Fonds Louis Cambon.

[772] Brief von Paul Cambon vom 26. Februar 1909, Correspondance 1870—1924, Bd 2, S. 279.

[773] Notiz der englischen Botschaft vom März 1911, PRO, Privatpapiere Bertie, Nr. 165. Weitere Belege für die Differenzen: Revoil an Pichon, 18. Januar 1911, zur Bagdadbahnfrage, Papiers Pichon, Institut, Bd. 4. Russischer Botschaftsbericht vom 22./9. Juni 1911 (Russ. Dok., Bd. 3, 1, Nr. 125). Bertie an Grey, 31. Oktober 1913, PRO, Privatpapiere Grey.

que. Puis brusquement, il a déclaré que rien n'allait plus [...]. L'auteur de l'article est, vous l'avez dit avec raison, un homme de beaucoup de talent; le fait ne peut être contesté par personne; mais il me serait très facile de répondre à chacune des allégations contenues dans l'article [...].«[774]

Camille Barrère, der Pichon von Rom aus für dessen Auftritt im Senat gratulierte, freute sich über die Entgegnung des Aussenministers, weil sie die in Europa verbreitete These widerlegt habe, dass *Le Temps* das Sprachrohr des Aussenministeriums sei. Diese irrtümliche Annahme habe nämlich in Italien den Eindruck erweckt, Frankreich betreibe ein doppeltes Spiel.

> »Depuis trop longtemps l'opinion en Europe était induite à confondre les idées du ›Temps‹ avec celles du gouvernement.«[775]

In einem anderen Zusammenhang äusserte sich Paul Cambon in ähnlicher Weise:

> »Les articles de Tardieu sont assurément regrettables, mais surtout parce qu'on les attribue à des inspirations ministérielles, car eux-mêmes, ils sont assez judicieux.«[776]

Am 19. März 1910 warnte Paul Cambon seinen Bruder Jules, der als Botschafter in Berlin war, er solle nicht zuviel zur elsässischen Frage schreiben, denn diese Berichte würden sogleich im *Le Temps* erscheinen:

> »C'est ainsi que notre ministère dirige l'esprit public, et le plus navrant c'est qu'on rend notre Gouvernement responsable de tout ce que publie le Temps.«[777]

Ein englischer Beobachter stellte damals fest, Pichon habe sich von Tardieu zu lösen versucht, und ein russischer Beobachter ging sogar so weit, in diesem Lösungsversuch beziehungsweise in Tardieus Angriffen einen Grund für Pichons Sturz zu sehen. George Graham am 5. Dezember 1912:

> »Poor Pichon had a trouble some time — at the end of his office — because he tried the experiment of breaking with Tardieu.«[778]

In Wirklichkeit war Briands Demission im Zusammenhang mit der Kirchenfrage die Ursache für den Sturz der Regierung. Tardieus Polemik könnte lediglich oder immerhin dazu geführt haben, dass das folgende Kabinett Monis nicht Pichon als Aussenminister übernahm. Tardieu bezog aber weiterhin und sogar während Pichons Amtszeit von 1913 Informationen aus dem Quai d'Orsay. Der schweizerische Gesandte Lardy wies in einem Bericht vom 15. Mai 1913 auf einen Artikel über China hin (*Le Temps* vom 13. Mai 1913) und sagte von ihm:

> »[...] il a été écrit après un entretien que M. Tardieu a eu au Ministère des Affaires Etrangères.«[779]

---

[774] JO, S. 110. Der deutsche Botschaftsbericht vom 8. Februar 1911 informierte Berlin über dieses Duell und verwies auf Tardieus Duplik im *Le Temps* vom 4. Februar 1911, PAAA Bonn, F 105/1, Bd. 28.

[775] Barrère an Pichon, 10. Februar 1911, Papiers Barrère.

[776] Brief an seinen Sohn Henri, 7. Februar 1909, Correspondance 1870—1924, Bd. 2, S. 272.

[777] Fonds Louis Cambon.

[778] PRO, Privatpapiere Grey. Geschäftsträger Demidow im Bericht vom 22./9. Juni 1911, Russ. Dok., Bd. 21, Nr. 125.

Auch zu Pichons Nachfolger, Aussenminister Cruppi, waren die Beziehungen eher schlecht[780], zu Aussenminister de Selves und Ministerpräsident Caillaux hinwiederum offenbar besser.[781] Mit Joseph Caillaux war das Verhältnis viel besser, auf de Selves war er dagegen weniger gut zu sprechen. Im August 1911 erhielt Jules Cambon die Mitteilung, Caillaux und Tardieu seien sich einig.

> »M. Caillaux aurait prié M. Tardieu de pousser un peu au noir. Vous trouverez donc dans les ›Bulletins‹ du Temps le reflet de la pensée du Président du Conseil ou tout au moins l'indication de la tactique.«[782]

Und zu Aussenminister Poincaré waren die Beziehungen so gut, dass Tardieu, wie Paul Cambon im November 1912 feststellte, ihn täglich aufsuchen konnte. Nach einer längeren Audienz bei Poincaré warnte Paul Cambon seinen Bruder, er solle sich bei seinen Äusserungen Tardieu gegenüber bewusst sein,

> »que tes propos reviendraient à Poincaré qui voit Tardieu tous les jours.«[783]

Diese täglichen Begegnungen trugen offenbar auch ihre Früchte:

> »Tardieu sous l'inspiration de Poincaré continue d'écrire des articles ridicules.«[784]

### Undichte Diplomatie

Frankreichs Diplomaten mussten immer wieder die unangenehme Entdeckung machen, dass Berichte, die sie nach Paris schickten, von *Le Temps* ausgewertet wurden. Im Februar 1911 beschwerte sich Bompard, die Zeitung habe, gestützt auf seine dem Quai d'Orsay vertraulich überwiesene Berichterstattung, einen Korrespondentenbericht hergestellt, von dem sie angab, sie habe ihn aus Konstantinopel erhalten:

> »Je ne puis cacher ma surprise de ce que l'auteur de cette campagne ait reçu, comme il est manifeste, communication de ma correspondance. Il y avait long-temps que je me doutais de fuites, si étrange que cela m'ait paru tout d'abord.«[785]

Im Oktober 1912 beklagte sich der britische Unterstaatssekretär Nicolson, weil ein privates Gespräch, das er mit dem französischen Botschafter geführt hatte, im *Le Temps* tags darauf nachzulesen war.

> »The Quai d'Orsay has surpassed itself in indiscretions and disclosures: and I told Cambon that I was surprised that private conversations which I had with him were published in the ›Temps‹ on the following day.«[786]

---

[779] BA Bern, 2001 A 1026.

[780] Vgl. auch Bericht des russischen Geschäftsträgers Demidow vom 22./9. Juni 1911, Russ. Dok., Bd. 21, Nr. 125.

[781] Feststellung des russischen Geschäftsträgers Demidow im Bericht vom 6. Juli/23. Juni 1911, Russ. Dok., Bd. 21, Nr. 175.

[782] Schreiben von Van Vollenhoven vom 13. August 1911, Papiers Jules Cambon, Bd. 16.

[783] Brief vom 4. November 1912, Papiers Jules Cambon, Bd. 25.

[784] Paul Cambon an seinen Bruder Jules, 16. Dezember 1912, Fonds Louis Cambon.

[785] Bompard an Pichon, 15. Februar 1911, Papiers Pichon, Institut; bezogen auf Publikationen des *Le Temps* vom 10. und 11. Februar 1911.

[786] Nicolson an Bertie, 11. Oktober 1912, PRO, Privatpapiere Bertie.

Dumaines ungünstige Bemerkungen über seinen englischen Kollegen in Wien wurden durch *Le Temps* offenbar ebenfalls an die Öffentlichkeit getragen. Der deutsche Botschafter in Wien schrieb dazu:

> »Dadurch, dass der Inhalt dieser Berichte, wie dies in Frankreich jetzt üblich ist [sic!, G. K.] seinen Weg in den ›Temps‹ gefunden hat, ist man in London auf Herrn Dumaine […] aufmerksam geworden.«[787]

*Le Temps* konnte aufgrund seiner besonders guten Beziehungen zum Aussenministerium öfters als andere Blätter diplomatische Depeschen journalistisch auswerten. Diese Beziehungen waren nicht immer gut gewesen, und *Le Temps* verdankte seine Informationen zum Teil auch anderen Quellen und den eigenen Anstrengungen. Am 25. Februar 1905 klagte Tardieu:

> »Toutes les fois que, dans l'affaire de Hull, il y a eu des documents que le ministère n'avait pas, nous en avons eu la primeur grâce aux ambassades intéressées. Toutes les fois que, par leur nature, les documents ont été connus au Quai d'Orsay, nous avons été brûlés par des communications simultanées aux agences et autres journaux.«[788]

Tardieu beklagte sich vor allem über die angebliche Vorzugsbehandlung des *Journal des Débats* und der Agentur Havas. Auch das folgende Dokument belegt die Recherchieranstrengungen des *Le Temps*:

> »Je suis très préoccupé de la visite qu'a fait M. Roels à M. de Kiderlen: […] Je préférerais que le Temps ne fût pas en si bons termes avec la Wilhelmstrasse.«[789]

Indiskretionen ereigneten sich aber auch bei anderen Zeitungen. Entgegen der vor allem von den Konservativen vertretenen Auffassung hatten die häufigen Wechsel der Regierungen und die damit verbundene Rückkehr von Geheimnisträgern in das Privatleben nur wenig Indiskretionen zur Folge. Dann und wann kam es vor, dass Aussenminister unmittelbar nach ihrem Ausscheiden aus der Regierung von ihren besonderen Kenntnissen Gebrauch machten, wenn sie ihre Politik zu rechtfertigen versuchten. Goblet zufolge polemisierte sein Vorgänger Flourens 1888 in einem Interview des *Gaulois* gegen ihn.[790] Flourens soll auch dem Publizisten Henri Galli 1894 diverse Materialien zugespielt haben, der dann gestützt auf diese Dokumentationen im *Figaro* Attacken gegen die Botschafter Herbette und de Courcel ritt.[791] Der gestürzte Delcassé belieferte Stéphane Lauzanne mit Informationen, die dieser dann am 6., 7., 8. und 11. Oktober 1905 im *Matin* auswertete. Als nachträgliche Enthüllungen sind die Mitteilungen einzustufen, die der ehemalige Botschafter von St. Petersburg, General Le Flô, im *Figaro* vom 21. Mai 1887 zum März-Alarm von 1875 machte. Diese Bekanntgabe stand jedoch nicht im Zusammenhang mit einem Regierungswechsel und stammte überdies von einem ausgesprochen konservati-

[787] Bericht Tschirschky vom 3. Dezember 1913, PAAA Bonn, F 108, Bd. 20.

[788] Papiers Billy.

[789] Jules Cambon, Botschafter in Berlin, an Aussenminister Pichon, 7. Februar 1911, Papiers Jules Cambon, Bd. 16.

[790] GOBLET, Souvenirs, Teil III, S. 354 f.

[791] Artikel zwischen dem 28. März und dem 16. Mai 1894.

ven Diplomaten.[792] Die meisten Indiskretionen wurden jedoch von Leuten verschuldet, die noch im Amt und in irgendeiner Form an den laufenden Geschäften beteiligt waren.

Als undicht erwiesen sich vor allem zwei Stellen: das persönliche Kabinett des Aussenministers und der Ministerrat. Zuweilen wurden auch ganz allgemein »die Büros« des Aussenministeriums verdächtigt – verdächtigt, denn nachweisen liessen sich die undichten Stellen ja nicht.

> »[…] it was alleged by some of the financiers that anythin known to the Bureaux of the Quai d'Orsay become known to Iswolsky.«[793] Oder: »Je vais en dire un mot à votre cabinet, mais il est très probable qu'aucun des attachés du cabinet n'a parlé au Matin de la visite projetée […].«[794]

Im August 1908 liess Ministerpräsident Clemenceau seinem Aussenminister einen ernsten Verweis zukommen, weil durch eine Indiskretion ein bestimmtes Regierungsgeschäft im *Echo de Paris* nicht nur bekanntgegeben, sondern sogar – und dies muss den autoritären Regierungschef besonders geärgert haben – als bereits beschlossen bezeichnet wurde, obwohl er noch gar nicht konsultiert worden war. Pichon musste sich »inständig« bitten lassen, seine »Umgebung« zu mehr Diskretion anzuhalten.

> »Très fâcheux de retrouver le texte de vos dépêches délayé par Marcel Hutin dans Echo de Paris, alors surtout qu'on annonce une décision du Gouvernement qui n'a pas été consulté. Prière instante à votre entourage d'être plus discret.«[795]

Im Januar 1911 wollte Paul Cambon von Aussenminister Pichon wissen, was beispielsweise zwei unbezahlte Stagiaires, die in der Kanzlei des Quai d'Orsay arbeiteten, für Garantien böten. Cambon stellte diese Frage, weil er kurz zuvor von einem englischen Freund ein Paket mit Kopien von französischen Depeschen erhalten habe; jener habe sie von einer englischen Zeitung gekauft. Sogar Geheimtelegramme seien darunter gewesen, 35 davon habe er selbst gesehen. Unter den Berichten, die nur für den Kabinettschef und den Politischen Direktor bestimmt gewesen wären, sei auch einer über ein Gespräch mit dem russischen Botschafter in London. Graf von Benckendorff sei nun erledigt, nachdem bekannt geworden sei, dass er die Unterredung des Zaren verraten habe.[796] Die Beispiele liessen sich leicht mehren: Kriegsminister de Freycinet etwa mahnte Aussenminister Ribot am 6. April 1891, er solle Herbettes Depeschen für sich behalten und nicht weiterleiten, denn andernfalls würde er die geheimen Berichte indirekt der Presse in die Hände spielen.

> »Je suis, pour ma part, tellement agacé de ce genre de divulgations et de polémiques que je compte, au Conseil de mardi, provoquer une explication catégorique.«[797]

---

[792] Toutain, Alexandre III, S. 253 f.

[793] Bertie an Grey, 1. Januar 1914, PRO, Privatpapiere Grey.

[794] Louis an Pichon, 30. Juni 1907, Papiers Pichon, Institut.

[795] Clemenceau an Pichon, 24. August 1908, Papiers Pichon, Institut.

[796] Paul Cambon an Pichon, 27. Januar 1911, Fonds Louis Cambon.

[797] Papiers Ribot, Bd. 2.

Jules Cambon teilte am 30. März 1914 de Margerie mit, er habe »dans la salade de toutes les dépêches«, den er von Paris zugestellt bekommen habe, auch einen von ihm selbst verfassten ultrageheimen Bericht über eine Äusserung des Kaisers gefunden.[798]

Mangelnde Verschwiegenheit wurde dem Ministerrat schon früh vorgeworfen. Schon 1878 sprach der konservative Botschafter de Saint-Vallier dem gemässigt republikanischen Aussenminister Waddington gegenüber den Verdacht aus, dass es unter seinen (radikaleren!) Regierungskollegen Minister gebe, welche die Notwendigkeit der Geheimhaltung in aussenpolitischen Angelegenheiten nicht begriffen.

> »Je crains que, parmi vos collègues, il n'y en ait qui ne comprennent pas suffisamment la nécessité du silence dans les affaires extérieures«. De Saint-Vallier betonte, dies sei nun die dritte Indiskretion seit seiner Ernennung vor fünf Monaten.[799]. Im folgenden Jahr beklagte er sich über Tirards wiederholte Indiskretionen: »Ce peu de sécurité est vraiment déplorable.«[800]

Zehn Jahre später warnte Waddington als Botschafter von London seinen Aussenminister, René Goblet, vor dem Ministerrat; er wisse aus eigener Erfahrung, wie schwierig es sei, Regierungskollegen zur Diskretion zu verpflichten.[801]

Wenn die Indiskretionen bevorstehende Umbesetzungen im diplomatischen Korps betrafen, waren sie meistens mit persönlichen Interessen und bestimmten Absichten verbunden. Wechsel auf den Aussenposten waren oft und oft recht früh Gegenstand von kleineren und grösseren Pressetexten; von kleineren Texten im Sinne von Versuchsballonen, welche die Reaktionen testeten und die Verwurzelung derjenigen herausfinden sollten, die man entwurzeln wollte; und eben von grösseren Texten, welche sich wortgewaltig für oder gegen jemanden in die Bresche warfen. Gegen die drohende Abberufung Edouard Lefebvres, des Botschafters beim Vatikan, wehrte sich um 1895/96 im *Le Journal* sogar ein Emil Zola, der wenige Monate zuvor in Rom die Gastfreundschaft des gefährdeten Botschafters genossen hatte.[802]

Den meisten Nominationen ging eine längere Phase der Mutmassungen und gezielten Indiskretionen voraus. Laut Paul Cambon musste d'Ormesson auf seinem Posten in Athen bleiben, weil bekanntgeworden war, dass er nicht nach Tokio geschickt, sondern in Wien eingesetzt werden wolle.[803] In der französischen Presse und den diplomatischen Korrespondenzen wurde 1905 schon erörtert, was sich erst 1907 vollziehen sollte: die Ernennung Jules Cambons nach Berlin und Revoils nach Madrid und die Pensionierung Bihourds.[804] Paul Cam-

---

[798] Papiers Margerie.

[799] Brief an Waddington vom 27. Mai 1878, MAE, Mémoires et Documents Allemagne, Bd. 166.

[800] Brief an Waddington vom 12. Dezember 1879, ebenda, 166 bis.

[801] Waddington an Goblet, 12. Juni 1888, im Zusammenhang mit Boulangers Absicht, nach London zu reisen, Papiers Goblet.

[802] BAILLOU, Affaires étrangères, S. 303.

[803] Brief an Henri Cambon, 9. August 1906, Fonds Louis Cambon.

[804] Bericht Radolin vom 8. November 1905, PAAA Bonn, F 108, Bd. 15.

bon ärgerte sich über die vorzeitige Erörterung der Nomination seines Bruders auf den Posten nach Berlin:

> »Avec un défaut de tact qu'il faut attribuer au Quai d'Orsay ils disent qu'il sera proposé au Gouvernement allemand et qu'on espère qu'il sera accepté, de sorte que si par un heureux hasard ton oncle s'arrange pour écarter ce calix tout le monde pensera qu'il n'a pas été agréé.«[805]

De Margerie gegenüber äusserte er sich ähnlich:

> »J'ai passé au ministère où j'ai pu constater comme je le prévoyais, le néant des racontars de journaux sur le mouvement diplomatique, racontars de journaux, je devrais dire potins du Quai d'Orsay. Il n'y a rien de fait, rien de prêt, rien de préparé même; on parle en l'air sans savoir ce qu'on fera, on consulte les uns et les autres, on fait des promesses et comme on se préoccupe moins de l'intérêt des postes que de convenances ou des caprices des candidats il n'y a pas de raison pour qu'on aboutisse jamais.«[806]

Es kam auch immer wieder vor, dass die direkt betroffenen Diplomaten ihre Versetzung aus der Presse erfahren mussten.[807] Wurden Geheimnisse der internationalen Politik verraten, so geschah dies ohne erkennbare persönliche Interessen. Abgesehen von Leichtsinn und Unachtsamkeit, die wohl die häufigsten Gründe für das Bekanntwerden vertraulicher Informationen waren, wird möglicherweise auch die Aussicht auf Gewinn für die Verbreitung gewisser Nachrichten gesorgt haben.

### Die Affäre *Messidor*

Indiskretionen konnten, wie die Affäre *Messidor* zeigt, unmittelbare und konkret fassbare Folgen haben. Am Abend des 14. Juni 1907 wurde durch den *Messidor* der Vertrag publiziert, mit dem sich Frankreich, Spanien und England im Mittelmeer, das heisst in Marokko, gegenseitig den Status quo garantierten. Eine sensationelle Neuigkeit wurde dadurch freilich nicht bekannt, denn schon am 7. Juni 1907 hatte Jules Cambon den Geheimvertrag als »secret de polichinelle« bezeichnet.[808] Der Schaden der Indiskretion bestand darin, dass das Blatt mit seiner Publikation einen Schritt vorwegnahm, den die französische Regierung und ihre Vertragspartner selbst unternehmen wollten. Nach der Enthüllung des *Messidor* wirkte die offizielle Mitteilung nicht mehr als entgegenkommende Geste, sondern als Schritt, der nur unter dem Druck der Veröffentlichung gemacht worden sei.[809]

Jules Cambon, der französische Botschafter in Berlin, war überzeugt, dass die undichte Stelle in diesem Fall beim Innenministerium zu suchen sei. Dessen Sicherheitspolizei solle sich gefälligst um ihre eigenen Angelegenheiten und nicht um die Aussenpolitik kümmern. Cambon hoffte, dass Pichon mit dem Bericht,

---

[805] Brief an Henri Cambon, 14. September 1906, Fonds Louis Cambon.

[806] Papiers Margerie.

[807] Jules Cambon an Paul Cambon, 22. Juli 1907, Pierre de Margerie betreffend, Papiers Jules Cambon, Bd. 25.

[808] Jules Cambon an Louis, 7. Juni 1907, Papiers Jules Cambon, Bd. 15.

[809] DDF, Série II, Bd. 11, Nr. 26, 32, 33, 37, 38.

den er über die Reaktionen seiner englischen und spanischen Kollegen verfasst hatte, beim Innenministerium energisch eine Untersuchung und die Entlassung des schuldigen Beamten verlangen könne.

> »Je vous ai écrit vivement au sujet du Messidor. Vous avez souffert autant que moi de son indiscrétion, mais j'ai cru utile de vous signaler l'impression de mes collègues d'Angleterre et d'Espagne, car cela pourra vous servir de base pour adresser des observations encore plus sévères au Ministère de l'intérieur d'où vient évidemment l'indiscrétion et obtenir enfin que la sûreté se mêle de ses affaires et non des vôtres. A votre place, je demanderais une enquête et la révocation de l'agent qui a renseigné le Messidor.«[810]

Andere vermuteten Eugene Etienne, der zu jener Zeit gerade keinen Ministerposten innehatte und soeben von einer Reise aus Deutschland zurückgekommen war, hinter der Sache.

> »La divulgation de Messidor a été déplorable et j'en ai été navré lorsque les fêtes danoises m'ont laissé le temps d'en être instruit. L'indiscrétion provient du Ministère de l'Intérieur, disent les uns, de M. Etienne, disent les autres. Je crois qu'il est maintenant bien difficile de garder un secret, très longtemps. En tout cas nous avons été douloureusement émus de ce qui était presque une trahison et nous avons eu le sentiment que cela ne contribuerait pas à vous faciliter la communication prévue à M. de Mühlberg.«[811]

Etienne hätte ein Interesse an einer temporären Verschärfung des französisch-deutschen Gegensatzes haben können; er hätte sich als jemand hinstellen können, der sich dank seinen guten Beziehungen als Mittelsmann verdient gemacht habe.

> »Il paraît qu'Etienne fait une campagne contre les accords en essayant de semer l'épouvante au sujet du mécontentement de l'Allemagne et des conséquences qu'il peut avoir. Son but serait de se faire donner, pour arranger les choses, une mission officieuse à Berlin dans laquelle il serait assisté de M. Lefaire, l'ancien conseiller de mon oncle (Jules Cambon), qui est actuellement Consul Général à Hambourg.«[812]

Eine dritte Version führte die vorzeitige Publikation auf deutsche Machenschaften zurück, deren Ziel es gewesen sei, die bevorstehende offizielle Eröffnung zu entwerten.

> »Cette indiscrétion a été soufflée par Berlin.«[813]

Für Camille Barrère bestand kein Zweifel, dass die Affäre hätte vermieden werden können, wenn man den Ministerrat nicht eingeweiht hätte. Er erneuerte bei dieser Gelegenheit eine alte Forderung: Ausser dem Aussenminister sollten sich nur noch der Präsident der Republik und der Ministerpräsident mit den aussenpolitischen Staatsgeschäften befassen.

---

[810] Jules Cambon an Pichon, 17. Juni 1907, Papiers Pichon, Institut, Maroc 1.

[811] Maurice Herbette an Jules Cambon, 20. Juni 1907, Papiers Jules Cambon, Bd. 15.

[812] Henri Cambon an Paul Cambon, 22. Juni 1907, Fonds Louis Cambon.

[813] Paul Cambon an Henri Cambon, 24. Juni 1907, Correspondance 1870–1924, Bd. 2, S. 231.

> »Les affaires d'Etat de politique étrangère ne devraient pas être communiquées au Conseil des Ministres. En dehors du Ministre des Affaires Etrangères, du Chef de l'Etat et du Président du Conseil, personne dans le Gouvernement n'a le droit d'en être informé. Il y a là une loi de salut public. Avec les habitudes qu'on a prises dans ces dernières années, on ne peut communiquer un secret en Conseil sans s'exposer à sa prochaine divulgation.«[814]

Das versuchte man auch so zu halten. Was Jules Cambon am 29. Juli 1908 Georges Louis schickte, versah er mit folgender Weisung:

> »[…] je l'envois à vous directement en vous priant de le garder et de ne pas le laisser courir ni le montrer même au Président du Conseil. Il fait laisser à M. de Schoen la liberté de me parler et de me dire des choses que la presse allemande si elle le savait ne lui pardonnerait pas.«[815]

Der englische Botschafter Bertie bat Louis, eine nicht weiter identifizierbare Angelegenheit sehr vertraulich zu behandeln:

> »It must not be made known to the conseil des Ministres, for experience had shown, that matters imported to the Cabinet got out in the most unaccountable way.«[816]

Worauf ihm Louis zusicherte, dass Pichon wahrscheinlich nur Ministerpräsident Briand informieren werde. Diese Lösung hätte allerdings nur dann ihren Zweck erreicht, wenn der Ministerpräsident die Schweigepflicht auch strikte eingehalten hätte. In unserem Fall war nämlich der Ministerpräsident zugleich der Chef des Innenministeriums, von dem — einer Version zufolge — die Indiskretion ausgegangen sein soll.

### Die Folgen der Indiskretionen

Solche Zwischenfälle konnten Projekte zunichte machen, konnten die Diplomatie um die Früchte ihrer Anstrengungen bringen — oder auch nicht. In jedem Fall aber waren mit ihnen schwererwiegende Auswirkungen allgemeiner Art verbunden. Es sind drei Arten von Auswirkungen zu unterscheiden:

*1. Die Auswirkungen auf die Haltung der französischen Diplomaten:* Die ständigen Indiskretionen müssen die Diplomaten irritiert und in ihrer Mitteilsamkeit beeinträchtigt haben. Im November 1908 machte Paul Cambon seinem Sohn Henri gegenüber, der als junger Diplomat damals in Rom tätig war, den bezeichnenden Ausspruch, am liebsten würde man überhaupt nichts mehr schreiben! »C'est à ne plus rien écrire.«[817] Manchmal versuchten sie, ihre Mitteilungen den drohenden Indiskretionen zu entziehen, indem sie einen Teil ihrer Berichterstattung — natürlich den wichtigeren — in die private Korrespondenz verlagerten. Bethmann-Hollwegs Äusserung, dass »Agadir« ein Fehler gewesen sei, war Jules Cambon zu wichtig, als dass er sie für sich hätte behalten wollen. Er teilte sie Poincaré in einem privaten Schreiben mit, statt sie in einer offiziellen Depesche zu erwähnen.

---

[814] Barrère an Pichon, 20. Juni 1907, Papiers Pichon, Institut; und Papiers Barrère.

[815] Papiers Jules Cambon, Bd. 15; es ging um Komplimente für Fallières anlässlich dessen Reise in den Norden.

[816] Bertie an Grey, 1. September 1909, PRO, Privatpapiere Grey.

[817] Paul Cambon an Henri Cambon, 10. November 1908, Fonds Louis Cambon.

»Car nous avons eu depuis plusieurs mois trop d'exemples prouvant que la vertu de sa discrétion n'était plus celle des bureaux du Quai d'Orsay.«[818]

Von den persönlichen Briefen durften sie annehmen, dass sie zum Empfänger gelangten, ohne von Hand zu Hand gereicht zu werden, und dann auch beim Empfänger blieben. Im Weiteren bemühten sich die Diplomaten, den Verantwortlichen im Ministerium immer wieder die nachteiligen Folgen solcher Indiskretionen vor Augen zu halten. Nachdem eine per Geheimtelegramm übermittelte Äusserung des englischen Aussenministers Grey am anderen Tag in der Presse zu lesen war, protestierte Paul Cambon.

»J'ai fait un tapage du diable à Paris. On a nié que rien vient du Quai d'Orsay.«

Da in einem früheren Fall der Kabinettschef und der Politische Direktor die Reklamation dem für die Indiskretion verantwortlichen Aussenminister Poincaré vorenthalten hatten, brachte Cambon diesmal den Protest telegraphisch vor, denn die nummerierten Telegramme seien schwieriger zu unterschlagen.[819]

*2. Die Auswirkungen auf die Haltung der fremden Diplomaten und Staatsmänner:* In noch stärkerem Mass als die französischen Diplomaten waren die ausländischen Gesprächspartner über die häufigen Indiskretionen irritiert. Wie sollte man verhandeln, wenn man ständig damit rechnen musste, dass auf der Gegenseite Berichte über noch laufende Verhandlungen, möglicherweise sogar entstellt, in die Öffentlichkeit gelangen konnten! Paul Cambon hatte im März 1909 nach einer bestimmten Veröffentlichung des *Le Temps* bloss die Vermutung, der englische Aussenminister Grey müsse an der Vertrauenswürdigkeit der französischen Gesprächspartner zweifeln.

»[…] il se demandera si l'on peut se fier à des gens qui ne savent rien garder pour eux. C'est plus grave que vous ne le croyez.«[820]

Im Oktober 1912 musste er sich dann aber, nachdem seine vertraulichen Berichte wieder einmal durch *Le Temps* ausgebeutet worden waren, vom englischen Unterstaatssekretär Nicolson explizit sagen lassen, dass die Diplomatie nicht auf die Strasse gehöre.

»I said that diplomacy could not be carried on in the public street.«[821]

Am 21. Oktober 1912 antwortete Bertie:

»I suppose that the Department through which Cambon's dispatches pass on their way to P. C. communicates whenever it thinks it advantageous to French interests, political puff, to Pressmen of its selection confidential information.«[822]

---

[818] Brief an Poincaré, 19. Februar 1912, Papiers Jules Cambon.

[819] Paul Cambon an Henri Cambon am 11. Oktober 1912 und Paul Cambon an Fleuriau am 15. Oktober 1912, Fonds Louis Cambon.

[820] Paul Cambon an Pichon, 20. März 1909, Papiers Pichon, Institut.

[821] Nicolson an Bertie, 11. Oktober 1912, PRO, Privatpapiere Bertie.

[822] Ebenda.

Am 16. Dezember 1912 schrieb Paul Cambon in einem Brief an seinen Sohn, es sei nicht erstaunlich, wenn im Ausland das Gefühl bestehe, die französischen Diplomaten seien

> »des gens avec qui il est impossible de causer raisonablement.«[823]

Im Dezember 1912 stellte sich die Frage, wo die Konferenz, die den ersten Balkankrieg beilegen sollte, abzuhalten sei. Aus naheliegenden Gründen wünschten die Engländer London als Tagungsort. In der internen Vorberatung nannten sie aber zwei besondere Gründe, warum man Poincarés Wunsch, die Konferenz nach Paris einzuberufen, nicht entsprechen könne: erstens die ausserordentliche Leichtigkeit, mit der sich die Journalisten hier über Verhandlungen informieren konnten, die hinter verschlossenen Türen stattfinden; und zweitens die Hemmungslosigkeit, mit der in der französischen Presse vertrauliche Informationen publiziert wurden. Die meisten Mitglieder des diplomatischen Korps' (man dachte vor allem an den Russen Iswolsky und den Italiener Tittoni) hätten es sich zudem angewöhnt, ihre Ansichten in die Presse hineinzutragen.

> »The extraordinary ease with which French journalists manage to find out what is passing behind closed doors and their absolute unscrupulousness in publishing it, some — in fact most — people in the Diplomatic Corps here seem to make a habit of opening their minds to the press (Iswolsky, Tittoni etc.) a great deal of dust would be raised round the ›conference‹ if held here.«[824]

Die Engländer waren in Geheimhaltungsfragen vielleicht besonders strikt — allein waren sie mit ihrer Beurteilung des diplomatischen Terrains in der französischen Metropole aber nicht: Auch im deutschen Aussenministerium herrschten in jenen Jahren wegen der »entsetzlichen Indiskretion« generelle Bedenken gegen vertrauliche Gespräche mit Frankreich.

> »Ich habe noch ein generelles Bedenken gegen Causerien mit Frankreich: die entsetzliche Indiskretion, die am Quai d'Orsay herrscht, von wo alles in die Presse gebracht wird.«[825]

*3. Die Auswirkungen auf die Haltung der Aussenminister:* Über die Auswirkungen der Indiskretionen auf die Leiter der französischen Aussenpolitik sind wir schlecht unterrichtet. Und doch wird die Durchlässigkeit der Büros und des Ministerrates vor allem zwei Auswirkungen gehabt haben: Einerseits wird die Absicht bestanden haben — und Delcassés Verhalten ist hierfür ein Beispiel —, die Aussenpolitik entsprechend den Ratschlägen der Botschafter gegenüber der Umgebung noch mehr abzuschirmen, die Geheimsphäre zu vervollkommnen und die Entscheide alleine zu fällen. Anderseits konnten die Aussenminister bei ihrer Ausführung nicht vergessen, dass trotz allen Vorkehrungen jedes Geheimnis einmal durchsickern werde und jede vertrauliche Demarche einmal an die Öffentlichkeit gezogen würde. Das Bewusstsein, zu jeder Zeit durch unvermeidliche Indiskretionen

---

[823] Fonds Louis Cambon.

[824] Graham an Tyrrell, 5. Dezember 1912, PRO, Privatpapiere Grey.

[825] Staatssekretär von Jagow an Botschafter von Schoen, 29. Mai 1913, GP, Bd. 37, Nr. 14917.

die schützende Geheimsphäre möglicherweise zu verlieren, führte zu einer beträchtlichen Einschränkung in der Wahl der aussenpolitischen Ziele.

## Rücksichten auf das Meinungsklima

Der Verlust der Geheimsphäre wurde freilich nur dann zur Gefahr, wenn die Politik mit der herrschenden Meinung (sofern es so etwas überhaupt gab) nicht übereinstimmte. Die Politik und zum Teil auch die Spitzenbeamten mussten sich in diesem Fall darauf gefasst machen, dass ihre Gegner im Namen dieser Meinung gegen sie auftraten. Sei es nun, dass man diese Gefahr vermeide, sei es, dass man sich ohnehin gerne im Einklang mit der herrschenden Meinung wissen wollte – das Meinungsklima bestimmte in hohem Masse das Denken und Handeln der vermeintlichen »Entscheidungsträger«.

> »L'opinion française sera satisfaite de voir que l'Angleterre ne nous a pas arrêté et se montrera par la suite moins exigeante.«

Diese Äusserung, die d'Estournelles am 4. Oktober 1894 im Zusammenhang mit der Eroberung Madagaskars in einem Privatbrief gegenüber Aussenminister Hanotaux machte[826], zeigt, dass die öffentliche Meinung in den Überlegungen der Entscheidungsträger eine gewisse Rolle gespielt hat. Von zweifelhaftem Wert ist hingegen die nachträgliche Rechtfertigung de Freycinets, die öffentliche Meinung hätte 1882 eine militärische Expedition nach Ägypten nur geduldet, wenn die übrigen Grossmächte ihr Einverständnis gegeben hätten.[827]

Das 1895 erstmals erschienene Buch von Le Bon über die schicksalbestimmende Kraft der Massen hatte bereits 16 Auflagen erlebt[828], als Aussenminister Pichon 1911 in der Deputiertenkammer die Überzeugung äusserte, man könne nicht gegen die herrschende Meinung regieren; die internationale Politik würde heutzutage von der internationalen Meinung gemacht.

> »Nous vivons dans un temps où, pas plus en politique étrangère qu'en politique intérieure, on ne gouverne contre l'opinion et, puisque je parle de politique étrangère, je ne fais pas seulement allusion à l'opinion générale, à l'opinion internationale. C'est aujourd'hui, Messieurs, la voix des nations qui s'impose aux conseils des gouvernements.«[829]

Wieviel Bedeutung der öffentlichen Meinung beigemessen wurde, geht aus der Äusserung eines weiteren wichtigen Akteurs hervor: Paul Cambon schrieb am 26. Februar 1910 seinem Bruder Jules Cambon:

> »Il y a certainement une détente entre la Cour de Londres et celle de Berlin, mais il n'y en a pas entre les deux peuples.«[830]

---

[826] Papiers Hanotaux, Bd. 22.

[827] FREYCINET, Souvenirs, Bd. 2, S. 228.

[828] Gustave Le Bon unterhielt rege Kontakte mit den führenden Leuten der Politik. Vgl. etwa SUAREZ, Briand, Bd. 2, S. 439.

[829] Pichon in der Kammerdebatte 12. Januar 1911, JO, S. 23.

[830] Paul Cambon, Correspondance 1870–1924, Bd. 2, S. 295.

Entsprach diese Vorstellung den wirklichen Verhältnissen? Auch wenn sie vielleicht unzutreffend oder mindestens zu undifferenziert war − als offensichtlich
existierende Auffassung war sie eine Realität für sich. Ein in dieser Vorstellung
handelnder Aussenminister wird es, wie das im Fall von Pichon bereits gezeigt
worden ist, einerseits als seine Aufgabe verstanden haben, das Meinungsklima zu
beeinflussen, und wird sich anderseits diesem Klima letztlich unterworfen haben.
Beides setzte voraus, dass man das herrschende Meinungsklima kannte.
Systematische Umfragen hat man im Aussenministerium keine gemacht.[831] Die
Stimme des Volkes, die »volonté générale« wurde sehr unsystematisch registriert.
Staatsmänner und Diplomaten nahmen von Zeit zu Zeit Notiz von dem, was an
einem Dienstbotentisch, in einem Schneideratelier oder beim Barbier gesagt
worden sein soll. Maurice Paléologue nahm es als Zeichen des erstarkenden Na-
tionalgefühls, als ihm sein Schneider erklärte:

> »Est-ce que les Allemands vont encore nous embêter longtemps? Qu'on leur tape
> donc sur le nez, une bonne fois! S'ils nous déclarent la guerre, eh bien! on se bat-
> tra!«[832]

Am 11. November 1912 berichtete der deutsche Militärattaché Major von Win-
terfeldt, was die Jungfer einer deutschen Dame am Dienstbotentisch von den
französischen Hotelangestellten erfahren habe, dass man nämlich Frankreich für
stark genug, Deutschland für schlecht gerüstet und den Krieg für unvermeidlich
halte.[833] Dagegen wurde, was die in- und ausländische Presse zum internationalen Geschehen veröffentlichte, sozusagen lückenlos verzeichnet und als Ausdruck der öffentlichen Meinung oder als Machenschaft irgendeiner Interessen-
gruppe oder ausländischen Dienststelle interpretiert. Paléologue registrierte während der Tanger-Krise von 1905, dass die Erregung in Deutschland steige, ein
deutsches Blatt mit Invasion drohe und der Kaiser einen durchschlagenden
Erfolg anstrebe; zugleich fragte er sich aber

> »Ou peut-être, n'est-ce qu'un bluff?«[834]

Die Rücksichten auf das Meinungsklima waren Rücksichten auf die Presse und
das Parlament, die beide dieses Meinungsklima ausdrückten und zugleich beein-
flussten.

## 3.2. Die Wirtschaft

Von den wirtschaftlichen Kräften kann man wie von den journalistischen Einflüssen nur bedingt sagen, sie hätten erst nach 1870 die französische Aussenpolitik beeinflusst. Es liegen zwar zahlreiche Belege vor, wonach man den Einfluss
der Wirtschaft als »erst neuerdings« und »gerade jetzt« für besonders wichtig hielt.
Solche subjektive Empfindungen hat es freilich schon immer gegeben. Objektiv

---

[831] Gewisse Umfragen sind durch das Innenministerium gemacht worden. Jean-Jacques Becker hat sich in seiner Studie zum Kriegsausbruch von 1914 unter anderem auf Präfekturbe-
richte stützen können. Vgl. BECKER, Français.

[832] PALÉOLOGUE, Tournant, S. 375, Eintragung vom 28. Juni 1905.

[833] GP, Bd. 31, Nr. 11529.

[834] PALÉOLOGUE, Tournant, S. 272, Eintragung vom 24. März 1905.

können wir jedoch feststellen, dass die nationalen Volkswirtschaften erst in unserer Epoche (und natürlich nicht nur in Frankreich) die Landesgrenzen sowie den europäischen Wirtschaftsraum zu sprengen begannen, nachdem es vorher bloss die einzelnen Unternehmen getan hatten und dass sie sich an die Eroberung der ausländischen und insbesondere der überseeischen Märkte machten. Dieser Vorgang wurde bereits in der Zeit selbst registriert. So erklärte beispielsweise Edouard Millaud als Budgetberichterstatter für den Senat am 20. März 1902:

> »L'Europe n'est plus maintenant en Europe seulement; elle est répandue, éparse, peut-on dire, sur toutes les latitudes et toutes les latitudes débordent sur les vieux continents. Eh bien! Tout protocole, tout traité qui ne favorisera pas l'action économique sera bientôt caduc et inutile. L'action économique et l'action politique sont à présent tellement jointes, si étroitement liées que l'une ne pourra exister sans l'autre.«[835]

Einen frühen Beleg dafür, dass man die internationale Wirtschaftskonkurrenz »gerade jetzt« als besonders heftig empfand, gab Jean Baptiste Bourgeois' Resolutionsbegründung von 1889:

> »La politique sentimentale a fait son temps; elle n'est plus de saison dans le meurtrier conflit des intérêts matériels. Aujourd'hui, Messieurs, si vous me passez l'expression, il s'agit de jouer serré.«[836]

Daher die erhöhte Bedeutung der wirtschaftlichen Fragen nicht einfach im Allgemeinen, sondern speziell im Bereich der internationalen Beziehungen.[837]

### Der Verlust des zweiten Ranges

Frankreichs weltwirtschaftliche Beziehungen waren durch zwei widersprüchliche Eigenschaften besonders gekennzeichnet: Einerseits durch ihre phlegmatische Selbstzufriedenheit, anderseits durch ihre verängstigten Bemühen, im internationalen Wettbewerb bestehen zu können.[838] Die herrschende Meinung ging nämlich davon aus, dass sich die Welt mit Frankreich zu befassen habe und nicht umgekehrt. In Frankreich hielten sich viele Ausländer auf – 1911 waren es über 1,1 Millionen[839] – dagegen hatten nur wenige Franzosen eigene Auslandserfahrungen. Wer sich doch für das Ausland interessierte, gab sich mit der Lektüre von geographischen Zeitschriften und Reiseromanen zufrieden. Die Kolonien der Auslandsfranzosen waren klein, man besetzte Auslandsfilialen, sofern es solche überhaupt gab, mehrheitlich mit Ausländern (sogar mit Deutschen und Engländern). Die eigene Handelsmarine war veraltet, ihre Tarife waren

---

[835] JO, S. 502.

[836] Vgl. Anm. 841.

[837] Im Vordergrund der Interessen stand die Erschliessung von Absatzmärkten und nicht die Sicherung von Rohstoffquellen.

[838] Einen guten Überblick über die Verhältnisse in den Jahren vor 1914 gibt René GIRAULT, Place et rôle des échanges extérieurs, in: Histoire économique et sociale de la France, Bd. 4: 1880–1914, Paris 1979, S. 190–239.

[839] Zum Problem der Ein- und Auswanderung um die Jahrhundertwende s. DUROSELLE, La France et les Français, S. 293 f.

viel zu hoch. So musste beispielsweise die Expedition zur Eroberung Madagaskars mit Hilfe von englischen Handelsschiffen durchgeführt werden.

Einzig im Bereich des Kapitalexportes entwickelte Frankreich eine gewisse Dynamik, doch hielt sich auch hier der Unternehmerwillen in engen Grenzen. Die Bankfilialen im Ausland waren Ausführungsorgane und keine eigenständigen Aktionszentren im neuen Wirtschaftsraum. Zudem bevorzugte man Platzierungen mit Staatsgarantien; die rentableren und risikoreicheren Privatinvestitionen im Ausland machten erst in den letzten Jahren vor dem Ersten Weltkrieg einen grösseren Teil des Kapitalexportes aus.

Diese Trägheit stand in auffallendem Gegensatz zum Wirtschaftswachstum anderer Grossmächte, sowie zur Befürchtung, eine dekadente Nation zu sein und zum an sich bestehenden Willen, der internationalen Konkurrenz standzuhalten. Am 1. Februar 1895 äusserte sich der Budgetberichterstatter der Kammer zum Rückstand im internationalen Wettbewerb und hatte auch gleich eine Erklärung zur Hand.

> »Nous ne pouvons pas sans crainte, je dirais-même sans être pris d'une véritable terreur, consulter ces statistiques qui sembleraient annoncer une décadence de notre commerce à l'étranger. Il ne faut à aucun prix le permettre. [...] Il semble que, depuis vingt ans, notre pays n'ait plus foi en lui-même: il importe de lui rendre cette foi dans son expansion commerciale. [...] Eh bien! Aujourd'hui que la France est relevée, qu'elle n'est plus la France affaiblie du lendemain de 1870, il faut tout faire pour que nous reprenions cette confiance en nous-mêmes; il faut, d'un côté, que le commerce français nous y aide: il faut aussi que les organes officiels y concourent.«[840]

Und Jean Baptiste Bourgeois schrieb 1889 in seinem Bericht, mit dem er die Unterstellung der Konsulate unter das Handelsministerium forderte:

> »On nous reproche de manquer de cet esprit d'initiative qui est pourtant un des traits de notre caractère national, et de nous laisser distancer dans la lutte par des concurrents qui ne nous valent pas [...].«[841]

Obwohl die französische Handelsmarine 1880–1913 ihre jährlichen Tonnageleistungen um 60 Prozent steigerte, fiel sie im internationalen Vergleich vom zweiten auf den sechsten Rang zurück, hinter England, Deutschland, den Vereinigten Staaten, Norwegen und Japan.[842] Frankreichs Aussenhandel stieg 1875–1913 um 77 Prozent, nachdem er allerdings noch 1908 nicht mehr als 30 Prozent Zuwachs hatte verzeichnen können. Der Jahreszuwachs der Exporte in den Jahren 1896–1913 betrug 4,6 Prozent, derjenige Englands hingegen 5,3 Prozent, derjenige Deutschlands sogar 5,4 Prozent. Während Frankreich in der Rangordnung der Welthandelsanteile 1875 ebenfalls noch den zweiten Rang innehatte, fiel

---

[840] JO, S. 119.

[841] Begründung eines Resolutionsvorschlages, Annex Nr. 3767 zur Sitzung der Kammer vom 28. Mai 1898, JO, S. 137.

[842] 1907 warnte der Budgetberichterstatter im Senat, die Tonnage der französischen Panzerschiffe betrage jetzt zwar noch 403 000 t gegen 328 000 t der deutschen Panzerschiffe. Bis 1920 würden aber die Verhältnisse umgekehrt sein: 813 000 t gegen 852 000 t (15. Januar 1907).

es bis 1913 zurück auf den vierten Platz, hinter England, Deutschland und die Vereinigten Staaten und knapp vor die Niederlande. 1895 illustrierte der Budgetberichterstatter Rameau den alarmierenden Zustand mit dem folgenden Beispiel aus Chile:

> »Du premier rang qu'elle y occupait autrefois pour les importations, la France est descendue aujourd'hui au troisième rang, laissant le premier à notre vieille concurrente l'Angleterre, et le deuxième à l'Allemagne. Examinez presque tous les points du globe, et vous verrez qu'il en est partout de même!«[843]

Die französische Handelsbilanz war überdies (mit Ausnahme von 1905) permanent defizitär. Den zweiten Rang konnte Frankreich einzig im Bereich der Kapitalexporte halten, mit 40–42 Milliarden Goldfranken im Jahr 1913 zwischen den 92–95 Milliarden Englands und den 25–28 Milliarden Deutschlands.

### Die Handelsförderung im Aussenministerium

In diesem Kontext situierten sich die Bemühungen des französischen Aussenministeriums, Frankreichs aussenwirtschaftliche Beziehungen zu fördern.[844] In diesem Bemühen war der Quai d'Orsay natürlich nicht alleine. Das Handelsministerium und das im März 1898 gegründete und im Handelsministerium untergebrachte »Office National du Commerce Extérieur« sowie die verschiedenen Handelskammern kümmerten sich ebenfalls und sogar direkter um die Förderung des französischen Aussenhandels. Das »Office national« korrespondierte direkt mit den im Ausland installierten französischen Handelskammern und unterhielt ein eigenes Netz von ehren- oder nebenamtlichen Korrespondenten, die den wichtigen Titel »Conseiller du commerce extérieur« trugen, doch alles in allem dem Aussenhandel von bescheidenem Nutzen waren. Der Anstoss zur Gründung von Handelskammern im Ausland war vom Aussenministerium ausgegangen; eine erste wurde 1876 in New Orleans gegründet, es folgten Gründungen 1878 in Lima, 1882 in Montevideo. 1884 setzte eine Welle weiterer Gründungen ein, so dass man 1887 insgesamt über 23 Handelskammern im Ausland verfügte.[845] Challemel-Lacour erliess am 30. Juni 1884 ein Zirkularschreiben an die diplomatischen und konsularischen Vertretungen und forderte diese nochmals auf, die Gründung von Handelskammern zu fördern.[846]

Im Quai d'Orsay war man sich der wachsenden Bedeutung der aussenwirtschaftlichen Beziehungen bewusst und verschmolz 1907 deshalb die Handelsdirektion mit der Politischen Direktion. Die Fusion der beiden Domänen beschränkte sich jedoch auf die Büros der Zentrale. Im Aussendienst blieb die Trennung der diplomatischen und konsularischen Laufbahnen weitgehend erhalten. Charles Dupuy im Senat am 15. Januar 1907:

---

[843] Kammerdebatte vom 1. Februar 1895, JO, S. 118.

[844] Vgl. BAILLOU, Affaires étrangères, S. 255–267 und GUILLEN, Expansion, S. 61 f.

[845] Budgetbericht Nr. 2095 von Gerville-Réache für das Jahr 1888, S. 38.

[846] Zum bescheidenen Nutzen der offiziösen Handelsförderer, vgl. beispielsweise THOBIE, Intérêts économiques, Bd. 2, S. 1127 f.

> »[...] depuis 1884 il n'y a eu – j'ai vérifié le chiffre – que quinze membres du personnel consulaire qui on franchi la porte à peine entrebâillée du personnel diplomatique.«[847]

Die Handelsförderung des Aussenministeriums lag vor allem in den Händen der Konsularbeamten: der Generalkonsuln, Konsuln, Vizekonsuln und der Konsularagenten. Sie waren die »Truppe«, die im Kampf um die ausländischen Märkte der eigenen Wirtschaft Informationen beschaffen musste. Die Konsulate, die sich vor allem um die Administration der sich im Ausland befindlichen Franzosen und den bereits bestehenden Handel kümmern mussten, kamen der Aufgabe der Vermittlung von wirtschaftlichen Informationen auf zwei Arten nach: mit individuellen Auskünften auf besondere Anfragen hin (1894/95 zum Beispiel kamen aus Beirut 100, aus Damaskus 60 Einzelauskünfte) und mit allgemeinen Jahresberichten.[848] Im Parlament konnte man immer wieder Klagen hören, wonach Einzelanfragen unbeantwortet blieben und die Antworten, sofern sie dann doch kämen, oft auch zu banal seien. Zudem würden die Jahresberichte viel zu spät bei den Unternehmern eintreffen.

Der Deputierte Prudent Dervillers beklagte sich 1895 in der Kammer über die Konsuln

> »à qui l'on demandait des renseignements et n'en ont jamais donnés; d'autres, interrogés sur les moyens d'exporter nos produits sur la place où ils résidaient, ont mis six ou huit mois pour répondre.«[849]

Und 1904 bemerkte Georges Berry ebenfalls in der Kammer über den konsularischen Schutz der im Ausland Handel treibenden Franzosen:

> »Je suis obligé de reconnaître que la protection dont ils ont besoin leur fait, hélas! totalement défaut [...].«[850]

Die Kritiker mussten sich jedoch sagen lassen, dass die konsularische Berichterstattung anderer Länder nicht besser sei, dass man von der falschen Erwartung ausgehe, man könne von Konsuln Geheimberichte und sichere Anlageempfehlungen erhalten, und dass man die Berichte, aus denen sogar die ausländische Konkurrenz Nutzen zöge, auch im eigenen Land genauer studieren sollte. Der Deputierte Paul Rameau, der selbst ein Leben lang im konsularischen Dienst gestanden hatte, schloss 1895 nicht aus, dass in einzelnen Fällen die Anfragen nur schleppend beantwortet werden; zum Allgemeinen sagte er jedoch:

> »Malheureusement, je crois que ce que l'on désirait obtenir, ce serait ces renseignements confidentiels qu'il n'est pas du pouvoir de nos agents d'obtenir.«[851]

---

[847] JO, S. 75.

[848] THOBIE, Intérêts économiques, Bd. 1, S. 76. Vgl. Gian Paolo NITTI, L'activité des consuls de France en matière économique (XIXe siècle), in: Revue d'Histoire Diplomatique 1975, S. 70–114. Dieser Aufsatz gibt keine konkreten Auskünfte über die Tätigkeiten der Konsuln.

[849] 1. Februar 1895, JO, S. 107, 116.

[850] 26. November 1904, JO, S. 2706.

[851] Debatte vom 1. Februar 1895, JO, S. 107.

Auch Paul Deschanel nahm als Budgetberichterstatter in der Debatte vom 11. Dezember 1906 die Konsuln vor unberechtigten Vorwürfen in Schutz und relativierte die Kritik:

> »Les consuls ne sont pas des placiers. [...] Ils donnent quelquefois des rapports très remarquables qui, malheureusement, sont lus d'avantage à l'étranger qu'en France de sorte que nous fournissons des armes pour nous battre. [...] Le commerce, et cela n'est pas particulier à notre pays, se plaint volontiers des consuls.«[852]

Von Seiten des Aussenministeriums wurde aber auch nicht bestritten, dass man einiges verbessern, dass man beispielsweise die Verteilung der allgemeinen Berichte etwas beschleunigen und die Einzelfragen speditiver behandeln könnte. In diesem Sinne rief Aussenminister Pichon am 1. November 1909 den Konsuln in Erinnerung, dass sie auf Anfragen von Industriellen und Kaufleuten ausnahmslos und unverzüglich zu antworten hätten.

> »Je vois le plus grand intérêt à ce que vous répondiez toujours et rapidement à toutes les demandes de renseignements commerciaux émanant de nos industriels et commerçants.«[853]

Pichon führte weiter aus, die Klagen würden sich weniger gegen die ordentlichen Konsuln richten, als gegen die Konsularagenten, die oft ausländischer Nationalität waren.[854] Am 19. Juni 1911 ordnete der Handelsminister Massé an, dass künftig die Einzelanfragen von privater Seite nicht mehr direkt beantwortet und die Antworten seinem Aussenhandelsbüro zugestellt werden sollen. Mit dieser Massnahme wollte man die einzelnen Auskunftsstellen vor allfälligen Vorwürfen der Auskunftsuchenden schützen. Am 30. November 1911 bekundete der republikanische Deputierte Pourquery de Boisserin seine Unzufriedenheit mit den konsularischen Auskünften:

> »[...] on a beau écrire à vos agents consulaires, ils ne répondent pas, ou une banale réponse, que n'instruit et ne sert pas nos commerçants.«

Aussenminister Pichon wies nicht darauf hin, dass die Konsulate nur noch dem Handelsministerium Auskunft zu geben hatten, sondern bat den Deputierten lediglich, konkrete Fälle zu nennen, damit er dem Übel abhelfen könne.[855]

Die Schwächen der konsularischen Vertretung

Die Leistungsfähigkeit des Konsulardienstes wurde in dreifacher Weise beeinträchtigt: durch das geringe Ansehen, das dieser Dienstzweig im Aussenministerium genoss; durch die oft widersinnige Nominationspraxis und durch die überholten Strukturen des Vertretungsnetzes. Zum Ersten: Das Konsulatswesen wurde von vielen einfach als anspruchslosere Variante der Diplomatie verstanden. So musste, wer in der Aufnahmeprüfung auf die hinteren Ränge platziert

---

[852] JO, S. 3139.

[853] Aussenminister Pichon am 1. November 1909 nach einer Umfrage, die er bei den französischen Handelskammern veranlasst hatte.

[854] Série C, Adm. 23, Bd. 111/2.

[855] JO, S. 3467 f.

wurde, sich mit einem Posten in der Handelsabteilung »begnügen«. Auch solche, die im Examen durchgefallen waren, konnten in den konsularischen Dienst eintreten. Während man glaubte, in der Diplomatie an den grossen Entscheidungen der hohen Politik mitzuwirken, hatten viele für den Konsulardienst nur Verachtung übrig und sahen in ihm lediglich einen »Krämerladen«. Comte de Saint-Aulaire, der als Letztplazierter des Aufnahmeexamens vom Januar 1892 in die Handelsabteilung musste, sprach von der »épicerie« und von »humiliation«.[856]

1889 wollte der Deputierte Jean Baptiste Bourgeois die Konsulate dem Handelsministerium unterstellen, um die Konsuln von ihrer zweitrangigen Stellung zu befreien. Denn das konsularische Korps sei jetzt bloss ein Anhang zum diplomatischen Korps.

> »Si nos consuls, au lieu de se montrer exclusivement et activement préoccupés des intérêts du commerce, sont devenus des diplomates au petit pied n'ayant pour le commerce et les commerçants en particulier que l'estime modérée et pleine de réserve [...].«[857]

Stark übertrieben, aber im Kern nicht ganz unzutreffend war die vom Aussenminister sogleich zurückgewiesene Behauptung des sozialistischen Deputierten Prudent Dervillers:

> »[...] nos consuls n'acceptent leur poste que comme un stage obligatoire, afin de pouvoir entrer dans le personnel diplomatique.«[858]

Paul Deschanel wies in der Budgetdebatte vom 11. Dezember 1906 ebenfalls auf das Prestigegefälle hin:

> »[...] nous trouvons fort déplacé je ne sais quel ton de hauteur que les diplomates ont parfois affecté à l'égard de leurs collègues de la carrière consulaire.«[859]

Der Quai d'Orsay war diesbezüglich offenbar keine Ausnahme; jedenfalls wurde im Foreign Office die Handelsabteilung ebenfalls als »paricualry dull« bezeichnet.[860] Paul Cambon hätte die Aufgaben, mit denen sich die Handelsabteilung befassen musste, ebenfalls als langweilig bezeichnet; er war sich aber zugleich bewusst, wie anspruchsvoll und schwierig sie waren, denn er schrieb am 18. Oktober 1904 seinem Sohn Henri bei dessen Versetzung in die Handelsabteilung:

> »La direction commerciale est à mon sens plus difficile que l'autre, car à la direction politique les intérêts seuls du pays sont en jeu, tandis qu'à la commerciale il faut concilier ces intérêts généraux avec des intérêts particuliers très exigeants, très avides et toujours soutenus par des influences parlementaires.«[861]

Das konsularische Korps war aber besser als sein Ruf. Sogar der Handelsminister, der keineswegs verpflichtet gewesen wäre, für die Verwaltung des Aussen-

---

[856] SAINT-AULAIRE, Confession, S. 27 f.

[857] Vgl. Anm. 841.

[858] Kammerdebatte vom 1. Februar 1895, JO, S. 116.

[859] JO, S. 3138.

[860] Zara STEINER, The Foreign Office and Foreign Policy: 1898–1914, Cambridge 1969, S. 21.

[861] Fonds Louis Cambon.

ministeriums einzustehen, belehrte den Senat, dass die Zeiten Stendhals vorbei und die Konsuln nützliche Kämpfer auf dem wirtschaftlichen Schlachtfeld geworden seien. Handelsminister Cruppi erklärte am 10. April 1908:

> »Laissez-moi vous dire que les anciens consuls à la mode stendhalienne, d'ailleurs charmante, ne sont plus aujourd'hui – et c'est fort heureux – que de souvenirs historiques. Nous avons des agents actifs, des agents pratiques, prêts à jouer le rôle le plus utile, le plus militant sur le champ de bataille commercial.«[862]

Zur Nominationspraxis: Die Ernennungen nahmen wenig Rücksicht auf die besonderen Kenntnisse der Konsuln. Einmal eingearbeitete Konsularbeamte wurden innert kürzester Zeit auf neue Posten beordnet, wo ihnen die erworbenen Erfahrungen wenig nützten. Kaum hatte sich ein Konsul eingelebt und eine Position geschaffen, musste er wieder die Koffer packen. Während die einen Paris nie verliessen, waren die anderen als Nomaden ständig unterwegs. Die ungute Koppelung zwischen beruflichem Aufstieg und Versetzung wurde schon 1895 und wurde 1906, 1909 und 1911 immer noch beanstandet. Nicht ohne Ressentiments gegenüber der Gattung der Berufsdiplomaten erklärte der sozialistische Deputierte Prudent Dervillers in der Budgetdebatte vom 1. Februar 1895:

> »Sitôt qu'ils ont, dans un poste, acquis les connaissances suffisantes, on leur donne un avancement qui provoque leur déplacement. Tous les précédents prouvent qu'ils se croient toujours dans un poste d'attente.«[863]

Der Budgetberichterstatter für das Jahr 1910 wies auf einige Fälle hin: Da war ein Konsul in weniger als 15 Jahren auf sechs verschiedenen Posten eingesetzt worden: in Südafrika, in Argentinien, in Hinterindien, in Russland und schliesslich in Griechenland – was, die Urlaube abgerechnet, einen Durchschnitt von zweieinhalb Jahren pro Posten ergab. Ein anderer Konsul verbrachte seine 21 Auslandsjahre auf neun verschiedenen Posten: in Afrika, in der Türkei, in Amerika, Bulgarien, Siam, Japan, China, Ägypten und Russland.[864]

Solche Wechsel waren (abgesehen von den Reise- und Installationskosten) allein schon im Hinblick auf die besonderen Ortskenntnisse nachteilig. Von grossem Nachteil waren sie aber auch deshalb, weil sie keine Rücksicht auf die besonderen Sprachkenntnisse der Konsuln nahmen. Der Deputierte und ehemalige Konsul Paul Rameau wusste, wovon er sprach, wenn er 1895 seine Kammerkollegen darauf aufmerksam machte, dass die Zeiten vorbei seien, da eine einzige Sprache, nämlich das Französische, als internationale Umgangssprache geführt worden sei. Besonders die Konsuln, da sie auch mit untergeordneten Amtsstellen verkehrten, hätten die Sprache ihres Gastlandes kennen müssen:

> »Il est évident que nos agents ne pourront pas réussir à l'étranger s'ils n'ont pas la connaissance la plus complète de la langue des pays dans lesquels ils sont appelés à exercer leurs fonctions. Autrefois, pour les agents diplomatiques, cette nécessité

---

[862] JO, S. 628.

[863] JO, S. 116.

[864] Paul Deschanel wies in der Debatte vom 27. Dezember 1909 noch auf drei weitere Beispiele hin, JO, S. 3796.

était moins grande. Ils n'avaient affaire qu'à des fonctionnaires de cour, et le langage des cours était le français.«[865]

Während Rameau wünschte, dass man den Fremdsprachenkenntnissen bei der Aufnahmeprüfung und der Ausbildung mehr Beachtung schenke, forderten Paul Deschanel, der als Berichterstatter für das Budget von 1907 referierte, und Joseph Chailley-Bert, einer der wenigen Deputierten mit persönlicher Auslandserfahrung, man solle die Konsuln nur innerhalb bestimmter Zivilisations- und Sprachenzonen zirkulieren lassen.

> »On a demandé depuis longtemps la répartition de nos postes consulaires en un certain nombre de zones de même civilisation et de même langue.«[866] »[...] on aurait l'avantage de pouvoir spécialiser nos consuls chacun dans une zone déterminée, zone de langue anglaise, zone de langues latines, zone de langue allemande, pays d'Orient et pays d'Extrême-Orient, et de les voir faire à la fois leur carrière et les affaires du pays.«[867]

Fünf Jahre später stand noch derselbe Vorwurf im Raum:

> »Nous constatons que tel agent, qui fait sa carrière en Orient, par exemple, est envoyé dans l'Amérique du Sud; que tel autre qui a successivement occupé des postes de langue espagnole se trouve désigné pour un poste de langue anglaise.«[868]

## Die Revision des Konsularsystems

In der Budgetdebatte vom Dezember 1906 machte Auguste Gervais seine Mitdeputierten darauf aufmerksam, dass man heutzutage am Morgen nach Belgien reisen und nach getanen Geschäften am Abend beinahe wieder zu Hause sein könne.[869] Durch den Ausbau der Verbindungswege – und dazu gehörte der Ausbau auch des Telegraphs und des Telephons – wurden die alten Konsulate in Frankreichs unmittelbarer Nachbarschaft tatsächlich immer entbehrlicher. Anderseits hätte man in den entfernter liegenden Gebieten, wo neue Absatzmärkte erschlossen wurden, konsularische Vertretungen gut gebrauchen können. In den letzten drei Jahrzehnten vor dem Ersten Weltkrieg versuchte man, dieser Verlagerung der Bedürfnisse einigermassen Rechnung zu tragen. Schon im Mai 1889 beanstandete Jean Baptiste Bourgeois, Unternehmer und Mitglied der Deputiertenkammer, in einer Resolutionsbegründung:

> »Nous avons en effet, dans des régions déjà exploitées et ayant rendu tout ce qu'elles pouvaient rendre, un luxe inouï de consulats multipliés à l'infini, alors que nous en sommes presque complètement dépourvus dans des pays nouveaux, où il s'agirait d'attirer notre commerce, de l'y protéger et de l'y implanter.«[870]

---

[865] Rameau in der Kammerdebatte vom 1. Februar 1895, JO, S. 106.

[866] Deschanel in der Kammerdebatte vom 11. Dezember 1906, JO, S. 3139.

[867] Joseph Chailley, der seinen Schwiegervater Paul Bert nach Indochina begleitet und mehrfach Indien bereist hatte, am 12. Dezember 1906, JO, S. 3149.

[868] Maurice Damour, der selbst in konsularischen Diensten gestanden hat, in der Kammerdebatte vom 30. November 1911, JO, S. 3460.

[869] Budgetdebatte der Kammer vom 12. Dezember 1906, JO, S. 2150.

[870] Vgl. Anm. 841.

1894 hob Aussenminister Hanotaux beispielsweise die konsularischen Vertretungen im belgischen Arlon und Charleroi und im spanischen Santander auf und schuf dagegen im brasilianischen Sao Paulo, im marokkanischen Fez und im türkischen Angora (Ankara) neue Vertretungen. Alles in allem hatte Gervais jedoch recht, wenn er im Dezember 1906 — gestützt auf Paul Deschanels Budgetbericht, der sich seinerseits auf die von Aussenminister Bourgeois am 30. Juli 1906 angeordnete Erhebung bei den Konsulaten abstützte — beanstandete, dass in den letzten 25 Jahren »fast nichts« am konsularischen System verändert worden sei. Wie krass das Missverhältnis zwischen den Vertretungen in der alten und der neuen Welt sei, illustrierte er mit konkreten Beispielen: Frankreich unterhalte beispielsweise in den Vereinigten Staaten gleichviel Konsulate wie in dem nahe gelegenen und 325 Mal kleineren Belgien — nämlich fünf!

> »C'est qu'en réalité depuis vingt-cinq ans [...] rien ou presque rien n'a été fait au point de vue du remaniement de nos postes consulaires.«[871]

Ende 1908 war es schließlich so weit, dass die Kammer über einen konkreten von der Budgetkommission mit dem Aussenministerium erarbeiteten Revisionsvorschlag befinden konnte, der die Schliessung von einem Generalkonsulat, 14 Konsulaten und 33 Vizekonsulaten vorsah und einen Teil der dadurch gewonnenen Einsparungen für die Schaffung neuer Konsulate verwenden wollte.[872]

Obwohl sich in der Kammer Protest nur gegen die Aufhebung der Posten im spanischen Cartagena und in Helsinki erhob und die übrigen Schliessungen gutgeheissen wurden, blieben die Verhältnisse weitgehend die gleichen, so dass Paul Deschanel wiederum als offizieller Berichterstatter in der nächsten Budgetdebatte auf die Revisionsfrage zurückkommen musste. Er liess Aussenminister Pichons Entschuldigung, wonach ihn das Handelsministerium an der Verwirklichung der Revision gehindert habe, nicht gelten und zählte einige Posten auf, deren Weiterführung vom Handelsministerium nicht verlangt worden war. Deschanel forderte den Aussenminister auf, er solle noch vor der Budgetbewilligung die Posten nennen, die er endlich zu schliessen gedenke, und erhielt darauf umgehend Pichons Zusicherung, dass man die im Tadelsvotum aufgezählten Posten entweder schliessen oder in einfachere Vertretungen umwandeln werde. Aussenminister Pichon legte zugleich aber auch dar, wie weit er in der Revision immerhin schon gegangen sei, dass er beispielsweise das Generalkonsulat von Amsterdam in ein Vizekonsulat umgewandelt, dass er hingegen im marokkanischen Tetuan, im koreanisch-russischen Mukden, sowie im russischen Wladiwostok neue Vizekonsulate eingerichtet habe.[873]

Paul Deschanel war auch im folgenden Jahr noch nicht zufrieden. Es seien zwar »lobenswerte Anstrengungen« unternommen worden, doch er müsse feststellen, dass etwa 30 Posten, deren Schliessung oder Umwandlung 1906 gefordert

---

[871] Budgetdebatte der Kammer vom 12. Dezember 1906, JO, S. 2150.

[872] Budgetdebatte der Kammer vom 26. November 1908, JO, S. 2667 f.

[873] Budgetdebatte der Kammer vom 27. Dezember 1909, JO, S. 3796–3798.

worden war, inzwischen neu und teilweise sogar mehrmals neu besetzt worden seien.[874]

Im Prinzip hätte die Schliessung oder Umwandlung gewisser Posten nicht zu einer Verdünnung der französischen Präsenz im Ausland führen müssen. Da aber ein Teil der Einsparungen auch für die als dringend erachteten Gehaltserhöhungen der Konsuln verwendet wurde, musste allein schon deswegen die Vertretungsdichte gelockert werden. Als 1913 zudem Budgetkürzungen angeordnet wurden, begann man den damit verbundenen Abbau der konsularischen Vertretung als ernsthafte Gefährdung der französischen Interessen zu empfinden, zumal die Wirtschaftskonkurrenz unter den Grossmächten immer stärker wurde.

1914 zeigte sich im Parlament plötzlich eine neue Situation: Georges Leygues beklagte die vom Aussenministerium vorgeschlagene Schliessung von 7 Generalkonsulaten und 31 Vizekonsulaten und die zahlreichen Umwandlungen in bescheidenere Vertretungen ausgerechnet in einem Moment, da alle anderen Staaten Europas (und allen voran Deutschland!) an jedem Punkt der Erde Konsulate errichteten. Man habe im Aussenministerium den Beschluss von 1908 missverstanden; das Kabinett solle umgehend die ihm nötig erscheinenden Kredite verlangen. Leygues stellte der Regierung unter allgemeinem Applaus in Aussicht, dass sich die Kammer dann beeilen werde, die verlangten Gelder zu bewilligen.

> »A l'heure où tous les peuples d'Europe et l'Allemagne en tête, constituent sur tous les points du globe des agences consulaires que ne sont que de grands comptoirs industriels et commerciaux, chargées d'ouvrir des débouchés, et de favoriser les transactions, la France désorganisait ces mêmes services. [...] Que M. le président du conseil n'hésite pas à nous demander les crédits qui lui paraîtront nécessaires pour assurer une bonne représentation de la France à l'étranger! La Chambre les lui accordera avec empressement.«[875]

Albin Rozet doppelte nach und legte wie sein Vorredner eine lange Liste von Vertretungen vor, die seines Erachtens nicht liquidiert werden dürften. So forderte er zum Beispiel die Erhaltung der Posten in Sarajewo und in Fiume, aber auch der Posten in Mons und Charleroi in der nächsten belgischen Nachbarschaft. Frankreich dürfe sich nicht auf sich selbst zurückziehen. Damit dieser Wunsch nicht im Bereich des Unverbindlichen bleibe, deponierte Rozet eine Resolution, welche die Sicherstellung der diplomatischen und konsularischen Vertretung Frankreichs forderte:

> »La Chambre invite le Gouvernement à prendre toutes les mesures qu'il jugera nécessaires pour maintenir et assurer à l'étranger la représentation diplomatique et consulaire de la République dans les conditions du nombre des agents et de la répartition du nombre des agents et de la répartition politique et géographique des postes que lui paraîtront réclamer la défense de nos intérets au-dehors et la dignité de la France.«[876]

---

[874] Budgetdebatte der Kammer vom 12. Januar 1911, JO, S. 10. Sämtliche Revisionsanträge gingen von der selbstverständlichen Annahme aus, dass die persönlichen Rechte der Konsuln gewahrt würden.

[875] Georges Leygues in der Budgetdebatte vom 11. März 1914, JO, S. 1477 f.

[876] Albin Rozet, ebenda, JO, S. 1484.

Am 28. Dezember 1909, als noch der Abbau des Konsularsystems ganz im Vordergrund stand, stimmten Regierung und Kammer ebenso einstimmig einer anderen Resolution zu, mit der man den Aussenminister einlud,

> »à opérer la suppression ou la transformation des postes devenus inutiles ou excessifs et faire connaître, avant le vote du budget, ceux qui devront être supprimés ou transformés les premiers.«[877]

Rozet war als ehemaliger Konsul in dieser Frage gewiss besonders stark engagiert, allein, seine Forderung wurde sowohl von der Regierung als auch von der Kammer vorbehaltlos angenommen!

## Die Einführung besonderer Handelsattachés

Die Unzufriedenheit mit der Wirtschaftsförderung, wie sie von den Konsulaten geleistet wurde, und der Wille, an sich in diesem Bereich mehr zu tun, führte schon früh zum Vorschlag, Handelsspezialisten als besondere Attachés einzusetzen. Was erst 1908 verwirklicht wurde, war schon im Budgetbericht der Kammer für das Jahr 1880 und wieder für das Jahr 1884 von der Kommission gefordert worden, welche sich in Challemel-Lacours Amtszeit mit der Reform des Konsularwesens beschäftigt hatte.[878] Der nach einem Dekret vom 23. April 1883 gebildeten Kommission gehörten an als Präsident der Senator Dietz, der zugleich Präsident der Pariser Handelskammer war; als Vizepräsidenten der Unterstaatssekretär und spätere Aussenminister Spuller sowie der ehemalige Botschafter de Saint-Vallier, Mitglied des Senats; Sekretär war der stellvertretende Kabinettschef und spätere Aussenminister Hanotaux. 1887 machte sich der Budgetberichterstatter der Kammer, 1890 der Ministerpräsident und Aussenminister Ribot und 1891 wieder der Budgetberichterstatter der Kammer und spätere Aussenminister Pichon zum Anwalt dieser Neuerung.[879] Dabei sprach sich Pichon grundsätzlich für die Schaffung von Handelsattachés aus und war der Meinung, man müsse die Frage, welchem Ministerium diese Attachés zu unterstellen seien, separat diskutieren.[880]

1895, als das Projekt erneut aufgegriffen wurde, stimmte ihm die Budgetkommission zunächst zu, sie wollte es jedoch dem Rat nicht vorlegen, weil diesmal die Regierung die Reform abgelehnt hatte; Handelsattachés, sagte man sich, die gegen den Willen der Regierung beschlossen worden waren, hätten ohnehin die angestrebte Verbesserung nicht bringen können.

> »[...] l'administration étant chargée d'assurer le fonctionnement d'une pareille institution, il est inutile de la créer quand on est certain de sa malveillance.«[881]

---

[877] JO, S. 3806.

[878] Von Spuller verfasster Bugetbericht Nr. 1509 für 1880, S. 19.

[879] Der Aufgabenbereich, wie er für die Handelsattachés im Budgetbericht Nr. 1095 von Gerville-Réache (für 1888) umschrieben worden ist, entsprach völlig den 1908 schliesslich verwirklichten Stellen.

[880] Budgetbericht Nr. 1630 für 1892, S. 28.

[881] Paul Doumer in der Kammerdebatte vom 1. Februar 1895, JO, S. 118.

Das Projekt musste dennoch dem Plenum vorgelegt werden. Seine Verwirklichung war nämlich von Prudent Dervillers, einem Deputierten der revolutionär sozialistischen Arbeiterpartei, formell gefordert und – wie dies oft der Fall war, wenn jemand seine Unzufriedenheit mit der bestehenden Handelsförderung bekundete – auch mit der Notwendigkeit der Arbeitsbeschaffung begründet worden. Dervillers erklärte, mit seinem Vorstoss bezwecke er auch

> »d'être utile à nos commerçants et enfin de donner plus de travail à nos ouvriers.«[882]

Aussenminister Hanotaux war nicht grundsätzlich gegen die Einführung von Handelsattachés, er war ihr gegenüber jedoch ziemlich skeptisch eingestellt und erklärte im Gegensatz zur Kommissionsleitung, die Erfahrungen des Auslandes mit ähnlichen Einrichtungen seien nicht besonders ermutigend. Hanotaux, der vor seinem Wechsel ins Parlament Direktor der Handelsabteilung im Quai d'Orsay gewesen war, betonte, dass die Konsuln ihre Aufgabe gar nicht so schlecht erfüllen und umgekehrt Handelsattachés kaum bessere Resultate erzielen würden. Mit den von Prudent Dervillers vorgeschlagenen 50 000 Francs könne man nicht die vier vorgeschlagenen Attachéposten bezahlen.[883] Die Budgetkommission hatte in der Tat mit dem doppelten Betrag halb so viele Stellen schaffen und mit 100 000 Francs zwei Posten finanzieren wollen. Das 1908 schliesslich gutgeheissene Projekt rechnete dann allerdings mit nur 200 000 Francs für sechs Posten.

Vor der Einrichtung permanenter Handelsattachés hatte das Aussenministerium bereits mehrmals wirtschaftliche Sondermissionen ins Ausland geschickt: 1897 nach Russland, 1899 nach Deutschland und der Schweiz, 1901–1904 nach China, 1904 nach England. Die Grundlage zur Schaffung permanenter Posten wurde erst im Herbst 1906 geschaffen, durch den frisch an die Spitze des Aussenministeriums gerufenen Stephen Pichon, der sich schon 1891 als Budgetberichterstatter der Deputiertenkammer für die Schaffung von Handelsattachés eingesetzt hatte. Da die Regelung erst auf der Basis eines Dekretes (vom 3. November 1906) erfolgte, musste sich das Parlament mit der Sache nicht befassen. Das Dekret schrieb die Zahl der Handelsattachés nicht vor, sondern sprach von sovielen wie nötig und wie das Budget erlaube.

> »Il sera créé auprès des ambassades et des légations de la République à l'étranger, dans la mesure que comportera le développement économique et commercial et dans la limite des crédits budgétaires, des emplois d'attachés commerciaux.«[884]

In der Budgetdebatte vom 12. Dezember 1906 erklärte Pichon vor der Kammer, er werde demnächst 5–6 Posten für Handelsattachés beantragen.[885] Zunächst begnügte man sich aber mit zwei Posten: einem in London und einem in New York.

---

[882] Kammerdebatte vom 1. Februar 1895, JO, S. 116.

[883] Ebenda, S. 117 f.

[884] Aus Art. 3 des Dekretes vom 3. November 1906.

[885] JO, S. 3153 f.

Diese beiden Stellen waren eigentlich nicht mit Handelsattachés besetzt worden, sondern mit »missions commerciales«. In den Jahren 1907/08 herrschte eine grosse Unklarheit darüber, wer als was eingesetzt wurde. So konnte der Budgetberichterstatter des Senats am 15. Januar 1907 sagen, Frankreich habe zur Zeit etwa in vier bis fünf Hauptstädten Handelsattachés, ausser in London und New York auch in Berlin, Petersburg und Peking.[886] Jean Périer, der erste »Handelsattaché« in London, war bereits 1905 auf Paul Cambons Bitte vom dortigen Generalkonsulat in die Botschaft umgeteilt worden. 1908 wurde Périer, bevor ein regulärer Attachéposten in Konstantinopel eingerichtet wurde, vorübergehend auch in die Levante geschickt. – Im gleichen Zeitraum wurde im Aussenministerium der Posten eines »Conseiller commercial et financier« geschaffen, zu dessen Aufgabe es gehörte, die Arbeit der Handelsattachés zu koordinieren und zu führen.[887]

Die Erfahrungen, die man mit diesem Provisorium machte, waren so positiv, dass zwei Jahre später die Zustimmung des Parlamentes zur Schaffung von sechs regulären Stellen eingeholt werden konnte. Nachdem die Kammer dem Projekt schon am 27. März 1908 diskussionslos und der Senat ihm zögernd am 3. Dezember 1908 schliesslich ebenfalls zugestimmt hatten, trat am 7. Dezember 1908 ein entsprechendes Gesetz in Kraft.[888] Die Aktionsgebiete der sechs Handelsattachés waren: England, der europäische Kontinent (mit Zentrum Berlin), das osmanische Reich, Nordamerika, ferner Osten und Russland.[889] Deschanel sagte, es sei für die vergleichsweise schlecht bezahlten Stellen schwierig gewesen, geeignete Bewerber zu finden.[890]

Andere Staaten hatten – was in der Debatte immer wieder hervorgehoben wurde und die Verwirklichung einer analogen Einrichtung begünstigt haben mag – lange vor Frankreich im Ausland besondere Handelsbeauftragte eingesetzt. England muss, französischen Darlegungen zufolge, als erste Nation mit dem Einsatz von besonderen Handelsattachés begonnen haben: Bereits 1895 unterhielt das englische Aussenministerium je einen Handelsattaché in Kairo und in St. Petersburg, und bis 1909 kamen weitere Posten hinzu, in Berlin, Wien, Konstantinopel, Madrid, Peking und versuchsweise in New York, Mexiko, Zürich und Wladiwostok. Russland hatte 1895 auch schon drei Attachés eingesetzt: in

---

[886] JO, S. 76.

[887] Mit Dekret vom 3. Mai 1907, de facto aber erst im April 1908.

[888] Im Senat fand die erste Lesung am 10. April 1908 statt (JO, S. 626–631); in der zweiten Lesung vom 3. Dezember 1908 wurde das Gesetz diskussionslos genehmigt.

[889] Ein Dekret vom 31. Januar 1909 regelte die Entlöhnung, die Spesen und die Aufteilung der Aktionsrayons. Charles Dupuys Bericht für den Senat vom 1. April 1908 sah keinen Posten für Russland vor, hingegen einen für Süd-Amerika. Ausser dem in London tätigen Jean Périer waren es: in Deutschland Gabriel Ferrand (zuletzt Konsul in Stuttgart), für den Orient Hyacinthe-Aristide Lefeuvre-Méaulle (zuletzt Konsul in Dublin), für China Fernand-Jean-Marie Pila (mit Konsulatserfahrung in Peking, Shanghai und Tschefu), für die Vereinigten Staaten, nachdem Gaston Velten (ehemaliger Generalkonsul in New York) 1906–1909 den Posten betreut hatte, Auguste-Jean-Marc Fabre (bevollmächtigter Minister), für Russland Cruchon-Dupeyrat, der vorher nicht dem diplomatischen Korps angehört hatte und nicht weiter identifiziert werden konnte.

[890] Paul DESCHANEL, Quatre ans de présidence, Paris 1902, S. 158 f.

Paris, London und Berlin.[891] Deutschland verfügte 1909 über zehn Handelsattachés in London, Petersburg, Konstantinopel, New York, San Franzisko, Buenos Aires, Valparaiso, Shanghai, Pretoria und Sidney. Für die Vereinigten Staaten wirkten sechs Handelsattachés.[892]

Welches waren aber die eigentlichen Beweggründe, die zur Einrichtung von Handelsattachés nun auch in Frankreich geführt haben? Im Vordergrund der Überlegungen stand die Auffassung, dass die Handelsförderung durch besondere Spezialisten vorangetrieben werden müsse. Diese Spezialisten hatten nicht wie die Konsuln nur kleine Verwaltungsrayons zu betreuen, sie mussten grosse Wirtschaftsräume bearbeiten. Man verstand sie zum Teil als nationale Handelsreisende, die weit mobiler sein sollten, als die weitgehend an ihre Kanzleien gebundenen Konsuln. Die Handelsattachés mussten sowohl im Ausland wie in Frankreich direkte Kontakte mit Produzenten und Kaufleuten aufnehmen und vermitteln. Handelsminister Cruppi erklärte vor dem Senat am 10. April 1908:

> »[...] il va servir de trait d'union entre les marchés industriels étrangers et les commerçants, industriels et producteurs français. Quelqu'un a dit que c'était une sorte de voyageur de commerce national; l'expression est bien choisie et très exacte.«[893]

Die Neuerung sollte allgemein der Handelsförderung neue Impulse geben und sie bei den eigenen Landsleuten wie den ausländischen Gesprächspartnern aufwerten. Darum wollte man die Inhaber der neuen Stellen mindestens mit dem Grad eines Gesandtschaftssekretärs oder Konsuls 2. Klasse versehen.

Die Haltung der Unternehmer

In Unternehmerkreisen war man über den Versuch, auf diese Art dem Aussenhandel zu helfen, nicht nur glücklich. Die französischen Handelskammern im Ausland empfanden Handelsattachés an sich als überflüssige Doppelspurigkeit und als Konkurrenz.[894] Etwas weniger negativ, aber auch nicht positiv war die Meinung:

> »Si cela ne fait pas de bien, cela ne peut faire de mal.«[895]

Die Unternehmer, die im Senat gegen das Projekt opponierten, störten sich an den vorgesehenen Rekrutierungsmodalitäten. Sie hegten den Verdacht, das Aussenministerium wolle auf diese Weise lediglich die Zahl der Posten erweitern und sechs Diplomaten oder Konsuln zu einer höheren Einstufung verhelfen. Das Aussenministerium wollte tatsächlich die neuen Stellen nur an die Beamten des eigenen Korps vergeben und nicht auch Leute einsetzen, die aus der Privatwirt-

---

[891] Unter ihnen Arthur Raffalowitch; ihr genauer Titel: »représentant du ministre des finances, section du commerce«.

[892] Die bereits vorliegenden Studien über das Funktionieren der französischen, deutschen und englischen Aussenministerien geben keine Auskünfte über die Einrichtung der Handelsattachés (vgl. LAUREN, Diplomats, und CECIL, Diplomatic service).

[893] JO, S. 628

[894] THOBIE, Intérêts économiques, Bd. 2, S. 1130.

[895] Revue Commerciale du Levant vom August 1908.

schaft kamen. Gegen die Verwendung von Kaufleuten wurden die Bedenken vorgebracht, dass sich diese nur für die Branche ihrer Herkunft einsetzen könnten, dass sich ferner nur solche Leute zur Verfügung stellen würden, die im Geschäftsleben keinen Erfolg gehabt haben, und dass sich durch den Zuzug von hausfremden Vertretern gewissermassen eine doppelte Auslandsvertretung ergeben und damit gerade das Gegenteil dessen eintreten würde, was man erreichen wollte, nämlich Doppelspurigkeit statt Einheitlichkeit, weiterhin beziehungsloses Nebeneinander von Politik und Wirtschaft statt Verschmelzung der beiden Aktionsbereiche. Auf der Gegenseite bezweifelten einzelne Unternehmer, dass Diplomaten oder Konsuln über die nötigen Wirtschaftskenntnisse verfügten, und wiesen darauf hin, dass die militärischen Attachéposten mit Militärs und auch nicht mit Diplomaten besetzt würden, mit Offizieren, die auch einer bestimmten Waffengattung angehören und dennoch in der Lage seien, die ganze Armee zu vertreten. Was die Befürworter von diplomatisch geschulten Handelsförderern Einheit der aussenpolitischen Vertretung nannten, verurteilten die in Wirtschaftskreisen situierten Gegner als unzweckmässige Abhängigkeit der Handelsförderung von der Diplomatie. Dabei wurde von dieser Seite gerne auf die allerdings bald korrigierte Fehldisposition hingewiesen, die 1906 den ersten Handelsattaché für die Vereinigten Staaten zunächst nach der französischen Botschaft in Washington und nicht nach New York beorderte. Art. 1 des angenommenen Gesetzes bestimmte:

> »Il est créé six emplois d'attachés commerciaux pour être placés, soit auprès de l'une des missions diplomatiques de la République à l'étranger, soit auprès d'un groupe de missions diplomatiques.«

Dominique Delahaye, Senator der äussersten Rechten, Textilfabrikant von Angers, Präsident aller französischen Handelskammerpräsidenten, wollte dieser Abhängigkeit vorbeugen und eine für die nationalen Handelsreisenden zutreffendere Bezeichnung vorschlagen: Die neuen Beamten sollten nicht »attachés« sondern »mandataires commerciaux« heissen. Ein von allen Handelskammerpräsidenten gewählter Ausschuss von zehn Präsidenten sollte 18 Vorschläge unterbreiten dürfen, woraus dann das Aussen- und das Handelsministerium ihre sechs Nominationen vorzunehmen hätten. Delahayes Vorschlag präzisierte weiter:

> »Cette liste pourra comprendre soit des commerçants, soit des industriels, soit des agents des cadres diplomatiques.«

Delahaye drang jedoch weder mit diesem noch mit dem anderen Antrag durch, der Privatwirtschaft ein entscheidendes Vorschlagsrecht einzuräumen, damit nicht Dilettanten von Dilettanten ausgewählt würden.

Während die Regierung die Handelskammer von Paris auf ihrer Seite wusste, glaubte Delahaye die Handelskammern der Provinz für sich in Anspruch nehmen und die Haltung der Pariser Handelskammer damit erklären zu können, dass sie durch Verleihungen der Ehrenlegion geködert würde.[896]

Senator Charles Dupuy, der selbst längere Zeit die Regierungsverantwortung getragen hatte, stellte sich als Kommissionsberichterstatter gegen diesen Antrag:

[896] Senat, 3. Dezember 1908, JO, S. 1120.

Es gehe nicht an, dass die Regierung in der Wahl ihrer Beamten derart eingeschränkt werde. Zudem dürfe man nicht Handelserfahrungen mit Wirtschafts-
kenntnissen gleichsetzen. Selbstverständlich müssten die Handelsattachés wirtschaftlich beschlagen, doch müssten diese Kenntnisse mehr theoretischer als
praktischer Natur sein. Die anderen Staaten hätten im Übrigen auch keine Kaufleute, sondern in Wirtschaftsfragen bewanderte Diplomaten eingesetzt. Dem
Widerstand, der sich im Senat bemerkbar machte, trug Aussenminister Pichon
immerhin so weit Rechnung, dass er in den vorberatenden Kommissionsver-
handlungen in Aussicht stellte, die Handelsattachés nicht aus dem diplomatischen, sondern aus dem konsularischen Korps zu rekrutieren.

Nachdem die Handelsattachés im Dezember 1908 schliesslich bewilligt worden
waren, kam es weder über der Nominationsfrage noch über der Tätigkeit der
Handelsattachés zu weiteren Diskussionen. 1911 streifte der Budgetberichterstatter der Kammer lediglich am Rande die Thematik, indem er auf die Nützlichkeit
der Handelsattachés hinwies und es allgemein bedauerte, dass ihre Zahl zu klein
sei, ihre Aktionsräume dagegen zu gross seien.[897]

Aus Deschanels schriftlichem Bericht zu schliessen, war der Widerstand gegen
die Handelsattachés noch nicht ganz gebrochen, zumal die positiven Auswirkungen der Neuerung nicht sogleich spürbar waren.[898] Bis 1935 stieg die Zahl der
Handelsattachés von 6 auf 34 Stellen.[899] Intern jedoch musste die Verwaltung
einem möglichen Missverständnis vorbeugen. Unter den Konsuln hatte sich
nämlich die irrtümliche Auffassung breitmachen können, dass die Handelsförderung sie jetzt nichts mehr anginge.

René Millet, ein ehemaliger Diplomat, äusserte 1911 in einem allgemeinen Artikel über das Aussenministerium die Auffassung, die Beförderung gewisser Konsuln zu Handelsattachés bringe keine Vorteile und demoralisiere nur die übrigen
Konsuln.[900]

Darum betonte ein vertrauliches Zirkular vom 1. November 1909, wie sehr die
Handelsförderung nach wie vor auf die Mitwirkung der Konsuln angewiesen sei;
die Konsulate müssten am jeweiligen Ort die nötige Dokumentation zusammen-
tragen und sich als Zulieferungsstellen verstehen, da sich die Handelsattachés
selbst weniger mit Dokumentationsaufgaben abgeben könnten und sich in erster
Linie um die Verbindungen zwischen den ausländischen Käufern und den eigenen Produzenten kümmern müssten.

> »On se tromperait étrangement, en effet, en s'imaginant que les attachés commer-
> ciaux, même quand ils seront plus nombreux, sont destinés à dispenser peu à peu
> les agents diplomatiques et consulaires de s'occuper des questions commercia-
> les.«[901]

---

[897] Paul Deschanel in der Kammer am 12. Januar 1911, JO, S. 10.

[898] Bericht Nr. 361, S. 158–167.

[899] Vgl. Jean Baptiste DUROSELLE, La Décadence 1932–1939, Paris 1979, S. 282. Eine bisher unausgewertete Dokumentation über die französischen Handelsattachés liegt in den Archives Nationales, F 12/9183.

[900] Revue hebdomadaire 1911, S. 192 f.

[901] Zirkular vom 1. November 1909, Série C, Adm. 23, Bd. 111/2.

Die Beziehungen zum Handelsministerium

Als das Unterstaatssekretariat der Kolonien 1889 vom Marineministerium zum Handelsministerium wechselte, hielt der radikale Deputierte Jean-Baptiste Bourgeois den Moment für gekommen, einen weiteren Wechsel zu beantragen: Auch das konsularische Korps (das übrigens vor 1793 ebenfalls zum Marineministerium gehört hatte) sei konsequenterweise dem Handelsdepartement zu unterstellen und dem Aussenministerium zu entziehen, damit nicht weiterhin die wirtschaftlichen den politischen Interessen geopfert würden. Bourgeois machte sich aus linker Sicht zum Anwalt der Wirtschaft, weil er mit den wirtschaftlichen Interessen die Interessen der Arbeiterschaft verknüpft sah und den Handel als völkerverbindende Kraft verstand, die das zusammenführe, was die Politik trenne.

> »Je veux dire que le développement des relations internationales peut et doit se produire en dehors de la politique et parfois même malgré la politique qui, chacun de nous le sait pertinemment, divise les intérêts et les peuples, tandis que le commerce et l'échange tendent à les rapprocher [...]. Le rattachement des consulats au ministère du commerce est, de sa nature, une question ouvrière; car elle intéresse, au plus haut degré, le travail national.«[902]

In seiner schriftlichen Resolutionsbegründung sagte Bourgeois, der als Direktor einem wichtigen Unternehmen in Dôle vorstand, über die Mentalität der Diplomaten,

> »que les questions qui paraissent surtout porter sur le côté materiel des choses, et les questions commerciales sont de celles-là, rencontrent plustôt son dédain qu'elles ne s'imposent à son attention.«[903]

Ein anderer Radikaler, Georges Clemenceau, soll ebenfalls der Meinung gewesen sein, dass die Konsulate dem Handelsministerium unterstellt werden müssten. Als Clemenceau 1906 die Macht übernahm, befürchtete darum Pierre de Margerie, die neue Regierung werde diesen Departementswechsel nun veranlassen.[904]

Aussenminister Spuller, vormals selbst ein Mann der Linken, nun ein Mann des inzwischen etablierten republikanischen Bürgertums, pochte auf seine alleinige Zuständigkeit in der Domäne der Aussenbeziehungen und wurde in der Auffassung, dass Wirtschaft und Politik ein unteilbares Ganzes seien, durch den Konservativen de La Ferronays unterstützt, der im Übrigen zu bedenken gab, dass nur Beamte des Aussenministeriums in den Gastländern diplomatischen Status genössen und die Konsuln im Falle einer Unterstellung unter das Handelsministerium zu gewöhnlichen Handelsreisenden würden. Bourgeois musste man nicht überzeugen, dass in gewissen Fällen die politischen und die wirtschaftlichen Interessen aufeinander abgestimmt werden müssten; er war jedoch der Meinung,

---

[902] Bourgeois in der Kammerdebatte vom 4. Juni 1889, JO, S. 596.

[903] Annex Nr. 3767 zur Sitzung der Kammer vom 28. Mai 1889.

[904] AUFFRAY, Pierre de Margerie, S. 165.

dass in den interministeriellen Absprachen das Handelsministerium das entscheidende Wort haben sollte.[905]

Die Gewichte blieben aber weiterhin so verteilt, wie sie waren, obwohl auch später noch von Zeit zu Zeit Vorstösse im Sinne von Bourgeois' Vorschlag unternommen wurden. 1907 vertrat Paul Deschanel, wie er sich als Budgetberichterstatter mit dem gleichen Vorschlag wieder zu befassen hatte, die Auffassung, die Politische Direktion müsse, falls das Konsularwesen das Ministerium wechsle, ebenfalls dem Handelsministerium angegliedert werden, da man die aussenpolitischen nicht von den aussenwirtschaftlichen Angelegenheiten trennen könne; zur Zeit bestehe allerdings kein Grund, die Schaffung eines Monsterministeriums für Handel und Aussenbeziehungen ins Auge zu fassen.[906]

Unmittelbar nach seinem Amtsantritt wies Aussenminister Pichon im gleichen Dekret vom 3. November 1906, in dem auch die Schaffung von Handelsattachés grundsätzlich beschlossen wurde, die Konsuln an, sich in aussenwirtschaftlichen Fragen direkt mit dem Handelsministerium in Verbindung zu setzen und dem Aussenministerium nur eine Kopie dieser Korrespondenz zukommen zu lassen.[907]

In einem weiteren Zirkular vom 11. März 1908 betonte Pichon, die Konsuln dürften nur mit dem Handels- und dem Marineministerium und nicht noch mit weiteren Ministerien direkt korrespondieren. Mit dem Zirkular vom 1. November 1909 rief er ferner in Erinnerung, dass dem Handelsdepartement nur von der Wirtschaftskorrespondenz und nicht vom gesamten Briefverkehr Kopien zuzustellen seien. Und das Zirkular vom 8. November 1909 gab den Konsuln neue Instruktionen, wie sie ihre Jahresberichte abzufassen und insbesondere, dass sie zwischen einem geheim zu bleibenden und einem für die Veröffentlichung bestimmten Teil zu unterscheiden hätten.[908] Was das Handelsministerium erhielt, leitete es entweder direkt den interessierten Wirtschaftskreisen weiter oder publizierte es im *Moniteur officiel du Commerce et de l'Industrie*.[909]

Was als Neuheit erschien, war jedoch nur eine Neuauflage einer alten Regelung. Schon 1898 waren die Konsuln aufgefordert worden, mit dem Handelsministerium direkt zu korrespondieren und, wenn sie sich auf Urlaub in Frankreich aufhielten, mit den Handelskammern und den einzelnen Unternehmern persönlich in Kontakt zu treten. Auch mit dem Marineministerium war in Wirtschaftsfragen der direkte Briefverkehr gestattet. Die direkte Korrespondenz mit Paris – selbst mit dem Aussenministerium – wurde von den Diplomaten nicht gerne

---

[905] Budgetdebatte der Kammer vom 4. Juni 1881, Annales, S. 595 f.

[906] Budgetdebatte der Kammer Nr. 1230 für das Jahr 1908, S. 80.

[907] Bericht vom 3. und Zirkular vom 7. November 1906, Budgetbericht Nr. 1230 für 1908, S. 463 f..

[908] Série C, Adm. 23, Bde. 111 und 114. Die an das Handelsministerium gerichteten Berichte findet man in den Archives Nationales, F/12, 9288.

[909] Nachdem der *Moniteur officiel du Commerce et de l'Industrie* zuerst bei der »Imprimerie nationale« herausgekommen war, wurde er von 1883 an als Wochenblatt bei einem privaten Verlag herausgegeben. Von 1892 an erschien er mit einem besonderen Annex, der gewissermassen die Nachfolge des 1877–1891 erschienenen *Bulletin Consulaire français* des Aussenministeriums antrat. Diesem wiederum waren die *Annales du commerce extérieur* vorausgegangen.

gesehen. Vor allem die Botschafter in Konstantinopel, die ein Gebiet mit einer besonders grossen Konsularverwaltung (vom Balkan über Kleinasien und den Mittleren Osten bis Ägypten) politisch zu betreuen hatten, beklagten sich immer wieder und wünschten, wenigstens Kopien dieser Briefwechsel zu erhalten. Am 27. Dezember 1891 klagte Paul Cambon, damals Botschafter in Konstantinopel:

»Cette ambassade est à la fois administrative et politique. Vous savez aussi bien que moi qu'il n'y a pas d'administration possible sans autorité au sommet, sans hiérarchie et sans unité. Le ministère des affaires étrangères qui n'est pas un département administratif ne l'a jamais compris. Il a entrepris de conduire lui-même les affaires avec les consuls par-dessus la tête de l'ambassadeur et les consuls qui sont, pour la plupart, des Levantins animés de passions locales ou de préjugés de race, ne peuvent faire de l'administration impartiale.«[910]

Am 3. Januar 1892 antwortete ihm Aussenminister Ribot:

»Vous trouvez que la direction de nos affaires en Orient manque d'unité, vous avez raison. Je ne demande pas mieux que de vous aider à centraliser entre vos mains les affaires qui doivent être traitées à Constantinople. Je confirme l'ordre que vous avez donné à nos consuls de faire passer par vos mains leur correspondance en tout ce qui a trait à votre mission. Je crois utile également de leur interdire de correspondre directement avec notre ambassadeur au Vatican. Ce sera l'objet d'un circulaire que je leur enverrai après m'être entendu avec vous.«[911]

Das Problem bestand auch noch zwanzig Jahre später, wie aus der Note der Kommission für syrische Angelegenheiten vom 18. April 1913 hervorgeht.[912]

Ein gewichtiges Wort hatte das Handelsministerium bei der Festlegung des Prüfungsstoffes für die Aufnahmeexamen der künftigen Diplomaten und Konsuln sowie bei der Umverteilung der konsularischen Aussenposten mitzureden. Aussenminister Pichon:

»Il m'est arrivé à plusieurs reprises de proposer des transformations à mon collègue du commerce qui les a refusées [...].«[913]

Und bei der Nomination der Handelsattachés benötigte das Aussenministerium die formelle Zustimmung des Handelsministeriums.

## Die Beziehungen zum Finanzministerium

Da der Kapitalexport einen wichtigen Teil der aussenwirtschaftlichen Beziehungen ausmachte und die internationalen Transaktionen in den Kompetenzbereich des Finanzministeriums fielen, stand das Aussenministerium auch mit diesem Ministerium in besonderer Beziehung. Der Finanzminister entschied über die Zulassung ausländischer Anleihen bei der Pariser Börse, er holte aber vor seinem Entscheid die Meinung des Aussenministers ein.[914] Während sich das Aussen-

---

[910] An Aussenminister Ribot, Papiers Ribot, Bd. 4.

[911] Papiers Ribot, Bd. 1.

[912] MAE, Nouvelle Serie Turquie, Bd. 120.

[913] Kammerdebatte vom 27. Dezember 1909, JO, S. 37998.

[914] Herbert FEIS, Europe, the world's banker 1870–1914, New Haven 1936, S. 134. POIDEVIN, Relations économiques, S. XI f.

ministerium mit der Übernahme grosser Auslandsanleihen politische Vorteile verschaffen wollte, war das Finanzministerium naturgemäss auf wirtschaftliche Vorteile aus und darum auch geneigt, Auslandsgeschäfte entgegen den politischen Interessen zu tätigen oder umgekehrt Anleihen nicht zu unterstützen, wenn sie nur politischen Interessen dienten und der Wirtschaft sogar abträglich schienen. Von den Finanzministern Rouvier und Caillaux wissen wir, dass sie dank ihrer Bankverbindungen parallel zum diplomatischen System über eigene Agenten verfügten und zeitweise eine eigene Diplomatie betrieben – mit kleinen Teilerfolgen, die das politische Konzept der Nonkooperation mit Deutschland bloss vorübergehend ausser Kraft setzten. Kam es zu formellen Entscheiden im Ministerrat, fiel der Entscheid meistens im Sinne der aussenpolitischen und nicht der finanziellen Räson. 1903 unterlag Delcassé zwar in der Frage der Zulassung der osmanischen Schuldtitel an der Pariser Börse; in der Bagdadbahn-Frage konnte er aber den aussenpolitischen Gesichtspunkt gegenüber dem rein finanziellen durchsetzen.[915]

### Unkoordinierte Aussenbeziehungen

Wie muss man sich das Verhältnis von Aussenhandel und Aussenpolitik vorstellen? Wer konnte wen in seinen Dienst stellen? Auch auf die Nominationen und den Einsatz von Diplomaten war der Einfluss der Wirtschaft im Allgemeinen klein. Was Maurice Bompard erlebt hat, darf als einigermassen repräsentativ genommen werden: Der Versuch gewisser Finanzleute, 1909 seine Ernennung zum Botschafter in Konstantinopel zu verhindern, löste bei Präsident Fallières eine geradezu gegenteilige Wirkung aus:

> »L'opposition de quelques financiers qui m'avait préoccupé m'a servi en dernière analyse, surtout auprès du Président de la République qui a trouvé mauvaise l'ingérence de la finance dans les nominations des ambassadeurs et s'est exprimé à ce sujet en termes fort vifs.«[916]

Selbst unter Felix Faure, dem am stärksten mit dem Unternehmertum verbundenen Präsidenten, wurde kein einziger Botschafter ernannt, von dem man sagen könnte, er sei ein ausgesprochener Interessenvertreter der Privatwirtschaft gewesen.

Zu Vertretern der Privatwirtschaft wurden sie eigentlich erst, wenn sie – was oft vorkam – ihre diplomatische Karriere aufgaben, um in einer einträglicheren Stellung ihr Ansehen und vielleicht auch ihre diplomatischen Beziehungen einem international tätigen Finanzinstitut zur Verfügung zu stellen. Maurice Damour, der selbst im konsularischen Dienst gestanden hatte, kam in einer allgemeinen Kritik auf dieses Phänomen zu reden, nachdem er auf verschiedene Missstände im Aussenministerium hingewiesen hatte:

> »C'est ce qui explique l'exode vers des entreprises financières d'agents remarquables et, d'ailleurs, remarqués par les grands établissements. L'impossibilité dans lequelle sont placés nos représentants de poursuivre utilement pour le pays la car-

---

[915] THOBIE, Intérêts économiques, S. 376 f. und 1263 f.
[916] Bompard an Paul Cambon vom 20. Mai 1909, Fonds Louis Cambon.

rière qu'ils avaient choisie les oblige à accepter les propositions avantageuses qui leur sont faites par des entreprises particulières.«[917]

Im gleichen Jahr zitierte der gleiche Deputierte ein Schreiben, womit der *Crédit Mobilier* den Eintritt des ehemaligen Kabinettschefs und Generalkonsuls Paul-Eugène Dutasta in das Unternehmen begrüsst hatte:

> »Le conseil d'administration se félicite d'une façon particulière d'avoir obtenu sa présieuse collaboration, qui pourra contribuer au développement de la société grâce aux nombreuses connaissances qu'il a à l'étranger.«[918]

Arsène Henry trat 1907 als ehemaliger Handelsdirektor des Quai d'Orsay in die Banque ottomane ein; Paul Révoil, bis 1910 Botschafter in Madrid, wurde 1910 Generaldirektor dieser Bank; als Bompard 1908 aus St. Petersburg zurückgerufen wurde, dachte man ebenfalls daran, ihn mit einem Posten bei einer Bank abzufinden. Gaston Raindre wechselte 1906 die Botschaft in Tokio gegen die Direktion der Banque Russo-Chinoise.[919] Octave Homberg wechselte schon als Botschaftssekretär 2. Klasse in die Banque Union Parisienne.[920] Crozier muss offenbar mit einem Posten in der Société Générale abgefunden worden sein.[921] De Reverseaux wurde nach seinem Rücktritt Vizepräsident der Banque de l'Union Parisienne.[922]

Umfangreiche Spezialuntersuchungen sind zum Schluss gekommen, dass die französischen Aussenbeziehungen alles in allem nicht durch wirtschaftliche Kräfte determiniert worden sind.[923] Umgekehrt war es schon eher möglich, dass die Aussenpolitik dann und wann, aber keineswegs systematisch die Aussenwirtschaft, insbesondere Frankreichs Finanzkraft einspannen konnte. Zuweilen dominierten die internationalistisch eingestellten und den privatwirtschaftlichen Interessen den Vorrang gebenden Kräfte (verkörpert etwa durch Rouvier und Caillaux), zuweilen die nationalistischen und einem aussenpolitischen Konzept verpflichteten Kräfte (verkörpert beispielsweise durch Delcassé und Poincaré).

Was Thobie für die Beziehungen zum osmanischen Reich feststellt, gilt auch für die übrigen Beziehungen: Es gab Momente übereinstimmender und Momente divergierender Interessenlagen. Und im Falle von Divergenzen war beides möglich: dass sich wirtschaftliche Partikularinteressen der nationalen Aussenpolitik unterordnen mussten oder umgekehrt aussenpolitische Absichten von wirtschaftlichen Aktionen durchkreuzt wurden. Der ehemalige Konsul Maurice Damour beanstandete am 11. März 1914 in der Kammer, dass man auf diese Weise den Generalkonsul in Rotterdam von seinem Posten verdrängt habe:

---

[917] Budgetdebatte der Kammer vom 16. Januar 1911, JO, S. 77.

[918] Kammerdebatte vom 30. November 1911, JO, S. 3461.

[919] Vgl. S. 339.

[920] Vgl. HOMBERG, Coulisses.

[921] Vgl. S. 319.

[922] Papiers Tardieu, AN 324 AP, Bd. 14.

[923] Siehe POIDEVIN für die Beziehungen zu Deutschland, GIRAULT für die Beziehungen zu Russland, THOBIE für die Beziehungen zum ottomanischen Reich und GANIAGE für die Schaffung des tunesischen Protektorates.

> »Il n'est pas admissible [...] que le ministère des affaires étrangères devienne un
> véritable office de placement pour les sociétés financières qui recherchent des
> administrateurs occupant de hautes fonctions à l'étranger. [...] On ne saurait tolé-
> rer [...] que des agents en activité puissent être détournés de leur service pour oc-
> cuper des emplois rémunérés dans des sociétés dont les intérêts peuvent se trou-
> ver un jour en opposition avec ceux de notre pays.«[924]

Es gab jedoch eine allgemeine Tendenz, nicht der Kooperation, auch nicht der
Konfrontation, sondern des beziehungslosen Nebeneinanders der beiden Aktionsbereiche. Diplomaten klagten immer wieder über die mangelnde Aufmerksamkeit insbesondere der französischen Finanzinstitute gegenüber den aussenpolitischen Interessen ihres eigenen Landes. In der Tat gab es wenig Koordina-
tion zwischen den beiden Welten. Der englische Unterstaatssekretär Hardinge
schrieb am 2. Juni 1908 dem englischen Botschafter in Konstantinopel:

> »You are quite right in saying that there is absolutely no sense of patriotism
> among the low-class French financiers.«[925]

Und der englische Botschafter Bertie notierte am 24. Mai 1909 folgende Äusserung:

> »Cambon spoke with the greatest distrust of both British and French financiers.
> He thought they had made a great mistake in bringing Germany into Chinese fi-
> nance. They were always looking at interests of the moment and had no idea of
> general policy. He was afraid that the same thing might happen at Constantin-
> ople.«[926]

Paul Cambon beklagte sich am 9. Dezember 1913 in einem Brief an seinen
Bruder über den Verlust von Positionen in Syrien:

> »que nos financiers imbéciles ont abandonné tout sans être arrêtés ni par Cou-
> chron (?) ni par le Quai d'Orsay.«[927]

Im Februar 1914 beklagte Briand beispielsweise die Ablehnung einer rumäni-
schen Anleihe durch den Finanzmarkt von Paris. Die Rumänen seien darauf nach
Berlin zur Deutschen Bank gegangen, hätten dort den gewünschten Kredit
erhalten, doch habe die Deutsche Bank ihn nur gewähren können, indem sie in
Paris Geld aufnahm. Und es sei insbesondere der Comptoir d'Escompte
gewesen, der zuvor den Rumänen das Geld verweigert und es nachher den
Deutschen gegeben habe.[928] In Ausnahmefällen konnte es aber auch anders
herum gehen: 1913 mussten die Banken offenbar aus aussenpolitischen Gründen
zuerst den russischen Bedarf bedienen:

---

[924] JO, S. 1486 f.

[925] Cambrigde University Library, Privatpapiere Sir Charles Hardinge.

[926] PRO, Privatpapiere Grey.

[927] Fonds Louis Cambon.

[928] Joseph BRUGERETTE, Aristide Briand chez Mgr. Lacroix, in: Revue de Paris vom 1. Oktober 1930, S. 643–659, hier: S. 657 f.

»The Bankers are very sore at not being allowed by the French Governement to fulfill their profitable promises to Turky, Bulgaria and Greece until the Russian needs have been supplied.«[929]

Unbefriedigend war offenbar auch das Verhältnis zwischen Handelsförderung und Handelsunternehmen. Der französische Botschafter in Peking klagte, er habe, nachdem er in China um Konzessionen gekämpft habe, in Frankreich dafür kämpfen müssen, dass diese Konzessionen überhaupt genutzt wurden.[930] Wie wenig sich die Unternehmen von einer Zusammenarbeit mit der Behörde versprachen, zeigte ihre Haltung gegenüber dem Projekt, besondere Posten für Handelsattachés zu schaffen (vgl. auch oben).[931]

Widersprüchlich blieben auch die Auffassungen, wer wen zur Voraussetzung haben müsse: Einmal konnte man die Meinung hören, Konsulate seien nur dort zu schaffen, wo bereits konkrete Handelsinteressen bestünden; ein andermal musste man sich wieder überzeugen lassen, dass nicht der Konsul dem Handel, sondern der Handel dem Konsul zu folgen habe.

Unter zustimmenden Zurufen vertrat der Budgetberichterstatter Rameau in der Kammerdebatte vom 1. Februar 1895 die Auffassung:

»Il est incontestable que le vieux principe d'après lequel on pensait autrefois qu'en plantant des consuls quelque part on ferait pousser des commerçants, est reconnu absolument inexact aujourd'hui; les consuls sont des protecteurs d'intérêts existants et non pas les créateurs d'intérêts à venir.«[932]

Ein amtlicher Bericht aus dem Jahr 1911 sagte jedoch von den aussereuropäischen Gebieten, die sich der internationalen Konkurrenz öffneten:

»C'est là où le rôle des consuls est si important et où les postes devraient être augmentés en choisissant bien les points d'attaque: là ce n'est plus le consul qui suit le commerce mais le commerce qui suit le consul.«[933]

Die wirtschaftlichen Interessen haben den Spielraum der französischen Aussenpolitik weder direkt noch indirekt bestimmt: Weder ist die Aussenpolitik den privaten Bedürfnissen von Handel und Wirtschaft angepasst[934], noch ist sie (wie beispielsweise Hans-Ulrich Wehler es für das deutsche Reich annimmt) als Integrationsmittel zur Überbrückung innenpolitischer Krisen verwendet worden.[935] Der Rahmen des wirtschaftlich Möglichen ist teilweise durch die politischen Voraussetzungen abgesteckt worden. Eine einschränkende Wirkung der Aussenpolitik spüren wir im Bereich der deutsch-französischen Beziehungen und den von diesen Beziehungen überschatteten Versuchen, in Marokko, im Vorde-

---

[929] Bertie an Grey, 28. November 1913, PRO, Privatpapiere Grey.

[930] GÉRARD, Vie, S. 300.

[931] THOBIE, Intérêts économiques, S. 1434.

[932] JO, S. 119.

[933] Vgl. oben Anm. 898.

[934] Zu diesem Schluss kommt auch Jean Baptiste Duroselle in seiner Synthese: DUROSELLE, La France et les Français, S. 39, 309, 314.

[935] Hans-Ulrich WEHLER, Bismarck und der Imperialismus, Köln 1969.

ren Orient oder im Kongo gemeinsame Projekte zu verwirklichen.[936] Die aussenwirtschaftlichen Beziehungen haben die aussenpolitischen Beziehungen insofern beeinflusst, als sie das allgemeine, später (vgl. Kap. 4.3) noch weiter zu definierende Gefühl genährt haben, Frankreich sei eine der internationalen Konkurrenz immer weniger gewachsene Nation. Die Erfahrung, eine Nation mit einem vergleichsweise bescheidenen Wirtschaftswachstum zu sein, mag die auch anders erklärbare Neigung gefördert haben, kompensatorisch wenigstens im Bereich der internationalen Politik als Grossmacht auftreten zu können: als Allianzpartner Russlands, als Kolonialmacht, als politische Ordnungsmacht im Vorderen Orient.

[936] POIDEVIN, Relations économiques, S. 411 f.

# VIERTES KAPITEL

## STÄRKE UND SCHWÄCHE
## DER FRANZÖSISCHEN AUSSENPOLITIK

### 1. Stabilität und Instabilität

Wer in Frankreich über den steten Wechsel der Kabinette klagte, verband diese Klagen oft mit dem Hinweis auf die stabileren Regierungsverhältnisse in den Nachbarstaaten, insbesondere natürlich in England und Deutschland. 1897 wies der Comte de Chaudordy darauf hin, dass Frankreich in einem Vierteljahrhundert gleichviel Regierungen gehabt habe wie England in einem Jahrhundert; in England dauere eine Regierung durchschnittlich dreieinhalb Jahre, in Frankreich bloss neun Monate.[1]

England hatte offenbar 33 Regierungen in den über 100 Jahren von 1783–1895, Frankreich aber 35 Regierungen in den 25 Jahren von 1870–1895. In den Jahren 1870 bis 1914 wurden in Frankreich dreimal soviel Aussenminister ernannt wie in England und Deutschland, wo in dieser Zeit nur zehn Mal die Leitung der Aussenpolitik die Hand wechselte. Einzig in Italien – der schwächsten der fünf Grossmächte – herrschten beinahe »französische Verhältnisse« mit 38 Kabinettswechseln und 22 verschiedenen Aussenministern.[2]

Wie sich die häufigen Wechsel auch im Falle Frankreichs auswirkten, kann man am Fall Italiens aufzeigen – wie er aus französischer Sicht wahrgenommen wurde: Dass instabile Verhältnisse diplomatische Entwicklungen beeinträchtigen können, bekam Frankreich gerade im Falle Italiens von Zeit zu Zeit ebenfalls zu spüren. Delcassé trieb beispielsweise im Juni 1900 Botschafter Barrère zur Eile an, damit die alte Regierung noch vor ihrem Sturz Italien so binde, dass sich auch eine nachfolgende Regierung gebunden fühle.[3] Wenn schon die Fristen sehr kurz waren, die die eigenen Kabinettswechsel einem Aussenminister zur Verwirklichung seiner Politik liessen, so erfuhren diese Fristen unter Umständen eine weitere Kürzung durch ausländische Regierungswechsel.

Im Kap. 3.2 wurde gezeigt, dass die Instabilität im aussenpolitischen Bereich »nicht ganz so schlimm« war, weil die Leiter der französischen Diplomatie im Rahmen des allgemeinen »replâtrage« besonders häufig von nachfolgenden Kabinetten übernommen wurden. Ollé-Laprune (1962) stellte fest, dass das Aussen-

---

[1] CHAUDORDY, Considérations, S. 48.

[2] Vgl. auch Soulier, der ebenfalls französische und englische Durchschnittswerte miteinander vergleicht, SOULIER, Instabilité ministérielle, S. 3.

[3] Barrère an Delcassé, 20. Juni 1900, Revue de Paris 1937, S. 742.

ministerium am meisten von den Remaniements profitierte: 43 Mal in den Jahren 1879–1940, während das Innen- und das Landwirtschaftsministerium nur 36 Mal, das Kriegsministerium nur 35 Mal und das Handelministerium nur 24 Mal in der neuen Kombination mit dem gleichen Minister versehen wurden.[4]

Gemäss der vorliegenden Selbstzeugnisse müssen die häufigen Regierungswechsel die Berufsdiplomaten mindestens stark irritiert haben. Die Klagen über die Instabilität der Regierungen ziehen sich wie ein Leitmotiv durch die private Korrespondenz der französischen Diplomaten. Die Instabilität betraf mehrere Dimensionen: einmal die staatliche Legitimation, die auf der Ebene des Staatspräsidiums allerdings einigermassen gewährleistet war; sodann die politischen Präferenzen, die zwar weniger die grossen Richtungsfragen als kleinere Vorlieben und insbesondere Fragen des Stils und der Methode bis hin zur Organisation des Ministeriums betrafen; und schliesslich die personalpolitischen Konsequenzen, die zunächst im Zeichen der »Epuration« in Kauf genommen werden mussten, dann aber auch aus gewöhnlichen parteipolitischen Verbundenheiten eintraten (vgl. Kap. 3.3).

### Unsichere Diplomaten

Die ersten Klagen über die später zur Normalität werdenden Regierungswechsel stammen vom Mai 1873. Geschäftsträger Gavard am 25. Mai 1873:

> »[…] j'ai appris, en effet, de la bouche du même Lord Granville, que je ne représentais plus le même gouvernement qu'en entrant au Foreign Office, ou, du moins, que M. Thiers était battu et avait donné sa démission.«[5]

Am deutlichsten lässt sich die Irritation und Verärgerung über die permanenten Wechsel in der Korrespondenz von Paul Cambon fassen. Hier ein paar Beispiele aus den rund drei Jahrzehnten von 1882–1913:

Als de Freycinet Ende Juli 1882 über der Ägyptenfrage stürzte, klagte Paul Cambon, der damals Generalresident in Tunesien war:

> »Avec nos changements perpétuels de gouvernement, nous ne pouvons suivre aucune politique, nous nous réduisons à l'état de spectateurs inertes des plus graves événement.«[6]

Im Februar 1892 befürchtete Cambon, dass Frankreichs Gegenspieler versuchen würden, sich die Wechsel zunutze zu machen und dass es schwer sei, diese Krisen im Ausland verständlich zu machen.

> »Le maintien du ministre des affaires étrangères atténuerait un peu le mauvais effet de l'aventure, on ne soupçonne pas à Paris les déplorables conséquences de cette instabilité. Comment avoir confiance en nous? Comment suivre une négo-

---

[4] Jacques OLLÉ-LAPRUNE, La stabilité des ministres sous la Troisième République 1879–1940, Paris 1962, S. 156 und 240. Ferner Walter R. SHARP, The French Civil Service: bureaucracy in transition, New York 1931, S. 335.

[5] GAVARD, Un diplomate à Londres, S. 158.

[6] Paul Cambon an seine Frau, 1. August 1882 nach dem Sturz de Freycinets, Papiers Jules Cambon, Bd. 26.

ciation? J'entends d'ici les mauvais propos qu'on tient au Sultan sur notre compte.«[7]

Einen Monat später, im März 1892, beschwerte er sich darüber, dass man zu Hause keine Rücksicht auf die Aussenpolitik nehme, dass man sich keine Rechenschaft ablege über den Schaden, den man anrichte, und dass man recht eigentlich verraten werde:

> »Chaque changement de ministre des affaires étrangères équivalait à un gros échec diplomatique pour chacun de nos agents à l'étranger. Qu'on se mette bien cette vérité dans l'esprit en France.«[8]

Die häufigen Wechsel wirkten sich lähmend auf den Unternehmungsgeist der Diplomaten aus. Paul Cambon stand im elften Jahr seiner Botschaftertätigkeit und hatte bereits unter zehn Aussenministern gedient und vierzehn Kabinettswechsel erlebt, als er im April 1896, als eine neue Regierungskrise bevorstand, ausrief, es sei unmöglich, mit einer Regierung ohne Zukunft Aussenpolitik zu betreiben.

> »Comment faire de la politique extérieure avec un gouvernement sans lendemain. C'est là l'irrémédiable vice de notre régime, les ministères ne durent pas et il n'y a pas de remède. Il est probable que celui-ci tombera à la rentrée car la majorité (qui s'est affirmée) paraît bien précaire.«[9]

Paul Cambon war die Kontinuität so wichtig, dass er sogar dann wünschte, man möge einen Aussenminister in seinem Amt belassen, wenn er dessen Aussenpolitik nicht billigte. Paul Cambon war mit Hanotaux' Russlandpolitik nicht einverstanden; dennoch wünschte er im Januar 1898 dessen Verbleiben:

> »Hanotaux ne peut savoir avec quelle ardeur je souhaite son maintien aux affaires étrangères le plus longtemps possible.«[10]

Als in der Folge der Dreyfus-Krise die Gefahr bestand, dass Delcassé bereits nach vier Monaten das Aussenministerium wieder verlassen müsste, schrieb Paul Cambon im Oktober 1898 seiner Mutter:

> »Je ne sais si l'on a à à Paris le soupçon de l'état lamentable où nous sommes et de l'effet désastreux de nos misérables querelles. Nous tournons à la Pologne. Et cependant il y a bien des ressources chez nous, mais il faudrait supprimer les politiciens. Je crois décidément que nous ne sommes pas faits pour le régime dont nous jouissons.«[11]

Obwohl Waldeck-Rousseau seinen Bruder Jules Cambon nicht aus der amerikanischen »Verbannung« zurückholen wollte, sprach Paul Cambon im März 1902 vor den Wahlen den Wunsch aus, dass die Regierung und insbesondere der Aussenminister die Krise überleben werden:

---

[7] Paul Cambon an Ribot, 22. Februar 1892, Papiers Ribot, Bd. 1.

[8] Paul Cambon an Ribot, 24. März 1892, Papiers Ribot, Bd. 1.

[9] Paul Cambon an seine Mutter, 2. April 1896, Fonds Louis Cambon.

[10] Paul Cambon an seine Mutter, 23. Januar 1898, Fonds Louis Cambon.

[11] Paul Cambon an seine Mutter, 27. Oktober 1898, Fonds Louis Cambon. Siehe auch Cambons Brief an Delcassé vom 29. September 1898, Correspondance 1870–1924, Bd. 2, S. 441.

>>Je le souhaite [...] car pour le dehors la continuité au cabinet est un avantage essentiel.<<[12]

Die französische Diplomatie hatte im Juni 1905 eben den brüsken Wechsel von Delcassé zu Rouvier verdauen müssen, da war sie im März 1906 zu Beginn der Konferenz von Algéciras mit dem Wechsel von Rouvier zu Bourgeois konfrontiert. Paul Cambon: Bourgeois nehme die Sache zwar richtig in die Hand, aber man müsse jetzt, kaum sei Rouvier eingeführt gewesen, kaum habe er >>son apprentissage du Maroc<< gemacht, schon wieder einen neuen Aussenminister auf die Höhe seiner Aufgaben bringen:

>>Nous allons encore être obligés de nous faire professeurs de diplomatie<< et >>recommencer avec le nouveau ministre le ba-ba de l'histoire marocaine.<<[13]

Seinem Sohn, der ebenfalls Diplomat war, schrieb Cambon damals, man giesse Wasser in das Fass der Danaiden, wenn man sich in einem solchen Moment mit Aussenpolitik beschäftige.

>>[...] s'occuper de politique extérieure, en un moment pareil, c'est verser de l'eau dans le tonneau des Danaïdes.<<[14]

Paul Cambons Bruder Jules teilte diese Haltung. Zum neuesten Regierungwechsel und zur Frage, ob England allenfalls allein gewisse spanische Gebiete garantieren werde, bemerkte er:

>>[...] il ne faut pas crier tout de suite et accuser Albion de perfidie quand on a affaire à un peuple (les Français, G. K.) assez faible et assez bête pour se donner le luxe d'une crise ministérielle dans la dernière semaine, il ne faut pas demander aux autres de ne regarder que par nos lunettes.<<[15]

Trotz anfänglicher Skepsis schätzte Cambon auch Clemenceau und Pichon – >>car au point de vue extérieur je les trouve excellents.<<[16] Als Clemenceau im Juli 1909 das Regierungsmandat zurückgeben und Briand Platz machen musste, teilte Cambon Aussenminister Pichon mit, wie sehr man sein Verbleiben gewünscht hätte:

>>A Londres aussi bien qu'à Berlin, rencontre singulière, on souhaite votre maintien. Ce serait une erreur impardonnable de changer, comme on dit de cheval au milieu du guet. [...] Il me semble que vous pouvez bien faire connaître à M. le Président de la République l'avis de vos ambassadeurs. Je ne connais que celui de mon frère mais je suis sûr que tous me collègues pensent comme nous.<<[17]

Pichon konnte dann tatsächlich bleiben; er wurde von den beiden nachfolgenden Kabinetten übernommen. Beim Sturz der Regierung Briand im Februar 1911, der dann doch auch Pichons Weggang aus dem Quai d'Orsay zur Folge hatte, klagte Paul Cambon wieder:

---

[12] Paul Cambon an Henri Cambon, 22. März 1902, Fonds Louis Cambon.

[13] Paul Cambon an Jules Cambon, 9. März 1906 und Paul Cambon an Henri, 1. April 1906, ebenda.

[14] Paul Cambon an Henri Cambon, 13. März 1906, ebenda.

[15] Paul Cambon an de Margerie vom 15. März 1906, Papiers Jules Cambon, Bd. 11.

[16] Paul Cambon an Henri Cambon, 23. Januar 1907, ebenda.

[17] Paul Cambon an Pichon vom 23. Juli 1909, Papiers Pichon, Institut.

»Cette crise incompréhensible pour les gens qui ne vivent pas dans votre maré-
cage parlementaire fait ici le plus déplorable effet.«[18]

Cruppi, der als Nachfolger Pichons ein reiner Verlegenheitsminister war, hätte
Paul Cambon gerne weiter im Amt gesehen, um nicht schon wieder einen Wechsel hinnehmen zu müssen:

> »La vérité est que le pauvre Cruppi est sur une lame de couteau. Delcassé et Cail-
> laux qui visent l'un et l'autre la Présidence du Conseil lui taillent des croupières.
> Delcassé en cette circonstance se conduit en parfait égoïste car si un moment est
> mal choisi pour changer de cheval c'est bien celui-ci, nous sommes au milieu du
> guet. Soutenons donc Cruppi à qui d'ailleurs il n'y a aucun reproche à faire
> […].«[19]

Wenige Wochen später musste auch Cruppi den Quai d'Orsay wieder verlassen.
Als Pichon 1913 nach seiner kurzen Rentrée doch wieder zurücktreten musste,
flehte ihn Jules Cambon an:

> »Toutes nos mésaventures diplomatiques depuis 30 ans sont toujours et partout
> précédées d'une crise ministérielle produite par l'aveuglement de nos chambres.
> Restez donc, il le faut, et au besoin faites quelques sacrifices pour rester.«[20]

Paul Cambon war mit seiner Einschätzung der permanenten Wechsel nicht allein;
auch andere Diplomaten sahen in den Regierungskrisen ein ständig drohendes
Damoklesschwert. 1883 etwa Alphonse de Courcel der – zeitweise – überhaupt
nicht mehr wählerisch sein wollte und die Hauptsache darin sah, überhaupt eine
Regierung zu haben.

> »La première chose est d'avoir un gouvernement quelconque. J'espère que le long
> inter-règne […] va prendre fin par la constitution d'un ministère solide et dura-
> ble.«[21]

Oder 1888 Barrère:

> »Je n'ai aucun regret de ne pas occuper un grand poste, sachant (par expérience)
> combien l'action est stérile quand elle ne s'appuie pas sur un régime qui dure.«[22]

Waddington äusserte Ende 1890 als Botschafter in London seinem Aussenminister gegenüber die Auffassung, es wäre verhängnisvoll, wenn man nach einem
stabilen Jahr wieder in den Rhythmus der jährlichen Regierungskrisen zurückfal-
len würde.

> »Il serait bien fâcheux pour notre situation à l'étranger, si évidemment affermi de-
> puis un an, si le renversement annuel des ministères allait recommencer.«[23]

---

[18] Paul Cambon vom 28. Februar 1911 an Pichon, Correspondance 1870–1924, Bd. 2,
S. 311.

[19] Paul Cambon an Jules Cambon, 29. Mai 1911, Fonds Louis Cambon.

[20] Paul Cambon an Pichon, 3. Dezember 1913, Papiers Jules Cambon, Bd. 16.

[21] De Courcel an Billot, 20. Februar 1883, Papiers Billot.

[22] Am 31. Januar 1888 an den ehemaligen Kabinettschef Marcel, nachdem im Vorjahr die
Regierung zweimal gewechselt hatte, Papiers Marcel.

[23] Waddington an Ribot, 20. Dezember 1890, Papiers Ribot, Bd. 3.

Im gleichen Moment legte Waddington gegenüber Jusserand weiter dar:

> »C'est bien le cas de dire: plus ça change, plus c'est toujous la même chose. Rouvier paraît le plus menacé; mais on m'écrit qu'il y a aussi lutte sourde entre Ribot et Constans, qui voudrait arriver au Quai d'Orsay. Ce serait bien fâcheux maintenant que Ribot a appris son métier et commence à prendre de l'autorité.«[24]

Schon dem Vorvorgänger gegenüber hatte Waddington die gleiche Sorge geäussert:

> »J'espère que vous en sortiez consolidés. Une crise ministérielle ou électorale serait bien fâcheuse en ce moment.«[25]

Wenige Tage später wurde das Kabinett dennoch gestürzt. Waddington hegte diese Befürchtung, obwohl sich das Kabinett, was er freilich nicht wissen konnte, noch über ein Jahr am Leben erhalten konnte und Aussenminister Ribot sogar noch zwei weitere Jahre im Amt blieb. Statt in Klagen konnte sich das Problem auch in zufriedenen Feststellungen spiegeln, dass man für einmal nichts zu klagen habe: 1892 bemerkte de Reverseaux:

> »Nos ennemis s'étaient réjouis trop tôt d'un changement de personnes qu'ils pensaient devoir entraîner un changement de politique extérieure.«[26]

1895 dann aber wieder Klagen, diesmal von Billot, damals Botschafter beim Quirinal in Rom:

> »Les Dépêches de Paris nous annoncent coup sur coup, une crise ministérielle, puis une crise présidentielle. Quels accidents inopportuns et inexplicables d'ici: Je m'en désolerais, si je n'avais une confiance inaltérable dans le génie et la fortune de la France.«[27]

Am 1. November 1895 schrieb Billot nach Hanotaux' Rücktritt und in Erinnerung an Ferrys Sturz von 1885:

> »Aujourd'hui comme il y a dix ans, je serais tenté de récriminer contre le régime parlementaire s'il ne constituait la plus sûre garantie de nos libertés.«

Billot verband in diesem Schreiben die Klage über den Wechsel mit der Hoffnung, dass es möglichst bald wieder einen Wechsel gebe, der den alten Wechsel rückgängig mache:

> »Je serai heureux, si les circonstances vous replacent bientôt à notre tête.«[28]

Doch Ungewissheit bestand, wie gesagt, nicht nur in den häufigen, aber kürzeren Momenten der Regierungsumbildung, sondern zuweilen auch während der eigentlichen Regierungsphasen. Das Kabinett Clemenceau konnte sich beachtlich lange, vom Oktober 1906 bis zum Juli 1909 halten. Diese drei Jahre erscheinen als stabile Phase in der französischen Politik. Aus der Sicht der Zeitgenossen

---

[24] Brief vom 20. Dezember 1890, Papiers Jusserand.

[25] Waddington an Goblet, 31. Januar 1889, Papiers Goblet.

[26] Brief vom 29. Februar 1892, ebenda.

[27] Brief vom 16. Januar 1895, Papiers Hanotaux, Bd. 17.

[28] Brief vom 1. November 1895, Papiers Hanotaux, Bd. 17.

sahen die Verhältnisse allerdings anders aus. Paul Cambon rechnete (und das ist das Entscheidende) im Mai 1907 keineswegs mit einer Stabilisierung der Verhältnisse und beklagte im Gegenteil auch zu jener Zeit das »beständige Schlingern« der französischen Politik.

> »Je ne vous parle pas politique; voici le Ministère français consolidé pour un temps, mais la situation est toujours pleine d'équivoque. [...] En France pour arriver, il faut être révolutionnaire et pour subsister, il faut être réactionnaire et comme ni le désordre ni l'oppression ne sont durables, c'est le roulis perpétuel. Nous sommes voués au mal de mer.«[29]

Ähnliche Scheinstabilitäten gab es auf Botschafterebene: Barrère wurde mit den 26 Jahren, die er in Rom verbrachte, gerne als Beleg für die Kontinuität zitiert. Von Zeit zu Zeit war aber immer wieder von seinem Weggang die Rede, 1909 beispielsweise wegen einer allfälligen Ernennung nach Konstantinopel, die dann doch nicht eintrat.[30]

Zur Irritation durch mögliche oder tatsächliche Wechsel kam dann und wann die Irritation über das Verhalten ehemaliger Aussenminister und einzelner ehemaliger Spitzenbeamter insbesondere im Umgang mit den Medien (vgl. Kap. 4.3). Der Bonapartist Baron Des Michels wies auf dieses Problem hin, als er darüber klagte, dass es nicht mehr möglich sei, die Sphäre der geheimen Staatsaktionen von der Sphäre der öffentlichen Debatte strikt zu trennen. Staatsmänner wurden plötzlich wieder gewöhnliche Bürger, Politiker und vor allem Opponenten, die in ihren nun persönlichen Aktionen von den besonderen Kenntnissen Gebrauch machten, die sie während ihrer Amtszeit erworben hatten.

> »Sans direction stable, sans personnel formé, soumise aux influences les plus diverses, il lui faut vivre au jour le jour, d'incidents plutôt que de tradition.«[31]

Diese private Auswertung erfolgte zum Teil wohl in den Clubs, Couloirs und Cabinets – zum Teil erfolgte sie aber auch in einer extrem öffentlichen Form: nämlich in der Presse. Im republikanischen Regime kam der Presse neben dem Parlament eine besondere Bedeutung zu. Deshalb soll auch in einem besonderen Kapitel von ihr die Rede sein.

## Beeinträchtigte Vertragsfreiheit

Die Regierungswechsel waren trotz der unbestreitbar vorhandenen inneren Kontinuität eine Belastung für die französische Aussenpolitik, weil sie im Ausland immer wieder neue Zweifel an Frankreichs Vertragsfähigkeit aufkommen liessen. Das Bild eines instabilen Frankreich war allein schon durch die häufigen Regimewechsel seit den ersten Tagen der französischen Revolution geprägt.[32] Bismarck stellte 1872 die rhetorische Frage:

---

[29] Paul Cambon an Fleuriau, 15. Mai 1907, Correspondance 1870–1924, Bd. 2, S. 230.

[30] Paul Cambon an Henri Cambon, 19. Mai 1909, Papiers Louis Cambon.

[31] DES MICHELS, Souvenirs, Vorwort.

[32] Charles BLOCH, Les relations entre la France et la Grande Bretagne 1871–1878, Paris 1955, S. 274.

»Pouvez-vous me dire avec certitude qui gouvernera demain la France?«[33]

Zu jenem Zeitpunkt konnte er dies noch nicht unter dem Eindruck der schliesslich sprichwörtlich gewordenen Instabilität getan haben. Seine Bedenken entsprangen vielmehr der grundsätzlichen Überlegung, dass ein parlamentarisches Regime keine Stabilität garantieren könne. Dabei könnte Bismarck ausser der personellen auch die konstitutionelle Kontinuität gemeint haben.

Im Jahr 1877 durchlief Frankreich mit dem »16. Mai« mit der Bildung des Kabinettes de Broglie, der Auflösung des Parlamentes im Juni, den Wahlen im Oktober, der gescheiterten Regierungsbildung durch Rochebouet im November 1877 eine besonders turbulente Phase. Den Klagen des Comte de Chaudordy zufolge muss diese Krise in Spanien, wo de Chaudordy die französischen Interessen vertrat, Frankreichs Prestige stark beeinträchtigt haben.

> »Hélas tout cela se gâte un peu. On devient très favorable à l'Allemagne par suite du manque absolu de confiance en notre situation politique. Les suites du 16 mai ont désorganisé l'intimité si complète qui existait entre nos gouvernements, et je me trouve en présence d'amis qui ne croient en rien à notre avenir. [...] ici mon influence ne vient plus que de moi-même et je travaille péniblement à retenir des entraînements qui nous laisseraient volontiers de côté.«[34]

Es ist denkbar, dass schwächere Staaten, für die sich die Frage stellte, an welche Grossmacht sie sich anlehnen sollten, darauf achteten, welches Regime die grössere Stabilität aufweise. Nicht nur zweitrangige Mächte massen diesem Kriterium Bedeutung bei und zögerten deshalb, sich mit Frankreich einzulassen. Gabriel Charmes hatte sicher auch die Partnerschaft unter Grossmächten vor Augen, als er 1883 von Regierungen sprach, die sich nur mit stabilen Nationen verbinden würden.

> »[...] l'on ne s'aperçoit pas qu'au dehors il y a des gouvernements qui, ne voulant et ne pouvant s'allier qu'à des nations sûres du lendemain, s'éloignent aussitôt d'un pays où, de son propre aveu, le pouvoir est sans cesse à la merci d'un complot!«[35]

Eine engere Verbindung zwischen Frankreich und England stand 1896 noch nicht zur Diskussion. Damals bestanden jedoch, wie der französische Botschafter de Courcel aus London berichtete, in England erhebliche Zweifel, ob man angesichts der französischen Instabilität mit diesem Partner Zukunftsfragen überhaupt vertraglich regeln könne.

> »Le gouvernement de France fait l'effet d'un kaléidoscope. Les Anglais, gens de tradition et d'habitude, sont désorientés par ce système et se refusent à traiter, pour les questions d'avenir, avec un régime aussi instable.«[36]

Anderthalb Jahre zuvor, im Februar 1895, hatte Alphonse de Courcel allerdings noch schreiben können, der damalige Regierungswechsel in Frankreich habe

---

[33] Laut den Memoiren von de Rémusat: REMUSAT, Mémoires, Bd. 5, S. 394.

[34] De Chaudordy an Valfrey, Papiers Valfrey.

[35] CHARMES, Politique extérieure, S. 120.

[36] De Courcel an Hanotaux, 31. Juli 1896, Papiers Hanotaux, Bd. 20.

seine Position in London kaum beeinträchtigt. Lord Kimberley habe die Gespräche wieder aufgenommen

> »sans diminution visible de mon crédit auprès de lui.«[37]

Zwischen der ersten und der zweiten Äusserung de Courcels lag aber das halbjährige Intermezzo von Berthelot und Bourgeois, das offensichtlich die Zweifel in England verstärkt hat. Das halbjährige Intermezzo wurde auch in den eigenen Reihen als Störung der Aussenpolitik empfunden. Aus Spanien gratulierte de Reverseaux dem zurückkehrenden Hanotaux:

> »Vous nous apportez le prestige, l'autorité, la confiance et le courage qui nous ont tant manqué depuis 6 mois. Nous avons traversé de cruelles épreuves à l'étranger par suite de notre situation intérieure.«[38]

Die gleichen Zweifel bestanden während längerer Zeit auch in Russland. 1886 erklärte Zar Alexander III. in einem Gespräch mit dem französischen Botschafter de Laboulaye, Russland würde gerne mit Frankreich eine gemeinsame Linie verfolgen, doch sei dies leider schwer möglich, weil Frankreich keine stabile Regierung habe. Paul Lefebvre de Laboulaye wollte diese Einschätzung der französischen Verhältnisse nicht gelten lassen – doch wenige Tage später war die Regierung de Freycinet gestürzt. De Laboulaye notierte sich am 26. November 1886 nach einer Audienz unter anderem den folgenden Ausspruch des Zaren:

> »Malheureusement vous traversez vous-mêmes des épreuves qui vous empêchent d'avoir de l'esprit de suite dans votre politique. [...] Cela est bien regrettable, car il nous faudrait une France forte.« De Laboulaye wich aus in seiner Antwort, betonte aber: »Le travail de reconstition, tout pénible qu'il ait paru à certains moments, ne changeait rien à l'âme française qui était toujours la même.«[39]

Wenige Tage später stürzte die Regierung de Freycinet, und Hansen notierte am 31. Dezember 1886 in sein Tagebuch:

> »M. de Laboulaye se plaint maintenant d'avoir perdu de son autorité à St. Pétersbourg.«

Im gleichen Tagebuch finden wir am 6. Mai 1887 ein Diktum von Präsident Grévy, das wie de Laboulaye den Vorwurf der Instabilität ein wenig entkräften wollte:

> »La politique de la France est guidée par de grands intérêts et pas par des questions de personne.«

Ein andermal klagte der russische Botschafter in Paris, Baron von Mohrenheim, über die Instabilität der französischen Regierungen. Dem russischen Baron bedeutete die Stabilität allerdings nicht einen Wert an sich, wünschte er doch nur den gemässigten Kabinetten ein langes Leben. Von der radikalen Regierung

---

[37] Alphonse de COURCEL, France et Angleterre en 1895. Lettres à G. Hanotaux, in: Revue Historique 212 (1954), S. 39–60, hier: S. 40. De Courcel schrieb dies am 2. Februar 1895, S. 40.

[38] Brief vom 2. Mai 1896, Papiers Marcel.

[39] TOUTAIN, Alexandre III, S. 140 f.

Floquet hoffte er im Gegenteil, dass sie bald wieder einer gemässigteren Regierung Platz mache.

> »Si le ministère actuel n'est pas modifié d'ici là (fin de l'année) dans un sens modéré tout en gardant deux de ses membres actuels, (il m'a dit M. de Freycinet et M. Goblet sans indiquer avec quels portefeuilles) je crains fort que nous perdions la partie.«[40]

Die ministerielle Instabilität hinderte Russland freilich nicht, 1891, als ein Zusammengehen mit Frankreich finanz- und rüstungspolitische Vorteile versprach, einen ersten Schritt in Richtung Allianz zu tun. Wäre dieser Schritt bei stabileren Verhältnissen schon früher gemacht worden? Möglicherweise schon. Die Abberufung von Botschafter Appert im Februar 1886 war nicht nur den Annäherungsbestrebungen nicht dienlich – sie fügte ihnen grossen Schaden zu. Der in Russland gerne gesehene Botschafter war infolge eines Kabinettswechsels nach Hause gerufen worden (vgl. Kap. 2.3 und 3.1).

Die diplomatischen Beziehungen wurden nach diesem »faux pas« vorübergehend eingefroren. Erst nach einem halben Jahr konnte man einen neuen Botschafter nach St. Petersburg schicken und konnte dieser neue Botschafter sachte eine diplomatische Offensive einleiten und versuchen, das Vertrauen des Zaren zurückzugewinnen. Alexander III. hat damals Botschafter de Laboulaye bei dessen Antrittsvisite prompt die Bedenken entgegengehalten, die oben bereits zitiert worden sind. In seinen Memoiren schreibt de Freycinet, das französisch-russische Bündnis habe wegen der häufigen Regierungswechsel erst fünf Jahre später unter seinem Ministerpräsidium abgeschlossen werden können:

> »Les changements de ministère, si fréquents en France pendant la période qui a suivi, n'ont permis de réaliser ce commun désir que cinq ans plus tard, lors de ma présidence de 1890 à 1892.«[41]

Auch nach Abschluss der ersten Militärkonvention von 1891 blieb die französische Instabilität ein Sorgenpunkt, auf den die russischen Gesprächspartner immer wieder zu reden kamen. Als der Zar im Herbst 1896 nach Paris kam, benützte der ein halbes Jahr zuvor wieder mit der Leitung der französischen Aussenpolitik betraute Gabriel Hanotaux die Gelegenheit, um den russischen Monarchen zu beruhigen: Er solle den Kabinettswechseln nicht zuviel Bedeutung beimessen. Einmal gestürzte Minister würden – wie er? – schnell wieder zurückkehren; im Grunde habe man immer die gleichen Leute: de Freycinet, Ribot, Bourgeois:

> »Les ministres tombent vite, mais ils reviennent souvent. Au fond, c'est toujours le même personnel; c'est toujours M. de Freycinet, M. Ribot, M. Bourgeois. Quoi qu'il arrive, ayez confiance dans la fidélité de ce pays, à la ligne politique qu'il s'est une fois tracée.«[42]

---

[40] Hansen an Kabinettschef Robert, 21. Juli 1888, Papiers Robert.

[41] FREYCINET, Souvenirs, Bd. 2, S. 307.

[42] Hanotaux, in: Carnets, Eintragung vom 12. Oktober 1896, RDM 15. November 1949, S. 208.

Hanotaux hatte dabei wohl auch sein eigenes Schicksal vor Augen, konnte er doch, im Oktober 1895 gestürzt, schon im April 1896 wieder in den Quai d'Orsay einziehen und sich damals auch vom russischen Aussenminister dazu beglückwünschen lassen:

> »Je suis chargé tout d'abord de vous transmettre la félicitation du Comte Lobanov et sa grande satisfaction de vous voir reprendre la direction de nos affaires extérieures. Vous savez que, de sa part, cette expression n'est pas banale. Il s'est plu à constater que, sauf quelques malentendus, la politique extérieure du Cabinet précédent n'avait amené aucun changement dans la direction générale des affaires, mais il se sent plus à l'aise avec un collaborateur tel que vous qui lui inspire entière confiancel.«[43]

Die häufigen Wechsel bedeuteten letzten Endes keine ernsthafte Beeinträchtigung der Vertragsfähigkeit. Sofern sie dennoch als das empfunden wurden, konnte der Hinweis auf den Umstand, dass der auf sieben Jahre gewählte Präsident der Republik diesen Wechseln nicht ausgesetzt sei und darum die Kontinuität der französischen Aussenpolitik verbürge, beruhigend wirken. Felix Faure versicherte im Mai 1898 dem Zaren in einem Schreiben, das zwischen den ersten und den zweiten Wahlgang der Erneuerungswahlen der Kammer fiel,

> »[…] aucun changement quelconque ne surviendra dans les relations intimes qui unissent si heureusement la Russie et la France.«[44]

Als dann die Regierung Méline am 15. Juni 1898 stürzte, rief sich Faure beim französischen Botschafter in St. Petersburg abermals als Garant der Kontinuität in Erinnerung.

> »La politique extérieure n'a subi et ne subira aucun changement. […] Nos accords avec la Russie subsisteront absolument, je m'en suis porté garant. […] J'espère par vos correspondances qu'on le comprendra à St. Pétersbourg.«[45]

Einer Äusserung von de Courcel, dem französischen Botschafter in Berlin, zufolge, soll man 1883 in Deutschland ebenfalls in Präsident Grévy den »seul représentant en France du principe de la stabilité gouvernementale« gesehen haben.[46] Von der stabilisierenden Rolle des Präsidenten ist im ersten Teil bereits ausführlich die Rede gewesen.

Gerade weil der Präsident in der wechselreichen Politik ein ruhender Pol war und die Meinung bestand, die Aussenpolitik müsse nach Möglichkeit den innenpolitischen Peripetien entzogen werden, wurde dann und wann der Vorschlag laut, man solle die Ministerien der »Défense Nationale« – das Kriegs-, Marine- und Aussenministerium – nicht den häufigen Regierungskrisen aussetzen und deren Leiter durch den Präsidenten der Republik ernennen lassen. Laut Ernest

---

[43] Montebello an Hanotaux, 3. Mai 1896, Papiers Hanotaux, Bd. 26.
[44] Entwurf vom 21. Mai 1898, Papiers Faure, Fonds Berge.
[45] Entwurf Juli/August 1898, ebenda.
[46] HANOTAUX, Mon temps, Bd. 2, S. 247.

Daudet wurde dies bereits 1877 von Präsident Mac-Mahon gefordert.[47] Diese Lösung fand indessen wenig Anhänger und wäre wohl von den wenigsten Aussenministern geschätzt worden, denn sie hätte die lockerere Abhängigkeit vom Parlament gegen die wahrscheinlich straffere Abhängigkeit vom Präsidenten eingetauscht.

## Die Dauer im Wechsel

31 Aussenminister standen während insgesamt 57 Regierungen dem Quai d'Orsay vor.[48] Mithin gab es 26 (20) Regierungen mit Aussenministern, die dieses Amt schon einmal innehatten. Deswegen und wegen einiger längerer Amtszeiten der Staatschefs sowie dem Wirken von Spitzenbeamten in der zweiten Verantwortungslinie ist die Feststellung gestattet, dass die Kontinuität alles in allem grösser war, als man wegen der legendären »instabilité ministerielle« meint.

11 Regierungsbildungen mussten nicht wegen akuter politischer Differenzen, sondern aus formellen Gründen vorgenommen werden, weil nach den allgemeinen Wahlen eine neue Legislaturperiode begann (5 x) oder ein neuer Staatspräsident (6 x) gewählt wurde. Über 5 dieser Scheinzäsuren blieben de Freycinet, Hanotaux, Delcassé (2 x) und Pichon in den Ämtern, eine sechste dieser Zäsuren war inhaltlich keine, weil im Januar 1913 Ministerpräsident und Aussenminister Poincaré Staatspräsident wurde (vgl. oben die Ausführungen zu Poincaré).

Die sechs *längsten* Amtszeiten waren diejenigen von Delcassé mit 84 Monaten (November 1898–Juni 1905) sukzessive in 5 Regierungen, sodann von Pichon mit zwei Wirkungsphasen von 52 Monaten (Oktober 1906–März 1911) und von 9 Monaten (März–Dezember 1913); von Decazes mit 48 Monaten (November 1873–November 1877), von Hanotaux mit 45 Monaten in zwei zusammenhängenden Amtszeiten und einer zusätzlichen Amtszeit (Mai 1894–November 1895 und April 1896–Juni 1898), von de Freycinet mit 35 Monaten mit zwei einzelnen und zwei zusammenhängenden, also vier Amtszeiten (Dezember 1879–September 1880, Januar 1882–August 1882 und April 1885–Dezember 1886), und schliesslich von Ribot mit 33 Monaten sukzessive in drei Amtszeiten (März 1890–Januar 1893).

Zu den *kürzesten* Amtszeiten zählten, wenn man das Mandat Bourgeois abzieht, das im Juni 1914 nur gerade von der Unterzeichnung durch den Staatschef bis zur Präsentation vor der Deputiertenkammer drei Tage danach dauerte: diejenigen von Banneville im November/Dezember 1877 und von de Fallières im Januar/Februar 1883; beide dauerten – auf dem Papier – bloss 20 Tage.

Die Dauer war natürlich in der Zeit selbst ein Thema. Hanotaux registrierte sehr gerne, wenn am Ende seiner ersten Amtszeit in seiner Umgebung gesagt wurde, er sei der Erste, der seit de Rémusat

---

[47] Le Gaulois vom 29. April 1900: »Le Conseil supérieur des affaires étrangères«. Gaudin de Villaine erinnerte am 6. April 1911 an die gleiche Forderung, die in der Kammer schon 1887 oder 1888 gestellt worden sei.

[48] Die Zahl der Regierungen wird auffallend unterschiedlich angegeben. Insbesondere für die Jahre 1873–1877.

»ait dirigé la politique extérieure de la France avec suite, fermeté et dignité.«[49]

Einzig auf Grund der Länge der Amtszeit kann man allerdings den Einfluss der Aussenminister nicht feststellen. Im Falle Delcassés entsprachen sich Länge und Einfluss, im Falle von Hanotaux schon deutlich weniger. Und umgekehrt gibt es kürzere, aber sehr wichtige beziehungsweise folgenreiche Amtszeiten, diejenigen beispielsweise von Gambetta, Ferry und Poincaré. Guillen (1985) unterschied in seinem Überblick über 18 Jahre (1880–1898) und über 16 Aussenminister unabhängig von der Dauer der Amtszeiten zwischen zahlreichen »marionettes« und einigen wenigen »fortes personnalités« und nannte dann Gambetta, Ferry und de Freycinet.[50]

Fünf der 57 Kabinettswechsel waren, wie weiter oben bereits dargelegt worden ist, mehr oder weniger über aussenpolitischen Fragen provoziert worden. In den übrigen 52 Fällen hatte also die Aussenpolitik die innenpolitisch bedingten Wechsel zu erdulden. Die meisten Kabinettswechsel waren aber nur Teilwechsel, denn nach dem System des »replâtrage« wurde in der Regel ein Teil der alten Equipe zu einem Teil der neuen Equipe. Dieses System machte es möglich, dass, wie wir gesehen haben, einige Aussenminister mehreren Kabinetten angehörten (vgl. Kap. 2.2).

Die der Innenpolitik untergeordnete Aussenpolitik konnte man leicht von der Innenpolitik etwas trennen, und mit ihr konnte sich auch der Aussenminister den innenpolitischen Konflikten etwas entziehen.[51] So erhöhten sich die Überlebenschancen seiner Politik und seiner Person. Delcassé verfolgte diese Strategie konsequent und lange erfolgreich. Er blieb in fünf verschiedenen Kabinetten während beinahe 84 Monaten ununterbrochen Aussenminister. Vor 1914 wurde diese Leistung nur durch Adolphe Cochery überboten, der von 1877 bis 1885 in acht Kabinetten zunächst Unterstaatssekretär der Finanzen, dann sechs Jahre lang Postminister war.[52]

An der Dauer der Amtszeiten beziehungsweise der Dauer der Wirkungsmöglichkeiten können wir natürlich nicht die effektive Wirkung ablesen. Ein dreimonatiges Mandat konnte, zumal wenn seine Wirkung negativ war und lange geförderte Entwicklungen brüsk störte, mehr bewirken als ein Mandat von wesentlich längerer Amtszeit. Die Zahlen zeigen lediglich, dass im Regime der häufig wechselnden Kabinette besonders im Aussenministerium längere Amtszeiten möglich waren.

Man muss sich freilich hüten, aufgrund der diversen »replâtrages« und Amtszeitverlängerungen dem System mehr Stabilität zuzuschreiben, als es wirklich besass. Die verschiedenen Kabinettswechsel brachten zwar, wie wir weiter unten

---

[49] Fournier, 1872/73 Botschafter in Rom, 1877–1880 in Konstantinopel, 2. November 1895 im Gespräch mit Thiébaut, Hanotaux MAE, Bd. 22, S. 138.

[50] GUILLEN, Expansion, S. 15 f.

[51] Chow teilt diese Auffassung: Die Tatsache, dass Aussenminister längere Amtszeiten aufweisen, sei nicht als Zustimmung zur praktizierten Aussenpolitik zu interpretieren, sondern die Folge der unzulänglichen Kontrollmöglichkeiten, CHOW, Contrôle parlementaire, S. 204.

[52] Vgl. auch die nach etwas anderen Gesichtspunkten vorgenommenen Zusammenstellungen von BARTHÉLEMY, Gouvernement, S. 120; SCHUMAN, War and Diplomacy, S. 30; OLLÉ-LAPRUNE, Stabilité, S. 258.

noch sehen werden, selten Änderungen in der Aussenpolitik. Im Gegenteil: Die neuen Regierungschefs beeilten sich jeweils, den bisherigen Kurs der französischen Aussenpolitik zu bestätigen und den ausländischen Regierungen zu versichern, dass der Wechsel nur die Innenpolitik berühre. 1873 bestätigte der Duc de Broglie ausdrücklich die Aussenpolitik seines Vorgängers Thiers. De Broglies Zirkular vom 28. Mai 1873:

> »Le différend entre la majorité de l'Assemblée nationale et M. Thiers n'a porté sur aucun point relatif à la politique étrangère. [...] Vous m'avez donc rien à changer aux instructions que vous avez reçues du dernier gouvernement; vous devez rester fidèle à la ligne qu'il vous a tracée.«[53]

1877 beauftragte der Aussenminister Duc Decazes seine Botschafter, energisch zu betonen, dass sich in der französischen Aussenpolitik nichts geändert habe.

> »[...] affirmez énergiquement que rien ne sera changé à la politique extérieure et que rien ne pourra porter atteinte à nos intentions pacifiques et aux bonnes relations que nous entretenons avec les Puissances.«[54]

Der nur wenige Tage amtierende Nachfolger, Marquis de Banneville, gab im November 1877 eine ähnliche Erklärung ab.

> »Quant à notre politique extérieure, c'est un de ses privilèges d'avoir toujours réussi à se placer sans effort au-dessus de la fluctuation et de la mobilité des partis. Personnellement étranger aux derniers conflits qui se sont élevés entre les pouvoirs publics, je n'aurai rien de plus à coeur que de sauvegarder, dans le Département qui m'est confié, les traditions auxquelles il doit d'avoir continué à entretenir avec toutes les Puissances, malgré nos divisions et nos luttes, les relations les plus utiles à nos intérêts permanents. Rien ne saurait donc être changé à une politique qui etc [...].«[55]

Im Januar 1880 garantierte de Freycinet die Fortführung der Aussenpolitik seines Vorgängers Waddington:

> »Je vous prie de transmettre au Gouvernement allemand l'assurance que la modification ministérielle qui vient de se produire en France n'amènera aucun changement dans les principes auxquels obéit notre politique étrangère.«[56]

Im September des gleichen Jahres erklärte Barthélemy-Saint-Hilaire, die Aussenpolitik bleibe diejenige seines Vorgängers.

> »Appelé par la confiance de M. le Président de la République au ministère des Affaires étrangères (1), mon premier devoir est de vous prier d'assurer le Gouvernement près duquel vous êtes accrédité que le nouveau Cabinet ne changera rien à la politique extérieure du Cabinet précédent. Jamais la France n'a attaché plus de prix au maintien de la paix, si féconde pour sa prospérité et pour son honneur. Ce

---

[53] DDF, Série I, Bd. 1, Nr. 207. Vgl. auch Nr. 246. Ferner: BROGLIE, Gontaut-Biron, S. 101. GONTAUT-BIRON, Mon ambassade, S. 239 f.; MEAUX, Souvenirs politiques, S. 149.

[54] Zirkular Decazes vom 17. Mai 1877, DDF, Série I, Bd. 2, Nr. 166.

[55] Zirkular Banneville vom 30. November 1877, ebenda, Nr. 215.

[56] De Freycinet an Saint-Vallier, 2. Januar 1880, DDF, Série I, Bd. 3, Nr. 1.

système inauguré par la sagesse de M. Thiers, dont j'ai été si longtemps l'ami, a été suivi avec constance depuis dix ans, et il a porté d'excellents fruits.«[57]

Zwei Monate später bekräftigte der Aussenminister vor dem Senat:

»Je n'ai rien eu à changer à sa politique et cela pour une raison bien simple, c'est que je l'ai trouvé parfaitement sage et dictée par l'opinion publique.«[58]

Gambetta bat im Dezember 1881 General Chanzy, den Posten in St. Petersburg nicht zu verlassen, der Regierungswechsel werde keine Auswirkungen auf die Aussenpolitik haben:

»Un ambassadeur ne représente que la politique extérieure, et celle-ci ne change en rien.« Chanzy wollte dies allerdings nicht gelten lassen: »Pardon, un ambassadeur, vous ne l'avez jamais été, doit épouser la politique intérieure de son Gouvernement.«[59]

1885 versicherte de Freycinet erneut, die Aussenpolitik seines Vorgängers Ferry weiterführen zu wollen. Auf den Hinweis, dass Ferrys Sturz in Berlin starkes Missfallen ausgelöst habe, war es ihm wichtig, kategorisch zu erklären,

»qu'il continuerait scrupuleusement la politique de son prédécesseur, et que d'ailleurs, cette politique, il l'avait toujours approuvée et soutenue de ses votes, comme de ses discours, devant le Sénat.«[60]

1886 bestätigte auch Goblet den aussenpolitischen Kurs seines Vorgängers de Freycinet. Zu Aussenminister Flourens sagte er über die Politik des Vorgängers de Freycinet:

»Nous continuons sa politique surtout à l'extérieur.«[61]

Der Politische Direktor, Francis Charmes, rechnete ebenfalls nicht mit einem Kurswechsel; am 26. Dezember 1886 schrieb er Paul Cambon:

»J'ai été enchanté du choix de Flourens: il ne dérangera rien, il est plein de bonnes dispositions, il a du sang froid.«[62]

Der deutsche Botschafter, der in Flourens einen Beamten ohne selbständige Politik sah, vermutete sogar, dass de Freycinet der eigentliche Leiter der französischen Aussenpolitik bleiben werde.[63] 1888 beteuerte Goblet, er werde als Aussenminister »absolut« die gleiche Aussenpolitik verfolgen, die er als Ministerpräsident vor zwei Jahren verfolgt habe. Hansen entnahm einem persönlichen Gespräch mit dem Regierungschef:

---

[57] Barthélemy-Saint-Hilaire an die französische Vertretung in Berlin, 24. September 1880, ebenda, Nr. 259.

[58] Stiftung vom 30. November 1880.

[59] Eugène-Melchior de Vogüé notierte sich das Gespräch in seinem Tagebuch: VOGÜÉ, Journal, S. 333.

[60] Tagebuch Hansen, 24. April 1885, Papiers nominatifs, Nr. 85.

[61] GOBLET, Souvenirs, Bd. 141, S. 13.

[62] Fonds Louis Cambon.

[63] Bericht vom 15. Dezember 1886, PAAA Bonn, F 107, Bd. 1.

>M. Goblet espérait que M. de Mohrenheim et en général la Russie conserverait son attitude bienveillante pour la France dont la politique étrangère serait absolument la même que celle de son prédécesseur.«[64]

Albert Billot, der von Spuller ernannte Botschafter in Rom, hatte seinen neuen Posten noch nicht angetreten, als im März 1890 die Leitung der Aussenpolitik an Ribot überging. Der neue Aussenminister indessen bestätigte in jeder Beziehung die Instruktionen seines Vorgängers. Für die französisch-italienischen Beziehungen im Besonderen und für die französische Aussenpolitik im Allgemeinen gelte die Devise:

>Mêmes principes, même but, même méthode [...].«[65]

Im November 1895 trat Hanotaux zurück, konnte aber an den französisch-englischen Verhandlungen offenbar weiter teilhaben. Man rechnete von Anfang an mit seiner baldigen Rückkehr, und im April 1896 kehrte er tatsächlich in den Quai d'Orsay zurück. Paul Cambon sprach Hanotaux gegenüber am 6. November 1895 die Überzeugung aus, dass der Abgang nur ein »entre acte« sei. Der Staatsrat Cotelles äusserte sich am 7. Dezember 1895 in gleicher Weise:

>Vous êtes le ministre des affaires étrangères désigné du cabinet qui succédera à celui de Bourgeois.«

Und Cogordan wurde am 26. Dezember 1895 bereits ungeduldig:

>J'avais espéré que vous reviendriez bientôt au Quai d'Orsay. Et voilà deux mois écoulés.«[66]

Auch im Ausland rechnete man weiterhin mit Hanotaux. Italienischerseits stellte man am 12. März 1896 fest:

>[...] il signor Hanotaux che conserva tutta la sua autorità ed esercità larga influenza al Ministero degli Affari Esteri.«[67]

Und in Berlin wusste man, dass Botschafter de Courcel in London während des Winters 1895/96 weiterhin Hanotaux als Berater und Vertrauensmann konsultiert habe.[68]

Edouard Lefebvre wurde im April 1896 von der Regierung Bourgeois (mit dem antiklerikalen Combes als Kirchenminister) abberufen, weil er als zu vatikanfreundlich galt. Die Regierung stürzte, bevor der bereits designierte Nachfolger, der ehemalige Seine-Präfekt Eugène Pubelle platziert werden konnte. Die Nachfolger, Regierungschef Méline und Aussenminister Hanotaux, brachten aber das Geschäft – nolens volens – im Sinne der Vorgänger zu Ende.[69]

---

[64] Tagebuch Hansen, Eintrag vom 15. April 1888 nach einem persönlichen Gespräch mit Goblet, Papiers nominatifs, Nr. 85.

[65] Billot in: Revue de Paris 1902, S. 543.

[66] Papiers Hanotaux, Bd. 18.

[67] DDI, Série 2, Bd. 1, Nr. 6.

[68] GP, Bd. 11, Nr. 2848.

[69] BAILLOU, Affaires étrangères, S. 304.

Im März 1906 provozierten – einmal mehr – die Rechte und äussere Linke gemeinsam den Sturz einer Regierung, diesmal des Kabinetts Rouvier, und zwar mitten in der Algéciras-Konferenz, in der Frankreichs Zukunft in Marokko auf dem Spiel stand. Die Delegierten, die an der Konferenz Frankreichs Position zu verteidigen hatten, waren zutiefst bestürzt und sahen sich in einer unmöglichen Situation. Dazu Jules Cambon:

> »La Droite et M. Jaurès se sont unis pour faire tomber le gouvernement à la veille des jours où la question qui se débat à la Conférence allait pour un pas décisif. Je ne sais pas s'il y a jamais rien eu de pareil dans notre histoire. La droite a pour excuse les incidents des inventaires et il ne faut pas demander à des gens qui depuis 120 ans sont toujours des émigrés de faire une autre politique que celle de l'émigration. Quant à Jaurès c'est à croire qu'il est l'agent des Allemands.«[70]

Pierre de Margerie erwiderte:

> »La Chute du Cabinet et la crise ministérielle nous ont tués! et ont renversé du tout au tout une situation qui était toute entière à notre profit.«[71]

Das Kabinett Sarrien mit Léon Bourgeois als neuem Aussenminister bestätigte jedoch am 14. März 1906 der Delegation telegraphisch und am gleichen Tag dem Parlament und der weiteren Öffentlichkeit mit seiner Regierungserklärung, dass die Aussenpolitik ihrer Vorgänger unverändert fortgeführt werde:

> »A l'extérieur, nous entendons continuer, notamment dans les questions qui touchent à notre situation dans l'Afrique du Nord, la politique suivie par nos prédécesseurs [...].«[72]

Am 14. März 1906 schrieb der neue Aussenminister Léon Bourgeois dem Delegationschef Paul Révoil, er habe schon vor Amtsantritt die Absicht gehegt,

> »de vous confirmer purement et simplement les instructions de M. Rouvier.«[73]

Der Regierungswechsel mitten in der Algéciras-Konferenz fügte trotz Cambons Klage über den ewigen »apprentissage« (vgl. oben) letztlich der französischen Aussenpolitik keinen bleibenden Schaden zu. Anderseits blieb gerade in diesem Fall das Personal der zweiten und dritten Verantwortungslinie in seinen Stellen, insbesondere Nosky Daeschner, der sowohl Rouviers wie Bourgeois' Kabinettschef war.[74]

Wie Sarrien im März 1906 die Regierungsgewalt von Rouvier übernommen hatte, ohne die Aussenpolitik zu ändern, übernahm Clemenceau, der Sarriens Innenminister gewesen war, im Oktober des gleichen Jahres die Regierungsführung von Sarrien, ohne aussenpolitische Veränderungen vorzunehmen. Und als Clemenceau im September 1909 wieder abtreten musste, äusserte Stephen Pichon, der auch im nachfolgenden Kabinett Briand die Aussenpolitik leitete, die Überzeugung, dass der aussenpolitische Kurs der gleiche bleiben werde. Paul

---

[70] Jules Cambon an de Margerie, 8. März 1906, Papiers de Margerie.

[71] De Margerie an Jules Cambon, 12. März 1906, Papiers Jules Cambon.

[72] Regierungserklärung, Kammerdebatte vom 14. März 1906, JO, S. 1290.

[73] DDF, Série II, Bd. 9, Nr. 444.

[74] VILLATE, République, S. 277.

Cambons Prognose vom 26. Oktober 1906 sollte sich bestätigen. Damals schrieb er seinem Sohn Henri:

> »L'arrivée de Clemenceau à la tête du Gouvernement ne changera pas notre politique à l'extérieur.«[75]

Als Briand im Juli 1909 Clemenceau ablöste, schrieb Pichon, der weiterhin das Aussenministerium leitete, am 27. Juli 1909 in einem Brief an Paul Cambon:

> »La politique du nouveau gouvernement maintiendra les principes qui ont été sauvegardés par l'ancien. A l'extérieur il n'y aura rien de changé.«[76]

Diese Erklärungen besagen freilich nicht, dass die Aussenpolitik dann tatsächlich auch unverändert fortgeführt worden sei. Doch können wir aus diesen Beteuerungen immerhin schliessen, dass entweder entsprechende Absichten oder – aus der unangenehmen Erfahrung der ständigen Wechsel – das Bedürfnis bestanden haben, solche Versicherungen abzugeben.

Die 57 Regierungswechsel blieben trotz der bemerkenswerten Kontinuität nicht ohne Auswirkungen auf die Aussenpolitik, und dies sogar dann, wenn nur die alten Kombinationen bestätigt wurden. Die Ungewissheit vor allem in den Tagen zwischen den Rücktritten der Kabinette und den Neuantritten vor dem Parlament, die Ungewissheit sodann in den Zeiten der sich abzeichnenden Regierungskrisen und die Ungewissheit schliesslich, die dem System der wechselnden Koalitionen allgemein anhaftete, belasteten die französische Aussenpolitik. Es wäre reizvoll zu versuchen, die Phasen der Sicherheit beziehungsweise der Unsicherheit ausführlicher darzustellen, man müsste sich dabei aber weitgehend auf die Presse abstützen und sich mit dem Phänomen des innenpolitischen Zweckpessimismus auseinandersetzen, da die politischen Gegner, auf den Selbsterfüllungsmechanismus von Prognosen setzend, die Lebenserwartungen von Kabinetten wohl kürzer ansetzten, als es eine desinteressierte Analyse getan hätte.

### Die Präsenz der Ehemaligen

Als Hanotaux im Juni 1898 ein zweites Mal stürzte, hätten er und seine Anhänger mit einer zweiten Rückkehr rechnen können. Marquis de Reverseaux, der Botschafter in Wien, äusserte die Absicht, mit seinem ehemaligen Aussenminister in Kontakt zu bleiben:

> »Vous restez en effet mon Ministre et vos conseils seront utiles, si vous voulez bien ne pas me les refuser.«[77]

Dennoch endet dieser Briefwechsel noch im gleichen Jahr.

Die »gleichen Leute« kehrten nicht nur oft in die gleichen Funktionen zurück – sie übten auch nach ihren Rücktritten, von denen man ja nie wusste, ob sie definitiv waren, einen Einfluss aus und blieben in einem gewissen Sinn an der Aussenpolitik beteiligt. Als beispielsweise der russische Kanzler Muraview 1898 in

---

[75] P. Cambon, Correspondance 1870–1924, Bd. 2, S. 226.

[76] Fonds Louis Cambon.

[77] Brief vom 7. August 1898, Papiers Hanotaux, Bd. 28.

Paris zu Gast war, wurden alle ehemaligen Aussenminister zum Dîner geladen: de Freycinet, Goblet, Develle, Flourens, Berthelot und Hanotaux.[78]

Beim Dîner, das 1911 zu Ehren des russischen Aussenministers Sasonow veranstaltet wurde, waren sämtliche ehemalige Ministerpräsidenten und Aussenminister geladen.

Beim Abschiedsessen, das Maurice Paléologue im Februar 1914 vor seiner Abreise nach St. Petersburg gab, war ausser seinem Vorgänger Delcassé und dem gerade amtierenden Aussenminister Doumergue auch Stephen Pichon eingeladen, obwohl er seit zwei Monaten nicht mehr Chef des Quai d'Orsay war.[79] Delcassé verschwand nach seinem Sturz im Juni 1905 nicht im Orkus, er kam schon bald wieder als Marineminister (1911), wurde dann als Aussenminister angefragt (1912) und nach seinem Intermezzo als Botschafter in St. Petersburg (1913) dann tatsächlich wieder Aussenminister (1914).

Die Teilnahmen an solchen Dîners sagen nichts aus über den effektiven Einfluss ehemaliger Minister, sie zeigen aber, dass man als »Ausgeschiedener« weiterhin »dazu« gehörte und über Voraussetzungen verfügte, weiter mitzuwirken. Diese Mitwirkung hatte sich auf Aktionen hinter den Kulissen zu beschränken. Die Russlandreisen des ehemaligen Aussenministers Flourens wurden von der aktuellen Regierung und dem Botschafter in Petersburg ungern gesehen und sabotiert. Am 14. April 1892 schrieb Aussenminister Ribot dem Botschafter in St. Petersburg:

> »M. Flourens avait demandé à M. Bourgois – sans m'en prévenir – une mission officielle avec pleins pouvoirs pour conclure à cet égard un traité avec le gouvernement russe. Quand on m'a demandé de signer un arrêté, j'ai refusé ne voulant pas vous enlever l'honneur de mener à terme cette affaire, M. Flourens en a ressenti quelque mauvaise humeur. Il m'a dit que son intention était de ne plus s'occuper de rien. Je suis sûr qu'il reviendra sur cette première impression. Nous n'avons aucune raison de ne pas accepter son concours, s'il veut nous le donner, mais l'affaire doit rester dans nos mains et c'est vous seul qui pouvez prendre des engagements en notre nom.«[80]

Am 2. Mai 1892 antwortete ihm de Montebello, er habe überall betont, dass Flourens nicht in offizieller Mission unterwegs sei, und am 7. Mai 1892 berichtete er über Flourens' Aufenthalt:

> »M. Flourens continue à jouer ici un rôle d'ambassadeur ambulant dont on voit heureusement le côté un peu ridicule ou au moins étrange, de la part d'un ancien ministre des Affaires Etrangères. Il est arrivé ici avec une valise dans laquelle il a recueilli, je ne sais comment, toutes les affaires dont l'ambassade a à s'occuper, petites et grandes, il a tout pris sous son patronage et s'est fait le commis voyageur des intérêts français en Russie.«[81]

---

[78] LEGRAND-GIRARDE, Au service, S. 163.

[79] GERARD, Vie, S. 446; Bertie an Grey, 8. Dezember 1910, PRO, Privatpapiere Bertie. Hanotaux spielte, nach eigenen Aussagen, auch eine vermittelnde Rolle bei der Vorbereitung von Poincarés erster Russlandreise, Carnets, 3. Juni 1912.

[80] Papiers Ribot.

[81] Ebenda.

Im November 1894 begab sich Flourens wieder nach Petersburg. Montebello berichtete:

> »Il voudrait chercher à faire voir qu'après avoir été le promoteur de l'alliance russe il en a été le continuateur d'un règne à l'autre. Je veux que l'on sache bien que je ne l'ai pas reçu, afin de pouvoir réduire à néant tout ce qu'il pourrait croire dans ce sens. [...] Je regrette beaucoup qu'il ait fait ce voyage. Il aurait dû comprendre que l'abstention était pour lui le meilleur parti à prendre, et aussi la résignation à abandonner un rôle qui n'existe que dans son imagination.«[82]

### Die Stärke der Berufsdiplomatie

Paul Cambon ging zuweilen so weit zu erklären, man könne nur mit verhülltem Kopf den Zusammenbruch des Himmels abwarten.

> »Cruppi plein de bonnes intentions est inexpérimenté et fatigué, Bapst qui comprend et connaît les affaires politiques est absent et la cause de son absence est sa compétence même. Il n'y a qu'à s'envelopper la tête et à attendre la chute du ciel.«[83]

Allein: Der gleiche Cambon nahm immer wieder einen neuen Anlauf und erteilte den neuen Aussenministern, indem er sie mit den Zielsetzungen der französischen Aussenpolitik und natürlich auch mit seinen persönlichen Auffassungen vertraut machte, Nachhilfestunden in Diplomatie. Beim Rücktritt der Regierung Rouvier schrieb Paul Cambon am 9. März 1906 seinem Bruder Jules:

> »Je voudrais qu'il conservât les affaires étrangères car depuis 9 mois il se fait son apprentissage du Maroc, mais on parle de Bourgeois – nous allons être encore obligés de nous faire professeurs de diplomatie.«[84]

Als nach dem siebenmonatigen Intermezzo mit Bourgeois als Aussenminister Stephen Pichon die Leitung des Quai d'Orsay übernahm, »verhüllte« Cambon seinen Kopf doch nicht und machte sich erneut an die Arbeit: Am 25. Oktober 1906 schrieb er Barrère:

> »Je le mettrai au courant de toutes nos affaires. Le connaissez-vous?« Und wenige Tage darauf: »Je suis venu à Paris prendre contact avec M. Pichon. J'ai eu avec lui une longue conversation dont j'ai été satisfait. Il me semble avoir l'esprit net et sensé.«[85]

Als Pichon im März 1913 wieder das Aussenministerium übernahm, war Cambon sehr zufrieden, doch der im Dezember des gleichen Jahres geäusserte Wunsch ging nicht in Erfüllung:

> »Dieu veuille que Pichon reste dans le nouveau ministère pour boucler les négociations, car avec un autre ministre il faudrait recommencer. [...] Il a fallu pousser

---

[82] Papiers Hanotaux. Paul Doumer muss ähnliche Russlandreisen unternommen haben, Bompard an Pichon, 1. Dezember 1906, Papiers Pichon, Institut.

[83] Paul Cambon an Henri Cambon, 31. Mai 1911, Fonds Louis Cambon.

[84] Papiers Jules Cambon, Bd. 25.

[85] Brief vom 4. November 1906, Papiers Barrère.

Pichon l'épée dans les reins pour le déterminer à marcher. Que serait-ce avec un autre!«[86]

Auch in der Zwischenzeit war Cambon als Schulmeister tätig, beispielsweise nach der Ernennung des völlig unerfahrenen Cruppi. Am 31. Mai 1911 schrieb er seinem Sohn:

> »[…] je vais entreprendre Cruppi quand je serai à Paris et j'écris à Delcassé pour lui demander un rendez-vous. Je dirai aussi au Président de la République qu'on nous mène à un fiasco et qu'on édifie l'hégémonie allemande.«[87]

Die vom diplomatischen Kader ausgehende Wirkung ist nur punktuell deutlich zu erfassen; dennoch kann man von ihr sagen, dass sie alles in allem wohl einiges zur beachtlichen Kontinuität der französischen Aussenpolitik beigetragen hat. Bezeugt ist sie beispielsweise im Falle Jusserands:

> »Nous avons pu obtenir en Tunisie quelques résultats, grâce aux 27 mois de tranquillité du ministère Ferry. Mais comment former des plans et prétendre les exécuter lorsqu'on est obligé de conquérir tous les six mois l'esprit d'un nouveau ministre et de compter avec les appétits qui se réveillent après chaque crise. Sans Jusserand qui maintenait au ministère une sorte de tradition et qui empêchait le protectorat de dégénérer en annexion, je n'aurais pas pu tenir.«[88]

Oder nach der Auflösung der Regierung Méline: Von einer ersten Sitzung, die er mit Cruppis Nachfolger de Selves, mit dem Madrider Botschafter Geoffray und dem Politischen Direktor Bapst hatte, schrieb Jules Cambon:

> »M. Geoffray parle avec beaucoup de fermeté du langage que nous devions tenir aux Espagnols. Comme M. de Selves en était à ses premiers débuts, M. Geoffray rappela rapidement les nombreuses fautes de conduite que nous avions précédemment commises envers l'Espagne, et demande qu'on en usât mieux à l'avenir.«[89]

Darum wird man das Phänomen, dass der aussenpolitische Kurs 1905 trotz Delcassés Sturz keine wesentlichen Veränderungen erfahren hat, ausser mit den objektiven Zwängen auch mit dem Einfluss der auf ihren Posten verbliebenen Diplomaten erklären müssen.

Gegenüber dem schweizerischen Gesandten, mit dem er freundschaftlich verbunden war, gab Rouvier eine höchst aufschlussreiche Schilderung seiner neuen Situation:

> »M. Rouvier m'a dit qu'il n'avait pas encore pris de décision sur le point de savoir s'il resterait définitivement aux Affaires Etrangères; aux Finances il connaît et a nommé tout le haut personnel; il sait ce qu'il peut laisser faire et ce qu'il doit se réserver; il sait le degré de confiance que mérite chacun des chefs de service; en deux heures il peut déblayer la besogne et consacrer le reste de son temps à la politique générale ou au Parlement. S'il doit prendre les Affaires Etrangères et quoi-

---

[86] Briefe an seinen Sohn Henri vom 23. März und 7. Dezember 1913, Fonds Louis Cambon.

[87] Fonds Louis Cambon.

[88] Paul Cambon an Waddington, 18. April 1888, Papiers Waddington.

[89] Bericht vom 22. Juni–8. Juli 1911, Papiers Jules Cambon, Bd. 13.

qu'il sache fort bien ce qu'il veut sans faire d'apprentissage sur la politique qu'il compte suivre, il lui faudra beaucoup plus de temps pour apprendre à connaître le personnel et le détail des affaires jusqu'au moment où il aurait dans sa main des hommes de confiance et où il saurait quelles affaires il peut laisser.«[90]

1906 war in Algéciras ebenfalls ein Mann der zweiten Linie, Paul Révoil, über den Regierungswechsel hinaus der Garant der politischen Kontinuität. Präsident Fallières wurde am 17. Februar 1906 drei Tage nach der Eröffnung der Konferenz gewählt und übernahm das Amt seines Vorgängers Loubet 33 Tage nach der Eröffnung, so dass auch der Staatschef, der über die vielen Regierungswechsel hinweg die Kontinuität gewährleistete, die Regierungskrise vom März 1906 schlecht überbrücken konnte. Damals setzte Jules Cambon allerdings vergeblich seine Hoffnung auf Rouvier:

> »Je crois que l'intérêt de notre pays doit dominer votre conduite et qu'il est indispensable qu'on ait l'idée en Europe et particulièrement à Algéciras que la France est capable de constance, de persévérance et de sang-froid. – A ce point de vue, votre maintien au ministère est indispensable et je plaindrais de tout mon coeur Révoil si vous l'abandonniez.«[91]

Die Trägerschaft dieser Kontinuität beschränkte sich keineswegs auf die grossen Botschafter und nicht auf das bekannte Trio Paul und Jules Cambon und Camille Barrère. Entscheidendes konnte auch von – vorläufig – unscheinbaren Kräften geleistet werden – zum Beispiel 1880–1885 in der Tunesien-Frage durch den damals erst 28jährigen Jusserand (vgl. oben). Und Paléologue weihte als ebenfalls junger Botschaftssekretär und Redaktor der Politischen Direktion – wenigstens eigenen Aussagen zufolge – 1898 den neuen Aussenminister Delcassé in die Geheimnisse der französisch-russischen Allianz ein.[92]

Die in der Regel vorhandenen Möglichkeiten, im Hintergrund zu wirken, hatten nicht nur eine Verstärkung der Kontinuität zur Folge. Sie führten, wie die Klagen vor allem der beiden Cambon über die Eigenmächtigkeiten der Jungtürken zeigen, zuweilen auch zu zusätzlichen Beeinträchtigungen der aussenpolitischen Kontinuität. So beklagte sich Jules Cambon am 10. Januar 1912:

> »Au fond, voici un an que nous n'avions plus de Ministres et que nous étions conduits par des jeunes gens avides d'être populaires dans la presse nationaliste et partisans de la guerre.«[93]

Durch die Funktionäre der zweiten und dritten Linie konnte die Kontinuität freilich nur dann hochgehalten werden, wenn die Wechsel auf Regierungsebene nicht zugleich tiefergreifende Wechsel in den oberen Positionen der Verwaltung zur Folge hatten. Regierungswechsel zogen, wie weiter oben dargelegt worden ist, tatsächlich oft epurationsähnliche Mutationen nach sich. Doch wurden immer nur einzelne Diplomaten ausgewechselt, entweder weil sie sich persönlich expo-

---

[90] Bericht Lardy vom 7. Juni 1905, BA Bern 2300, Paris 1/339. Von Paul Cambon wissen wir ja, dass er Rouvier in das Metier der Diplomatie eingeführt hat.

[91] Jules Cambon an Rouvier, 8. März 1906, Papiers Jules Cambon, Bd. 11.

[92] PALEOLOGUE, Journal de l'affaire Dreyfus, S. 125. Schon 1894 hatte er die Allianz-Papiere Präsident Casimir-Périer überbringen müssen, ebenda, S. 11.

[93] Brief an Paul Cambon, Fonds Louis Cambon.

niert hatten oder ihre Posten von Anhängern der neuen Regierung begehrt wurden. Solche Wechsel wirkten sich möglicherweise nachteilig auf die Leistungsfähigkeit der französischen Diplomatie aus: Sie beeinträchtigten den Informationsstand (die formalen Kenntnisse wie die Kenntnisse einzelner Dossiers) und das Ansehen der Diplomaten am akkreditierten Ort – hingegen berührten sie den aussenpolitischen Kurs kaum oder gar nicht.

Ministerpräsident de Freycinet empfand es deshalb nicht als Widerspruch, einerseits Waddington zu stürzen und aus dem Quai d'Orsay zu vertreiben, und anderseits den Gestürzten zu bitten, die unverändert gebliebene Aussenpolitik Frankreichs in London zu vertreten. Waddington begründete am 28. Dezember 1879 schriftlich seine ablehnende Haltung. Er wusste, dass ein Teil der Republikaner gegen ihn und seine Aussenpolitik eingestellt war:

> »Il s'agit donc pour eux de modifier la ligne de politique extérieure que j'ai suivie. Je ne puis entrer dans cette voie, que je considère comme infiniment regrettable pour la France et pour la République. Accepter une ambassade dans ces conditions, ce serait m'associer à une politique que je désapprouve […].«

De Freycinet insistierte vergeblich:

> »Il ne s'agit pas, en effet, de modifier la politique extérieure. Je vous ai dit seulement qu'avec les dispositions hostiles que nourrit contre vous une fraction de la majorité républicaine, vous étiez exposé à tomber personnellement sur une question de détail, de budget ou autre, ce qui ne renforcerait pas le cabinet.«[94]

Der Kommentar de Saint-Valliers, des Botschafters in Berlin:

> »L'offre dérisoire de l'ambassade de Londres après la conduite tenue envers vous passe les bornes de l'impudence.«[95]

Jahre später musste es Waddington als Botschafter wieder erleben, dass er ausgewechselt wurde, ohne dass man die von ihm verfolgte Politik wechseln wollte. Paul Cambon dazu:

> »Tout cela prouve une fois de plus le danger des nerfs en politique. On a laissé partir Waddington sans raisons et sans prévisions. C'est pour une raison pareille qu'on aurait changé Herbette il y a deux ans si on avait trouvé quelqu'un à mettre à sa place. Ribot à qui je donnais au mois d'octobre dernier tous les motifs imaginables en faveur du maintien de Waddington me répondait: le changement ne se fera pas en tous cas avant un an. Pourquoi avoir oublié cette prudente parole?«[96]

Von allen Diplomaten, die im Hintergrund die Kontinuität der französischen Aussenpolitik zu sichern suchten, hätte der Leiter der Politischen Direktion einen besonders starken Einfluss ausüben können. Der ehemalige Aussenminister Goblet sprach aus eigener Erfahrung, wenn er betonte, wie sehr die oft improvisierten Aussenminister auf die Hilfe des Politischen Direktors angewiesen seien:

---

[94] FREYCINET, Souvenirs, S. 97 f.

[95] Brief an Waddington, 29. Dezember 1879, Papiers Waddington, Rapport II.

[96] Brief an Aussenminister Develle, 27. Mai 1893, Fonds Louis Cambon.

»Sans un directeur expérimenté, connaissant les traditions, la suite des affaires, comment un homme politique, improvisé le plus souvent comme ministre des Affaires Etrangères, pourrait-il assumer la responsabilité d'un tel département?«[97]

In den Monaten Januar/Februar 1883, als Aussenminster Duclerc und dessen Vertreter Fallières krankheitshalber ausfielen, lagen die Geschäfte ganz in den Händen des eben einen Monat zuvor zum Politischen Direktor ernannten Billot. Im Dezember 1913 stellte Maurice Paléologue nicht ohne Stolz fest, er führe nun schon den vierten Aussenminister in das komplexe Getriebe der verschiedenen Aktionen ein. Der neue Aussenminister Doumergue habe ihm erklärt, er habe sich bis anhin nie um die Aussenpolitik gekümmert und lege sich nun ganz in seine Hände.

Paléologue zufolge soll ihm Doumergue am 9. Dezember 1913 gesagt haben:

»C'est sur les vives instances de M. Poincaré que j'ai consenti à prendre le portefeuille des Affaires étrangères; car je ne me suis jamais occupé de la politique extérieure. [...] Pour m'encourager, M. Poincaré m'a certifié que je pourrais avoir en vous une entière confiance. Je me mets donc entre vos mains.«[98]

Vor Doumergue gingen Jonnart und ein wenig später sogar Briand bei Paléologue in die Schule:

»Briand s'intéresse de plus en plus à la politique étrangère. Ce matin encore, il vient assister à ma conférence avec l'aimable Jonnart, dont je poursuis péniblement l'initiation diplomatique.«[99]

Weniger überheblich waren die Formulierungen in Paléologues Akademie-Rede auf seinen Vorgänger Jonnart:

»J'étais, à cette époque, directeur des Affaires politiques; j'eus donc la mission de mettre M. Jonnart au courant des grandes questions; de lui communiquer tout ce que nous savions sur les desseins et les préparatifs de l'Allemagne. [...] Ainsi, je continuai de rédiger mes télégrammes, comme si c'était encore M. Poincaré qui devait les signer.«[100]

Einige der Politischen Direktoren überlebten in der Tat mehrere Aussenminister: Desprez in über 13 Jahren sechs Aussenminister, Nisard in neun Jahren acht, Louis in fünf Jahren vier, Charmes in vier Jahren drei und Paléologue eben in nur zwei Jahren sogar vier. Dürfen wir annehmen, dass Politische Direktoren mit langen Amtszeiten in entsprechend hohem Mass die Kontinuität zu wahren wussten? Sind nicht im Gegenteil gewisse Politische Direktoren nur darum so lange im Amt geblieben, weil sie – abgesehen von den rein administrativen Angelegenheiten – bedeutungslos waren? Die Politische Direktion gewann erst in den letzten Jahren vor 1914 wieder an Einfluss und Bedeutung, nachdem, wie bereits ausgeführt worden ist, während drei Jahrzehnten eher die stets wechselnden Kabinette der Aussenminister dominiert hatten.

---

[97] GOBLET, Souvenirs, Teil III, S. 347.

[98] PALÉOLOGUE, Quai d'Orsay, S. 252.

[99] Ebenda, Eintragung vom 25. Januar 1913, S. 17.

[100] Maurice PALÉOLOGUE, Akademierede, Empfang durch Louis Barthou 29. Nov. 1928, S. 9 f.

## Der Ruf nach einem Generalsekretär

Aus dem Wunsch nach mehr Stabilität und Kontinuität wurde schon früh der Ruf laut, man solle im Quai d'Orsay den Posten eines Generalsekretärs schaffen. Bereits 1873 konnte der Politische Direktor schreiben, es sei schon mehrfach von einem Generalsekretariat die Rede gewesen. Desprez fühlte sich damals durch das Projekt in seiner Stellung als Politischer Direktor bedroht:

> »Comme directeur des travaux politiques, j'étais menacé de me voir ainsi diminué dans mes attributions et gêné dans tous mes mouvements. On m'eût placé dans l'alternative de subir une humiliation ou de demander ma mise en disponibilité. Mais cette institution aurait eu le tort plus grand de nuire au bon fonctionnement de notre administration centrale.«[101]

Durch die Schaffung eines parlamentarischen Unterstaatssekretariates wäre die Verwaltung vermehrt der politischen Willkür ausgesetzt gewesen. Im Weiteren befürchtete er, die Beziehung zwischen ihm und dem Aussenminister würde durch den Einschub einer zusätzlichen Instanz erschwert, denn ein Unterstaatssekretär würde erwarten, dass alle Korrespondenz zuerst über sein Pult gehe.

> »Le travail sera retardé d'un jour. [...] Comment le Directeur politique sera-t-il en mesure de présenter au ministre, en temps utile, le travail des bureaux, si le Sous-secrétaire d'Etat s'est interposé pour prendre connaissance des correspondances reçues avant qu'elles aient été transmises à la Direction?«[102]

Und Louis Herbette schlug schon in einer Reformschrift von 1874 die Schaffung eines solchen Postens vor.[103] Dann blieb es lange Jahre wieder still um die Pläne, ein Generalsekretariat zu schaffen. Schliesslich brachte die Reform von 1907 mit der Fusion der beiden Direktionen – der politischen und der wirtschaftlichen – so etwas wie ein Generalsekretariat. Wenige Monate zuvor befürchtete Barrère, Clemenceau wolle ein Unterstaatssekretariat schaffen, um den schliesslich mit der Berner Botschaft bedachten d'Aunay dort unterzubringen:

> »D'après mes renseignements, Clemenceau essaye de mettre la main sur le Quai et demande pour son protégé soit une ambassade, soit (et préférablement) la création, pour cet intéressant personnage, d'un Sous-Secrétariat permanent aux Affaires Etrangères, à l'instar du Foreign Office. B(ourgois) montre les dents; malheureusement je crains qu'elles ne soient pas bien longues.«[104]

Ende 1907, als Bompard in St. Petersburg persona ingrata geworden war, dachte man daran, für ihn, der während sechs Jahren Direktor der Handelsdirektion gewesen war, die Stelle eines Generalsekretärs zu schaffen.[105]

Das Ziel jener Reform war zwar weniger die Kontinuität als die Einheitlichkeit, und gerade dieses Ziel muss durch jene Reform offenbar nicht erreicht worden

---

[101] Papiers Desprez 61/9.

[102] Papiers Desprez 61/9.

[103] L. HERBETTE, Nos Diplomates, S. 38.

[104] Brief an Paul Cambon, 14. Juni 1906, Fonds Louis Cambon.

[105] BOMPARD, Mon ambassade, S. 285 f.

sein: Der neue Superdirektor war so überlastet, dass sich die jungen Bürochefs seiner Kontrolle entziehen und einen eigenen Kurs verfolgen konnten. Jules Cambon wünschte sich deshalb schon bald die Wiederherstellung der beiden Direktionen und die Schaffung eines permanenten Unterstaatssekretariates, was im Gegensatz zum parlamentarischen Unterstaatssekretariat eine Beamtenstelle und kein Regierungsposten gewesen wäre.

>[...] il faudrait rétablier les deux directions d'autrefois et avoir un sous-secrétaire d'Etat permanent.«[106]

Im November 1911 stellte der Budgetberichterstatter der Kammer in aller Form fest, dass man dem Generaldirektor des Aussenministeriums zuviel zugemutet habe und man eine bessere Lösung finden müsse. Paul Deschanel hätte die Lösung in der Schaffung eines von drei Regionaldirektoren assistierten permanenten Unterstaatssekretariats gesehen.

>Il paraît certain qu'on a exagéré le principe de l'unité de direction en faisant porter sur la tête d'un seul homme le poids des affaires politiques et économiques de la France dans le monde entier.«[107]

Parlamentarische Unterstaatssekretäre wurden in anderen Ministerien sehr wohl, im Aussenministerium hingegen in der Regel keine geführt. Sie wurden wegen ihrer Abhängigkeit vom Parlament in der Reformdiskussion von 1911 als ungeeignetes Mittel zur Behebung von Führungsschwächen beurteilt.[108]

De Selves, Aussenminister vom Juni 1911 bis Januar 1912, hätte die Schaffung eines Generalsekretariates begrüsst. Er wies aber – sich dabei selbst ausdrücklich ausnehmend – auf die bei den potentiellen Aussenministern bestehenden Befürchtungen hin, dass ein permanenter Unterstaatssekretär sie in ihren Entfaltungsmöglichkeiten beeinträchtigen könnte.

>Trop souvent il arrive – pourquoi ne pas le dire? – que les ministres ont peur de voir à côté d'eux s'installer et s'établir de hauts fonctionnaires permanents? J'ai constaté parfois certaines craintes à cet égard.«[109]

Die Forderung nach einem permanenten Unterstaatssekretär war identisch mit der Forderung nach einem Generalsekretär. Oft wurde sie, wie beispielsweise im Budgetbericht der Kammer für 1912, mit einem Hinweis auf das englische Vorbild erhoben. Über welche Kompetenz hätte ein Generalsekretär verfügen dürfen?

Die Leistungen, die man von ihm erwartete, waren präziser umschrieben als die Rechte, die man ihm geben wollte. Paul Deschanel zufolge sollte der Generalsekretär ein Berufsdiplomat sein, der unabhängig von den Wechselfällen der Innenpolitik Tradition und Erfahrung verkörpern, das Personal kennen, die Tätigkeit der verschiedenen Dienstzweige koordinieren und die Kontinuität in der Aussenpolitik gewährleisten sollte, damit sich der Minister nicht mehr um Einzelfra-

[106] Jules Cambon an Paul Cambon, 18. Februar 1908, Papiers Jules Cambon, Bd. 25.
[107] Paul Deschanel in der Kammerdebatte vom 30. November 1911, JO, S. 3463.
[108] MILLET, Ministère, S. 198 f.
[109] Aussenminister de Selves in der Kammer am 30. November 1911, JO, S. 3465.

gen der Verwaltung kümmern müsste und sich ganz auf die Fragen konzentrieren könnte, die seine Regierungsverantwortung vor dem Parlament betreffen:

> »Il y a un homme professionnel, indépendant des vicissitudes de la politique inté-
> rieure, gardien de la tradition, répertoire vivant des précédents, connaissant éga-
> lement le personnel et les affaires, coordonnant les services et assurant la conti-
> nuité dans la direction de la politique extérieure. Grâce à cet organisme et à une
> forte charpente administrative, le ministre n'a pas à entrer dans le détail de toutes
> les questions courantes. A côté du sous-secrétaire d'Etat permanent, il y a trois as-
> sistants, et le système de la répartition géographique est pratiqué dans une large
> mesure.«[110]

Während diese Konzeption das Gewicht auf das Administrative legen wollte, umfasste die Umschreibung, wie sie später, 1973, François Seydoux gab, den anderen Teil als mindestens so wichtigen Aufgabenbereich: die eigentliche Aussenpolitik und der Verkehr mit den Posten im Ausland. Seydoux betonte aber, dass nicht alle Generalsekretäre ihre Aufgabe gleich verstanden und dass auch nicht alle Minister den Generalsekretären den gleichen Kompetenzraum gelassen haben.[111] Was die Kompetenzen betrifft, ist man möglicherweise davon ausgegangen, dass der Generalsekretär, abgesehen vom Mitspracherecht in der allgemeinen Regierungspolitik, im Prinzip die gleichen Kompetenzen hätte erhalten sollen wie ein Aussenminister. Jules Cambon, der erste Generalsekretär, erhielt am 3. November 1915 die »délégation permanente de la signature du Ministre des Affaires étrangères.«

In der ganzen Vorgeschichte wurde die Schaffung allerdings weniger von Seiten der Regierung als von Seiten der Verwaltung, das heisst des diplomatischen Korps, als wünschenswert oder notwendig erachtet. Wenn es nur um die Kontinuität und Stabilität gegangen wäre, hätte man sich mit der 1907 neu eingerichteten Direktion begnügen können. Mit einem Generalsekretariat hätte man hingegen zugleich die Position des zentralen Direktors aufwerten können. Weiter oben ist bereits auf die etwas paradoxe Situation hingewiesen worden, dass der Politische Direktor, der mit den eigenen wie mit den fremden Botschaftern zu verkehren und den eigenen zuweilen sogar Instruktionen zu geben hatte, den Inhabern der Aussenposten funktionsmässig unter Umständen übergeordnet, gradmässig hingegen untergeordnet war. Diese etwas schiefe Situation hätte durch die Schaffung eines Generalsekretariats korrigiert werden können. Auch Senator Doumer wies in seinem Budgetbericht für das Jahr 1913 auf diesen Aspekt hin:

> »Cela permettrait d'appeler ou de conserver à ce poste un fonctionnaire arrivé au
> grade le plus élevé de la carrière diplomatique.«[112]

Bernard Auffray weist ebenfalls darauf hin, dass die Unterstellung der rangmässig höher gestellten Botschafter »delikate« Situationen hätte schaffen können; er betont zugleich aber, dass dies Pierre de Margerie keine Schwierigkeiten bereitet

---

[110] Paul Deschanel in der Kammer am 30. November 1911, JO, S. 3463. Und ähnlich im Budgetbericht Nr. 1237, S. 20.

[111] François SEYDOUX, Aux Affaires Etrangères: de Jules Cambon à Geoffray de Courcel, in: RDM Februar 1973, S. 380–390, hier: S. 381.

[112] Budgetbericht für das Jahr 1913, S. 44.

habe.[113] Auftrieb erhielt das Projekt dadurch, dass Constant Edmond Bapst, der vom Juni 1909 bis Januar 1912 die Direktion des Quai d'Orsay innehatte, nicht ganz auf der Höhe seiner Aufgabe war. Schon im Mai 1910 muss sich Aussenminister Pichon mit dem Gedanken getragen haben, Bapst durch dessen Vorgänger, Georges Louis, zu ersetzen.[114]

Bei gleich bleibender Organisation hätte diese Mutation für Louis, der 1909 Botschafter in St. Petersburg geworden war, einen Abstieg bedeutet. In jedem Fall hätte man Louis im Botschafterrang belassen, man hätte aber darüber hinaus seine Funktion im Quai d'Orsay wahrscheinlich aufwerten müssen.

Als Louis im Sommer 1910 aus St. Petersburg zurückkehrte, um während Pichons Abwesenheit die Geschäfte des Aussenministeriums zu führen, erhielten die Spekulationen um die Schaffung eines Generalsekretariates wie um den Inhaber dieses neuen Postens weiteren Auftrieb. Intern wurde spekuliert:

>»On dit que Geoffray remplacera à Petersbourg M. Louis qui reviendrait à Paris comme secrétaire général du Ministère. Beau ira à Berne et Bapst à Bruxelles.«[115]

Man konnte Bapst tatsächlich nicht ersetzen, ohne ihm einen anderen Posten anzubieten. Wie schwierig das war, zeigen zum Beispiel die Überlegungen, die Paul Cambon im August 1910 angestellt hat: Bapst könnte mit der Botschaft in Bern abgefunden werden, doch müsste zuerst deren Inhaber, Comte d'Aunay, pensioniert werden, und dies wäre erst nach der angekündigten Schweizerreise des Präsidenten der Republik möglich; zudem stelle sich natürlich die Frage, wen man nach St. Petersburg schicken wolle, wenn Louis tatsächlich in die Zentrale zurückkehren würde.[116] Aus diesem Brief geht hervor, dass die beiden Cambon Pierre de Margerie als Bapsts Nachfolger vorgeschlagen haben. De Margerie sollte den Posten aber erst nach Paléologue im Januar 1914 erhalten. Über Bapst heisst es in diesem Brief:

>»Bapst a si peu réussi et le comprend si bien qu'il a le désir de changer de poste; son désir est partagé par M. Pichon.«

In jenen Wochen muss man sich im Ministerium ernsthaft mit dem Gedanken getragen haben, ein Generalsekretariat zu schaffen. Jules Cambon schrieb wie schon sein Bruder an Pierre de Margerie, der als Nachfolger Bapsts im Gespräch war, am 26. August 1910 über den letzten Stand des Projektes: Es scheitere an den persönlichen Ambitionen der Anwärter, deshalb gehe es letztlich doch nur darum, einen geeigneten Diplomaten für die bestehende Direktion zu finden.

>»Plusieurs combinaisons ont été prises en avant: on a même parlé de la création d'un secrétariat général qui aurait été un véritable sous-secrétariat permanent, comme il existe à Londres et à Berlin. Cette combinaison ne me paraît pas pouvoir réussir par suite des ambitions particulières qu'elle contrarierait dans la mai-

---

[113] AUFFRAY, Pierre de Margerie, S. 228.

[114] Jules Cambon an Pichon in den Briefen vom 2. und 8. Mai und 13. Juni 1910, Papiers Jules Cambon, Bd. 16. Paul Cambon an Pichon am 13. Juli 1910, Papiers Pichon, Institut.

[115] Beaumarchais an Billy, 5. Juni 1910, Papiers Billy, Bd. 34. Beau ging dann 1911 tatsächlich nach Bern, Bapst blieb aber Direktor bis 1912.

[116] Paul Cambon an Pierre de Margerie, 21. August 1910, Papiers de Margerie.

son. Il resterait donc à trouver une personnalité pour le poste qui existe actuelle-ment.«[117]

Freiherr von der Lancken, der Botschaftsrat der deutschen Botschaft in Paris, wies in seiner Berichterstattung auf die finanziellen Aspekte des Projektes hin. Die Schaffung eines Generalsekretariates hätte natürlich Mehrkosten verursacht. Lancken wusste im September 1910 zu berichten, Aussenminister Pichon habe es abgelehnt, die zusätzlichen Kosten mit Geldern des Geheimfonds zu finanzieren, denn es gehe nicht an, dass ein Spitzenbeamter über diesen Budgetposten ent-löhnt werde. Einen Sonderkredit wollte Pichon indessen offenbar auch nicht fordern, weil er befürchtete, die Kammer würde die Gelegenheit benützen, um seine Leistungen als Aussenminister zu diskutieren.[118] Louis selbst muss sich gegen Ende seiner Pariser Interimstätigkeit so geäussert haben:

> »Aus Andeutungen, die mir H. Louis […] machte, möchte ich entnehmen, dass die wiederholt aufgetauchte Meldung, er werde wieder ständig sein Bureau am Quai d'Orsay beziehen, um – etwa mit dem Titel Generalsekretär – als Minister-gehilfe zu fungieren, sich in nicht allzu ferner Zeit verwirklichen wird.«

Im folgenden Jahr tauchte das Projekt eines Generalsekretariates im Zusammen-hang mit Bapsts Beurlaubung wieder auf. Im November 1911 registrierte der österreichische Botschafter ein erhebliches Führungsdefizit im Quai d'Orsay. Bapst sei in Urlaub geschickt worden, Conty habe die Stellvertretung übernom-men, sei aber über die Geschäfte überhaupt nicht informiert, und Aussenminister de Selves, der dreimal hintereinander die wöchentliche Audienz abgesagt habe, sei ganz von den Verhandlungen um den deutsch-französischen Vertrag in An-spruch genommen.[119]

Die von Aussenminister de Selves geschaffene Reformkommission, der drei Berufsdiplomaten und je ein Vertreter des Finanzministeriums und des Staatsra-tes angehörten, sprach sich in ihrem Schlussbericht vom 6. Dezember 1911 ent-schieden für die Schaffung eines Generalsekretariates aus, und am 8. Januar 1912 wurde ein entsprechendes Gesetzesprojekt in der Kammer deponiert. Da Georges Louis es abgelehnt hatte, Generalsekretär des Quai d'Qrsay zu werden, wurde der neu zu schaffende Posten Auguste Gérard angetragen, der damals Botschafter in Tokio war und kurz vor dem Abschluss seiner Karriere stand und aus beiden Gründen den neuen Posten gerne angenommen hätte.

> »La tentative, qui avait paru à M. de Selves et à M. Caillaux un moyen ingénieux de tirer la sanction de l'incident Bapst, était, en fait, très risquée. Si elle avait l'agrément de la commission et de l'ex-président de la Chambre, elle ne plaisait pas au monde politique, aux anciens et futurs ministres, dont la création d'un sous-secrétariat ou d'une direction générale non parlementaire pouvait gêner et humilier l'initiative; elle inquiétait l'administration du Quai d'Orsay, et les titulaires des directions dont la situation pouvait paraître menacée.«[120]

---

[117] Jules Cambon an de Margerie, 26. August 1910, Papiers de Margerie. Siehe auch AUFFRAY, Pierre de Margerie, S. 230.

[118] Bericht Lancken vom 22. September 1910, PAAA Bonn, F 108, Bd. 19.

[119] Bericht Szécsen vom 25. November 1911, Öster. Dok., Bd. 3, Nr. 2989.

[120] GÉRARD, Mémoires, S. 449 f.

Am 9. Januar 1912 verlor jedoch das Kabinett Caillaux durch de Selves' Rücktritt den Boden unter den Füssen. Die am 14. Januar 1912 aus der Krise hervorgegangene Regierung Poincaré zog das Projekt sogleich zurück. Gérard schreibt, das Projekt sei von künftigen und ehemaligen Aussenministern wie auch von der Verwaltung abgelehnt worden, da beide Teile in ihm eine Beeinträchtigung ihrer Domänen erblickten. In seiner Erinnerungsschrift bemerkt er, Poincaré habe das Projekt sogleich gestoppt und sich im Laufe der Zeit mit »très légers remaniements de forme« begnügt.[121] Am 27. Januar 1912 berichtete Botschafter von Schoen aus Paris, Maurice Paléologue, der neue Politische Direktor, versehe vielleicht nur interimistisch diesen Posten, da man immer noch ernsthaft an die Schaffung eines Generalsekretariates denke.[122]

Ganz abgeschrieben war das Projekt damit allerdings nicht. Es fand beispielsweise in Paul Doumer, dem Verfasser des Budgetberichtes für den Senat, auch noch 1913 einen Befürworter.[123] Es stand aber bis Kriegsausbruch nie mehr so nahe vor seiner Verwirklichung wie im Januar 1912. Dass sich das Projekt im November 1915 endlich verwirklichen liess, erklärt sich zu einem grossen Teil aus dem Umstand, dass in Jules Cambon, der mit Kriegsausbruch die Botschaft in Berlin hatte räumen müssen, ein qualifizierter Diplomat zur Verfügung stand.[124] François Seydoux gibt für diese Berufung eine zu personalistische Erklärung:

> »Pour Jules Cambon était créé, le 30 octobre 1915, le poste de secrétaire général. Pouvait-on laisser indéfiniment inutilisé l'ambassadeur qui s'était révélé à Berlin un négociateur hors de pair […].«[125]

Neben diesem Grund dürfte ein anderer im Umstand gelegen haben, dass Aristide Briand als Ministerpräsident das Aussenministerium nur nebenbei führen konnte und das Führungsmanko, das durch die Doppelbelastung entstanden war, mit Hilfe eines Generalsekretariates ausgleichen wollte.[126] Paul Lauren dagegen erklärt die Schaffung der neuen Stellen damit, dass während des Ersten Weltkriegs die mangelnde Kontinuität besonders spürbar gewesen sei.[127] Gerade das war aber in den 14 Monaten vor der Schaffung des Generalsekretariates nicht der Fall!

---

[121] Ebenda, S. 453.

[122] PAAA Bonn, F 108, Bd. 19.

[123] Bericht Doumer, siehe Kap 3.2 zur Rolle des Parlaments.

[124] Dekret vom 30. Oktober 1915.

[125] SEYDOUX, Affaires étrangères, S. 381.

[126] Auf den Zusammenhang mit der Ministerpräsidentenschaft hat Joseph Barthélemy hingewiesen, BARTHÉLEMY, Démocratie, S. 161 f. Hingegen geben weder Poincarés Memoiren, noch Paul Cambons Korrespondenz, noch Suarez' Briand-Biographie Aufschluss über die Gründe, warum Jules Cambon im November 1915 zum Generalsekretär gemacht worden ist.

[127] LAUREN, Diplomats, S. 98.

## 2. *Das Ansehen der Republik*

Im September 1870 war das Zweite Kaiserreich zusammengebrochen, Frankreich aber blieb, und mit ihm blieb die Aufgabe, im Namen der Franzosen Politik zu machen. Neu waren gewiss die konstitutionellen, neu waren zum Teil auch die aussenpolitischen Verhältnisse. Frankreich war – wenigstens vorläufig – nicht mehr Kaiserreich, und konnte nach der Niederlage von Sedan vorübergehend auch nicht mehr als Grossmacht auftreten. Was es nun war oder was es werden sollte, mussten die Franzosen erst noch festlegen. Und was Frankreich sein wollte, mussten die anderen Staaten erst noch anerkennen.

Aussenpolitisch sah sich die junge Republik einer ziemlich einhelligen Ablehnung oder Zurückhaltung von den Höfen der grossen Mächte wie der kleineren Gebilde ausgesetzt. Innenpolitisch stand die Republik von Anfang an zwischen verschiedenen Feuern und wurde von je mehreren Positionen der Linken wie der Rechten entweder abgelehnt, stark kritisiert oder auch nur bemängelt. Das nachfolgende Kapitel wirft einen Blick auf das Ansehen der Republik zunächst im Inland und dann im Ausland. Die internen wie die externen Einschätzungen meinten zwar ein System, sie galten aber mindestens so sehr den Personen – und wurden ihrerseits von Personen vorgenommen.

### Linke Vorbehalte gegenüber Aussenpolitik

Zumal in den Anfängen der Dritten Republik, jedoch auch in den späteren Jahren immer wieder, wurde die grundsätzliche Frage diskutiert, wie sich die besonderen konstitutionellen Eigenschaften einer Republik mit den Anforderungen der Aussenpolitik vertrügen. Prinzipielle Vorbehalte gegenüber der republikanischen Aussenpolitik des jungen Regimes meldeten sowohl die rechte wie die linke Opposition an. Erstere, weil sie die Leistungsfähigkeit des republikanischen Regimes, und letztere, weil sie die Notwendigkeit der Aussenpolitik infrage stellte. Die Communards und später die im Staat integrierten Radikalen haben sich für die Aussenpolitik im Sinne von auswärtsgerichteten Staatsaktionen nicht interessiert.[128] Eine der Commune nicht abgeneigte Darstellung hält fest, die Pariserbewegung, für welche sogar die Provinzen »Ausland« waren, habe sich so wenig für das Ausland interessiert, dass sie es auch unterlassen habe, ausserhalb der Hauptstadt für ihre Sache zu werben.[129] Das gleiche Desinteresse, verbunden zuweilen mit scharfer Verachtung, erhielt sich ungebrochen auf der äussersten Linken. Der sozialistische Deputierte Maurice Allard erklärte in der Budgetdebatte vom 24. November 1903 im Zusammenhang mit der Frage, ob die Botschaft beim Vatikan aufgehoben werden sollte:

---

[128] Zum allgemeinen Vorbehalt der Radikalen gegenüber der realexistierenden Republik vgl. MOLLENHAUER, Suche.

[129] Prosper LISSAGARAY, Histoire de la Commune de 1871, Paris 1896, S. 237 f.

»Je suis en général partisan de la suppression de toutes les ambassades. [...] ces solennelles niaiseries de la diplomatie ne cachent la plupart du temps que le vide et que le néant. C'est un mirage à l'aide duquel on trompe les peuples.«[130]

Der Veränderungswille der radikalen Linken konzentrierte sich auf die inneren Verhältnisse. Immerhin vertraten sie die Auffassung, dass die Pflege des Innenlebens sekundär auch eine aussenpolitische Wirkung haben werde: den Werbeeffekt, der von gesellschaftspolitischen Pionierleistungen ausgehen und andere Staaten auf den gleichen Weg lenken werde. Der junge Clemenceau war der bekannteste Vertreter dieser Position. Gegen eine vorschnelle Revanchepolitik einerseits und gegen eine imperialistische Kolonialpolitik andererseits sprach er sich vor allem für den inneren Zuwachs an moralischer Grösse aus.

### Rechte Vorbehalte gegenüber dem Regime

Einer der wichtigsten Sprecher des monarchistischen-konservativen Flügels war der Duc Albert de Broglie. Der Orléanist hatte schon in der Juli-Monarchie in diplomatischen Diensten gestanden. Thiers machte ihn zum Botschafter in London, und unter Mac-Mahon war er Ministerpräsident und Aussenminister. Seine Kritik, die für sich die Kompetenz der persönlichen Erfahrung beanspruchen konnte, beanstandete insbesondere drei Mängel:

1. Die mangelnde Kontinuität. Das republikanische Regime sei immer nur von den jeweiligen Interessen des Augenblicks in Anspruch genommen. Dies sei der eine Grund, warum der Republik das einzig mögliche Mittel zur Wiederherstellung des europäischen Gleichgewichts – der Abschluss einer Allianz – nicht zur Verfügung stehe. Die potentiellen Vertragspartner würden nämlich das Risiko scheuen, dass die von einem Kabinett eingegangenen Verpflichtungen von nachfolgenden Kabinetten nicht gehalten würden.

2. Die Abhängigkeit vom Parlament und der Wählerschaft. Das republikanische Regime beruhe auf dem Prinzip des persönlichen Erfolges, so dass die republikanische Politik ein Haschen nach diesem Erfolg sein müsse. Die grossen, aber niemanden persönlich betreffenden Interessen würden vernachlässigt.

3. Die mangelnde Salonfähigkeit. Ein wichtiger Grund, warum Frankreich keine Allianzen eingehen könne und allgemein nicht mehr die ihm zukommende Stimme im Konzert der Grossmächte habe, sei das Misstrauen gegenüber dem »revolutionären Regime« und die Geringschätzung, die Frankreich der republikanischen Staatsform wegen in Kauf nehmen müsse.

»Les pouvoirs républicains sont tous des pouvoirs pour qui le présent est tout: hier et demain n'existent pas. [...] Les grands et durables intérêts, qui ne touchent directement personne et avec qui personne n'a immédiatement à compter, seront méconnus, négligés, sacrifiés aux plus mesquines considérations de la politique contemporaine. [...] Le caractère de mobilité constante nous empêche de nous ménager autour de nous en Europe aucune alliance véritable. [...] A qui donner

---

[130] JO, S. 2857.

une parole, et de qui la recevoir, quand on n'est jamais sûr à qui on aura affaire, quand il s'agira de la tenir?«[131]

Die Monarchisten der späteren Generation nahmen die gleiche Haltung ein. Marcel-Etienne Sembat drückte sie bereits im Titel aus: *Faites un roi, sinon faites la paix* (Paris 1913) und sagt weiter:

> »La République, c'est la préférence donnée aux luttes intérieures des partis sur les luttes extérieures.«

Die Rechte zitierte gerne aus einem Roman, dessen Verfasser seit der Jahrhundertwende eher zum Lager der links-liberalen Mehrheit gehörte: nämlich aus Anatole Frances *Mannequin d'osier* von 1897, worin der Schriftsteller eine Romangestalt sagen lässt:

> »Tu sais bien que nous n'avons pas de politique extérieure et que nous ne pouvons pas en avoir.«

Gaudin de Villaine zitierte diese Passage am 6. April 1911 im Senat[132] und Charles Maurras stellte sie als Motto seiner Schrift *Kiel et Tanger* von 1914 voraus. Maurras bezeichnete in der gleichen Publikation die Republik als Regime

> »qui ne comporte ni sérieux, ni méthode, ni continuité, ni stabilité.«

Mangelte es der französischen Aussenpolitik tatsächlich an Kontinuität? Und prägte der Zwang zur Popularität tatsächlich die republikanische Aussenpolitik? Man kann sich fragen, ob nicht beide Gravamina auch gegenüber Monarchien hätten erhoben werden können, zumal der Vorwurf der persönlichen Interessenpolitik. Mit der Kontinuitätsfrage wird sich das Kap. 4.2 eingehend befassen. Der letzte Punkt der monarchistischen Kritik, die zweifelhafte Reputation der noch jungen Republik, entsprach insofern der Wirklichkeit, als das Ausland tatsächlich dem neuen Regime gegenüber sehr zurückhaltend war. Allerdings, muss man gleich beifügen, trugen die Exponenten des konservativen Lagers das Ihrige dazu bei, dass diese Reserven bestanden und nur langsam abgebaut wurden. Gontaut-Biron, Frankreichs monarchistischer Botschafter in Berlin, liess sich 1872 gerne bestätigen, dass man die Republik als gefährlichen Fremdkörper im monarchischen Europa empfinde. Nach Thiers' Erklärung vom 13. November 1872 berichtete Gontaut-Biron am 16. November in einem Privatschreiben an seinen Vorgesetzten de Rémusat:

> »Le fait est qu'on ne s'attendait pas, en général, à entendre parler aussi tôt de constituer la république. Ne nous le dissimulons pas: le mot de république sonne mal encore aux oreilles des étrangers. […] Il n'en est pas moins vrai que ni M. le prince Gortchakoff, ni l'Empereur, ni les hommes d'Etat allemands ne voient avec indifférence l'établissement de la république en France; ils la craignent pour nous, il la redoutent pour eux, à titre d'exemple au moins.«[133]

---

[131] Duc de BROGLIE, Discours au banquet monarchique, in: Histoire et Diplomatie, Paris 1889, S. 449 f.

[132] JO, S. 371.

[133] Zit. nach GONTAUT-BIRON, Mon ambassade, S. 203.

Und in London muss die Frage, ob Thiers sich nicht geschämt habe, nur eine Republik und nicht eine konstitutionelle Monarchie vertreten zu haben, Gegenstand eines wenig republikanischen Gesprächs zwischen einem Vertrauensmann de Broglies und einem russischen Diplomaten gewesen sein. Charles Gavard, damals erster Botschaftssekretär in London, liess sich am 28. Oktober 1874 von Schouvaloff berichten, was Thiers gesagt haben soll, als er 1870 in St. Petersburg gewesen war:

> »Je suis honteux de représenter la République; c'est le plus grand sacrifice que j'aie pu faire à mon patriotisme, moi le représentant par excellence de la royauté constitutionnelle.«[134]

Einen Punkt hätten die Aristokraten vor allem in den ersten Jahren noch für sich geltend machen können: Die Aristokraten kannten sich in der inter- und transnationalen Welt der Höfe besser aus. Paulmann bemerkt, dass allerdings bereits das Regime Napoléons III. wesentlich schlechter vernetzt war als die Monarchie.[135] Die im monarchischen und aristokratischen Milieu über familiäre Verknüpfungen vorhandenen Kenntnisse mussten zuerst erworben werden.

## Wer hat 1870/71 versagt?

Die Diskussion um Wert und Unwert der Republik wurde nicht nur auf theoretischer Ebene geführt. Ausbruch, Verlauf und Ergebnis des deutsch-französischen Krieges sollten die respektiven Unfähigkeiten des einen oder anderen Regimes illustrieren. Während die Republikaner erklärten, dass es unter ihrer Führung 1870 nicht zu diesem Krieg gekommen wäre, zumal sich der Konflikt an einer dynastischen Frage, der spanischen Thronfolge, entzündet habe, legten die Monarchisten den Ausgang des Kriegs den Republikanern zur Last. Marquis de Gabriac, der während des Krieges Frankreich in St. Petersburg vertreten hatte, erklärte den Verlust der Provinzen mit der angeblichen Schwäche der republikanischen Staatsform und äusserte die Überzeugung, Frankreich habe 1815 Elsass-Lothringen und die Franche-Comté nur deshalb behalten können, weil Frankreich damals eben über eine königliche Legitimation verfügt habe.[136]

Die Bonapartisten waren natürlich nicht weniger überzeugt, dass sich Frankreich mit seinem republikanischen Regime die Zukunft selbst verbaut habe.

> »Oh! Quand reviendra l'Empire, pour que nous soyons respectés, comptés, et, avec ces alliés que nous ne pouvons espérer sous la République, que nous ayons la force d'exiger l'affranchissement et le retour de ces malheureuses provinces à la mère-patrie!«[137]

Der ehemalige Botschafter und Senator Fournier war zwar Republikaner und gehörte zum Centre Gauche, er hatte aber den grössten Teil seiner diplomatischen

---

[134] GAVARD, Un diplomate à Londres, S. 207.

[135] PAULMANN, Monarchenbewegungen, S. 348.

[136] GABRIAC, Souvenirs diplomatiques, S. 31.

[137] FIDUS, Souvenirs d'un Impérialiste. Journal de dix ans 1870–1879, Paris 1886, Bd. 1, S. 334.

Karriere unter dem Empire gemacht und verschloss sich, wie der Briefempfänger Baron Napoléon de Ring, nicht immer den bonapartistischen Ideen:

> »Nous vivons en pleine insanité et la république ne fera récolter à la France que de l'insuccès, lui fermera l'avenir et la confinera dans un rôle que l'Espagne nous prédit.«[138]

Die Vorwürfe abwehrend, welche das Debakel von Sedan dem Zweiten Kaiserreich zur Last legten, machten die Bonapartisten die Republik und insbesondere das republikanische Staatsstreichregime des 4. September für die harten Friedensbedingungen verantwortlich, indem sie die deutschen Forderungen vom September 1870 mit denjenigen verglichen, welche Frankreich ein halbes Jahr später im Februar 1871 annehmen musste.[139]

Noch in den Jahren 1902/1903 erklärte beispielsweise ein Paul de Cassagnac in der *Autorité*, eine Republik könne keine Aussenpolitik haben. Seine Kritik forderte wie diejenige der jungen Nationalisten mehr Energie, mehr Stolz, mehr Intransigenz. Doch im Unterschied zu den Nationalisten erklärte er gleichzeitig, dass es das Geforderte im gegenwärtigen Regierungssystem gar nicht geben könne:

> »Ceux qui s'en prennent si violemment à M. Delcassé, par exemple, sont des gens qui n'ont pas la franchise de s'en prendre au régime. Ils prétendent que Delcassé est un pleutre, pour se dispenser du courage de proclamer que la république est le gouvernement des pleutres. […] Que voulez-vous que fasse un ministre des affaires étrangères, si patriote qu'il soit, si résolu qu'il voudrait être, en face d'un Parlement de couards, d'un cabinet de poltrons et d'un magot de président de la république?«[140] Und: »Le gouvernement a-t-il seulement une politique étrangère? Eh bien! non, il n'en a pas! Et j'ajouterai immédiatement qu'il ne peut pas en avoir. Beaucoup de choses lui manquent pour cela. D'abord, la stabilité […]. Mais il y a une autre raison, non moins grave, pour laquelle le gouvernement de la république ne peut avoir une politique étrangère. Il ne suffit pas, en effet, de savoir ce que l'on veut, quand par hasard on le sait. Il faut encore le vouloir avec énergie. Or, voilà ce qui encore formellement défendu au gouvernement de la république.«[141]

## Republikaner über republikanische Aussenpolitik

Eingeklemmt zwischen der Rechten und der äusseren Linken vertraten die gemässigten Republikaner die Auffassung, dass auch eine Republik sehr wohl eine ernst zu nehmende Diplomatie unterhalten könne und unterhalten müsse. Die Republikaner mussten sich – und dessen waren sie sich bewusst – allerdings zuerst in die aussenpolitische Thematik einarbeiten, da sie sich in der Opposition gegen das Regime Napoléons III. vor allem auf die Innenpolitik konzentriert hatten. Am 15. November 1871 schrieb die *République française*, die Republikaner hätten fälschlicherweise die Aussenpolitik vernachlässigt und den anderen –

---

[138] Fournier an Ring, 1. Juli 1880, Papiers Ring, Bd. 11.

[139] Vgl. H. J. DUGUÉ DE LA FAUCONNERIE, Les calomnies contre l'Empire, Paris 1874. Ebenda, Ce qu'a coûté le 4 septembre, Paris o. J. Ferner: ROTHNEY, Bonapartism, S. 66 f.

[140] Autorité vom 21. November 1902 im Zusammenhang mit der Siam-Frage.

[141] Autorité vom 14. März 1903 im Anschluss an verschiedene Interpellationen in der Kammer.

»quelques privilégiés« – überlassen. Ernest Picard, vormaliges Mitglied des Gouvernement de la Défense Nationale und unter Thiers Innenminister und Gesandter in Brüssel, verkündete 1874, die französische Aussenpolitik werde durch die Einführung der Republik gestärkt, weil Frankreich nun nicht mehr im Namen eines fiktiven Souveräns Politik betreibe, sondern überzeugend im Namen der Nation auftreten könne.

> »La république met la réalité à la place de la fiction; elle reconnaît sans partage la souveraineté nationale. Le représentant de la France à l'étranger qui parlera au nom d'un pareil gouvernement, est sûr d'être écouté.«[142]

Wenn Eugène Spuller 1878 behauptete, es sei sogar ausgesprochen der Republik zu verdanken, dass sich Frankreich vom Schlag von 1870/71 erholt habe und gestärkt wieder vor Europa treten könne, so drückt diese Stellungnahme einerseits das stolze Selbstbewusstsein der republikanischen Avantgarde, anderseits aber zugleich den Zweifel aus, den andere offenbar an den Leistungsfähigkeiten eines republikanischen Regimes hegten.

> »(Les institutions républicaines) lui ont permis de panser ses blessures, de réparer ses forces, de reconstituer son armée et enfin de reparaître, unie et libre, devant l'Europe et devant le monde, dans tout l'éclat d'une prospérité nouvelle, au milieu des chefs-d'œuvre de l'industrie, des arts et de la paix.«[143]

Fortan holen, mehr oder weniger ausgeprägt, die meisten Budgetberichte zu einer emphatischen Würdigung der Vorzüge der Republik aus. Der Deputierte A. Gervais versicherte 1906:

> »[…] pour rester à la hauteur de notre tâche nous ne devons rien négliger de ce qui doit nous rendre forts pour assurer la sauvegarde de nos droits, de nos intérêts et de notre indépendance. Cette tâche, la République, mieux qu'aucun autre régime, peut l'accomplir. Elle seule peut obtenir l'accord de toutes les volontés; elle seule peut réaliser sans distinction de condition ou d'état, pour l'accomplissement de la haute mission que les destins nous ont imposée l'entente intime, indissoluble de toutes les forces de l'intelligence, de la raison et de la conscience nationales.«[144]

Joseph Reinach, damals republikanischer Publizist im Gefolge Gambettas, wies 1880 die Ansicht entschieden zurück, dass eine Republik eine rechte Aussenpolitik nicht haben könne, weil Demokratien im Allgemeinen kurzsichtiger seien. Die republikanische Ordnung mache das Führen der Aussenpolitik nicht leicht, bewahre aber – was die Umtriebe wert sei – vor unüberlegten Aktionen.

> »De par le suffrage universel émancipé, nos guerres ne peuvent plus être que nationales. Ce privilège, qu'on doit au gouvernement démocratique, vaut assurément la peine qu'on le compte.«[145]

---

[142] Ernest Picard im Vorwort zu: HERBETTE, Nos diplomates.

[143] Bericht der Budgetkommission der Kammer Nr. 850 vom 4. November 1878, S. 18.

[144] Bericht Nr. 2661 für das Jahr 1906, S. 3.

[145] Joseph REINACH, L'opinion publique en France et la politique extérieure, in: Revue politique et littéraire, 11. Dezember 1880, S. 559 f.

Wenig später, im Januar 1881, hob Gambetta in seiner Eröffnungsrede als Kammerpräsident ebenfalls den Vorzug der Transparenz hervor: Die republikanische Aussenpolitik könne wegen ihrer Durchschaubarkeit nur friedfertig sein.

> »En dépit d'assertions sans fondement, le monde entier sait que la politique extérieure de la France ne peut cacher ni desseins secrets ni aventures. C'est là une garantie qui tient à la forme même de l'Etat républicain où tout dépend de la souveraineté nationale, et d'une démocratie au sein de laquelle la paix extérieure, digne et forte, est à la fois le moyen et le but du progrès démocratique à l'intérieur.«[146]

Henri Gallichet schliesslich, auch ein Anhänger Gambettas, setzte 1911 das Plädoyer für die Republik fort und wandte sich, gestützt auf Gabriel Charmes, gegen die Auffassung, Monarchien seien aussenpolitisch stärker. Er wies darauf hin, dass es das Ancien Régime gewesen sei, das Frankreichs Kolonialreich verloren habe, und dass auch Ludwig XVIII. nach 1815 keine starke Aussenpolitik betrieben habe.[147]

Joseph Reinach musste 1880 immerhin zugeben, dass der Sinn für aussenpolitische Fragen in der Dritten Republik noch nicht vorhanden sei – *noch* nicht, denn dies sei eine Frage der Zeit und werde sich schon noch einfinden. Selbst eingeschworene Republikaner, die ihre Karrieren mit der Republik gemacht, ihr viel gegeben und viel von ihr profitiert hatten, waren nicht frei von Zweifeln, ob gute Aussenpolitik in Demokratien überhaupt möglich oder – wie bezeichnenderweise umgekehrt gefragt wurde – Demokratien für eine gute Aussenpolitik überhaupt tauglich seien. 1882 musste Gabriel Charmes wie Joseph Reinach feststellen, die Republik sei im aussenpolitischen Bereich den Beweis ihrer Tüchtigkeit vorläufig schuldig geblieben, es fehle an den längeren Perspektiven, und man sei sich der grossen Interessen zu wenig bewusst:

> »Malgré bien des fautes, la République a fait ses preuves à l'intérieur; elle ne les a point encore faites à l'extérieur. [...] Assurément, il n'y a pas à l'extérieur de politique monarchique et de politique républicaine; mais il est à craindre, hélas! qu'il n'y ait des mœurs républicaines tellement débiles, tellement médiocres, qu'elles rendent impossible la vraie, l'unique politique qui s'impose à l'extérieur aux gouvernements, quels qu'ils soient.«[148]

In einem anderen Aufsatz der gleichen Sammlung wies Charmes die Behauptung, die Republik sei verantwortlich für die »décadence extérieure«, entschieden zurück und erinnerte daran, dass es die Monarchie der Bourbonen gewesen sei, welche das prächtige Kolonialreich verloren, und dass es das erste Kaiserreich war, welches zu 1815 geführt habe.[149] Nach 1917 wehrte sich Joseph Barthélemy gegen monarchistische Vorwürfe etwa eines Maurras oder Sembat, indem er

---

[146] Gambettas Rede vom 21. Januar 1881.

[147] Henri Gallichet hat im November 1877 sein Rechtsstudium abgeschlossen. Nach dem »16. Mai« hat er als Studentenführer Gambetta seine Hilfe zugesagt, falls die Konservativen einen Staatsstreich wagen sollten. 1911 gehörte er, wie aus Pichons Papieren hervorgeht, zum Kabinett des Président du Conseil Général du Département de la Seine. Sein Buch *Gambetta et l'Alsace-Lorraine* erschien unter dem Namen Henri Galli (vgl. S. 125 und 276).

[148] CHARMES, Politique extérieure, Aufsatz vom Sept. 1882, S. 6 und 102.

[149] Ebenda, S. 134 f.

ebenfalls in Erinnerung rief, dass es die Monarchie war, die 1763 im Frieden von Paris Kanada, die amerikanischen Kolonien und indische Besitzungen an England abtreten musste.[150]

Was der Publizist Charmes bloss als Gefahr signalisierte, war für Botschafter Paul Cambon zuweilen bereits Gewissheit. Der langjährige Diplomat war überzeugt: Demokratien verstehen nichts von Aussenpolitik und sollten – dies ist die unausgesprochene Konsequenz – dieses Geschäft besser den Berufsdiplomaten überlassen.

> »Décidément les démocraties ne comprennent rien à la politique extérieure.«[151]

Schon 1882 waren für ihn Diplomatie und Demokratie zwei sich im Grunde genommen ausschliessende Dinge:

> »Un peuple n'est grand à l'extérieur qu'à la condition d'écraser à l'intérieur, il n'est heureux à l'intérieur qu'à la condition d'abdiquer toute influence extérieure. Que choisir? Je n'hésite pas quant à moi et je me prononcerai pour la grandeur extérieure à tout prix.«[152]

Aus Verärgerung über die Unmöglichkeit, das Nötige zu tun, sagte Cambon im gleichen Brief von seinem sechsjährigen Sohn:

> »Mon fils ne sera certainement ni préfet ni diplomate.«

Mit 24 Jahren trat dann auch sein Sohn Henri in den diplomatischen Dienst ein. – Wert und Unwert der republikanischen Aussenpolitik war noch nach dem Ersten Weltkrieg ein Thema. In seinem 1920 erschienenen Buch *D'une guerre à l'autre* insistiert Christian Schefer, die Republik könne sehr wohl eine gute Aussenpolitik haben, beklagt zugleich aber die mangelnde Kohäsion der Politik.[153]

## Bismarcks Vorliebe für die Republik

Die theoretischen und zuweilen auch auf die reale Vergangenheit bezogenen Debatten über die Leistungen der jungen Republik wurden durch den Umstand belastet, dass die Sieger von Sedan, die soeben ihre Länder zu einem Kaiserreich zusammengefasst hatten, Frankreich – da eine bonapartistische Restauration nicht zu erwarten war – lieber als Republik denn als Monarchie sahen. In Deutschland, aber auch in England hätte man eine bonapartistische Restauration gerne gesehen. Am 6. Mai 1872 berichtete Arnim aus Paris, die Bonapartisten seien für eine Versöhnung mit Deutschland, die Monarchisten seien eine ebenso grosse Gefahr wie Gambetta und die so genannte anständige Republik (vertreten durch Casimir-Périer oder Grévy) könne nur ein Übergang zu Gambetta sein. Am 14. Oktober 1872 gab Bismarck bekannt, er teile die Ansicht, dass eine na-

---

[150] BARTHÉLEMY, Démocratie, S. 50 f.

[151] Paul Cambon an seine Frau, 2. September 1897 nach der enthusiastischen Reaktion auf Faures Russlandreise, Correspondance 1870–1924, Bd. 1, S. 429.

[152] Paul Cambon an seine Frau, 2. September 1882, Papiers Jules Cambon, Bd. 26.

[153] Christian SCHEFER, D'une guerre à l'autre, Paris 1920, S. 335.

poleonische Restauration für das deutsche Reich die »nützlichste Gestaltung« sei.[154]

Die Monarchisten verstanden Bismarcks Vorliebe für die französische Republik richtig, wenn sie darin das Bestreben sahen, Frankreich im Zustand der inneren Zerrissenheit und der äusseren Schwäche und insbesondere in einem Status zu belassen, der eine Allianz mit einem monarchistischen Partner – und damals gab es unter denen, die zählten, nur solche – zu erschweren.

> »[...] solange die grossen Monarchien Europas zusammenhalten, ist ihnen keine Republik gefährlich. Dagegen wird eine französische Republik aber sehr schwer einen monarchischen Bundesgenossen gegen uns finden. Diese meine Überzeugung macht es mir unmöglich, Seiner Majestät dem Könige zu einer Aufmunterung der monarchischen Rechten in Frankreich zu raten [...].«[155]

Am 2. Mai 1874 notierte sich Hohenlohe nach einem Gespräch mit Bismarck:

> »Über Frankreich sagte er, dass wir vor allem dabei interessiert seien, dass Frankreich nicht so mächtig im Inneren und so angesehen nach aussen werde, um Verbündete zu gewinnen. Eine Republik und innere Wirren seien eine Garantie des Friedens.«[156]

Später differenzierte Bismarck diese Auffassung. Der französische Botschafter de Saint-Vallier überliefert die von Bismarck 1879 eingenommene Haltung:

> »On a beaucoup dit que j'étais favorable à la République en France parce que j'y voyais une cause de faiblesse pour votre pays; le traître Arnim a voulu accréditer cette calomnie. La vérité, c'est que la République, sage et modérée comme vous l'avez en ce moment, est, à mes yeux, une garantie de paix, parce qu'elle n'a pas besoin de redorer dans les creusets de la victoire le prestige indispensable aux dynasties sans racines comme la dernière que vous avez eue'; voilà pourquoi je souhaite le maintien de la République en France [...].«[157]

Und 1883 war Bismarck nicht mehr sicher, welche Partie die gefährlichere sei:

> »Ich zweifle zwar nicht, dass ein französischer König, und noch mehr ein Kaiser, leichter als die Republik Bündnisse gegen uns finden würde, aber ich bin der Meinung, dass wir mit der Republik in Frankreich ebenso leicht und noch leichter, in Krieg geraten können, als mit der Monarchie, weil in der Republik Leute, die keine Verantwortlichkeit und nichts zu verlieren haben, leichter dazu kommen, das entscheidende Wort über Krieg und Frieden auszusprechen, und wenn die Republik auch weniger bündnisfähig ist, so würde sie doch vielleicht, wenn sie einmal den Krieg mit uns vom Zaune gebrochen hat, ebenso leicht wie die Monarchie tatsächlich den Beistand anderer Mächte finden [...].«[158]

Bismarcks Sympathie für die Republik irritierte sogar Republikaner, machte sie misstrauisch, denn was Frankreichs Erzfeind für Frankreich wünschte, konnte

[154] GP, Bd. 1, Nr. 69 und 91.

[155] Bismarck an Arnim, 20. Dezember 1872, GP, Bd. 1, Nr. 95.

[156] HOHENLOHE-SCHILLINGSFÜRST, Denkwürdigkeiten, Bd. 2, S. 118.

[157] Bericht vom 5. Januar 1879, DDF, Série I, Bd. 2, Nr. 369.

[158] Bismarck an Prinz Heinrich VII. Reuss, deutscher Botschafter in Wien, 18. November 1883, GP, Bd. 3, Nr. 676.

für Frankreich doch nicht von Gutem sein. Juliette Adam notierte sich folgendes Gespräch mit Gambetta:

> Adam: »Admettre que Bismarck ait du goût pour la République [...] c'est attirer sur notre parti le mauvais sort. Il faut que Bismarck déteste la République pour que j'aie foi en elle. Si je croyais que la République entre dans les combinaisons de Bismarck et que, par conséquent, elle n'est plus la revanche, la certitude absolue de reconquérir l'Alsace et la Lorraine...« – »Alors?« – »Je ne la servirais pas.« – »Je vous croyais d'abord républicaine?« – »Non [...] d'abord Française, puis passionnée de liberté, puis républicaine!«[159]

Bismarck, so sehr er aus aussenpolitischem Kalkül den französischen Nachbarn die Republik wünschte, erkannte wohl, dass eine starke und erfolgreiche Republik für die Monarchien eine innenpolitische Belastung werden könnte. Gemäss Hohenlohe erklärte Bismarck:

> »Eine starke Republik sei allerdings, das gebe er zu, für das monarchische Europa ein schlimmes Beispiel. Dennoch schien ihm, wie ich glaube verstanden zu haben, die Republik weniger gefährlich als die Monarchie, die im Ausland allerhand Unfug begünstige.«[160]

Allein, er rechnete noch eher mit einer für die Monarchien positiven Auswirkung, die vom abschreckenden Beispiel einer radikalen Republik ausging:

> »Ich [...] bin überzeugt, dass, wenn Gambetta an das Ruder gekommen wäre, die Wirkung auf die übrigen europäischen Völker wiederum dieselbe sein würde, wie die Wirkung der Kommune. Sie würden in verstärktem Mass die Wohltat empfinden, durch die Herrschaft angestammter Monarchen gegen die anarchistischen Zustände des französischen Staates sichergestellt zu sein. Nach dem abschreckenden Beispiel der Kommune sind alle Parteien in Deutschland, mit Ausnahme der päpstlichen und der kommunistischen, etwas mehr nach rechts gerückt.«[161]

## Export der republikanischen Idee?

Anfänglich fühlte sich Frankreich von den übrigen Mächten in Quarantaine gesetzt. Dieses Gefühl überschätzte die nachbarliche Zurückhaltung, die ihren Grund in der Furcht vor dem Revolutions- und Demokratieexport hätte haben sollen und im Grunde bloss auf das gesunkene Interesse an der nun darnieder liegenden Grossmacht zurückzuführen war. Auf monarchistischer Seite mündete das Gefühl, Frankreich sei isoliert, in Angriffe auf ihre republikanischen Gegenspieler als die vermeintlichen Verantwortlichen für diese Isolation. Auf republikanischer Seite führte das gleiche Gefühl zu betonter Zurückhaltung, um sich ja nicht dem Vorwurf auszusetzen, man provoziere und verstärke die Isolation.

Die frühe Personalpolitik war, wie bereits gezeigt (vgl. Kap. 2.3) darauf ausgerichtet, beruhigende Signale auszusenden. Mit de Rémusat wurde 1871–1873 ein Aussenminister eingesetzt, von dem man sagen konnte, er sei Grossneffe des

---

[159] ADAM, Nós amitiés politiques, S. 16.

[160] HOHENLOHE-SCHILLINGSFÜRST, Denkwürdigkeiten, Bd. 2, S. 118.

[161] Bismarck an Heinrich VII. Reuss, 28. Februar 1874, GP, Bd. 1, Nr. 151.

königlichen Aussenministers unter Ludwig XVI. und Grosskind des Generals de La Fayette und

> »propre à faire agréer au monde aristocratique des cours étrangères une République bien ordonnée«.[162]

Zwar gab es durchaus eine republikanische Ausprägung der französischen Missionsidee (»mission civilisatrice«), die auf der Überzeugung beruhte, dass die Welt Frankreich brauche, damit der Fortschritt der Menschheit gesichert sei. Man könnte versucht sein, die Pflege dieser Missionsidee als Kompensationsversuch zu deuten, der aus einem bestehenden Inferioritätsgefühl einen Überlegenheitsanspruch produzierte. Mindestens so plausibel ist: Der republikanische Pionierwille entsprach einer französischen Tradition, das weltbürgerliche Engagement stellte sich leicht in die Linie der grossen Vergangenheit der königlichen und kaiserlichen, aber auch der jakobinischen Vorfahren. Der Historiker Ernest Lavisse bekannte sich auch dann noch, nachdem er vom bonapartistischen Präceptor zum republikanischen Schulmann geworden war, zu Frankreichs traditioneller Missionspflicht. 1892 berichtete er den Lesern des *Figaro*, wie er 1859 die Schule geschwänzt habe, um an der Rue St. Antoine den Auszug Napoléons III. in den italienischen Krieg mitzuerleben; Frankreich habe sich nie begnügt, die Leiden der Opfer der Gewalt nur mitzufühlen, französisches Blut sei für die Vereinigten Staaten, für Griechenland, für Belgien und für Italien geflossen.[163]

Wie viele andere vertrat auch Jules Herbette im Jahr, da die französische Republik ein Vierteljahrhundert alt wurde, die Auffassung, dass Frankreich Pionier und Vorbild sei; man feiere deshalb

> »la création, non pas seulement de la France nouvelle, mais d'un modèle d'organisation et de vie nouvelle pour les peuples du continent européen.«[164]

Und 1905 schrieb der Deputierte A. Gervais in seinem Bericht für das Budget 1906:

> »[…] il n'est pas douteux que la France doit agir pour le bien de l'humanité. […] la démocratie qui se rend compte combien notre pays est indispensable au progrès universel […].«[165]

Wie aber Alphonse Lamartine 1848 als Aussenminister der Zweiten Republik den Rufen nach grenzüberschreitender Verwirklichung der Republik kein Gehör geschenkt hatte, verzichteten auch die Führer der Dritten Republik darauf, nach 1870 die Verbreitung der republikanischen Staatsform auf ihr Programm zu setzen. Der Verzicht auf republikanische Propaganda war an die Erwartung geknüpft, dass das Ausland Gegenrecht halte und ebenfalls auf dem Weg der friedlichen Koexistenz bleibe.

---

[162] THIERS, Notes et Souvenirs, S. 207.

[163] Ernest Lavisse im *Figaro* vom 14. März 1892, zit. nach der deutschen Übersetzung: Ernest LAVISSE, Eine Stimme aus Frankreich, Basel 1892.

[164] Tribune du Sud-Ouest 1895, Separatum der BN.

[165] Bericht Nr. 2661, S. 3.

»La France, dotée d'une Constitution républicaine parlementaire, libérale et conservatrice, professe à l'égard de toutes les nations des sentiments amicaux et elle espère rencontrer près des Gouvernements et des Princes étrangers des dispositions semblables à celles qui l'animent à leur égard.«[166]

Wenn sich französische Staatsmänner und Parteiführer öffentlich zu dieser Frage äusserten, versahen sie ihre Stellungnahmen je nach Adressat mit verschiedenen Akzenten. Für die Ohren des Auslandes waren die entschiedenen Absagen an jeden ideologischen Export bestimmt. Zum Beispiel Gambetta:

»Nous ne faisons pas de la démocratie pour l'exportation.«[167]

Gegenüber der eigenen republikanischen Gefolgschaft ging es nicht ohne Tribut an die pathetische Revolutionsphraseologie. So konnte der besonnene Thiers 1872 verkünden, die Trikolore werde weltweite Verbreitung finden, wie die von der Revolution von 1789 erstmals proklamierten Prinzipien der sozialen Gleichheit in der ganzen Welt gehört worden seien.

»La révolution de 1789, disait-on, a détruit les classes, elle a établi sur la base de la véritable justice sociale, l'existence de tous; ces principes ont envahi le monde parce qu'ils n'étaient autre chose que cette justice sociale proclamée et appliquée pour la première fois sur cette terre. Et c'est à cause de cela qu'on a pu dire que le drapeau tricolore ferait le tour du monde!«[168]

Selbst bei den erklärten Gegenspielern der radikal-republikanischen Missionsbestrebungen herrschte die Auffassung, dass Frankreich für die übrige Welt massgebend sei. Mac-Mahon erklärte nach seiner Wahl zum Präsidenten der Republik den französischen Vertretern im Ausland:

»La situation de la France et l'action puissante qu'elle exerce sur l'Europe et sur le monde rendraient le triomphe du parti révolutionnaire dans notre patrie plus grave que partout ailleurs, et la cause de la société française est celle de la civilisation tout entière […].«[169]

## Gefürchtete und verachtete Republik

Noch lange über die Kinderjahre der Republik hinaus waren oder sahen sich die französischen Diplomaten einem latenten Misstrauen und – was für sie nicht weniger schlimm war – einer sie verletzenden Geringschätzung ausgesetzt. Nicht der Fall war dies natürlich gegenüber der Republik der schweizerischen Eidgenossenschaft. Da konnte Aussenminister Waddington im Januar 1879 gegenüber dem schweizerischen Botschafter in Paris offen erklären, der für Bern vorgesehene Challemel-Lacour sei sozusagen ein idealer Repräsentant Frankreichs, weil

---

[166] Saint-Vallier anlässlich der Überreichung seines Beglaubigungsschreibens im Februar 1878, DDF, Série I, Bd. 2, Nr. 242; abgesehen vom Eingangspassus hätte die gleiche Erklärung auch von Thiers oder de Broglie abgegeben werden können.

[167] Zit. nach REINACH, Gambetta, S. 383.

[168] Thiers am 13. November 1872 vor der Nationalversammlung, zit. nach GONTAUT-BIRON, Mon ambassade, S. 202.

[169] Zit. nach GONTAUT-BIRON, Mon ambassade, S. 348.

er nicht nur ein seriöser Mitarbeiter, sondern auch ein Mann mit einer republikanischen Einstellung sei und zu denen gehöre

> »qui représent les institutions actuelles de la France avec sympathie et qui leur soient sincèrement dévoués. [...] Nous tenons spécialement à être représentés auprès de la seule République européenne par un républicain de coeur.«[170]

Als Waddington, ehemaliger Premier- und Aussenminister, als Sondergesandter im Juni 1883 zu den Krönungsfeierlichkeiten von Zar Alexander III. nach Moskau reiste, gab ihm der Gastgeber zu verstehen, wie wenig er von der zwangsläufig instabilen Republik halte.[171] Und 1884 äusserte sich die russische Regierung gegenüber dem Vertreter des Deutschen Reichs sehr abfällig über die Franzosen, sie seien das »ekelhafteste aller Völker«.[172]

Um die Jahreswende 1888/1889 berichteten Waddington aus London und Herbette aus Berlin übereinstimmend, die Agitation des cäsaristischen Boulanger erzeuge Zweifel an der Beständigkeit der Republik.

> »Il n'y a chez le gouvernement anglais aucun sentiment d'hostilité contre la France; mais il est en défiance contre nous à cause de notre intimité avec la Russie, son éternelle rivale, et d'autre part, il n'est pas convaincu de la stabilité de nos institutions actuelles. Il y a un an, on ne mettait guère en doute le caractère définitif de la République. Depuis que Boulanger s'est posé en candidat au pouvoir, on croit qu'une nouvelle révolution n'est pas impossible, et on se tient sur l'expectative. La campagne entreprise par cet aventurier nous a incontestablement fait un mal énorme à l'étranger.«[173]

Wenige Wochen zuvor war aus Berlin, ebenfalls in einem Privatschreiben, eine ähnliche Stellungnahme eingetroffen:

> »J'entends autour de moi des appréciations bien pénibles sur les destinées de la République libérale et parlementaire en France. Je ne puis malheureusement les réfuter avec une entière conviction, et je me borne à dire que la France a supporté de bien plus dures épreuves que celle-ci, et qu'elle s'en est tirée à son honneur grâce à la force de son bon sens. Mais j'aimerais bien recevoir de Paris des impressions plus topiques et plus rassurantes.«[174]

Und was die Herablassung gegenüber den Repräsentanten der Republik betraf: Jusserand, damals Unterdirektor der Politischen Direktion, glaubte sie noch 1892 zu spüren, als Sir Eric Phipps, der neue englische Botschafter, in seiner Antrittsvisite die Meinung äusserte, der Quai d'Orsay sei wohl deshalb so reich mit Personal dotiert, weil eine Republik mehr Postensuchende zufriedenstellen müsse.

---

[170] Bericht vom 11. Januar 1879, BA Bern, Paris 2300, 2/739.

[171] Waddingtons Entsendung wurde offenbar wegen dessen (keineswegs skandalöser) Haltung am Berliner Kongress von 1878 als Affront empfunden. Zur Reise nach Moskau vgl. auch BAILLOU, Affaires étrangères S. 187: Waddington hatte ein Gefolge von 34 Personen, worunter einige Militärs und Polizisten, vor Ort mietete er ein kleines Palais, er verfügte über eine Karosse und zwei leichte Wagen mit insgesamt neun Pferden.

[172] BUTENSCHÖN, Zarenhymne, S. 40, gestützt auf einen Vorlesungstext von Renouvin.

[173] Waddington an Goblet, 22. Februar 1889, Papiers Goblet.

[174] Botschafter Jules Herbette an Aussenminister Goblet, 29. Dezember 1888, Papiers Goblet.

> »Dans notre 1er entretien il m'a dit: ›Vous avez un personnel nombreux dans vo-
> tre ministère, ça vient sans doute de ce que vous êtes une République. On crée
> plus d'emplois pour contenter plus de monde.‹ Charmant! Je lui ai répondu: ›Cher
> monsieur, si vous étiez depuis plus longtemps ici, vous sauriez peut-être que la
> décision des grands emplois ou petits a été faite ici par Guizot et qu'un grand
> nombre de suppressions d'emplois viennent d'être faits par M. Ribot‹.«[175]

Dass die Zahl der französischen Delegationen an offiziellen Feierlichkeiten in der
Regel besonders gross war, kann, es muss aber nicht mit der Republikanisierung
der Diplomatie zusammenhängen. Wie auch immer: Die Franzosen standen, wie
Jules Cambon 1906 vor den Feierlichkeiten zur Hochzeit des spanischen Königs
warnend nach Hause berichtete, im Rufe, Bankett- und Ordensjäger zu sein.

> »Il est important du reste que quel que soit l'Ambassadeur extra [...] sa suite ne
> soit pas trop nombreuse. Les Français se sont faits à l'étranger une fâcheuse répu-
> tation de ›pique assiettes‹ et d'amoureux de voyages gratuits et de chercheurs de
> décorations.«

Bei dieser Gelegenheit rief Jules Cambon eine Erfahrung aus der Washingtoner
Zeit in Erinnerung, dass der amerikanische Staatssekretär Hay, als die Statue des
Marschalls Rochambeau eingeweiht wurde, wegen der zahlreichen Gäste aus
Frankreich beim Kongress die Verdoppelung des Festkredites habe verlangen
müssen.[176]

Wie sich die französische Diplomatie auch gab, ihr Verhalten, ihre Probleme
wurden im Ausland wie im Inland schnell mit der Tatsache in Verbindung gebracht, dass Frankreich eine Republik war. Montebello war elf Jahre Botschafter
in St. Petersburg, sein Nachfolger Bompard war es sechs Jahre lang, hingegen
wurde Touchard schon nach anderthalb Jahren zurückgerufen, und schon fiel
deutscherseits das Urteil:

> »Der häufige Wechsel, der dort seit dem Abgang des Marquis de Montebello
> stattgefunden hat, ist ein drastischer Beweis dafür, wie schwer es der demokrati-
> schen Republik wird, für gewisse Posten die geeigneten Männer ausfindig zu ma-
> chen.«[177]

Nur in den ersten Jahren und vor allem in personellen Fragen war man gegenüber dem antirepublikanischen Ausland zu gewissen Konzessionen bereit: Thiers
besetzte, wie gezeigt worden ist, die wichtigsten Botschaften mit erklärten
Monarchisten, was den Regimewechsel weniger augenfällig hätte machen sollen.
Er schreckte davor zurück, Jules Ferry, den Mann des »4. September«, an den
holländischen Hof zu schicken und der Verachtung der bonapartistenfreundli-
chen Königin auszusetzen. Die Königin habe sogar den (monarchistischen) Jean-
François-Guillaume Bourgoing sehr unfreundlich empfangen,

> »si peu républicain que fût cet ambassadeur de la République«.

Ferry traf ins Zentrum der Problematik, als er die Frage stellte:

---

[175] Jusserand an Waddington, 18. März 1892, Papiers Waddington.

[176] Jules Cambon an Georges Louis, 29. März 1906, Papiers Jules Cambon, Bd. 25.

[177] Bericht Lancken vom 22. September 1910, PAAA Bonn, F 108, Bd. 19.

»Dois-je exposer ma personne et mon drapeau à quelque rebuffade, exploitée au-dedans comme au-dehors?«[178]

Doch Thiers' Rücksichten galten nur zum Teil dem Ausland; zum anderen, nicht minder wichtigen Teil galten sie den inneren Machtverhältnissen, der konservativen Mehrheit der Nationalversammlung.

Wie bewältigte die französische Diplomatie die ihrem Land entgegengebrachte Reserve der fremden Mächte? Einige konservative Diplomaten markierten gegenüber ausländischen Gesprächspartnern deutlich ihre persönliche Distanz zu dem Regime, das sie nicht billigten. In der Regel versuchten sie aber, gegen innen auf das Regime mässigend zu wirken und gegen aussen dessen republikanischen Charakter nicht zu stark hervortreten zu lassen. Als der Botschafter Bernard d'Harcourt 1873 die Empfehlung aussprach, Frankreich solle sich gegenüber der in Spanien ausgerufenen Republik Zurückhaltung auferlegen, verband sich in diesem Rat diplomatische Klugheit mit eigenen Vorbehalten gegenüber jedem republikanischen Regime.

»Tout ce qui pourrait ressembler même de très loin à un plaidoyer pour le régime républicain nous mettra en suspicion vis-à-vis [des cours étrangères].«[179]

Die gleiche konservative Stimme verstand es aber 1876 nach den Kammerwahlen, welche den Konservativen bloss 153 Mandate, den Republikanern hingegen 360 gebracht hatten, als Pflicht, die im Ausland sich verstärkenden Befürchtungen zu zerstreuen, obgleich sie den Botschafter selbst erfüllten.

»La composition de notre chambre des députés est de nature à inspirer des inquiétudes, mais notre rôle au-dehors surtout est de les dissimuler.«[180]

Noch Jahre später auferlegten sich die im Rufe besonderer Radikalität stehenden Staatsmänner vorsichtige Zurückhaltung. Jules Cambon, kurz zuvor noch Botschafter in Madrid, schrieb am 31. März 1907 seinem Bruder:

»On a craint ici que le Ministre de la Guerre et M. Clémenceau n'allassent se promener en Espagne. Ils ont renoncé à leur voyage.«[181]

Wenn es nicht oder nicht mehr möglich war, den republikanischen Charakter des Regimes zu vertuschen, so stand immer noch das Argument zur Verfügung, das beispielsweise der Monarchist de Chaudordy 1878 dem spanischen Liberal-konservativen Canovas del Castillo zu bedenken gab: Das Ausland müsse zwischen Frankreichs Innen- und Frankreichs Aussenpolitik unterscheiden; die Geschichte beweise, dass sogar Allianzen zwischen Monarchien und Demokratien möglich seien, und die Vereinigten Staaten von Amerika und die Schweiz bewiesen, dass auch Republiken mit der Welt in Frieden zu leben vermöchten.

---

[178] Jules Ferry an seinen Bruder Charles, April 1872, FERRY, Lettres, S. 143. Die Königin stammte aus dem württembergischen Haus, war eine direkte Cousine und besondere Freundin des Prinzen Napoleon. Vormals sei sie mit Thiers gut befreundet gewesen, habe dann aber mit ihm gebrochen, weil sie die Republik verachte.

[179] Bernard d'Harcourt an de Rémusat, 21. Februar 1873, Papiers d'Harcourt.

[180] Bernard d'Harcourt an Decazes, 8. März 1876, Papiers d'Harcourt.

[181] Papiers Jules Cambon.

»Je leur ai exposé la pensée qu'il fallait toujours séparer dans un pays sa politique intérieure de sa politique extérieure et que c'est ainsi que l'histoire fournissait continuellement des preuves d'entente et d'alliance de gouvernements républicains ou démocratiques avec des gouvernements monarchiques ou artistocratiques et vice versa et que la France sous sa forme républicaine avait donné de telles preuves de son amitié pour le gouvernement du Roi Alphonse XII qu'il ne pouvait y avoir de doute pour personne sur ce point.« Und wenig später: »Prenant pour exemple les Républiques des Etats-Unis et de Suisse je leur ai montré que ces deux pays vivent en facile harmonie avec tous les gouvernements du monde.«[182]

## Belastende Innenpolitik

Mit der Unterscheidung zwischen dem inneren und äusseren Bereich der französischen Politik versuchten Frankreichs Diplomaten die Aussenpolitik von einer Innenpolitik zu entlasten, die ihrerseits wenig dazu tat, die Aussenpolitik nicht zu belasten. Nur die kleine Schar derjenigen, die sich von Berufs wegen mit der Aussenpolitik beschäftigten, selbst aber auf die Innenpolitik keinen Einfluss hatten, vertrat die Auffassung, Innenpolitik müsse zuweilen auch den aussenpolitischen Bedürfnissen Rechnung tragen. Am Primat der Innenpolitik wurde umso zäher festgehalten, als Konzessionen gegenüber den Erwartungen des Auslandes als Einschränkung der Souveränität, als Frucht von Pressionsversuchen, als Schwäche der ohnehin durch Inferioritätsgefühle belasteten Republik verstanden wurden. Heikle Fragen wurden ohne Rücksicht auf Frankreichs Ruf im Ausland entschieden. Etwa 1878 die Begnadigung der Communards von 1871.

Besonders Russland war durch den Aufstand der Commune beunruhigt gewesen und hatte sogar eine gemeinsame Intervention mit Deutschland erwogen. Alexander II. soll nach der Zerschlagung der Commune von Thiers gesagt haben, er habe mit seiner entschiedenen Haltung ganz Europa einen Dienst erwiesen.[183] Entsprechend irritiert reagierte insbesondere Russland auf die schrittweise ausgesprochenen Begnadigungen der Communards.

Eine aussenpolitische Belastung ähnlicher Art war die Landesverweisung der Oberhäupter und Erbfolger der französischen Fürstenhäuser, der so genannten »Prinzen«. Der erste Ruf nach einer solchen Massnahme stammte von Floquet (Januar 1883) und richtete sich gegen bonapartistische Umtriebe. Im Mai 1886 gaben schliesslich die Feierlichkeiten anlässlich der Vermählung der Tochter des Comte de Paris mit dem portugiesischen Erbprinzen den Anstoss zur Verwirklichung dieser Forderung und zum Beschluss des Verbannungsgesetzes vom 10. Juni 1886.

Ebenfalls ohne Rücksicht auf aussenpolitische Auswirkungen wurde 1879 die Wiedereinführung der Marseillaise als Nationalhymne beschlossen.[184] Die junge Republik verfügte anfänglich über keine offizielle Hymne. Im Konzert, das 1878 anlässlich des Berliner Kongresses im Zoologischen Garten gegeben wurde,

---

[182] Chaudordy an Waddington, 20. Februar und 26. März 1878, Papiers Chaudordy, Bd. 13.

[183] BUTENSCHÖN, Zarenhymne, S. 41.

[184] Der 1792 von Rouget de Lisle geschaffene »Chant de guerre pour l'armée du Rhin«, wie das von einem Marseiller Bataillon verbreitete Lied ursprünglich hiess, ist 1795 schon einmal zur Nationalhymne erklärt worden.

wusste man für Frankreich nichts anderes zu spielen als den »Air Louis XIII«.[185] An der Eröffnung der Pariser Weltausstellung 1878 wurde zum Ärger von Präsident Mac-Mahon die Marseillaise gespielt.[186] Ein Vierteljahrhundert später unternahmen Mac-Mahons Nachfolger ihre offiziellen Reisen mit einem Kreuzer, der den Namen »Marseillaise« trug. Wie stark die Revolutionshymne das diplomatische Protokoll zuvor belastet hatte, zeigte der Jubel, der 1891 durch die Tatsache ausgelöst wurde, dass sich der Zar der Reussen als Gastgeber der französischen Marine stehend die Marseillaise angehört hatte.

> »C'était bien certainement un événement que la Marseillaise accompagnât un toast porté par le Tsar à la République Française.« [187]

Aber auch in der dem gleichen Bericht des französischen Botschafters in St. Petersburg entnommenen Feststellung kommt die Wichtigkeit zum Ausdruck, die man französischerseits dem Ereignis beimass:

> »Aussitôt, la musique militaire attaqua la Marseillaise et la joua même très longuement.«[188]

Das öffentliche Spielen der als Revolutionshymnus eingestuften Marseillaise war in Russland verboten, und dieses Verbot blieb offenbar auch nach der Freundschaftszeremonie von Kronstadt weiterhin in Kraft – auch für Pianos, die man bis auf die Strasse hören konnte.[189] Die französischen Schiffe machten auf ihrem Heimweg, von Kronstadt kommend, in Portsmouth Halt, wo die englische Königin die Mannschaft empfing und sich ebenfalls die Marseillaise stehend anhörte.[190]

1880 wurde sodann die Erhebung des »Quatorze Juillet« zum Nationalfeiertag beschlossen. Das Urteil des deutschen Botschafters Fürst Chlodwig zu Hohenlohe-Schillingsfürst steht wohl für die Reaktion des ganzen aristokratischen Europa:

> »Gestern war also das Fest des 14. Juli zur Erinnerung an den Tag, wo der Pariser Pöbel einige unschuldige Soldaten und Offiziere umbrachte und die Bastille zerstörte, in die gar niemand mehr eingesperrt worden wäre, denn die grands principes von 1789 waren bereits verkündet. Es war aber eine Insurrektion gewesen, und die republikanischen Faiseurs glaubten das Fest zu dem Nationalfest wählen zu müssen, um dem Pariser Pöbel ein stets wiederkehrendes Kompliment zu ma-

---

[185] HOHENLOHE-SCHILLINGSFÜRST, Denkwürdigkeiten, Bd. 2, S. 239.

[186] ADAM, Après l'abandon, S. 167.

[187] In der Historiographie der Zeitgenossen wird dieser Moment immer wieder hervorgehoben. Welschinger schreibt beispielsweise im Juli 1914, der Zar habe sich die Marseillaise »tête nue« angehört, Henri WELSCHINGER, M. de Freycinet, in: RDM 15. Juli 1914, S. 313–341, hier: S. 322.

[188] André de LABOULAYE, L'ambassade de Paul de Laboulaye à Saint Pétersbourg 1886–1891, in: Revue de Paris 1. April 1938, S. 735–747, hier: S. 746 f.

[189] Baron de Vinck aus Petersburg am 21. September 1891, Belg. Dok., Bd. 1, S. 85.

[190] Jean-Louis de LANESSAN, Histoire de l'Entente Cordiale franco-anglaise: les relations de la France et l'Angleterre depuis le XVI<sup>e</sup> siècle jusqu' à nos jours, Paris 1916, S. 191. Vgl. ferner William L. LANGER, The Franco-Russian Alliance 1890–1894, Cambridge/Mass. 1979, S. 184 f., 195; und GP, Bd. 7, Nr. 1502 und 1504.

chen. Das freut denn die Pariser sehr, und die, die von der Bastille auch gar nichts mehr wissen, freuen sich, dass es ein Feiertag ist, wo die badeurs viel zu sehen haben und wo viel getrunken, gejohlt und geschwitzt wird.«[191]

## Gleichwertige Regime?

Erfolge im Bestreben, die Republik als gleichwertigen Staatskörper neben den Monarchien durchzusetzen, stellten sich erst nach und nach ein. 1870 war die Regierung der Défense Nationale ausser von der amerikanischen und der schweizerischen Republik lediglich vom Königreich Italien formell anerkannt worden, gewissermassen als Gegenleistung dafür, dass Frankreich die Besetzung des Kirchenstaats durch die italienischen Truppen duldete.[192] Die übrigen Regierungen nahmen erst 1871 mit Thiers die offiziellen Beziehungen wieder auf. Nachdem Thiers am 17. Februar 1871 zum »Chef du pouvoir executif de la République française« ernannt worden war, kam der englische Botschafter Lord Lyons, begleitet vom italienischen Kollegen Nigra, auf ihn zu:

> »Je suis heureux d'être le premier à ouvrir des relations officielles avec vous au nom de mon gouvernement.«[193]

Wenig später folgte Metternich. Doch 1873 glaubte die deutsche Regierung, zögernd gefolgt von Österreich-Ungarn und Russland, nach Thiers' Demission die französischen Botschafter einer neuen Beglaubigungspflicht unterwerfen zu müssen, da die von Thiers ausgestellte Legitimation hinfällig geworden sei. Die Forderung war insofern nichts Ungewöhnliches, als auch die Botschafter monarchischer Staaten neu akkreditiert wurden, wenn ihr Souverän wechselte. Die im Voraus festgelegten Amtszeiten, die Kompetenzausstattung mit Verfalldatum, liessen französische Amtsinhaber im Vergleich mit theoretisch unbefristet eingesetzten Gegenübern als inferior erscheinen. Französischerseits wollte man aber geltend machen, die Nationalversammlung sei der Souverän Frankreichs und sei als solcher stets der gleiche geblieben. (vgl. unten den Anspruch Poincarés von 1913). Deutschland ging es im Grund darum, die Möglichkeit zu behalten, eine Akkreditierung auch zu verweigern, falls die Nationalversammlung einen radikalen Präsidenten wählen sollte. Bismarck muss im Mai 1873 zu Gontaut-Biron gesagt haben:

> »Ce que je demande est aussi utile à vous qu'à nous; si Gambetta par exemple, par un moyen quelconque, parvenait à se faire nommer président, vous, conservateurs, vous trouveriez un grand avantage dans notre refus de le reconnaître!«[194]

---

[191] HOHENLOHE-SCHILLINGSFÜRST, Denkwürdigkeiten, Bd. 2, S. 313, Eintragung vom 15. Juli 1881.

[192] Zum Leidwesen des schweizerischen Gesandten in Paris kamen die Vereinigten Staaten von Amerika mit ihrer Anerkennung der Schweiz um weniges zuvor. Vgl. SCHOOP, Kern, Bd. 2, S. 397.

[193] De Rémusat als Augenzeuge in seinen Mémoiren: RÉMUSAT, Mémoires, Bd. 5, S. 324.

[194] Zum Wechsel von Thiers zu Mac-Mahon: DDF, Série I, Bd. 1, Nr. 209, 212 f. GONTAUT-BIRON, Mon ambassade, S. 346–373, zit. S. 357. Ferner: STEINBACH, Diplomatie, S. 52 f. – Zum Wechsel von Mac-Mahon zu Grévy: DDF, Série I, Bd. 2, Nr. 380; GP, Bd. 3,

Erst 1879 nach Mac-Mahons Rücktritt hielt Deutschland nicht mehr an dieser Forderung fest, so dass Frankreich die als Demütigung der Republik empfundene Wiederholung des Beglaubigungsprozederes im Weiteren erspart blieb.

Die Auslegung, dass die Republik ein permanentes Regime sei, versuchte man in Frankreich dann auch im Protokollarischen einzusetzen: Während der englische König Georg V., der bereits seit 1910 auf dem Thron war, gegenüber dem im Januar 1914 zum Staatchef gewählten Poincaré Amtsanciennität geltend machen und daraus ableiten wollte, dass dieser bei ihm eine Antrittsvisite machen müsse und nicht umgekehrt, versuchte Poincaré anfänglich einzuwenden, dass in der französischen Verfassungstheorie das Amt des Präsidenten unpersönlich sei und absolute Kontinuität herrsche. Poincaré gab dann aber nach, ihm war das gute Einvernehmen mit England zu wichtig.[195]

### Schlichte oder aufwändige Repräsentation?

Wie die äussere Linke zunächst die diplomatischen Auslandsvertretungen zum Teil abschaffen, zum Teil auch nur abbauen wollte, weil sie ein Instrument imperialer Machtpolitik seien, wurden von der gleichen Seite verschiedene Vorstösse unternommen, die eine Kürzung der Botschaftergehälter durchsetzen wollten. Der Deputierte Joseph de Gasté brachte in der Budgetdebatte vom August 1879 bereits zum vierten Mal, aber auch dieses Mal erfolglos, den Antrag ein, die Gehälter der Spitzendiplomaten um etwa ein Fünftel zu reduzieren, denn der Wert eines Repräsentanten messe sich an seinem Engagement und an seiner Intelligenz und nicht am Gehalt, so wenig sich Frankreichs Grösse an der Zahl der Diener und Wagen messe, über die eine französische Botschaft verfüge:

> »Messieurs, la valeur d'un représentant est dans son dévouement, dans son intelligence, et non pas dans l'argent qu'il reçoit. Les laquais dont il s'entoure, pas plus que les voitures dans lesquelles on se prélasse, ne font la grandeur de la France [...].«[196]

Der Deputierte Benjamin Raspail ging nicht ganz so weit, er forderte bloss eine Kürzung um 500 000 statt um 677 000 Francs, doch mit den gleichen Argumenten, und als Beweis für die Richtigkeit seiner Auffassung führte er den schweizerischen Gesandten in Paris an, Johann Konrad Kern, der mit einer bescheidenen, eben republikanischen Ausstattung eine wichtige und einen Moment lang sogar eine alle Grossmachtvertreter überragende Rolle gespielt habe:

> »[...] c'est par les principes qu'il a soutenus, qu'il a maintenus, c'est par les sentiments d'équité, de haute justice qu'il a apportés dans tous les conseils où les représentants de l'Europe étaient appelés pour trancher certaines questions en

---

Nr. 658. 1906 deponierte Constans nach dem Regierungsantritt von Fallières in Konstantinopel offenbar trotzdem ein neues Beglaubigungsschreiben, CHARLES-ROUX, Souvenirs, S. 123.

[195] PAULMANN, Monarchenbewegungen, S. 348.

[196] 1. August 1879, JO, S. 7894. Vgl. auch de Gastés Antrag vom Vorjahr in der Budgetdebatte vom 1. Februar 1878, Annales, S. 921.

congrès, qu'il est arrivé un instant à avoir une véritable suprématie sur tous les autres ambassadeurs de l'Europe.«[197]

Raspail führte weiter aus, die Gehälter seien 1830 bis 1851 etwa gleich geblieben,
während des Second Empire aber beträchtlich erhöht worden. 1872 habe man
die Gehälter wieder etwas gekürzt, doch immer noch zu wenig. Es sei stossend,
dass beispielsweise der französische Botschafter in Bern wesentlich mehr beziehe
als der Präsident der schweizerischen Eidgenossenschaft. Auch das Gehalt des
Präsidenten der Vereinigten Staaten von Amerika erreiche seines Wissens nicht
den Betrag, den man französischen Botschaftern ausbezahle. Wohl müsse man
mit den Gehältern auch die Repräsentationskosten zahlen, doch würden manche
Diplomaten diese Gelder gar nicht ausgeben und zu ihrem Vermögen schlagen.

Der linksrepublikanische Budgetberichterstatter Eugène Spuller trat dieser
Meinung entschieden und erfolgreich entgegen. Er erklärte, dass erstens Frankreichs Vertreter im Ausland aus Gründen der Konkurrenzfähigkeit nicht schlechter gestellt sein sollten als die Vertreter der übrigen Grossmächte und dass zweitens nicht einzusehen sei, warum die französischen Diplomaten als Repräsentanten einer Republik schlechter gestellt sein sollen als die Vertreter der alten Monarchien. Im Weiteren fügte er bei, die gute Entlöhnung und Entschädigung
entspreche durchaus dem republikanischen Denken, denn nur auf diese Weise
lasse sich das diplomatische Korps republikanisieren, das heisst mit Diplomaten
besetzen, deren Vermögensverhältnisse keine private Finanzierung des notwen-
digerweise aufwändigen Lebensstils erlauben. Zur Position des französischen
Botschafters in Bern sagte Spuller, es sei natürlich, dass Vertreter einer Grossmacht mehr ausgeben als Vertreter von Kleinstaaten.

Während Kern in Paris etwa 20–25 000 Franken zur Verfügung standen, konnte der französische Botschafter in Bern über 60 000 Franken verfügen. Diese
Diskrepanz wurde durch den Umstand verstärkt, dass die Vertreter von Kleinstaaten in teuren Hauptstädten von Grossstaaten und Vertreter von Grossmächten in vergleichsweise billigen Hauptstädten von Kleinstaaten lebten. Spuller
stellte aber die dem französischen Botschafter zur Verfügung stehende Summe in
Relation zu den Summen anderer in Bern vertretener Grossmächte: Der Vertreter Englands verfüge über 70 000 Franken, der Vertreter Russlands sogar über
72 000 Franken, der französische Botschafter habe aber überdies die Aufgabe,
den ersten Rang unter den ausländischen Vertretungen zu halten.[198]

Das junge republikanische Regime befand sich tatsächlich in einem Zielkonflikt: Sollte es sich auch im Bereich der Diplomatie treu bleiben und mit republikanischer Schlichtheit auftreten und die Aussenwelt gerade mit dieser Schlichtheit beeindrucken? Oder sollte es den aufwändigen Repräsentationsstil des vorangegangenen Regimes und der ausländischen Konkurrenten weiterführen und
gewissermassen mit monarchischen Mitteln den republikanischen Anspruch und
Frankreichs Grandeur (was im republikanischen Selbstverständnis dasselbe ist)
markieren? Die republikanische Regierung entschied sich, vom Parlament gedeckt, für das Letztere. Die Spitzendiplomaten hatten trotzdem noch einiges aus

---

[197] JO, S. 7895 f. Zu Kerns Rolle 1870/71, von der hier die Rede ist, vgl. SCHOOP, Kern.
[198] JO, S. 7896 f.

ihrem Privatvermögen zu der Finanzierung des für nötig erachteten Lebensstils beizutragen.

## Streben nach gesellschaftlicher Anerkennung

Anerkennung anderer Art suchte die Republik mit der Weltausstellung 1878. Die geladenen Monarchen beehrten Frankreich allerdings nicht mit ihrer persönlichen Anwesenheit: England, dessen Landesmutter Viktoria zur Weltausstellung von 1855 erschienen war, wurde durch den Prinzen von Wales vertreten; Russland, dessen Herrscher, Zar Alexander II., anlässlich der Ausstellung von 1867 Napoleons Gast gewesen war, wurde durch den Prinzen Orlow vertreten, Italien durch den Herzog von Aosta, Österreich-Ungarn durch Erzherzog Rudolf, Holland und Dänemark durch seine Erbprinzen.[199] Deutschland blieb unvertreten, denn Bismarck fürchtete Attentate auf den Kronprinzen und wollte zudem den Eindruck vermeiden, man möchte sich anbiedern.[200] Kaiser Wilhelm II. erklärte später – 1893 anlässlich Mac-Mahons Ableben –, er sei 1878 inkognito an der Ausstellung in Paris gewesen.[201] Die Herausgeber der deutschen Akten haben keine weiteren Akten zu dieser Frage gefunden. In einer Anmerkung stellen sie fest: »Etwas Authentisches über den Aufenthalt des Prinzen Wilhelm in Paris ist bisher überhaupt nicht bekannt geworden.«

Die grosse Schau von 1878 sollte im Übrigen auch den eigenen Bürgern vor Augen führen, was ein republikanisches Regime zu leisten imstande sei; sie wurde denn auch von den Republikanern wie von deren Gegnern immer wieder im Vergleich mit den Leistungen von 1867 beurteilt. Die republikanische Sicht referierend, schrieb der konservative Publizist Gaston de Saint-Valry:

> »La République représente le minimum de gouvernement, une sorte de gérance anonyme de la société française. On veut que l'exposition démontre qu'une gérance de cette espèce peut suffire à cette société, et qu'avec elle on peut entreprendre et achever les entreprises les plus énormes et les plus hasardées.«

Saint-Valry sah in der Weltausstellung ebenfalls einen Leistungsausweis, doch nicht denjenigen der Republik, sondern des wiedererstandenen Frankreich:

> »La France atteste sa vie et son indéracinable fécondité; elle a été accablée, mutilée, elle a conservé néanmoins cet attrait sympathique, ce génie sociable et hospitalier qui forme le meilleur trait de sa nature. Qu'importe la forme ou le nom du gouvernement? La sève française a conservé son suc aimable et chaleureux.«[202]

Als Frankreich 1889 zum hundertsten Jahrestag der grossen Revolution eine weitere Weltausstellung veranstaltete und dieses Jubiläum zum Anlass nahm, um eine der politischen Linken zugute kommende Amnestie für Versammlungs- und Pressedelikte sowie Streikvergehen auszusprechen, musste es sich mit dem Besuch des Schahs von Persien und des Khediven von Ägypten begnügen. An der Eröffnungsfeier jener Ausstellung waren nicht einmal die Botschafter der

---

[199] 1867 konnte Napoléon III. 62 souverains in seiner Residenz in Saint-Cloud empfangen.
[200] Vgl. GP, Bd. 3, Nr. 650.
[201] 17. Oktober 1893, GP, Bd. 7, Nr. 1599.
[202] SAINT-VALRY, Souvenirs et réflexions politiques, Bd. 2, S. 387 f.

Königreiche vertreten. Wenn Frankreich auch nicht die königlichen Vertreter willkommen heissen konnte, blieb ihm immerhin ein anderer Gruss ans Ausland. Präsident Carnot eröffnete am 5. Mai 1889, dem Jahrestag der 100 Jahre zuvor zusammengetretenen Generalstände, die Ausstellung mit den Worten:

> »Nous venons saluer les travailleurs du monde entier, qui ont apporté ici le fruit de leurs efforts et les productions de leur génie. Nous venons tendre une main amie à tous ceux qui se sont faits nos collaborateurs dans l'œuvre de paix et de concorde à laquelle nous avons convié les nations.«[203]

Botschafter Paul Cambon, der alles andere als ein Anhänger radikaler Mani-festationen war, gab in Madrid seinen irritierten Gesprächspartnern zu bedenken, dass 1789 doch nicht 1793 gewesen sei.[204] Gegenüber gewissen Kollegen verbarg er freilich nicht, dass die Revolutionsfeiern auch ihm Sorgen bereiteten:

> »La grande Révolution recommence à rebours et j'ai bien peur que le centenaire de 89 ne soit le signal de l'assaut donné à toutes les institutions qui ont sauvegardé l'unité française depuis le commencement du siècle.«[205]

Den Boykott des Auslandes kommentierte der radikal-republikanische Deputierte Gustave-Adolphe Hubbard in der Budgetsitzung vom 3. Juni 1889 mit den fol-genden Worten:

> »On pouvait craindre, et cela est arrivé dans une certaine mesure, que les gouver-nements d'une forme moins démocratique que le nôtre se souvinssent unique-ment des anciens conflits amenés par la force d'expansion inhérente aux doctrines de progrès humain, et ne rendissent pas suffisamment justice à la ferme résolution des républicains français qui veulent respecter chez les autres peuples comme ils entendent qu'on le respecte chez eux, le droit de régler librement leur constitu-tion.«[206]

Zur Weltausstellung, die auch Hubbard als »manifestation internationale du pres-tige de notre République« verstand, konnte der Deputierte immerhin die Glück-wünsche der Regierung der USA verlesen. Der russische Zar dagegen verbot seinen Leuten schlichtweg jeglichen Besuch dieser Ausstellung.[207]

Monarchen hatten in den ersten beiden Jahrzenten der Republik nur selten französischen Boden betreten. Erfolglos versuchte 1874 die französische Diplo-matie den in England weilenden Zaren zu bewegen, den Heimweg so zu wählen, dass die Route über Paris führe oder auch nur nach Cherbourg oder wenigstens im Ärmelkanal an der paradierenden französischen Flotte vorbei.[208] Den aus der Sicht der alten Welt doch sehr respektablen Präsidenten Mac-Mahon empfing die englische Königin 1876 auf der Durchreise nach Coburg nur für eine Viertel-stunde in ihrem Eisenbahnwagen, und dies in strengstem Inkognito.[209] König

---

[203] Zit. nach FREYCINET, Souvenirs, Bd. 2, S. 424.

[204] H. CAMBON, Diplomate, S. 115.

[205] Paul Cambon an Waddington, 18. April 1888, Papiers Waddington.

[206] Annales, S. 579.

[207] BUTENSCHÖN, Zarenhymne, S. 51.

[208] STEINBACH, Diplomatie, S. 71.

[209] PAULMANN, Monarchenbewegungen, S. 338.

Ludwig II. von Bayern war in jenen Jahren zweimal in Paris und residierte in der deutschen Botschaft. Beim ersten Mal, im August 1874, stattete er dem konservativen Ministerpräsidenten und Kriegsminister Ernest Courtot de Cissey einen Besuch ab.[210] Das zweite Mal wollte ihn der deutsche Gastgeber, Fürst Hohenlohe, davon überzeugen, dass er Mac-Mahon die Aufwartung machen müsse. Ludwig II. lehnte kategorisch ab, nicht wegen Mac-Mahon, dessen Einstellung ihm sicherlich recht war, sondern weil er nicht einem Präsidenten einer Republik die Ehre erweisen wollte.[211] Der Bonapartist Comte de Maugny empfand es als paradox, dass der in seiner Art doch majestätische Marschall Mac-Mahon während seiner sechsjährigen Amtszeit viel weniger ausländische Fürsten empfangen durfte als seine bürgerlichen Nachfolger.

> »Chose curieuse, le maréchal, au cours de ses six années de magistrature présidentielle, eut beaucoup moins de souverains étrangers à recevoir et à héberger que ses bons bourgeois de successeurs. Les empereurs et les rois n'avaient pas encore digéré la République [...].«[212]

Nur das Ausbleiben anderer hoheitlicher Besuche erklärt die Aufmerksamkeit, welche der Schah von Persien schon während seines Staatsbesuches von 1873 entgegennehmen durfte. Der glänzende Empfang war als kraftvolle Selbstdarstellung gedacht und wurde denn auch prompt als Zeichen für Frankreichs Wiedererstehung gedeutet.

> »Le gouvernement avait estimé avec raison qu'au lendemain de nos revers, il convenait de frapper l'imagination de ce potentat asiatique par un déploiement de forces et un étalage de richesses propres à effacer dans son esprit les impressions défavorables que pouvaient y avoir laissées l'immense retentissement qu'eurent dans tout l'Orient les victoires prussiennes sur une nation réputée jusque-là pour la plus puissante et la plus invulnérable du monde entier.«[213]

Der Besuch der weiblichen Mitglieder der Königshäuser erschien eher möglich. Das Jahr 1874 brachte Paris den Besuch der Kaiserin von Österreich und etwas später den Besuch der Zarin mit zwei ihrer Söhne. Privat war auch die Königin Viktoria schon in der französischen Hauptstadt gewesen, beispielsweise schon im April 1879 und in Begleitung ihrer Tochter, der Prinzessin Beatrice.[214] Besuche aus Deutschland waren schwieriger: Viktoria, Tochter der gleichnamigen englischen Königin und Gattin des künftigen Kaisers Wilhelm II., musste inkognito

---

[210] HOHENLOHE-SCHILLINGSFÜRST, Denkwürdigkeiten, Bd. 2, S. 100–102. Zit. nach KRETHLOW-BENZIGER, Diplomatie, S. 325.

[211] Alexander Prinz von HOHENLOHE, Aus meinem Leben, Frankfurt a. M. 1925, S. 9–14. Zit. nach KRETHLOW-BENZIGER, Diplomatie, S. 326.

[212] MAUGNY, Souvenirs, S. 177.

[213] MAUGNY, Souvenirs, S. 178. Ferner: DDF, Série I, Bd. 1, Nr. 233. – FIDUS, Souvenirs, Bd. 1, S. 215. – HANOTAUX, Histoire, Bd. 2, S. 83 f. Das ausserordentliche Ereignis wurde auch in der Bilderproduktion von Epinal festgehalten.

[214] Vgl. P. CAMBON, Correspondance 1870–1924, Bd. 1, S. 99.

reisen, als sie im Mai 1883 Paris besuchte, dort Sehenswürdigkeiten anschaute und Einkäufe tätigte.[215]

König Alphons XII. wurde im September 1883 mit höchst unfreundlichen Demonstrationen empfangen, weil er Paris erst auf seiner Rückreise von Berlin und Hamburg besuchte und sich in Deutschland hatte zum Ehrenkommandanten eines in Strassburg stationierten Ulanenregiments ernennen lassen.[216] Des Michels, ehemaliger Botschafter in Madrid, schreibt in seinen Memoiren, es sei Jules Grévy gewesen, der Alphons XII. nicht schon auf der Hinreise, sondern erst auf der Rückreise habe empfangen wollen, weil er seine Ferien nicht unterbrechen wollte. Zu einer besseren Beurteilung kommt Des Michels in der Darstellung, wie es Grévy nachher gelungen sei, den Zwischenfall aus dem Weg zu räumen und die französisch-spanischen Beziehungen wieder zu verbessern.[217]

Als Marquis de Banneville 1873 bei seiner Abreise von Wien nur den Leopolds-Orden erhielt und nicht den für Vertreter von Grossmächten üblichen Stephans-Orden, wies der Vertreter der französischen Republik die zu bescheidene Ehrung zurück.[218] Decazes und Chaudordy hatten schon im August und ein zweites Mal im September 1874 Gortschakow gefragt, ob der Zar nicht mit der Verleihung des St. Andreas-Ordens an Mac-Mahon das Ansehen des monarchistischen Kabinetts – weniger gegenüber dem Ausland als gegenüber der eigenen, französischen Bevölkerung – heben könnte. Der französische Botschafter in St. Petersburg hob hervor, dass das Andreas-Kreuz nur »les princes de rang et exceptionnellement quelques très hauts dignitaires« erhielten.[219]

Als Folge der Besuche der österreichischen Kaiserin und der russischen Zarin von 1874 kam es im November 1874 endlich auch zu Verleihungen kaiserlicher Orden für den Präsidenten der »provisorischen« Republik.[220] Präsident Mac-Mahon erhielt den österreichischen Sankt Stephans-Orden und den russischen Sankt Andreas-Orden.[221] Den ersten königlichen Orden hatte Frankreichs Staatschef kurz zuvor, ebenfalls im November 1874, vom belgischen Königshaus entgegennehmen können.[222]

Präsident Carnot erhielt den Andreas-Orden, als im März 1891 der französische Flottenbesuch in Kronstadt beschlossen wurde. Noch damals verursachte diese Verleihung grosse Aufregung im monarchischen Europa, so dass Russland

---

[215] HOHENLOHE-SCHILLINGSFÜRST, Denkwürdigkeiten, Bd. 2, S. 336, zit. nach KRETHLOW-BENZIGER, Diplomatie, S. 321.

[216] Vgl. etwa die diplomatische Korrespondenz zu diesem Zwischenfall in den DDF, Série I, Bd. 5.

[217] DES MICHELS, Souvenirs, S. 204 und 212.

[218] Papiers Desprez, Memorien, Dossier Nr. 300, S. 90.

[219] Le Flô an Decazes, 13. Dezember 1874, DDF, Série I, Bd. 1, Nr. 347.

[220] Die Dritte Republik hatte bis zur Verabschiedung der Verfassungsgesetze von 1875 und zur Schaffung der beiden ordentlichen Kammern anstelle der verfassunggebenden Nationalversammlung provisorischen Charakter. Die Gegner der Republik haben die Republik nur als Übergangszustand verstanden.

[221] STEINBACH, Diplomatie, S. 76.

[222] Vgl. ebenda, S. 74 f.

die Geste herunterspielen musste.[223] Eine andere Version gibt der damalige französische Botschafter in St. Petersburg: Laboulaye überlieferte einem Neffen, er habe anlässlich des Flottenbesuches für Sadi Carnot diesen Orden beantragt, zumal auch der Erbprinz von Österreich-Ungarn und der Prinz von Neapel diese Ehrung bereits erhalten hätten. Die Bitte sei zunächst abgeschlagen und erst erfüllt worden, als der Zarewitsch in Saigon zu Gast weilte.[224] Auch bürgerliche Diplomaten waren auf diese Ehrenzeichen erpicht. Zum Entsetzen des höfischen Adels konnte es allerdings geschehen, dass sie die Dekoration nicht richtig zu tragen wussten und beispielsweise den grossen Cordon von rechts nach links, statt von links nach rechts trugen.

> »Par exemple, on a été choqué de voir le grand cordon envoyé par l'Empereur, porté de droite à gauche par un prédécesseur bourgeois du comte Duchâtel à Vienne. On eût préféré de voir ce cordon mis de gauche à droite, comme il convenait.«[225]

Die Verachtung durch die Aristokraten des eigenen Landes oder fremder Länder war latent stets vorhanden. So erklärt der deutsche Botschafter Graf Georg zu Münster 1894 das als etwas schroff und formlos bezeichnete Verhalten von Aussenminister Hanotaux damit: »Man soll ihm doch sehr anmerken, dass er der Enkel eines kleinen Bauern ist.«[226]

Um Anerkennung mussten schliesslich die Repräsentanten der Republik auch persönlich immer wieder ringen. 1883 klagte der in Spanien als französischer Botschafter akkreditierte Baron Des Michels, man habe ihn, der in Uniform und begleitet von seiner Gemahlin in Hoftoilette im Galatheater erschienen war, in einer entfernten Loge mit der Legation von Mexiko unterbringen wollen! Einzig die Gewissheit, dass dies den deutschen Widersachern zum Vorteil würde, hindere ihn daran, den Antrag zu stellen, man solle die Botschaft von Madrid in eine Gesandtschaft umwandeln.[227]

Die Allianz mit Russland, welche 1891 durch den französischen Flottenbesuch in Kronstadt, 1896 durch Nikolaus' II. Reise nach Frankreich und 1897 durch Faures Gegenbesuch in St. Petersburg öffentlich bekundet wurde, brachte der Republik endlich den öffentlichen Attest, dass auch sie hoffähig war, und dies obwohl ihre Exekutive zu jener Zeit gerade von Charles-Thomas Floquet, also dem Mann geführt wurde, der 1867 in Paris dem Zaren Alexander II. anlässlich der Weltausstellung von 1867 zugerufen haben soll: »Vive la Pologne, Monsieur!«[228]

---

[223] Vgl. LANGER, Franco-Russian Alliance, S. 145; und GP, Bd. 7, Nr. 1494 und 1497.

[224] André de Laboulaye 1938 über seinen Onkel, André de LABOULAYE, L'ambassade, hier: S. 743.

[225] BONNIÈRES, Mémoires, Bd. 1, S. 220.

[226] Georg zu Münster, 31. April 1894, PAAA Bonn, F 107/7.

[227] Des Michels an Challemel-Lacour, 7. April 1883, Papiers Billot.

[228] Charles Floquet war 1885–1888 Kammerpräsident, 1888/89 Ministerpräsident und 1889–1893 wieder Kammerpräsident. Ob Floquet tatsächlich diesen Ausspruch getan hat, wird sich kaum endgültig klären lassen und ist auch unwesentlich. Wichtiger ist, dass man 1888 dieser Frage soviel Bedeutung beigemessen hat. Louis André bezeichnet in seinem Nachruf den Ausspruch als »cri de la conscience de la France républicaine«, doch sei es nicht gerecht,

Der Zarenbesuch von 1896 wurde von deutscher und österreichischer Seite mit abwertenden und hämischen Kommentaren versehen. Der deutsche Botschafter Graf Münster berichtete nach Berlin, der Empfang und die Feste hätten »Parvenü-Charakter« gehabt, und Kaiser Wilhelm II. bemerkte dazu: »wie sollte es auch anders sein.« Der österreichisch-ungarische Geschäftsträger machte sich über die angebliche – und von anderer Seite deutlich in Frage gestellte – Begeisterung der Bevölkerung lustig: Die Republik (sic!) sei von einem »Wonneschauer« erfasst worden – »jenem gleich, den das Gretchen empfunden haben mochte als die kleine Blume zur Antwort gab: ›Er liebt mich!‹«[229]

Die Verbindung mit der monarchistischsten der Monarchien zeitigte offenbar unmittelbare Auswirkungen. Während die französischen Repräsentanten – bis hin zu Stephen Pichon, der damals noch in Brasilien sass – sie als Stärkung der eigenen Position spürten, verstanden die Monarchien sie als Schwächung der eigenen Sache. Pichon berichtete 1896:

> »La visite du tsar produit un effet considérable. On le ressent ici.«[230]

1895 soll Kaiser Wilhelm II., einer wie immer etwas chargierten Darstellung Paléologues zufolge, dem russischen Aussenminister vorgeworfen haben, die häufigen Besuche von Fürstlichkeiten würden die Republik konsolidieren, sie in den Augen der Völker als normales Regime erscheinen lassen und zugleich vergessen machen, dass die Monarchien göttliche Institutionen seien und nicht Menschenwerk wie die Republiken. Paléologue gibt die Äusserung des Kaisers wie folgt wieder:

> »Je n'aime pas toutes ces visites royales et princières qui se succèdent à Paris; elles ont pour effet de consolider la République, en la représentant aux yeux des peuples comme un régime aussi normal que tout autre et en leur faisant oublier que

wenn man Floquet allein die Ehre der Autorschaft zuspreche, obwohl Floquets Gegner gerne von einer Alleinverantwortung gesprochen hätten. In Wirklichkeit sei es eine ganze Gruppe von jungen Advokaten gewesen, die sich vor dem Justizpalast befunden habe, als der Zar am 5. Juni 1867 die Sainte Chapelle besucht habe. De Freycinet bezeichnet in seinen Memoiren die Anrede »Monsieur« als Legende, Floquet habe nur von ferne mit der besagten Gruppe »Vive la Pologne« gerufen, FREYCINET, Souvenirs, Bd. 2, S. 327 und 394. Scheurer-Kestner erzählt, dieser Ausruf habe Floquet die Vermählung mit seiner Schwester Hortense eingetragen – und natürlich die scharfe Feindschaft des russischen Botschafters von Mohrenheim. Als um 1887 Floquets Regimentsfähigkeit diskutiert wurde, befassten sich verschiedene Zeitungen mit der Authentizität jenes Diktums, z. B. die Tribune de Genève vom 11. Juni 1887, Le Matin vom 6. Februar 1888, L'Autorité vom 6. Februar 1888. Der ehemalige Polizeipräfekt und Deputierte Louis Andrieux stellte 1888 den Kontakt zwischen Floquet und Mohrenheim her und leitete damit die Versöhnung der beiden ein. Andrieux zufolge hat Floquet ebenfalls bestritten, dem Zaren ein »Monsieur« zugerufen zu haben, und diesen Ruf vielmehr dem bereits gestorbenen Gambetta zugeschrieben. Hierauf habe sich Gambettas Freund, Joseph Reinach, gemeldet und dies verneint: Floquet habe sich im Wandelgang des Palais Bourbon für sein »Vive la Pologne« von Gesinnungsgenossen feiern lassen, worauf Gambetta sich über die Angelegenheit lustig gemacht und im Scherz gesagt habe, dies sei noch gar nichts, denn er habe »Vive la Pologne, Monsieur!« gerufen, ANDRIEUX, Mémoires, S. 345 f. Vgl. auch BUTENSCHÖN, Zarenhymne, S. 43.

[229] Dumba an Goluchowski, 21. August 1896, und Münster an Hohenlohe-Schillingsfürst, 9. Oktober 1896, zit. nach PAULMANN, Monarchenbewegungen, S. 338 f.

[230] Pichon an Hanotaux, 9. September 1896, Papiers Marcel.

les monarchies sont d'institution divine, tandis que les républiques sont des créations humaines. Or, la consolidation du régime républicain en France est un danger pour tous les trônes. Et, permettez-moi de vous le dire, ce qu'il y a de plus fâcheux, de plus extraordinaire, c'est de voir le gouvernement le plus monarchique de l'Europe entretenir avec cette République les rapports les plus intimes [...]. Au contraire, il faudrait isoler la France, l'abandonner aux luttes intérieures de ses partis, la laisser cuire dans son jus. Et, si elle avait quelque velléité de s'épancher au-dehors, par le moyen d'une propagande révolutionnaire, les trois empereurs devraient s'unir aussitôt pour l'écraser complètement [...].«[231]

General Legrand-Girarde, Kommandant des Elysées, verzeichnete eine ähnliche Reaktion des italienischen Königshauses auf den Besuch des Zaren in Paris:

»C'est la consécration officielle de la République.«[232]

Und der deutsche Botschafter erinnerte am 22. Juli 1897, als er sich empört über den »fast unwürdigen« eigenhändig geschriebenen Einladungsbrief des Zaren ausliess, an seine Stellungnahme im Vorjahr, welche die Gleichbehandlung des Präsidenten als »Selbstmordversuch der Monarchie« bezeichnet hatte.[233]

Noch 1899 hatte der Prinz von Wales, der 1901 als Eduard VII. den englischen Thron besteigen sollte, auf einer Rückreise von der Côte d'Azur, wo auch seine Mutter jedes Jahr ein paar Sommerwochen zu verbringen pflegte, inkognito den Präsidenten der Republik besucht. Und noch 1901 hatte Loubet beim französisch-italienischen Treffen in Nizza bloss den Onkel des italienischen Königs zum Gesprächspartner. Das Jahr 1903 brachte – im Vorfeld der »Entente Cordiale« Frankreich schliesslich Eduards VII. Staatsvisite und seinem Staatspräsidenten, noch immer Loubet, die Gelegenheit für einen offiziellen Gegenbesuch in London. Es brachte zugleich den Besuch des italienischen Königspaares in Paris und damit für Loubet die wegen der Vatikanfrage nicht ganz unproblematische Verpflichtung, im kommenden Jahr nach Rom zu reisen.

Die neue Reisediplomatie des Staatsoberhauptes stiess auch im diplomatischen Korps nicht auf einhellige Zustimmung. Paul Cambon, der Frankreich durch seine eigene Präsenz in London genügend vertreten sah, empfand 1903 die Reise als überflüssig, mit welcher Loubet den Besuch des englischen Königs beantworten wollte. Ein Präsident sei kein Souverän, sondern ein auf Zeit gewählter Beamter, der, wenn er alle Besuche erwidern wollte, während seiner siebenjährigen Amtszeit ständig unterwegs wäre:

»Je ne suis pas partisan de ces voyages du Président. On aurait dû dès le début établir qu'il ne sortait pas du territoire de la République. Un Président n'est pas un Souverain, c'est un magistrat élu et temporaire, si l'on admet qu'il doit rendre toutes les visites qu'on lui fait il sera toujours en route pendant ses sept années de

---

[231] PALÉOLOGUE, Tournant, S. 154.

[232] LEGRANDE-GIRARDE, Au service, 21. März 1898, S. 130. Vgl. ferner: BRAIBAND, Faure, S. 70.

[233] PAAA Bonn, F 105/1a, Bd. 8.

consulat. Le précédent de Pétersbourg qui est fâcheux pouvait cependant être présenté comme un fait exceptionnel.«[234]

Könnte sein, dass Cambon, der Frankreich in London vertrat, eine zusätzliche temporäre Präsenz durch seinen Präsidenten als Abwertung seiner Funktion empfand. Eine andere Sorge bestand darin, dass der Verlauf eines solchen Besuchs mit grösseren Unsicherheiten verbunden war als das tägliche Diplomatengeschäft. Über den Präzedenzfall hatte sich Cambon 1897 positiver, wenn auch wesentlich kühler als seine Zeitgenossen geäussert:

> »La politique des voyages peut avoir son utilité quand elle ne consiste pas uniquement à parcourir des kilomètres et à échanger des congratulations. Il faut espérer que cette fois on parlera de choses sérieuses.«[235]

Nach Loubets Reise äusserte sich Cambon dann aber wieder bemerkenswert positiv:

> »Le voyage du Président à Londres a réussi. M. Loubet a plu à tout le monde par sa simplicité. Il était parfaitement à son aise et tout ce qu'il a dit a été excellent. M. Delcassé a eu aussi un très vif succès personnel. Ces échanges de visites qui étaient un peu risquées ont eu pour effet de dégager l'atmosphère et de créer des deux côtés du détroit un état d'esprit qui facilite les conversations et, si c'est possible, les arrangements.«[236]

Loubets Nachfolger, Armand Fallières, besuchte während seiner Amtszeit auch einmal – 1910 – die Schweiz. Er erhielt aber aus diesem Land keinen Gegenbesuch, weil die schweizerischen Republikaner das Reiseverbot für ihren höchsten Repräsentanten damals wirklich noch ernst nahmen.[237]

## Gestärktes Bewusstsein der Republik

Das republikanische Selbstbewusstsein gegenüber dem monarchischen Ausland, das sich übrigens schon früh und zum Teil auch gleichzeitig mit dem bereits erörterten Minderwertigkeitsgefühl manifestierte, war bis 1913 so weit gediehen, dass man dem Ausland die These vorzusetzen wagte, die königlichen Souveräne müssten mit den Höflichkeitsbesuchen beginnen und sich in jedem Fall als erste auf den Weg zu machen, da der französische Staatspräsident als Delegierter eines »permanenten Souveräns«, nämlich des französischen Volkes, die Anciennität beanspruchen könne. Bertie berichtet im Frühjahr 1913 folgende Äusserung Poincarés:

> »The theory in France is that the Office of President is impersonal and there is absolute continuity in the office and therefore there is not in the French idea a

---

[234] Paul Cambon an seinen Sohn Henri, 6. Juni 1903, Correspondance 1870–1924, Bd. 2, S. 93.

[235] Paul Cambon an seine Mutter, 3. Juni 1897, Papiers Louis Cambon.

[236] Paul Cambon an Jusserand, 18. August 1903, Papiers Jusserand, Bd. 60.

[237] Georg KREIS, Die Schweizerreise des französischen Präsidenten Fallières und die deutsch-französischen Rivalitäten in den Jahren vor dem Ersten Weltkrieg, in: Cinq siècles de relations franco-suisses. Hommage à Louis-Edouard Roulet, Neuchâtel 1984, S. 233–244. Auch in: Vorgeschichten zur Gegenwart. Ausgewählte Aufsätze, Bd. 3, Basel 2005, S. 217–229.

question of ›moins ancien‹.« Er habe dann Pichon zu bedenken gegeben: »If the
French theory were really put into practice the result would be expecting first vis-
its from all the Sovereigns of Europe.«[238]

Von welchen Überlegungen die traditionellen Reiseprotokolle bestimmt wurden,
zeigen beispielsweise die folgenden englischen Vorstellungen, wie sich die Reise
des englischen Königs abzuwickeln habe: Georg V. müsse zuerst Kaiser Franz-
Josef in Wien besuchen, weil er der Doyen der Souveräne sei, seine Rückreise
könne nicht ohne Besuch in Berlin durch Deutschland führen, und wenn er nach
Berlin gehe, müsse er auch Paris besuchen, obwohl Poincaré als »zuletzt gewählter« Staatsmann zuerst nach London kommen sollte.[239]

Als Poincaré im Juli 1913 nach London reiste, wurde ihm von seinen Gegnern
vorgeworfen, er hätte Georgs V. Besuch abwarten sollen, weil der englische König Fallières' Besuch von 1908 noch nicht offiziell beantwortet habe.[240] Georg V.
hatte zwar vor und nach Fallières' Besuch in Paris geweilt, doch nur als inoffizieller Gast. Im englischen Aussenministerium sprach man sich wiederholt gegen
solche Staatsvisiten aus. Zum Beispiel als Aussenminister Pichon im Juni 1907
den im Mai 1908 verwirklichten Besuch Fallières' anregte, weil er ein Gegengewicht zur deutschen Reisediplomatie schaffen wollte.[241] Botschafter Bertie stellte
sich auf den Standpunkt, solche Besuche seien nur ausnahmsweise gut (etwa im
Falle der Begegnung Loubet-Eduard VII. 1903), im Allgemeinen aber

> »they do not serve any useful State purpose and they are a corvée to the visitor
> and the visited.«[242]

Das Selbstbewusstsein der Dritten Republik erlebte mit dem Regierungsantritt
von Charles de Freycinet eine auf dem Verordnungsweg herbeigeführte Stärkung:
Ein erstes Dekret vom April 1880 verfügte, dass die Chefs der Vertretungen im
Ausland nicht mehr den »zu ekletischen« Titel »Ambassadeur de France« führen,
sondern den Titel »Ambassadeur de la République française« tragen sollten, eine
Bezeichnung, die allerdings – wie eine zeitgenössische Klage bedauerte – nicht
konsequent beachtet wurde. Am 30. April 1880 wurde eine die Republik verkör-
pernde Frauengestalt zur obligatorischen Zierde im Briefkopf der Diplomaten-
papeterie erklärt, und am 15. April 1882 wurden durch einen weiteren Erlass die
republikanischen Liktorenbündel auf die Knöpfe der Diplomatenuniformen und
den Knauf der Diplomatendegen angebracht.[243] Ein Bericht des deutschen Vertreters in Wien vom 6. Januar 1887 meldet:

> »In Wiener Hofkreisen ist es aufgefallen, dass Herr Decrais, der neue französische
> Botschafter, sich nicht mehr, wie es seit Ludwig XIV. bei allen seinen Vorgängern

[238] Bertie an Grey, 9. April 1913, PRO, Privatpapiere Bertie.

[239] Aussenminister Grey an Botschafter Bertie, 5. März 1913, PRO, Privatpapiere Bertie.

[240] WRIGHT, Poincaré, S. 96.

[241] Bertie an Grey, 5. Juni 1907, PRO, Privatpapiere Grey.

[242] Bertie an Grey, 8. März 1913, ebenda.

[243] Oeuvre administrative de M. de Freycinet au Ministère des Affaires étrangères en 1880–
1882, undatierter Bericht, Papiers Freycinet, Bd. 1. Abbildung in BAILLOU, Affaires étrangères,
S. 112 f. De Saint-Vallier hat schon am 12. April 1880 registriert, man denke daran, den Bot-
schaftertitel zu ändern, Mémoires et Documents, Allemagne, 167bis.

üblich war, ›Ambassadeur de France‹, sondern ›Ambassadeur de la République française‹ nennt.«[244]

Es war mehr als leere Deklamation, es muss der innersten Überzeugung entsprochen haben, wenn Théophile Delcassé als Deputierter und stellvertretend für viele andere 1890 ausrief, Frankreich sei bloss dank seiner republikanischen Staatsform wieder eine in ganz Europa respektierte Grossmacht geworden:

> »[L'estime de l'Europe] est venue à la France parce que la République a refait de la France une nation puissante entre les plus puissantes.«[245]

Und Albert Decrais als ehemaliger Diplomat und ebenfalls als Deputierter erklärte acht Jahre später:

> »La question s'est élevée quelquefois de savoir si un régime républicain et démocratique comme le nôtre pouvait avoir une politique étrangère, était capable d'une politique étrangère. […] Il me semble, Messieurs, que le problème est aujourd'hui résolu, et résolu par les faits mêmes que nous avons sous les yeux. Un régime qui a donné à la France vingt-sept ans de paix honorable et digne, un immense empire colonial et une grande alliance, une alliance que depuis le commencement du siècle les plus clairvoyants de nos hommes d'Etat avaient entrevue sans pouvoir la réaliser, un pareil régime est capable d'une politique étrangère.«[246]

Die Frage allerdings, ob diese Auffassung, die als solche eine nicht zu bezweifelnde Realität war, auch tatsächlich stimmte, lässt sich weder bejahen noch verneinen. Der ehemalige Aussenminister Ribot ging 1912 nicht so weit, das aussenpolitische Leistungsvermögen der Republik über die entsprechenden Möglichkeiten der Monarchie zu stellen. Doch auch seine Ausführungen sind eine Variation im allgemeinen Hymnus auf die Republik, wenn er betont, dass die Republik trotz gewissen Schwächen im Bereich der Kolonialpolitik glorreich vollendet habe, was die Monarchie begonnen, und dass es ihr sogar gelungen sei, das Frankreich von gestern zu vergrössern.

> »[L'histoire] dira que la République a glorieusement achevé l'œuvre commencée par la monarchie sur les côtes algériennes. Elle dira que la diplomatie républicaine, que l'on accusait à l'avance d'impuissance, a, malgré quelques faiblesses et quelques fautes, non seulement assuré à la France des alliances et des amitiés, mais aussi que, secondée, précédée par l'héroïsme de nos soldats et de nos explorateurs, elle a réussi à agrandir la France d'hier.«[247]

Die Dritte Republik war im Laufe der Jahre so kräftig herangewachsen, dass sie sich an fremden Höfen von keinem royalistischen Protokoll auf Kosten des republikanischen Selbstgefühls Vorschriften machen liess. Der Präsident der Republik wie ihr Aussenminister weigerten sich im Juni 1903 ganz entschieden, der Aufforderung des englischen Königs nachzukommen und zu einem bestimmten Anlass während der Staatsvisite die Kniehosen des Adels zu tragen. Der Bot-

---

[244] PAAA Bonn, F 105/1, Bd. 2.

[245] 6. November 1890 in der Budgetdebatte der Kammer, Annales, S. 223.

[246] Debatte vom 5. Februar 1898, JO, S. 450.

[247] Ribot in der Ratifikationsdebatte des Senats vom 9. Februar 1912 um den deutschfranzösischen Vertrag vom 4. November 1911, JO, S. 210.

schafter der französischen Republik stellt den Königshof vor eine klare Alternative:

> »[…] je signifierais à Lansdown que c'était à prendre ou à laisser: un Ministre sans culotte ou une culotte sans Ministre.«[248]

Die Ausnahmeregelung galt allerdings nur für Loubet und Delcassé. Emile Dubois, der dem Elysée zugeteilte General, gab, versehen mit einer aufschlussreichen Beurteilung der langbeinigen Hosen, den folgenden Bericht:

> »Nous dûmes naturellement tous revêtir la culotte courte pour nous asseoir à la table du roi, sauf le Président et M. Delcassé que Sa Majesté avait autorisé à conserver le vilain pantalon tombant.«[249]

Schon früher hatten die »culottes« gewisse Probleme aufgegeben. Der Monarchist Gavard schrieb am 14. Mai 1874:

> »[…] faudra-t-il mettre breeches au bal à Stafford-House? Voilà nos préoccupations. Il est vraiment singulier de changer tant de fois de culottes pendant que, chez nous, on change peut-être de gouvernement et qu'on est exposé à en représenter un qui n'en portera pas du tout.«[250]

Eine eigene Uniform hätte solche Probleme möglicherweise nicht aufkommen lassen. Der zeremonien- und protokollfreudige Félix Faure griff um 1897 Thiers' Projekt wieder auf, für den Präsidenten der Republik eine Uniform zu schaffen. Er liess sogar ein mit Goldspitzen versehenes Modell anfertigen, stiess dann aber auf den Widerstand seiner Minister.[251]

Allein, schwang in diesem betont selbstbewussten Auftreten im Grunde nicht auch eine innere Unsicherheit mit? Wenn sich Fallières 1906 als neuer Staatspräsident mit einer Grussadresse an das Parlament wandte, dass bisher keine andere Regierungsform seit der grossen Revolution so lange gedauert habe und dass die Republik in den 35 Jahren schwere Bewährungsproben erfolgreich bestanden habe, so sprach aus einer solchen Erklärung wohl das uneingeschränkte Vertrauen in den eigenen Staat:

> »Quel est le régime qui, depuis la Révolution, a approché cette durée?«[252]

Man trifft immer wieder auf solche Erklärungen, die bemüht waren, die Zweifel der ersten Stunde auszuräumen und hervorzuheben, dass sich die Republik bewährt habe. Ernest Lavisse zum Beispiel gibt zu, dass sie manchen Fehler gemacht habe (zumal im Parteienstreit und den Huldigungen gegenüber Boulanger), doch habe das republikanische Frankreich schliesslich für Ordnung, Vernunft und Frieden gestimmt.[253] Warum aber liess Stephen Pichon, der die französische Republik an den Trauerfeierlichkeiten zu Ehren des verstorbenen

---

[248] Paul Cambon zum französischen Protokollchef Mollard, Correspondance 1870–1924, Bd. 2, S. 94.

[249] DUBOIS, Souvenirs, S. 86.

[250] GAVARD, Un diplomate à Londres, S. 198.

[251] DOLLOT, Diplomatie et Présidence, S. 215.

[252] Aus Fallières' Antrittserklärung zitiert nach dem Figaro vom 21. Februar 1906.

[253] Figaro vom 14. März 1892.

Eduard VII. vertrat, in der französischen Presse schreiben, nicht nur der deutsche Kaiser, sondern alle anderen Staatsoberhäupter hätten sich aufs Freundlichste mit ihm unterhalten? Ist diese Hervorhebung nicht auf ein noch 1910 vorhandenes Minderwertigkeitsgefühl zurückzuführen und auf die Erfahrung, dass die zuvorkommende Behandlung des republikanischen Repräsentanten keine Selbstverständlichkeit war? Stéphane Lauzanne führte im *Matin* vom 21. Mai 1910 aus:

>»Tous les souverains se sont d'ailleurs entretenus avec lui et ont prodigué au représentant de la France les égards les plus flatteurs.«

Ein Exemplar dieses Artikels gelangte nach Berlin, wo wahrscheinlich der Reichskanzler Bethmann-Hollweg handschriftlich die Bemerkung anbrachte:

>»Phantasmen eines durch den Verkehr mit soviel Kronenträgern trunken gewordenen eitlen Republikaners, die meisten meiner Herren Collegen moquierten sich über ihn.«[254]

Pichon hatte sich vor seiner Abreise, als offenbar noch die Delegation von Staatspräsident Loubet zur Diskussion stand, von seinem republikanischen Botschafter Jules Cambon sagen lassen müssen, es sei eben zu bedauern, dass Frankreich für solche Anlässe keine Prinzen mehr zur Verfügung habe, denn Politiker (und Pichon war einer) hätten in ihrem Auftreten zu wenig Eklat:

>»C'est la faiblesse de la République qu'elle n'ait pas de princes à sa disposition. Gambetta le sentait bien, lui qui voulait envoyer le Duc d'Aumale à Petersbourg. Nos généraux n'ont pas l'éclat d'un Maréchal Soult, représentant Louis-Philippe au couronnement de la Reine Victoria, et nos politiciens manquent d'éclat. M. Loubet, qui a parcouru toute l'Europe comme Président et qui connaissait le Roi Edouard, me paraît seul qualifié pour faire figure au nom de la République.«[255]

Man könnte meinen, dass das Ansehen der Republik – in Frankreich wie ausserhalb – mit den Jahren gewachsen oder dass die Republik mit ihrer Konsolidierung wenigstens als eine nicht weiter zu problematisierende Gegebenheit schlicht hingenommen worden sei. Für das Ausland mag dies zutreffen. Im französischen Binnendiskurs verband sich jedoch seit etwa der Jahrhundertwende die Frage nach dem Ansehen und der Leistungsfähigkeit der Republik mit der in zunehmendem Mass problematischen und entsprechend problematisierten Stellung Frankreichs im internationalen System und insbesondere gegenüber Deutschland.

### 3. Kampf gegen den Niedergang

Der Kampf gegen den Niedergang ist im 2. Kap. als vierte und letzte Zielsetzung genannt worden. Er galt einer umfassenden und in den letzten Jahren vor dem grossen Krieg stets wichtiger werdenden Zielsetzung.

---

[254] PAAA Bonn, F 105, Bd. 1.

[255] Jules Cambon an Pichon, 8. Mai 1910, Papiers Jules Cambon, Bd. 16.

Die Niederlage von 1870, der Verlust der Provinzen und die zeitweiligen Schwierigkeiten in der Kolonialpolitik wurden schnell mit der Frage verknüpft, ob sich Frankreich im Niedergang befinde.[256] Diese Frage war allgemeiner auch vor 1870 bereits diskutiert worden. Dekadenzangst war, wie die magistrale Arbeit von Koenraad Swart (1964) aufzeigt, sozusagen ein säkularer Topos der Gesellschaftskritik mit wachsender Bedeutung gegen Ende des 19. Jahrhunderts.[257]

Die »décadence« findet man als Schreckbegriff jedoch bereits in der Zeit des Zweiten Kaiserreichs. Der liberal-konservative Publizist Lucien-Anatole Prévost-Paradol etwa bemerkte schon 1868:

> »[...] au milieu de la rapide transformation de tout ce qui nous entoure [...] nous tomberons dans une honteuse insignifiance.«[258]

## Schwaches Bevölkerungswachstum

Swart sah im Dekadenzdiskurs weniger den Ausdruck einer fundierten Haltung als vielmehr eine leichte Waffe für den schnellen Einsatz gegen innenpolitische Gegner.[259] Mit Dekadenz wurde denn auch nicht in erster Linie der Rückfall gegenüber anderen Ländern anvisiert sondern die Unzulänglichkeit des aktuellen Regimes oder der politischen Gegenspieler. Ohne Vergleich mit anderen Ländern war dies freilich nicht möglich. So gab es einen »danger Allemand«, aber auch einen »danger Anglais«, »danger Américain«, »danger Russe« und »danger Chinois«. Diese Gefahren entsprangen nicht der aktiven Bedrohung durch diese Länder, sondern durch deren stärkere Vitalität im engsten Sinne des Wortes, das heisst durch das stärkere Bevölkerungswachstum der anderen. 1876 bemerkte der Ökonom Léonce de Lavergne, dass die Bevölkerung Deutschlands und Englands jedes Jahr um 400 000 Menschen wachse, während diejenige Frankreichs stagniere. Und der mit seinen Kolonialschriften bekannt gewordene Paul Leroy-Beaulieu beklagte 1885 ebenfalls die »Entvölkerung« (»dépopulation«) und machte daraus ein Argument, um die Heimholung der verlorenen Provinzen als ein Ding der Unmöglichkeit zu bezeichnen.[260]

Das Thema hatte Konjunktur, im Jahr 1896 wurden gleich zwei Gesellschaften gegen den Bevölkerungsniedergang gegründet: die »Alliance nationale pour l'acroissement de la population française« und die »Ligue de la régénération humaine.«[261] Und im folgenden Jahr, 1897, prognostizierte Jacques Bertillon:

---

[256] Zum Beispiel der republikanische Autor Auguste Delichoux, Les premières phases d'une décadence, Paris 1871. Weitere Literatur von 1870/71, vgl. die Angaben bei SWART, Decadence, S. 124.

[257] SWART, Decadence.

[258] Lucien-Anatole PRÉVOST-PARADOL, La France nouvelle, Paris 1868, S. 418 f. Zuvor: Claude Marie RAUDOT, La décadence de la France, Paris 1850. Vgl. SWART, Decadence, S. 89 f. Vgl. auch DIGEON, Crise allemand, S. 30 f. – Parallel dazu muss nach 1870 ein Canovas eine auf Spanien bezogene Geschichte der Dekadenz verfasst haben, VILLATE, République, S. 133.

[259] SWART, Decadence, S. 124: »no well-elaborated philosophy«.

[260] Beide bei SWART, Decadence, S. 173 ohne Quellenangabe.

[261] SWART, Decadence, S. 172 und 175.

»Dans quatorze ans l'Allemagne aura deux fois plus de conscrits. Alors ce peuple qui nous hait nous dévorera! Les Allemands le disent, l'impriment et ils le feront!«[262]

Sofern das Dekadenzgespenst überhaupt mit der französischen Aussenpolitik in Verbindung gebracht wurde, trat es häufiger im Kontext der Kolonialpolitik als der Revanchepolitik auf. Im einen Fall ging es um die Energie, die es brauche, um neue Territorien zu erwerben und nicht zum Vasallen Englands zu werden; im anderen Fall um die Energie, die es brauche, um genügend kontinentales Gewicht zu haben und nicht zu einem Vasallen Deutschlands zu werden. Beides ist im Buch *Au pays de la Revanche* gemeint, das Alfred Pernessin unter dem Pseudonym »Dr. Rommel« 1886 veröffentlichte:

»La France n'est évidemment plus jeune, elle n'a plus le courage de pousser la charrue, de travailler au loin, de faire des enfants […]. Pourquoi tant hésiter à parler de décadence!«[263]

Der öffentliche Diskurs fand seinen Niederschlag im nichtöffentlichen Denken, wie er zum Teil ja auch aus diesem hervorgegangen war. So finden wir in der persönlichen Korrespondenz, die Paul Cambon als Botschafter in Madrid mit dem Historiker Ernest Lavisse um 1888 führte, die gleichen Gedanken. Da beklagte er

»un sentiment de lassitude générale qui fait penser à la mort.«

Vorbildlich empfand er dagegen die jugendliche, zukunftsfrohe Einstellung »chez les Italiens«, um dann von den Franzosen wieder zu sagen:

»Nous sommes vieux, c'est vrai, mais il y a mille manières d'être vieux. On peut conserver sa verdeur et faire des enfants à tout âge.«[264]

Die schwere Niederlage, welche die Spanier von 1898 gegen die jungen USA hinnehmen mussten, empfand er dagegen wieder als Zeichen des kollektiven Niedergangs der »race latine«.[265]

### Parteipolitische Positionen

Die Dekadenzklage findet sich vor allem in den Äusserungen der Rechten und der republikanischen Mitte. Sie war verbunden mit allgemeiner Zivilisations-, Fortschritts- und Moralkritik, auch mit Kritik am militanten Antiklerikalismus. Sie war aber vor allem Regimekritik. Jules Roche, ehemaliger Handels- und Industrieminister (1891), sagte 1897:

»Nous sommes le pays le plus mal gouverné […].«[266]

---

[262] Jacques BERTILLON, Le problème de la dépopulation, in: Revue politique et parlementaire 12 (1897), S. 538 f.

[263] Dr. ROMMEL, Au pays de la Revanche, Paris 1886, S. 5 f. Anfänglich bestand der Verdacht, dass ein Deutscher das für Frankreich wenig schmeichelhafte Buch geschrieben hat. Pernessins Vater war Schweizer, seine Mutter war Engländerin, er arbeitete viel im Ausland für den Crédit Lyonnais. Zu den Debatten um das Buch vgl. SWART, Decadence, S. 179.

[264] Paul Cambon an Lavisse, 11. November 1888. Zit. nach VILLATE, République, S. 138.

[265] Paul Cambon an Anna, 5. Mai 1898, MAE, Papiers privés.

Die republikanische Mitte beklagte eher den Niedergang der ganzen Gesellschaft (diese würde keine Mirabeaus und Dantons mehr hervorbringen), später kritisierte sie aber auch die linksrepublikanische Politik. Die Rechte legte besonders Wert auf die Unterscheidung zwischen unfähigem und unmoralischem Regime und gutem Volk.[267] 1872 erklärte der Republikaner Emile Second, das Land würde gänzlich kaputtgehen, wenn man es den Monarchisten überlassen würde.[268] Umgekehrt konnte ein Monarchist wie Charles Maurras in der egalitären Ordnung die Wurzel allen Übels erblicken und erklären:

> »L'inégalité ou la décadence!«[269]

Für Jules Lemaître, den Chefdenker der 1898 gegründeten »Ligue de la Patrie française«, war die sozialistische Gefahr die grössere Sorge als die verlorenen Provinzen. Die 1905 geschaffene »Ligue de l'Action française« äusserte sich zwar scharf antideutsch, der Hauptfeind war aber die Republik, die Lumpenkreatur (»geuse«), die man erdrosseln sollte.[270] Die Linke war und blieb skeptisch gegenüber den Dekadenzklagen, sie sah darin indirekte Disziplinierungsversuche und blieb bei ihrem grundsätzlichen Fortschrittsglauben.

Nach der Jahrhundertwende und insbesondere nach 1905 ging die Rechte ihrerseits wieder zu einer positiveren Einschätzung der Zukunftsmöglichkeiten über. In diese Übergangszeit gehört die Schrift von Emile Flourens, einem ehemaligen Aussenminister, welche die Missstände im Lande brandmarkte und dabei feststellte, dass Frankreich – nach der Entente von 1904 – ein Satellit Englands geworden sei. Zugleich drückte sie die Hoffnung aus, dass mit einer Preisgabe linksextremer Positionen alles wieder besser werde.[271]

## Rangliste der Nationen

Die Vorstellung vom drohenden oder anhaltenden Niedergang bezog sich auf eine imaginierte Rangliste von Nationen. Jules Ferry bezog sich auf diese Liste, als er in der grossen Kolonialdebatte von 1885 über den allfälligen Verzicht auf Expansion sagte:

> »[…] vivre de cette sorte, pour une grande nation, croyez-le bien, c'est abdiquer, et dans un temps plus court que vous ne pouvez le croire, c'est descendre du premier rang au troisième ou quatrième.«[272]

---

[266] Figaro 11. Juni 1897, zit. nach SWART, Decadence, S. 142.

[267] SWART, Decadence, S. 145.

[268] Emile SECOND, Histoire de la décadence d'un peuple: 1872–1900, Paris 1872. Für 1900 prognostizierte er: »La France n'existe plus aujourd'hui que de nom, et elle est destinée à disparaître complètement, comme la Pologne.« Vgl. SWART, Decadence, S. 134.

[269] Charles MAURRAS, Enquête sur la monarchie, Paris 1925. Zit. nach SWART, Decadence, S. 149.

[270] BECKER/AUDOIN-ROUZEAU, Nation, S. 197 und 211.

[271] Emile-Léopold FLOURENS, La France conquise. Edouard VII et Clemenceau, Paris 1906.

[272] Debatte vom 28. Juli 1885. Kurz zuvor: »[...] la politique de recueillement ou d'abstention, c'est tout simplement le grand chemin de la décadence!« Vgl. GIRARDET, Idée coloniale, S. 49.

Schon 1882, als Frankreich in der Ägyptenfrage nach gewissen Einschätzungen zu zurückhaltend war und nicht mit England Schritt hielt, bemerkte Paul Cambon, damals für Frankreich in Tunesien tätig:

> »On va laisser les Anglais mettre la main sur l'Egypte tout seuls. Nous sortirons de tout cela réduits au rang de puissance secondaire.«[273]

1883 erklärte der Kolonialpropagandist Gabriel Charmes:

> »J'ai toujours pensé que la France tomberait assez rapidement au rang de puissance secondaire, si elle demeurait indifférente à la grande lutte qui se poursuit actuellement pour la domination non plus d'Europe, mais du Monde.«[274]

Die Einigung Italiens, die Gründung des Deutschen Reiches, dann die Niederlage im Kampf nicht etwa gegen eine breite Allianz wie 1815 bei Waterloo, sondern allein gegen das aufstrebende Preussen – dies sowie die sich damals verbreitende Selektionslehre Darwins verstärkte das schon vor 1870 vorhandene Gefühl erheblich, eine dekadente Nation zu sein. Im Rückblick auf den Weg in die Niederlage von 1870 meinte ein zeitgenössischer Betrachter mit Blick auf die nationalen Einigungsbewegungen in Italien und Deutschland:

> »Tout le monde se dit que la grandeur est une chose relative et qu'un pays peut être diminué, tout en restant le même, lorsque de nouvelles forces s'accumulent autour de lui.«[275]

Nicht nur war Frankreich nicht mehr die kontinentale Hegemonialmacht des 17. und 18. Jahrhunderts, man fürchtete, auch noch die im Kongresssystem des 19. Jahrhunderts eingenommene Stellung als eine der fünf massgebenden Grossmächte zu verlieren, ein Volk mit grossartiger Vergangenheit und bescheidener Zukunft zu werden, ein Staat ohne Stimme im Konzert der Grossmächte, ein Spanien, Polen, Belgien – oder gar eine Schweiz.[276]

Pierre Lanfrey im November 1872:

> »Nous tournons terriblement à la Pologne du dix-huitième siècle, et je crains fort que nous ne finissions comme elle.«[277]

Paul Cambon erging sich 1883 im Moment von Gambettas Tod ebenfalls in Pessimismus: Frankreich werde reduziert auf den Status »d'une grande Belgique«.[278] Gabriel Charmes bemerkte 1885:

---

[273] Paul Cambon an Anna, 7. August 1882, MAE, Papiers privés (aus der veröffentlichten Korrespondenz gestrichene Passage).

[274] Gabriel CHARMES, La politique coloniale, in: Revue des Deux Mondes, 53. Jg. 1. November 1883, S. 49 f.

[275] Gustave ROTHAN, Les Origines de la Guerre de 1870. La politique de 1866, Paris 1879/1883, S. 461 (vielleicht als Diktum des Finanzministers Magne an Napoleon III. vom 20. Juli 1866).

[276] Zwei Belege zu Spanien: »Notre décadence est plus absolue et plus irrémédiable que celle d'Espagne.« (Schriftsteller Louis Ménard 1875). Man hatte an der Konferenz von 1878 in Berlin den Eindruck erwecken können, »que la France, du rang de puissance de premier ordre, était tombé au rang de l'Espagne.« Joseph REINACH in: Revue Politique vom 11. Dezember 1880.

[277] Lanfrey an Roux, 25. November 1872 (Umfeld von Gambetta).

Es sei unverzeihlich »la réduire graduellement au rôle d'une Belgique ou d'une Suisse ayant un territoire plus étendu.«[279]

## England als Vorbild

Anders als im Falle des benachbarten Deutschland nahm man britische Überlegenheit zumal im Kolonialbereich, aber auch in der Verwaltung und im Parlamentsbetrieb weniger als direkte Bedrohung wahr, sondern als massgebendes Vorbild zur Kenntnis. In der Kammerdebatte vom 1. Dezember 1881 sprach Gambetta von den Engländern als von Leuten,

»qui sont et qui restent nos maîtres dans cette manière.«[280]

Gabriel Charmes sprach 1883 zur Zeit der verschärften Rivalität zwischen den beiden Kolonialmächten sein Bedauern aus, dass die Franzosen nicht wie die Engländer ein Reisevolk seien.[281]

England diente immer wieder mit seinem Parlamentarismus als Vorbild:

»Messieurs, je n'essayerai même pas d'invoquer ici l'exemple d'un pays libre, de ce Parlement d'Angleterre, où l'on pose jour après jour des questions au ministre des affaires étrangères, où on l'enferme dans le cercle de la cross-Examination [...].«[282]

Die schliesslich auch im französischen Parlament eingeführten schriftlichen Fragen waren nach englischem Vorbild beantragt worden.[283] Umgekehrt wurde die mangelnde Selbstdisziplin mit dem englischen Vorbild verglichen. Paul Bert reagierte am 15. Mai 1883 auf Delafosses Bemerkung, die Tonkin-Politik sei »peu sincère« mit dem Zwischenruf: »On ne dirait pas cela à la tribune anglaise!«[284]

Als vorbildlich wurde 1887 das britische Aussenministerium geschildert: Nachdem de Saint-Vallier schon 1877 und Antonin Proust wieder in der Kammerdebatte vom 1. Februar 1878 mit Hinweis auf das englische Vorbild ein besseres diplomatisches Jahrbuch verlangt hatten[285], forderte Spuller im Budgetbericht 2364 für 1884 erneut eine Verbesserung:

»Il reste encore beaucoup à faire pour que notre Annuaire des Affaires étrangères égale en intérêt le Foreign-Office-List.«[286]

Betont wurde sodann, dass das Foreign Office mit weniger Personal auskomme, mit etwa 80 in der Zentrale, während Frankreich etwa 150 Leute beschäftige.[287]

---

[278] Vgl. VILLATE, République, S. 78.

[279] CHARMES, Politique extérieure, S. 103. Im gleichen Werk: »faire déscendre au rôle de l'Espagne ou de la Belgique« (S. 10).

[280] GAMBETTA, Discours et plaidoyers, Bd. 10, S. 103.

[281] CHARMES, Politique extérieure, S. 120.

[282] Francis de Pressensé in der Kammerdebatte vom 26. November 1908, JO, S. 2671.

[283] BARTHÉLEMY, Démocratie, S. 135.

[284] DELAFOSSE, Vingt ans, S. 101.

[285] JO, S. 922.

[286] Budgetbericht 2364 für das Jahr 1884, S. 7.

Auch die Informationstätigkeit der Regierung wurde an den englischen Verhältnissen gemessen. Der Budgetbericht für das Jahr 1883 forderte die regelmässige Veröffentlichung der diplomatischen Akten und argumentierte:

>»C'est ainsi que procède l'Angleterre, et l'on ne voit pas que la conduite de ses affaires en éprouve aucun dommage.«[288]

Mehrfach verwiesen auch die Forderungen nach der Einführung von Handelsattachés auf England:

>1887: »L'idée initiale de cette création nous vient d'Angleterre.«[289] 1908: »Puisque nous suivons l'exemple de l'Angleterre, puisque nous entrons dans la voie qu'elle a ouverte, je me permets de rappeler que lorsqu'il s'est agi de désigner l'attaché commercial actuel [...].«[290]

Der Berichterstatter, der Diplomaten und nicht Kaufleute mit dieser neuen Aufgabe betrauen wollte, zitierte damals ebenfalls das englische Vorbild:

>»[...] les Anglais ne sont certes pas des rêveurs ni des imaginatifs; ce sont des gens pratiques, qui ne payent pas de mots.«[291]

England tauchte in der Debatte von 1911 um die Reform der Konsulartaxen auch als Vorbild auf.[292] Im gleichen Jahr wurde bei den Diskussionen um die Schaffung eines Unterstaatssekretariates wiederum auf England verwiesen.[293]

### Verschmelzung der Zielsetzungen

Die parallelen oder sich sogar konkurrenzierenden Zielsetzungen einerseits des Wiedererlangens der Provinzen und anderseits des Erlangens zusätzlicher Kolonialgebiete verschmolzen sich um 1905 in der ersten Marokkokrise zu einer gemeinsamen grossen Zielsetzung, sich als Grossmacht gegenüber dem laufend mächtiger werdenden und sich aggressiver gebärdenden deutschen Rivalen zu behaupten.

Wenn bei Zusammenstössen mit Deutschland, nicht an der Rheingrenze, sondern jetzt im Kolonialbereich – 1905 in Tanger, 1908 in Casablanca, 1911 in Agadir – plötzlich Revanchegefühle erwachten, geschah dies ohne Zutun der Regierung.[294] Frankreichs Kardiogramm notierte bei den Revanchegefühlen die gleichen Ausschläge wie in der Kolonialpolitik, wo lange Perioden des allgemei-

---

[287] Budgetbericht 2095 von Gerville-Réache 1887, laut einem Hinweis von Aussenminister Ribot in der Deputiertenkammer am 6. November 1890; schon früher im Budgetbericht 2364 von Spuller, S. 6, allerdings im Vergleich auch mit Deutschland.

[288] Budgetbericht 992 für das Jahr 1883, S. 5.

[289] Budgetbericht 2095 von Gerville-Réache 1887, S. 30.

[290] D'Estournelles de Constat am 10. April 1908 im Sénat, JO, S. 629.

[291] Senat vom 3. Dezember 1908, JO, S. 1115.

[292] Deschanel in der Kammer am 12. Januar 1911.

[293] Deschanel in der Kammer am 30. November 1911, JO, S. 3463.

[294] Zur Situation zwischen den beiden Marokkokrisen vgl. auch Georg KREIS, L'Allemagne et l'Entente cordiale (Tagungspapier zum Kolloquium an der Université d'Arras, 30. Septembre 2004, im Druck).

nen Desinteresses mit kurzen Momenten vehementer Anteilnahme wechselten. Die Nation fühlte sich durch den gefürchteten Nachbarn unter Druck gesetzt. Sie meinte, in diesen Zwischenfällen zu spüren, dass die Restauration des Grossmachtstatus noch immer in Frage gestellt war. Sollten Revanche und Kolonialpolitik je in einem Konkurrenzverhältnis zueinander gestanden haben, so waren beide Aktionsrichtungen jetzt zu einer geworden, seitdem sich Frankreich auch in Marokko von Deutschland bedroht fühlte und nun auch die Kolonialdomäne, wie der Kongovertrag von 1911 zeigt, zum unveräusserbaren Gut der Nation geworden war. Girardet (1972) meinte dasselbe Phänomen, als er bemerkte, dass die Kolonialideologie damals eine »integration progressive« in die Nationalideologie erfahren habe.[295]

Mit Girardet (1966) kann man sagen, dass sich gegen Ende des 19. Jahrhunderts die stark auf die beiden Provinzen, und speziell auf das Elsass bezogene Revancheidee ihre emotionelle Kraft verlor und einem breiteren und allgemeineren Ressentiment gegenüber dem mächtigen Deutschland Platz machte. Nach 1900 bekam die bereits weit zurückliegende »Erfahrung« der Niederlage angesichts verschärfter volkswirtschaftlicher und militärischer Konkurrenz zwischen den grossen Gesellschaften eine Bedeutung, die sie vorher nicht hatte oder die es zuvor gar nicht gab. Für den 50jährigen Maurice Barrès konnte plötzlich wichtig werden, dass er 1870 als 8jähriger den Einmarsch der deutschen Truppen in Charmes-sur-Moselle erlebt hatte.[296] Girardet umschreibt, allerdings mit einer etwas allgemeinen Zuordnung zum gesamten Zeitraum von 1871–1914, die Stimmung der Vorkriegsjahre treffend:

> »[...] la hantise d'une grandeur qui se défait ou risque de se défaire semble n'avoir cessé dominer le contexte moral du nationalisme français. Cette crispation d'inquiétude, cette nostalgie d'un grand destin collectif à la mesure d'un incomparable passé de gloire [...].«[297]

Das war allerdings ein Gefühl, eine vielleicht vorherrschende, tonangebende Stimmung, aber eigentlich keine Zielsetzung.

## Deutschland als Bedrohung

Frankreich sah sich in den Jahren vor 1914 in dreifacher Weise von Deutschland bedroht.[298] Die Vorstellung von der militärischen Bedrohung war die älteste, sie bestand seit der »Krieg-in-Sicht-Krise« von 1875, sie hatte ihre Konjunkturen mit einer weiteren Spitze 1896/97, und sie erlangte vor 1914 mit der Debatte um die dreijährige Kriegszeit eine zusätzliche Bedeutung. Die Vorstellung sodann, dass Deutschland auch wirtschaftlich und demographisch in wachsendem Mass eine Bedrohung bedeutete, gewann in diesen Jahren ebenfalls stark an Gewicht. Schliesslich kam noch die durch punktuelle Erfahrungen genährte Vorstellung

---

[295] GIRARDET, Idée coloniale, S. 112.

[296] Maurice BARRÈS, Mes Cahiers, Bd. 14, Paris 1965.

[297] GIRARDET, Idée coloniale, S. 32.

[298] Einen Überblick über die Bedrohungskonjunkturen gibt KEIGER, Poincaré, S. 110–120, jedoch mit Hervorhebungen der eben auch möglich gewesenen Entspannungen 1878–1885, in den 1890er Jahren, 1907 und 1911 und sogar noch 1913/14.

hinzu, dass Deutschland die Vorherrschaft auf dem Kontinent und sogar in der Welt beanspruche, dass es keine gleichberechtigten Staaten neben sich anerkenne – schon gar nicht Frankreich – und dass mit anderen Worten keine friedliche Koexistenz und kein Arrangement in Würde, keine konzertante Partnerschaft, sondern nur Unterwerfung möglich sei und, wenn man diesem Schicksal entgehen wolle, eben Abgrenzung nötig und Konfrontation unvermeidlich sei.

Die in der historiographischen Literatur erhobenen Vorwürfe an die französische Politik gehen oder gingen dahin, dass entweder nichts unternommen wurde, eine von den Kritikern offenbar für möglich gehaltene Annäherung zwischen Frankreich oder gar der beiden Allianzsysteme (Tripelentente und Zentralmächte) herbeizuführen oder dass der »réveil national« genährt und als Basis für eine militaristische Kriegsbereitschaft gepflegt wurde.[299]

Das Ziel hätte darin bestehen können, zu Deutschland ein weniger krisenanfälliges Verhältnis zu entwickeln, wenn schon nicht ein Verhältnis des Vertrauens, dann wenigstens ein Verhältnis des vertrauteren Umganges. Die rechte Opposition neigte dazu, allein schon in der Tatsache Verrat zu wittern, dass persönliche Kontakte zu Deutschen bestanden. Die linke Opposition hielt nichts von Kontakten auf Regierungsebene, sie setzte auf das tiefergreifende Gespräch »von Volk zu Volk«. Und bei denjenigen, die gerade regierten oder sich zur Übernahme der nächsten Regierung bereithalten wollten, überwog, wie im abschliessenden Teil nochmals aufgezeigt werden soll, die den innenpolitischen Spielraum erheblich verringernde Neigung, keine kritikfähigen Verantwortungen zu übernehmen.

Rücksichten auf die Reaktionen im eigenen Land liessen schon Gambetta 1878 davor zurückschrecken, das geplante Treffen mit Bismarck zu verwirklichen. Diese Zurückhaltung wurde durch die Überzeugung noch verstärkt, dass sich das innenpolitische Risiko aussenpolitisch gar nicht bezahlt machen werde. Seit Waddingtons Teilnahme am Kongress von Berlin 1878 war kein französischer Staatsmann mehr in offizieller Mission in Deutschland gewesen.

Dass zwischen Frankreich und Deutschland nichts zu machen sei, war für Delcassé, den Aussenminister der Entente cordiale von 1904 und den Botschafter in St. Petersburg, keine Frage – auf seinen Reisen 1913 nach Russland pflegte er Berlin jeweils im Nachtzug zu passieren. Schon 1904 soll er gegenüber Maurice Paléologue gesagt haben:

> »Tant que le traité de Francfort n'aura pas été révisé, aucun accord n'est possible avec l'Allemagne.«[300]

Noch Ende Juni 1914 hätte Aristide Briand während der Kieler Segelregatten des Kaisers Gast sein können; doch offensichtlich wollte auch er, der sich für sein nächstes Ministermandat bereithielt, nicht die Verantwortung für ein Treffen übernehmen, dessen leere Freundlichkeiten nur kompromittiert und zur Preisgabe des alten Anspruchs geführt hätten. In den Vorkriegsjahren wurde insbesondere von Bihourd, der Frankreich vom August 1902–Januar 1907 in

---

[299] In der Literatur etwa Ernest Judet (1925) und Luigi Albertini (1942/43). Zu den Vorwürfen vgl. etwa KEIGER, Poincaré, S. 193 f.; WRIGHT, Poincaré, S. 26 f.

[300] PALÉOLOGUE, Tournant, S. 163.

Berlin vertrat, die Befürchtung gehegt, dass man als französischer Botschafter plötzlich wieder in die Rolle geraten könnte, die der »malheureux« Benedetti 1870 in Berlin gespielt hatte.[301] Was immer die konkrete Rolle des Comte Vincent Benedetti gewesen war, massgebend an diesem Bezugspunkt war, dass man befürchtete, in einen Kriegsausbruch verwickelt zu werden, und das heisst, dass man einen plötzlichen Kriegsausbruch für möglich hielt. Der Kriegsausbruch von 1870 war auch in anderen Überlegungen präsent. So fühlte sich Jules Cambon durch das Klima, das 1912 im Aussenministerium herrschte, an 1870 erinnert; er sprach vom

> »Quai d'Orsay, où vit encore l'esprit qui inspirait M. de Graumont en Juillet 1870.«[302]

Paradigmatisch ist das 1907 ebenfalls in Kiel geführte Gespräch zwischen dem deutschen Kaiser und dem französischen Kolonialistenführer Etienne. Es lässt sich auf drei Elemente reduzieren: 1. auf ein kaiserliches Allianzangebot, das aber nach französischer Meinung Frankreich wie Österreich-Ungarn in die Abhängigkeit von Deutschland geführt hätte, 2. auf die französische Antwort: »Avant il faudrait refaire la France!« und 3. auf die verletzten Gefühle desjenigen, der den naiven Vorschlag lanciert hatte. Einer anderen unpublizierten Quelle ist ein ausführlicher Bericht von Etiennes Besuch zu entnehmen: Der Kaiser habe erklärt, Europa müsse angesichts der von Amerika und Asien (»péril jaune«) drohenden Gefahren zusammenstehen, es gebe nur eine Lösung, eine Allianz. Darauf soll ihm Etienne geantwortet haben, ob er denn eine Allianz »avec un pays démembré« abschliessen wolle. Der Kaiser habe mit einem Gesicht (»dur comme assier«) geantwortet, man solle nicht meinen, dass er was ändern könne »à ce qui est accompli.«[303]

Auch Clemenceau hielt nichts von einer Annäherung an Deutschland. In seiner Abrechnung mit Caillaux im Februar 1912 polemisierte er gegen die »politique nouvelle«, die ein »rapprochement avec l'Allemagne« anstrebe und im Finanzmilieu geboren worden sei. Unter breitestem Applaus erklärte er, dass er nichts gegen Finanzfachleute habe, diese sollten sich aber nicht um Frankreichs Aussenpolitik kümmern. Selbst der Pazifismus eines Clemenceau war nicht ohne kriegerische Komponente. Im gleichen Auftritt bemerkte er, die Linke benötige den Frieden, wenn sie das Land aufbauen wolle. Aber:

> »[...] si on nous impose la guerre, on nous trouvera.«[304]

Was Poincaré im gleichen Jahr in seiner Rede im Oktober 1912 von Nantes verkündete, unterschied sich nicht grundsätzlich von der Position Clemenceaus, wenn er von den Franzosen als von einem Volk sprach,

---

[301] Zum Beispiel für 1905, VILLATE, République, S. 268.

[302] Jules an Paul Cambon, 29. Oktober 1912. Jules Cambon teilte seinem Bruder mit, er würde am liebsten seine Funktionen niederlegen, »fuir cet enfer et pouvoir dire ce que je pense de la vanité brouillonne de P(oincaré) – des imaginations romanesques du byzantinisme et de tout ce miserable monde du Quai d'Orsay [...].« Fonds Louis Cambon.

[303] HANOTAUX, Les Carnets, unter dem Datum vom 12. Juli 1907.

[304] Senat, 10. Februar 1912, JO, S. 233 f.

»qui ne veut pas la guerre et qui, pourtant ne la craint pas.«

Poincaré könnte damit allerdings auch nur einen gängigen Topos bedient haben. Jedenfalls war er, wie in Kap. 3.2 gezeigt, aus Rücksicht auf die Allianz mit Russland und im Kraftgefühl, das diese Allianz vermittelte, auch auf eine vorschnelle Art bereit, den Krieg hinzunehmen. Dass der Topos eine damals geläufige Formel wiedergibt, zeigt auch seine Wiederholung durch Paléologue. Dieser sagt nach der Wahl Poincarés zum Staatspräsidenten, die einen »vif réveil« des Nationalbewusstseins ausgelöst habe:

> »Je n'y aperçois néanmoins aucune trace de chauvinisme belliqueux. Mais si le pays tout entier veut la paix, il ne la veut qu' honorable et digne. La guerre, si on la lui impose, le trouvera uni et résolu.«[305]

Poincaré betonte in dieser Rede vom Oktober 1912 auch, dass angesichts von Völkern, welche sich ganz dem Kriegsideal verschrieben hätten, neben der materiellen auch eine mentale Kriegsvorbereitung nötig sei:

> »Je parle aussi de cette culture persévérante de la conscience nationale, de cette acceptation unanime et intégrale du devoir patriotique, sans lesquelles les nations les plus glorieuses et les plus prospères seraient vite condamnées aux humiliations et à la décadence.«[306]

Während jenseits des Rheines Deutschland im Bewusstsein der Stärke dem Krieg entgegenmarschierte, war die Kriegswilligkeit, die sich 1914 in Frankreich manifestierte, eine verhaltene Kampfbereitschaft der Schwäche; einer Schwäche, die sicher unmittelbar nach 1871 grösser war und inzwischen reduziert wurde und darum, trotz ihres Weiterbestehens zugleich das Gefühl nährte, dass man jetzt wenigstens wieder handeln könne. Barrère, der französische Botschafter in Rom, hatte schon 1903 Aussenminister Delcassé gegenüber diese Meinung vertreten:

> »Hier nous étions condamnés à l'impuissance, aujourd'hui nous pouvons parler et agir.«[307]

Statt nach Revanche wurde nun nach einem Frieden »sans humiliation« gerufen, und diese rhetorische Figur wurde auch von denjenigen gepflegt, welche die Revanche ablehnten, aber wie Clemenceau die Würde und wie Jaurès die Mission der Nation verteidigten. Die Inhalte der Losungen waren nicht die gleichen, alle meinten aber auf ihre Weise, Frankreich habe den Anspruch und die Pflicht, die Stellung einzunehmen, die es aufgrund seiner Vergangenheit und seiner kulturellen Leistungen glaubte einnehmen zu müssen.

Wie man weiss, sind auf beiden Seiten mehrfach Versuche unternommen worden, eine Annäherung und grundlegende Verständigung zwischen Deutschland und Frankreich zu erreichen. Die 1884/85 von Bismarck lancierten Initiativen

---

[305] PALÉOLOGUE, Quai d'Orsay, S. 13.

[306] POINCARÉ, Au service, Bd. 2, 1926, S. 282.

[307] Barrère an Delcassé, 10. März 1903, MAE, Papiers privés. – Diese Stimmen sind an sich nur Stimmen, welche jeweilige Einzelpositionen zum Ausdruck brachten. Vor dem Hintergrund der in dieser Studie mitverarbeiteten Darstellungen insbesondere von Girardet, Becker und Guillen kann man ihnen jedoch repräsentative Bedeutung zuschreiben.

stiessen aber nach jeweils ersten interessierten Reaktionen letztlich doch auf Ablehnung. Die Befürchtungen auf französischer Seite waren vielfältig und tief verwurzelt. Man befürchtete, von den potentiellen Verbündeten England und Russland weggelockt und so isoliert zu werden, dann als Vasall ganz von Deutschlands Gnade abhängig zu sein und als zweitrangige Macht ein unwürdiges Dasein zu fristen, ohne wirklich etwas zu bekommen und zugleich das Ergebnis von 1871 definitiv anerkennen zu müssen. Man sprach von »piège Prussien«, von »attirer dans son orbitre«, von »abaissement définitif.«[308] In der besten Variante hielt man eine »détente relative« mit punktuellen Übereinkommen (für »questions pratiques«) für möglich, aber keine »détente fondamentale«, keine grundlegende und nachhaltige Verständigung.[309] Um 1884/85 und 1894–1898 mag es so ausgesehen haben, als ob das nachbarliche Verhältnis dauerhaft verbessert werden könnte. Anfänglich erwies sich die Elsass-Lothringen-Frage als unüberwindbares Hindernis für eine solide Verständigung zwischen den beiden Nationen. Nach 1905 war es aber nicht mehr diese konkrete Frage, die den allgemeinen Frieden störte; der allgemeine Unfriede, das heisst die verstärkte und mit Handelsbilanzen, Bruttoregistertonnen, Geburten- und anderen Produktionenquoten bezifferbare Rivalität zwischen dem tendenziell expandierenden Deutschland und dem stagnierenden Frankreich machte vielmehr auch diese doch partikuläre Frage immer wieder spürbar.[310]

Nach 1905 wurde die Idee der Revanche weniger von den schmerzlichen Erinnerungen an den erlebten Krieg unterhalten als von der Gewissheit, dass ein weiterer Krieg unvermeidlich sei. Der Schriftsteller Charles Péguy, der 1891 vielleicht ein Rémy de Gourmont gewesen wäre – Rémy de Gourmont war jedenfalls 1914 weitgehend ein Péguy geworden –, kaufte sich 1905 nach der Krise von Tanger in Erwartung des Konfliktes Marschschuhe und Wollsocken.[311] Diese Marschbereitschaft wurde nicht durch die Sehnsucht erzeugt, endlich die Provinzen heimzuholen. Mobilisierend wirkte das Gefühl, definitiv doch nicht wie Preussen nach 1806 und nicht wie Russland nach 1856 zu neuer Grösse emporzusteigen, für immer eine besiegte Nation zu bleiben. Frankreich war zwar Europas Bankier, sein Genie hat der Welt die Menschenrechte und der Menschheit den Kinoapparat gegeben. Es hatte Telegraf und Tauchseeboot verbessert und die besten Piloten der noch jungen Luftschifffahrt hervorgebracht. Doch wo blieb der Preis für diese Leistungen? Er schien ihm zu entgehen, wie der von ihm geschaffene Suezkanal ihm entgangen war. In den Worten des Schriftstellers Charles Maurras:

> »Une fois de plus il était démontré que nos savants, nos ingénieurs, nos mécaniciens savent vaincre les résistances de la nature et reculer les limites de notre do-

[308] GUILLEN, Expansion, S. 266.

[309] Guillen bezeichnete die Idee von einem Zusammengehen mit Deutschland, sogar im Bunde mit Russland zu Recht als »mythe une entente continentale.« Ebenda, S. 427 f.

[310] Guillen zeigt zum Beispiel, dass die Tonnage der französischen Handelsflotte seit 1867 laufend zurückgeht, während diejenige der deutschen Handelsflotte stark zunimmt, GUILLEN, Expansion, S. 45.

[311] GIRARDET, Nationalisme, L'heure de Péguy, S. 251 f. Ferner SWART, Decadence, S. 206 f.

maine, amis que nous ne savons pas – nous citoyens, nous Français, nous nation, [...] nous Etat – profiter de la victoire pour prendre, tout au moins, une avance considérable sur nos rivaux.«[312]

In einer letzten grossen Kraftanstrengung galt es – sozusagen präventiv – zu verhindern, dass Frankreich für immer die »rentrée« als Grossmacht verpasse. Die vorherrschende und massgebende Stimmung war eine sonderbare Mischung von Gewissheit und Ungewissheit, von Angst vor Demütigungen und Anspruch auf Stolz. Letzteres findet sich im Titel einer für die Zeit typischen Schrift, die 1912 vordergründig zur Kolonialpolitik, hintergründig zur Nationalpolitik schlechthin verfasst worden war: *La Renaisssance de l'orgueil Français*.[313]

Neben dem in den Jahren nach 1905 sich nicht mehr abschwächenden Gefühl, dass eine substantielle Verständigung mit Deutschland nicht möglich sei, fand sich die Gewissheit ein, dass es zu einem militärischen Konflikt kommen müsse, ja dass der Krieg das einzige Mittel zur Herbeiführung eines beständigen Friedens sei. Möglich, dass Niall Ferguson (1998/99) Recht hat, wenn er sagt, dass am Vorabend des Kriegs der Militarismus »bei weitem« nicht mehr die dominierende politische Kraft in der europäischen Politik gewesen sei.[314] Man könnte aber im Umstand, dass führende Politiker den Niedergang des Militarismus spürten, eine der Ursachen für die Bereitschaft zum Krieg sehen. Wie in der Einleitung bereits ausgeführt, stellt Gerd Krumeich (1980) ebenfalls fest, dass der Linksrutsch in den Wahlen vom April/Mai 1914 im Lager der Rechten das Bestreben verstärkte, dem russischen Verbündeten gegenüber zu demonstrieren, dass man trotzdem für den Krieg bereit sei, und indirekt die Bereitschaft erhöhte, die deutsche Herausforderung »lieber jetzt als später« anzunehmen.[315]

---

[312] Charles MAURRAS, Kiel et Tanger, Paris 1910, Appendice V, S. 303.
[313] Etienne REY, Paris 1912. Vgl. SWART, Decadence, S. 199 f.
[314] FERGUSON, Pity of War, deutsche Ausgabe, S. 64.
[315] KRUMEICH, Aufrüstung, S. 15.

# SCHLUSS

Es ist schwierig, auf Grund der in dieser Arbeit gewonnenen Einsichten ein positives Bild der Republik zu zeichnen. Mit der Einführung der Republik wurden wohl wichtige, auch heute grundsätzlich geltende Prinzipien offiziell etabliert: 1. das Gleichstellungsprinzip durch die Öffnung des aussenpolitischen Apparats gegenüber nichtaristokratischen Kräften und 2. die verstärkte demokratische Mitsprache in der Aussenpolitik durch Parlament und Presse. Die Verwirklichung des ersten Prinzips erfüllte nicht nur individualrechtliche Ansprüche, sondern verband sich mit der Erwartung, dass die Gestaltung der Staatsgeschäfte eher auf die allgemeinen Interessen ausgerichtet wäre, als wenn sie nur von einer einzigen gesellschaftlichen Gruppe betrieben würde. Mit der Verwirklichung des zweiten Prinzips sollte eine Annäherung an das staatspolitische Ideal der demokratischen Selbstbestimmung im Formulieren der politischen Ziele und Kontrollieren der stellvertretend handelnden Akteure erreicht werden. Die Republikanisierung dürfte in der Gestaltung der inneren Verhältnisse (etwa im Steuerwesen, in der Schulpolitik oder der Polizeiordnung) von grösserer Bedeutung gewesen sein als in der Gestaltung der Aussenbeziehungen, sofern es nicht um Zolltarife und Handelsförderung ging.

So gering der demokratische Mehrwert des republikanischen Regimes in der Aussenpolitik war, die Republik hatte anderseits in Form von Beeinträchtigungen doch ihren Preis, und dieser Preis hatte viele Gesichter. Die Einführung des republikanischen Regimes verstärkte die Konkurrenz der Kräfte und damit die Unruhe und Aufgeregtheit im politischen System, sie schmälerte die Bereitschaft, riskante Entscheide zu fällen und sie reduzierte die Kalkulierbarkeit der innenpolitischen Rahmenbedingungen. Die Republik war gekennzeichnet durch eine grössere Offenheit des Systems und einen steten Wechsel der Inhaber der Macht. Diese Charakteristika bildeten im Vergleich mit aristokratisch beziehungsweise oligarchisch strukturierten Systemen jedoch keine prinzipiellen, sondern nur graduelle Unterschiede. Auch das Gerangel um Macht, das ein starkes Wesensmerkmal der republikanischen Politik und von Politik überhaupt ist, bildete keinen grundsätzlichen Unterschied. Im aristokratischen System beschränkte sich das derart motivierte Handeln auf eine kleine Gruppe und wurde weniger öffentlich ausgetragen, im republikanischen System umfasste es beinahe die ganze Gesellschaft und wurde extrem öffentlich betrieben.

Ein weiteres Wesensmerkmal der republikanischen Politik bestand aus seiner Widersprüchlichkeit beziehungsweise Ambivalenz. Denn gerade neben dem Öffentlichkeitsprinzip dauerte die an sich den aristokratischen Regimen zugeschriebene Praxis der Geheimhaltung, der Hofintrigen und der gezielten Indiskretionen an. Ambivalent waren die Verhältnisse zwischen Exekutive und Legislative: Theoretisch lag die Oberhoheit beim Parlament, in der Praxis aber solidarisierte sich die Parlamentsmehrheit gerade in aussenpolitischen Fragen, zum Beispiel der Geheimverträge, meistens mit der jeweiligen Regierung.

Für viele, denen solchermassen unstabile Verhältnisse in der Innenpolitik als tolerierbar oder gar sinnvoll erschienen, waren die gleichen Rahmenbedingungen in aussenpolitischen Belangen zum mindesten fraglich. Denn: Musste nicht jede Aussenpolitik, wenn sie gute Resultate erzielen wollte, Einigkeit im Augenblick und Kontinuität in der Zeit als Grundlage haben? Die Befürchtung, als Republik und als geschlagene Nation die einer Grossmacht zukommende Stellung nicht behaupten zu können, hat von Anfang an die republikanische Grossmachtpolitik geprägt. Das Bestreben, den Grossmachtstatus zu behalten, war darum ein fester Bestandteil der aussenpolitischen Doktrin.

Vier die Dritte Republik und – direkt oder indirekt – auch Frankreichs republikanische Grossmachtpolitik mitbestimmende Faktoren müssen hier abschliessend nochmals betrachtet und in ihrer Bedeutung reflektiert werden: die Presse, das Parlament und die systembedingte Instabilität der Regierungen und schliesslich der systembedingte Konformitätsdruck.

## 1. Die Bedeutung der Presse

Der Gesandte René Millet, damals Botschafter in Stockholm, erklärte im Juli 1890 gegenüber Aussenminister Ribot, dass ohne die Unterstützung von vier oder fünf grossen Zeitungen eine grosse und kontinuierliche Aussenpolitik unmöglich sei:

> »Un gouvernement d'opinion publique, un ministre ne peut rien entreprendre de grand ni de suivi s'il ne s'assure d'abord le concours de quatre ou cinq grands journaux.«[1]

Das Diktum ging davon aus, dass überhaupt jemand grosse aussenpolitische Ziele kontinuierlich verfolgen wollte. Das Hauptinteresse der aussenpolitischen Akteure konzentrierte sich aber auf personalpolitische Fragen, auf Verhaltensfragen in gesellschaftlichen (auch sittlichen) und finanziellen Belangen. Die grossen aussenpolitischen Fragen waren in Form von festen Vorstellungen, von denen in Kap. 1 die Rede gewesen ist und unter dem Aspekt des Konformitätsdrucks weiter unten nochmals die Rede sein wird, zwar präsent, sie wirkten aber vor allem als negative Grössen, weil man mit Bezug auf sie Personen allenfalls beschuldigen konnte, gegebene Zielsetzungen gefährdet zu haben.

Die Presse wurde, wie in Kap. 4.3 ausführlich dargelegt worden ist, von der Regierung beachtet, gehätschelt und nötigenfalls mit Geldern begossen. Als Träger von Offensiven wie als Mittel publizistischer Gegenoffensiven bestimmte sie aber nicht den Inhalt der Politik, sondern allenfalls das, was in der französischen Aussenpolitik möglich war – sofern es jemand anstrebte. Der Einfluss der Presse bestand nicht darin, dass sie der Aussenpolitik eine bestimmte Richtung gegeben hätte. Die Presse interessierte sich ohnehin nicht gross für die internationale

---

[1] René Millet an Alexandre Ribot, 12. Juli 1890, Papiers Ribot, Bd. 5.

Politik. Und dass es ihre Leser darin offenbar gleich hielten, kann sowohl Ursache als auch Folge dieses Desinteresses gewesen sein.

Die Presse übte insofern einen erheblichen Einfluss auf die Aussenpolitik aus, als die Zeitungen mit ihren Publikationen immer wieder die Geheimsphäre demolierten, in der sich die Arbeit der Diplomaten üblicherweise abspielte. Dabei war der aussenpolitische Inhalt der Indiskretion von sekundärer Bedeutung, primär ging es um die Vermittlung des Eindrucks, dass sich hinter dem Rücken der Republik unlautere Machenschaften abspielten, dass in der bescheideneren Variante Amtsmissbrauch und Bereicherung stattfand, in der gravierenderen Variante Landesinteressen geschädigt würden, ja Verrat begangen würde. Für die Indiskretionen war die Presse allerdings nur bedingt verantwortlich, verbreitete sie in der Öffentlichkeit doch nur, was ihr aus dem Aussenministerium zuvor zugespielt worden war.

Stellt man auf die Klagen ab, die in den Jahren vor 1914 immer wieder zu hören sind, müsste man meinen, die mangelnde Diskretion der französischen Diplomatie sei eine jüngere Erscheinung. Das Phänomen ist indessen schon in den Jahren nach der Machtübernahme durch die Republikaner zu beobachten. So beklagt sich de Saint-Vallier, der französische Botschafter in Berlin, bereits im Januar 1881, man habe Teile seiner Korrespondenz an die Presse weitergegeben.[2] Durch Indiskretion wurde bekannt, dass de Saint-Vallier die Teilnahme von Regierungsmitgliedern an einer elsässischen Weihnachtsfeier (die zugleich eine revanchistische Demonstration war) beanstandet hatte.[3]

Solche Indiskretionen wurden durch den Umstand begünstigt, dass immer mehr ehemalige Journalisten Regierungsämter bekleideten oder mit Verwaltungsaufgaben betraut wurden. Ein spektakulärer Fall zeigt indessen, dass nicht nur die republikanischen Parvenus zu diplomatischen Indiskretionen fähig waren: Der bonapartistische General und ehemalige Botschafter in St. Petersburg, General Adolphe-Emanuel-Charles Le Flô, liess 1887 im *Le Figaro* mehrere Depeschen abdrucken, aus denen hervorging, dass Russland während der Krieg-in-Sicht-Krise von 1875 Deutschland unter Druck gesetzt habe. Durch diese Enthüllung sah sich Aussenminister Flourens genötigt, über die Agentur Havas eine Erklärung zu verbreiten, in der er die Indiskretion verurteilte, weil sie das Vertrauen in Frankreichs Verschwiegenheit beeinträchtige. Alt-Botschafter de Laboulaye entlastete seinen Vor-Vorgänger: Le Flô habe seine mit offiziellen Schriftstücken angereicherten Memoiren einem Nachbarn zum Lesen gegeben, und jener habe sie veröffentlichen lassen.[4] Flourens sprach von einem

> »procédé regrettable et de nature à amoindrir la confiante sécurité que la France entend toujours assurer aux cabinets étrangers dans leurs rapports avec elle.«[5]

---

[2] Saint-Vallier an Barthélemy-Saint-Hilaire, 22. Januar 1881, Saint-Vallier, Mémoires et Documents, Allemagne, 167.

[3] Es muss sich um die Depesche handeln, die als Nr. 321 in Bd. 3 der 1. Serie der DDF abgedruckt ist.

[4] Rede vom 29. Oktober 1899 anlässlich der Einweihung einer Statue des Generals. Die Dokumente sind im *Figaro* vom 21. Mai 1887 erschienen.

[5] Zit. nach TOUTAIN, Alexandre III, S. 253 f.

Vor allem von den beiden Cambons waren in der Zeit vor 1914 immer wieder
Klagen über den wachsenden Einfluss der Presse zu hören. Sie hätten sich aber
erinnern können, dass sie sich schon 20 Jahre zuvor über den gleichen Missstand
empört hatten. Jules Cambon beklagte sich beispielsweise bereits 1894, die Büros
des Quai d'Orsay, das Kabinett und vermutlich auch Aussenminister Hanotaux
würden einzig den Winken der Journalisten gehorchen. Er schrieb als Generalgouverneur von Algerien am 5. Oktober 1894 seinem Bruder Paul Cambon:

> »J'ai été assez médiocrement content des Affaires Etrangères dans nos affaires du
> Sud. Je les ai trouvées légères, ignorantes et lâches et d'une précipitation qui dé-
> passe tout. Ces bureaux, ce cabinet et je crains que Richelieu [Hanotaux, der über
> Richelieu geschrieben hat, G. K.] lui-même ignore [sic!] tout, et n'obéit qu'à la
> cravache des journalistes.«[6]

Die Republik hatte die Geheimsphäre der Diplomatie nicht abgeschafft, obwohl
dies nach dem verunglückten Kabinettskrieg von 1870 da und dort energisch
verlangt worden war. Die meisten Republikaner waren überzeugt, dass der
deutsch-französische Krieg, der sich ja an einem dynastischen Problem, nämlich
der Frage der spanischen Thronfolge, entzündet hatte, vermieden worden wäre,
wenn das Volk und seine Repräsentanten ihren Willen hätten durchsetzen können. Nach dem Ersten Weltkrieg konnte man wieder ähnliche Spekulationen
hören, die den Kriegsausbruch von 1914 ebenfalls mit der mangelnden Beteiligung der Völker an der Aussenpolitik erklären wollten. S. R. Chow sagte 1920 in
seinem Vorwort ausdrücklich:

> »Le monde a assez souffert des misères de la Guerre pour que chacun arrive à
> s'intéresser aux affaires extérieures de son propre pays. Partout le peuple com-
> mence à s'inquiéter des conséquences dangereuses de la diplomatie secrète [...].«

Die Geheimdiplomatie widersprach auch aus prinzipiellen Gründen der Idee der
Volkssouveränität. Der aussenpolitische Bereich sollte ebenfalls der demokrati-
schen Kontrolle unterworfen sein, damit niemand mehr, wie der Sozialist Jean
Jaurès schon 1896 sagte, ohne Frankreich über Frankreich verfügen könne:

> »La démocratie suit une marche irrésistible: elle entend régler souverainement et
> en pleine lumière les intérêts de la France au-dehors comme au-dedans, elle ne
> permettra plus à personne de disposer de la France sans la France.«[7]

Die öffentliche Meinung konnte die Aussenpolitik jedoch in nur geringem Mass
positiv definieren, sie konnte vor allem die Schranken aufzeigen, indem sie
bekundete, wogegen man war in einem bereits eingetretenen Fall oder künftigen
Eintretensfällen. Darauf muss weiter unten nochmals zurückgekommen werden.

Während von Seiten der Presse, des Parlamentes und der weiteren Öffentlichkeit, soweit man sich überhaupt für aussenpolitische Belange interessierte, eine
transparente Aussenpolitik gefordert wurde, bestand bei den Regierungen und in
der Diplomatie vor allem aus Gründen der Praktikabilität und der Bequemlich-
keit die entgegengesetzte Neigung, sich indiskreten Blicken zu entziehen und

---

[6] Papiers Jules Cambon, Bd. 25.

[7] Jean Jaurès in der *Dépêche de Toulouse* vom 7. November 1896 im Zusammenhang mit der
Armenierfrage, in: JAURÈS, Oeuvres, Bd. 1, S. 13.

gewisse Geschäfte, die nur oder die besser in einer Sphäre der Vertraulichkeit gediehen, unter Ausschluss der Öffentlichkeit zu betreiben.

Die meisten Geheimhaltungsmassnahmen wollten jedoch in erster Linie den fremden Staaten den Einblick in die eigene Diplomatie verweigern. Darum wurden Telegramme verschlüsselt, darum besonders wichtige Depeschen durch persönliche Kuriere überbracht. Das Zirkular Nr. 16 vom 5. August 1913 regelte die verschiedenen Geheimhaltungsstufen.[8] Während der Verhandlungen um den Status von Tanger schrieb die französische Botschaft in Madrid am 20. Juli 1913 nach Paris:

> »[...] il serait imprudent de confier à la poste espagnole des communications sur des affaires de cette nature.«

In der Regel wurden die Meldungen darum chiffriert oder, wie das bei Blondel im September 1911 der Fall war, wurde ein Stagiaire als Kurier, und sei es nach St. Petersburg, eingesetzt.[9]

Die Regierungen zollten der Idee der Transparenz immer wieder Tribut, indem sie beispielsweise die allgemeinen Instruktionen an ihre Diplomaten veröffentlichten und gewisse Korrespondenzen in Gelbbüchern ausbreiteten. In vielen Fällen mussten sich die Parlamentarier jedoch zunächst auf die ausländische und die eigene Presse abstützen. Wenn auf Grund dieser Informationen auch von der eigenen Regierung Aufschlüsse verlangt wurden, kam die Exekutive jeweils nur widerwillig den Gesuchen um weitergehende Auskünfte nach. Die Fragen, die Denys Cochin und Honoré Leygue im Sommer 1900 einem wenig mitteilsamen Delcassé zum Boxer-Aufstand stellten, beruhten beispielsweise auf solchen Pressemeldungen. Und Cochin war von Delcassés Antwort in keiner Weise befriedigt, denn er warf dem Aussenminister vor, er sage weniger, als in der Presse stehe.[10] In der Debatte vom 21. Juni 1900 kam Delcassé dem Informationsbedürfnis der interpellierenden Deputierten dann immerhin etwas näher, indem er zwei Konsulatstelegramme verlas.[11]

## 2. Die Bedeutung des Parlaments

Das Parlament hätte den Regierungen zusätzliche Informationen abtrotzen können. Wenn es dies nicht tat, so geschah das nur zum kleineren Teil, weil es dem oft vorgebrachten Argument folgte, dass mehr Informationen den Staatsinteressen zuwiderlaufen würden. Das Hauptinteresse der grossen Mehrheit galt eben innenpolitischen Fragen: der Kirchenfrage, der Eisenbahnfrage, der Amnestie der ehemaligen Communards, der Ausweisung der Prinzen, dem Panamaskandal, der Dreyfusaffäre, der Mairie von Paris, der Wahlrechts- und der Steuerreform u. a. m.

[8] MAE, Série C, Bd. 114/1.

[9] BLONDEL, Carrière, S. 16.

[10] Kammerdebatten vom 11. Juni und 2. Juli 1900.

[11] Annales, S. 158 und 339 f.

Das aussenpolitische Interesse beschränkte sich bei den meisten auf zoll- und rüstungspolitische Fragen. Die Bevorzugung der innenpolitischen Fragen entsprach der Interessenlage der Wählerschaft. In den Wahlversprechen der gewählten Kandidaten traten aussenpolitische Fragen nur ganz am Rande in Erscheinung.[12] Die grosse Mehrheit der Parlamentarier wollte in aussenpolitischen Fragen gar nicht ausführlicher informiert werden. Die wenigen, die dennoch mehr Auskünfte wünschten, spürten, dass sie von den übrigen Parlamentariern nicht die nötige Unterstützung erhielten. Ihre Ohnmacht empfanden sie als Allmacht der Regierung. Der sozialistische Deputierte Pascal Grousset reagierte 1898 auf Hanotaux' Weigerung, konkrete Auskünfte zu geben, mit dem Vorwurf, er verhalte sich wie ein Minister eines absolutistischen Regimes:

> »[...] M. le ministre des affaires étrangères est toujours resté dans des généralités vagues, demeurant plus fermé sur ses intentions et sur ses actes que le ministre d'un gouvernement absolu.«[13]

1911 kam der gleiche Vorwurf von royalistischer Seite: Senator Delahaye sagte in einer Marokko-Debatte von Aussenminister Cruppi, er sei mächtiger als Ludwig XIV., jedoch weniger verantwortlich:

> »Le ministre est plus puissant que Louis XIV et moins responsable.«[14]

Unter diesen Umständen konnte der direkte Einfluss des Parlamentes auf den Inhalt der Aussenpolitik nicht gross sein. Die 1845 geäusserte Befürchtung, der Einfluss der Deputierten auf die Aussenpolitik könnte zu stark werden, weil das neue Aussenministerium am Quai d'Orsay in unmittelbarer Nachbarschaft des Palais Bourbon, des Sitzes der Deputiertenkammer, zu stehen kam, erfüllte sich nicht.

Eine gewisse Abhängigkeit vom Parlament bestand in Personalfragen und Fragen der Verwaltungsorganisation und eine sehr starke Abhängigkeit bezüglich der Kredite. Wie wir gesehen haben, nahmen diese Fragen einen festen Platz in den jährlichen Budgetdebatten ein. Wie stark diesbezüglich der Druck war, der auf dem Aussenministerium lastete, zeigen die Bemerkungen, dass man diese oder jene Personalfrage lösen wolle oder lösen müsse, bevor das Parlament wieder zusammentrete. Ternaux-Constans schrieb am 6. Mai 1886 Ministerpräsident de Freycinet, man müsse die Nachfolge Appert schnell regeln, um nicht Fragen ausgesetzt zu sein, wenn sich in zwanzig Tagen das Parlament wieder versammle.[15] Am 19. Juli 1906 drohte der Deputierte Grillon im *Le Soir*, er werde, falls man Michel Lagrave tatsächlich zum Minister mache, wie Gerüchte wissen wollen, nach der Rentrée auf diesen Entscheid, der dem Personal moralisch und

---

[12] Jean Baptiste DUROSELLE, Politique intérieure et politique extérieure sous la IIIe République française. 1881: L'année de la Tunisie, in: Relations Internationales 4 (1975), S. 5–20; und Jean-Claude ALLAIN, Politique intérieure et politique extérieure sous la IIIe République française. 1911: L'année du Maroc. La marche sur Fès, in: Ebenda, S. 21–38, jeweils aufgrund des »Barodet« von 1881 und 1910. Eigene Untersuchungen für 1902, 1906 und 1914 bestätigen diese Ergebnisse. Siehe auch André SIEGFRIED, Tableau des Partis en France, Paris 1930, S. 97.

[13] Pascal Grousset, in der Kammerdebatte vom 26. März 1898, JO, S. 1745.

[14] Dominique Delahaye in der Senatsdebatte vom 14. Juni 1911, JO, S. 676.

[15] DDF, Série I, Depesche Nr. 13 vom 6. Mai 1886, Dipl. Korr., Russland.

materiell schade, zurückkommen. Die Drohung scheint gewirkt zu haben, jedenfalls ist Lagrave, der Generalkommissar bei der Weltausstellung von St. Louis gewesen war, im Diplomatenverzeichnis für 1907 nicht verzeichnet.

Dies waren Einzelfragen, in generellen und darum weniger persönlichen Personalfragen zeigen die immer wiederkehrenden Beanstandungen etwa der allzu grossen Zahl der in Paris weilenden Diplomaten oder die ausbleibende Konsularreform, dass auch diesbezüglich der Einfluss des Parlamentes schwach war. Für die Verwaltungsorganisation interessierten sich vor allem die Budgetberichterstatter. Auf deren Veranlassung wurden im Quai d'Orsay und in den Aussenposten sogar besondere Erhebungen vorgenommen. Der Budgetkommission stand das Inspektionsrecht zu.[16] Wenn aber gewöhnliche Parlamentarier in den Quai d'Orsay eingelassen und durch die verschiedenen Büros geführt wurden, empfand man das als regelwidrig und zugleich als Zeichen allzu starker Abhängigkeit vom Parlament. Eine anonyme Schrift warf dem ehemaligen Aussenminister Ribot vor, er habe den Deputierten Antonin Proust (inspecteur général du corps de ballet de l'Opéra) auf diese Weise durch die Büros geführt.[17]

Die Abhängigkeit des Aussenministeriums wuchs in dem Masse, in dem sich die Aussenminister, zumal wenn sie zugleich Ministerpräsidenten waren, von den Konstellationen in der Kammer abhängig fühlten und darum auch im Aussenministerium Innenpolitik betrieben. Die Ausbezahlung von Schmiergeldern dürfte auch ein Indiz für bestehende Abhängigkeiten sein. Warum die Aussenminister Flourens und Ribot und andere, die nicht namentlich genannt werden, Deputierte bestachen, lässt sich nicht feststellen, doch dürften diese Praktiken eher innenpolitische Gründe gehabt haben. Robert de Billy hielt in seinen Aufzeichnungen vom Februar 1893 fest, der Konsul Comte de Chappedelaine habe versucht, Botschafter Herbette zu überzeugen, dass die Bestechung eines Parlamentariers nichts Unmoralisches sei; Flourens habe es gemacht, und Ribot habe es weitergemacht.

> »Flourens a été chercher 6 000 Franc à la direction des fonds pour un député qui attendait.«[18]

Traf Aussenminister Poincarés Behauptung vom Februar 1912 zu, dass die Aussenpolitik mehr und mehr der Kontrolle der beiden Kammern unterworfen wurde?

> »Notre politique étrangère se pratique heureusement de plus en plus sous le contrôle éclairé des Chambres et de la nation.«[19]

Inwiefern machte das Parlament seinen Einfluss auf die eigentliche Aussenpolitik geltend? Aufgrund der vorliegenden Literatur lässt sich diese Frage kaum abschliessend beantworten und wahrscheinlich lässt sie sich überhaupt nicht generell beantworten. Die juristischen Arbeiten von Louis Michon (1901), Pierre Barisien (1913), S. R. Chow und Jean Sapira (beide 1920) haben sich, wie weiter

---

[16] GUIRAL/THUILLIER, Vie quotidienne, S. 240.

[17] Le Quai d'Orsay et M. Ribot, S. 24 f.

[18] BILLY, Souvenirs, 1893, S. 132.

[19] Poincaré im Senat am 10. Februar 1912, JO, S. 227.

oben dargelegt worden ist, normativ mit der Kompetenzfrage beschäftigt. Sie alle haben wie die eher historisch-deskriptiv gehaltenen Darstellungen von Joseph Barthélemy (1917) und Frederic Schuman (1931) die parlamentarischen Verhandlungen der viereinhalb Jahrzehnte weder lückenlos noch nach festen Kriterien aufgearbeitet. Eine vollständige Bearbeitung erfuhren lediglich die Jahre 1911–1914 durch die kleine Studie von John Cairns aus dem Jahr 1953. In ihren Schlussfolgerungen stimmten diese Arbeiten aber weitgehend überein: Der Einfluss des Parlamentes auf die Aussenpolitik wurde als minim oder gar inexistent bezeichnet. Dieser Befund wurde auf zwei Arten erklärt: Entweder war die Institution dafür verantwortlich, die keinen grösseren Einfluss zuliess, oder es waren die Parlamentarier, welche die an sich vorhandenen Einflussmöglichkeiten nicht nützen wollten. Zum Beispiel bei Chow:

> »En effet, la politique étrangère en France échappe généralement au contrôle des Chambres, même au point de vue politique.«[20]

Oder bei Cairns:

> »[...] internally oriented, the parliamentarians very largely accepted what was placed before them and abdicated from the responsibilities connected with their undoubted function of watching over the ministerial and professional conduct of French foreign policy.«[21]

Dass man die bestehenden Möglichkeiten nicht nutzen wollte, betont auch Schuman.[22]

Die Frage nach der Art des Einflusses kann nicht quantitativ (mit Bezeichnungen wie schwach, nicht gross, gering, minim) beantwortet werden. Und wenn es an sich schon problematisch ist, die gesamte Leistung eines Parlamentes zu messen (etwa in Korrelationen von Sitzungsdauer und Anzahl der gemachten Gesetze und beantworteten Anfragen) – im Bereich der aussenpolitischen Fragen, wo der Anteil der legislatorischen Tätigkeit ausserordentlich klein, der Anteil der Meinungsäusserungen zur Politik der Exekutiven hingegen gross war, lässt sich die Effizienz überhaupt nicht messen.

Guiral/Thuillier (1980) machen ein paar Leistungsangaben: Die Kammer habe vom Mai 1902 bis zum Juni 1904 in 925 Arbeitsstunden und 200 Sitzungen 362 Abstimmungen durchgeführt, 191 Interpellationen eingereicht und 12 019 Gesetzesvorschläge eingebracht.[23] Ein anderes Leistungskriterium wäre allenfalls die Lebensdauer der getroffenen Lösungen. Zudem wären natürlich weitere Differenzierungen nötig: Der Einfluss des Parlamentes ist nicht zu jeder Zeit und nicht in jeder Frage gleich gross gewesen und auch nicht von allen Gruppierungen gleich stark ausgeübt worden.

Nimmt man jedoch die Einflusskraft des Parlamentes als minim oder gar als inexistent an, wird die Frage, wie sie sich im Einzelfall konkret ausgewirkt habe,

---

[20] Chow, Contrôle parlementaire, S. 200.

[21] John Cairns, Politics and Foreign Policy. The French Parliament 1911–1914, in: Canadian Historical Review 34 (1953), S. 245–276, hier: S. 276.

[22] Schuman, War and Diplomacy, S. 410 f.

[23] Guiral/Thuillier, Vie quotidienne, S. 245 und 328.

obsolet. Obwohl die aussenpolitischen Debatten in der Regel keine unmittelbaren Wirkungen zeitigten und nur ausnahmsweise in Entscheide ausmündeten, welche die Aussenpolitik hätten berühren können, darf die Wirkung der wortgewaltigen Redeschlachten nicht unterschätzt werden. Die Kundgebungen wirkten nicht nur dann, wenn sie fassbar etwas herbeiführten oder – häufiger – etwas verhinderten. Ihre grössere Wirkung bestand darin, dass sie gewisse Vorhaben gar nicht aufkommen liessen. Von den parlamentarischen Manifestationen ging vor allem eine präventive Wirkung aus. An ihnen konnten sich die eigentlichen Entscheidungsträger orientieren. Davon soll im letzten Abschnitt nochmals die Rede sein.

Die im Ratsplenum abgegebenen Voten waren jedoch nur die Spitze eines Eisberges. Die okkulten Interventionen, die vielen Couloir-Gespräche und diskreten Vorsprachen in den Büros der Minister, die sich nur punktuell erfassen lassen, könnten die Reden auf der Tribüne sogar an Wirkung übertroffen haben. Von Zeit zu Zeit kam es zu Äusserungen wie dieser aus dem Jahr 1911:

> »Je n'ai pas parlé de nos relations commerciales avec l'Allemagne parce que nous nous en sommes entretenus dans votre cabinet.«[24]

Die Bedeutung der nichtöffentlichen Gespräche hob das folgende Diktum hervor:

> »Le plus beau discours du monde ne vaut pas cent conversations particulières.«[25]

Das parlamentarische System war in genereller Weise, mithin unabhängig von dieser oder jener aussenpolitischen Doktrin, eine prägende Voraussetzung für die französische Grossmachtpolitik. Wir können sogar so weit gehen zu sagen, dass die generelleren Rahmenbedingungen des parlamentarischen Systems die Aussenpolitik weit stärker geprägt haben als alle konkreten aussenpolitischen Willenskundgebungen.

### 3. Die Instabilität des Regierungssystems

Die Einsicht, dass die häufigen Regierungswechsel die Aussenpolitik beeinträchtigt haben, ist nicht neu und gab es schon in der Zeit selbst. Dazu ist im Kap. 4.1 bereits einiges ausgeführt worden. Den angeblich negativen Effekt der ministeriellen Instabilität kann und muss man indessen etwas relativieren:

1. In den Kabinetten sassen, wenn auch in neuen Kombinationen, immer wieder die gleichen Leute. Auguste Soulier und andere betonen durchaus zu Recht, dass die Regierungen dank des »replâtrage« nicht so instabil waren, wie sie auf den ersten Blick schienen. Soulier:

> »L'instabilité ministérielle s'accompagne de la stabilité des ministres.«[26]

Gerade in der Aussenpolitik gab es mehr Kontinuität als gemeinhin angenommen. Die Amtszeiten der Aussenminister dauerten im Durchschnitt länger

---

[24] James Hennessey in der Deputiertenkammer am 16. Januar 1911.

[25] Louis Latzarus, zit. nach GUIRAL/THUILLIER, Vie quotidienne, S. 272.

[26] SOULIER, Instabilité ministèrielle, S. 479 und 574.

als diejenigen anderer Ministerien und der Kabinette. Zudem wurde ein Teil der Kontinuität durch die Beamten gewährleistet.

2. Die Vorstellung von der Beeinträchtigung durch die häufigen Wechsel setzt voraus, dass es Leitlinien gab, die beeinträchtigt werden konnten. Die grossen Zielsetzungen spielten in dieser Hinsicht keine Rolle. Die Beeinträchtigung dürfte eher Geschäfte sekundärer und tertiärer Natur betroffen haben: etwa die Anleihenpolitik gegenüber Russland, die Subventionen der Schulen im Orient, die Verständigung mit Spanien über Marokko etc. Diesbezüglich schien aber der »esprit de suite« auch ohne ministerielle Turbulenzen zu wünschen übrig gelassen zu haben. So konnte sogar in einer Periode relativer Stabilität während Delcassés Amtszeit Paul Cambon seinem Sohn Henri am 18. Juni 1903 schreiben:

> »On ne pense pas deux jours de suite au même objet.«[27]

3. Abgesehen von den ganz privaten Interessen standen bei den Ministern das politische Überleben und Fortkommen und bei den Diplomaten die momentane Berufssituation, die Ambitionen auf andere Posten oder die Verteidigung des eigenen Postens gegen Ambitionen anderer im Vordergrund. Die Aussenminister waren in den meisten Fällen zunächst Innenpolitiker oder schlicht Politiker und, wenn man von wenigen Ausnahmen absieht, mit der Aussenpolitik wenig vertraut. De Chaudordy hatte so Unrecht nicht mit seiner Feststellung aus dem Jahr 1897:

> »Un ministre a besoin au moins d'un an pour se mettre au courant des affaires. En général les hommes politiques français ne reprennent pas les portefeuilles dont ils ont été précédemment titulaires. Il en résulte qu'ils ne connaissent jamais les affaires dont ils ont la responsabilité.«[28]

Und sie waren zum Teil an der Aussenpolitik so wenig interessiert, dass ihr Kommen und Gehen entsprechend wenig Veränderungen herbeiführte. Anders als die Berufsdiplomaten wussten die Minister schon bei Amtsantritt, dass ihnen nur wenig Zeit beschieden sein würde und dass sich nach ihrem Sturz – nach dem »jeu de massacre, sans mis à mort réelle« – unter Umständen schon bald wieder die Möglichkeit für eine Rückkehr vielleicht in ein anderes Ministerium auftun würde.[29] Derselbe Gleichmut spricht aus einer Formulierung des Deputierten Delafosse:

> »Tout ministre est un homme prédestiné aux chutes.«[30]

Diplomaten beklagten deshalb nicht nur den Umstand, dass man »ihren« Minister leichtfertig stürzte, sondern dass der Minister seinerseits nicht sein Möglichstes tat, um nicht gestürzt zu werden. Hanotaux hätte es 1895 in der Hand gehabt, zu bleiben. Felix Faure hielt in seinen Aufzeichnungen fest:

[27] Fonds Louis Cambon.

[28] CHAUDORDY, Considérations, S. 48.

[29] OLLÉ-LAPRUNE, Stabilité, S. 2.

[30] Budgetdebatte der Kammer vom 27. November 1886.

> »M. Hanotaux se déclara tout à fait froissé de l'attitude des membres du cabinet et
> après avoir demandé la nuit pour réfléchir, après avoir consulté M. Ribot et M.
> Poincaré, refusa définitivement d'entrer […].«[31]

Und sogar Delcassé hätte, wenn er gewollt hätte, sich 1905 wahrscheinlich retten können.

4. Wie abträglich fehlende Kontinuität auch war, nicht jeder Regierungs- und Botschafterwechsel musste sich auf die Aussenpolitik negativ ausgewirkt haben. Wechsel konnten auch Vorteile bringen. So hatte beispielsweise der Wechsel von Rouvier zu Bourgeois während der Algéciras-Konferenz von 1906 den Vorzug, dass sich der neue Aussenminister etwas mehr von England distanzieren konnte, als sich das sein Vorgänger leisten konnte, nachdem er den England nahestehenden Delcassé gestürzt hatte. Auch auf Botschafterebene waren Wechsel natürlich von Vorteil, wenn sich die Diplomaten in langwierigen Diskussionen verbraucht hatten. Botschafter Waddington schrieb Aussenminister Ribot am 12. November 1892:

> »Le même ambassadeur ne peut reprendre éternellement les mêmes questions, je
> me suis usé à ce métier, d'autres y apporteront une énergie et une attitude nou-
> velles.«[32]

In dreierlei Hinsicht ging von der ministeriellen Instabilität aber doch ein negativer Effekt aus:

1. Diese Wechsel beschäftigten auch die ausländischen Gesprächs- und Verhandlungspartner. Was französischerseits anlässlich eines Regierungswechsels in England gesagt wurde, dass nämlich aus einem neuen Minister immer etwas herauszuholen sei, werden sich andere Staaten im französischen Fall ebenfalls gedacht haben. Ribot schrieb am 16. August 1892 an Waddington:

> »Il y a toujours quelque chose à tirer d'un nouveau ministre.«[33]

Es war leicht möglich, dass fremde Botschafter in der französischen Politik besser zuhause waren, als ihre französischen Partner. Botschafter von Münster, der in seinen zwölf Londoner Jahren vier Kabinettswechsel und drei Aussenminister erlebt hatte, überlebte in Paris während fünfzehn Jahren fünf Staatschefs, zweiundzwanzig Kabinette und elf Aussenminister. Die häufigen Regierungswechsel schadeten sicher dem Ansehen Frankreichs im Ausland.

2. Die ewigen Wechsel wirkten sich auf das Kader des diplomatischen Korps lähmend aus und förderten die Resignation, weil sich die Einsicht eingestellt hatte, dass eine zielgerichtete Aussenpolitik ohnehin nicht möglich sei. Man erinnere sich an Paul Cambons Verärgerung, dass man jedem neuen Aussenminister Elementarunterricht erteilen müsse (vgl. Kap. 4.1). Hier muss aber eingeräumt werden, dass die ersten Sorgen der Minister wie der Spitzendiplomaten und auch nicht der unteren Chargen verständlicherweise kaum den grossen und hehren Zielsetzungen galten. Auch das dürften die Ausführungen in den vorangegange-

---

[31] Fonds François Berge.

[32] Papiers Ribot, Bd. 3.

[33] Papiers Waddington, auf Rosebery gemünzt.

nen Kapiteln doch deutlich gemacht haben. Jeder Wechsel irritierte die Diplomaten in hohem Mass, selbst wenn der Aussenminister im Amt blieb. Insofern zählten eben nicht nur die drei bis vier aussenpolitisch motivierten Regierungskrisen,
sondern das Total der 57 Wechsel. Obwohl Aussenminister Develle den Regierungswechsel überlebte, klagte Paul Cambon am 6. April 1893 seiner Mutter:

> »Nous avons donc un ministère. Develle en est l'homme le plus en vue et Guerin
> le moins connu. Qui est ce Guerin, d'où vient-il? On finira par recruter les mi-
> nistres au hasard dans l'almanach des 25 000 adresses. C'est pitoyable.«[34]

Develle mag im April 1893 tatsächlich der Bekannteste gewesen sein; beifügen
muss man aber, dass Develle drei Monate zuvor sozusagen unbekannt war.
Develle war im April 1893 der Bekannteste der Unbekannten. Die langen Amtszeiten etwa eines Delcassé, Pichon, Barrère oder der Brüder Cambon mögen
rückblickend wie Phasen ruhiger und kontinuierlicher Aktivität erscheinen –
doch in der Zeit selbst entwickelten diese Aussenminister und Diplomaten ihre
Tätigkeit in eine stets ungewisse Zukunft hinein. Diese Ungewissheit drängte
Poincaré nach seiner Wahl zum Präsidenten der Republik im Januar 1913 sogar
dazu, möglichst schnell die Ministerpräsidentschaft abzugeben, um ja nicht von
einer Regierungskrise überrascht zu werden und dann als gestürzter Regierungschef das Amt des Staatschefs antreten zu müssen. Wäre Poincaré als Regierungschef noch schnell gestürzt worden, hätte ihn das als Staatschef belastet.[35] Die
gleiche Ungewissheit drängte die Diplomaten, zugesprochene Posten möglichst
schnell anzutreten, weil im Fall eines plötzlichen Regierungswechsels die Neuen
über noch nicht angetretene Stellen hätten verfügen können. Am 29. Januar 1913
riet Geoffray, der Botschafter in Madrid, seinem jüngeren Kollegen Robert de
Billy, er solle die Geschäfte in Tanger fallen lassen und seinen neuen Posten in
Rom möglichst schnell antreten:

> »[...] les hommes changent en ce moment au Quai d'Orsay, les idées peuvent aussi
> changer.«

Der Politische Direktor Nisard habe ihm 1895 ebenfalls geraten, seine Sekre-
tärenstelle in London möglichst schnell anzutreten:

> »Il ne faut pas que la place reste vacante. Cela pourrait donner des idées.«[36]

3. Ein stark negativer Effekt der ministeriellen Instabilität bestand darin, dass
sie die Aussenminister in einem wichtigen Punkt davon abhielt, Risiken einzugehen, weil sie sich damit schnell der Gefahr aussetzten, gestürzt zu werden. Das
mag als Widerspruch zum obigen Punkt empfunden werden, wonach das Stürzen
und Wiederauferstehen zum politischen Spiel gehörte. Stürzen aber auf Grund
des Vorwurfs, gegenüber dem Erbfeind Deutschland eine zu freundliche Haltung
eingenommen beziehungsweise, was beinahe identisch war, französische Interessen verraten zu haben, das wollte sich kein Politiker zu Schulden kommen lassen.

---

[34] Fonds Louis Cambon.
[35] WRIGHT, Poincaré, S. 59.
[36] Papiers de Billy, Bd. 39.

In dieser Hinsicht blieben die Leitlinien über alle Ministerien hinweg die gleichen und waren die Minister gar nicht auf Veränderung bedacht und im Gegenteil eher bestrebt, nicht vom gegebenen Weg abzuweichen.

*

Nachdem im Mai 1907 wieder einmal eine Regierungskrise umschifft worden war, rief Paul Cambon einem seiner Mitarbeiter das Wort »Un jacobin ministre n'est pas un Ministre jacobin.« in Erinnerung:

> »[…] depuis la grande Révolution, tous nos hommes publics, presque sans exception, ont fait le contraire au pouvoir de ce qu'ils avaient annoncé dans l'opposition.«[37]

Das Gegenstück zum Bestreben, nirgends anzustossen und jedermanns Freund zu sein, war der Kampf aller gegen alle, wie die Kehrseite der berühmten Kameraderie der Deputierten deren Einsamkeit war. Zum Esprit der Kameraderie:

> »Il y a moins de différence entre deux députés dont l'un est révolutionnaire et l'autre ne l'est pas, qu'entre deux révolutionnaires dont l'un est député et l'autre ne l'est pas.«[38]

Zur Einsamkeit:

> »La solitude est un des traits majeurs du métier: et elle est encore plus forte pour certains chefs.«[39]

Während die Regierenden ihr Handeln darauf ausrichteten, an der Macht zu bleiben, ging das Bestreben der gouvernementalen Opposition dahin, der Regierung die Macht zu entreissen und selbst an die Macht zu gelangen. Zum Teil waren die Regierungswechsel gewiss eine Methode, die »laufenden Geschäfte«, also Sachfragen zu regeln; in einem höheren Mass aber waren sie, wie auch Ollé-Laprune (1962) einräumt, das Produkt persönlicher Sympathien und Antipathien.[40] François Goguel (1946) geht so weit zu sagen, nicht irgendwelche höhere Gesichtspunkte, sondern der reine Egoismus habe das Verhalten der Deputierten bestimmt.[41] Die Deputierten hielten es hierin gleich wie die Presse, von der Theodore Zeldin (1977) zutreffend sagte, ihr Verhältnis zur Regierung sei von Neid und Missgunst geprägt.[42] Dies sind nachträgliche – ex post – Beurteilungen; doch schon in der Zeit selbst wurde immer wieder beklagt, das Verhalten der Parlamentarier würde weitgehend von persönlichen Ressentiments bestimmt. Zum Beispiel Gabriel Charmes im September 1882:

---

[37] Paul Cambon an Fleuriau, 15. Mai 1907, Correspondance 1870–1924, Bd. 2, S. 230.

[38] Robert de JOUVENEL, La République des Camarades, Paris 1914, S. 17.

[39] GUIRAL/THUILLIER, Vie quotidienne, S. 292.

[40] OLLE-LAPRUNE, Stabilité, S. 296 f.

[41] François GOGUEL, La politique des partis sous la Troisième République, Paris 1946, S. 550 f.

[42] ZELDIN, France, Bd. 2, S. 571.

> »Ce sont les caprices changeants de la Chambre des députés qui ont décidé de
> l'attitude de la France. Une majorité mobile, profondément ignorante en matière
> diplomatique, n'ayant que des notions confuses sur les grands intérêts du pays, et
> préférant de beaucoup à ces intérêts le triomphe de petites haines, de médiocres
> rancunes. [...] Dans le redoutable problème qui se posait devant elle, on a dû
> s'avouer plus tard qu'elle n'avait vu qu'une occasion nouvelle de manifester ses
> sympathies ou ses antipathies pour telle ou telle personne.«[43]

Oder Robert de Billing in den Jahren 1886–1889:

> »Le ralliement des mécontents attend toujours son homme et son heure.«[44]

Natürlich tendierten vor allem die Unterlegenen dazu, die getroffenen Entscheide
zu interpretieren, während die Sieger sachliche Gründe vorbrachten.

Guiral und Thuillier, die als gute Kenner des französischen Parlamentarismus
einzustufen sind, sehen bei der regierungsfähigen Opposition als einzige Verhal-
tensregel die Ambition, selbst Minister zu sein.[45] Und wer nicht gegen die Regierung war, weil er selbst regieren wollte, war gegen dieses oder jenes Regierungsmitglied, weil es ihm irgendwann einmal ein Gesuch abgeschlagen hatte.[46]
Schliesslich schufen allein die vielen Wechsel, die jeweils zahlreiche Unzufriedene
hinterliessen, stets neue Gegner. Die verschiedenen Abneigungen verschmolzen
leicht zu einer ablehnenden Mehrheit und verbanden die gegensätzlichsten Kräfte, die nie in der Lage gewesen wären, auch im positiven Sinn eine Mehrheit zu
bilden. Bei den knappen Mehrheitsverhältnissen genügte allerdings auch die Unzufriedenheit einer kleinen Gruppe; diese konnte stürzen, aber nach vollbrachter
Tat keine neue Mehrheit zur Verfügung stellen.[47]

Rudolf von Albertini (1959) hat bereits darauf hingewiesen, dass das Fehlen de-
finierbarer Parteien mit festen Programmen das Spiel der häufig wechselnden
Kombinationen erst möglich gemacht hat.[48] Vor allem die Deputierten des regierungsfähigen Mittelfeldes waren, in welcher Gruppe auch immer sie sich hatten
eintragen lassen, in ihrer Stimmabgabe weitgehend frei.

### 4. Der aussenpolitische Konformitätsdruck

Wohl räumten die Minister letzten Endes ihren Sessel mit leichtem Herzen und
wohl dachten die Abtretenden bereits im Fallen an ihre Rückkehr in der nächsten
Runde – während ihrer Amtszeit war ihr Tun jedoch stark vom Bestreben
geprägt, möglichst lange im Amt zu bleiben und als Aussenminister oder Ministerpräsident wollte man auf keinen Fall als angeblicher Verräter französischer
Interessen stürzen.

---

[43] CHARMES, Politique extérieure, S. 62, in der Frage der Beteiligung an der Intervention in
Ägypten.

[44] BILLING, Vie, S. 416.

[45] GUIRAL/THUILLIER, Vie quotidienne, S. 261 f., 319.

[46] Ebenda, S. 271.

[47] SOULIER, Instabilité ministérielle, S. 237.

[48] Rudolf von ALBERTINI, Regierung und Parlament in der Dritten Republik, in: Historische
Zeitschrift 188 (1959), S. 17–48, hier: S. 24 f. und 30.

Wie liess sich dieses Ziel am ehesten verwirklichen? Man musste vermeiden, mit bestimmten politischen Schritten gefährlichen Anstoss zu erregen. Gefährlich war an sich jeder Anstoss, denn die Vertrauensfrage war, wie Clemenceau einmal sagte, grundsätzlich immer gestellt.

> »La question de confiance est toujours posée.«[49]

Unter diesen Umständen wäre es für einen Minister das Beste gewesen, er hätte überhaupt keine Entscheide treffen müssen. Die Weltpolitik liess sich aber nicht anhalten, und aus neuen Entwicklungen stellten sich neue Fragen, und zu diesen Fragen musste gerade Frankreich, wenn es eine Grossmacht sein wollte, Stellung beziehen, und musste die Regierung auch ohne Rückversicherung bei der Kammer gegen aussen Positionen einnehmen. Auch Nichtstun konnte zu einer gefährlichen Tätigkeit werden.

Wenn man schon gezwungen war, Entscheide zu fällen, entschied man sich am ehesten für Lösungen mit dem geringsten Risiko, das heisst mit dem aus innenpolitischer Sicht geringsten Risiko! Jules Cambon stellte einmal bitter fest, die Minister liessen die Kriegstreiber im eigenen Land machen, weil sie vor Preussen weniger Angst hätten als vor ihren Gegnern im Parlament.

> »[...] les Ministres laissèrent pousser à la guerre parce qu'ils avaient moins peur de la Prusse que de leurs adversaires parlementaires.«[50]

Der Weg des geringsten Risikos war der Weg der gewohnten Bahn. Darum waren zwar nicht die Regierungswechsel, aber die Erfahrungen der Instabilität für die Aussenpolitik ein Faktor der Kontinuität. Diese Erfahrungen blockierten allerdings nur die echten und darum immer riskanten Innovationen und nicht die vielen Modifikationen im Verwaltungsbereich, die mit jedem Ministerwechsel verbunden waren und die Beamten verärgerten. Inhaltlich gab es Bahnen mit einer gewissen Manövrierbreite und mit gewissen Schranken. Wo die Schranken lagen, konnten die Minister an den Äusserungen in Parlament und Presse ablesen. Dass diese Manifestationen als Schranken wirkten, bezeugen die direkt Betroffenen – die Minister und die Diplomaten. Dazu einige Beispiele:

Was Hansen am 1. Oktober 1886 in sein Tagebuch notierte, mag im Einzelnen unrichtig sein – in der Einschätzung der Kraft der öffentlichen Meinung stimmt es; Hansen schrieb, de Freycinet wäre bereit, Deutschlands Unterstützung in der Ägyptenfrage mit dem Verzicht auf das Elsass zu bezahlen:

> »En lui donnant des garanties du côté de l'Alsace-Lorraine, M. de Freycinet, avec sa facilité d'humeur, entrerait volontiers dans un tel ordre d'idées, mais l'opinion publique ne l'y suivrait pas.«

1890 war Aussenminister Ribot überzeugt, dass es für Frankreich gut wäre, wenn es seinen Anspruch auf Ägypten aufgäbe; zugleich äusserte er aber die Meinung, dieser Schritt sei wegen der anglophoben Stimmung der Kammer nicht möglich. Aussenminister Ribot schrieb an Botschafter Waddington am 8. April 1890:

---

[49] Zit. nach SOULIER, Instabilité ministérielle, S. 233.

[50] Nach Geneviève TABOUIS, Jules Cambon par l'un des siens, Paris 1938, S. 18. Bezieht sich wohl auf die Jahre 1907–1914.

> »Mais nous avons à tenir compte du sentiment de la Chambre qui a été fort exci-
> tée et que nous devons ménager d'autant plus qu'on est disposé, après ce qui s'est
> passé en 1882, à être plus sévère – même jusqu'à l'injustice du parti pris – envers
> le chef du ministère.«[51]

Die gleiche Abneigung hinderte später auch den an sich nicht besonders
anglophilen Aussenminister Hanotaux, gegenüber dem kolonialen Hauptkon-
kurrenten Entgegenkommen zu zeigen. Der englische Botschafter Monson bemerkte über Hanotaux zu seinem Premier- und Aussenminister Salisbury am 19.
Februar 1897:

> »He has to count with the Anglophobs of the Chamber and with the noisy street
> politicians identified with a rechless scurilous press, and with the Colonial Group
> who are powerful and very bitter against us, and having nothing to fall back upon
> in the way of personal support he has to make terms with those who do not re-
> quire much to be his bitter adversaires.«[52]

Während Delcassés Amtszeit kam schliesslich doch die neue *Entente cordiale* mit
dem vormals »perfiden« Albion zustande, nicht weil der vormals keineswegs
anglophile Delcassé zu mehr Konzessionen bereit gewesen oder eher fähig gewesen war, die Schranken zu überwinden, sondern weil diese Schranken mit
Frankreichs Engagement in Marokko und dem Abschluss des kolonialen Wett-
laufes in Afrika in sich zusammenfielen.

   Gewichtigere Barrieren bestanden auf der anderen Seite, und hier mit dem wesentlichen Unterschied, dass sie erhalten blieben und mit der Zeit, nachdem sie
vorübergehend tiefer waren, sogar wieder höher wurden. Schon 1884 wurde
Ferry entschieden abgeraten, sich auf direkte Gespräche mit Bismarck einzulassen. Mit Guillen (1985) kann man sagen:

> »[…] la question du rapprochement avec l'Allemagne fournit un thème de choix à
> l'opposition qui l'expoite contre le gouvernement.«[53]

Im Februar/März 1891 wagte es die Regierung de Freycinet nicht, in der Deputiertenkammer die deutschfeindliche Agitation gegen den Besuch der Kaisermut-
ter Viktoria gebührend zu verurteilen, weil sie damit ihr Kabinett gefährdet
hätte.[54] Der Chronist Daniel André stellte damals fest:

> »L'impossibilité d'une entente entre la France et l'Allemagne à éclaté une fois de
> plus.«[55]

Und im Sommer 1895 sah sich die Regierung Ribot im Parlament wiederum in
gefährlicher Weise dem Vorwurf ausgesetzt, die »fidélité aux provinces perdus«
verraten zu wollen, bloss weil sie bereit war, in Absprache mit ihrem Verbünde-

---

[51] Papiers Waddington. Zu ähnlichen Vorgängen in den Jahren 1886/87 siehe Parsons,
Egyptian Question, S. 306 und 326.

[52] Christ Church Oxford, Privatpapiere Salisbury.

[53] Guillen, Expansion, S. 226.

[54] Guillen, Expansion, S. 329.

[55] In: Année politique 1891, zit. nach Guillen, Expansion, S. 330.

ten Russland an den Feierlichkeiten zur Einweihung des Kieler Kanals teilzunehmen.[56]

Und 1905 soll Ministerpräsident Rouvier, der sich immerhin aus einer gewissen Rücksicht auf Deutschland von Aussenminister Delcassé getrennt hatte (vgl. oben Kap. 4.2), dem russischen Botschafter gesagt haben, dass wegen der öffentlichen Meinung die Möglichkeiten einer Annäherung an Deutschland sehr begrenzt seien:

> »La nation ne tolérerait pas un rapprochement plus étroit avec l'Allemagne. Le gouvernement est obligée de compter avec le sentiment national.«[57]

Auf Grund der fortbestehenden und sogar wachsenden Dominanz Deutschlands konnte sich die zwischen den beiden Ländern bestehende Schranke nicht selbst auflösen, und französischerseits konnte sie auf Grund des herrschenden Regierungssystems auch nicht vermindert werden. Das Bestehen dieser Barriere wird sogar von Belegen bestätigt, die besagen, dass sie vorübergehend nicht vorhanden sei. Etwa mit der 1898 im Zusammenhang mit der Kretafrage geäusserten Auffassung, man könne sich gegenüber Deutschland eine entgegenkommende Haltung leisten, weil man im Parlament zur Zeit über eine enorme Mehrheit verfüge.[58] Oder mit der Feststellung im Jahr 1905, Léon Bourgeois würde sich vor einer Annäherungspolitik nicht fürchten, was doch ein Hinweis darauf war, dass diesbezüglich eben Befürchtungen vorherrschten.

> »Bourgeois, intelligence de premier ordre, passait jadis pour ne pas redouter un rapprochement avec l'Allemagne et ambitionner l'Ambassade de France à Berlin.«[59]

Was Freiherr von der Lancken, deutscher Botschaftsrat in Paris, im Juli 1909 von Aussenminister Pichon sagte, hat generelle Berechtigung: Ein Minister durfte nur unbemerkt von der grossen Öffentlichkeit an der Verbesserung der französisch-deutschen Beziehungen arbeiten. Von Lancken schreibt am 28. Juli 1909 über Pichon:

> »Er dürfte der durchaus berechtigten Ansicht sein, dass die Besserung des deutsch-französischen Verhältnisses nur Fortschritte machen kann, wenn dies unbemerkt von der grossen Öffentlichkeit und ohne überflüssige Polemik geschieht.«[60]

Der schweizerische Gesandte Lardy schloss aus der Kammerdebatte vom Februar 1912, dass die in den Jahren 1909–1911 unternommenen Versuche der französisch-deutschen Zusammenarbeit jeweils im letzten Moment gescheitert seien, weil Aussenminister Pichon die öffentliche Meinung und das Parlament

---

[56] Deputiertenkammer vom 10. Juni 1895, später auch im Senat, vgl. GUILLEN, Expansion, S. 442.

[57] BOMPARD, Mon ambassade, S. 169 f.

[58] Zitiert nach einem Votum des sozialistischen Deputierten Gabriel Baron in der Kammerdebatte vom 26. März 1898, Annales, S. 1747. Die Äusserung blieb in der Debatte unwidersprochen.

[59] Bericht Lardy vom 2. November 1905, BA Bern, 2300 Paris, Bd. 58.

[60] PAAA Bonn, F 105, Bd. 27.

gefürchtet habe. Lardy übermittelte am 12. Februar 1912 als Schlussfolgerung aus einer Rede Ribots:

> »[…] toutes les tentatives de faire en commun, entre Français et Allemands, des affaires au Maroc ou au Congo, ont échoué à la dernière heure, lorsqu'approchait le moment de la réalisation, parce que M. Pichon ou d'autres gouvernants français prenaient peur soit de l'opinion publique, soit des gens qui voient partout des pots de vin.«[61]

Die prekären Regierungsverhältnisse sind in Verbindung mit der leicht reizbaren öffentlichen Meinung zu betrachten. Diese interessierte sich aber im Allgemeinen wenig für aussenpolitische Fragen, sofern sie nicht als Fragen der nationalen Ehre und nationalen Sicherheit verstanden wurden. Im Sommer 1905 hatte man eine derartige Situation. Der Konflikt offenbarte die grosse Bedeutung der immateriellen Seite der deutsch-französischen Beziehungen. Es ging weder um Kolonialgebiete, noch um Anerkennung von irgendwelchen Rechten, noch um Rüstungsprogramme. Es ging um Prestige, um Autonomie, um nationales Selbstwertgefühl.

Was Joseph Reinach 1880 im Moment der Wiederaufnahme einer aktiveren Aussenpolitik bedauernd festgestellt hatte, galt auch noch drei Jahrzehnte später: Es gab in Frankreich keine öffentliche Meinung in aussenpolitischen Belangen, wenn man unter öffentlicher Meinung eine permanente Anteilnahme und kritische Auseinandersetzung mit Fragen der Aussenpolitik verstand.

> »Il est urgent de constituer en ce pays une opinion publique, ferme et raisonnée, sur la politique extérieure et sur les conditions de cette politique.«[62]

Dennoch war die öffentliche Meinung weder inexistent noch bedeutungslos. Von Zeit zu Zeit meldete sie sich eruptionsartig, und dann war sie als Massenexplosion eine reelle Kraft. Duroselle sagt von der französischen Aussenpolitik unseres Zeitraumes, sie sei

> »à la fois un domaine réservé et l'occasion des vastes, explosions populaires.«[63]

Da sich die öffentliche Meinung jedoch in den längeren Phasen der Indifferenz mit der Aussenpolitik nicht auseinandersetzte, ihrer Entwicklung nicht folgte, blieben ihre Reaktionen während der kurzen Zeit der heftigen Anteilnahme auf dem Stand atavistischer Reflexe: Die Anteilnahme reduzierte sich in der Regel auf die Befürchtung, Frankreichs fragiles Ansehen als Grossmacht sei von aussen bedroht oder von der eigenen Regierung aufs Spiel gesetzt worden.

Zum Teil wurden diese Reflexe durch Zwischenfälle wie die Niederlage 1885 in Tonkin, die französisch-englische Konfrontation 1898 in Faschoda oder den deutschen »Faustschlag« 1911 in Agadir ausgelöst. Der Reflex konnte aber auch durch innenpolitische Gegenspieler mit entsprechenden Demarchen an die Öffentlichkeit ausgelöst oder gefördert werden, wie das in einem gewissen Sinn bei

---

[61] BA Bern, 2300 Paris.

[62] Joseph REINACH, L'opinion publique en France et la politique extérieure, in: Revue politique et littéraire 11. Dezember 1880, S. 554–564.

[63] DUROSELLE, La France et les Français, S. 292.

der Liquidation von Delcassé im April/Mai 1905 und von Caillaux im Januar 1912 der Fall war. Die Kräfte vor allem der äusseren Rechten, aber auch der äusseren Linken versuchten ständig, wie schon Reinach als Mann der republikanischen Mitte im bereits zitierten Artikel festgestellt hat, mit Hilfe dieses Reflexes ihre politischen Geschäfte zu machen. Politisch relevant wurde der Appell an die kollektive Angst jedoch erst, wenn er auch von den regierungsfähigen Gruppen des gemässigten Mittelfeldes ausging oder diese erfasste.

In diesen Momenten gewannen die Zeitungen an Bedeutung. Sie spielten dann eine wichtige, wenn auch nicht messbare und bloss punktuell fassbare Rolle, nicht als eigenständiger Faktor, sondern als Instrument. Senator Ribot hob im Rahmen der Ratifizierungsdebatte zum deutsch-französischen Vertrag vom 4. November 1911 hervor, dass es unmöglich sei, ohne Einverständnis der Nation Allianzen zu wechseln, und hat sich über die Macht der öffentlichen Meinung wie folgt geäussert:

> »La diplomatie ne se fait pas sur la place publique, je le sais, mais elle ne peut se faire sans le consentement de la nation ni contre son sentiment.«

Und über die französisch-englische Verständigung:

> »Ce qui fait la force de cette entente, c'est que, des deux côtés du détroit, on consultera l'opinion publique.«[64]

Poincaré nahm in der gleichen Debatte diesen Gedanken auf und verschärfte dessen Aussage, indem er von der Entente und der französisch-russischen Allianz sagte:

> »[…] si jamais, pas impossible, un Gouvernement aveugle s'écartait des lignes directrices tracées par la volonté réfléchie de la France, il se briserait à la révolte de l'opinion publique indignée.«[65]

Jules Cambon war im Juni 1913 überzeugt, dass die Gelegenheit noch nie so günstig gewesen sei, um zwischen Frankreich und Deutschland nicht nur »rapprochement«, sondern sogar eine »détente« herbeizuführen.[66] Doch im Oktober 1913 äusserte Paul Cambon die Meinung, Poincaré und Pichon würden die deutschen Bagdadbahn-Titel nicht an der Pariser Börse zulassen, weil sie eine Pressepolemik befürchteten:

> »M. Poincaré et M. Pichon dominés par la peur d'une attaque de la presse si l'on parle d'une admission de titres allemands se bornent à crier: jamais sans se donner la peine de chercher des combinaisons.«[67]

Ob die ablehnende Haltung der beiden Politiker tatsächlich so und nur so zu erklären ist, können wir nicht entscheiden, Cambons Erklärung entsprach aber durchaus den damals vorherrschenden Überlegungen. Dem gleichen Schreiben entnehmen wir, dass sich die Hemmung, riskante Entscheide zu fällen, auch auf

---

[64] Senatsdebatte vom 9. Februar 1912, JO, S. 208.

[65] Senatsdebatte vom 10. Februar 1912, JO, S. 227.

[66] Jules an Paul Cambon, 7. Juni 1913, Fonds Louis Cambon, zit. auch von KEIGER, Origins, S. 131, und ders., World, S. 119.

[67] Paul Cambon an seinen Sohn Henri, 1. Oktober 1913, Fonds Louis Cambon.

die Verwaltung erstreckte: Von Pierre de Margerie, dem in dieser Frage zuständigen Unterdirektor, den er an sich sehr schätzte, sagte er, dieser würde aus Furcht, sich die Finger zu verbrennen, davor zurückschrecken, seinen Vorgesetzten eine Richtung aufzuzeigen.

> »Il n'y a que Margerie mais il a toujours peur de se brûler les doigts et il hésitera à indiquer une direction à ses chefs.«[68]

Ein heimliches Übertreten der Schranken wäre aber kaum möglich und sicher zu riskant gewesen, denn – wie wir gesehen haben – konnte die Geheimsphäre jederzeit zerstört werden. Ein Abweichen vom gegebenen Pfad der traditionellen Aussenpolitik wäre von den politischen Gegnern, aber auch von »Freunden« des gleichen politischen Lagers und sogar von Mitgliedern des gleichen Kabinetts unter Umständen zum Anlass genommen worden, um – natürlich mit Hilfe der Presse – aus ureigenstem Interesse, aber unter Berufung auf die angeblich gefährdeten Interessen der Nation, die Regierung zu stürzen. Ministerpräsident Caillaux wurde im Januar 1912 so gestürzt, weil er sich in geheimen Verhandlungen mit Deutschland exponiert hatte. Beide, sowohl seine Gegner, die ihn anklagten, wie er selbst, der sich verteidigte, nahmen in Kauf, dass man deutscherseits dank den verschiedenen Enthüllungen merkte, dass Frankreich die deutschen Telegramme entschlüsseln konnte. Christopher Andrew macht uns in seiner Studie über das »Cabinet noir« den Preis dieses Hauskraches bewusst, wenn er darauf hinweist, dass die Deutschen in der Folge natürlich ihren Code wechselten und es Frankreich bis zum Krieg nicht mehr gelang, auch den neuen Code zu brechen.[69] Wenn wir auf das abstellen, was Caillaux' Nachfolger Poincaré gegenüber Bertie, dem britischen Botschafter in Paris, erklärte, wollte Caillaux in keiner Weise eine Annäherung an Deutschland auf Kosten der Entente cordiale. Aufschlussreich ist, was Poincaré auch noch sagte:

> »If he had gone any length in advances to Germany to the detriment of the Entente with England, his ministry would have broken up and it was the suspicion in the public and the Chambers that his proceedings had been dangerous to the cordiality of the Entente which caused his position to be so damaged that he had to resign.«[70]

Diese Bemerkung wollte nicht nur die Briten beruhigen, sie belegte zugleich, wie gross der aussenpolitische Konformitätsdruck und wie eng der Handlungsspielraum angesichts dieses Drucks in Kombination mit der Instabilität des Systems, wie gross der auch in der jüngsten Literatur angesprochene Gruppendruck im Prozess des *decision making* war.[71] Dass nur gerade Caillaux wegen der Missachtung des Konformitätszwangs zu Fall kam, heisst nicht, dass dieser Zwang gering gewesen wäre, sondern zeigt vielmehr, wie stark die präventive Wirkung des instabilen Systems und wie gut entwickelt die Selbstdisziplin der Minister war.

---

[68] Ebenda.

[69] Andrew, Déchiffrement, S. 54 f.

[70] Bertie an Grey, 22. Januar 1912, PRO, Privatpapiere Bertie 800, 164.

[71] Hirschfeld/Krumeich/Renz, Enzyklopädie, S. 313.

Den plötzlichen Zusammenbruch der Geheimsphäre mussten zwar auch Poincaré und Pichon erleben, als im Mai 1913 Innenminister Klotz, nachdem die »Sûrete« italienische Telegramme entziffert hatte, ihnen im Ministerrat vorwarf, sie würden heimlich versuchen, die 1904 abgebrochenen Beziehungen zum Vatikan wiederaufzunehmen.[72]

Caillaux' Nachfolger Poincaré konnte sich, wie im Kap. 4.2 gezeigt, akzeptiert, ja verehrt und mithin gestützt von einer breiten nationalen Bewegung fühlen, doch auch er konnte sich nicht übermässig in Sicherheit wähnen. Obwohl sich Poincaré im vorangegangenen Jahr als Ministerpräsident mit seiner nationalen Politik recht gut positioniert habe, bemerkte der belgische Botschafter in Paris in seinem Bericht vom Februar 1913:

> »Dans ces conditions et grâce à ses éminents qualités il pourra rendre grand service à son pays; mais il est trop avisé pour ne pas savoir que les réactions sont fréquentes dans l'opinion publique française, et qu'il n'est aucun pays où la Roche Tarpéenne soit aussi proche du Capitole.«[73]

Poincarés Biograf J. F. V. Keiger war selbstverständlich bemüht, ungebührliche Vorwürfe an die Adresse des Ministerpräsidenten von 1912 und Staatspräsidenten von 1913/14 zurückzuweisen, doch einen Befund konnte er ihm nicht ersparen. Entspannungspolitik gegenüber Deutschland hätte »considerable political courage from any French leader« verlangt. Diesen Mut brachte auch Poincaré nicht auf:

> »Franco-German rapprochement involved a risk, which in the end President Poincaré and his governments were not willing to take.«[74]

In dem von persönlichen Animositäten und Ambitionen geprägten Hin und Her spielte die politische und zumal die aussenpolitische Doktrin eine höchst bescheidene Rolle. Es bestand die paradoxe Situation, dass sich das Parlament einerseits kaum für die Aussenpolitik interessierte, dass anderseits aber der aussenpolitische Spielraum wegen des Parlamentes, das heisst wegen der innenpolitischen Machtkämpfe stark eingeschränkt war. Die Einschränkung ergab sich aber nicht primär wegen des Drucks der öffentlichen Meinung, sondern wegen der Möglichkeit, unter Berufung auf die öffentliche Meinung eine Regierung zu stürzen. Der Regierung wurde jeweils zur Last gelegt, was belastend wirken konnte. War die Regierung einmal gestürzt, so interessierte man sich, wie J. B. Duroselle hervorhebt, weder für den beseitigten Minister, noch für die beanstandeten Verhältnisse und konnte man als neuer Minister das nun selbst tun, was man vorher verurteilt hatte.[75] Nach Ferrys Sturz 1885 wurde der zuvor verweigerte Indochina-Kredit ohne weiteres bewilligt und nach Caillaux' Sturz die zuvor verweigerte Genehmigung des Kongo-Vertrags ohne weiteres ratifiziert.

---

[72] Ebenda, S. 55.

[73] Baron Guillaume an Aussenminister Davignon, 14. Februar 1913, Belg. Dok. Nr. 97, S. 268.

[74] KEIGER, World, S. 120.

[75] DUROSELLE, La France et les Français, S. 358.

Von den Regierungen der Dritten Republik wurde – im positiven wie im negativen Sinn – immer wieder gesagt, sie seien ein »gouvernement d'opinion«. Positiv wurde dieser Begriff vor allem von Parlamentariern verwendet, wenn sie wie Paul Doumer im Budgetbericht für das Jahr 1895 die Auffassung bekundeten, dass sich eine republikanische Regierung nach dem Willen des Souveräns, nämlich des Volkes und seiner Vertreter richten müsse:

> »Les administrations ne sauraient avoir d'autres tendances, d'autre politique que les tendances et la politique du pays. Elles ne sont que les instruments d'exécution de sa volonté souveraine.«[76]

Hinzu kam, abgesehen vom grundsätzlichen Postulat der politischen Selbstbestimmung beziehungsweise Mitsprache, die Grundannahme, dass eine vom Volk bestimmte Aussenpolitik eo ipso friedfertig und die Aussenpolitik der Könige und geheimen Kabinette, wie eben das Beispiel von 1870 zeige, eo ipso kriegerisch sei. Aus der gleichen Überlegung hatte schon 1793 der freilich nie angewandte Artikel 54 der ersten republikanischen Verfassung bestimmt, dass eine Kriegserklärung nur in Kraft trete, wenn sie innert vierzig Tagen durch Volksversammlungen gebilligt würde.

Negativ wurde der Begriff des »gouvernement d'opinion« vor allem auf Seiten der Regierung und der Verwaltung gebraucht, wenn man wie Gabriel Charmes 1883 beklagte, die Exekutive sei von der Willkür des Parlamentes und den Launen der Menge abhängig.

> »La Chambre considère les ministres, on le sait, comme des sortes de commis chargés d'exécuter ses volontés souveraines, non comme des guides [...].«[77]

Was die Aussenpolitik betraf, war die Regierung nur insofern ein »gouvernement d'opinion«, als sie sich in dem von Parlament und Presse abgesteckten Spielraum bewegen musste, wenn sie sich nicht einer existenzbedrohenden, ja tödlichen Kritik aussetzen wollte. Innerhalb dieses Spielraumes hätten die Minister – theoretisch – eine richtungsweisende Rolle spielen können. In den gar nicht weit auseinanderliegenden Randzonen galt indessen das andere Gesetz, dass die Minister, wenn sie »Führer« sein und bleiben wollten, ihrer Gefolgschaft gehorchen mussten.

Die von Barthélemy, von S. R. Chow und von anderen vertretene Auffassung, wonach die Aussenpolitik ohne Einschränkung gewesen sei, ist zu relativieren.[78] Doch eingeschränkt wurde sie nicht so sehr, weil sie, wie das bisher gesehen worden ist, durch die innenpolitischen Krisen gewissermassen von aussen (exogen) punktuell immer wieder in ihrem Gang gestört worden wäre; sie wurde hauptsächlich dadurch beeinträchtigt, dass die Aussenpolitik Bestandteil des innenpolitischen Machtspiels war.

Bleibt die Frage zu beantworten, ob Poincarés Äusserung vom Februar 1912 zutrifft, dass die Aussenpolitik mehr und mehr der Kontrolle des Parlamentes unterworfen worden sei. Poincaré machte diese Äusserung als Ministerpräsident

---

[76] Budgetbericht Nr. 905 der Kammer für 1895, S. 3.

[77] CHARMES, Politique extérieure, S. 234.

[78] BARTHÉLEMY, Gouvernement, S. 110. CHOW, Contrôle parlementaire, S. 200 f.

und Aussenminister; in dieser Position empfand er die parlamentarische Kontrolle als genügend und war er daran interessiert, die Kontrolle besser darzustellen, als sie war. Als Deputierter hätte er – wäre er nicht auch einer der vielen Schweigsamen gewesen, denen die Zurückhaltung sehr zustatten kam, weil man so keinen Anstoss erregte – auch das Gegenteil feststellen können. Jedenfalls wurde die Aussenpolitik keiner stärkeren Kontrolle unterworfen.

Wohl häuften sich die Beteuerungen, welche die Notwendigkeit hervorhoben, dass die Nationen über die Aussenpolitik, die in ihrem Namen geführt wurde, regelmässig informiert werden sollten. Solche Erklärungen beweisen aber nicht, dass das Gewünschte auch verwirklicht worden ist. Im Gegenteil, aus ihnen lässt sich vielmehr ablesen, wie sehr die Wirklichkeit diesbezüglich noch zu wünschen übrig liess. Was Louis Marin 1913 als Budgetberichterstatter der Kammer forderte, war zwar erfüllt: Das Parlament wurde über »alle« diplomatischen Angelegenheiten aufgeklärt, »für die es sich interessierte.« Bloss – die Parlamentsmehrheit interessierte sich eben für die meisten nicht.

> »Il faut que le pays et le Parlement soient tenus périodiquement au courant de tous les faits diplomatiques qui l'intéressent.«[79]

Von einer Verstärkung der Kontrolle kann aber keine Rede sein. Verstärkt hat sich nach 1905 und nach 1911 lediglich der innere Konformitätsdruck auf das Verhalten gegen aussen, dies aus der ebenfalls verstärkten Überzeugung, dass sich Frankreich gegenüber Russland und England sozusagen um jeden Preis als Partner erhalten müsse, wie aus der nicht weniger starken Überzeugung, dass gegenüber dem Deutschen Reich jede echte Annäherung ausgeschlossen blieb. Selbst der sozialistische Deputierte Jean Jaurès musste im Juli 1914 ein Bekenntnis für die französischen Bündnisse ablegen. Er konnte einzig deren Erweiterung fordern.

> »Nous ne voulons pas briser, nous voulons élargir notre système d'ententes et d'alliances.«[80]

Als am 7. Juli 1914 der Kammer das Kreditbegehren für Poincarés Reise nach Russland unterbreitet wurde, beanstandeten die Sozialisten nicht das Bündnis selbst, sondern einzig seine Intransparenz. Ministerpräsident und Aussenminister Viviani konnte sich darauf beschränken zu versichern, dass auf dem bevorstehenden Treffen keine Vereinbarungen getroffen würden, die sich auf die Innenpolitik (gemeint war die Dauer der Dienstzeit) auswirken würden. Jean Jaurès missfiel der Reisezweck, der darin bestehe,

> »de contracter, au nom de la France, des engagements qu'elle ne connaît pas, des engagements plus ou moins complets, plus ou moins officiels, plus ou moins ambigus, mais qui pèsent nécessairement, même sur la politique intérieure. [...] Nous nous refusons plus énergiquement que jamais à sanctionner la pratique et la politique des traités secrets.«

[79] Budgetbericht der Kammer für 1914, Nr. 3318, S. 53.

[80] Kammerdebatte vom 7. Juli 1914, JO, S. 2717. Zum Wunsch der Sozialisten, Deutschland in das Allianz-System der Entente einzubeziehen, vgl. CARROLL, French Public Opinion, 1931, S. 289.

Viviani versicherte dagegen:

> »Je dis nettement qu'aucun engagement ayant sa répercussion sur la politique inté-
> rieure de l'un et de l'autre pays ne peut être pris [...].«[81]

*Le Temps* antwortete am 9. Juli 1914 auf Jaurès' Vorschlag, Deutschland in Frankreichs Allianzsystem gewissermassen aufzunehmen:

> »Une entente politique avec l'Allemagne annulant l'effort de quarante ans et dé-
> sertant les voies où notre diplomatie a retrouvé la sécurité et la liberté, aucun
> Français conscient ne saurait y souscrire.«[82]

Dies entsprach der herrschenden Meinung und Doktrin. Die überwiegende
Mehrheit war überzeugt, dass eine Entente mit dem Deutschen Reich Frankreich
der Grundlagen berauben würde, welche es sich in vierzigjähriger Anstrengung
als Voraussetzung für seine Sicherheit und Freiheit erschaffen hatte. Gemäss *Le
Temps* befand sich die Regierung in vollkommener Übereinstimmung mit der
vorherrschenden Meinung:

> »M. Viviani a répondu brièvement, en se refusant à discuter – ce qui était peut-
> être la meilleure solution pour un chef de gouvernement sûr de l'opinion de la
> Chambre et de l'opinion de la nation.«[83]

Diese Bemerkung macht wieder den Einfluss der vorherrschenden Meinung
sichtbar. In der Juli-Krise von 1914 spielte das Parlament keine Rolle, und bei
Kriegsausbruch begnügte es sich bekanntlich damit, die Regierungserklärungen
mit Akklamation entgegenzunehmen.

[81] Kammerdebatte vom 7. Juli 1914, JO, S. 2717 f.
[82] Le Temps vom 9. Juli 1914.
[83] Le Temps vom 9. Juli 1914.

DIE AMTSZEITEN DES DIPLOMATISCHEN KADERS

| | 1870 | 1871 | 1872 | 1873 | 1874 |
|---|---|---|---|---|---|
| Präsident der Republik | | 17.2.: Thiers | | 24.5.: Mac-Mahon | |
| Ministerpräsident | 4.9.: Trochu | 19.2.: Thiers<br>2.9.: Thiers | | 18.5.: Thiers<br>26.5.: de Broglie<br>26.11.: de Broglie | 22.5.: Cissey |
| Aussenminister | 4.9.: Favre | | | 25.5.: de Broglie<br>26.11.: Decazes | 22.5.: Decazes |
| Kabinettsdirektor | de Ring | de Pontécoulant | | Gavard Du Treil | |
| Politischer Direktor | 1866: Descrez | | | | |
| Handelsdirektor | 1867: Meurand | | | | |
| London | 21.7.69: La Valette | 19.2.: de Broglie | 1.5.: B. d'Harcourt | 6.9.: Decazes<br>4.12.: Bisaccia | |
| Berlin | | 4.12.: de Gontaut-Biron | | | 25.3.: de Jarnac |
| Wien | 16.7.: La Tour | 14.3.: de Banneville | | 3.9.: G. d'Harcourt | |
| St. Petersburg | 1861: Fleury | 10.6.: Le Flô | | | |
| Rom (Quirinal) | 19.9.70: Sénard | 30.3.: de Choiseul | 26.2.: Fournier | 4.12.: de Noailles | |
| Rom (Vatikan) | 1868: de Banneville | 30.3.: B. d'Harcourt | 1.5.: de Bourgoing | 10.1.: de Corcelle | |
| Konstantinopel | 10.6.: La Guéronnière | 8.3.: de Vogüé | | | |
| Madrid | 1864: Mercier | 28.4.: de Bouillé | | | |
| Bern | 8.11.: de Châteaurenard | 5.10.: Lanfrey | | 4.12.: de Chaudordy | 4.12.: de Chaudordy |
| Washington | 26.7.: Treilhard | | 12.5.: de Noailles | 4.12.: Bartholdi | 24.9.: B. d'Harcourt |
| Tokio | 1868: Outrey | | | 24.3.: Berthemy | |

| | 1875 | 1876 | 1877 | 1878 | 1879 |
|---|---|---|---|---|---|
| Präsident der Republik | | | | | 30.1.: Grévy |
| Ministerpräsident | 10.3.: Buffet | 23.2.: Dufaure<br>9.3.: Dufaure<br>12.12.: Simon | 17.5.: de Broglie<br>23.11.: Rochebouët<br>13.12.: Dufaure | | 4.2.: Waddington<br>28.12.: de Freycinet |
| Aussenminister | 10.3.: Decazes | 23.2.: Decazes<br>9.3.: Decazes<br>12.12.: Decazes | 17.5.: Decazes<br>23.11.: de Banneville<br>13.12.: Waddington | | 4.2.: Waddington<br>28.12.: de Freycinet |
| Kabinettsdirektor | | | de Pontécoulant | | 4.2.: de Pontécoulant<br>28.12.: Rabel |
| Politischer Direktor | | | | | |
| Handelsdirektor | | | | | |
| London | 8.5.: G. d'Harcurt | | | | 18.2.: Pothuau |
| Berlin | | | 24.12.: de Saint-Vallier | | |
| Wien | 8.5.: de Vogüé | | | | 18.2.: Teisserenc de Bort |
| St. Petersburg | | | | | 18.2.: Chanzy |
| Rom (Quirinal) | | | | | |
| Rom (Vatikan) | | | | 20.3.73: de Gabriac | |
| Konstantinopel | 8.5.: de Bourgoing | 20.10.: Baude | 31.12.: Fournier | | |
| Madrid | | | | 11.12.: Jaurès | |
| Bern | | | | | |
| Washington | | 25.12.: Outrey | | | 14.1.: Challemel-Lacour |
| Tokio | | 30.4.: de Geoffray | | | |

| | 1880 | 1881 | 1882 | 1883 | 1884 |
|---|---|---|---|---|---|
| Präsident der Republik | | | | | |
| Ministerpräsident | 23.9.: Ferry | 14.11.: Gambetta | 30.1.: de Freycinet<br>7.8.: Duclerc | 29.1.: Fallières<br>21.2.: Perry | |
| Aussenminister | 23.9.80: Barthélemy-St.[1] | 14.11.: Gambetta[2] | 30.1.: de Freycinet<br>7.8.: Duclerc | 29.1.: Fallières[3]<br>21.2.: Challemel-L.<br>20.11.: Ferry | |
| Kabinettsdirektor | Millet | Gérard | 30.1.: Rabel<br>7.8.: Delaroche | 21.2.: Marcel<br>20.11.: Marcel | |
| Politischer Direktor | 23.1.: de Courcel | 28.12.: Weiss | 4.2.: Decrais | | |
| Handelsdirektor | 23.1.: Jagerschmidt<br>16.10.: Mariani | | 15.2.: Clavery | 1.12.: Billot | |
| London | 30.4.: Say<br>11.6.: Challemel-Lacour | | 21.2.: Tissot | 18.7.: Waddington | |
| Berlin | | 27.12.: de Courcel | | | |
| Wien | 17.4.: Duchâtel | | | 4.8.: Foucher de Careil | |
| St. Petersburg | | 27.12.: de Chaudordy | | | |
| Rom (Quirinal) | | | 16.2.: Jaurès<br>11.11.: Decrais | 10.11.: Appert | |
| Rom (Vatikan) | 23.1.: Desprez | | 30.10.: Lefebvre d. B. | | |
| Konstantinopel | 22.5.: Tissot | | 21.2.: de Noailles | | |
| Madrid | | | 3.3.: Andrieux<br>20.10.: Des Michels<br>24.11.: de Laboulaye | | |
| Bern | 11.6.: Arago | | | | |
| Washington | | | 13.2.: Roustan | | |
| Tokio | 20.4.: Roquette | | 2.3.: Tricou | 20.7.: Sienkiewicz | |

[1] Unterstaatssekretär Choiseul
[2] Unterstaatssekretär Spuller
[3] interimistische Leitung

| | 1885 | 1886 | 1887 | 1888 | 1889 |
|---|---|---|---|---|---|
| Präsident der Republik | 28.12.: Grévy | | 3.12.: Carnot | | |
| Ministerpräsident | 6.4.: Brisson | 7.1.: de Freycinet 11.12.: Goblet | 30.5.: Rouvier 12.12.: Tirard | 3.4.: Floquet | 22.2.: Tirard |
| Aussenminister | 6.4.: de Freycinet | 7.1.: de Freycinet 11.12.: Flourens | 30.5.: Flourens 12.12.: Flourens | 3.4.: Goblet | 22.2.: Spuller |
| Kabinettsdirektor | J. Herbette | Du Boys | | Robert | Delpeuch |
| Politischer Direktor | 9.4.: de Ring 8.10.: de Montholon 24.11.: Charmes | | | | 19.10.: Nisard |
| Handelsdirektor | | | | | |
| London | | | | | |
| Berlin | | 8.9.: J. Herbette | | | |
| Wien | | 17.7.: Decrais | | | |
| St. Petersburg | | 28.10.: de Laboulaye | | | |
| Rom (Quirinal) | | 17.7.: de Moüy | | | |
| Rom (Vatikan) | | | | 6.11.: Mariani | |
| Konstantinopel | | 17.7.: de Montebello | | | |
| Madrid | 28.10.: P. Cambon | | | | |
| Bern | | | | | |
| Washington | | | | | |
| Tokio | | | | | |

| | 1890 | 1891 | 1892 | 1893 | 1894 |
|---|---|---|---|---|---|
| Präsident der Republik | | | | | 27.6.: Casimir-Périer |
| Ministerpräsident | 17.3.: de Freycinet | | 27.2.: Loubet; 6.12.: Ribot | 11.1.: Ribot; 4.4.: Dupuy; 3.12.: Casimir-P. | 30.5.: Dupuy; 1.7.: Dupuy |
| Aussenminister | 17.3.: Ribot | | 27.2.: Ribot; 6.12.: Ribot | 11.1.: Develle; 4.4.: Develle; 3.12.: Casimir-P. | 30.5.: Hanotaux; 1.7.: Hanotaux |
| Kabinettsdirektor | Cogordan | 12.8.: Crozier | Crozier | 11.1.: Revoil; 3.12.: Lafargue | Revoil |
| Politischer Direktor | | | | | |
| Handelsdirektor | | | 15.10.: Hanotaux | | 12.6.: Bompard |
| London | | | | 21.7.: Decrais | 4.10.: de Courcel |
| Berlin | | | | | |
| Wien | | | | 13.11.: Lozé | |
| St. Petersburg | | 1.8.: de Montebello | | | |
| Rom (Quirinal) | 8.3.: Billot | | | | |
| Rom (Vatikan) | | | | | |
| Konstantinopel | | 3.8.: P. Cambon | | | |
| Madrid | | 5.8.: Roustan | | | 19.4.: de Reverseaux |
| Bern | | | | | 19.4.: Barrère |
| Washington | | 12.8.: Patenôtre | | * | |
| Tokio | | | | | 19.4.: Harmand |

* Botschaft seit dem 25.3.1893

| | 1895 | 1896 | 1897 | 1898 | 1899 |
|---|---|---|---|---|---|
| Präsident der Republik | 17.1.: Faure | | | | 18.2.: Loubet |
| Ministerpräsident | 26.1.: Ribot<br>1.11.: Bourgeois | 29.4.: Méline | | 28.6.: Brisson<br>1.11.: Dupuy | 18.2.: Dupuy<br>12.6.: Waldeck-R. |
| Aussenminister | 26.1.: Hanotaux<br>2.11.: M. Berthelot | 28.3.: Bourgeois<br>30.4.: Hanotaux | | 29.6.: Delcassé<br>1.11.: Delcassé | 18.2.: Delcassé<br>22.6.: Delcassé |
| Kabinettsdirektor | Lyon | 28.3.: Beau<br>30.4.: Marcel +<br>Soulange | | Beau | |
| Politischer Direktor | | | | 23.12.: Raindre | |
| Handelsdirektor | | | | | |
| London | | | | 21.9.: P. Cambon | |
| Berlin | | 26.5.: de Noailles | | | |
| Wien | | | 14.10.: de Reverseaux | | |
| St. Petersburg | | | | | |
| Rom (Quirinal) | | | 29.12.: Barrère | | |
| Rom (Vatikan) | | 23.5.: Poubelle | | 23.12.: Nisard | |
| Konstantinopel | | | 14.10.: Patenôtre | 27.12.: Constans | |
| Madrid | | | 29.12.: de Montholon | | |
| Bern | | | | | |
| Washington | | | 14.10.: J. Cambon | | |
| Tokio | | | | | |

|  | 1900 | 1901 | 1902 | 1903 | 1904 |
|---|---|---|---|---|---|
| Präsident der Republik | | | | | · |
| Ministerpräsident | | | 7.6.: Combes | | |
| Aussenminister | | | 7.6.: Delcassé | | |
| Kabinettsdirektor | | Delavaud | | | |
| Politischer Direktor | | | 29.8.: Cogordan | | 3.4.: Louis |
| Handelsdirektor | | | 29.8.: Louis | | 10.10.: Henry |
| London | | | | | |
| Berlin | | | 29.8.: Bihourd | | |
| Wien | | | | | |
| St. Petersburg | | | 29.8.: Bompard | | |
| Rom (Quirinal) | | | | | |
| Rom (Vatikan) | | | | | ** |
| Konstantinopel | | | | | |
| Madrid | | | 29.8.: J. Cambon | | |
| Bern | 31.1.: Bihourd | | 29.8.: Raindre | | |
| Washington | | | 29.8.: Jusserand | | |
| Tokio | | | | | |

** Abbruch der diplomatischen Beziehungen am 30.7.1904

| | 1905 | 1906 | 1907 | 1908 | 1909 |
|---|---|---|---|---|---|
| Präsident der Republik | | 18.1.: Fallières | | | |
| Ministerpräsident | 24.1.: Rouvier | 18.2.: Rouvier<br>14.3.: Sarrien<br>25.10.: Clemenceau | | | 24.7.: Briand |
| Aussenminister | 25.1.: Delcassé<br>17.6.: Rouvier | 18.2.: Rouvier<br>14.3.: Bourgeois<br>25.10.: Pichon | | | 24.7.: Pichon |
| Kabinettsdirektor | Daeschner | 14.3.: Thiébaut<br>25.10.: Dutasta | | | |
| Politischer Direktor | | | **** | | 20.6.: Bapst |
| Handelsdirektor | | | **** | | |
| London | | | | | |
| Berlin | | | 23.1.: J. Cambon | | |
| Wien | | | 23.1.: Crozier | | |
| St. Petersburg | | | | 19.2.: Touchard | 14.6.: Louis |
| Rom (Quirinal) | | | | | |
| Konstantinopel | | | | | 5.6.: Bompard |
| Madrid | | | 23.1.: Revoil | | |
| Bern | 28.11.: Revoil | | 23.1.: d'Aunay | | |
| Washington | | | | | |
| Tokio | 16.2.: Raindre*** | 12.10.: Gérard | | | |

*** Aufwertung zur Botschaft
**** Fusion der beiden Direktionen am 29.4.1907

| | 1910 | 1911 | 1912 | 1913 | 1914 |
|---|---|---|---|---|---|
| Präsident der Republik | | | | 17.1.: Poincaré | |
| Ministerpräsident | 3.11.: Briand | 2.3.: Monis<br>27.6.: Caillaux | 14.1.: Poincaré | 21.1.: Briand<br>18.2.: Briand<br>22.3.: Barthou<br>9.12.: Doumergue | 9.6.: Ribot<br>13.6.: Viviani |
| Aussenminister | 3.11.: Pichon | 2.3.: Cruppi<br>27.6.: de Selves | 14.1.: Poincaré | 21.1.: Jonnart<br>18.2.: Jonnart<br>22.3.: Pichon<br>10.12.: Doumergue | 10.6.: Bourgeois<br>13.6.: Viviani |
| Kabinettsdirektor | | 2.3.: M. Herbette<br>27.6.: M. Herbette | Daeschner, Martin | 21.1.: Aynard<br>22.3.: Ph. Bertholot<br>10.12.: de Margerie | 10.6.: de Margerie<br>13.6.: de Margerie |
| Politischer und Handelsdirektor | | | 25.1.: Paléologue | | 12.1.14–1918 de Margerie |
| London | | | | | – 1919 |
| Berlin | | | | | – August 1914 |
| Wien | | | 18.5.: Chilhaud-Dumaine | | – August 1914 |
| St. Petersburg | | | | 21.2.: Delcassé | 12.1.14–1917: Paléologue |
| Rom (Quirinal) | | | | | |
| Konstantinopel | | | | | |
| Madrid | 15.7.: Geoffray | | | | – Nov. 1914 |
| Bern | | 1.6.: Beau | | | |
| Washington | | | | | |
| Tokio | | | | 16.8.: Regnault | |

# ABKÜRZUNGSVERZEICHNIS

| | |
|---|---|
| AN | Archives Nationales |
| BD | British Documents |
| BN | Bibliothèque Nationale |
| CP | Correspondance Politique |
| DDF | Documents Diplomatiques Français |
| DDI | Documenti Diplomatici Italiani |
| GP | Grosse Politik (der europäischen Kabinette) |
| JO | Journal Officiel |
| MAE | Ministère des Affaires Etrangères |
| MS | Manuskript |
| NS | Nouvelle Série |
| PRO | Public Record Office |
| RDM | Revue des Deux Mondes |
| RHD | Revue d'Histoire Diplomatique |

# QUELLEN- UND LITERATURVERZEICHNIS

Die nachfolgende Bibliographie ist bloss eine Auswahl der wichtigeren Werke. Deren Bibliographien können zur Erschliessung der weiteren Literatur benützt werden. Zu gewissen Gebieten werden mehrere Titel angeführt, obwohl einer genügen würde. Dies geschieht aus der Erfahrung, dass in gewissen Bibliotheken der eine Titel gerade nicht, dafür vielleicht aber der andere vorhanden ist. Auf die übliche Unterscheidung zwischen Primär- und Sekundärliteratur soll verzichtet werden. Historiker/innen werden bei der Benützung sämtlicher Arbeiten den historiographischen Aspekt berücksichtigen müssen - ob es sich nun um eine zeitgenössische Publikation (in unserem Fall vor 1914) oder um eine nachträgliche Darstellung handelt. Auch die Unterscheidung zwischen gedruckten und ungedruckten Quellen wird nur zum Teil angewandt. Die Angaben der benützten Materialien werden in vier Abteilungen gegliedert:

A Allgemeine Darstellungen zur französischen Geschichte und zur Geschichte der internationalen Beziehungen
B Besondere Darstellungen zur französischen Geschichte und zur Geschichte der internationalen Beziehungen
C Biographische Sammelwerke
D Biographien und persönliche Dokumentationen

Im Abschnitt D werden, nach Personen geordnet, ungedruckte und gedruckte Quellen kombiniert nachgewiesen. Die dort angeführten Privatpapiere machen den Hauptteil der benützten Handschriften aus. Es handelt sich mehrheitlich um Bestände des französischen Aussenministeriums; der kleinere Teil der benützten Privatpapiere stammt aus der Bibliothèque Nationale, den Archives Nationales, der Bibliothèque de l'Institut de France, aus Privatbesitz und einigen nichtfranzösischen Archiven. Einen guten Überblick über die in Paris benützbaren Dokumentationen gibt: P. Cl. HARTMANN, Pariser Archive. Bibliotheken und Dokumentationszentren zur Geschichte des 19. und 20. Jahrhunderts. Eine Einführung in Benützungspraxis und Bestände für Historiker, Politologen und Journalisten, München 1976. Heute dürften die Web-Seiten und Online-Kataloge wichtig geworden sein.

An ungedruckten Quellen sind weiter benützt worden:

Ministère des Affaires Etrangères (MAE) Paris
- Privatpapiere (papiers d'agents und papiers nominatifs)
- Mémoires et Documents (sehr heterogene Sammlung von Privatpapieren und Abschriften offizieller Schriftstücke)
- Correspondance Politique (bis 1897) und Nouvelle Serie (ab 1898, nach Ländern geordnete offizielle Korrespondenz, nicht systematisch durchgearbeitet, sondern von Fall zu Fall konsultiert)
- Série C: adm. 23 (zu den Budgetberichten), 111, 114 (circulaires)
- Série C: Personnel: besonders 84/86 (verschiedene Reformprojekte)
- Comptabilité
(Die Ministerratssitzungen unserer Periode sind nicht protokolliert.)

Politisches Archiv des Auswärtigen Amtes (PAAA) Bonn
Kent 1 1959 Abt. IA Bc:
- F 105 Nr. 1 französische Staatsmänner 1885–1914 (Bde. 1–30)
- F 105 Nr. 1a französische Präsidenten 1887–1914 (Bde. 1–24)
- F 107 französische Ministerien 1885–1914 (Bde. 1–20)
- F 108 französische Diplomaten im Ausland (Bde. 1–20)
(Diese Serien sind systematisch durchgearbeitet, und von Fall zu Fall sind ergänzende Konsultationen anderer Bestände vorgenommen worden.)


Public Record Office (PRO) London
- Privatpapiere Bertie 800/159–191
- Privatpapiere Grey 800/50–53
- Privatpapiere Lansdowne 800/123–126
- Privatpapiere Nicolson 800/347–348
(Neben der systematischen Durchsicht dieser Papiere wurde von Fall zu Fall konsultiert: die Foreign office correspondence, general correspondence France 27/3001.)


Weitere englische Archive
British Museum:              Privatpapiere Dilke Add. MSS 43884
Cambridge University Library: Privatpapiere Sir Charles Hardinge bes. die Bde. 7, 8, 10–13,
                            15–17, 19–21
Christ Church Oxford:       Privatpapiere Salisbury A/114–119


Bundesarchiv (BA) Bern
- Politische Berichte der Schweizerischen Gesandtschaft in Paris: 2300 Paris
- Akten über die französischen Diplomaten in der Schweiz: E2/728–751 und B 2001 (A), 665,
  702–710, 1026

Akteneditionen

Die offiziellen und offiziösen Editionen diplomatischer Akten sind, auch wenn sie oft ausgesprochen Rechtfertigungscharakter haben, in ihrer Gesamtheit eine wertvolle Ergänzung zu den eigenen Bearbeitungen der Bestände. Die rund dreissig Farbbücher (im Fall von Frankreich sind es die *livres jaunes*), die zwischen 1878 und 1914 erschienen sind und denen eine ebenfalls grössere Zahl nichtfranzösischer ad hoc Dokumentationen gegenüberzustellen wären, sind nicht systematisch durchgearbeitet worden und werden deshalb hier auch nicht einzeln angeführt. Hingegen sind die verschiedenen Dokumentationen zur Vorgeschichte des Ersten Weltkrieges auf unsere besondere Fragestellung hin durchgesehen und ausgewertet worden.

Belgien
Amtliche Aktenstücke zur Geschichte der Europäischen Politik 1885–1914. Die Belgischen
    Dokumente zur Vorgeschichte des Weltkrieges, hrsg. von Bernhard Schwertfeger, Bde. 1–5
    und 2 Ergänzungsbde. und 2 Kommentarbde., Berlin 1925 (zit.: Belg. Dok.).


Deutschland
Die Grosse Politik der Europäischen Kabinette 1871–1914. Sammlung der diplomatischen
    Akten des Auswärtigen Amtes, 40 in 54 Bänden, Berlin 1922–1927 (zit.: GP).
STIEVE, Friedrich, Deutschland und Europa 1890–1914. Ein Handbuch zur Vorgeschichte des
    Weltkrieges mit den wichtigsten Dokumenten und drei Karten, Berlin 1926.
Deutsche Dokumente, 1. Reihe: Die Vorgeschichte des Weltkrieges, hrsg. von Eugen Fischer
    im Auftrag des parlamentarischen Untersuchungsausschusses, Bde. 1–10, Berlin 1930.

### England

British documents on the origins of the war, hrsg. von G. P. Gooch und H. W. V. Temperley, Bde. 1–13, London 1926–1938 (zit.: BD).

### Frankreich

Documents diplomatiques français 1871–1914, Série I: 1871–1900 (Bde. 1–16), Série II: 1900–1911 (Bde. 1–14 in 15), Série III: 1911–1914 (Bde. 1–11), Paris 1928–1960 (zit.: DDF).

### Italien

I Documenti Diplomatici Italiani, Serie 2: 1870–1896, Bde. 1–3, Rom 1969ff.; Serie 3: 1896–1907, Bde. 1–3, Rom 1953ff.; Serie 4: 1908–1914, Bd. 12 und 21, Rom 1964 (zit.: DDI).

### Oesterreich-Ungarn

Oesterreich-Ungarns Aussenpolitik von der Bosnischen Krise 1908 bis zum Kriegsausbruch 1914, ausgewählt von L. Bittner, A. F. Pribram und H. Srbik, Bde. 1–9, Wien 1930 (zit.: Oester. Dok.).

### Russland

Diplomatische Aktenstücke zur Geschichte der Ententepolitik der Vorkriegsjahre, hrsg. von M. B. von Siebert (ehem. russ. Botschaftssekretär in London), Berlin 1920.

Graf Benckendorffs diplomatischer Schriftwechsel, hrsg. von B. v. Siebert, Bde. 1–3, Berlin/Leipzig 1921.

L'abominable vénalité de la presse ... d'après les documents des archives russes 1897–1917, Paris 1931 (über A. G. Raffalovitch's Pressesubventionierung).

Un livre noir: diplomatie d'avant-guerre d'après les documents des archives russes 1910–1917, hrsg. von René Marchand, Bde. 1–4, Paris 1922–1934 (Vorabdrucke in der »Humanité«).

Der diplomatische Schriftwechsel Iswolskis 1911–1914, aus den Geheimakten der russischen Staatsarchive im Auftrage des deutschen Auswärtigen Amtes in deutscher Uebertragung, hrsg. von Friedrich Stieve, Bde. 1–4, Berlin 1925 (»Volksausgabe«: Im Dunkel der Europäischen Geheimdiplomatie. Iswolskis Kriegspolitik in Paris 1911–1917, Bde. 1–2, Berlin 1926) (zit.: Russ. Dok.).

Die internationalen Beziehungen im Zeitalter des Imperialismus. Dokumente aus den Archiven der Zaristischen und der Provisorischen Regierung, übers. von Otto Hoetzsch, Bde. 1–11, Berlin 1931–1942.

### Amtliche Druckschriften

Systematisch wurden die jährlichen Berichte zum Budget des Aussenministeriums durchgearbeitet. Diese Berichte wurden von den Budgetberichterstattern der beiden Kammern in engster Zusammenarbeit mit dem Ministerium zusammengestellt und umfassten je nach Dokumentationsfreudigkeit zwischen 20 und 500 Seiten. – Die Verhandlungen in den beiden Kammern wurden je nach Erreichbarkeit aus zwei verschiedenen Druckschriften zitiert: Entweder aus dem Journal Officiel (JO) und dort aus der Serie »Débats parlementaires«, oder aus den in den Bibliotheken der beiden Kammern aufbewahrten Annales. – Ein nützliches, aber mit manchen Fehlern behaftetes Arbeitsinstrument ist der Annuaire diplomatique, der zwar amtliche Funktion hatte, aber von einem privaten Unternehmen herausgegeben wurde.

*Abteilung A:*
*Allgemeine Darstellungen zur französischen Geschichte*
*und zur Geschichte der internationalen Beziehungen*

ALBERTINI, Rudolf von, Europäische Kolonialherrschaft 1880–1940, Zürich/Freiburg i. Br. 1976.

Ders., Frankreich: Die Dritte Republik bis zum Ende des 1. Weltkrieges 1870–1918, in: Theodor SCHIEDER (Hrsg.), Handbuch der Europäischen Geschichte, Bd. 6, Stuttgart 1968, S. 231–268.

ANDERSON, Matthew. S., The Rise of Modern Diplomacy, 1450–1919, London/New York 1993.

ANGELOW, Jürgen, Kalkül und Prestige. Der Zweibund am Vorabend des Ersten Weltkrieges. Köln 2000.

BAUMONT, Maurice, L'essor industriel et l'impérialisme colonial, 1878–1904, Paris 1937, 3. Aufl. 1969.

BECKER, Jean-Jacques, L'année 14, Paris 2004.

BENAERTS, Pierre/Henri HAUSER/Fernand L'HUILLIER/Jean MAURAIN, Nationalité et Nationalisme, 1860–1878, Paris 1968.

BURKHARDT, Johannes, Alte oder neue Kriegsursachen? Die Kriege Bismarcks im Vergleich zu den Staatsbildungskriegen der Frühen Neuzeit, in: Walter L. BERNECKER/Volker DOTTERWEICH (Hrsg.), Deutschland in den internationalen Beziehungen des 19. und 20. Jahrhunderts. Festschrift für Josef Becker zum 65. Geburtstag, München 1996, S. 43–69.

CARON, François, La France des Patriotes, Paris 1985.

CECIL, Lamar, The German diplomatic service 1871–1914, Princeton 1976.

CHARLE, Christophe, La crise des sociétés impériales: Allemagne, France, Grande-Bretagne: 1900–1940: essai d'histoire comparée, Paris 2001.

CHASTENET, Jacques, Histoire de la IIIe République, Bde. 1–4, Paris 1952–1957.

Ders., Quatre fois vingt ans 1893–1973, Paris 1974.

CHEVALLIER, Jean-Jacques, Histoire des Institutions et des Régimes politiques de la France de 1789 à nos jours, 5. Aufl. Paris 1977.

DROZ, Jacques, La France et l'Europe, in: Max BELOFF/Pierre RENOUVIN/Franz SCHNABEL/Franco VALSECCHI, L'Europe du XIXe et du XXe siècle: problèmes et interprétations historiques: 1870–1914, Mailand 1962, S. 495–541.

DÜLFFER, Jost/Karl HOLL (Hrsg.), Bereit zum Krieg: Kriegsmentalität im wilhelminischen Deutschland 1890–1914. Beiträge zur historischen Friedensforschung, Göttingen 1986.

DUROSELLE, Jean Baptiste, La décision de politique étrangère. Esquisse d'un modèle-type, in: Relations Internationales 1 (1974), S. 5–26.

Ders., L'Europe de 1815 à nos jours, Paris 1964, 3. überarbeitete Aufl. 1970.

Ders., La France et les Français. 1900–1914, Paris 1972.

Ders., La Grande Guerre des Français: 1914–1918. L'incompréhensible, Paris 1994.

Ders., Opinion, attitude, mentalité, mythe idéologie: essai de clarification, in: Relations Internationales 2 (1974), S. 3–23.

Ders., Les relations franco-allemandes de 1918 à 1950, Bd. 2, Paris 1966.

Ders., siehe auch Abt. D, Clemenceau.

EHRENPREIS, Petronilla, Kriegs- und Friedensziele im Diskurs. Regierung und deutschsprachige Öffentlichkeit Österreich-Ungarns während des Ersten Weltkriegs, Wien 2006.

FERGUSON, Niall, The Pity of War, London 1998.

FISCHER, Fritz, Griff nach der Weltmacht. Die Kriegszielpolitik des kaiserlichen Deutschland 1914/1918, Düsseldorf 1961.

Ders., Krieg der Illusionen. Die deutsche Politik von 1911–1914, Düsseldorf 1969.

FROMKIN, David, Europe's Last Summer. Who Started the Great War in 1914, New York 2004 (Deutsche Ausgabe: München 2005).

GANTZEL, Klaus Jürgen/Gisela KRESS/Volker RITTBERGER, Konflikt – Eskalation – Krise. Sozialwissenschaftliche Studien zum Ausbruch des Ersten Weltkrieges, Düsseldorf 1972.

GEISS, Immanuel, Der lange Weg in die Katastrophe. Die Vorgeschichte des Ersten Weltkrieges 1815–1914, München/Zürich 1990.

GROSSI, Verdiana, Le pacifisme européen: 1889–1914, Brüssel 1994.

HALLGARTEN, George W. F., Imperialismus vor 1914. Die soziologischen Grundlagen der Aussenpolitik europäischer Grossmächte vor dem Ersten Weltkrieg, Bde. 1–2, München 1951, überarbeitete Aufl. 1963.

HAMILTON, Richard F./ Holger H. HERWIG (Hrsg.), The Origins of World War I, Cambridge 2003.

HERWIG, Holger H., Germany, in: HAMILTON/HERWIG, Origins, S.150–187.

HEWITSON, Mark, Germany and the Causes of the First World War, Oxford 2004.

HILDEBRAND, Klaus, Geschichte als Gesellschaftsgeschichte? Die Notwendigkeit einer politischen Geschichtsschreibung von den internationalen Beziehungen, in: Historische Zeitschrift 223 (1976), S. 328–357.

HINSLEY, Francis H., The developement of the European States System since the Eighteenth Century, in: Transactions of the Royal Historical Society 5 (1961), S. 69–80.

Ders., Nationalism and the international system, London 1973.

Ders., Power and the Pursuit of Peace, Cambridge 1963.

HIRSCHFELD, Gerhard/Gerd KRUMEICH/Irina RENZ, Enzyklopädie Erster Weltkrieg, Paderborn 2003.

JÄGER, Wolfgang, Historische Forschung und politische Kultur in Deutschland. Die Debatte 1914–1980 über den Ausbruch des Ersten Weltkrieges, Göttingen 1984.

JOLL, James, Origins of the First World War, London 1984.

Ders., 1914. The unspoken assumptions, London 1968.

KEEGAN, John, The First World War, London 1998 (Deutsche Ausgabe: Der Erste Weltkrieg. Eine europäische Tragödie, München 2000).

KENNEDY, Paul M. (Hrsg.), The Rise and Fall of the Great Powers. Economic Change and Military Conflict from 1500 to 2000, London 1988 (Deutsche Übersetzung: Aufstieg und Fall der grossen Mächte. Ökonomischer Wandel und militärischer Konflikt von 1500 bis 2000, Frankfurt a. M. 1991).

Ders., The war plans of the Great Powers. 1880–1914, London 1979.

KINDLEBERGER, Charles Poor, Economic growth in France and Britain 1851–1950, Cambridge (Mass.) 1969.

KOCH, Hansjoachim Wolfgang (Hrsg.), The Origins of the First World War. Great Power Rivalry and German War Aims, London 1972.

Ders., Die Rolle des Sozialdarwinismus als Faktor im Zeitalter des neuen Imperialismus um die Jahrhundertwende, in: Zeitschrift für Politik, April (1970), S. 51–70. Engl. Version: Social Darwinism as a Factor in the »New Imperialism«, in: Ders., Origins, S. 329–354.

KRETHLOW-BENZIGER, Donata Maria, Glanz und Elend der Diplomatie. Kontinuität und Wandel im Alltag des deutschen Diplomaten auf seinen Auslandsposten im Spiegel der Memoiren 1871–1914, Bern 2001.

KRIPPENDORF, Ekkehart, Internationale Beziehungen als Wissenschaft, Frankfurt a. M. 1977.

Ders., Internationales System als Geschichte, Frankfurt a. M. 1975 (Vorlesungen aus dem Jahr 1972/73 des Bologna Centers der John Hopkins University).

LANGER, William, The Diplomacy of Imperialism 1890–1902, New York 1935 (Neuaufl. 1968).

LÜTHY, Herbert, Frankreichs Uhren gehen anders. Zürich/Stuttgart/Wien 1954 (Franz. Ausgabe: A l'heure de son clocher. Essai sur la France, Paris 1955. Engl. Ausgabe: The state of France, a study of contemporary France, London 1955. Gesamtausgabe, Werke II, Zürich 2002).

Ders., Schicksalstragödie?, in: Der Monat XVI, August (1964), S. 22–33 (Franz. Version in: Preuves 165, November 1964).

MASSIE, Robert K., Dreadnought. Britain, Germany, and the Coming of War, New York 1991 (deutsche Version 1993).

MAURIN, Jules/Jean-Charles JAUFFRET, La Grande Guerre 1914–1918. 80 ans d'historiographie et de représentations, Montpellier 2002.

MAYEUR, Jean-Marie, Les débuts de la IIIe République 1871–1898, Paris 1973.

Ders., La vie politique sous la Troisième République, 1870–1940, Paris 1984.

MILZA, Pierre, Les relations internationales de 1871 à 1914, Paris 1968.

MOMBAUER, Annika, The Origins of the First World War: controversies and consensus, London 2002.

MOMMSEN, Wolfgang J., Imperialismustheorien, Göttingen 1977.

PAULMANN, Johannes, Pomp und Politik. Monarchenbewegungen in Europa zwischen Ancien Régime und Erstem Weltkrieg, Paderborn 2000.

PIERRARD, Pierre, Dictionnaire de la IIIe République, Paris 1968.

PIRNIE, Bruce R., Das britische Parlament in der Aussenpolitik, 1892–1902, Heidelberg 1972.

REBERIOUX, Viadelaine, La République radicale? 1898–1914, Paris 1975.

RENOUVIN, Pierre, La crise européenne et la grande guerre (1914–1918), Paris 1934.

Ders., Histoire des relations internationales. Le XIXᵉ siècle (1815–1914), Paris 1954/55.

Ders./Jean-Baptiste DUROSELLE, Introduction à l'histoire des relations internationales, Paris 1964 (später in mehreren Auflagen).

ROTH, François, La frontière franco-allemande 1871–1918, in: Wolfgang HAUBRICHS/Reinhard SCHNEIDER (Hrsg.), Grenzen und Grenzregionen, Saarbrücken 1999, S. 131–145.

SCHRÖDER, Karsten, Parlament und Aussenpolitik in England 1911–1914, Göttingen 1974.

SCHWABE, Klaus (Hrsg.), Das Diplomatische Corps 1871–1945, Boppard a. Rhein 1985.

SEIGNOBOS, Charles, L'évolution de la Troisième République 1875–1914, Paris 1921.

SNYDER, Richard/H. W. BRUCK/Burten SAPIN, Foreign Policy Decision-Making. An Approach to the Study of International Politics, New York 1962.

SORLIN, Pierre, La société française 1: 1840–1914, Paris 1969.

SOUTOU, Georges-Henri, L'Or et le sang. Les buts de guerre économiques de la Première Guerre Mondiale, Paris 1989.

STEVENSON, David, Der Erste Weltkrieg, Düsseldorf 2006 (aus dem Englischen).

TAYLOR, Alan J. P., The struggle for mastery in Europe 1848–1918, Oxford 1954.

The Kaiser's European Union: What if Britain had »stood aside« in August 1914?, in: Niall FERGUSON (Hrsg.), Virtual History. Alternatives and Counter factuals, London 1977/1978, S. 228–280.

WILLIAMSON, Samuel R., The Politics of Grand Strategy. Britain and France Prepare for War: 1904–1914, Cambridge/Mass. 1969.

WINTER, Jay/Antoine PROST, The Great War in History. Debates and Controversies, 1914 to the Present, Cambridge 2005.

WOLFRUM, Edgar, Krieg und Frieden in der Neuzeit. Vom Westfälischen Frieden bis zum Zweiten Weltkrieg, Darmstadt 2003.

ZELDIN, Théodore, France 1848–1945, Bde. 1–2, Oxford 1973 und 1977.

ZUBER, Terence, German War Planning, 1891–1914. Sources and Interpretations, Cambridge 2004.

*Abteilung B:*

*Besondere Darstellungen zur französischen Geschichte*
*und zur Geschichte der internationalen Beziehungen*

Unter den in der Abteilung D angeführten Werken, die sich vor allem zur Politik einer einzelnen Person äussern, findet man ebenfalls Ausführungen zur französischen Innen- und Aussenpolitik.

ABRAMS, Lawrence/David MILLER, Who were the French Colonialists? A Reassessment of the Parti Colonial, 1890–1914, in: Historical Journal 19 (1976), S. 685–725.

AGERON, Charles-Robert, Les Algériens musulmans et la France de 1871 à 1919, Bde. 1–2, Paris 1968.

Ders., L'anticolonialisme en France de 1871 à 1914, Paris 1973.

Ders., France coloniale ou parti colonial? Paris 1978.

Ders. siehe ferner Abt. D, Ferry und Gambetta.

ALBERT, Pierre, La presse française, Paris 2004.

ALBERTINI, Rudolf von, Freiheit und Demokratie in Frankreich. Die Diskussion von der Restauration bis zur Résistance, Freiburg i. Br. 1957.

Ders., Parteiorganisation und Parteibegriff in Frankreich 1789–1940, in: Historische Zeitschrift 193 (1961), S. 529–600.

Ders., Regierung und Parlament in der Dritten Republik, in: Historische Zeitschrift 188 (1959), S. 17–48.

ALLAIN, Jean-Claude, Agadir 1911: une crise impérialiste en Europe pour la conquête du Maroc, Paris 1976.

Ders., Les Ambassadeurs Français en poste de 1900 à 1939, in: Eliten in Deutschland und Frankreich im 19. und 20. Jahrhundert. Strukturen und Beziehungen, Bd. 1, München 1994, S. 265–279.

Ders., Les débuts du conflit italo-turc (octobre 1911–janvier 1912) d'après les archives françaises, in: Revue d'histoire moderne et contemporaine 3 (1971), S. 106–115.

Ders., L'expansion française au Maroc 1905–1912, Université de Metz CRRI 1973.

Ders., Joseph Caillaux et la seconde crise marocaine, Bde. 1–3, masch. MS Thèse Paris 1, 1975.

Ders., La paix dans les relations internationales du traité de Francfort à la Grande Guerre 1871–1914, in: Revue d'Histoire diplomatique Janvier-Mars (1981), Nr. 1, S. 26–42, und in: Rapports du XVe Congrès international des sciences Historiques, Bd. 1, Bukarest 1980, S. 209–213.

Ders., Politique intérieure et politique extérieure sous la IIIe République française. 1911: L'année du Maroc. La marche sur Fès, in: Relations Internationales 4 (1975), S. 21–38.

Ders., Le premier »coup d'Agadir«, in: Revue maritime, Nr. 343/344, janvier et février (1979), S. 37–44 und 145–151.

ALLARD, Paul, Le Quai d'Orsay, Paris 1938.

ANDERSON, Eugen, The First Maroccan Crises: 1904–1906, Chicago 1930.

ANDREW, Christopher, Déchiffrement et diplomatie: le cabinet noir du Quai d'Orsay sous la Troisième République, in: Relations Internationales 5 (1976), S. 37–64.

Ders., The Entente Cordiale from its Origins to 1914, in: Neville WAITES (Hrsg.), Troubled Neighbours. Franco-British Relations in the Twentieth Century, London 1971, S. 11–39.

Ders., The French Colonialist Movement during the Third Republic: The unofficial Mind of Imperialism, in: Transactions of the Royal Historical Society, 5th series, 26 (1976), S. 143–166.

Ders., siehe auch Abt. D, Delcassé.

Ders./Peter GRUPP/Alexander Sydney KANYA-FORSTNER, Le Mouvement colonial français et ses principales personnalités: 1890–1914, in: Revue française d'histoire d'outre-mer 229 (1975), S. 640–673.

Ders./Alexander Sydney KANYA-FORSTNER, The French »Colonial Party«: Its Composition, Aims and Influence, 1885–1914, in: Historical Journal 14 (1971), S. 99–128.

Dies., The French Colonial Party and French Colonial War Aims, 1914–1918, in: Historical Journal 17 (1974), S. 79–106.

Dies., The »Groupe Colonial« in the French Chamber of Deputies, 1892–1932, in: Historical Journal 17 (1974), S. 837–866.

Dies., siehe auch Abt. D, Hanotaux.

ANTOINE, Michel/Pierre BARRAL/Philippe DELPEUCH, Origines et histoire des cabinets des ministres en France, Genf 1975.

ARIE, Rachel, L'opinion publique en France et l'affaire de Faschoda, in: Revue d'histoire des colonies 41 (1954), S. 345–374.

Dies., L'opinion publique en France et la question d'Egypte 1885–1904, masch. MS Paris 1954.

BAILLOU, Jean, Les affaires étrangères et le corps diplomatique français, Paris 1984.

Ders./Pierre PELLETIER, L'administration française. Les affaires étrangères, Paris 1962.

BARBLAN, Andris, A la recherche de soi-même: la France et Faschoda, in: Relations Internationales 2 (1974), S. 67–81.

BARDIN, Pierre, Les débuts difficiles du protectorat tunisien, mai 1881–avril 1882, in: Revue d'Histoire Diplomatique 85 (1971), S. 17–64.

BARISIEN, Pierre, Le parlement et les traités. Etude sur le fonctionnement pratique de la loi du 16 juillet 1875, Paris 1913.

BARTHÉLEMY, Joseph, Actions et reactions réciproques de la politique étrangère et de la politique intérieure, in: L'Esprit International, Januar 1936, S. 42–59.

Ders., Ce qui se passe à la Commission des Affaires Etrangères, in: Revue Hebdomadaire Nr. 40/7. Oktober 1922, S. 87–110.

Ders., La conduite de la politique extérieure dans les démocraties. Conférences. Publications de la conciliation internationale, Bulletin 3/4 1930.

Ders., Démocratie et politique étrangère, Paris 1917.

Ders., Essai sur le travail parlementaire et le système des commissions, Paris 1934.

Ders., Le Gouvernement de la France, Paris 1939.

BAUMGART, Winfried, »Das Grössere Frankreich«. Neue Forschungen über den französischen Imperialismus 1880–1914, in: Vierteljahrschrift für Sozial- und Wirtschaftsgeschichte 61 (1974), S. 185–198.

Ders., Der Imperialismus. Idee und Wirklichkeit der englischen und französischen Kolonialexpansion 1880–1914, Wiesbaden 1975.

BEAU DE LOMENIE, Emmanuel, Les responsabilités des dynasties bourgeoises. 1. De Bonaparte à Mac-Mahon, Paris 1943. 2. Du maréchal de Mac-Mahon à Poincaré, Paris 1947. 3. Sous la Troisième République, la guerre et l'immédiat après-guerre, Paris 1954.

BECKER, Jean-Jacques, La Grande Guerre, Paris 2004.

Ders., 1914: Comment les Français sont entrés dans la guerre. Contribution à l'étude de l'opinion publique, printemps-été 1914, Paris 1977.

Ders./Stéphane AUDOIN-ROUZEAU, La France, la Nation, la Guerre: 1850–1920, Paris 1995.

BELLANGER, Claude/Jacques GODECHOT/Pierre GUIRAL/Fernand TERROU (Hrsg.), Histoire générale de la presse française, Bde. 1–5, Paris 1969–1976.

BERGE, François, Le Sous-Secrétariat et les Sous-Secrétaires d'Etat aux Colonies. Histoire de l'émancipation de l'administration coloniale, in: Revue française d'histoire d'outre-mer 1960, S. 5–90.

BETTS, Raymond F., The French Colonial Frontier, in: Charles K. WARNER (Hrsg.), From the Ancien Régime to the Popular Front, New York 1969, S. 127–143.

BINON, Rudolph, Defeated Leaders. The political fate of Caillaux, Jouvenel and Tardieu, New York 1960.

BLOCH, Charles, Les relations entre la France et la Grande Bretagne 1871–1878, Paris 1955.

BLOCH, René, Le régime parlementaire en France sous la Troisième République, Paris 1905.

BLUMENTHAL, Henry, France and the United States: Their Diplomatic Relations 1789–1914, New York 1972.

BOMIER-LANDOWSKI, Alain, Les groupes parlementaires de l'Assemblée Nationale et de la Chambre des Députés de 1871 à 1940, in: Sociologie Générale, Paris 1951, S. 75–89.

BONNET, Georges, Le Quai d'Orsay sous trois républiques, Paris 1961 (S. 11–21 betreffen unseren Zeitraum).

BOURGEOIS, Emil/Georges PAGÈS, Les origines et les responsabilités de la grande guerre. Preuves et aveux. Paris 1921.

BOUVIER, Jean, Les intérêts financiers et la question d'Egypte, in: Revue Historique 244 (1960), S. 75–105.

Ders., Sur l'investissement international: de l'economie à l'histoire, in: Relations Internationales 7 (1976), S. 211–218.

Ders., Les traits majeurs de l'impérialisme français avant 1914, in: Le mouvement social Januar/März 1974, S. 3–24, auch in: BOUVIER/GIRAULT, Impérialisme.

Ders./René GIRAULT (Hrsg.), L'impérialisme français d'avant 1914, Paris 1976.

BRÖTEL, Dieter, Französischer Imperialismus in Vietnam. Die koloniale Expansion und die Errichtung des Protektorates Annam-Tongking 1880–1885, Zürich 1971.

BROWN, Roger Glenn, Fashoda reconsidered. The Impact of Domestic Politics on French Policy in Africa 1893–1898, Baltimore/London 1970.

BRUGIERE, Michel, Le chemin de fer du Yunnan. Paul Doumergue et la politique d'intervention française en Chine 1889–1902, in: Revue d'Histoire Diplomatique 1963, S. 23–61.

BRUNSCHWIG, Henri, Mythes et réalités de l'impérialisme colonial français, Paris 1960.

Ders., Le partage de l'afrique noire, Paris 1971.

BUEB, Volkmar, Die »Junge Schule« der französischen Marine-Strategie und Politik 1875–1900, Boppard a. Rh. 1971.

BUTENSCHÖN, Marianne, Zarenhymne und Marseillaise. Zur Geschichte der Russland-Ideologie in Frankreich (1870/71–1893/94), Stuttgart 1978.

CAIRNS, John C., International Politics and the Military Mind. The Case of the French Republic 1911–1914, in: Journal of Modern History 25 (1953), S. 273–285.

Ders., Politics and Foreign Policy. The French Parliament 1911–1914, in: Canadian Historical Review 34 (1953), S. 245–276.

CAMERON, Rondo E., L'exportation de capitaux français 1850–1880, in: Revue d'Histoire économique et sociale 3 (1955), S. 347–353.

Ders., France and the economic development of Europe 1800–1914, Princeton 1961.

CARRE, Jean-Marie, Les écrivains français et le mirage allemand, Paris 1947.

CARROLL, Eber Malcolm, French opinion on war with Prussia in 1870, in: American historical review 31 (1926), S. 679–700.

Ders., French Public Opinion and Foreign Affairs 1870–1914, New York 1931.

Ders., Germany and the Great Powers 1866–1914. A Study in Public opinion and Foreign Policy, New York 1938.

CASE, Lynn M., French opinion on war and diplomacy during the Second Empire, Philadelphia 1954.

CATIN, Roger, Le portefeuille étranger de la France entre 1870 et 1914, Paris 1927.

CHARDON, Henri, L'Administration de la France: les fonctionnaires, Paris 1908.

CHARLE, Christophe, La crise des sociétés impériales. Allemagne, France, Grande-Bretagne 1900–1940: essai d'histoire sociale comparée, Paris 2001.

Ders., Les Elites de la République: 1880–1900, Paris 1987.

Ders., Les hauts fonctionnaires en France au XIXe siècle, Paris 1980.

CHARNAY, Jean Paul, Les scrutins politiques en France de 1815 à 1962, Paris 1964.

CHASTENET, Jacques, Le Senat de la IIIe République, in: Revue des travaux de l'Académie 4 (1963), S. 105–121.

CHOW, S. R., Le contrôle parlementaire de la politique étrangère en France, en Angleterre et aux Etats-Unis, Paris 1920.

COBB, Richard, France and the Coming of War, in: Richard J. W. EVANS/Hartmut POGGE VON STRANDMANN (Hrsg.), The Coming of the First World War, Oxford 1988 (Vortragsreihe von 1984).

COHEN, William Benjamin, Rulers of Empire: the French Colonial Service in Africa, Stanford 1971.

CONTAMINE, Henry, La revanche, 1871–1914, Paris 1957.

COOKE, James J., New French Imperialism 1880–1910. The Third Republic and Colonial Expansion, Newton Abbot 1973.

COQUERY-VIDROVITCH, Cathérine, L'impérialisme français en Afrique noire: Idéologie impériale et politique d'équipement 1924–1975, in: Relations Internationales 7 (1976), S. 261–282.

Dies., Le Congo au temps des grandes compagnies concessionnaires 1898–1930, Paris/Den Haag 1972.

CROZIER, Michel, Le phénomène bureaucratique, Paris 1971.

DARBEL, Alain/Dominique SCHNAPPER, Morphologie de la haute administration française. Bd. 1: Les agents du système administratif, Bd. 2: Le system administratif, Paris 1972.

DECLEVA, Enrico, Da Adua a Sarajewo. La politica, estera italiana e la Francia 1896–1914, Bari 1971.

DELVAUX, A., La Légation de France à Hué et ses premiers titulaires 1875–1893, in: Bulletin des Amis du Vieux-Hué 1916, S. 25–75.

DESCHAMPS, Hubert, Méthodes et Doctrines coloniales de la France, Paris 1953.

DETHAN, Georges, Le rapprochement franco-italien après la chute de Crispi jusqu'aux accords Barrère-Visconti-Venosta sur le Maroc et la Tripolitaine 1896–1900, in: Revue d'Histoire Diplomatique 1956, S. 323–339.

Ders., Table générale et méthodique de la Revue d'Histoire Diplomatique depuis son origine (1887–1963), Paris 1965.

Ders., siehe auch Abt. D, Barrère, Billot, Hanotaux.

Dictionnaire des Ministres des Affaires Etrangères, 1589–2004, Paris 2005.

DIGEON, Claude, La crise allemande de la pensée française 1870–1914, Paris 1959.

DISCHLER, Ludwig, Der auswärtige Dienst Frankreichs, Bde. 1–2, hektographiertes masch. MS Hamburg 1952.

DOGAN, Mattei, Les filières de la carrière politique en France, in: Revue française de sociologie 8 (1967), S. 468–492.

Ders., La stabilité du personnel parlementaire sous la III<sup>e</sup> République, in: Revue française de science politique avril/juin 1953, S. 319–348.

DOISE, Jean/Maurice VAISSE, Diplomatie et outil militaire (1871–1991), Paris 1987.

DOLLOT, René, Diplomatie et Présidence de la République, Paris 1955.

DRACHKOVITCH, Milorad M., Les socialismes français et allemand et le problème de la guerre 1870–1914, Genf 1953.

DROZ, Jacques, Les causes de la Première Guerre mondiale. Essai d'historiographie, Paris 1973.

DUCHENE, Albert, La politique coloniale de la France, Paris 1928.

DUROSELLE, Jean Baptiste, La France et les Etats-Unis des origines à nos jours, Paris 1976.

Ders., Politique intérieure et politique extérieure sous la III<sup>e</sup> République française. 1881: L'année de la Tunisie, in: Relations Internationales 4 (1975), S. 5–20.

Ders., Qu'est-ce qu'une grande puissance?, in: Relations Internationales 17 (1979), S. 3–10.

EDWARDS, E. W., The Franco-German agreement in Morocco, February 1909, in: English Historical Review 78 (1963), S. 483–513.

Ders., The origins of British financial co-operation with France in China 1903–1906, in: English Historical Review 86 (1971), S. 285–317.

EPTING, Karl, Das französische Sendungsbewusstsein im 19. und 20. Jahrhundert, Heidelberg 1952.

Les Epurations administratives au XIX<sup>e</sup> et XX<sup>e</sup> siècles (Papiers du colloque du 23 avril de l'Institut français des Sciences administratives), Genf 1977.

ESTÈBE, Jean, Les Ministres de la République 1871–1914. Mit einem Vorwort von Maurice Agulhon, Paris 1982 (Thèse, Toulouse 1978).

FAGOT, Hélène, L'idée coloniale dans la littérature enfantine pendant la période 1870–1914, hektograph. masch. MS Paris 1967.

FARNIE, Douglas Anthony, East and West of Suez. The Suez Canal in History, Oxford 1969.

FEIS, Herbert, Europe, the world's banker 1870–1914, New Haven 1936.

FERRO, Marc, La Grande Guerre, Paris 1969.

FISCHER, Fritz, Das Bild Frankreichs in Deutschland in den Jahren vor dem Ersten Weltkrieg, in: Revue d'Allemagne 4, Nr. 3 Juli/September 1972. Nochmals in: Der Erste Weltkrieg und das deutsche Geschichtsbild, Düsseldorf 1977, S. 333–344.

GALL, Lothar, Zur Frage der Annexion von Elsass und Lothringen 1870, in: Historische Zeitschrift 206 (1968), S. 265–326.

GANIAGE, Jean, L'Expansion coloniale de la France sous la Troisième République 1871–1914, Paris 1968.

Ders., Les origines du protectorat français en Tunisie 1861–1881, Paris 1959.

GARBER, Elisabeth M., L'arbitrage international devant le mouvement socialiste français 1890–1914, in: Revue socialiste NS (1957), S. 293–313.

GARNER, James W., The Presidency of the French Republic, in: North American Review 197 (1913), S. 335–349.

GIFFORD, Prosser/Roger LOUIS (Hrsg.), France and Britain in Africa. Rivalry and Colonial Rule, New Haven/London 1971.

GIRARDET, Raoul, L'idée coloniale en France de 1871 à 1962, Paris 1972.

Ders., La Ligue des patriotes dans l'histoire du nationalisme français 1882–1888, in: Bulletin de la Société d'Histoire moderne 12 (1958), S. 3–6.

Ders., Le nationalisme Français 1871–1914, Paris 1966.

Ders., Pour une introduction à l'histoire du nationalisme français. Revue française de science politique 8 (1958), S. 503–528.

Ders., La société militaire dans la France contemporaine 1815–1939, Paris 1953.

GIRAULT, René, Les Balkans dans les relations franco-russes en 1912, in: Revue Historique 513 (1975), S. 155–184.

Ders., Emprunts russes et investissements français en Russie 1887–1914, Paris 1973.

Ders., Finances internationales et relations internationales. A propos des usines Poutiloff, in: Revue d'histoire moderne et contemporaine Juli/September (1966), S. 217–236, zuletzt in: BOUVIER/GIRAULT, Imperialisme.

Ders., Les impérialismes de la première moitié du XXᵉ siècle, in: Relations Internationales 7 (1976), S. 193–209.

Ders., Le milieu bancaire français face aux relations internationales avant 1914, in: Relations Internationales 1 (1974), S. 27–37.

Ders., Place et rôle des échanges extérieurs, in: Histoire économique et sociale de la France, Bd. 4: 1880–1914, Paris 1979, S. 190–239.

Ders., Pour un portrait nouveau de l'homme d'affaires français vers 1914, in: Revue d'histoire moderne et contemporaine 16 (1969), S. 329–349.

GOGUEL, François, Géographie des élections françaises de 1870 à 1951, Paris 1951.

Ders., La politique des partis sous la Troisième République, Bde. 1–2, Paris 1946.

GOOCH, George Peabody, Franco-German Relations 1871–1914, New York 1922.

GOOCH, Robert Kent, The French Parliamentary Committee System, New York 1935.

GREAVES, Harold, The Parliamentary control of foreign affairs, London 1934.

GRUPP, Peter, L'Allemagne dans le Bulletin du Comité de l'Afrique Française de 1891 à 1914, in: Cahiers d'Etudes africaines 13 (1973), S. 9–15. Erweiterte deutsche Fassung, in: Francia 3 (1975), S. 392–433.

Ders., Deutschland, Frankreich und die Kolonien. Der französische »Parti colonial« und Deutschland von 1890–1914, Tübingen 1980.

Ders., Le »parti colonial« français pendant la Première Guerre mondiale: deux tentatives de programme commun, in: Cahiers d'études africaines 14 (1974), S. 377–391.

Ders., siehe auch ANDREW/GRUPP/KANYA-FORSTNER und Abt. D, Hanotaux.

GUILLEMIN, Henri, Nationalistes et nationaux 1870–1940, Paris 1974.

GUILLEN, Pierre, Les accords coloniaux franco-anglais de 1904 et la naissance de l'Entente cordiale, in: Revue d'Histoire Diplomatique 82 (1968), S. 315–357.

Ders., L'Allemagne et le Maroc de 1870 à 1905, Paris 1967.

Ders., Les emprunts marocains 1902–1904, Paris 1972.

Ders., L'expansion 1881–1898, Paris 1985.

Ders., L'impérialisme italien à la veille de la première guerre mondiale, in: Relations Internationales 6 (1976), S. 125–144.

Ders., L'implantation de Schneider au Maroc. Les Débuts de la Compagnie Marocaine 1902–1906, in: Revue d'histoire Diplomatique 79 (1965), S. 113–167.

Ders., Les milieux d'affaires français et le Maroc à l'aube du XXᵉ siècle. La fondation de la compagnie marocaine, in: Revue Historique 229 (1963), S. 397–422, zuletzt in: BOUVIER/GIRAULT, Imperialisme.

Ders., Milieux d'affaires et impérialisme colonial, in: Relations Internationales 1 (1974), S. 57–69.

Ders., Les questions coloniales dans les relations franco-allemandes à la veille de la première guerre mondiale, in: Revue Historique 503 (1972), S. 87–106.

Ders./Jean-Louis MIEGE, Les débuts de la politique allemande au Maroc 1870–1877, in: Revue Historique 234 (1965), S. 323–352.

GUIRAL, Pierre/THUILLIER, Guy, La vie quotidienne des députés en France de 1871 à 1914, Paris 1980.

HALEVY, Daniel, La fin des notables, Paris 1931.

Ders., La République des comités. Essai d'histoire contemporaine 1895–1934, Paris 1934.

Ders., La République des ducs, Paris 1937.

Ders., siehe auch Abt. D, Thiers.

HALÉVY, Elie, Franco-German relations since 1870, in: History NS IX, April 1924, S. 18–29.

HAMILTON, Richard F., Decisions of war: 1914–1917, Cambridge 2005.

HARGREAVES, John D., Entente maquée. Anglo-French Relations 1895–1896, in: Cambridge Historical Journal 11 (1953), S. 65–92.

Ders., France and West Africa: an anthology of historical documents, London 1969.

Ders., The origin of the Anglo-French Military conversation in 1905, in: History 36 (1951), S. 244–248.

Ders., Prelude to the Partition of West Africa, London 1963.

HAYNE, M. B., The French Foreign Office and the Origins of the First World War 1898–1914, Oxford 1993.

HEINBERG, Gilbert J., The Personnel of French Cabinets, in: American Political Science Review 25 (1931), S. 389–396.

HERVIEU, Paul, Deux plaisanteries: Histoire d'un duel; Aux affaires étrangères, Paris 1888.

Histoire de la Diplomatie Française, mit einem Vorwort von Dominique de Villepin, Paris 2005.

Histoire de l'administration française depuis 1800. Problèmes et méthodes. Actes du colloque du 4 mars 1972, Genf 1975.

Histoire du nationalisme français et ses problèmes, in: Revue des travaux de l'académie des sciences morales et politiques, 4e série 111 (1958) I, S. 112–124 (Redaktion R. Girardet).

HÖLZLE, Erwin, Die Selbstentmachtung Europas. Das Experiment des Friedens vor und im Ersten Weltkrieg, Göttingen 1975.

HOVDE, Brynjolf J., French Socialism and the Triple Entente 1893 1914, in: Journal of Political Economy 34 (1926), S. 458–478.

HOWARD John E. Parliament and Foreign Policy in France 1919–1939, London 1948.

HUBERT, Lucien, A la commission sénatoriale des affaires étrangères 1915–1918, in: Revue d'Histoire Diplomatique 81 (1967), S. 233–253.

HUDEMANN, Rainer, Fraktionsbildung im französischen Parlament. Zur Entwicklung des Parteiensystems in der frühen Dritten Republik (1871–1875), München 1979.

JACQUES, Léon, Les partis politiques sous la IIIe République. Doctrines et programmes, Paris 1912.

JAKOBS, Peter, Das Werden des französisch-russischen Zweibundes 1890–1894, Wiesbaden 1968.

JAUGEON, René, Les sociétés d'exploitation au Congo et l'opinion française de 1890 à 1906, in: Revue française d'histoire d'outre-mer 48 (1961), S. 353–437.

JÈZE, Gaston, Le pouvoir de conclure les traités internationaux et les traités secrets, in: Revue du droit publique 29 (1912), S. 313–329.

JOLY, Bertrand, La France et la Revanche (1870–1914), in: Revue d'histoire moderne et contemporaine 46 (1999), S. 325–347.

JOUVENEL, Robert de, La République des Camarades, Paris 1914.

JULIEN, André, L'impérialisme colonial et les rivalités internationales 1870–1914, hectograph. masch. MS Paris 1947.

KANYA-FORSTNER, Alexander Sydney, The Conquest of the Western Sudan. A study on French military imperialism, Cambridge 1969.

Ders., French African Policy and the Anglo-French agreement of 5 August 1890, in: Historical Journal 12 (1969), S. 628–650.

Ders., siehe auch ANDREW/KANYA-FORSTNER.

KEIGER, John F. V., France and the Origins of the First World War, London 1983.

Ders., France and the World since 1870, London 2001.

Ders., Jules Cambon and the Franco-German détente, 1907–1914, in: The Historical Journal 26 (1983), S. 641–659.

Ders., Patriotism, politics and policy in the French foreign ministry, 1880–1914, in: R. TOMBS (Hrsg.), Nationhood and nationalism. From Boulangism to the Great War 1889–1918, London 1991, S. 225–266.

KIESLING, Eugenia C., France, in: HAMILTON/HERWIG, Origins, S. 227–265.

KREIS, Georg, L'Entente cordiale, une entente anti-allemande?, in: Relations Internationales 117 (2004), S. 39–54.

Ders., Die Schweizerreise des französischen Präsidenten Fallières und die deutsch-französischen Rivalitäten in den Jahren vor dem Ersten Weltkrieg, in: Cinq siècles de relations franco-suisses. Hommage à Louis-Edouard Roulet, Neuchâtel 1984, S. 233–244. Auch in: Ders., Vorgeschichten zur Gegenwart. Ausgewählte Aufsätze, Bd. 3, Basel 2005, S. 217–229.

KRIEGEL, Annie, Le socialisme international en juillet 1914. A propos d'un débat récent, in: Revue Historique 226 (1906), S. 417–420.

KRUMEICH, Gerd, Aufrüstung und Innenpolitik in Frankreich vor dem Ersten Weltkrieg. Die Einführung der dreijährigen Dienstpflicht 1913–1914, Wiesbaden 1980.

Ders., Poincaré und der »Poincarismus«, in: Francia 8 (1980), S. 427–454.

LANGER, William L., The Franco-Russian Alliance 1890–1894, Cambridge/Mass. 1979.

LANGMAACK, Hans, Die Geschichte der »Entente Cordiale« im Spiegel der französischen politischen Publizistik der Jahre 1895–1904, masch. MS Kiel 1946.

LAUREN, Paul Gordon, Diplomats and Bureaucrats. The first Institutional Responses to Twentieth-Century Diplomacy in France and Germany, Stanford 1976.

LE MASSON, Henri, Douze Ministres ou dix ans d'hésitations de la Marine française, in: Revue Maritime 233 (1966) S. 710–733.

LEAMAN, Bertha, The Influence of Domestic Policy on Foreign Affairs in France 1898–1905, in: Journal of Modern History 14 (1942), S. 449–479.

LECHERBONNIER, Marie-France, Le protocole. Histoire et coulisses, Paris 2001.

Les Affaires étrangères et le Corps diplomatique Français, Bd. 2: 1870–1980, hrsg. von Jean Baillou, Paris 1984.

Les Ministères. Serie der Revue Hebdomadaire 1911. Ministère des affaires étrangères, S. 177–203 (René Millet), Ministère des Colonies, S. 318–341 (Georges Demartial), Ministère de la Marine, S. 341–356, Ministère de la Guerre, S. 481–517 (Paul Doumer).

LESTOCQUOY, Jean, Histoire du Patriotisme en France des origines à nos jours, Paris 1968.

LEVIS-MIREPOIX, Emmanuel de, Le ministère des affaires étrangères. Organisations de l'administration centrale et des services extérieures 1793–1933, Anger 1937.

LEYRET, Henri, Le gouvernement et le parlement, Paris 1919.

Ders., Le Président de la République, son rôle, ses droits, ses devoirs, Paris 1913.

LIPGENS, Walter, Bismarck, die öffentliche Meinung und die Annexion von Elsass und Lothringen 1870, in: Historische Zeitschrift 199 (1964), S. 31–112.

Ders., Bismarck und die Frage der Annexion 1870. Eine Erwiderung, in: Historische Zeitschrift 206 (1968), S. 586–617.

LOUIS-JARAY, Gabriel, L'accord entre la France et l'Angleterre, L'opinion publique et le rapprochement franco-anglais, in: Questions diplomatiques et coloniales 18 (1904), S. 593–608.

MARCHAT, Henry, L'affaire marocaine en 1911, in: Revue d'Histoire Diplomatique 77 (1963), S. 193–235.

Marianne und Germania 1789–1889. Frankreich und Deutschland. Zwei Welten – Eine Revue, Ausstellungskatalog, hrsg. von Marie-Louise von Plessen, Berlin 1996.

MARSEILLE, J., Les relations commerciales entre la France et son empire colonial de 1880 à 1913, in: Relations Internationales 6 (1976), S. 145–160.

MASSON, André, L'opinion française et les problèmes coloniaux à la fin du Second Empire, in: Revue française d'histoire d'outre-mer 49 (1962), S. 366–435.

MASSON, R., La Marine française lors de la crise de Faschoda, masch. MS Paris 1955.

MC KAY, Donald V., Colonialism in the French Geographical Movement 1871–1881, in: Geographical Review 33 (1943), S. 214–232.

Mémoires du monde. Cinq siècles d'histoire inédites et secrètes au Quai d'Orsay, Paris 2001.

MICHALET, Charles Albert, Les placements des épargnants de 1815 à nos jours, Paris 1968.

MICHEL, Marc, La Mission Marchand 1895–1899, Paris 1968.

MICHON, Georges, L'alliance franco-russe 1891–1917, Paris 1927.

Ders., La préparatoire à la guerre: la loi de trois ans 1910–1914, Paris 1935.

MICHON, Louis, Les traités internationaux devant les Chambres, Paris 1901.

MIÈGE, Jean-Louis, Le Maroc et l'Europe, Bde. 1–4, Paris 1962.

MILLET, René, Le Ministère des Affaires Etrangères, Paris 1911.

MILZA, Pierre, Les origines de la guerre douanière franco-italienne de 1888–1898, in: Relations Internationales 15 (1978), S. 235–254.

MOLLENHAUER, Daniel, Auf der Suche nach der »wahren Republik«. Die französischen »radicaux« in der frühen Dritten Republik (1870–1890), Bonn 1997.

MOMMSEN, Wolfgang J., Europäischer Finanzimperialismus vor 1911. Ein Beitrag zu einer pluralistischen Theorie des Imperialismus, in: Historische Zeitschrift 224 (1977), S. 17–81.

MONTEIL, Edgar, L'Administration de la République, Paris 1893.

MURPHY, Agnes, The Ideology of the French Imperialism 1871–1881, Washington 1948.

NEWBURY, C. W./A. S. KANYA-FORSTNER, French Policy and the Origins of the Scramble for West Africa, in: Journal of African History 10 (1969), S. 253–276.

NICOT, Jean, La Revanche 1871–1914, in: Revue historique de l'armée 27 (1971), S. 51–63.

NITTI, Gian Paolo, L'activité des consuls de France en matière économique (XIXe siècle), in: Revue d'Histoire Diplomatique 1975, S. 70–114.

OHLER, Norbert, Deutschland und die deutsche Frage in der »Revue des deux Mondes« 1905–1940. Ein Beitrag zur Erhellung des französischen Deutschlandbildes, Frankfurt a. M. 1973.

OLLÉ-LAPRUNE, Jacques, La stabilité des ministres sous la Troisième République 1879–1940, Paris 1962.

Origines et histoire des Cabinets des ministres en France, Genf 1975.

OUTREY, Amédée, Histoire et principes de l'administration française des affaires étrangères, in: Revue française de Science Politique 3 (1953), S. 298–318, 491–510, 714–738.

PARSONS, Frederick Victor, The Origins of the Morocco Question 1880–1900, London 1976.

PARSONS, John W., France and the Egyptian Question 1876–1893. A Study in Finance, Foreign Policy and Public Opinion, masch. MS Cambridge 1973.

PASSERON, René-Eugène, Les grandes sociétés de la colonialisation dans l'Afrique du Nord, Algier 1925.

PLESSIS, Alain, De la fête impériale au mur des fédérés, Paris 1973.

POIDEVIN, Raymond, Aspects de l'impérialisme allemand avant 1914, in: Relations Internationales 6 (1976), S. 111–124.

Ders., Fabricants d'armes et relations internationales avant 1914, in: Relations Internationales 1 (1974), S. 39–56.

Ders., Finances et relations internationales 1887–1914, Paris 1970.

Ders., Les intérêts financiers français et allemands en Serbie de 1895 à 1914, in: Revue Historique 232 (1964), S. 49–66, zuletzt in: BOUVIER/GIRAULT, Imperialisme.

Ders., Les origines de la première guerre mondiale, Paris 1975.

Ders., La peur de la concurrence allemande en France avant 1914, in: 1914: les psychoses de guerre. Actes du colloque, Sept. 1979, Mont-Saint-Aignan 1985, S. 77–84.

Ders., Les relations économiques et financières entre la France et l'Allemagne de 1898 à 1914, Paris 1969.

Ders., Les relations franco-allemandes 1815–1975, Paris 1977.

Ders., Wirtschaftlicher und finanzieller Nationalismus in Frankreich und Deutschland 1907–1914, in: Geschichte in Wissenschaft und Unterricht 25 (1974), S. 150–162.

Ders./Jacques BARIETY, Les relations franco-allemandes. 1815–1975, Paris 1977 (Deutsche Ausgabe München 1979).

POUJADE, Eugène, La diplomatie du Second Empire et celle du 4 septembre 1870, Paris 1871.

PRATT, E. J., La diplomatie française de 1871 à 1875, in: Revue Historique 167 (1931), S. 60–84.

Ders., La diplomatie française de 1875 à 1881, in: Revue Historique 170 (1932), S. 447–470.

PRIESTLEY, Herbert Ingram, France Overseas. A Study of Modern Imperialism, New York/London 1938.

PROST, Antoine, Vocabulaire des proclamations électorales de 1881, 1885 et 1889, Paris 1974.

RAULFF, Heiner, Zwischen Machtpolitik und Imperialismus. Die deutsche Frankreichpolitik 1904–05, Düsseldorf 1976.

RECLUS, Maurice, Grandeur de »La Troisième« de Gambetta à Poincaré, Paris 1948.

RENOUVIN, Pierre, Finance et politique. A propos de l'Entente cordiale franco-anglaise, in: Hommage à Lucien Febvre, Paris 1954, S. 356–363.

Ders., Finance et politique: l'emprunt russe d'avril 1906 en France, in: Etudes suisses d'Histoire générale 18/19 (1960/61), S. 507–515, zuletzt in: BOUVIER/GIRAULT, Imperialisme.

Ders., Mélanges, Paris 1966.

Ders., L'opinion publique en France devant la guerre en 1914. Programme de recherche, in: Bulletin de la Section d'histoire moderne et contemporaine 1964, S. 39–44.

Ders., L'orientation de l'alliance Franco-Russe en 1900–1901, in: Revue d'histoire diplomatique 1966, S. 193–204.

Ders., Les origines de l'expédition de Faschoda, in: Revue Historique 200 (1948), S. 180–198.

Ders., Les origines immédiates de la guerre (28 juin–4 août 1914), Paris 1925.

Ders., La politique extérieure de la IIIe République de 1871–1904, Paris 1953.

Ders., La politique extérieure de la IIIe République de 1904–1919, hektograph. masch. MS Paris 1947.

REVERSEAU, Françoise, La presse parisienne et l'alliance franco-russe 1891–1893, Paris 1956.

RIBIERE, Roger, L'admission à la cote dans les bourses françaises des valeurs, Paris 1913.

RIGOLLAT, Daniel, L'Ecole coloniale 1885–1939, Paris 1970.

RIOUX, Jean-Pierre, Nationalisme et conservatisme. La Ligue de la Patrie Française 1899–1904, Paris 1977.

ROBERTS, Stephen H., History of French Colonial Policy 1870–1925, London 1929.

ROGERS, Lindsay, French President and Foreign Affairs, in: Political Science Quarterly 40 (1925), S. 540–560.

Dies., Ministerial Instability in France, in: Political Science Quarterly 46 (1931), S. 1–24.

ROLO, Paul Jacques Victor, Entente Cordiale. The Origins and Negotiation of the Anglo-French Agreement of 8 April 1904, London 1969.

ROSENBAUM, Jürgen, Frankreich in Tunesien. Die Anfänge des Protektorates 1881–1886, Zürich/Freiburg i. Br. 1971.

ROTHNEY, John, Bonapartism after Sedan, Ithaca/New York 1969.

SANDERSON, George N., A Study in the partition of Africa: England, Europe and the Upper Nile 1881–1899, Edinburgh 1965.

SAPIRA, Jean, Le Rôle des Chambres au point de vue diplomatique dans un régime parlementaire, Paris 1920.

SCHIMPKE, Friedrich, Die deutsch-französischen Beziehungen von Faschoda bis zum Abschluss der Entente cordiale vom 4. April 1904, Emsdetten 1935.

SCHMIEDER, Eric, La Chambre de 1885–1889 et les affaires du Tonkin, in: Revue française d'histoire d'outre-mer 53 (1966), S. 153–214.

SCHUMAN, Frederick Levis, War and Diplomacy in the French Republic. An inquiry into political motivations and the control of foreign policy, London 1931.

SEAGER, Frederic H., The Alsace-Lorraine Question in France 1871–1914, in: Charles K. WARNER (Hrsg.), From the Ancien Régime to the Popular Front, New York 1969, S. 111–126.

SEARS, Louis Martin, French Opinion of the Spanish-American War, in: Hispanic-American Historical Review 7 (1927), S. 25–44.

SEYDOUX, François, Aux Affaires Etrangères: de Jules Cambon à Geoffray de Courcel, in: RDM Februar 1973, S. 380–390.

Ders., Le métier de diplomate, Paris 1980.

SHARP, Walter Rice, The French Civil Service: bureaucracy in transition, New York 1931.

Ders., The Government of the French Republic, New York 1938.

Ders., Public Personnel management in France, in: Civil Service abroad. Great Britain. Canada. France. Germany, New York/London 1935.

SHORROCK, William I., The French Presence in Syrian and Lebanon before the First World War 1900–1914, in: Historian 34 (1972), S. 293–303.

Ders., The Origin of the French Mandate in Syria and Lebanon: The Railroad Question 1901–1914, in: International Journal for Middle East Studies 1 (1970), S. 133–153.

SIEBURG, Heinz-Otto von, Die Elsass-Lothringen-Frage in der deutsch-französischen Diskussion von 1871–1914, in: Zeitschrift für die Geschichte der Saargegend 17/18 (1969/70), S. 9–37.

SIEGFRIED, André, Tableau des Partis en France, Paris 1930.

SIWEK-POUYDESSEAU, Jeanne, La corps préfectoral sous la troisième et la quatrième république, Paris 1969.

Dies., Le personnel de direction des ministères, Paris 1969.

SOULIER, Auguste, L'instabilité ministerielle sous la IIIe République 1871–1918, Paris 1939.

STEINBACH, Christoph, Die französische Diplomatie und das Deutsche Reich 1873 bis 1881. Untersuchungen zum Zusammenhang zwischen der französischen Beurteilung der deutschen Politik und der Aussenpolitik Frankreichs, Bonn 1976.

STEINER, Zara, The Foreign Office and Foreign Policy: 1898–1914, Cambridge 1969.

STUART, Graham Henry, French foreign policy from Fashoda to Sarajevo 1898–1914, New York 1921.

SWART, Koenraad, The sense of decadence in nineteenth-century France, Den Haag 1964.

TAPIA, Claude/Jacques TAIEB, Conférences et congrès internationaux de 1815 à 1913, in: Relations Internationales 5 (1976), S. 11–35.

THIERRY, Adrien, L'Angleterre au temps de Paul Cambon, Paris 1961.

THOBIE, Jacques, A propos des intérêts financiers et économiques français en Roumanie à la veille de la première guerre mondiale, in: Relations Internationales 6 (1976), S. 161–169.

Ders., L'emprunt ottoman 4 % 1901–1905: Le triptyque Finance-Industrie-Diplomatie, in: Relations Internationales 1 (1974), S. 71–85.

Ders., Finance et politique: le refus en France de l'emprunt ottoman 1910, in: Revue Historique 239 (1968), S. 327–350, zuletzt in: BOUVIER/GIRAULT, Imperialisme.

Ders., Les intérêts économiques, financiers et politiques français dans la Partie asiatique de l'empire ottoman de 1895 à 1914, Bde. 1–3, Thèse Paris 1, hektograph. masch. MS Paris 1973.

Ders., Les intérêts français dans l'Empire ottoman au début du XXe siècle: étude de sources, in: Revue Historique 235 (1966), S. 381–396.

Ders., Phares Ottomans et emprunts turcs 1904–1961, Paris 1972.

THOMAS, R., La politique socialiste et le problème colonial de 1905 à 1920, in: Revue française d'histoire d'outre-mer 47 (1960), S. 213–245.

THUILLIER, Guy, La vie quotidienne dans les ministères au XIXe siècle, Paris 1975.

TINT, Herbert, The Decline of French patriotisme 1870–1940, Paris 1964.

VALETTE, Jacques, L'expédition de Francis Garnier au Tonkin à travers quelques journaux contemporains, in: Revue d'histoire moderne ct contemporaine 1969, S. 189–220.

Ders., Note sur l'idée coloniale en 1871, in: Revue d'histoire moderne et contemporaine 1967, S. 158–172.

VIGNES, Kenneth, Etudes sur les relations diplomatiques franco-britanniques qui conduisent à la convention du 14 juin 1898, in: Revue française d'histoire d'outre-mer 52 (1965), S. 352–403.

WEBER, Eugen, Action française: royalism and reaction in twentieth century France, Stanford 1962.

Ders., The Nationalist Revival in France 1905–1914, Berkeley 1959.

Ders., Peasants into Frenchmen. The Modernization of Rural France 1870–1914, Stanford 1976.

WHITE, Harry D., The French international accounts 1880–1913, Cambridge/Mass. 1933.

WILLEQUET, Jacques, Le Congo belge et la Weltpolitik 1894–1914, Brüssel/Paris 1962.

WILLIAMSON, Samuel R., Influence, Power, and the Policy Process: The Case of Franz Ferdinand 1906–1914, in: Historical Journal 17 (1974), S. 417–434.

Ders., The Politics of Grand Strategy. Britain and France Prepare for war 1904–1914, Cambridge/Mass. 1969.

WIRSCHING, Andreas, »Augusterlebnis« 1914 und »Dolchstoss« 1918 – zwei Versionen derselben Legende?, in: Volker DOTTERWEICH (Hrsg.), Mythen und Legenden in der Geschichte, München 2004, S. 187–202.

WOLKOWITSCH, Micheline, La guerre du Transvaal 1899–1902, vue par la Revue des Deux-Mondes, in: Revue d'Histoire Diplomatique 80 (1966), S. 132–148.

WRIGHT, Vincent, Les épurations administratives de 1848 à 1885, in: Les épurations administratives, S. 69–80.

WULLUS-RUDIGER, Jacques, Français et allemands: ennemis héréditaires? Une synthèse de l'histoire européenne, Brüssel/Paris 1965.

ZAPP, Manfred, Deutsch-französische Annäherungsversuche und ihr Scheitern in den Jahren 1890–1898, Weida 1929.

ZELDIN, Theodore, The Political System of Napoleon III, London 1958.

ZIEBURA, Gilbert, Die deutsche Frage in der öffentlichen Meinung Frankreichs von 1911–1914, Berlin 1955.

Ders., Interne Faktoren des französischen Hochimperialismus 1871–1914, in: Wolfgang J. MOMMSEN (Hrsg.), Der moderne Imperialismus, Stuttgart 1971.

*Abteilung C:*
*Biographische Sammelwerke*

1870 ff.   Annuaire diplomatique et consulaire de la République française (vollständige Dokumentation sämtlicher diplomatischer Karrieren).

1883       DELAFOSSE, Jules, Figures contemporaines, Paris 1883.
           DEPASSE, Hector, Célébrités contemporaines, Paris 1883.
           AUDOUARD, Olympe, Silhouettes parisiennes, Paris 1883.

1886       SPULLER, Eugène, Figures disparues, Bde. 1–3, Paris 1886–1894.

1889       Revue diplomatique: Chefs d'Etat, ministres et diplomates, hrsg. von Auguste Meulemans, Bde. 1–2, Paris 1889 und 1893.

1891       ROBERT, Adolphe/Gaston COUGNY, Dictionnaire des parlementaires français 1789–1889, Bde. 1–3, Paris 1889.

1893       VAPEREAU, G., Dictionnaire Universel des Contemporains, Bde. 1–2, Paris 1893.

1894       BERTRAND, Alphonse, Le Sénat de 1894. Biographies des trois-cents sénateurs, Paris 1894.

1908       Annuaire des contemporains. Qui êtes-vous? Paris 1908 und 1912.

1914       SAMUEL, René/Géo BONET-MAURY, Les parlementaires français 1900–1914, Paris 1914.

1953       DANSETTE, Adrien, Histoire des Présidents de la République de Louis-Napoléon Bonaparte à Vincent Auriol, Paris 1953.

1960       Dictionnaire des parlementaires français 1889–1940, hrsg. von Jean Jolly, Paris 1960.

1961       Nouveau Dictionnaire des Biographies françaises et étrangères. Unter der Leitung von Dominique Labarre de Raillicourt, Paris 1961.

1968       Dictionnaire de la Troisième République, hrsg. von Pierre Pierrard, Paris 1968.

1975       Hommes et Destins. Dictionnaire biographique d'Outre-Mer, Bd. 1, Paris 1975.


*Abteilung D:*
*Biographien und persönliche Dokumentationen*

Im folgenden Verzeichnis werden die weiteren Materialien nach Personen geordnet. Die Sammlung ist sehr unausgeglichen: Sie verzeichnet die Materialien zu sämtlichen, also auch zu den unwichtigen Diplomaten, kann hingegen wichtige Namen wie Le Flô, Montebello, de Noailles nicht anführen, weil zu ihren Namen keine selbständigen Publikationen oder Sammlungen vorliegen. In diesen Fällen muss man sich entweder mit den Auskünften der allgemeinen biographischen Sammelwerke (vgl. Abt. C) begnügen, oder man kann (wie dies in der vorliegenden Arbeit mit Erfolg unternommen worden ist) auf dem Umweg über andere Titel Informationen einholen. Die unter Nr. 1 angeführten Memoiren sind natürlich nicht nur Dokumentationen zum Leben der Verfasser dieser Erinnerungsschriften; oft geben sie auch reichlich über deren Zeitgenossen Auskunft. Die Literatur zu den nichtfranzösischen Personen wird am Schluss aufgeführt. Das folgende Verzeichnis unterscheidet drei Arten von Materialien:

1. Die eigenen Schriften der angeführten Personen, soweit sie das Thema der Studie berühren oder zur Situierung der Person wichtig sind. Irreführend können die Angaben zu den parlamentarischen Reden sein, denn sie werden nur nachgewiesen, wenn sie separat erschienen sind.

2. Die Schriften über die betreffenden Personen.

3. Die Manuskriptsammlungen, die unter dem betreffenden Namen erhalten geblieben und registriert worden sind. Im Allgemeinen findet man aber in diesen Sammlungen alles andere als Erzeugnisse desjenigen, der dem Fonds den Namen gegeben hat. Gewisse Sammlungen enthalten ausnahmsweise Briefentwürfe (minutes); Durchschläge werden zu jener Zeit

höchst selten hergestellt und sind in den meisten Fällen inzwischen nahezu unlesbar geworden. Eine Aufschlüsselung der Sammlungen nach Briefautoren hätte, so wünschenswert ein solches Instrumentarium wäre, die Dokumentation zu umfangreich werden lassen und musste deshalb unterbleiben. Es wäre zu begrüssen, wenn die Archive einmal ein solches Verzeichnis herstellen könnten.

Adam, Juliette (1836–1936), Politikerin, Publizistin

1. Mes angoisses et nos luttes (1871–1873), Paris 1907.
   Nos amitiés politiques avant l'abandon de la revanche (1873–1877), Paris 1908.
   Après l'abandon de la revanche (1877–1880), Paris 1910.
   Aussenpolitische Kommentare unter dem Pseudonym Juliette Lamber in der von ihr gegründeten *Nouvelle Revue*.
2. MARCOS, Saad, Juliette Adam, Kairo 1961.
3. Bibliothèque Nationale (BN): NAF 13815.


Alapetite, Gabriel (1854–1932), Diplomat

2. HARTMANN, Paul, Alapetite, Gabriel, Ambassadeur de France, Paris 1934.


André, Louis Joseph (1833–1913), Kriegsminister 1900–1904

1. Cinq ans de ministère, Paris 1907.


Andrieux, Louis (1840–1931), Deputierter, Zeitungsverleger, Diplomat

1. Souvenirs d'un préfet de Police, Bde. 1–2, Paris 1885.
   A travers la République, Mémoires, Paris 1926.
2. MONTEGU, Louis, Louis Andrieux, Paris 1898.


Auffray, Jules (1852–1916), Deputierter

2. AUFFRAY, Bernard, Un homme politique sous la IIIᵉ République, Jules Auffray 1852–1916, Paris 1972 (der Verfasser ist der Sohn des Biographierten).


Aumale, Henri Eugène Philippe Louis d'Orléans, duc d' (1822–1897), General, Chef des Hauses Orléans

2. BAUMONT, Maurice, La France de 1870 et le Duc d'Aumale, Paris 1975.


Aumale, Jacques d' (1886–1979), Diplomat

1. Souvenirs d'un diplomate. Voix d'Orient, Montreal 1945.


Aynard, Edouard (1837–1913), Deputierter

1. Discours prononcés à la Chambre de 1893 à 1913, Paris 1920.
2. BUCHE, Josephe, Essai sur la vie et l'oeuvre d'Edouard Aynard, Paris 1921.


Aynard, Raymond (1866–1916), Diplomat

1. L'oeuvre française en Algérie, Paris 1912. Mit einem Vorwort von Célestin Jonnart (Sohn Ed. Aynards und Schwager Jonnarts).


Barrère, Camille (1851–1940), Diplomat

1. La France et l'Angleterre en Egypte, in: Nouvelle Revue vom 15. November 1879, S. 871–885.
   Les responsabilités du prince de Bülow, in: Revue des Deux Mondes vom 1. Mai 1931, S. 89–101.
   Le prélude de l'offensive allemande de 1905, in: Revue des Deux Mondes vom 1. Februar 1932, S. 634–641.

La chute de Delcassé, in: Revue des Deux Mondes vom 1. August 1932, S. 602–618, und vom 1. Januar 1933, S. 123–133.

Lettres à Delcassé, in: Revue de Paris vom 15. April 1937, S. 721–763.

2. CHARLES-ROUX, François, L'oeuvre diplomatique de Camille Barrère, in: Revue des Deux Mondes vom 15. Mai 1941, S. 172–187.

DETHAN, Georges, Camille Barrère, Observateur des troubles sociaux italiens 1898–1908, in: Rassegna storica Toscana 21 (1975), S. 17–26.

LÉON, Noël, Camille Barrère ambassadeur de France, Bourges 1948.

SAINT-QUENTIN, René de, A l'école de M. Barrère avec M. Laroche, in: Revue d'Histoire Diplomatique (1948), S. 136–149.

SERRA, Enrico, Camille Barrère e l'intesa italo-francese, Milano 1950 (besprochen durch Dollot in der Revue d'histoire diplomatique 1951, S. 241–247).

Vgl. unten Jules Laroche.

3. MAE: Papiers nominatifs Nr. 8 (Bde. 1–4 Correspondance, Bde. 5–6 Notes, articles, Bd. 7 Documents officiels).

Barrès, Maurice (1862–1923), Publizist, Deputierter

1. Mes Cahiers. 2. und von Philippe Barrès mit Anmerkungen versehene Edition im Rahmen der Gesamtausgabe, Paris 1965, Bde. 13–18 für die Jahre 1896–1918.

2. STERNHELL, Zeev, Maurice Barrès et le nationalisme français, Paris 1972.

Barthélemy-Saint-Hilaire, Jules (1805-1895), Aussenminister

1. Fragments pour l'histoire de la diplomatie française, Paris 1882 (Parlamentsreden).

2. PICOT, Georges, Barthélemy Saint-Hilaire. Notice historique de la séance du 3 decembre 1898 de l'Académie des sciences morales et politiques.

Bartholdi, Philippe-Amédée, Diplomat

3. MAE: Papiers nominatifs Nr. 39 (1. Bd. spanisch-amerikanische Kommission, für uns uninteressant).

Beau, Jean (1857–1926), Diplomat

3. MAE: Papiers nominatifs Bd. 12 und 14 (Bern 1911/12, Indochina).

Beaucaire, Maurice-Horric de (1854–1913), Diplomat

3. MAE: Papiers nominatifs Nr. 12, Bd. 10 (1898–1909).

Benedetti, Vincent (1817–1900), Diplomat

1. Ma mission en Prusse, Paris 1871.
   Essais diplomatiques, Paris 1895.
   Essais diplomatiques. Nouvelle Série, Paris 1897.

Benoist, Charles (1861–1936), Publizist, Deputierter

1. L'Europe sans l'Autriche, in: Revue des Deux Mondes vom 15. November 1899, S. 241–261.
   Souvenirs 1883–1933, Bde.1–3, Paris 1932–1934.

Bert, Paul (1833–1886), Minister, Résident généralà Annam

1. Discours parlementaires 1872–1881, Paris 1882.

2. CHAILLEY-BERT, Joseph, Paul Bert au Tonkin, Paris 1887.
   DUBREUIL, Léon, Paul Bert, Paris 1935.

Berthelot, Marcelin (1827–1907), Aussenminister

2. Akademierede von Francis Charmes auf seinen Vorgänger 7. Januar 1909.

BONLARIC, Augustin, Marcelin Berthelot, Paris 1927.
PERRIN, Emil, La Vie d'un savant, Marcelin Berthelot, Paris 1927.

Berthelot, Philippe (1866–1934), Diplomat, Sohn v. M. Berthelot

2. BREAL, Auguste, Philippe Berthelot, Paris 1937.
CLAUDEL, Paul, Philippe Berthelot, in: Figaro vom Dezember 1937 und Januar 1938 (Separatum in der Bibl. der Sorbonne).
3. MAE: Papiers nominatifs Nr. 10 (Bde. 1–22 aus dem Propagandadienst 1914–1917, für uns brauchbar nur die ersten 4 Dokumente des Bandes 23).

Bihourd, Paul-Louis-Georges (1846–1914), Diplomat

3. MAE: Papiers nominatifs Nr. 190, 1 Bd. (ausser Kopien offizieller Depeschen eine 44 S. umfassende handgeschriebene Rechtfertigungsschrift aus den Jahren 1908/09).

Billing, Robert de (1839–1892), Diplomat

2. Baronne de BILLING (Hrsg.), Le Baron Robert de Billing. Vie, Notes, Correspondance, Paris 1895.

Billot, Albert (*1841), Diplomat

1. L'Affaire du Tonkin (1882–1885), Paris 1888.
Le roman d'un petit bourgeois, Paris 1903 (Biographie seines Vaters, die letzten 50 Seiten sind aber eine Autobiographie des Autors).
Jules Ferry. Son oeuvre coloniale et diplomatique, Paris 1904.
Les Débuts d'un ambassade, in: Revue de Paris, April 1902, S. 537–555.
La France et l'Italie. Histoire des années troubles 1881–1899, Paris 1905 (Vorabdrucke in Revue des Deux Mondes vom 1. Januar 1891, S. 131–145, und Revue de Paris April 1902, S. 537–555).
2. DETHAN, Georges, Albert Billot. Directeur des affaires politiques du Quai d'Orsay au temps de Jules Ferry 1883–1885, in: RHD 89 (1975), S. 1–12.
3. MAE: Papiers nominatifs Nr. 195, Bde. 1–24 (wichtiger Bestand, aber noch nicht erschlossen).

Billy, Robert de, Diplomat

1. L'Angleterre et le Transvaal, in: Revue de Paris 1. November 1899, S. 1–32.
3. MAE: Papiers nominatifs Nr. 21 (Bde. 1–3 Souvenirs, Bde. 27–34 Correspondance).

Blondel, Jules-François, Diplomat

1. Au fil de la carrière 1911–1938, Paris 1960.

Boisdeffre, Raoul Le Mouton de (1839–1899), Sondermission in Russland

2. BOISDEFFRE, Pierre de, Le général de Boisdeffre et l'alliance franco-russe 1890–1892. Hommes et Mondes IX, Oktober 1954, S. 368–387.
3. Privatarchiv in Boisdeffre bei Alençon (vgl. Abt. B: P. Jakobs).

Bompard, Maurice (1854–1935), Diplomat

1. La politique marocaine de l'Allemagne, Paris 1916 (unter Pseudonym Louis Maurice erschienen).
Mon ambassade en Russie 1903–1908, Paris 1937.

Bonnières, Robert de (*1850), Publizist, Diplomat

1. Mémoires d'aujourd'hui, Bde. 1–3, Paris 1885–1888 (z. T. Artikel, die unter dem Pseudonym »Janus« bereits im Figaro veröffentlicht worden sind).

Boppel, Jules Auguste (*1862), Diplomat

3. MAE: Papiers nominatifs Nr. 39, 1 Bd. (1816–1917 Céttigné/Jerusalem).

Bosq, Paul, Deputierter

1. Nos chers souverains, Paris 1898.
   Souvenirs de l'Assemblee Nationale 1871–1875, Paris 1908.

Boulanger, Georges (1837–1891), Minister

2. DANSETTE, Adrien, Le Boulangisme, Paris 1946.
   GRISON, Georges, Le général Boulanger jugé par ses artisans et par ses adversaries (janvier 1886–mars 1888), Paris o. J.

Bourée, Frédéric-Albert (*1838), Diplomat

2. BOELL, Paul, La Trahison Bourée. Lettre ouverte à M. Felix Faure, [Paris 1898].

Bourgeois, Léon (1851–1925), Aussenminister

1. Solidarité, Paris 1896.
   La diplomatie de droit, in: Conciliation internationale Nr. 8, 1909.
2. HAMBURGER, Maurice, Léon Bourgeois, Paris 1932.
   LAUPIN, Paul, Léon Bourgeois, Paris 1964.
3. MAE: Papiers nominatifs Nr. 29, Bde. 1–4 (vor allem Schiedsgerichtsfragen).

Briand, Aristide (1862–1932), Minister

2. BRUGERETTE, Joseph, Aristide Briand chez Mgr. Lacroix, in: Revue de Paris vom 1. Oktober 1930, S. 643–659.
   SIEBERT, Ferdinand, Aristide Briand. Ein Staatsmann zwischen Frankreich und Europa, Zürich 1973.
   SUAREZ, Georges, Briand, sa vie, son oeuvre avec son journal et de nombreux documents, Bde. 1–2 (von insgesamt 6), Paris 1938.

Broglie, Albert de (1821–1901), Diplomat, Aussenminister

1. Histoire et Diplomatie, Paris 1889 (gesammelte Reden).
   Vingt-cinq ans après, 1871–1896, in: Revue des Deux Mondes, 1. Juli 1896. S. 5–44. Abgedruckt auch im folgenden Werk, S. 71–162.
   Histoire et politique, Paris 1897.
   Mémoires du duc de Broglie. Avec une préface de son petit-fils, Bde. 1–2, Paris 1938/41.
   siehe auch Gontaut-Biron
2. Akademierede, Empfang durch Saint-Mare Girardin 26 Feb. 1863.
   Baron de Courcel, Notice sur M. le Duc de Broglie, in: Revue d'histoire diplomatique (RHD) 1901.
   BRUNETIERE, E., Le Duc de Broglie, in: Revue des Deux Mondes vom 1. Februar 1901.
   Comte D'HAUSSONVILLE, Mes souvenirs la jeunesse du Duc Albert de Broglie, in: Revue hebdomadaire Septembre 1913.
   FAGNIEZ, Gustave, Le duc de Broglie 1821–1901, Paris 1902 (Nachruf für das Institut).
   Comtesse Jean de PANGE, Comment j'ai vu 1900, Bde. 1–2, Paris 1965 (Erinnerungen eines Grosskindes von Albert und Kindes von Victor de Broglie).
3. Familienarchiv im Château de Broglie (Eure), nicht konsultiert.

Caillaux, Joseph (1863–1944), Minister

1. Agadir. Ma politique extérieure, Paris 1919.
   Mes mémoires, Bde. 1–3, Paris 1942–1947.
2. ALLAIN, Jean-Claude, Joseph Caillaux et la seconde crise marocaine, Bde. 1–3, MS, Paris 1974.

Ders., Joseph Caillaux, Bde. 1–2, Paris 1978/81.
LAUNAY, Louis, Les idées politiques, sociales et financières de Caillaux, St. Cloud 1933.
SEAILLES, Charles, Jaurès et Caillaux. Notes et souvenirs, Paris o. D. (1919).

Cambon, Jules (1845–1935), Diplomat

1. Le gouvernement général de l'Algerie 1891–1897, Paris 1918.
   Akademierede auf Francis Charmes, Paris, 20. Nov. 1919.
   Le Diplomate, Paris 1926.
   S. Sazonow, in: Revue des Deux Mondes (RDM), 15. Januar 1928, S. 442–448.
   Georges Clemenceau, in: RDM, 15. Dezember 1929, S. 916–924.
   The Permanent Basis of French Foreign Policy, in: Foreign Affairs (USA), Januar 1930.
   Les Mémoires de M. de Lancken, in: RDM, 1. Mai 1933, S. 83–96.
   Les Souvenirs de M. Schebeko, in: RDM, 15. Juni 1933, S. 847–863.
   Le Baron Beyens, in: RDM, 1. Februar 1934, S. 624–634.
   Lettres de Jules Cambon à Louis Nordheim 1911–1914, in: RHD (1959).
2. GUYOT, Yves, L'oeuvre de Jules Cambon. La politique radicale-socialiste en Algérie, Paris 1897.
   MANNEVILLE, Henri de, Les derniers jours de l'Ambassade de M. Jules Cambon à Berlin, in: RHD (1935), S. 440–465.
   ORMESSON, André d', Deux grandes figures de la diplomatie française, Paul et Jules Cambon, in: RHD (1943/45), S. 33–71.
   RIBOT, Alexandre, Akademierede vom 20. November 1919.
   TABOUIS, Geneviève, Jules Cambon par l'un des siens, Paris 1938 (Vorabdruck in: Revue de Paris 1937).
   VILLATE, Laurent, La République des diplomates. Paul et Jules Cambon 1843–1935, Paris 2002.
3. MAE: Papiers nominatifs Nr. 43 (28 Bde. bes. 1, 6, 8, 11, 13–16, 25, 26).
   Privatbesitz von Louis Cambon (Neffe von Jules Cambon).

Cambon, Paul (1843–1924), Diplomat

1. Lettres de Tunisie, in: RDM 1. und 15. Mai 1931, S. 127–150, 373–398.
   Lettres de Turquie, in: Revue de Paris, 15. Juni 1936, S. 757–785.
   Correspondance 1870–1924, Bde. 1–3, Paris 1940–1946 (hrsg. von Paul Cambons Sohn Henri Cambon).
   Lettres de Paul Cambon à Félix Faure, in: RHD (1954), S. 189–201.
   Lettres de Paul Cambon à Francis Charmes, in: Revue de la Haute Auvergne 1961, S. 412–428 (hrsg. von Pierre Moussarie).
   Lettres inédites de Paul Cambon, in: Histoire, information et documents 3/März 1970, S. 68–103, und 4/April 1970, S. 82–97, hrsg. von Paul Cambons Grosskind Louis Cambon.
2. CAMBON, Henri, Un Diplomate. Paul Cambon, ambassadeur de France 1843–1924, Paris 1937.
   EUBANK, Keith, Paul Cambon. Master Diplomatist, Norman Oklahoma 1960.
   FLEURIAU, Aimé de, Paul Cambon, in: RHD (1936), S. 271–295.
   LE GALL, Louis, Opinions de Paul Cambon sur le rôle, la politique étrangère de quelques ministres, et des divers Présidents de la République, in: RHD (1954), S. 202–207 (Aufzeichnungen vom 16. Nov. 1898).
   SIEGFRIED, André, La légion politique de Paul Cambon, in: RDM 15. Juni 1954, S. 590–607.
   VILLATE, Laurent, La République des diplomates. Paul et Jules Cambon 1843–1935, Paris 2002.
   WEINER, Robert, Paul Cambon and the Making of the Entente Cordiale, Manuskript 1973 Rutgers University, New Brunswick, New Jersey.
3. MAE: Papiers privés a) corresp. off. 1881–1920 (Bde. 1–8), b) Correspondance et Papiers divers 1881–1919 (Bde. 9–14), c) Lettres à Jusserand 1882–1892 (Bde. 15–19).
   Fonds Louis Cambon: die Originale der gekürzten dreibändigen Briefausgabe sowie zahlreiche weitere Briefe; wichtigster Bestand der Cambon-Papiere!

BN: na fr. 25166.

Carnot, Sadi (1837–1894), Präsident der Republik

2. MAISTRE, Casimir, Le Président Carnot et le Plan Français d'Action sur le Nil en 1893, in: Afrique Française, Mars 1932.
PY, Robert, Sadi Carnot, sa vie, ses oeuvres, sa politique (1837–1887), Paris 1888.

Casimir-Périer, Jean (1847–1907), Aussenminister, Präsident der Republik

3. MAE: Papiers nominatifs Nr. 35 (1 Bd.).

Castellane, Boni de (1867–1932), Deputierter

1. Articles et discours sur la politique extérieure 1901–1905, Paris 1905.
Maroc 1904–1907, Paris 1907.

Chailley-Bert, Joseph (1857–1928), Publizist, Deputierter, Schwiegersohn von Paul Bert

1. Dix années de politique coloniale, Paris 1902.
La France et la plus grande France, un essai de programme, in: Revue politique et parlementaire, August 1902, S. 230–262.

Challemel-Lacour, Paul (1827–1896), Aussenminister, Botschafter

1. Oeuvres oratoires de Challemel-Lacour 1873–1894, hrsg. von Joseph Reinach, Paris 1897.
Akademierede auf seinen Vorgänger Renan, 25. Jan. 1894.
2. Eugène Grelées zweibändiges Werk (1917) führt nur bis 1869.
Akademiereden, Empfang durch Gaston Boissier 25. Jan. 1894.
KRAKOWSKI, Edouard, La Naissance de la III$^e$ République, Challemel-Lacour – Le philosophe et l'homme d'Etat, Paris 1932.
Nachruf von Gabriel Hanotaux 24. März 1898.
3. MAE: Papiers nominatifs Nr. 44 (wichtig nur Bd. 1).

Chambrun, Charles le Pineton de (1873–1952), Diplomat

1. Lettres à Marie. Pétersbourg-Pétrograde 1914–1918, Paris 1941 (Vorabdruck RDM 1940).
Akademierede auf Vorgänger M. Paléologue 1946.
Traditions et souvenirs, Paris 1952.

Chanzy, Antoine (1823–1883), Diplomat, General

1. La Vie du Général Chanzy. Lettres et documents, Bde. 1–3 (Maschinenschrift für Familiengebrauch, nicht konsultiert).

Charles-Roux, François (1879–1961), Diplomat

1. Trois Ambassades françaises à la veille de la guerre, Paris 1928.
Souvenirs diplomatiques d'un age révolu, Bde. 1–3, Paris 1956–1961 (für Zeit vor 1914 nur Bd. 1).

Charmes, Francis (1848–1916), Diplomat, Deputierter, Publizist

1. Etudes historiques et diplomatiques, Paris 1894 (Artikelsammlung des Journal des Debats).
Akademierede auf seinen Vorgänger M. Berthelot, Jan. 1909.
2. POINCARÉ, Raymond, Francis Charmes, in: Livre du centenaire. Cent ans de vie française à la Revue des deux Mondes, Paris 1929, S. 458–464.
Akademierede Empfang von Henry Houssaye 7. Januar 1909.
Nachruf von Jules Cambon 20. November 1919.

Charmes, Gabriel (1850–1886), Publizist, Bruder von Francis Charmes

1. Politique extérieure et coloniale, Paris 1885 (Artikelsammlung der RDM).

2. LAMY, Etienne im Livre du centenaire du Journal des Debats.
MURPHY, Agnes, The Ideology of the French Imperialism 1871–1881, Washington 1948.

Chaudordy, Jean-Baiptiste-Damaze de (1826–1899), Diplomat, Deputierter

1. La France à la suite de la guerre de 1870–1871. La France à l'intérieur, la France à l'extérieur, Paris 1887.
De l'état politique de la nation française, Paris 1888.
Considérations sur la politique extérieure et coloniale de la France, Paris 1897.
La France et la question d'Orient, Paris 1897.
3. MAE: Papiers personnels Chaudordy, Bde. 11–13.

Chilhaud-Dumaine, Alfred (*1852), Diplomat

1. La Dernière Ambassade de France en Autriche, Paris 1921 (Jahre 1912–1914).

Claudel, Paul (1868–1955), Diplomat, Schriftsteller

1. Le vieux quai d'Orsay, in: Le Figaro vom 4. Februar 1938.
2. Claudel diplomate. Cahiers Claudel Nr. 4 1962.
THUILLIER, Guy, Un jeune diplomate, Paul Claudel, in: Revue administrative 1978.

Clemenceau, Georges (1841–1929), Deputierter, Ministerpräsident

1. Affaires égyptiennes (Parlamentsreden 19.–29. Juli 1882), Paris 1882.
Affaires du Tonkin (Parlamentsrede 27. November 1884), Paris 1884.
Politique coloniale (Parlamentsrede 30. Juli 1885), Paris 1885.
Au fil des jours, Paris 1900.
Dans les champs du pouvoir, Paris 1913 (Artikel des Homme libre).
2. CAMBON, Jules, Georges Clemenceau, in: RDM 15. Dezember 1929, S. 916–924.
DUROSELLE, Jean Baptiste, Clemenceau, Paris 1988.
FLOURENS, Léopold-Emile, La France conquise. Edouard VII et Clemenceau, Paris 1906.
SUAREZ, Georges, Soixante années d'histoire française. Georges Clemenceau, Bde. 1–2, Paris 1932.
WATSON, David Robin, The making of French Foreign policy during the first Clemenceau ministry 1906–1909, in: English Historical Review 86 (1971), S. 774–782.
Ders., Georges Clemenceau. A political biography, London 1974.
WORMSER, Georges, La République de Clemenceau, Paris 1961 (mit ausführlichem Verzeichnis von Clemenceaus Tagespublizistik).
3. Musée Clemenceau (Paris); ferner vgl. Angaben in Watson.

Combarieu, Abel (1856–1944), Generalsekretär des Elysées

1. Sept ans à l'Elysée avec le président Emile Loubet. De l'affaire Dreyfus à la conférence d'Algeciras 1899–1906, Paris 1932.

Combes, Emile (1835–1921), Ministerpräsident

1. Mon ministère. Mémoires 1902–1905, Paris 1956.
2. ZEVAES, Alexandre, Combes, Paris 1949.
ALQUIER, Georges, Le Président Emile Combes, Chartres 1962.

Constans, Jean Antoine (1833–1913), Diplomat, Minister

2. Vie parisienne 29. November 1902.
3. MAE: Papiers nominatifs Nr. 40 (Bde. 1–3).

Courcel, Alphonse de (1835–1919) Diplomat

1. France et Angleterre en 1895. Lettres à G. Hanotaux, in: Revue Historique 212 (1954), S. 39–60.

2. DAUDET, Ernest, La France et l'Allemagne après le Congrès de Berlin. La mission du baron de Courcel, Paris o. J.
SEYDOÜX, Jacques, Le baron de Courcel, in: RHD (1918/19), S. VI–XI.
3. Papiers Bertrand 17/118.

Crozier, Philippe (*1857), Diplomat

1. L'Autriche et l'Avant-Guerre, in: Revue de France 1. April 1921, S. 268–308; 15. April 1921, S. 325–358; 15. Mai 1921, S. 325–358; 1. Juni 1921, S. 576–617.

Cruppi, Jean (1855–1933), Aussenminister

1. Pour l'expansion économique de la France. Dix-neuf mois au ministère du commerce et de l'industrie, Paris 1910.
2. Un vieux parlementaire, in: Revue d'histoire politique et contemporaine, 15. April 1911, S. 17–24.
3. Beträchtliche Bestände bei den Töchtern Mme. Paul Landowski und Mme. Martin, ferner im Fonds Romain Rolland der Frau Louise Cruppi (laut ALLAIN, Caillaux).

Daudet, Ernest (1837–1921), Publizist, Bruder von Alphonse Daudet
siehe Courcel, Mac-Mahon und Saint-Vallier, Decazes

Daudet, Léon (1867–1942), Publizist, Sohn von Alphonse Daudet
1. Souvenirs 1880–1905, Bde. 1–6, Paris 1926.
2. GAUCHER, André, L'honorable Léon Daudet, Paris 1921.

Decazes, Louis (1819–1886), Aussenminister, Diplomat

1. Une interpellation nécessaire, Paris 1880.
2. DAUDET, Ernest, Nachruf im Figaro, 24. September 1886.
Ders., in: RDM am 15. Oktober, 15. November, 15. Dezember 1899, in 3 Teilen: I: Après la chute, II: L'ambassade, III: Le prologue d'une démission.
3. MAE: in Privatpapieren Hanotaux Bde. 6 und 7.
Bibliothek Thiers (Paris) Bde. 687–751 (ausgewertet von Steinbach vgl. Abt. B).

Decrais, Albert (1838–1915), Diplomat

2. DOLLOT, René, Un Ambassadeur de la Troisième République: Albert Decrais 1838–1915, in: RHD (1949), S. 9–37.

Delafosse, Jules Victor (1843–1916), Deputierter

1. Vingt ans au parlement, Paris 1898.
Psychologie du député, Paris 1904.
La France au dehors, Paris 1908.

Delcassé, Théophile (1852–1923), Aussenminister, Marineminister, Diplomat

1. Alerte! Où allons-nous? Paris 1882.
2. ANDREW, Christopher, Théophile Delcassé and the Making of the Entente Cordiale. A Reappraisal of French Foreign Policy 1898–1905, London 1968.
BACH, August, Delcassés Sturz, in: Berliner Monatshefte 15 (1937), S. 1070–1112.
Delcassé et l'Europe à la veille de la Grande guerre. Actes du colloque tenu à Foix, Octobre 1998. Hrsg. vom Generalrat und den Departementsarchiven von Ariège, Saint-Girons 2001.
DURAND-VIEL, G., Delcassé, Ministre de la Marine, in: Revue maritime Mai 1923, S. 577–605.
KAMPLADE, Walther, Delcassé und Deutschland 1898–1911, Emsdetten 1940 (Phil. Diss. Münster 1938).
LEYGUES, Jacques Raphael, Delcassé, Paris 1980.

LEYRET, Henri, Delcassé parle, in: RDM, 15. Januar 1937, S. 346–381.

MASSON, Philippe, Delcassé. Ministre de la Marine, Thèse de diplome, Sorbonne; unveröffentlicht Paris 1951.

NETON, Albérice, Delcassé 1852–1923, Paris 1952 (Erinnerungsschrift seines Privatsekretärs).

PORTER, Charles W., The Career of Théophile Delcassé, Philadelphia 1936.

3. MAE: Papiers privés, darin eine unveröffentlichte Erinnerungsschrift von Delcassés Tochter Mme Noguès.


Déroulède,  Paul (1846–1914), Publizist, Deputierter

1. Les chants du soldat, Paris 1872.
   Franc-Parler, in: National Review 46, Oktober 1905, S. 224–234.
   Qui vive? France! Quand meme! Notes et discours 1883–1910, Paris 1910.
2. DUCRAY, Camille, Paul Déroulède 1846–1914, Paris 1914.


Deschanel, Paul (1856–1922), Deputierter

1. Les intérêts français dans l'Océan pacifique, Paris 1888.
   Quatre ans de présidence, Paris 1902 (Reden).
   Akademierede auf Vorgänger Edouard Hervé, 1. Februar 1900 und Empfang von Alexandre Ribot 20. Dezember 1906.
   La politique exterieure de la France, in: RDM 15. Juni 1922, S. 721–737.
2. Akademiereden, Empfang durch Sully-Prudhomme 1. Februar 1900, Nachruf durch Jonnart 15. Januar 1925.
   SONOLET, Louis, La vie et l'oeuvre de Paul Deschanel 1856–1923, Paris 1926.


Des Michels, Jules-Alexis (*1836), Diplomat

1. Souvenirs de Carrière 1855–1886, Paris 1901.


Despagnet, Frantz, Völkerrechtler

1. Essai sur les protectorates. Etude de droit international, Paris 1896.
   Le Conflit entre l'Italie et l'Abyssinie, Paris 1897.
   La diplomatie de la Troisième République et le droit des gens, Paris 1904.


Desprez, Félix-Hyppolyte (1819–1898), Diplomat

3. MAE: Papiers nominatifs (Memoiren) Nr. 61 (Bde. 1–13).


Develle, Jules (1845–1919), Aussenminister

3. MAE: Papiers nominatifs Nr. 35 (unwichtig).
   Archives Nationales: 51 AP 4.


Dollot, René, Diplomat, später Archivdirektor

1. Protocole, in: RHD 1950, S. 182–187.
   De Tanger au Quai d'Orsay, in: RHD (1955), S. 313–328.
   Au Quai d'Orsay, in: RHD (1956), S. 125–144.
   Vgl. ferner Decrais, Saint-René Taillandier, Faure


Doumer, Paul (1857–1932), Deputierter, Generalgouverneur

1. L'Indochine française, Paris 1905.
   Diplomatie et Présidence de la République, in: RDH 68 (1954), S. 208–230.
2. BRUGUIERE, Michel, Le chemin de fer du Yunnan, Paul Doumer et la politique d'intervention française en Chine 1889–1902, in: RHD (1963), S. 129–252.

Dubois, Emile, Kommandant des Elysées
1. Mes souvenirs de l'Elysée 1900–1906, Paris o. J.

Du Boys, Sylvius-Paul (*1853), Diplomat
3. MAE: Papiers nominatifs Nr. 18 (Bd. 1: 1907–1914).

Dupuy, Jean (1844–1919), Deputierter, Minister, Herausgeber
2. DUPUY, Micheline, Un Homme, un journal: Jean Dupuy, Paris 1959.

Dutasta, Paul-Eugène (*1873), Diplomat
3. MAE: Papiers nominatifs Nr. 18 (Bd. 1).

Estournelles, Paul de Constant d' (1852–1924), Diplomat, Deputierter
1. La politique française en Tunisie. Le protectorat et ses origines, Paris 1891 (unter Pseudo-
   nym PHX).
   Le Mouvement pacifique et le rapprochement franco-anglais, Paris 1903.
   Le Budget de la politique étrangère de la France, Paris 1903 (mit Deschanel, Jaurès, Ribot).
   France et Angleterre, Paris 1904.
   La Conciliation internationale, La Flèche 1905.
   Les Conferences consulaires et le développement économique de la France, Paris 1906.
   Le rapprochement franco-allemand, condition de la paix du monde, Paris 1909 (Berliner
   Vortrag, deutsche Übersetzung von Wilhelm Foerster, Berlin 1909).
   Notre politique extérieure en 1910 et la paix internationale, Paris 1910.
2. LEPOINTE, Gabriel, L'action de Paul d'Estournelles de Constant en faveur de la paix interna-
   tionale, in: Revue generale de droit international public Nr. 3, 1960.
   WILD, Adolf, Baron d'Estournelles de Constant. Das Wirken eines Friedenspreisträgers für
   die deutsch-französische Verständigung und europäische Einigung, Hamburg 1973.
3. Departementsarchiv der Sarthe (weitere Angaben, s. Wild).

Etienne, Eugène (1844–1921), Deputierter, Minister
1. Les Compagnies de Colonisation, Paris 1897.
   The Colonial Controversies between France and England, in: National Review Juli 1903,
   S. 732–748a.
   La Situation européenne, in: Figaro 8., 9. und 10. Sept. 1903.
   Son oeuvre coloniale, algérienne et politique. Discours et écrits 1881–1906, Bde. 1–2, Paris
   1907.
2. VILLOT, Roland, Eugène Etienne 1844–1921, Oran 1951.
   SIEBERG, Herward, Eugène Etienne und die französische Kolonialpolitik 1887–1904, Köln
   1968.
   GRUPP, Peter, Eugène Etienne et la tentative de rapprochement franco-allemand en 1907, in:
   Cahiers d'Etudes africaines 58 (1976), S. 303–311.
3. BN: fr 24327.

Faure, Félix (1841–1899), Minister, Präsident der Republik
1. Mon élection à la présidence, in: Hommes et Monde, Jan. 1954, S. 153–168.
   Correspondance de Félix Faure touchant les affaires coloniales 1882–1898, in: Revue
   d'Histoire des Colonies 42 (1955), S. 133–185 (hrsg. von Marcel Blanchard).
   Faschoda, in: RHD (1955), S. 29–39.
   Le Ministère Léon Bourgeois, in: RHD (1957).
2. BERGE, François, Les beaux jours de l'alliance russe, in: RDM 15. August 1959, S. 675–688.
   Ders., Quelques aspects des relations franco-anglaises pendant la présidence de Félix Faure,
   in: Bulletin de la Société d'Histoire moderne 24 (1963).
   BRAIBANT, Charles, Félixe Faure à l'Elysée, Paris 1963 (S. 111–301: Souvenirs des Kabinetts-
   chefs Louis le Gall).

DOLLOT, René, Sous les lambris de l'Elysée. La vie diplomatique au temps de Félix Faure (1897–1899), in: RHD (1955), S. 40–60.
3. Privatbesitz François Berge (Grosskind von F. Faure)
   Korrespondenz und Tagebuch und Aufzeichnungen Le Galls.

Favre, Jules (1809–1880), Aussenminister

1. Gouvernement de la défense nationale, Bde. 1–2, Paris o. J.
   Discours parlementaires, Bde. 1–4, Paris 1881.
2. RECLUS, Maurice, Jules Favre, Paris 1912.
3. MAE: Bde. 1–22 (1864–1871) papiers d'agents.
   BN: Nouvelles acquisitions 24107–24126.

Ferry, Abel (1871–1918), Diplomat, Deputierter

1. Les carnets secrets 1914–1918, Paris 1957.
3. MAE: papiers nominatifs Nr. 181 (1 Bd. Juli/August 1914).

Ferry, Jules (1832–1893), Ministerpräsident, Diplomat

1. Les Affaires du Tunisie, Paris 1882 (Rede, hrsg. von Alfred Rambaud).
   Le Tonkin et la mère patrie, Paris 1890.
   Discours et opinions politiques de Jules Ferry, Bde. 1–7, hrsg. von Paul Robiquet, Paris 1893–1898.
   Lettres de Jules Ferry, hrsg. von Mme Eugène Ferry, Paris 1914.
   Lettres inédites de Jules Ferry à M. H. Waddington, in: RHD (1937), S. 307–337, 499–529, hrsg. von Francis Waddington.
2. AGERON, Charles-Robert, Jules Ferry et la question algérienne en 1892, in: Revue d'histoire moderne et contemporaine (1963), S. 127–146.
   BILLOT, Alfred, Jules Ferry, Son oeuvre coloniale et diplomatique, Paris 1904.
   FIAUX, Louis, Un malfaiteur public: Jules Ferry, Paris 1886.
   PISANI-FERRY, Fresnette, Jules Ferry et le partage du monde, Paris 1962.
   POWER, Thomas Francis, Jules Ferry and the Renaissance of French Imperialism, New York 1944.
   RAMBAUD, Alfred, Jules Ferry, Paris 1903.
   RECLUS, Maurice, Jules Ferry, Paris 1947.
3. MAE: Papiers nominatifs Nr. 71 (Bde. 1–3).
   Bibliothèque municipale de St.-Dié-des-Voges.

Fidus (Pseudonym für Eugène Balleyguier), Publizist

1. Souvenirs d'un Impérialiste. Journal de dix ans 1870–1879, Bde. 1–2, Paris 1886.
   Journal sous la République opportuniste 1879–1882, Paris 1888.

Fleury, Emile-Félix (1815–1884), Diplomat, General

1. Souvenirs 1837–1867, Bde. 1–2, Paris 1897/98.
2. FLEURY, Maurice, La France et la Russie en 1870, in: Revue de Paris, 15. Dezember 1898, S. 715–746.

Floquet, Charles (1828–1896), Deputierter, Minister

1. Discours et opinions 1876–1885, Bde. 1–2, Paris 1885.
   Choix de discours 1885–1896, Bde. 1–2, Paris 1904.
2. ANDREE, Louis, Sa vie, in: Charles Floquet 1828–1896, Paris 1896, S. 13–66 (Nachrufsammlung).

Flourens, Emile-Léopold (1841–1920), Aussenminister

1. M. Ribot au Quai d'Orsay, in: Nouvelle Revue vom 15. November 1893.
   Alexandre III, sa vie, son oeuvre, Paris 1894.

Politique extérieure, Paris 1893.
La France conquise: Edouard VII et Clemenceau, Paris 1906.
2. La diplomatie de Monsieur Flourens, Paris 1888 (anonym).

Freycinet, Charles de (1828–1923), Aussenminister, Ministerpräsident

1. La question d'Egypte, Paris 1905.
Souvenirs, Bde. 1–2, Paris 1912/13.
2. Akademierede von O. Gréard 10. Dezember 1891.
DEPASSE, Hector, Freycinet, Paris 1883.
GOUJO, Yasuo, Le »Plan Freycinet« 1877–1882, in: Revue Historique 248 (1972), S. 49–79.
THORSON, Winston B., Charles de Freycinet. French Empire Builder, in: Researchstudies of the State College of Washington Bd. 12, Dezember 1944, S. 257–282.
siehe auch Welschinger 1912/14.
3. MAE: Papiers d'agents, Questions internationales I–V (1872–1892).
BN: Briefe an Juliette Adam NAF 13815.
Bibliothèque de l'Ecole Polytechnique (wenig).

Gabriac, Joseph de (*1830), Diplomat

1. Souvenirs diplomatiques de Russie et de l'Allemagne 1870–1872, Paris 1896.
Souvenirs d'une ambassade auprès du pape Léon XIII (1878–80), in: RDM 1. und 15. Januar 1901, S. 52–80, 287–314.
3. MAE: Papiers nominatifs Nr. 78.

Gallieni, Joseph (1849–1916), Kolonialoffizier

1. Mission d'exploration du Haut-Niger: Voyage au Soudan français 1879–1881, Paris 1885.
Deux campagnes au Soudan français 1886–1888, Paris 1891.
Trois colonnes au Tonkin 1894–1895, Paris 1899.
Neuf ans à Madagascar, Paris 1908.
Les Carnets de Gallieni, Paris 1932. 316 S. Hrsg. von seinem Sohn Gaetan Gallieni.
2. CLADEL, Judith, Le général Gallieni, Paris 1916.
GRANDIDIER, Guillaume, Gallieni, Paris 1931.
3. BN: Briefe an Pierre Gheusi.

Gambetta, Léon (1838–1882), Deputierter, Aussenminister, Ministerpräsident

1. Discours et plaidoyers politiques de M. Gambetta, hrsg. von Joseph Reinach, Bde. 1–11, Paris 1881–1885.
Lettres (Gambetta 1868–1882), hrsg. von Daniel Halévy und Emile Pillias, Paris 1938.
Dépêches, circulaires, décrets, proclamations et discours de Léon Gabetta, 1870–1871, hrsg. von Joseph Reinach, Bde. 1–2, Paris 1886–1891.
2. AGERON, Charles-Robert, Gambetta et la reprise de l'expansion coloniale, in: Revue française d'histoire d'outre-mer 59 (1972).
BURY, John Patrick, Gambetta and overseas Problems, in: English Historical Review 82 (1967), S. 277–295.
Ders., Gambetta and the Making of the Third Republic (1870–1877), London 1973.
Ders., Gambetta et l'Angleterre, in: Revue Historique 174 (1934), S. 29–40 (Engl. Fassung in: Studies in Anglo-French History 1935), S. 105–124.
CHASTENET, Jacques, Gambetta, Paris 1968.
DESCHANEL, Paul, Gambetta, Paris 1919.
GALLII(CHET), Henri, Gambetta et l'Alsace-Lorraine, Paris 1911.
HALEVY, Ludovic, Trois diners avec Gambetta, Paris 1930.
Léon Gambetta und die Revanche, in: Konservative Monatsschrift Jg. 74 (1917), S. 826–833.
PFEIFFER, Peter, Das »Grand Ministère« Léon Gambettas, 10. November 1881–26. Januar 1882. Ein Beitrag zur Parlamentsgeschichte der Dritten Republik. Diss. Heidelberg 1974.

REINACH, Joseph, Le Ministère Gambetta. Histoire et Doctrine, 14 novembre 1881–20 janvier 1882, Paris 1884.
WORMSER, Georges, Gambetta dans le tempêtes 1870–1877, Paris 1964.
3. MAE: Papiers d'agents Nr. 52 (Bde. 36/37 und 50).
BN: Correspondance 13580, 13581, 13600, 24900.

Garnier, Francis (1839–1873), Kolonialoffizier

1. La Cochinchine française en 1864, Paris 1864.
De la colonialisation de la Cochinchine, Paris 1865.
Voyage d'exploration en Indochine effectué pendant les années 1866 à 1868, Bde. 1–2, Paris 1873.
2. POUVOURVILLE, Albert de, Francis Garnier, Paris 1931.

Gavard, Charles (1826–1893), Diplomat

1. Un diplomate à Londres. Lettres et notes (1871–1877), Paris 1894.
2. Albert de BROGLIE, Nachruf im Correspondant 25. Juli 1893.

Gérard, Auguste (1852–1922), Diplomat

1. Ma mission en Chine 1893–1897, Paris 1918.
Ma mission au Japon 1907–1914, Paris 1919.
La Vie d'un diplomate sous la Troisième République, Paris 1928.
2. Gabriel Hanotaux im Vorwort zu den 1928 publizierten Memoiren.
3. MAE: Papiers nominatifs Nr. 81 (Bd. 13).

Goblet, René (1828–1905), Aussenminister

1. L'arrangement franco-anglais, in: Revue politique et parlementaire 10. Mai 1905, S. 229–241.
Souvenirs de ma vie politique et parlementaire, in: Revue politique et parlementaire Sept., Nov., Dez. 1928, Jan., Feb., März, April 1929, Dez. 1930, Nov. 1931.
3. MAE: Papiers nominatifs Nr. 82 (Bde. 1–2).

Gontaut-Biron, Anne-Armand-Elie de (1817–1890), Diplomat, Deputierter

1. Mon ambassade en Allemagne 1872–1873, hrsg. von A. Dreux, Paris 1906.
Dernieres Années de l'ambassade en Allemagne 1874–1877, hrsg. von A. Dreux, Paris 1907.
2. BROGLIE, Albert de, La Mission Gontaut-Biron à Berlin, Paris 1896.
STEINBACH, Diplomatie (s. Abt. B), S. 266–274.

Gout, Jean (*1867), Diplomat
3. MAE: Papiers nominatifs Nr. 196 (Bde. 9–10).

Grévy, Jules (1807–1891), Präsident der Republik

1. Discours politiques, judiciaires, rapports et messages de Jules Grévy, hrsg. von L. Delabrousse, Bde. 1–2, Paris 1888.
2. BARBOU, Auguste, Jules Grévy. Président de la République. Histoire complète de sa vie, Paris 1897.
Siehe ferner Bernard Lavergne.

Halévy, Ludovic (1834–1908), Publizist

1. Notes et Souvenirs 1871–1872, Paris 1889.
Daniel HALÉVY (Hrsg.), Carnets Ludovic Halévy (1862–1870), Bde. 1–2, Paris 1935.

Hanotaux, Gabriel (1853–1944), Aussenminister

1. Dix lettres diplomatiques, in: La Nation Juni/Juli 1887.
L'Affaire de Madagascar, Paris 1896.

Le traité de Tananarive, in: Revue de Paris 1. Januar 1896, S. 5–25.

L'Energie française, Paris 1902.

Histoire de la France contemporaine 1871–1900, Bde. 1–4, Paris 1903–1908 (nur bis 1883).

Le Partage de l'Afrique – Fachoda, Paris 1909.

Etudes diplomatiques. La politique de l'équilibre 1907–1911, Paris 1912 (Artikelsammlung).

Etudes diplomatiques. La guerre des Balkans et l'Europe 1912–1913, Paris 1914 (Artikelsammlung).

Mon temps, Bde. 1–4, Paris 1933–1947.

Carnets (1893–1897), in: RDM 1. April 1949, S. 385–403; 15. April 1949, S. 573–588; 15. November 1949, S. 193–214; 15. Mai 1949, S. 208–220, hrsg. von Gabriel Louis Jaray.

Voyage de Félix Faure en Russie 1897, in: RHD (1966), S. 214–230.

Les Carnets de Gabriel Hanotaux, in: RHD (1977), S. 5–142, hrsg. von Georges Dethan.

2. Akademierede, Empfang durch Eugène Melchior Vogüé 24. März 1898.

ANDREW, Christopher M./Alexander Sydney KANYA-FORSTER, Gabriel Hanotaux: the Colonial Party and the Fashoda Strategy, in: The Journal of Imperial and Commonwealth History 3 (1974), S. 55–104.

DETHAN, Georges, Les Papiers de Gabriel Hanotaux et la proclamation de l'Entente Franco-Russe 1895–1897, in: RHD (1966), S. 205–213.

GRUPP, Peter, Theorie der Kolonialexpansion und Methoden der imperialistischen Aussenpolitik bei Gabriel Hanotaux, Bern 1972.

IIAMS, Thomas M., Dreyfus: diplomatists and the Dual Alliance. Gabriel Hanotaux at the Quai d'Orsay 1894–1898, Genf 1962.

3. MAE: Papiers d'agents (bes. 1, 2, 7, 9, 17, 18, 20, 21, 22, 24, 25, 27; notes sur la politique extérieure du ministère Méline, in Bd. 2).

Hansen, Jules (1828–1908), Diplomat, Agent

1. A travers de la diplomatie (1864–1867), Paris 1975.

Les coulisses de la diplomatie (1864–1879), Paris 1880.

L'Alliance franco-russe, Paris 1897.

L'Ambassade à Paris du baron de Mohrenheim (1884–1898), Paris 1907.

3. MAE: Papiers nominatifs Nr. 85 (Bde. 1–3).

Harcourt, Bernard d' (*1821), Diplomat

3. MAE: Papiers nominatifs Nr. 86 (Bde. 1–7, Bde. 1 und 2 sind Privatkorrespondenz).

Harcourt, Georges d' (1808–1883), Diplomat

3. MAE: Papiers nominatifs Nr. 87 (nur Entwürfe offizieller Depeschen).

Harmand, Jules (*1845), Diplomat

1. Une nécessité de l'expansion française: L'autonomie coloniale, in: Revue pour les Français, 25. Mai 1909.

Domination et colonisation, Paris 1910.

3. MAE: Papiers nominatifs Nr. 182 (1897/98 von geringem Interesse).

Herbette, Jules (1839–1901), Diplomat

3. MAE: Papiers nominatifs Nr. 88 (Bde. 1–2).

Herbette, Louis, Advokat, Präfekt, Bruder von Jules Herbette

1. Nos Diplomates et notre diplomatie. Etude sur le Ministère des affaires étrangères, Paris 1874.

Les vingt-cinq ans de la république 1870–1895. Separatdruck aus der Tribune du Sud-Ouest 1895.

Herbette, Maurice (1871–1929), Diplomat, Sohn von Jules Herbette
3. MAE: Bericht über die französisch-deutschen Beziehungen 1902–1908, in: NS Allemagne Bd. 26.

Homberg, Octave (*1876), Diplomat, Finanzbeamter
1. Les Coulisses de l'histoire. Souvenirs 1898–1928, Paris 1938.

Jagerschmidt, Georges Charles (1820–1894), Diplomat
2. CAILLE, Jacques, Charles Jagerschmidt, Paris 1951.

Jaurès, Constant-Louis-Jean-Benjamin (1823–1889), Diplomat, Admiral
3. MAE: Papiers nominatifs Nr. 91 (vor allem off. Korrespondenz).

Jaurès, Jean (1859–1914), Deputierter
1. Discours parlementaires 1885–1898, Paris 1904.
   Oeuvres de Jean Jaurès (1887–1914), Bde. 1–9, Paris 1931–1939.
   Textes choisis. Hrsg. von Madelaine Rébérioux, Paris 1959.
   La guerre franco-allemande 1870–1871, Paris 1971, Vorwort von J. B. Duroselle.
2. AUCLAIR, Marcelle, La vie de Jean Jaurès ou la France d'avant 1914, Paris 1954.
   BRANDT, Urs, Jaurès und Deutschland 1880–1906, Manuskript, Bern 1978.
   GOLDBERG, Harrey, The life of Jean Jaurès, Madison 1962 (französische Ausgabe 1970).
   JACKSON, John Hampden, Jean Jaurès. Sein Leben und Werk, Zürich 1950.
   LAIR, Maurice, Jaurès et l'Allemagne, Paris 1935.
   ZEVAES, Alexandre, Un apôtre du rapprochement franco-allemand, Jean Jaurès, Paris 1941.

Joffre, Joseph (1852–1931), Militär
1. Mémoires du Maréchal Joffre 1910–1917, Bde. 1–2, Paris 1932.

Jonnart, Charles (1857–1927), Aussenminister, Generalgouverneur
1. Akademierede auf Vorgänger Paul Deschanel 15. Januar 1925.
2. Akademierede Empfang durch Alfred Boudrillart 15. Januar 1925.
   SAULT, J. du (Schwiegersohn), La vie et l'oeuvre de Charles Jonnart, Paris 1936.
   PALÉOLOGUE, Maurice, Akademierede auf Vorgänger 29. November 1928.

Judet, Ernest, Publizist
1. Ma politique 1905–1917, Paris 1923.
   Siehe auch Georges Louis.

Jusserand, Jean Jules (1855–1932), Diplomat
1. The school for ambassadors, and other essays, London 1924.
   What me befell – Reminiscences of J. J. Jusserand, Boston 1933.
2. LYON-CAEN, Charles, Nachruf des Instituts 16. Dezember 1933.
   Mme Saint-René de Taillandier, Silhouettes d'ambassadeurs, in: RHD (1952), S. 189–194.
3. MAE: Papiers nominatifs Nr. 93 (Bde. 21–23, 26, 30, 37, 59, 60).

Klobukowski, Antony-Wladislas (*1855), Diplomat
3. MAE: Papiers nominatifs Nr. 95 (Bd. 60: Souvenirs 1926).

Laboulaye, Paul Lefebvre de (*1833), Diplomat
1. Quelques réflexions sur la politique extérieure, Paris 1903/1904.
   Discours prononcé à l'occasion de l'inauguration de la statue de Général Le Flô à Lesneveu, 29. Oktober 1899.

2. LABOULAYE, André de (Neveu), L'ambassade de Paul de Laboulaye à Saint Pétersbourg 1886–1891, in: Revue de Paris 1. April 1938, S. 735–747.

Lalance, Auguste (*1830), Elsässer Reichstagsabgeordneter

1. L'alliance franco-allemande, par un Alsacien. Paris 1888.
   La nouvelle Triplice, in: La Grande Revue 7 (1898), S. 253–269.
   Mes souvenirs 1830–1914, Paris 1914.

Lanfrey, Pierre (1828–1977), Diplomat

1. Correspondance, Bde. 1–2, Paris 1885.

Laroche, Jules (*1872), Diplomat

1. Quinze ans à Rome avec Camille Barrère 1898–1913, Paris 1948.
   Au Quai d'Orsay avec Briand et Poincaré 1913–1926, Paris 1957.

Lavergne, Bernard (1815–1903), Deputierter

1. Les deux présidences de Jules Grévy 1879–1887, Paris 1966 (hrsg. von Bernard Lavergne (Grosskind)).
3. BN: Mémoires politiques 1881–1896. Imp. 4/0 730 (1–5).

Lavisse, Ernest (1842–1922), Historiker

1. La question d'Alsace dans une âme d'Alsacien, Paris 1891.
   France et Angleterre. Revue de Paris, 1. Februar 1899, S. 455–482.
   Précautions contre l'Angleterre, in: Revue de Paris 1. Januar 1900, S. 211–224.
   Akademierede, Empfang von Poincaré, 9. Dezember 1909.
2. NORA, Pierre, Ernest Lavisse: son rôle dans la formation du sentiment national, in: Revue Historique 228 (1962), S. 73–106.

Lebon, André (Pseudonym: André Daniel, 1858–1938), Kolonialminister

1. La politique de la France en Afrique 1896–1898: mission Marchand, Niger, Madagascar, Paris 1901 (Vorabdruck in der RDM 1900).

Legrand-Girarde, Edmond, Kolonialoffizier und Kommandant des Elysées

1. Un quart de siècle au service de la France 1894–1918, Paris 1954.
2. MARTROYE, François, Notice sur la vie, la carrière et les oeuvres du Général de Division Legrand-Girarde, Paris 1926.

Le Myre de Viliers, Charles Marie (*1833), Diplomat, Deputierter, Kolonialbeamter

3. MAE: Papiers nominatifs Nr. 184, 1 Bd. (1877–1906).
   Departementsarchiv der Orne.

Leroy-Beaulieu, Paul (1843–1916), Gelehrter, Publizist

1. Ohne Titel; über elsässische Emigration nach Algerien, in: Journal des Débats 5. November 1872.
   De la colonisation chez des peuples modernes, Paris 1874.
   Ohne Titel; für eine Nutzbarmachung der Kolonien, in: Journal des Débats 26. Februar 1878.
   La politique continentale et la politique coloniale. A propos de la nécessité de l'annexion totale de la Tunisie, in: L'économiste Français, 7. Mai 1881, S. 565–567.
   La Tunisie et l'opposition, in: Revue politique et parlementaire, 13. August 1881, S. 197–201.
2. MURPHY, Agnes (s. Abt. B), S. 101–175.
   STOURM, René, Paul Leroy-Beaulieu, in: RDM 1. April 1917, S. 532–553.

Lesseps, Ferdinand de (1805–1894), Unternehmer, Diplomat

1. Souvenirs de quarante ans, Bde. 1–2, Paris 1887.
2. BONNET, Georges Edgar, Ferdinand de Lesseps. Le diplomate – le créateur de Suez, Paris 1951.
   Ders., Après Suez – le pionnier de Panama, Paris 1959.

Loubet, Emile (1838–1929), Präsident der Republik

2. COMBARIEU, Abel, Sept ans à l'Elysée avec le Président Emile Loubet: de l'affaire Dreyfus à la conference d'Algésiras 1899–1906, Paris 1932.
   LARKIN, M. J. M., Loubet's visit to Rome and the Question of Papal Prestige, in: Historical Journal 4 (1961), S. 97–103.

Louis, Georges (1847–1917), Diplomat

1. Les Carnets de Georges Louis, hrsg. von Ernest Judet, Bde. 1–2, Paris 1926.
2. JUDET, Ernest, Georges Louis, Paris 1925.
3. MAE: Papiers nominatifs Nr. 188 (Bde. 1–4).

Lyautey, Hubert (1854–1934), Kolonialoffizier

1. Le rôle colonial de l'armée, in: RDM 15. Januar 1900.
   Lettres du Tonkin et de Madagascar (1894–1899), Paris 1921.
   Vers le Maroc. Lettres du Sud-Oranais 1903–1906, Paris 1937.
   Lyautey l'Africain. Textes et lettres du Maréchal Lyautey présentés par Pierre Lyautey, Bd. 1: 1912–1913, Paris 1953.
2. Akademierede, Empfang durch Mgr. Duchesne, 8. Juli 1920.

Mac-Mahon, Edme Patrice Maurice (1808–1893), Präsident der Republik

1. Seine »Souvenirs« betreffen die Zeit vor 1870.
2. DAUDET, Ernest, Souvenirs de la Présidence du Maréchal de Mac Mahon, Paris 1880.

Mangin, Charles, Kolonialoffizier

1. Regards sur la France d'Afrique, Paris 1924.
   Lettres de la Mission Marchand 1895–1899, in: RDM 15. September 1931, S. 241–283.

Marcel, Henri (*1854), Diplomat

3. MAE: Papiers nominatifs Nr. 112 (Bd. 1: 1884–1898).

Margerie, Pierre de (1861–1942), Diplomat

2. AUFFRAY, Bernard, Pierre de Margerie (1861–1942) et la vie diplomatique de son temps, Paris 1976.
   (Auffrays Mutter ist de Margeries Schwester; vgl. auch Publikation über seinen Vater).
3. MAE: Papiers nominatifs Nr. 113 (Bde. 1–5 wichtig, aber nur in Fotokopien vorhanden).

Maugny, Albert de, Diplomat

1. La Question de Tunis, Paris 1881.
   Souvenirs du Second Empire. La Fin d'une Société, Paris 1889.
   Nouvelles couches, Journal d'un philosophe, Paris 1893.
   Cinquante ans de souvenirs 1859–1909, Paris 1914.

Maurras, Charles (1868–1952), Publizist

1. Kiel et Tanger 1895–1905. La République française devant l'Europe, Vorwort: De 1905 à 1913, Paris 1914.

Meaux, Marie-Camille-Alfred de (*1830), Deputierter
1. Souvenirs politiques 1871–1877, Paris 1905.

Mermeix (Pseudonym für Gabriel Terrail), Publizist
1. Les coulisses du boulangisme, Paris 1890.
   Chronique de l'An 1911, Paris 1912.

Méline, Jules (1838–1925), Ministerpräsident
1. Diverse Reden.
2. HANOTAUX, Gabriel, Jules Méline, in: RDM 15. Januar 1926, S. 440–454.
   LACHAPELLE, Georges, Le ministère Méline. Deux années de politique intérieure et extérieure 1896–1898, Paris 1928.

Messimy, Adolphe-Marie (1869–1935), Minister
1. Mes Souvenirs, Paris 1937 (Teildruck in der Revue de Paris vom 15. März 1937).

Meyer, Arthur, Publizist
1. Ce que mes yeux ont vu, Paris 1911.

Millerand, Alexandre (1859–1943), Minister
1. Pour la défense nationale, une année au Ministère de la Guerre 1912–1913, Paris 1913.
2. PERSIL, Raoul, Alexandre Millerand, Paris 1949.
3. MAE: Papiers nominatifs Nr. 118 (Bd. 10 weniges über Indochina von total 94 Bden.).

Millet, René (1844–1919), Diplomat
1. Le commerce français en Orient, Paris 1889.
   Souvenirs des Balkans, Paris 1891.
   La colonisation française en Tunisie, Tunisie 1899.
   Quatre ans de politique extérieure, in: Revue politique et parlementaire 10. Oktober 1902, S. 5–38.
   Le Ministère des Affaires Etrangères, in: Revue hebdomadaire vom 11. März 1911, S. 177–203.
   Notre politique étrangère de 1898 à 1905 (Mit einem Vorwort von Gabriel Hanotaux).

Monteil, Parfait Louis (1855–1925), Kolonialoffizier
1. De Saint-Louis à Tripoli par le lac Tschad, voyage au travers du Soudan et du Sahara, accompli pendant les années 1890–91–92, Paris 1895.
   Les Conventions franco-anglaises des 14 juin 1898 et 21 mars 1899, Paris 1899.
   Souvenirs vécus: Quelques feuillets de l'histoire coloniale, Paris 1924.
   Un voyage d'exploration au Sénégal, Papcete 1882.
   Contributions d'un vétéran à l'histoire coloniale, in: Revue de Paris, 1. September 1923, S. 97–131.
2. LABOURET, Henri, Monteil explorateur et soldat, Paris 1937.
   TESSERES, Yves de, Une épisode du partage de l'Afrique: La mission Monteil de 1890–1892, in: Revue d'histoire d'outre-mer 216 (1972), S. 345–410.

Montholon, Charles-Jean-Tristan (1843–1899), Diplomat
3. MAE: Papiers nominatifs Nr. 120 (Bd. 1: 1870–1895).

Moüy, Charles de (*1834), Diplomat
1. Souvenirs et causeries d'un diplomate, Paris 1909.
   Souvenirs d'un diplomate. La délégation des affaires étrangères à Tours et à Bordeaux 1870–1871, in: RDM 15. März 1903, S. 241–275.

3. MAE: Papiers nominatifs Nr. 122 (6 cartons 1876–1888).

Mun, Albert de (1841–1914), Deputierter

1. Pour la Patrie, Paris 1912.
   L'Heure décisive, Paris 1913.
   La guerre de 1914. Derniers articles (25 juillet–5 octobre 1914), Paris 1914.
2. Akademierede, Empfang durch Cte. d'Haussonville 10. März 1898.
   PIOU, Jacques, Le Comte Albert de Mun. Sa vie publique, Paris 1926.
   MOLETTE, Charles, Albert de Mun, Paris 1970.

Napoleon III. (1808–1873)

2. AUBRY, Octave, Napoléon III, Paris 1929.

Nisard, Francois (*1841), Diplomat

3. MAE: Papiers nominatifs Nr. 182 (Bd. 1).

Ormesson, Olivier-Gabriel-François d' (*1849), Diplomat

3. MAE: Papiers nominatifs Nr. 128

Ormesson, Wladimir (*1888), Publizist, Diplomat, Sohn von Olivier Ormesson

1. Portraits d'hier et d'aujourd'hui, Paris 1925.
   Enfances diplomatiques: Saint Pétersbourg, Copenhague, Lisbonne, Athènes, Bruxelles, Paris 1932.
   Qu'est-ce qu' un Français? Essai de psychologie politique, Paris 1934.

Paléologue, Maurice (1859–1944), Diplomat

1. Le Maroc. Notes et souvenirs, in: RDM 15. April 1885, S. 888–924.
   La Russie des Tsars pendant la Grande Guerre, Paris 1921 (1923 Aufl. in 3 Bden.).
   Le Roman tragique de l'Empereur Alexandre II, Paris 1923 (autobiographische Ausführungen im Vorwort).
   Un grand tournant de la politique mondiale 1904–1906, Paris 1934 (Vorabdruck in der RDM (1932). Vgl. Antwort Wolfgang Foersters in den Berliner Monatsheften vom November 1932 und Februar 1933 und Montgelas im Dezember 1933).
   Alexandre Ier, un tsar énigmatique, Paris 1937.
   Au Quai d'Orsay à la veille de la tourmente. Journal 1913–1914, Paris 1947 (Journal von 1912 vermisst. Paléologue hat es seinem Freund Poincaré ausgeliehen, als dieser die Bände 1 und 2 seiner Memoiren schrieb).
   Journal de l'affaire Dreyfus 1894–1899. L'affaire Dreyfus et le Quai d'Orsay, Paris 1955.
2. Akademierede, Empfang durch Louis Barthou 29. Nov. 1928.
   Mme Saint-René Taillandier, Silhouettes d'ambassadeurs, in: RHD (1952), S. 194–200.
3. MAE: Papiers nominatifs Nr. 133 (Bde. 1–4 off. Korrespondenz, Bd. 5 Dokumente).

Patenôtre, Jules (*1845), Diplomat

1. Souvenirs d'un diplomate: voyages d'autrefois, Bde. 1–2, Paris 1913.
2. BLANCSUBE, Jules, La mission Patenôtre (en Annam). Lettre à M. Jules Ferry, Paris 1884.
3. MAE: Papiers d'agents (Bd. 5: 1898/99, Bd. 6: 1900–1902).

Paul-Boncour, Joseph (*1873), Minister

1. Entre deux guerres. Souvenirs sur la IIIᵉ Rèpublique. Paris 1945/46. Bde. 1–3, Band 1: Les luttes républicaines 1877–1918, Paris 1945.

Péguy, Charles (1873–1914), Schriftsteller

1. Notre patrie, Paris 1905.

Notre jeunesse, Paris 1910.

Oeuvres complètes, Paris 1917–1944, Bde. 1–15 (besonders Bde. 11 und 12 mit den Textes politiques).

Picard, Ernest (1821–1877), Minister, Diplomat

2. RECLUS, Maurice, Ernest Picard 1821–1877, Paris 1912.

Pichon, Stephen (1857–1933), Aussenminister, Diplomat

1. Dans la bataille, Paris 1908 (Artikelsammlung mit einem biographischen Abriss von Georges Normandy).
2. MILLER, David, Aussenminister Pichon, Manuskript Cambridge.
3. MAE: Papiers nominatifs Nr. 141 (Bde. 1–8, vorwiegend offizielle Papiere).
   Institut: Bde. 1–4, Nr. 4395–4398.

Pognon, Henri (*1853), Diplomat

1. Lettre à Monsieur Doumergue, président du conseil, ministre des affaires étrangères, au sujet d'une réforme du ministère des affaires étrangères, Paris 1914.

Poincaré, Raymond (1860–1934), Aussenminister, Präsident der Republik

1. Vues politiques, in: Revue de Paris 1. April 1898, S. 638–658.
   Idées contemporaines, Paris 1906.
   Questions et figures politiques, Paris 1907.
   How France is governed, London 1913.
   Messages, discours, allocutions, lettres et télégrammes, Bde. 1–3, Paris 1919–1921.
   Les origines de la guerre, Paris 1921 (Vorträge).
   The responsibility for the war, in: Foreign Affairs, Oktober 1925.
   Au service de la France, Bde. 1–10, Paris 1925–1933 (Memoiren. Elfter und letzter Band erschien nachträglich 1974. Für die Jahre bis 1914: Bde. 1–4).
   Francis Charmes, in: Livre du centenaire. Cent ans de vie française à la RDM, Paris 1929, S. 458–464.
2. Akademierede, Empfang durch Ernest Lavisse 9. Dez. 1909.
   CHASTENET, Jacques, Raymond Poincaré, Paris 1948.
   KEIGER, John F. V., Raymond Poincaré, Cambridge 1997.
   MIQUEL, Pierre, Poincaré, Paris 1961.
   PAYEN, Fernand, Raymond Poincaré. L'homme, le parlementaire, l'avocat, Paris 1936.
   WORMSER, Georges, Le septennat de Poincaré, Paris 1977.
   WRIGHT, Gordon, Raymond Poincaré and the French Presidency, Stanford 1942.
3. BN: na fr 16024–27 (notes journalières déc. 1912–août 1914; Tagebuch erst ab 1914, vorher bloss Agenda). Ferner: na fr 16035–16038 (Reden 1895–1918).

Prévost-Paradol, Lucien-Anatole (1829–1970), Schriftsteller, Diplomat

1. La France Nouvelle, Paris 1868.
2. GERARD, Octave, Prévost-Paradol: Etude suivi d'un choix de lettres, Paris 1894.
   REICHERT, Robert W., Prévost-Paradol: His life and his work, New York 1949.

Psichari, Ernest, Kolonialoffizier

1. L'appel des Armes, Paris 1913.
   Lettres du Centurion, Paris 1947.
2. MASSIS, Henri, La vie d'Ernest Psichari, Paris 1916.
   GOICHON, E., A la mémoire d'Ernest Psichari, Paris 1946.

Radziwill, Princesse (née Castellune)

1. Lettres de la princesse Radziwill au général de Robilant 1898–1914, Bde. 1–4, Bologna 1924–1934 (aus Berlin).

Ranc, Arthur (1831–1908), Deputierter

1. Souvenirs-Correspondance 1831–1908, Paris 1913.
2. DEPASSE, Hector, Arthur Ranc, Paris 1883.

Reclus, Onésime (1837–1916)

1. Lâchons l'Asie, prenons l'Afrique. Où renaître? Et comment durer?, Paris 1904.

Regnault, Eugène-Louis-Georges (*1857), Diplomat

3. MAE: Papiers d'agents.

Reinach, Joseph (1856–1921), Deputierter, Publizist

1. Gambetta (vgl. dort).
   L'opinion publique en France et la politique extérieure, in: Revue politique et littéraire 11.
   Dezember 1880, S. 554–564.
   Histoire de l'Affaire Dreyfus, Bde. 1–7, Paris 1901–1911.
   Histoire de Douze Jours, 23 Juillet–3 août 1914. Origines diplomatiques de la guerre de
   1914–1917, Paris 1917.
3. BN: na fr. 13529–24916.

Rémusat, Charles de (1797–1875), Aussenminister, Diplomat

1. Mémoires de ma vie, Bd. 5: 1852–1875, Paris 1967.

Révoil, Paul (1856–1914), Diplomat

1. Journal (Auszug in DDF, Série II, Bd. 9).
3. MAE: Papiers nominatifs Nr. 149 (Bde. 1–6).

Ribot, Alexandre (1842–1923), Aussenminister, Ministerpräsident

1. Quatre années d'opposition. Discours-politiques 1901–1905, Bde. 1–2, Paris 1905.
   Akademierede, Empfang von Jules Cambon 20. November 1919.
   Lettres à un ami. Souvenirs de ma vie politique, Paris 1924.
   Journal et correspondances inédites (1914–1922), Paris 1936 (hrsg. vom Sohn Alexandre
   Eugène Ribot).
   L'alliance franco-russe, in: Revue d'Histoire de la Guerre Mondiale 15 (1937), S. 201–228
   (verfasst 1913, hrsg. vom Sohn A. E. R.).
2. Akademierede, Empfang durch Paul Deschanel, 20. Dezember 1901.
   SCHMIDT, Martin E., Alexandre Ribot. Odyssey of a Liberal in the Third Republic, Den
   Haag 1974.
   Le Quai d'Orsay et M. Ribot 1890, Orléans 1993.
3. MAE: Papiers nominatifs Nr. 52 (Bde. 1–4: 1890–1896).
   Zu den Papieren in Privatbesitz vgl. M. E. SCHMIDT, s. auch Flourens.

Ring, Maximilien, Napoléon-Théodore (1834–1905), Diplomat

1. La Question d'occident, le Maroc, in: Nouvelle Revue 73 (1891), S. 268–278.
   Un coup d'oeuil sur la Tunisie, in: Nouvelle Revue 15. Januar 1894.
   Le Traité de Tananarive, in: Nouvelle Revue 15. November 1895.
3. MAE: Papiers nominatifs Nr.151 (Bde. 1–15, besonders Bde. 11–15).

Robert, Léon, Kabinettschef

3. MAE: Papiers nominatifs Nr. 184 (Bd. 1: 1888).

Routier, Gaston, Publizist

1. Guillaume II à Londres et l'union franco-russe, Paris 1894.
   Les droits de la France sur Madagascar, Paris 1895.

Grandeur et décadence des Français, Paris 1898.

Un point d'histoire contemporaine, le voyage de l'impératrice Frédéric à Paris en 1891. Les peintres français à Berlin. Souvenirs d'hier et documents. Les relations franco-allemandes de nos jours. Mes visites à Bismarck et à Liebknecht, Paris 1901.

Le sabotage des Affaires Etrangères de la France, Paris 1912.

Rouvier, Maurice (1842–1911), Ministerpräsident

2. GIGNOUX, Claude Joseph, Rouvier et les Finances, Paris 1931.

MURET, Pierre, La politique personnelle de Rouvier et la chute de Delcassé, in: Revue d'Histoire de la Guerre Mondiale 17 (1939), S. 209–231.

SOURDILLE, Bernard, L'oeuvre financière de Rouvier, Paris 1941 (Thèse en droit).

3. MAE: Papiers nominatifs Nr. 185 (Bd. 1: 1887/1888).

Saint-Aulaire, Auguste-Félix de (1866–1954), Diplomat

1. Confession d'un vieux diplomate, Paris 1953.

Je suis diplomate, Paris 1954.

2. Comte de SAINT-QUENTIN, Le Comte de Saint-Aulaire, in: RHD (1954), S. 285–295.

Saint-René Taillandier, Georges (1852–1942), Diplomat

1. Les origines du Maroc. Récit d'une mission 1901–1906, Paris 1930.

Le monde disparu. Souvenirs, hrsg. von Mme Saint-René Taillandier, Paris 1947.

2. DOLLOT, René, Un centenaire, Georges Saint-René Taillandier 1852–1942. Souvenirs anecdotiques sur l'homme, in: RHD (1952), S. 207–222.

3. MAE: Papiers nominatifs Nr. 158 (Bd. 1: 1885).

Saint-Vallier, Charles-Raymond de (1833–1886), Diplomat, Senator

2. DAUDET, Ernest, La France et l'Allemagne après le congrès de Berlin. La mission du comte de Saint-Vallier (décembre 1877–décembre 1881), Paris 1918.

WADDINGTON, Francis, Correspondance diplomatique du Comte de Saint-Vallier, in: Revue politique et parlementaire 163 (1935), S. 117–131 und 168 (1936), S. 301–318.

STEINBACH, Diplomatie (s. Abt. B), S. 274–281.

3. MAE: Mémoires et Documents Allemagne 166, 166 bis, 167, 167 bis.

Saint-Valry, Gaston, konservativer Publizist

1. Souvenirs et réflexious politiques. Documents pour servir à l'histoire contemporaine, Bde. 1–2, Paris 1886.

Say, Léon (1826–1896), Minister, Diplomat

1. Les Finances de la France sous la Troisième République (1870–1896), Bde. 1–4, Paris 1898–1901.

2. Akademierede, Empfang durch Rousse 16. Dezember 1886.

MICHEL, Georges, Léon Say. Sa vie, ses oeuvres, Paris 1900.

PICOT, Georges, Léon Say. Notice historique sur la vie et ses travaux, Paris 1900 (mit ausführlicher Bibliographie).

Scheurer-Kestner, Auguste (1833–1899), Deputierter

1. Les Républicains de l'Alsace et de la Lorraine à l'Assemblée Nationale de Bordeaux, in: Revue Alsacienne Mai 1887, S. 289–296 und Juni 1887, S. 343–354.

Souvenirs de jeunesse, Paris 1905.

3. BN: Journal et correspondance (12708 und 24409).

Selves, Justin de (1848–1934), Aussenminister

1. Vorwort zu Maurice Herbettes Übersetzung: Bernhard Bülow, La Politique allemande, Paris 1914.
2. BASCHET, René, Notice sur la vie et les travaux de Justin de Selves, Paris 1935 (Nachruf des Instituts).

Siegfried, André (1875–1959), Gelehrter, Sohn des Deputierten Jules Siegfried

1. Mes souvenirs de la III^e République. Mon père et son temps. Jules Siegfried 1836–1922, Paris 1952.
   Mes souvenirs d'enfance, Bourges 1957.

Simon, Jules (1814–1896), Minister, Ministerpräsident

1. Le gouvernement de M. Thiers, Bde. 1–2, Paris 1878/1879.
   Notes et souvenirs, in: Revue mondiale 169 (1926), S. 339–348; 170 (1927), S. 3–16, 113–127, 211–218, 315–322, hrsg. von G. Simon.
2. Akademierede, Albert de Mun auf seinen Vorgänger 10. März 1898.
3. AN: 87 A. P 2.

Spuller, Eugène (1835–1896), Publizist, Minister, Aussenminister

1. Figures disparues, Bde. 1–3, Paris 1886–1894.
   Quatorze mois de législature, in: Revue politique et parlementaire Januar 1895, S. 1–15.
2. DEPASSE, Hector, Eugène Spuller, Paris 1883.
   Eugène Spuller 1835–1896. Livre de souvenir, Evreux o. J.
3. MAE: Papiers nominatifs Nr. 164 (Bde. 1–2: 1870–1881).

Tardieu, André (1876–1945), Publizist, Diplomat, Deputierter

1. Questions diplomatiques de l'année 1904. Politique française. Questions d'Orient. Guerre russo-japonaise, Paris 1905.
   La conférence d'Algéciras: histoire diplomatique de la crise marocaine 15er janvier–7 avril 1906, Paris 1907.
   Le Mystère d'Agadir, Paris 1912.
   La profession parlementaire, Bde. 1–2, Paris 1937.
3. MAE: Papiers nominatifs Nr. 166 (nur Bde. 1 und 2 für die Zeit vor 1914, doch sehr speziell auf marokkanische Fragen bezogen).
   AN: 324 AP, 15 Bde. (nicht sehr ergiebig).

Target, Paul Léon (1821–1908), Deputierter, Diplomat

2. LEGARET, Jean, Paul-Léon Target. Un député de l'Assemblée Nationale, Paris 1936 (Thèse en droit).

Thévenaut, Arsène, Journalist

1. Souvenirs d'un journaliste. 1883–1889, Arcis-sur-Aube 1901.

Thiébaut, Napoléon-Eugène-Emile (*1856), Diplomat

3. MAE: Papiers nominatifs Nr. 169 (Bde. 1 und 2).

Thiers, Adolphe (1797–1877), Präsident der Republik

1. Discours parlementaires, Bde. 1–16, Paris 1879–1883.
   Notes et souvenirs de M. Thiers 1870–1873, Paris 1901.
   Occupation et libération du territoire, Bde. 1–2, Paris 1900 (Korrespondenz).
   Le courrier de M. Thiers d'après les documents conservés au département des manuscrits de la Bibliothèque Nationale, Paris 1921, hrsg. von Daniel Halévy.
2. MALO, Henri, Thiers 1797–1877, Dijon/Paris 1932.

Un projet d'Alliance franco-russe en 1871, in: Revue de Paris 24 (1917), S. 617–634 (anonym).
SIMON, Jules, Le gouvernement de Monsieur Thiers, Bde. 1–2, Paris 1878.
3. MAE: Papiers d'agents (einige maschinengeschriebene Kopien 1871–1878).
BN: na fr. 20601 (Bde. 7–14 für 1870–1877).
AN: erst seit 1978 benutzbar.
Bibliothèque Thiers, Place St. Georges.

Thomson, Charles (1835–1898), Diplomat

3. MAE: Papiers nominatifs Nr. 171 (1 Bd. 1882–1889).

Tirman, Louis (1837–1899), Generalgouverneur

2. VIGNES, Kenneth, Le Gouverneur général Tirman et le système des rattachements, Paris 1958 (these lettres).

Tissot, Charles (1828–1884), Diplomat

2. Nachruf des Instituts, 4. Juli 1884 (durch M. Berrot).
CHARLES-ROUX, François, L'ambassade de Charles Tissot à Fèz (14 octobre–10 novembre 1871), in: RHD (1946), S. 245–251.

Toutain, Edmund (*1858), Diplomat

1. Alexandre III et la République française. Souvenirs d'un témoin 1885–1888, Paris 1929 (Vorabdruck in der RHD).

Valfrey, Jules, Diplomat, Publizist, Bankier

1. Histoire de la diplomatie du gouvernement de la Défense Nationale, Bde. 1–3, Paris 1871/1872.
Histoire du traité de Francfort et de la libération du territoire français, Bde. 1–2, Paris 1874/1875.
3. MAE: Papiers nominatifs Nr. 172 (Bde. 1–6: 1881–1900).

Viviani, René (1863–1925), Ministerpräsident

1. Les responsabilités de la guerre. Discours, Paris 1922.
Réponse au Kaiser, Paris 1923.

Vogüé, Charles-Jean-Melchior de (1829–1916), Diplomat, Gelehrter

1. Akademierede auf Vorgänger Albert de Broglie 12. Juni 1902.
2. Akademierede, Empfang durch Heredia, 12. Juni 1902.

Vogüé, Eugène-Melchior de (1848–1910), Diplomat, Schriftsteller

1. Akademierede auf Vorgänger D. Nisard, 6. Juni 1889.
Akademierede, Empfang von G. Hanotaux 24. März 1898.
Paris, Saint-Pétersbourg 1877–1883. Journal, Paris 1932, hrsg. von Félix de Vogüe (Cahiers verts Nr. 9, dir. par Daniel Halévy).
2. Akademierede, Empfang durch Rousse 6. Juni 1889.
LYAUTEY, Hubert, E. M. de Vogüé, in: Livre du centenaire. Cent ans de vie française à la RDM, Paris 1929, S. 429–444.
ORMESSON, André d', Le vicomte Eugène-Melchior de Vogüé. Diplomate et écrivain 1848–1910, in: RHD (1950), S. 196–210.

Waddington, William Henry (1826–1894), Aussenminister, Diplomat

2. ALLAIN-TARGÉ, Le Ministère Waddington, in: Revue de Paris 1. März 1904, S. 147–161.
SAY, Léon, Nachruf des Instituts vom 12. Januar 1894.

WADDINGTON, Francis (Sohn), La France au congrès de Berlin, in: Revue politique et par-
    lementaire 1933, S. 449–484.
Ders., Un entretien avec Bismarck, in: Revue politique et parlementaire 1934, S. 3–12.
Ders., La politique de paix en 1875, in: Revue politique et parlementaire 1934, S. 233–240.
Ders., La question des frontières grecques, in: RHD (1936), S. 54–71, 296–321, 453–480.
WADDINGTON, Mary King, Letters of a Diplomat's Wife 1883–1900, London 1903.
Dies., Italian letters of a Diplomat's Wife. January-May 1880, February-April 1904, London
    1905.
Dies., My first Years as a Frenchwoman 1876–1879, London 1914.
3. MAE: Papiers d'agents, Bde. 1–9 und 2 Kartons (1875–1893).

Waldeck-Rousseau, Pierre (1846–1904), Ministerpräsident

1. Politique française et étrangère, Paris 1903.
2. SORLIN, Pierre, Waldeck-Rousseau, Paris 1966.

Weiss, Jean-Jacques, Publizist, Kabinettschef

1. 1881 regelmässig in der Revue politique et littéraire.
2. Nachruf von Spuller in der République française vom 21., 23., 25. Mai 1891 (auch in: Figures
    disparus).
    DOUMIC, René, Portraits d'écrivains, Paris 1924, Bd. 1, S. 305–328.
3. MAE: Papiers nominatifs Nr. 228 (Bd. 1: 1882).

Welschinger, Henri, Parlamentsarchivar

1. M. de Freycinet, in: RDM 15. Februar (1912), S. 834–867, und 15. Juli 1914, S. 313–341
    (eigenständige Kommentierung von de Freycinets »Souvenirs«).
    Souvenirs de Bordeaux 1871–1914, in: RDM 1. November (1914), S. 68–80, 15. November
    (1914), S. 203–211, 1. Januar (1915), S. 156–173, 15. Januar (1915), S. 315–335.

Nichtfranzösische Personen

Albert: DAMIEN, Raymond, Albert Ier. Prince souverain de Monaco, Paris 1964.
Bertie: GORDEN LENNOX, Algernon (Hrsg.), The Diary of Lord Bertie of Thame 1914–1918,
    Bde. 1–2, London 1924.
Bethmann-Hollweg: BETHMANN-HOLLWEG, Theodor von, Betrachtungen zum Weltkrieg,
    Bde. 1–2, Berlin 1921,
Blowitz: BLOWITZ, Henri Oppert de, My Memoirs, New York 1903.
Bülow: BÜLOW, Bernhard von, Denkwürdigkeiten, Bde. 1–4, Berlin 1930.
Giers: Barbara JELAWICH (Hrsg.), L'Ambassade Russe à Paris 1881–1898. Les Mémoires de
    Nicolas Giers, Bde. 1–2, o. O. 1967/1968.
Grey: GREY, Edward, Twenty-five years 1892–1916, Bde. 1–3, London 1928.
Hohenlohe: HOHENLOHE-SCHILLINGSFÜRST, Chlodwig zu, Denkwürdigkeiten, Bde. 1–2,
    Stuttgart 1906.
Iswolski: Mémoires de A. Iswolsky, Ancien ambassadeur de Russie à Paris (1906–1910), Paris
    1923.
Kern: SCHOOP, Albert, Johann Konrad Kern, Bd. 2, Frauenfeld 1976.
Münster: KOCH, Ulrich, Botschafter Graf Münster, Diss. Göttingen 1937.
Radolin: THIEMME, Friedrich, Aus dem Nachlass des Fürsten Radolin, Holstein und Friedrich
    Rosen, in: Berliner Monatsheft (1937), S. 725–763, 844–902.
Ressmann: DOLLOT, René, Constantin Ressmann 1832–1899, in: RHD (1953), S. 129–139,
    227–250.
Schoen: SCHOEN, Wilhelm von, Erlebtes, Stuttgart 1921.

# REGISTER

*1. Personenregister*

Adam, Juliette 44, 107, 144, 148, 163, 167, 181 f., 184, 249, 538
Ageron, Robert 247
Alapetit, Gabriel 247
Albéric, Neton 457
Alexander II. (russ. Zar) 308
Alexander III. (russ. Zar) 308, 331
Allain, Jean-Claude 19, 345, 435
Allard, Maurice 529
Allemane, Jean 269, 394
Allizé, Henri 276
Alphons XII. (span. König) 552
Andral 162
André, Louis Joseph 159, 553
Andrew, Christopher 592
Andrieux, Louis 185, 249 f., 254 f., 259, 384
Angelow, Jürgen 17
Appert, Félix-Antoine 308, 508, 578
Arago, Emanuel 256, 277 f., 282, 313, 326 f.
Arago, Etienne 277 f.
Arago, François 277 f., 367
Arnim, Harry von 536 f.
Aubigny, de 246
Aubriot, Paul 91
Auffray, Jules 218, 240, 255, 289, 525
Augusta (dt. Kaiserin) 212
Auguste Viktoria (dt. Kaiserin) 312, 551, 588
Aumale, Jacques d' 203, 268, 560
Aunay, Peletier d' 203 f., 243, 256, 260, 298, 326, 331, 367, 523, 526
Autigeon, Charles Numa 364
Aynard, Edouard 119, 245, 300, 327
Aynard, Raymond 119, 278, 296, 299 f.

Baillou, Jean 21
Balleyguier, Eugène 202
Banneville, Gaston-Robert Morin de 90, 95, 106, 133, 135, 145, 150, 152, 156, 170, 295, 510, 512, 525
Bapst, Constant Edmond 281, 294, 357, 518 f., 526 f.

Barisien, Pierre 388, 579
Baron, Gabriel 302, 452, 589
Barrai, Pierre 295
Barrère, Camille 119, 157, 192 f., 201, 204 f., 209, 211, 228–231, 245, 256, 274–276, 301, 303, 305, 309 f., 314–319, 323–326, 330 f., 335, 425, 445, 448, 463, 469 f., 499, 503, 505, 518, 520, 523, 570, 584
Barthélemy-Saint-Hilaire, Jules 89, 94, 101, 109, 115, 172, 188 f., 193 f., 211, 213–216, 224, 241, 254, 265, 267, 299, 321 f., 353, 371, 388, 402, 407, 409, 444, 512, 535, 580, 594
Bartholdi, Philippe-Amédée 135, 149, 404
Baude, George-Napoléon 134 f., 146, 156, 161, 168, 177
Baudin (Senator) 385
Baylin de Monbel 242
Bréal, Auguste 117
Beau, Jean 245, 254, 274, 297 f., 370, 457
Beaucaire, Maurice-Horric de 203, 217
Beaupoil, Saint-Aulaire de 153
Becker, Jean-Jacques 7, 13, 23, 36 f., 42, 53
Bellise-Durban, Marie-Cyprien-Anatole 138
Benedetti, Vincent 132 f., 569
Benoist, Charles 375, 384, 436
Berr, Henri 11
Bert, Paul 55, 197, 565
Berthelot, André 392, 408
Berthelot, Marcelin 71, 88 f., 96, 116, 217, 261, 270, 297, 517
Berthelot, Philippe 117, 217 f., 300, 355
Berthemy, Jules-François-Gustave 136
Bertie of Thame, Francis 303, 307, 345, 416, 423, 426, 470–472, 496, 556 f., 592
Bertillon, Jacques 561

WEITERE VERÖFFENTLICHUNGEN DES INSTITUTS
FÜR EUROPÄISCHE GESCHICHTE
Abteilung für Universalgeschichte

*Band 195*

MAGNUS BRECHTKEN

**Scharnierzeit 1895–1907**

**Persönlichkeitsnetze und internationale Politik in den deutsch-britisch-amerikanischen Beziehungen vor dem Ersten Weltkrieg**

2006. XVII, 454 Seiten mit 18 Abbildungen; Ln. mit Schutzumschlag
ISBN: 978-3-8053-3397-9 € 73,90

In der Scharnierzeit zwischen 1895 und 1907 bildete sich die Konstellation der beiden Großmachtblöcke, die dann 1914 blutig aufeinanderstießen. Die außenpolitischen Ziele Großbritanniens, des Deutschen Reiches und der Vereinigten Staaten sowie ihre gegenseitige Wahrnehmung über die Jahrzehnte trugen entscheidend zu dieser Blockbildung bei. Dieser dreiseitige Wandlungsprozeß wird hier erstmals beschrieben und vor dem Hintergrund der Globalisierung des Großmächtesystems analysiert.

VERLAG PHILIPP VON ZABERN · MAINZ AM RHEIN

# WEITERE VERÖFFENTLICHUNGEN DES INSTITUTS FÜR EUROPÄISCHE GESCHICHTE

Abteilung für Universalgeschichte

*Beiheft 64*

HEINZ DUCHHARDT (Hrsg.)

## Martin Göhring (1903–1968)

**Stationen eines Historikerlebens**

2005. XIV, 126 Seiten; kartoniert
ISBN: 978-3-8053-3526-1                                          € 24,80

Der Sammelband geht in seinem Kern auf einen eintägigen Workshop im Januar 2004 zurück, auf dem die wissenschaftliche Karriere und zentrale Schriften des ersten Direktors der Abteilung Universalgeschichte des Instituts für Europäische Geschichte behandelt wurden. Die Kolloquiumsbeiträge wurden durch zusätzlich eingeworbene Artikel ergänzt.

Göhrings noch in die Zwischenkriegszeit zurückreichender wissenschaftlicher Werdegang illustriert die Zwänge und Probleme seiner Generation, die aus einem totalitären System und dessen Ideologie heraus einen Weg suchte und sich unter demokratischen Vorzeichen neu zu positionieren hatte. Die Nachzeichnung seiner Vita und seines Œuvres ist damit zugleich ein Beitrag zum in der Forschung lebhaft diskutierten Problem der Kontinuität bzw. Diskontinuität in der deutschen Geschichtswissenschaft zwischen Drittem Reich und Nachkriegszeit.

Die Beiträger sind Corine Defrance, Heinz Duchhardt, Hermann von der Dunk, Pierre Racine, Claus Scharf, Ernst Schulin und Martin Vogt.

VERLAG PHILIPP VON ZABERN · MAINZ AM RHEIN